33, 25

D1500811

© Institut Français des Relations Internationales, 1985
Tous droits de reproduction, de traduction, d'adaptation et d'exécution
réservés pour tous pays

Directeur de la publication : Thierry de MONTBRIAL, Directeur de l'IFRI

Institut Français des Relations internationales

ramses

UQAR
BIBLIOTHÈQUE
ÉLAGUÉ

Rapport Annuel Mondial sur le Système Économique et les Stratégies

Sous la direction de Thierry de Montbrial

Publié par Atlas-Economica pour l'Institut Français
des Relations Internationales

BIBLIOTHEQUE
27 AOUT 1986
RIMOUSKI

HC
59
A1
R35
,1985

AVANT-PROPOS

Voici donc le quatrième RAMSES. Comme je l'annonçais dès la parution du précédent, ce travail implique désormais l'équipe de l'IFRI dans sa totalité, ainsi que de nombreuses personnalités extérieures.

Ce volume comprend quatre parties. La réalisation de chacune a été placée sous la responsabilité d'un ou de deux maîtres d'œuvre : Dominique Moïsi pour la première, Pierre Jacquet pour la seconde ; Jacques Edin et Pierre Jacquet pour la troisième ; Jacques Edin pour la quatrième. Ces trois collègues ont effectué un travail considérable. Il m'appartient de leur rendre ici l'hommage qu'ils méritent.

La première partie a été rédigée avec le concours d'Yves Boyer, Nicole Gnesotto, Jean Klein, Bassma Kodmani-Darwish, Pierre Lellouche et Philippe Moreau Defarges, au sein de l'IFRI ; de Christine Desouches (maître-assistant à l'Université de Paris-1) et Jacques Rupnik (chargé de recherches au CERI), à l'extérieur.

La deuxième partie a bénéficié des apports de Marie-Hélène Duprat à l'IFRI, et de Stéphane Marchand à l'extérieur.

Les collaborateurs de la troisième partie sont à l'IFRI : Monique Benisty et Irène Rufin ; et à l'extérieur : François Bar (chercheur à l'Université de Berkeley, auprès de la BRIE - Berkeley Roundtable on the International Economy), Jocelyne Decaye et Blanka Kalinova (administrateurs à l'OCDE), Jacques de Miramont (chef de division à l'OCDE) et Gilles Oudiz (administrateur de l'INSEE). Le concours de la BRIE a été particulièrement précieux pour le chapitre sur la technologie.

La quatrième partie a été rédigée par Jean-Alphonse Bernard, spécialiste de l'Inde, et François Godement, maître de conférences à l'INALCO.

Les statistiques et graphiques économiques ont été mis au point par Christian Benoît, sous la direction de Pierre Jacquet. Les données historiques et prospectives ont été obtenues en ligne auprès du groupe Cisi-Wharton.

Pour la direction de l'ensemble de l'ouvrage, j'ai bénéficié de l'aide inestimable de Marie-Claude de Saint-Hilaire, mon assistante tout au long de l'aventure de l'IFRI.

Je tiens aussi à manifester ma reconnaissance à Yvonne Creissel, responsable de l'administration et du personnel au sein de l'Institut ; à Elisabeth Kosellek et Marielle Cortyl qui ont dirigé, comme l'an dernier, la réalisation de l'ouvrage ; à Zouleikha Boumaïza, qui aura la charge de mieux le faire connaître ; à Véronique Humbert et Marie Lapierre, documentalistes.

La sortie, dans les délais prévus, d'un travail collectif aussi important repose aussi sur le dévouement et l'intelligence des secrétaires et dactylos, à des degrés divers de responsabilité. J'exprime ici ma gratitude à Violaine Bourdeaux, Marie-Hélène Chanier, Marie-Claire Delhom, Nicole Diomande, Marie-France Feigenbaum, Corinne Fustec, Béatrice Morel et Huguette Portejoie.

Jérôme Lo Monaco a assuré la conception graphique du volume, et François Daguet celle de l'index. Qu'ils en soient également remerciés.

Thierry de MONTBRIAL,
Professeur à l'Ecole polytechnique,
Directeur de l'IFRI.

SOMMAIRE

Introduction

Le flot des événements ne cesse de bouillonner, grossi par l'explosion des processus de communication. C'est la caractéristique fondamentale, technologique et sociologique de notre civilisation. Ainsi ballotés sinon submergés, l'analyste et l'homme d'action errent, tel le bateau ivre. Tout les pousse à exagérer le sens des anecdotes qui constituent la trame d'une actualité orchestrée par les médias. Mais l'agression d'une information surabondante suscite aussi la tentation de n'y voir qu'un leurre masquant une réalité immuable. *"Les événements sont l'écume des choses. Ce qui m'intéresse c'est la mer"* dit Valéry. On aimerait pouvoir discerner entre la surface et le fond, évacuer l'accessoire pour isoler l'essentiel. Ce rapport RAMSES, pour la quatrième fois, engage l'IFRI dans cet exercice difficile.

Comme les précédents, il se divise en quatre parties. Deux (la première et la troisième) font le point de ce qui, dans l'ordre politico-stratégique et dans l'ordre économique, nous paraît significatif au cours des dix-huit mois écoulés ; les deux autres (la seconde et la quatrième) sont thématiques. Pour cette année, nous avons décidé d'aborder le problème général des mouvements de capitaux et de faire le point de la situation dans les deux pays les plus peuplés du monde, la Chine et l'Inde.

Je voudrais, dans cette introduction, proposer quelques commentaires à propos de la structure générale de l'ouvrage et livrer des réflexions plus personnelles sur certaines des questions fondamentales sous-jacentes à l'ensemble du rapport, en particulier l'Initiative de défense stratégique américaine (IDS) et l'état de santé de notre Europe.

L'actualité de l'année 1984-1985 a été particulièrement riche en matière politico-stratégique.

On a vu le dialogue Est-Ouest se renouer et la crise de succession en Union soviétique se résoudre. Les difficultés transatlantiques ont rebondi avec l'affaire de l'IDS. La première partie de ce RAMSES tente de démêler tous ces fils. Les rapports américano-soviétiques demeurent la réalité fondamentale du système international. L'enjeu européen reste l'essentiel. Il est donc naturel que, d'année en année, RAMSES s'attache à ces questions. En matière de conflits régionaux, on ne peut tout traiter à chaque fois. Les zones retenues ici sont les Caraïbes et l'Amérique centrale (le sujet n'avait pas été abordé jusqu'ici dans RAMSES) ; le Moyen-Orient et le Golfe ; le continent africain. Ces deux dernières régions intéressent particulièrement l'Europe et la France.

Il faut garder à l'esprit que les conflits du Tiers-Monde ne nous concernent pas seulement pour des raisons morales ou économiques. Si l'on accepte la théorie des mutations lentes, que j'ai présentée dans mon introduction au RAMSES 84/85 et dans mon livre *La revanche de l'histoire*[1], la structure du système international dans son ensemble - et donc notre propre sort - seront affectés à la longue par ce qui se passe à la périphérie des puissances établies. L'idée, développée dans ce volume, que les principaux conflits régionaux sont actuellement "contenus" à défaut de pouvoir être "résolus" a donc une grande portée. Dans le cas particulier de la France, la question de la Nouvelle-Calédonie nécessiterait d'être étudiée sous l'angle des mutations lentes. Plus généralement, l'avenir de nos DOM-TOM, on le sent bien, pèsera lourd sur le destin de notre pays. Un prochain RAMSES devra aborder cette question.

---

1. Julliard, Paris, 1985.

Je voudrais maintenant concentrer l'attention du lecteur sur les rapports Est-Ouest. En septembre 1984, lors de la réunion annuelle de l'Institut international d'études stratégiques de Londres (IISS), en Avignon, la fine fleur des experts du monde occidental semblait d'accord pour exclure toute chance d'une percée quelconque en matière de désarmement, ou plus modestement de maîtrise des armements. Un dégel des relations américano-soviétiques paraissait peu probable. Un mois après, cependant, Andrei Gromyko rencontrait Ronald Reagan à Washington. Le 8 janvier 1985, Andrei Gromyko et George Shultz s'entendaient à Genève pour entreprendre de nouvelles négociations sur les questions stratégiques. Celles-ci devaient s'ouvrir le 12 mars. Chacun sait que les experts se trompent souvent. Il est facile d'ironiser à leur sujet. Que s'est-il en fait passé ?

Du point de vue de Washington, la reprise du dialogue s'explique par la nécessité d'apaiser les inquiétudes, tant de l'opinion publique américaine que des partenaires européens de l'Alliance. Reagan devait briser son image de fauteur de guerre. Qu'il s'agisse du programme de modernisation des forces stratégiques américaines terrestres (les MX) ou du déploiement des *Pershing II* et des missiles de croisière en Europe, le président des Etats-Unis était d'ailleurs soumis très concrètement aux exigences du Congrès comme des gouvernements alliés : faute d'une volonté "sincère" de négocier avec les Russes, ces diverses actions pouvaient être remises en cause. L'Administration américaine a donc décidé d'aller de l'avant et au moins d'affecter la sincérité.

Les Soviétiques, de leur côté, ont échoué dans leur tentative de diviser les Occidentaux dans l'affaire des euromissiles et d'obtenir ainsi, sans concession, l'abandon du déploiement. La décision du gouvernement belge du 20 mars 1985 a encore accentué leur défaite. Mais Moscou n'a pas pour autant changé de méthode. Il s'agit toujours d'impressionner les parties sensibles de nos opinions publiques, des évêques protestants aux pacifistes, en passant par les écologistes. A cette fin, l'Union soviétique doit paraître animée d'une volonté de paix inébranlable, et toujours prête à négocier. Si les négociations piétinent, il faut pouvoir désigner les Etats-Unis comme les seuls coupables. En allant à Genève, en liant les trois négociations portant respectivement sur les systèmes stratégiques, les

vecteurs à portée intermédiaire et les armements de l'espace, les Russes se sont donnés les moyens d'une telle politique. Sans doute craignent-ils l'IDS. La capacité technologique des Etats-Unis les impressionne vraisemblablement. Mais la fameuse initiative n'a pas que des inconvénients pour eux. J'y reviendrai.

S'ils étaient si pressés d'en finir, ils proposeraient sans tarder de l'échanger contre une réduction massive des armements stratégiques ainsi que des systèmes intermédiaires. Les Européens applaudiraient à une telle offre. L'Administration américaine serait divisée mais le président américain devrait saisir la balle au bond. Cette hypothèse ne doit pas être exclue. Mais il est plus probable que, fidèles à eux-mêmes, les Russes attendront de la division des Occidentaux une victoire à peu de frais. Pour cela, il leur faut amuser la galerie à Genève, gagner du temps, et jouer au mieux de l'arsenal de la propagande. Si les intentions des deux protagonistes correspondent à l'analyse qui précède, il ne faut guère attendre à court terme de résultats concrets de leurs "négociations". Les perspectives économiques américaines, la pression à la baisse qui en résulte sur le budget de défense, l'ouverture prochaine de la succession de Ronald Reagan, constituent autant de raisons complémentaires pour que les choses bougent peu. L'erreur des experts de l'IISS est donc moins grande qu'il ne paraît.

Une autre question intensément débattue depuis longtemps, et particulièrement depuis l'avènement de Mikhail Gorbatchev en mars 1985, est l'avenir de l'Union soviétique. Après tant d'années où l'intelligentsia manifestait de l'indulgence et parfois de l'enthousiasme pour la puissance communiste, la mode est aujourd'hui d'annoncer son déclin inéluctable. Les intellectuels d'inspiration libérale en tirent des satisfactions idéologiques. Certains socialistes veulent en déduire qu'il n'existe qu'une seule superpuissance menaçante : les Etats-Unis.

L'Union soviétique traverse une crise "systémique" grave, reconnue par ses dirigeants eux-mêmes. On peut voir dans la baisse de l'espérance de vie et dans les ravages de l'alcoolisme un raccourci et un symbole de l'échec du marxisme-léninisme. Les déboires de l'agriculture, où suivant les produits 20 à 40 % des récoltes sont perdus en conséquence d'une organisation économique désastreuse, en sont une autre manifestation saisissante. La difficulté du passage de la croissance "extensive" à la croissance "intensive" traduit l'incapacité d'une économie à planification centralisée à absorber les mutations technologiques. La nouvelle révolution industrielle, avec la diffusion des technologies de l'information qui progressivement imbibe chez nous la totalité des activités manufacturières et des services, menacent le système soviétique de deux manières. Grâce à la souplesse de l'informatique, l'industrie de demain privilégiera les petites unités décentralisées, au détriment de la production de masse, rigide et uniforme, de naguère. Elle donnera en particulier une nouvelle chance aux petites entreprises. D'autre part, si la multiplication des ordinateurs peut faciliter, dans un pays totalitaire, les tâches de police et de répression, elle favorise également la circulation clandestine des informations et des idées. A terme, le régime soviétique peut se trouver menacé dans son existence. Le rejet des technologies de l'information pourrait condamner l'économie soviétique à un dépérissement qui finirait par affecter le complexe militaro-industriel, sur lequel repose entièrement le statut international de l'URSS. Mais à l'inverse l'assimilation de la civilisation informatique pourrait saper les fondements idéologiques du régime.

Ce dilemme obsède vraisemblablement les dirigeants du Kremlin, qui doivent en rechercher fébrilement le dépassement dialectique. Nous commettrions pour notre part une lourde erreur en enterrant prématurément l'Union soviétique. La montée de Gorbatchev montre que, contrairement aux prévisions de certains soviétologues occidentaux, les rouages de l'Etat fonctionnent. L'autorité du nouveau secrétaire général du PCUS s'est affirmée très rapidement, par comparaison avec tous ses prédécesseurs, Lénine inclus. Quant à l'économie soviétique, n'oublions pas que son taux de croissance n'a pas été en moyenne inférieur à celui des pays de l'OCDE depuis le début de la crise. A moyen terme, il n'est pas exclu que Gorbatchev réussisse à promouvoir des réformes qui, sans toucher à l'essence du système, permettraient de dégager des réserves de productivité non négligeables. Pendant les quelques mois de son règne, Andropov a pu obtenir quelques résultats. Lorsqu'une population travaille peu et mal par manque de motivation, il ne doit pas être impossible de mettre au point des méthodes d'incitation ayant au moins un certain degré

d'efficacité. De plus, certains goulets d'étranglement limitant la main-d'œuvre qualifiée devraient s'atténuer dans les années 90, pour des raisons purement démographiques. N'oublions pas également, que les ressources naturelles de l'URSS restent considérables - malgré les difficultés souvent énormes de leur exploitation.

En bref, la prudence commande à mon avis de juger que dans les cinq à dix années qui viennent, l'économie soviétique ne sera pas délabrée au point de remettre en cause la priorité absolue dont bénéficient les secteurs de la défense par rapport aux secteurs d'activités civiles. La capacité de l'URSS à soutenir l'effort militaire, à participer à la course aux armements tant qualitativement que quantitativement, demeure considérable. A terme plus lointain, la question reste cependant ouverte.

Ces réflexions ne sont pas évidemment étrangères à l'analyse de l'IDS. Le discours du président Reagan en 1983 a d'abord été perçu comme une sorte de "gadget". Ce n'est qu'à partir de l'automne 1984 que l'affaire de la guerre des étoiles a fait irruption au premier rang de la politique internationale. Pour l'analyser, il faut examiner ses implications stratégiques, politiques et économiques.

L'idée initiale de Reagan était de se fixer l'objectif de la protection des populations : la réalisation d'une sorte de bouclier antimissile au-dessus des territoires des Etats-Unis, de leurs alliés et éventuellement de l'Union soviétique elle-même éliminerait le danger de la guerre nucléaire. Chacun reconnaît aujourd'hui qu'un tel projet est irréalisable. L'ambition actuelle, beaucoup plus modeste, semble être d'assurer l'invulnérabilité d'au moins une partie des forces militaires américaines et éventuellement de leurs alliés. Les objections sont alors faciles à formuler comme à l'aube du traité SALT I.

Il faut partir de l'idée que les Soviétiques réagiront d'une part en accroissant leurs propres arsenaux offensifs, d'autre part en réalisant progressivement des systèmes équivalents. L'expérience passée, par exemple avec les ogives à têtes multiples (MIRV), montre qu'en matière militaire ils ont toujours su rattraper les Etats-Unis. A moins de juger qu'ils buttent aujourd'hui sur une barrière économique infranchissable - on a vu plus haut que je ne partage pas cet avis -, on doit conclure que sur ce point l'histoire se répètera. Les Etats-Unis auront alors le choix soit d'abandonner la stratégie de dissuasion nucléaire, soit d'en revenir au vieux principe de la riposte massive sur les villes de l'adversaire. Dans le premier cas, les Européens se retrouveraient complètement soumis au déséquilibre régional des forces. Dans le second, on aboutirait exactement à l'inverse du but initialement recherché !

Certes, les adeptes américains de l'IDS objectent d'une part que l'Europe bénéficierait du même type de protection antimissile, d'autre part que le complément indispensable de la défense antimissile est la dissuasion "conventionnelle" que permettent d'envisager les "technologies émergentes". Malheureusement, à supposer que ces projets soient complètement réalisables, on voit mal comment les financer. Dans le cas d'un pays comme la France, un renforcement significatif de la capacité défensive soviétique nous obligerait à un effort supplémentaire pour élaborer des contre-mesures, et ce au détriment de nos moyens conventionnels. On imagine difficilement que, dans les dix années qui viennent, les pays européens consentent à un accroissement massif de l'effort global de défense. Au total, l'Europe serait bel et bien affaiblie.

Le débat stratégique autour de l'IDS peut s'étendre dans diverses directions. Les remarques précédentes suffisent à montrer que la question n'est pas simple. La guerre nucléaire est une perspective que l'on aimerait pouvoir exclure. Ce n'est pas avec l'IDS que l'on y parviendra.

Si embarrassés que se sentent les Européens dans cette affaire, leur position ne peut pas être entièrement hostile à l'initiative américaine. Le pire serait pour eux que les Soviétiques acquièrent une avance dans les domaines dont il s'agit, alors que les Occidentaux n'auraient rien fait. C'est un risque que l'on ne peut guère prendre. De nombreux indices suggèrent qu'effectivement l'Union soviétique est assez avancée par exemple pour les armes antisatellites, les armes à faisceaux dirigés et à rayons de particules, ou pour la réalisation de certains types de radars. En outre, la controverse sur le respect de l'accord SALT I est loin d'être close. Les Européens doivent d'autre part considérer que la seule chance d'un accord à Genève est que les Etats-Unis utilisent la carte de l'IDS dans la négociation. Ils ne sauraient donc se permettre de saper la position américaine en se prêtant aux manœuvres des Soviétiques pour diviser les alliés.

L'IDS est enfin, très concrètement, un formidable programme de recherches qui ne manquera pas d'avoir, en tout état de cause, les retombées civiles et militaires les plus diverses et dans des directions dont certaines sont imprévisibles. En n'y participant d'aucune façon, l'Europe risquerait d'accroître son retard technologique et d'affaiblir son économie. On prend la mesure du problème si l'on rappelle que les dépenses de recherche-développement dans les industries d'armement se sont élevées en 1982 à 20 milliards de dollars aux Etats-Unis contre 6,5 en Europe. Ces chiffres ne tiennent évidemment pas compte des gaspillages inhérents au morcellement des marchés européens. L'écart qui s'est accru depuis 1982 risque d'augmenter encore dans l'avenir. Pour un pays comme la France, où la contribution des industries d'armement est essentielle à l'équilibre extérieur, ces chiffres sont particulièrement inquiétants.

Les péripéties du sommet de Bonn sont faciles à comprendre. Aucun pays de la Communauté n'a de raison d'être enthousiasmé par l'IDS. Les propositions de coopération du ministre de la Défense Weinberger, transmises le 26 mars, avaient un caractère de généralité qui ôtait toute signification forte aux réponses par "oui" ou par "non", largement commandées par les circonstances politiques du moment.

En fait, la divergence franco-allemande est superficielle. Avec Eurêka, la France a proposé à l'Europe un ensemble d'initiatives coordonnées dans les technologies couvertes par l'IDS. En pratique, tout dépendra de la qualité de l'organisation qui en résultera et, bien entendu, du financement. Que vaudrait l'IDS sans l'équipe du général Abrahamson et sans un budget de 26 milliards de dollars (chiffre d'ailleurs excessif et relativement peu significatif - mais c'est une autre histoire) ?

L'argent reste le nerf de la guerre ! Dans l'immédiat, l'intérêt manifesté par nos partenaires, notamment après Milan, pour l'idée d'Eurêka confirme que les diagnostics sont en réalité très proches dans les principales capitales européennes. Partout, s'exprime la crainte de la fuite des cerveaux. Le pire serait non seulement que les Européens restent passifs, mais que leurs meilleurs savants et ingénieurs prennent le chemin des Etats-Unis. L'histoire de l'IDS ne fait que commencer. J'espère que le lecteur de ce RAMSES saura du moins de quoi il s'agit.

La deuxième partie de ce rapport est consacrée à un thème économique majeur : les mouvement de capitaux. La question des taux de change, l'endettement des pays latino-américains, l'innovation financière en constituent des aspects particuliers.

La révolution des technologies de l'information marque, particulièrement depuis le début de cette décennie, le monde de la finance. La grande variété et l'extrême sophistication de l'innovation financière sont décrites dans les pages que l'on va lire. Il est sans doute trop tôt pour estimer correctement les conséquences de ces transformations sur la capacité des autorités monétaires à exercer leur fonction de contrôle et de coordination. Dans ce domaine comme dans tout autre, la création est un saut dans l'inconnu.

Depuis l'émergence des eurodollars dont l'histoire est rappelée dans ce volume, on sait que la complexité de la gestion du système monétaire international a changé d'ordre de grandeur. En un mot, tout vient de ce que la mobilité des capitaux s'est considérablement accrue. Est-ce à dire, comme on l'entend souvent, que les mécanismes économiques ne fonctionnent plus comme avant ? Historiquement, les théoriciens de l'économie internationale sont partis des hypothèses de la mobilité des biens - d'où le commerce extérieur - et de l'immobilité des capitaux. La théorie des avantages comparatifs de Ricardo, par exemple, en dépend. De même, le mécanisme de l'étalon or, dans une tradition qui va de Hume à Rueff, s'analyse en supposant que des déplacements d'or compensent exactement les balances commerciales et induisent des variations de la quantité de monnaie dont les effets sur les prix engendrent une correction automatique des déséquilibres.

Cette simplification extrême de l'analyse des mouvements de capitaux n'a jamais constitué qu'une maquette rudimentaire de la réalité, dont le pouvoir explicatif a singulièrement diminué depuis la Première Guerre mondiale. L'analyse économique doit aujourd'hui intégrer explicitement la mobilité des capitaux : mouvements de

portefeuilles, mais aussi investissements directs et migrations de travailleurs. Ces phénomènes ne sont plus résiduels. Ils sont devenus centraux.

Les facteurs qui influencent les mouvements de portefeuilles, par exemple, sont bien identifiés. La difficulté est qu'ils incorporent des données à fort contenu psychologique, comme les anticipations de prix et de change. Il est absurde d'imputer l'imprévisibilité qui en résulte aux économistes, comme si le corps médical était responsable du cancer. Le fait est qu'au stade qu'elle a atteint, l'économie mondiale est devenue plus intégrée et plus instable[2]. On peut comprendre à quoi tient ce phénomène sans pouvoir y remédier complètement. La volatilité des taux de change depuis 1971 et surtout depuis 1973, s'explique fort bien de cette manière. Jusqu'en 1981, les vieilles simplifications théoriques donnaient encore satisfaction, en ce sens que la corrélation entre les taux de change et la situation des balances des paiements courants restait forte. Par exemple, la baisse du dollar sous la présidence de Jimmy Carter s'explique convenablement par le déficit extérieur américain et l'excédent allemand ou japonais. Depuis 1981, le dollar n'a cessé de monter surtout par rapport au deutschemark, malgré l'accroissement fulgurant du déséquilibre des paiements aux Etats-Unis.

Il faut naturellement y voir l'effet de l'innovation financière et fiscale dans ce pays ainsi que de la conjoncture, mais également la conséquence du cocktail psychologique résultant de l'europessimisme et de l'américano-optimisme. Ainsi la surévaluation du dollar, mesurée par référence au commerce extérieur, a-t-elle pu s'amplifier sans appeler de correction immédiate. Mais que les anticipations se modifient sur les performances relatives des économies américaine et européennes, et l'on verra le dollar baisser, plus ou moins fortement selon l'intensité du renversement des perceptions.

Si l'on pense, comme l'auteur de ces lignes, que le degré de la résurrection américaine est surestimé et qu'inversement l'europessimisme est exagéré, on peut tenir un retournement des taux de change pour hautement probable. La portée pratique de cette observation est limitée par l'impossibilité de dater le point de rebrousse-

---

2. Voir la troisième partie de ce RAMSES.

ment. Cette interprétation se conjugue cependant bien avec la référence aux cycles longs, qui suggère que le terme de la "crise", commencée vers 1973, ne doit pas être espéré avant les dernières années du siècle. Un retournement du dollar accentuerait vraisemblablement le ralentissement de l'économie américaine qui se répercuterait sur le reste du monde. Il n'est pas sûr que le Système monétaire européen résisterait au choc. Signalons en passant que l'entrée de la livre sterling dans le SME ne faciliterait pas nécessairement les choses, du fait des tensions entre cette devise et le deutschemark, en concurrence pour les mouvements de capitaux.

Ces perspectives un peu moroses conduisent naturellement à porter l'attention sur la question de l'endettement du Tiers-Monde. La conjoncture américaine favorable et les mesures d'assainissement prises dans certains pays latino-américains ont eu des effets positifs, analysés dans ce RAMSES. Mais l'amélioration reste fragile. Dans l'hypothèse d'un retournement du dollar et du ralentissement notable et durable de la croissance aux Etats-Unis, d'énormes difficultés pourraient resurgir et entraîner des conséquences politiques graves.

La troisième partie de cet ouvrage apporte, en matière économique, l'équivalent du tour d'horizon politico-stratégique effectué dans la première partie.

On y trouvera une étude détaillée des politiques suivies par les principaux pays industrialisés, une réflexion approfondie sur l'économie des nouvelles technologies à l'échelle mondiale, un point précis sur l'état du commerce international, sur la situation énergétique, sur les économies de l'URSS et des pays de l'Est, sur la Communauté européenne. Au-delà des informations "digérées" dont chacun pourra apprécier l'intérêt, le lecteur méditera sur le fondement de cet europessimisme, qui affecte tant les comportements des habitants du Vieux Continent et de ceux qui les observent. Un peu de recul permet peut-être davantage de sérénité. Je tenterai de montrer dans les pages qui suivent que, bien que le risque de déclin soit sérieux, nous aurions tort de perdre confiance.

Les Français, en particulier, ont de l'inclination pour la morosité. A la fin de la IVe République, ils se croyaient déjà en pleine décadence. Le désordre des finances publiques et l'inflation

étaient des maux bien réels. Mais souvent ils ne voyaient pas que, du point de vue de la croissance économique, depuis la fin de la guerre, nous étions dans le peloton de tête. Certains hommes d'Etat réputés parmi les plus lucides, comme Pierre Mendès-France, ont voté contre le traité de Rome, de peur que notre économie ne résiste pas au choc de l'ouverture. On retrouve le même débat aujourd'hui à propos des marchés publics. Le démantèlement de leur protection exposerait nos entreprises, mais leur ouvrirait aussi de vastes possibilités chez nos partenaires. Cela fait peur. Dans les années 60, *Le défi américain* de Jean-Jacques Servan-Schreiber s'inscrivit également dans un climat d'angoisse du déclin. Pendant de longues années la France poursuivit cependant son ascension. La présidence de Georges Pompidou n'est-elle pas perçue, aujourd'hui, comme une sorte d'âge d'or de l'industrie française ?

Il ne faut pas se laisser impressionner par la sorte de surexcitation que vivent les Américains depuis environ deux ans, et qui conduisit par exemple, au début de 1984, un homme aussi responsable que le sous-secrétaire d'Etat américain, Lawrence Eagleburger, à spéculer sur le déclin de l'Europe et son lâchage par la république américaine[3]. Les Japonais, d'ailleurs, portent sur nous un jugement plus équilibré. Sachons reconnaître nos faiblesses - il en est largement question dans ce RAMSES - mais elles ne doivent pas obturer la vision de nos points forts. Français ou Européens, nous sommes loin de la nullité uniforme dans les technologies de pointe. Chacun connaît Concorde, Ariane et notre maîtrise du cycle nucléaire. Même dans les domaines que couvre l'IDS, nous avons nos capacités - notamment en optique. En informatique, notre savoir-faire en matière de logiciels, par exemple, n'est pas négligeable.

L'obsession du déclin de l'Europe tient en partie à la psychologie. L'euphorie américaine y est pour beaucoup, ainsi que nos complexes à l'égard du Japon. Sur le plan macro-économique, il est incontestable que les années 1983 et 1984 ont été favorables aux Etats-Unis et au Japon. Le taux de croissance du PIB a atteint aux Etats-Unis le chiffre record de 6,7 % en 1984 (3,7 % en 1983). La reprise fut plus faible

---

3. Lawrence Eagleburger, "L'Amérique entre l'Europe et le Pacifique", *Politique étrangère*, n° 1/1984.

au Japon (3 % en 1983, 5,7 % en 1984). L'Europe s'est laissée nettement distancer (1,1 % en 1983, 2,2 % en 1984). Le taux de chômage s'est nettement réduit aux Etats-Unis (7,5 % en 1984 contre 9,5 % en 1982 et 1983). Il est resté faible au Japon (2,7 % en 1984) alors qu'il a progressé en Europe (10,6 % en 1984, 10,2 % en 1983, 9,1 % en 1982). Le taux d'inflation a également beaucoup diminué aux Etats-Unis - 4,3 % en 1984 - tandis qu'il atteignait encore 6,3 % en Europe cette même année.

Il faut cependant tempérer la portée de ces observations. Le ralentissement du chômage américain le ramène au taux de 1981, lequel était le plus élevé depuis la récession de 1975-1976. C'est bien (en Europe le taux de chômage n'a cessé de monter), mais pas extraordinaire. En ce sens, le chiffre de 20 millions d'emplois créés entre 1975 et 1983 - dont parle par exemple Marina von Neuman Whitman[4] - ne traduit pas vraiment un succès fulgurant. D'autre part, le différentiel d'inflation entre les Etats-Unis et l'Europe s'est nettement amenuisé en 1984. Il était de 4 points en 1982 et de 4,4 points en 1983. Il est revenu à 2 points aujourd'hui.

Enfin, les déséquilibres américains sont explosifs en matière de finances publiques et de commerce extérieur. Les deux sont liés, mais le dernier est le plus significatif du point de vue de l'économie internationale. La balance des paiements courants, encore excédentaire en 1981, a enregistré un déficit de 9,2 milliards de dollars en 1982, de 41,6 milliards en 1983 et de 99,7 milliards en 1984 ! Il atteindra vraisemblablement 130 milliards en 1985. La nature de la reprise américaine est ainsi très liée aux entrées de capitaux, mentionnées plus haut. Une telle situation est fondamentalement instable.

Même si l'on admire les résultats de l'économie américaine de 1983 à 1985, il est évident que cette période est trop courte pour en déduire que l'Europe est en déclin. Si l'on considère la croissance économique de longue période et si l'on prend en compte les perspectives pour les années à venir, les conclusions sont loin d'être nettes. En simplifiant à l'extrême, on peut dire que, de 1960 à 1973, l'Europe a réalisé une performance économique supérieure à celle des Etats-Unis - tandis qu'entre 1973 et 1982 les résultats des deux zones furent sensiblement équivalents, à un niveau de croissance naturellement beaucoup plus faible. Le Japon est resté uniformément en tête du peloton, sans pour autant que la crise ne l'épargne. La signification du faible taux de chômage de ce pays doit en particulier être relativisée par des considérations structurelles sur le marché du travail.

Le phénomène important de 1960 à 1982 n'est en tout cas pas le recul de l'Europe par rapport aux Etats-Unis, mais la montée du Japon par rapport à tous. Nous trouverons ultérieurement diverses confirmations de cette observation. Les perspectives disponibles pour 1985 suggèrent que la croissance économique devrait nettement se ralentir aux Etats-Unis alors qu'elle progresserait légèrement en Europe (3 % aux Etats-Unis contre 6,7 % en 1984 ; 2,5 % en Europe contre 2,2 % en 1984). Le Japon verrait aussi son rythme ralentir, mais retrouverait le "maillot jaune". Les déséquilibres américains continueront pendant ce temps de s'aggraver.

Je déduis pour ma part de ces observations qu'il est prématuré d'attribuer une signification de long terme aux résultats de 1983-1984. Ils sont très encourageants pour les Etats-Unis et naturellement le Japon ; pour l'Europe ils sont inquiétants, mais nullement désespérants. La longue transition est loin d'être achevée et des rebondissements dans le classement des puissances sont encore possibles. Attendons (mais pas passivement bien sûr !) la fin du film...

A propos de la reprise de l'emploi aux Etats-Unis, la remarque est souvent faite qu'elle concerne essentiellement le secteur tertiaire. Certains en déduisent qu'elle serait malsaine. C'est une erreur. Le monde qui sortira vers la fin du siècle de la mutation en cours ne sera pas hyperindustriel ou postindustriel. Il sera les deux. Ce n'est pas parce que la population agricole est souvent largement inférieure à 10 % de la population active dans les pays industrialisés d'aujourd'hui, que l'agriculture n'est plus un secteur économique majeur. L'industrie connaîtra une évolution analogue. Les nouveaux emplois seront essentiellement tertiaires. A côté des services traditionnels comme la santé, se développeront les activités de soutien de l'industrie nouvelle. Les pays de tête auront une

4. Dans *Unemployment and Growth in the Western Economics*, document publié par le Council on Foreign Relations, New York, 1984, p. 25.

agriculture et une industrie très performantes, à haute productivité, et des services (y compris financiers) de haute qualité.

Tout ira ensemble. Que vaut une armée bien équipée si les hommes ne savent pas utiliser les équipements et si la logistique ne suit pas ? Sur l'évolution de la structure de la population active, toutes les études à long terme conduisent à des résultats concordants[5]. De ce point de vue, on peut seulement dire que l'Amérique est actuellement en avance sur l'Europe. Mais celle-ci devra suivre. Ne voit-on pas déjà en France, de nombreuses petites entreprises de services se créer, souvent à l'initiative de chômeurs qui refusent de baisser les bras ? C'est une bonne politique que de favoriser, notamment par la voie fiscale, ce type de reconversion. En Italie, environ 250 000 entreprises sont nées en 1984 (à comparer à quelque 600 000 aux Etats-Unis). Le solde net approche 100 000 ! Les activités traditionnelles, comme la confection des vêtements ou des chaussures, se modernisent rapidement sous l'effet de la diffusion des technologies de l'information. Il faut perdre l'habitude de ne juger les performances économiques qu'à travers le sort des grandes entreprises. Comme je le notais plus haut à propos du devenir de l'Union soviétique, la nouvelle révolution industrielle fait une belle part aux petites entreprises.

Quand on parle du déclin de l'Europe, on pense souvent à nos problèmes structurels. Je voudrais en évoquer brièvement deux : le niveau excessif des interventions de l'Etat et le retard technologique.

Sur le premier point, il suffit de rappeler qu'en Europe la part des dépenses publiques dans le PIB a augmenté de 38 % en 1970 à 52 % en 1984, avec de faibles écarts d'un pays à l'autre. Dans le même temps, cette proportion est passée de 32,4 % à près de 38 % aux Etats-Unis et de 19,3 à 34,5 % au Japon. Les prélèvements obligatoires n'ayant pas suivi cette progression, les déficits budgétaires s'établissent aux environs de 5 % du PIB en Europe (la moyenne est tirée vers le haut par l'Italie, avec 11 %). La vague libérale qui submerge aujourd'hui le Vieux Continent, prenant parfois la forme d'un reaganisme flamboyant, traduit une réaction saine contre une évolution inquiétante. Encore ne faut-il pas se tromper sur ce qui est en cause. Les dépenses publiques ne sont pas bonnes ou mauvaises en soi. A trop caricaturer,

on provoque des réactions comme celles d'Edmond Maire lors du congrès de la CFDT au moins de juin 1985.

Ce qui est en cause, c'est de maîtriser la courbe future des dépenses sociales (ce fut l'un des thèmes du précédent RAMSES), de dégraisser le train de vie de nos Etats, de soumettre les interventions publiques à des critères d'efficacité reconnus, de limiter les déficits budgétaires de chaque pays à ses possibilités globales d'épargne. Par exemple, les dépenses sociales constituaient, dans les pays de la Communauté, près de la moitié des dépenses publiques en 1982 (contre une proportion d'un quart à un tiers aux Etats-Unis et au Japon), avec des perspectives d'augmentation conduisant rapidement à une impasse absolue. En bref, il s'agit d'assurer le maximum de capacité d'adaptation immédiate de nos économies à la mutation générale en cours, en favorisant de meilleures conditions de fonctionnement des forces du marché, et d'intégrer dans les décisions à court terme les conséquences les plus lointaines de nos actions.

De ce point de vue, on ne peut qu'admirer l'art des Japonais - évoqué dans la troisième partie de ce volume - qui savent tenir compte dans leur budget annuel des effets, à l'horizon de la fin du siècle, du vieillissement de leur population. Ne serait-ce pas, pour notre commissariat au Plan, la tâche essentielle que de réaliser dans le processus de décision en matière économique cette indispensable articulation entre le court et le long terme ?

La plupart des pays européens ont désormais pris conscience de ces exigences. L'OCDE prévoit d'ailleurs pour 1985 une légère diminution des interventions de l'Etat (50,7 % du PIB au lieu de 51,7 % en 1984) ainsi qu'une diminution des déficits publics (4,6 % en 1985 contre 5,3 % en 1984). Parallèlement, les vertus de l'économie de marché sont redécouvertes dans des pays comme la Grande-Bretagne ou la France.

Tout indique que la situation financière des entreprises européennes s'est améliorée en 1983 et 1984 (bien que les données chiffrées sur les profits et les taux de rendement ne soient pas

5. Voir Christopher Freeman et Luc Soete, *Information Technology and Employment. An Assessment*, Science Policy Research Unit, University of Sussex, avril 1985.

connues au moment où j'écris ces lignes). De 1982 à 1985, la croissance de la production par personne occupée est supérieure à la croissance des salaires réels en Europe. La part salariale a donc diminué à l'avantage des profits. Ce retournement est dû non seulement à la reprise des gains de productivité, mais aussi à la limitation des revendications salariales. Les conséquences positives se feront sentir tôt ou tard. A condition de ne pas passer d'un extrême à l'autre en matière idéologique (ce qui serait le plus sûr moyen de revenir ultérieurement en arrière), on peut juger ces évolutions satisfaisantes.

En ce qui concerne la technologie, le pessimisme est largement fondé sur la situation de secteurs particuliers, le plus notable étant bien sûr les industries de l'information. (A ce propos, il convient de bien distinguer le sort de ces industries de la question beaucoup plus générale de la *diffusion* des technologies de l'information, et par conséquent de leur utilisation dans l'ensemble des activités économiques). Sur le plan macroéconomique, le recul de l'Europe est moins évident. Le tableau ci-après, paru dans *The Economist* du 16 mars 1985, indique la répartition de l'effort privé de recherche-développement au sein de l'OCDE, entre 1979 et 1981.

Dépenses de recherche et développement de l'OCDE (en milliards de dollars)

	1969	1981
R&D privées de l'OCDE	45	80
Etats-Unis	49 %	44 %
CEE	30 %	28 %
Japon	14 %	21 %
Autres	7 %	7 %

Ce tableau, assez représentatif des indicateurs en matière de recherche, montre un recul de la CEE, mais un recul plus fort des Etats-Unis. Il semble que la tendance se soit inversée depuis

1982, mais comme pour l'économie générale, il est trop tôt pour parler de mouvement durable. Le fait essentiel, ici encore, est la montée du Japon. Une autre manière de cerner le problème de la technologie est de regarder l'évolution du taux d'investissement (rapport de la formation brute de capital fixe au PIB). Ce taux a décru fortement en Europe de 1973 à 1983, passant de 22,3 % à 18,5 %. Mais on trouve le même phénomène aux Etats-Unis (chute de 19,1 % à 16,9 %) et même au Japon (36,4 % à 28,4 %). On peut d'ailleurs remarquer que le taux d'investissement européen reste supérieur à l'américain. De plus, il remonte depuis 1983 (18,7 % en 1984, 19 % prévus en 1985).

Selon l'OCDE, l'Europe a fourni en 1982 35,6 % de la production de haute technologie des pays membres de l'organisation (28,4 % en 1970, 33,7 % en 1975). Les Etats-Unis restent les plus gros producteurs (38,4 % en 1982, mais 43,1 % en 1975 et 57,7 % en 1970). Le Japon est passé de 15,8 % en 1970 à 21,7 % en 1982. Sans doute ces chiffres sont-ils à interpréter avec prudence. D'une part, la notion même de haute technologie est controversée. D'autre part, les statistiques prennent en compte la production des entreprises étrangères installées en Europe. Mais on est tenté de conclure qu'elles ne suggèrent nullement le déclin de l'Europe. Les données postérieures à 1982 ne sont pas disponibles. Elles marqueront sans doute une inversion de tendance, dont il restera à interpréter la signification dans la durée.

L'examen des échanges internationaux conduirait au même type de conclusion. L'Europe reste de loin le plus grand exportateur de produits manufacturés (40 % du total mondial en 1981, 39,1 % en 1983. Ces chiffres incluent évidemment le commerce intra-européen). Sa part a légèrement diminué, mais les Etats-Unis ont subi le même phénomène (13,9 % en 1981, 12,4 % en 1983) tandis que le Japon a conservé une part stable (13,3 % en 1981 et 1983).

L'examen des parts de marché à l'exportation des produits de haute technologie des pays industrialisés fait apparaître une dégradation pour l'Europe (52 % en 1975, 46 % en 1982) mais une stagnation des Etats-Unis (28,6 % en 1975, 28,5 % en 1982). Le Japon est une fois de plus le grand vainqueur 13,4 % en 1975, 20,3 % en 1982.

Ces considérations chiffrées n'ont d'autre objet que de nous inciter à la prudence dans nos jugements. Je voudrais donner un autre exemple. Le déclin de l'Europe, c'est aussi celui de sa population. Certes, l'Europe représentait 17,3 % de la population mondiale en 1925. En 2025, ce pourcentage pourrait tomber à 6,4. Mais les autres "grands" devraient connaître une évolution comparable, quoique moins accusée. En 2025, l'URSS aurait 4,3 % de la population mondiale et l'Amérique du Nord, 4,2 %... De tels chiffres sont en fait très difficiles à traduire en terme de puissance.

J'espère finalement que le lecteur de ce RAMSES qui se sentirait atteint lui aussi par la maladie de l'europessimisme voudra bien mettre les choses en perspective. Les pays européens traversent incontestablement une passe difficile. Mais partout les politiques suivies vont dans le sens de l'assainissement. Il n'est pas impossible que Margaret Thatcher parvienne à redresser son pays. Bettino Craxi a gagné le référendum sur l'indexation des rémunérations. La France s'est débarrassée, au moins pour un temps, du socialisme utopique. L'Allemagne poursuit l'amélioration de ses structures. Des pays comme les Pays-Bas et la Belgique ont su prendre des mesures d'un grand courage. Comme le taux de chômage n'a pas atteint son maximum, la tentation est grande d'envisager des mesures de relance, qui devraient alors être coordonnées, en Europe. La question est posée en termes vigoureux dans ce rapport. La possibilité d'un fort ralentissement de l'économie américaine la rend inévitable. Mais la marge est étroite. L'axe principal de la politique ne doit pas changer de direction, car la restructuration de l'économie européenne est loin d'être achevée. L'expérience montre qu'il faut des années pour corriger les effets d'une relance mal calculée.

S'agissant de la Communauté en tant que telle, évitons également de noircir le tableau. Le Conseil européen a abouti en juin 1984 à Fontainebleau à un compromis sur les problèmes budgétaires. La réforme de la Politique agricole commune est engagée, certes encore trop timidement. En décembre 1984, la convention de Lomé a été renouvelée pour la période 1986-1990. Elle gouvernera les relations de la Communauté avec 64 pays associés en Afrique, dans les Caraïbes et dans le Pacifique. Le Système monétaire européen existe depuis plus

de six ans. Il reste fragile - on l'a rappelé plus haut - mais l'ECU commence à être pris au sérieux.

Le 29 mars 1985 a été conclu l'accord sur l'entrée de l'Espagne et du Portugal qui rejoindront la CEE le 1er janvier 1986. Cela devrait clore au moins pour un temps le processus de l'élargissement. La nouvelle Communauté aura une population de 315 millions d'habitants. Elle a certes largement perdu sa cohésion économique, et sera difficile à gérer. Son unité vient plutôt de l'adhésion de ses nations à des systèmes politiques démocratiques, et de ce qu'ils partagent le sentiment un peu vague que l'Europe doit s'organiser pour éviter les conséquences désastreuses de la balkanisation. Elle s'en tire malgré tout assez bien. Les écueils restent considérables. L'Espagne demandera un jour ou l'autre des compensations pour surmonter les difficultés que son industrie ne manquera pas de rencontrer. Le Portugal a déjà obtenu le principe d'une aide d'un milliard d'ECU ; le débat sur la notion de solidarité sera inévitablement relancé, et l'on parlera peut-être à nouveau de "renégociation" (il a fallu onze ans pour clore - provisoirement ? - le dossier anglais).

L'ensemble de la question budgétaire sera peut-être à reprendre dès 1986. On aurait tort néanmoins de se lamenter. Au bout du compte, il faudra bien que, du point de vue étroit de la comptabilité, les plus riches (la République fédérale et la France) versent plus au pot commun qu'ils ne reçoivent, et que les plus pauvres (l'Irlande, la Grèce, l'Espagne et le Portugal) reçoivent plus qu'ils ne déboursent. A l'intérieur de n'importe quel pays démocratique, les problèmes de répartition sont toujours douloureux. Qu'il en soit de même au niveau de la Communauté ne doit pas nous affliger. On aimerait évidemment que les choses avancent plus vite par ailleurs. Le Conseil européen de Milan, à la fin de juin 1985, n'a pas apporté d'impulsion décisive. Mais ne négligeons pas la signification des petits pas moins spectaculaires, qui orientent notre Europe dans la bonne direction.

En matière technologique, par exemple, le programme ESPRIT[6], lancé en février 1984 (1,5 million d'ECU, dont la moitié sur le budget

6. *European Strategic Program for Research in Information Technology.*

communautaire), est généralement considéré comme un succès (attendons cependant les premiers résultats concrets). Le programme RACE[7] a été mis en place en avril 1985, avec 44 millions d'ECU pour les dix-huit mois de sa phase expérimentale. Le 15 octobre 1984, les ministres de l'Industrie ont pris des mesures pour progresser dans l'harmonisation des normes en matière de télécommunication, et une ouverture de 10 % des marchés des terminaux a été décidée. On objectera que ces diverses actions sont encore très modestes, mais elles vont dans le sens de la création d'un "véritable" marché commun. En dépit de la crise, la Communauté est bien en vie. Les choses auraient pu se passer beaucoup plus mal.

Dans les commentaires qui précèdent, j'ai délibérément choisi de mettre l'accent sur les raisons d'espérer, car, contrairement à Guillaume d'Orange, je crois qu'il faut espérer pour entreprendre et réussir pour persévérer. Il n'y a cependant aucune euphorie dans mon propos. Je répète encore une fois qu'à mon sens l'état de crise se prolongera encore plusieurs années, une dizaine peut-être. Je veux seulement affirmer que la partie n'est pas encore jouée, et que nous avons encore une chance d'en sortir sans perdre notre rang.

La quatrième partie de ce volume est consacrée à la Chine et à l'Inde. Analysant les facteurs de transformation du système international dans les décennies à venir, je notais dans l'introduction du RAMSES 83/84 que l'irruption d'un nouvel acteur majeur, comme l'un ou l'autre des deux géants de l'Asie, était improbable. Je crois que les développements qu'on lira ici confirment cette vue. Ayant eu le privilège de passer deux semaines en Chine en avril 1985, après deux voyages plus courts en 1976 et 1978, je livrerai brièvement ici quelques conclusions personnelles sur l'expérience fascinante que vit actuellement ce pays.

Pour la première fois depuis 1949, la Chine s'est engagée dans la voie du bon sens. Sans doute faut-il se garder d'un jugement péremptoire sur l'ère maoïste. Celui en qui on peut voir le dernier empereur du pays du Milieu a su lui redonner sa dignité depuis longtemps perdue. Il en a tiré une indéniable légitimité qui lui a permis de survivre, au-delà même de la mort, à tant de crimes et de fautes. Les absurdités du Grand Bond en avant ou de la Révolution culturelle sont confondantes. Le totalitarisme a produit là ses effets les plus diaboliques. Il y a encore aujourd'hui un résidu de ce totalitarisme dans la manière dont les Chinois chantent à l'unisson les vertus d'une nouvelle politique qui vise à la synthèse dialectique du libéralisme et du socialisme. On peut y voir comme un réflexe conditionné après tant d'épreuves. En tout cas, la voie chinoise est bien, au propre comme au figuré, celle du bon sens.

Deux obstacles majeurs sont cependant évidents. Le libéralisme actuel engendre des inégalités parfois stupéfiantes qui, inévitablement, suscitent et susciteront des réactions. D'autre part, le parti communiste, dont l'économisme diminue le pouvoir réel, conserve néanmoins le monopole du pouvoir formel. Le réformisme, à l'honneur depuis l'élimination de la bande des Quatre, pourrait trouver là sa limite. Sans doute ne reviendra-t-on pas complètement en arrière. Les errements du passé ont laissé trop de lésions. Mais on voit mal comment la politique de Deng Xiaoping pourrait se développer pendant les quatre-vingts ans nécessaires, selon les dirigeants eux-mêmes, sans de très gros accrocs.

Le jeu des forces politiques en Chine est aussi opaque, pour l'observateur étranger, qu'il l'a toujours été. Il faut s'attendre prudemment à d'autres surprises. Les choses sont peut-être plus simples pour la politique extérieure. La Chine voudrait bien avoir de bonnes relations avec tout le monde, pour pouvoir se développer en paix. Les "trois obstacles" (la présence militaire à la frontière sino-soviétique, le Cambodge, l'Afghanistan) excluent en principe un réchauffement majeur avec l'URSS. La tentation existe pourtant. Les Occidentaux se sont bien, quant à eux, accommodés de l'Afghanistan, et les Soviétiques pourraient faire un geste. Les Chinois savent cependant qu'à trop se rapprocher de l'Union soviétique, ils risqueraient de compromettre leurs relations avec les Etats-Unis et peut-être aussi le Japon. Ils ne peuvent gagner sur tous les tableaux. De toute façon, on les voit mal revenir à des rapports comparables à ceux des années 50. Indépendance nationale, profil bas et patience, telles me paraissent être les locutions-clefs pour qualifier la politique extérieure chinoise dans les années à venir. La Chine s'éveille mais le monde n'en tremble pas encore.

_____

7. *Research in Advanced Communication Technologies for Europe.*

Les Etats-Unis caracolent. L'Union soviétique cherche à se dépasser. L'Europe se dégourdit mais doute d'elle-même. Les géants de l'Asie avancent avec lourdeur. Les nouveaux pays industrialisés s'activent. Le Japon agit, observe et s'interroge. L'Amérique latine s'efforce de bien retomber. L'Afrique stagne. Le Moyen-Orient souffre. La valse des continents se poursuit, mais dans une chorégraphie qui n'est pas près de se renouveler.

Thierry de MONTBRIAL,
Juin 1985.

1

Première partie :

Reprise du dialogue et nouveaux défis

1. Les deux Grands

    1.1. L'Amérique de Reagan
    1.2. L'état de l'Empire
    1.3. Les relations Est-Ouest

2. Les conflits régionaux

    2.1. Les Caraïbes et l'Amérique centrale
    2.2. Le Moyen-Orient et le Golfe
    2.3. Le continent africain

L'année politique 1985 a été marquée par trois phénomènes dominants : la reprise du dialogue Est-Ouest à cause ou en dépit du projet américain de "guerre des étoiles" ; l'arrivée au pouvoir de Gorbatchev ; la dynamique de la violence dans les conflits régionaux.

Le retour des deux Grands à un dialogue compétitif correspond à la nature profonde du système international. Il traduit aussi les changements intervenus à l'intérieur même des deux grandes puissances.

La réélection triomphale de Reagan et l'arrivée au pouvoir de Gorbatchev dominent l'impression trompeuse de continuité et de triomphalisme du côté américain, de rupture et d'inquiétude du côté soviétique. L'Amérique, à l'image de son Président, affaibli par un cancer, risque de payer, au cours du deuxième mandat de l'Administration Reagan, le prix de ses vulnérabilités économiques.

L'URSS, en dépit d'une volonté de changement réelle qui se traduit par des bouleversements au sommet de la hiérarchie soviétique et une campagne symbolique contre l'alcoolisme, peut se révéler difficile à transformer. Gorbatchev a-t-il l'âge de ses artères ou celui du système dont il est l'émanation ? Les relations soviéto-américaines, comme la relation transatlantique, connaissent une phase d'accalmie mais aussi d'incertitude. L'arrêt du processus de détérioration des relations Est-Ouest ne se traduit pas par un retour à la détente. Les négociations engagées en mars 1985 à Genève sont avant tout le théâtre feutré d'une formidable épreuve de force politique, dont l'enjeu est, une fois de plus, l'opinion publique occidentale.

Dans le Tiers-Monde, les conflits régionaux ont obéi en 1985 à la logique qui est la leur, en l'absence de progrès de toute négociation, celle de la violence.

L'Amérique centrale, de marécage, devient chaudron. La guerre ravage l'ensemble de l'isthme, touchant, outre les territoires du Nicaragua et du Salvador, ceux du Guatemala, du Honduras, transformé en base américaine, et du Costa Rica, menacé dans sa neutralité perpétuelle. L'instabilité grandissante, évolution la plus probable, entraînera des pressions militaires renforcées des Etats-Unis.

Au Moyen-Orient, le conflit libanais, d'international qu'il était, est redevenu régional sans que le Liban puisse se réjouir de ce rétrécissement des enjeux. En dépit des grandes manœuvres diplomatiques qui s'engagent, le conflit israélo-arabe semble devoir être caractérisé davantage par l'immobilisme que par le changement. Dans le Golfe, à l'escalade qu'avait constituée la guerre des tankers, a succédé la guerre des villes. Mais les atouts de l'Irak n'ont pas suffi à lui assurer une victoire, de même que les faiblesses de l'Iran n'ont pas entraîné sa défaite.

Le continent africain se trouve confronté à une situation économique toujours plus précaire, dont la famine en Ethiopie constitue l'expression la plus dramatique et la plus spectaculaire. L'augmentation du nombre des régimes militaires traduit la précarité des situations économiques, tout autant que la fragilité des institutions démocratiques. En Afrique australe, la République sud-africaine est toujours plus isolée diplomatiquement et en proie à la montée de la violence interne.

1. Les deux Grands

En cette année 1985, chargée de commémorations et de symboles, où l'on célèbre les bases de notre système international (quarantième anniversaire de la victoire des Alliés, de la première explosion atomique, et de la création de l'ONU), trois données l'emportent sur toutes les autres : la reprise du dialogue Est-Ouest, à cause ou en dépit du projet américain de guerre des étoiles ; l'arrivée au pouvoir de Gorbatchev ; la dynamique de la violence dans les conflits régionaux. Ces données ont constitué les points d'ancrage de notre analyse.

Annoncé dans le RAMSES 83-84, le retour au dialogue entre les deux Grands s'est confirmé en 1985. De Genève à New York, le système international que Raymond Aron avait défini sous le double vocable de "guerre improbable, paix impossible" impose aux deux Grands une forme de dialogue compétitive. Mais ce retour au dialogue s'explique également par les modifications intervenues à l'intérieur même des deux grandes puissances.

Lors des premières années de l'Administration Reagan, les Etats-Unis donnaient l'impression de vouloir changer le système soviétique au moment où les Soviétiques se contentaient d'espérer que l'Amérique changerait de président. A certains égards, c'est l'inverse qui s'est produit : Reagan réélu triomphalement a abandonné la rigidité idéologique de son comportement à l'égard de l'URSS. Sans doute pense-t-il toujours que l'Union soviétique est "l'empire du mal", mais le réalisme l'a poussé à adopter un ton nouveau. Du côté soviétique, la volonté de reprise du dialogue, au lendemain de l'échec majeur qu'a représenté pour la diplomatie soviétique la querelle des euromissiles et à l'ombre du projet américain de "guerre des étoiles", était tout aussi réelle. Pour que cette volonté se

matérialisât, il fallait que l'URSS se dote d'un chef qui pût la représenter au sommet et, plus concrètement, fût en état physique de se déplacer.

Réélection de Reagan, arrivée au pouvoir de Gorbatchev, une double impression de continuité et de rupture : triomphalisme du côté américain, inquiétude du côté soviétique. Dans son évidente simplicité, cette double image est tout aussi trompeuse que pouvait l'être, il y a cinq ans, à la fin de l'Administration Carter, le portrait d'une Amérique affaiblie et d'une URSS souveraine. Mais les images font partie des réalités...

Aux Etats-Unis, l'image de la continuité n'est-elle pas tout aussi trompeuse que peut l'être en URSS celle d'une rupture ou de l'entrée dans une ère nouvelle. Reagan a bien été réélu triomphalement, mais cela traduit-il une victoire du reaganisme ? En politique étrangère l'idéologie a fait place au réalisme. Le divorce qui existait entre le verbe et l'action a été levé, mais c'est le verbe qui s'est aligné sur l'action et non l'inverse. Si l'idéologie persiste, elle s'est déplacée du domaine de la diplomatie à ceux de la défense et de la technologie, ce que traduit le projet de "guerre des étoiles". L'Amérique risque-t-elle de payer, dans le deuxième mandat de l'Administration Reagan, le prix de ses vulnérabilités économiques ?

L'Alliance atlantique a bien surmonté l'épreuve de volonté politique qu'a représentée la querelle des euromissiles. Mais il serait illusoire de parler de consolidation de l'Alliance. Les échéances n'ont fait qu'être reportées, ou déplacées. A l'inquiétude des populations, que traduisait l'éclosion des mouvements pacifistes face aux euromissiles, succède celle des gouvernements européens inquiets et divisés face aux risques plus lointains et aux conséquences plus déstabilisantes peut-être pour l'équilibre stratégique européen du projet américain d'Initiative de défense stratégique.

En Europe de l'Est même, la stabilité des régimes socialistes n'est pas en jeu, mais, lentement, on entre dans une phase nouvelle des rapports entre l'URSS et son empire. Ce qui rend la crise actuelle différente des crises précédentes, c'est la simultanéité entre les tensions en Pologne, en Roumanie, en Allemagne de l'Est, en Hongrie et même en Bulgarie. Seule la Tchécoslovaquie demeure pour le Kremlin un partenaire sans problème.

Les relations Est-Ouest traduisent dans leur ambiguïté l'état des deux supergrands et de leurs alliances respectives. La guerre des nerfs qui caractérisait les années précédentes a fait place à la reprise du dialogue, un dialogue que toutes les parties accueillent avec satisfaction mais qui n'est pas sans risque de dérapage ou d'exploitation. Il est probable que, sans le projet américain de "guerre des étoiles", les Soviétiques ne seraient pas revenus si vite à la table des négociations de Genève. Mais cette même initiative américaine peut représenter pour eux une carte diplomatique et politique qu'ils ne manqueront pas d'agiter pour diviser les Occidentaux.

L'euroterrorisme

1984

Janvier

France : 29 janvier : Attentat au siège de la société Panhard-Levassor à Paris. Action directe.

Février

Italie : 15 février : Assassinat à Rome du général Leamon R. Hunt, responsable de la logistique de la force multinationale du Sinaï. Brigades rouges.

Juillet

France : 12 juillet : Explosion au siège de l'Institut atlantique pour les affaires internationales à Paris. Action directe.
14 juillet : Explosion au ministère de l'Industrie. Action directe.

Août

France : 2 août : Explosion à Paris au siège de l'Agence spatiale européenne. Action directe.
23 août : Tentative d'attentat au siège de l'Union de l'Europe occidentale (UEO) à Paris. Action directe.

Septembre

Espagne : 5 septembre : Assassinat de deux hommes d'affaires à Madrid et Séville. Tentative d'assassinat contre un ingénieur de la radio-télévision à La Coruna. GRAPO.

Octobre

Belgique : 2 octobre : Explosion à Evere (Bruxelles) au siège de la firme américaine Litton (système de guidage terminal des missiles *Cruise*). Cellules communistes combattantes (CCC).
3 octobre : Explosion dans le parking de la firme MAN-Volkswagen à Dilbeck (semi-remorques destinés au transport des fusées *Pershing II*). CCC.
8 octobre : Attentat contre la société américaine Honeywell Bull à Bruxelles. CCC.
14 octobre : Attentat contre le centre Paul-Hymans, organisation de recherche des deux partis libéraux flamand et wallon. CCC.
16 octobre : Attentats au siège du Parti social-chrétien flamand à Gand. Non revendiqué.

France : 20 octobre : Attentat contre la société Messier-Hispano-Bugatti à Montrouge. Action directe.
21 octobre : Attentat contre un établissement de la société Marcel-Dassault à Saint-Cloud. Action directe.

Novembre

Belgique : 26 novembre : Explosion à la base aérienne de Bierset (*Mirage 5* sous commandement OTAN). Deux pylones de radio détruits. CCC.

Décembre

Belgique : 11 décembre : Série d'explosions détruisant six relais du réseau d'oléoducs de l'OTAN. CCC.

Espagne : 18 décembre : Trois explosions contre un pipeline alimentant les bases américaines de Madrid et Saragosse. Non revendiqué.

RFA : Début de la grève de la faim des leaders emprisonnés de la Fraction Armée rouge (*Rote Armee Fraktion*, RAF).
18 décembre : Tentative d'attentat à la voiture piégée à Obberammergau, centre d'instruction de l'OTAN. (RAF).
21 décembre : Incendie de deux camions militaires américains à Franckfort. Non revendiqué.
25 décembre : Explosion au centre de traitement informatique de Reutlingen. RAF.
Attentat contre le consulat général de Turquie à Münster. RAF.
26 décembre : Incendie de l'église d'une base américaine à Wertheim. Non revendiqué.
30 décembre : Attentat contre un centre de communications militaires américain à Mannheim. RAF.
Explosion aux bureaux de l'armée américaine à Dusseldorf. RAF.
31 décembre : Attentat contre la mission technique de l'ambassade de France à Bonn. RAF.

Italie : 23 décembre : Attentat contre le rapide Naples-Milan : 17 morts, 70 blessés. Revendiqué par l'extrême droite, les Brigades rouges et d'autres organisations.

1985

Janvier

Belgique : 15 janvier : Attentat contre un bâtiment du SHAPE à Bruxelles.

Portugal : 28 janvier : Plusieurs navires de l'OTAN dans la baie du Tage, près de Lisbonne, sont attaqués à coups de mortier. Forces populaires du 25 avril (FP 25).

RFA : 8 janvier : Attentat à l'explosif contre un oléoduc de l'OTAN à Giessen. RAF.
20 janvier : Tentative d'attentat à Stuttgart, près d'un centre informatique. Le poseur de bombe se tue en manipulant l'engin explosif. Non revendiqué.
25 janvier : Une bombe détruit un pylone à haute tension près de la centrale nucléaire de Krümmel. Non revendiqué.

France : 15 janvier : Annonce de la fusion Action directe/RAF, dans un communiqué commun.
25 janvier : Assassinat à Paris du général René Audran, directeur adjoint des Affaires internationales au ministère de la Défense. AD/Commando Elisabeth Von Dyck.

Février

RFA : 1er février : Assassinat à Munich de Ernst Zimmermann, directeur de MTU, président de l'Association des industries allemandes de l'aéronautique, de l'espace, de l'armement. RAF/Commando Patrick O'Hara.
Arrêt de la grève de la faim des chefs emprisonnés de la RAF, dont Christian Klar et Brigitte Monhaupt.

Grèce : 2 février : Explosion dans un bar fréquenté par les soldats américains de la base d'Hellenikon. 80 blessés. Revendiqué par le Front national.

Portugal : 1er février : Attentat contre des voitures appartenant à des pilotes ouest-allemands, à la base de Beja (environs de Lisbonne). FP 25.

Mars

RFA : 7 mars : Explosion dans un grand magasin de Dortmund. 8 blessés. Groupe d'action Christian Klar (RAF).

Portugal : 11 mars : Attentats à Lisbonne et Evora (province de l'Alentejo) contre des intérêts financiers français, britanniques, allemands, espagnols. FP 25.
24 mars : Assassinat d'un industriel portugais à Lisbonne. FP 25.

Italie : 27 mars : Assassinat à Rome d'un responsable syndical, Ezio Tarantelli (CISL, démocratie chrétienne). Brigades rouges.

Avril

RFA : 8 avril : Attentats à l'explosif contre le pipe-line OTAN Tubingen-Aalen et contre un bureau d'études maritimes de Hambourg, chargé du projet de frégate de l'OTAN pour les années 90. Unité combattante Johannes Thionme (RAF).
28-29 avril : Attentats à l'explosif à Dusseldorf contre une filiale de la Deutsche Bank et à Cologne contre les locaux de la société chimique Hoechst. Non revendiqué.

Espagne : 12 avril : 17 morts et 42 blessés à la suite d'une explosion dans un restaurant proche de Madrid et fréquenté surtout par des soldats américains. Revendiqué par la Djihad islamique.

France : 14 avril : Trois attentats détruisent à Paris, les locaux du journal *Minute,* la banque israélienne Leumi et l'Office national d'immigration (ONI). Action directe, commando Sana Mheidli.
26 avril : Explosion au siège du FMI à Paris. Action directe.
29 avril : Double attentat à l'explosif contre deux entreprises de télécommunication travaillant sur des systèmes militaires : TRT et SAT, fournisseurs de Philipps et de l'Aérospatiale. 1 blessé. Action directe, Unité combattante Ciro Rizzato.

Belgique : 20 avril : Attentat au siège de l'Assemblée de l'Atlantique Nord à Bruxelles.
21 avril : Attentat au siège de la firme AEG-Telefunken. FRAP (Front révolutionnaire d'action prolétarienne).

Mai

Belgique : 1er mai : Une voiture piégée explose devant le siège de la Fédération des entreprises de Belgique (FEB). 2 morts et 14 blessés. CCC.
6 mai : Attentat contre un bâtiment de la gendarmerie à Woluwé-Saint-Pierre. CCC

RFA : 3 mai : Attentat à la bombe contre l'entreprise française TRT à Cologne (fournisseur de l'armée ouest-allemande). Comando de l'action prolétarienne.

France : 4 mai : Magdalena Kopp, 38 ans, membre présumé du réseau Carlos est expulsée en RFA.

Portugal : 7 mai : Attentat contre une station-relai de *Radio Free Europe* près de Lisbonne. Organisation anticapitaliste et antimilitariste.
Luxembourg : 7 mai : Explosion d'un pylone de haute tension. Mouvement écologique combattant (MEC).
29 mai : Explosions contre un autre pilone dans la banlieue de Luxembourg.

Juin

Italie : 19 juin : Arrestation de Barbara Balzarani, BR.

RFA : 19 juin : Explosion dans le hall de l'aéroport de Francfort. 3 mort, 32 blessés. Organisation Arabe révolutionnaire.

Belgique : 22 juin : Attentat à la bombe dans les bureaux de la firme ouest-allemande Bayer à Bruxelles.

France : 27 juin : Tentative d'assassinat contre le contrôleur général des armées Henri Blandin. AD.

Irlande : 23 juin : Explosion en vol du Boeing d'Air India.

1.1. L'AMERIQUE DE REAGAN

Au lendemain de l'élection de Reagan, l'Amérique semblait confortée dans sa confiance en elle-même. Rien de plus significatif à cet égard que le constraste existant entre le dossier de *Time Magazine*[1] sur le "ressort" des Etats-Unis et celui de *Newsweek*[2] sur le déclin de l'Europe. Le président Reagan n'avait sans doute pas créé les conditions de ce retour à l'optimisme, mais il en bénéficia incontestablement, au point que son rival, l'ancien vice-président Mondale, ait été contraint (lors de la campagne présidentielle) de reconnaître ce climat psychologique nouveau comme un des résultats positifs de l'Administration républicaine. La réalité correspond-elle à l'image que l'Amérique se donne d'elle-même ? Les données économiques, le bilan de la politique extérieure de Reagan, plus globalement l'action de l'Administration, justifient-ils l'optimisme de l'opinion publique ? Cet optimisme lui-même n'est-il pas remis en cause par la détérioration de l'image de l'Administration Reagan aux Etats-Unis même, dont les incohérences au moment de l'affaire de Bitburg en mai 1985 en seraient l'illustration ?

Pour comprendre ce qu'est le reaganisme sur le plan extérieur, il convient tout à la fois de s'interroger sur son contenu intellectuel, d'analyser le bilan de la politique étrangère, celui de la politique de défense, et enfin de dresser un état de l'Alliance au lendemain de la crise des missiles.

Reaganisme et politique étrangère

Qu'est-ce que le reaganisme ?

Si elle marquait l'échec d'un homme, Carter, et traduisait un jugement d'incompétence globale rendu sur sa politique, la victoire de Reagan en 1980 correspondait aussi au triomphe d'un certain nombre de principes et au refus de quelques autres. Les années 60 et 70 aux Etats-Unis avaient connu des changements culturels profonds, favorisés dans leurs excès mêmes par le trouble créé dans les esprits par la guerre du Vietnam. La libération sexuelle, l'usage généralisé de la drogue, le rejet de l'autorité en étaient les manifestations les plus spectaculaires. Au plan des mœurs et des valeurs, le reaganisme a constitué, au sens le plus classique du terme, une

contre-révolution culturelle, au nom de la défense des valeurs traditionnelles. L'appel à la "majorité morale" est de même nature que celui fait précédemment à la majorité silencieuse. Au-delà de ces aspects moraux dont l'aspect religieux était évident, le reaganisme a été, incontestablement aussi, le produit d'une poussée nationaliste au sein d'une Amérique toujours plus frustrées par le monde extérieur entre 1976 et 1980. L'Amérique, trompée par les Soviétiques en Afghanistan, humiliée par un ayatollah fanatique, narguée par des Cubains toujours plus audacieux, objet de la part des Japonais d'une concurrence économique toujours plus vive, était déterminée à retrouver son honneur et, pour cela, à rétablir de façon incontestable sa puissance.

Plus que tout autre événement, l'affaire des otages avait joué le rôle de catalyseur. Les révolutionnaires iraniens, par leur acte symbolique, exposaient de façon brutale au monde la fin d'une *pax americana* qui n'avait jamais réussi à se substituer réellement à la *pax europea*. Ce sentiment très vif aux Etats-Unis de ne plus contrôler les événements a joué un rôle décisif dans la formulation du reaganisme. L'Américain ne contrôlait pas plus sa vie privée, sa vie familiale, son travail, ses enfants, la sexualité environnante, que l'Amérique ne contrôlait le monde, Russes, Cubains, Iraniens... confondus. Tirant parti de ce nationalisme frustré et des changements profonds de la conscience américaine, Reagan, de par sa personnalité même, ses convictions profondes, mais simples, sinon simplistes, allait incarner une Amérique retrouvant confiance en elle-même et décidée à ne plus se laisser "marcher dessus". Les Américains n'avaient plus à se demander, comme au lendemain de la guerre du Vietnam, s'ils étaient "*a good people*". Les Soviétiques avaient ôté toute signification à cette question.

Contre-révolution culturelle et nationalisme s'accompagnent d'une critique du fonctionnement et du poids pris par le gouvernement fédéral. La révolution libérale, que de nombreux commentateurs ont analysée, constitue le troisième élément déterminant de l'expérience reaganienne. Le slogan "*Get the government off our backs*" est une constante de l'histoire améri-

---

1. *Time Magazine*, 24 septembre 1984.

2. *Newsweek*, 9 avril 1984.

caine. Dans les années 60 et au début des années 70, la gauche américaine dénonçait l'Etat fédéral, la présidence impériale, le FBI, la CIA, les départements de la Justice et de la Défense, symboles, à leurs yeux, d'un Etat centralisé tyrannique. Dans les années 70, au moment où se développent les interventions sociales et économiques de l'Etat fédéral, il devient l'objet des attaques de la droite américaine. A droite comme à gauche, c'est pour des raisons plus proches qu'on ne le pense généralement que l'Etat fédéral est critiqué, au nom de la liberté individuelle, face à un Etat "Léviathan". Qu'il soit impérial ou égalisateur, l'Etat est trop puissant. Dans la pratique, sous l'Administration Reagan, le compromis entre la nécessité de réveiller l'initiative individuelle au nom d'un libéralisme traditionnel et la nécessité de préserver un minimum d'intervention protectrice de l'Etat s'avéra difficile à réaliser.

Le reaganisme a aussi coïncidé avec l'émergence d'un nouveau Parti républicain. Il est néanmoins difficile de dire que le Parti républicain est devenu, pour la première fois depuis l'élection de Theodore Roosevelt, ce qu'était en 1932 le parti démocrate, le parti du changement, le parti qui incarne le mieux les nouvelles valeurs de l'Amérique. Le mouvement conservateur autour de Reagan est constitué d'une alliance entre des courants différents et parfois contradictoires. Entre les "libertaires" partisans d'une liberté individuelle sans restriction et les tenants de la "majorité morale", il existe peu de points communs. De même entre les *corporate executives* de Wall Street et les néo-conservateurs, pour la plupart d'anciens démocrates conservateurs ex-partisans du sénateur Jackson, les affinités ne sont pas évidentes. Minorité active et prestigieuse, les néo-conservateurs ont vu leur influence réelle se réduire comme une peau de chagrin au fur et à mesure que la politique extérieure du président Reagan se recentrait à partir d'options plus traditionnelles.

Ce qui limite également l'apparition d'un parti républicain fort, c'est la montée incontestable d'une tendance au non-alignement partisan des électeurs. La fidélité traditionnelle au parti est en train de s'estomper. Devant le pouvoir des médias, un nombre toujours plus grand d'Américains se prononce pour un homme et contre un autre. Le nombre des électeurs qui ne se sentent plus liés à un parti a doublé au cours des trente dernières années.

La réélection triomphale de Ronald Reagan en novembre 1984 n'a été une surprise pour personne et, en dépit de la manière dont l'événement a été traité par les médias français, a constitué dans une très large mesure un non-événement. L'ampleur de la reprise économique, même si sa poursuite est remise en cause depuis, la chute de l'inflation, la baisse du chômage[3], la restauration de l'optimisme américain et même le mini-Falkland qu'a constitué l'opération de la Grenade, tous ces facteurs ne pouvaient que jouer massivement en faveur d'un homme qui a su, par ailleurs, se faire aimer de très nombreux Américains. Reagan, le grand communicateur, représente si bien les valeurs d'une *Middle America*, il les incarne avec tant de spontanéité, parce qu'elles sont siennes.

Cette adéquation entre un homme et un pays à un moment donné représente sans doute la chance essentielle de Reagan. Elle ne saurait néanmoins masquer les difficultés inévitables auxquelles se heurtera le Président lors de son second mandat. Il ne contrôle pas plus aujourd'hui le Congrès qu'il ne le faisait hier. L'attente qu'il a créée autour de son programme se retournerait-elle contre lui si, la conjoncture économique s'altérant, Reagan devenait celui qui, après avoir porté la confiance et les espoirs du peuple américain, les avait trompés ?

Des principes aux réalités : une politique étrangère qui n'est pas si nouvelle

"Que les bons se rassurent, que les méchants tremblent". Cette formule de Louis-Napoléon Bonaparte résume à merveille le programme de politique extérieure du président Reagan lors de son arrivée au pouvoir. Sa politique étrangère est fondée au niveau des principes sur une approche différente du monde, tout à la fois plus nationaliste, plus idéologique, plus globaliste et plus militariste.

L'équipe du président Reagan est arrivée au pouvoir avec une vue particulièrement cohérente et idéologique du monde, sans commune mesure avec le relatif pragmatisme de l'Administration Eisenhower, avec laquelle on la compare parfois. Pour Reagan, le problème qui domine le

---

3. Voir à ce sujet la partie III de ce RAMSES.

monde, c'est l'antagonisme fondamental entre les Etats-Unis et l'Union soviétique, entre deux régimes et deux sociétés incompatibles et irréconciliables. Cet antagonisme englobe l'ensemble des problèmes internationaux perçus désormais à travers les lunettes de la compétition planétaire avec l'URSS. Quelles que soient les querelles régionales qui les opposent entre eux, les alliés des Etats-Unis étaient conviés également à donner la priorité à la menace soviétique puisque l'Union soviétique et ses "clients" satellites sont considérés comme des puissances interventionnistes et subversives à vocation universelle. Face à cette menace globale, l'essentiel est le rétablissement de la puissance américaine que l'Administration précédente avait commencé à négliger. L'Amérique, pour être respectée, se devait d'être forte.

En dépit d'une politique déclaratoire souvent agressive, allant de la dénonciation de l'URSS comme l'empire du mal jusqu'à l'évocation d'escalade "horizontale" en cas d'agression soviétique, la politique étrangère du président Reagan a été marquée par une grande prudence contrastant avec une politique de défense très ambitieuse[4].

Doit-on chercher la raison essentielle de cette prudence dans la contradiction fondamentale, relevée par Stanley Hoffmann[5], entre l'idéologie intérieure du reaganisme et son idéologie extérieure ? A l'intérieur, l'appel du reaganisme est un appel à l'individu pour qu'il s'émancipe de la tutelle de l'Etat jugé responsable du ralentissement de la productivité américaine et du déclin de l'esprit d'entreprise. La politique étrangère, avec sa vision manichéenne d'une lutte des forces du bien contre celles du mal, suppose, à l'inverse, un Etat fort. A certains égards, cette contradiction a été surmontée par un programme de réarmement important qui, en injectant dans l'économie américaine des centaines de milliards de dollars publics, a été partiellement responsable de la reprise économique en 1984. L'essentiel demeure : la priorité accordée à la politique intérieure sur la politique étrangère. La mise en œuvre des conceptions économiques et sociales du reaganisme, priorité des priorités, renforcée par des considérations électorales en fin de mandat, ne permettait pas à une politique extérieure activiste de s'exprimer librement.

Les divergences sur l'interprétation de la politique extérieure n'ont pas manqué au sein de l'Administration elle-même. La volonté de cohérence, formulée de façon explicite par le président Reagan, après les errements fâcheux de la période Carter, n'a donné que des résultats partiels. Les déchirements quotidiens entre le département d'Etat et le Conseil national de sécurité n'ont, certes, jamais atteint l'intensité qu'ils avaient du temps de Cyrus Vance et Zbigniew Brzezinski. Mais l'opposition entre le département d'Etat et celui de la Défense, bien que se manifestant de manière plus subtile, n'en a pas moins été très réelle. Quatre personnes se sont succédées à la tête du Conseil national de sécurité (NSC) sans que personne ne s'imposât. La "démission" forcée du général Haig et son remplacement par George Shultz (été 1982) ont également traduit la poursuite de tensions très fortes au sein de l'appareil décisionnel américain. Ces difficultés n'ont fait que s'aggraver depuis les changements effectués à la Maison-Blanche au début de second mandat présidentiel, et le remplacement de James Baker par Donald Regan comme directeur de cabinet du Président.

Au-delà de ces questions de personnes, le contraste était trop grand entre l'idéologie et les réalités politiques tenant aussi bien à l'état d'esprit de l'opinion publique américaine qu'aux données du système international. La politique suivie par l'Administration Reagan en Amérique centrale est l'illustration la plus claire de ce phénomène. En arrivant au pouvoir en 1980, le président Reagan avait choisi de faire du Salvador un symbole de la fermeté nouvelle de l'Amérique. Le combat pour la démocratie était devenu une épreuve de volonté avec l'URSS et un symbole de la résistance aux entreprises déstabilisatrices de Cuba en Amérique centrale. Le problème du Salvador était initialement présenté comme devant et pouvant être résolu par un programme d'assistance militaire. L'Amérique, dans le prolongement naturel de la doctrine de Monroe, n'avait-elle pas des droits spéciaux dans son *front yard* ? En fait, en dépit des dénonciations multiples du Nicaragua, de l'aide apportée aux contre-révolutionnaires, et même

---

4. Voir, dans cette partie, le développement sur la politique de défense.

5. Voir, en particulier, Stanley Hoffmann, "La politique étrangère du président Reagan : le verbe et l'action", *Politique étrangère*, n° 4, 1984.

de l'embargo économique décrété en mai 1985, la politique américaine en Amérique centrale a été caractérisée jusqu'à présent par plus de prudence que d'activisme. Le Président a proclamé dans les termes les plus hyperboliques l'importance des enjeux mais il s'est bien gardé d'envoyer des combattants au Salvador (à l'exception de quelques conseillers) et au Nicaragua, il a laissé faire la CIA et des groupes soi-disant privés, même si l'aide aux *contras* semble s'accélérer.

L'intervention à la Grenade pouvait, certes, apparaître comme la nouvelle manifestation de la volonté américaine de ne pas se laisser "marcher sur les pieds", mais il s'agissait d'une opération limitée dans le temps et dans l'espace, dont les risques étaient minimaux. En fait, le président Reagan a su tout à la fois flatter le désir de puissance sans risque des Américains et leur volonté de paix. L'opinion américaine continue en effet à se méfier d'interventions extérieures prolongées. Le nationalisme s'accompagne d'une poursuite du syndrome vietnamien.

Le souci de ménager l'opinion publique américaine a été également évident dans la politique à l'égard de Moscou. L'accent mis de la façon la plus pressante sur la volonté de négocier tous les problèmes en suspens avec l'URSS, les offres de reprise, sans conditions, des négociations en matière de maîtrise des armements ont constitué autant de réponses à l'inquiétude que le Président sentait monter dans le public américain du fait de la nouvelle guerre froide.

La politique de défense

Lorsqu'en 1981 Ronald Reagan arrivait à la Maison-Blanche, la crise morale que traversait l'Amérique avait gagné l'ensemble de la société y compris l'armée. En 1980 le chef d'état-major de l'armée de terre ne se plaignait-il pas d'être à la tête d'une "armée vide" par référence à la mauvaise qualité du recrutement, au manque d'équipement et à l'existence de problèmes disciplinaires liés à l'usage de la drogue et aux relations inter-raciales ?

Le président Reagan va s'employer avec succès à lutter contre cette déliquescence générale en commençant par affirmer haut et clair que les Etats-Unis relèveront désormais tous les défis posés par leurs adversaires.

En dépit cependant d'une rhétorique dure à l'égard de l'URSS, l'Administration Reagan agira avec prudence. Elle attendra par exemple octobre 1981 avant de formuler son programme de modernisation des forces stratégiques. Il lui aura fallu au préalable écarter de toutes responsabilités ceux de ses partisans qui demandaient que soient prises des mesures d'urgence (*quick fixes*) destinées à remédier à ce qu'ils considéraient être les insuffisances les plus graves de l'appareil militaire américain en fonction d'évaluations alarmistes du rapport des forces américano-soviétiques.

Utilisant un courant d'opinion favorable à l'augmentation du budget militaire - le Congrès n'avait-il pas en 1980 et ce pour la première fois depuis treize ans, augmenté le budget du Pentagone au-delà de ce que demandait l'Exécutif -, la Maison-Blanche va redéfinir pour le long terme certains aspects de la politique de sécurité américaine, améliorer les structures de l'appareil militaire et innover en formulant de nouveaux modes d'emploi des forces.

La réalisation de cet ambitieux programme reposera sur un plan d'action qui peut se décomposer en trois points :
- une redéfinition des stratégies d'emploi des forces,
- une forte augmentation du budget militaire,
- l'utilisation des avantages technologiques américains au profit de la défense.

Redéfinition des stratégies d'emploi des forces et amélioration de l'appareil militaire

L'Administration Reagan a fait preuve d'une incontestable capacité d'innovation en cherchant à modifier les concepts d'utilisation des forces armées. Elle y a réussi pour l'armée de terre, et seulement partiellement pour la marine.

● L'armée de terre

A travers une succession d'études, d'analyses, de confrontations de points de vue différents, l'armée de terre va redéfinir les conditions de son engagement aéroterrestre, connues sous le nom d'*Airland Battle* (ALB). Elle ont été formulées dans une nouvelle édition (1982) du manuel d'opération en campagne *FM 100-5* (*Field Manual*).

Le budget de la Défense des Etats-Unis 1950-1988
Autorisation de programme
(en milliards de dollars 1983)

Année	Total Montant	Total Pourcentage d'évolution	Investissements Montant	Investissements Pourcentage d'évolution	Opérations Montant	Opérations Pourcentage d'évolution
1950	79,4		20,8		58,6	
1951	224,5	182,9	107,7	418,3	116,8	99,4
1952	288,8	28,6	150,1	39,3	138,7	18,8
1953	235,0	-18,6	106,7	-28,9	128,3	-7,5
1954	175,9	-25,1	51,3	-51,9	124,6	-2,9
1955	149,5	-15,0	40,2	-21,7	109,3	-12,2
1956	153,6	2,7	49,1	22,1	104,5	-4,4
1957	163,2	6,3	57,6	17,4	105,6	1,1
1958	159,6	-2,2	59,4	3,2	100,1	-5,2
1959	170,9	7,1	73,0	22,8	97,9	-2,3
1960	166,0	-2,8	69,0	-5,5	97,1	-0,8
1961	165,5	-0,3	69,1	0,2	96,4	-0,7
1962	188,5	13,9	83,7	21,1	104,8	8,7
1963	191,8	1,7	89,8	7,3	102,0	-2,7
1964	184,6	-3,7	82,4	-8,2	102,2	0,1
1965	177,0	-4,1	72,5	-12,1	104,5	2,3
1966	213,1	20,4	93,2	28,7	119,9	14,7
1967	232,3	9,0	94,0	0,8	138,4	15,4
1968	235,4	1,3	92,2	-1,9	143,2	3,5
1969	226,5	-3,8	79,5	-13,8	147,0	2,7
1970	204,4	-9,7	69,2	-12,9	135,3	-8,0
1971	183,8	-10,1	60,3	-12,8	123,5	-8,7
1972	178,9	-2,7	63,3	4,9	115,6	-6,4
1973	170,8	-4,5	59,6	-5,8	111,2	-3,8
1974	165,2	-3,3	56,4	-5,3	108,8	-2,2
1975	161,5	-2,3	53,2	-5,7	108,3	-0,5
1976	168,2	4,2	60,0	12,8	108,2	-0,1
1977	177,2	5,3	67,7	12,8	109,5	1,2
1978	174,2	-1,7	65,0	-4,0	109,2	-0,3
1979	174,4	0,1	64,3	-1,1	110,1	0,8
1980	178,3	2,3	64,5	0,3	113,8	3,4
1981	200,3	12,3	78,8	22,2	121,5	6,8
1982	223,8	11,7	96,8	22,8	127,1	4,6
1983c/	239,4	7,0	111,1	14,8	128,3	1,0
1984d/	263,6	10,1	125,4	12,8	138,2	7,8
1985d/	292,6	11,0	148,4	18,4	144,2	4,3
1986d/	308,4	5,4	157,6	6,2	150,9	4,6
1987d/	320,7	4,0	163,2	3,6	157,6	4,4
1988d/	333,5	4,0	172,0	5,4	161,5	2,5

Le budget de la Défense des Etats-Unis 1950-1988
Crédits de paiement
(en milliards de dollars 1983)

Année	Total		Investissements		Opérations	
	Montant	Pourcentage d'évolution	Montant	Pourcentage d'évolution	Montant	Pourcentage d'évolution
1950	69,1		13,2		55,9	
1951	107,3	55,3	21,6	64,3	85,6	53,2
1952	193,9	80,7	58,7	171,4	135,1	57,8
1953	207,3	6,9	81,1	38,0	126,3	-6,6
1954	194,9	-6,0	77,2	-4,8	117,7	-6,8
1955	168,4	-13,6	64,9	-15,9	103,5	-12,1
1956	162,5	-3,5	60,7	-6,5	101,8	-1,6
1957	166,5	2,5	62,4	2,8	104,1	2,3
1958	162,7	-2,3	63,1	1,2	99,6	-4,4
1959	165,4	1,7	66,4	5,1	99,1	-0,5
1960	154,3	-0,7	68,1	2,6	96,2	-2,9
1961	166,9	1,6	70,7	3,8	96,2	0,0
1962	179,6	7,7	75,5	6,7	104,2	8,3
1963	183,6	1,6	82,5	9,3	100,1	-3,9
1964	181,6	-0,6	78,8	-4,4	102,7	2,6
1965	165,6	-8,8	63,9	-19,3	102,0	-0,7
1966	183,2	10,7	69,4	9,1	113,8	11,6
1967	216,1	18,0	82,0	18,2	134,1	17,9
1968	236,0	9,2	90,8	10,8	145,2	8,3
1969	229,6	-2,7	89,5	-1,4	140,1	-3,5
1970	211,6	-7,8	78,1	-12,8	133,5	-4,7
1971	191,9	-9,3	67,7	-13,2	124,2	-7,0
1972	179,4	-6,5	62,0	-8,4	117,4	-5,5
1973	164,0	-8,6	56,9	-8,2	107,1	-8,8
1974	160,5	-2,1	53,9	-5,3	106,5	-0,5
1975	160,6	0,1	52,0	-3,6	108,6	1,9
1976	155,1	-3,34	49,7	-4,4	105,4	-3,0
1977	157,9	1,8	51,8	4,2	106,1	0,7
1978	158,7	0,5	52,4	1,1	106,3	0,2
1979	165,0	3,9	57,5	9,8	107,4	1,0
1980	170,0	3,0	59,8	4,0	110,2	2,5
1981	177,8	4,6	63,8	6,6	114,0	3,5
1982	191,1	7,5	69,5	9,0	121,6	6,7
1983c/	208,9	9,3	83,2	19,7	134,7	6,6
1984d/	230,2	10,2	96,2	15,6	134,0	5,5
1985d/	252,1	9,5	111,3	15,7	140,8	5,1
1986d/	271,8	7,8	124,7	12,1	147,1	4,5
1987d/	284,8	4,8	131,3	5,4	153,4	4,3
1988d/	295,8	3,9	138,0	5,1	157,8	2,9

L'esprit général de la réforme était annoncé par le document *FM 100-1. The Army (Manuel de campagne 100-1. L'armée de terre)* paru en août 1981. Ce qui va désormais primer sur le champ de bataille, c'est l'offensive : "*Le principe d'offensive, qui concerne des actions offensives ou la sauvegarde de l'initiative, représente le moyen le plus efficace d'atteindre un "but commun". Cela est fondamentalement vrai pour les niveaux stratégiques et tactiques. Si parfois il peut être nécessaire d'adopter une posture défensive, il ne devrait s'agir que d'une situation temporaire jusqu'à ce que les moyens disponibles permettent de reprendre les opérations offensives.*"

C'est essentiellement en fonction de ce principe d'offensive qu'ont été définies les modalités d'engagement des forces terrestres américaines. "*L'US Army peut avoir à faire face à une grande variété de situations et de défis... Elle doit être prête à combattre des forces rebelles bien équipées et légères soutenues par les Soviétiques ou des groupes de terroristes... Elle doit être préparée à combattre des forces hautement mécanisées comme celle du pacte de Varsovie ou des alliés de l'Union soviétique dans le golfe Persique ou en Extrême-Orient... Elle doit s'attendre à des batailles où seront employées des armes nucléaires et chimiques... Nous devons conserver l'initiative et casser en profondeur les capacités de combat de notre adversaire par des attaques en profondeur, une puissance de feu efficace et des manoeuvres appropriées... Airland Battle est la doctrine qui permet de faire face à ces défis à l'échelle mondiale. Le manuel (FM 100-5, 1982) explique cette doctrine.*"

L'une des innovations majeures apportée par *Airland Battle* consiste à envisager la bataille dans la profondeur du dispositif ennemi. L'attaque des forces hostiles qui s'y trouvent va supposer :

- de nouveaux dispositifs de surveillance et de traitement de l'information ;
- la revitalisation du rôle des forces spéciales ;
- l'accroissement de la portée des moyens d'artillerie ;
- la préparation de contre-attaques violentes et profondes derrière les lignes adverses. Il y aurait là un parallèle extrêmement intéressant à établir avec les groupes opérationnels de manœuvre mis au point par les Soviétiques.

Airland Battle a revitalisé l'*US Army* en confortant son moral et en contribuant à rénover ses matériels. Elle a également donné aux responsables américains un moyen de reformuler la stratégie de l'0TAN à travers l'énoncé d'un nouveau mode d'emploi des forces alliées connu sous l'acronyme FoFa (*Follow-on Forces Attack* - attaque des forces d'exploitation et de remplacement).

Airland Battle est aussi une doctrine qui prévoit l'engagement des forces américaines dans d'autres régions du monde et tout particulièrement dans la région du golfe arabo-persique. Pour agir dans cette zone, l'Administration Reagan a hérité de la Force de déploiement rapide (*Rapid Deployment Force* - RDF) mise sur pied sous la présidence Carter.

A partir de 1981 une coloration nouvelle sera donnée au rôle de la RDF. Non seulement elle restait affectée à l'intervention dans le golfe arabo-persique, mais elle devenait également l'outil ad hoc d'une stratégie d'escalade horizontale selon laquelle "*... si l'ennemi attaque à un seul endroit, nous pourrons décider de ne pas nous limiter à contrer l'agression là où elle s'est produite. Nous pourrions aussi engager l'ennemi sur plusieurs endroits à la fois*[6]".

Cette inflexion du rôle attribué à la RDF va se dessiner graduellement à partir de la création d'un nouveau grand commandement unifié le CENTCOM (*Central Command*) à l'instar de ce qui existe pour les forces américaines en Europe (EUC0M) ou dans le Pacifique (PACOM) et qui couvre 19 pays depuis le Kenya jusqu'au Pakistan. La création du CENTCOM représente à elle seule une révolution au sein du Pentagone et permet de ne plus systématiquement lier le rôle de la RDF aux seules interventions dans le golfe arabo-persique.

La terminologie utilisée par le Pentagone va refléter cette évolution. Dans le rapport annuel du secrétaire d'Etat à la Défense pour l'année fiscale 1983, un chapitre est consacré aux Forces de déploiement rapide pour l'Asie du Sud-0uest.

---

6. Fred Ikle, "The Reagan Defense Program : a Forces on the Strategic Imperative", *Strategic Review*, printemps 1982.

Les forces américaines d'intervention

Rappel historique

Août 1977 : Directive présidentielle n° 18 du président Carter demandant la création d'une force de réaction rapide à base d'infanterie légère dont le déploiement se ferait par air (*Airlift*) ou par mer (*Sealift*). Le Comité des chefs d'état-major (JCS) préconise de regrouper dans une réserve centrale interarmes basée aux Etats-Unis un ensemble de moyens militaires qui relèverait d'un commandement unique et qui serait susceptible d'intervenir n'importe où.

Avril 1979 : Le général Bernard Rogers, chef d'état-major de l'*US Army*, annonce l'existence d'un plan prévoyant la mise sur pied d'une force de 100 000 hommes destinée à intervenir dans le Tiers-Monde.

6 octobre 1979 : Création de la RDJTF (*Rapid Deployment Joint Task Force*) placée sous l'égide du *US Readiness Command* (REDCOM) et dont la mission est principalement axée sur la région du golfe Persique (*South West Asia*).

Mars 1980 : Mise sur pied du quartier général de la RDJTF subordonné au REDCOM.

1er janvier 1983 : Le commandement de la RDJTF devient commandant d'un nouveau commandement géographique unifié, le *US Central Command* (US CENTCOM) pour l'Asie du Sud-Ouest. Les termes RDF, RDJTF ne sont plus utilisés.

Décembre 1983 : Déploiement d'un quartier général avancé du CENTCOM à bord du bâtiment de la marine *US La Salle* basé dans la région du golfe Persique. Les forces susceptibles d'être requises par CENTCOM sont également celles qui pourraient être amenées à intervenir dans le cadre de conflits limités.

Les forces susceptibles d'être utilisées à des interventions dans des conflits périphériques se déroulant dans la zone du CENTCOM

Environ 294 000 hommes seraient disponibles pour être employés par CENTCOM. Leur répartition est la suivante :

Armée de terre :

Quartier général (*US Army Central Command*)

Quartier général du 18e Corps aéroporté, comprenant :
- la 82e division parachutiste,
- la 101e division aéromobile,
- la 16e brigade de police militaire,
- la 18e brigade d'artillerie de campagne,
- la 10e brigade du génie,
- la 35e brigade de transmission,
- le 3e bataillon antiaérien (missiles HAWK-I).

Pour emploi par le CENTCOM, deux autres unités peuvent être rattachées au 18e Corps :
- la 24e division mécanisée,
- la 6e brigade de cavalerie aéromobile.

Armée de l'air :

Quartier général (*Central Command Air Forces*) (*9th Air Force*) :

- 7 escadres de chasseurs-bombardiers (F111, F15, F4, A7, A10) représentant environ 500 avions de combat,
- 2 escadrons de bombardiers stratégiques (*Air Force Strategic Projection Force*).

US Marines :

1 force amphibie des Marines (MAF) comprenant :
- 1 division renforcée de Marines,
- 1 escadre de l'aviation des Marines.

US Navy :

Quartier général (*US Naval Forces Central Command*) :

- 3 groupes de porte-avions,
- 1 groupe de bataille formé autour d'un cuirassé (*Surface Action Group*),
- 5 escadrons de patrouille maritime.

Source : D'après Yves Boyer, *Les forces classiques américaines*, Fondation pour les études de défense nationale, Paris, 1985.

En 1985, Caspard Weinberger ne mentionne plus la RDF mais évoque la "projection de la Force" et les problèmes de sécurité régionale : OTAN, Asie du Sud-Ouest, Afrique, Amérique centrale et latine. Ceci est l'aboutissement d'un vaste effort destiné à rendre plus mobile un certain nombre d'unités de l'armée de terre américaine *"affectées par priorité au CENTCOM... mais aussi disponible pour des missions de déploiement rapide dans d'autres régions"*.

Cette évolution est à mettre au crédit de l'Administration Reagan et reflète sa capacité à adapter son outil militaire aux hypothèses de conflits. Après l'Afghanistan et l'Iran de sérieuses menaces pesaient sur la stabilité du golfe arabo-persique. Depuis, l'hypothèse de conflits à faible intensité (intervention à la Grenade par exemple) paraît dominer dans l'esprit du planificateur américain. Il y répond en ajustant son appareil militaire.

L'opération de la Grenade

C'est à la demande de l'Organisation des pays des Caraïbes orientales (OECS) que les Etats-Unis ainsi que des contingents provenant d'Antigua, de la Dominique, de Sainte-Lucie, de la Barbade, de Saint-Vincent et de la Jamaïque sont intervenus militairement à la Grenade.

L'intervention s'est produite alors que la situation dans l'île se détériorait rapidement après le coup d'Etat du 1er octobre 1983 qui coûta la vie au Premier ministre Maurice Bishop. Ce dernier, en place depuis 1979, était à la tête d'un régime progressiste dont les éléments les plus durs (général Hudson Austin) avaient décidé d'éliminer Maurice Bishop. Devant la dégradation des événements et les risques croissants qui pesaient sur les ressortissants américains présents sur l'île, le président Reagan décidait de répondre favorablement à la requête de l'OECS.

Placé sous la responsabilité du commandant chef du commandement de l'Atlantique (*US Atlantic Command* - Norfolk, Virginie), l'opération *Urgent Furry* rassembla plusieurs milliers d'hommes soutenus par une petite force navale constituée autour du porte-avion *Indépendance*.

Le débarquement sur l'île eu lieu le 25 octobre à l'aube. Le 27, l'ensemble de l'île (344 km2, 110 000 habitants) était aux mains des forces alliées exceptés quelques points de résistance rapidement anéantis. Lors des combats, les forces américaines se heurtèrent plus durement que prévu à des éléments cubains présents à la Grenade. Selon certaines informations non confirmées officiellement, il y eu également affrontement direct avec des conseillers militaires soviétiques en très petit nombre sur l'île.

Sur un plan strictement militaire, un certain nombre de leçons ont été tirées de cette opération ; on peut citer notamment :

- Une mauvaise coordination de l'action interarmes qui s'est traduite par des pertes dues à des appuis aériens et d'artillerie qui ont touché des positions américaines. Pour éviter au maximum ce type d'incidents, il avait été pourtant décidé de séparer l'île en deux. Les Marines avaient la responsabilité de l'octroi dans la moitié Nord, l'armée de terre et l'*US Air Force* dans la moitié Sud. Pour remédier à ce genres d'incidents, un effort particulier a été décidé, qui porte sur la modification des équipements de communications, de façon à augmenter leur interopérabilité entre l'armée de terre d'une part et la marine et les Marines de l'autre.

- Sans la présence d'éléments de Marines avec leurs moyens de débarquement (5 bâtiments) en partance pour le Liban et qui ont été détournés vers la Grenade, l'opération amphibie n'aurait pas pu avoir lieu aussi rapidement faute de moyens appropriés dans la flotte de l'atlantique. Pour remédier à cette lacune, il a été décidé de constituer au sein de cette flotte un groupe amphibie disponible à tout instant (*Ready Amphibious Group*).

- Il n'avait pas été prévu qu'un nombre aussi important de conseillers cubains se trouvent sur l'île. Lorsqu'ils ont été faits prisonniers, il a fallu hâtivement improviser pour construire des camps. Cette question d'apparence anodine a été soulignée par l'amiral Mac Donald, commandant en chef pour l'Atlantique. Il correspond au problème qui pourrait se poser à une échelle beaucoup plus vaste à l'armée de terre américaine si la mise en œuvre de la doctrine *Airland Battle* portait ses fruits. Un énorme afflux de prisonniers ennemis compliquerait alors sérieusement les poursuites de l'offensive si aucun moyen d'accueil n'était prévu pour ces prisonniers[1].

L'opération de la Grenade a donc apporté une série de leçons très utiles aux militaires américains, d'autant qu'elle correspond à l'hypothèse la plus vraisemblable de l'emploi des forces armées des Etats-Unis dans les années à venir : le conflit de faible intensité.

---

1. . Voir à ce sujet, Major Mark Beto, "Soviet Prisoners of War in the Airland Battle, *Military Review,* décembre 1984.

● La marine

En ce qui concerne la marine, la réussite de l'Administration Reagan reste à confirmer. Aux missions traditionnelles de contrôle des mers et de projection de la puissance, l'Administration, sous l'impulsion de John Lehman, secrétaire à la Marine, souhaitait - contre l'avis des autorités militaires - que la marine serve, dans la perspective de la stratégie d'escalade horizontale, de force de contre-attaque destinée à empêcher le Kremlin de concentrer son potentiel militaire classique. L'une des mesures préconisées par John Lehman consiste à porter la contre-atta-que aux portes mêmes de l'Union soviétique, essentiellement en mer de Barents et en mer d'Okhotsk. Pour le chef d'état-major de la Marine, cette option comporte trop de risques et est impossible à réaliser, malgré un plan de constructions navales qui portera le nombre des bâtiments de l'*US Navy* à 600 d'ici 1990.

Il s'agit là d'un plan particulièrement ambitieux, puisqu'entre 1985 et 1989 il est prévu de construire ou de refondre 142 bâtiments. De toute évidence, ce plan contribuera à renforcer la supériorité déjà écrasante de la marine américaine pour ce qui concerne la qualité des sous-marins nucléaires d'attaque, le nombre et la puissance de ses porte-avions (12 porte-avions opérationnels déplacent 1,229 million de tonnes côté américain contre 4 très petits porte-aéronefs du côté soviétique qui déplacent 170 000 tonnes) et l'énorme capacité de sa force amphibie (632 000 tonnes contre 141 000 pour les Soviétiques). On peut cependant se demander si ce plan améliorera la capacité de la marine américaine à protéger les lignes de communications qui sont vitales pour l'OTAN.

● L'augmentation du budget de la défense

En trois ans, Ronald Reagan a lancé le programme de reconstruction militaire le plus ambitieux des Etats-Unis en temps de paix. Cet énorme effort ne représentait cependant pas un changement radical par rapport à ce qu'avait annoncé son prédécesseur lors de la dernière année de sa présidence. Jimmy Carter avait prévu pour la période 1983-1986 une augmentation de 5 % du budget militaire après inflation, Ronald Reagan s'en tiendra à 7 %.

Le budget de la Défense des Etats-Unis 1982-1986 (TOA) (milliards de dollars)

	Année fiscale 1982	Année fiscale 1983	Année fiscale 1984	Année fiscale 1985	Année fiscale 1986
Prévisions Carter	196,4	224	253,1	284,3	-
" Reagan	222,2	254,8	289,2	326,5	367,5
Réalisé	213,7	239,4	258,1	305	-

Ces augmentations du budget militaire appellent trois séries de remarques.

La première concerne la relation entre le budget de la défense et l'état de l'économie américaine. Les précédentes augmentations rapides et soutenues des dépenses militaires (Corée et Vietnam) se sont déroulées dans un contexte où la croissance de l'économie américaine était relativement élevée, de l'ordre de 5,2 % dans le premier cas et de 4,6 % entre 1965 et 1968. Au début des années 80, la croissance n'est plus que d'environ 2,5 % (1980). D'autre part, en une vingtaine d'années, les dépenses fédérales se sont considérablement accrues au point de faire passer le budget de la défense de 45 % du total en 1960 à seulement 23 % en 1980.

Comment dans ces conditions financer l'accroissement du budget militaire ? Ronald Reagan refusera d'augmenter les impôts, ce fut d'ailleurs l'un des thèmes de sa campagne électorale en 1980. Il choisira de comprimer les dépenses fédérales non militaires, mais ne pourra éviter qu'une part du financement ne contribue à un déficit budgétaire estimé à 200 milliards de dollars en 1983.

Pourcentage des dépenses militaires par rapport au budget fédéral des Etats-Unis

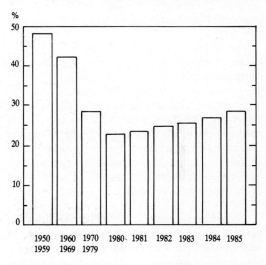

L'augmentation du budget militaire va s'accompagner d'un effort pour parvenir à une meilleure gestion du Pentagone. L'opinion publique n'aurait pas admis que la compression des dépenses fédérales non militaires ne s'accompagnât pas d'un contrôle strict de l'utilisation des crédits militaires. La préservation du consensus national était à ce prix. La nomination à la tête du Pentagone de Caspard Weinberger (*"Cap the Knife"*[7]) s'explique en partie pour cette raison. Elle n'évitera cependant pas que le soutien populaire aux augmentations des dépenses militaires s'érode rapidement ; en février 1980, 71 % des Américains y étaient favorables contre seulement 14 % en 1983.

Dès sa prise de fonction, Caspard Weinberger s'employera à utiliser au mieux les crédits du Pentagone de façon à ne pas prêter le flanc aux critiques. Le secrétaire à la Défense sera aidé dans sa tâche par Frank Carlucci qu'il fera nommer numéro deux à la tête du Pentagone, malgré les critiques des conservateurs. Frank Carlucci sera chargé d'améliorer le processus budgétaire du département à la Défense, d'éviter au maximum les fraudes et de modifier les méthodes de passation des marchés afin de mettre fin à des pratiques abusives. En ce domaine des résultats ont été obtenus et l'inspecteur général du Pentagone pouvait se féliciter, en septembre 1984, d'avoir épargné en trois ans d'activité 5,9 milliards de dollars. En ce qui concerne les pratiques abusives, des efforts restaient à faire, la moitié des fournisseurs du Pentagone en pièces détachées continuant à surestimer leurs prix. Ce phénomène touche tout particulièrement les industries aéronautiques : certains composants d'avion ont vu leur prix augmenter de quatre à cinq fois en quatre ans.

Parmi les réformes destinées à limiter ces excès, il en est une qui mérite une attention particulière pour ses conséquences qui dépassent les seules considérations budgétaires. On sait que, depuis Robert McNamara, le processus budgétaire du Pentagone fonctionne selon la méthode du PPBS (*Planning, Programming and Budgeting System*) dont l'un des objectifs était de rogner le poids de ces féodalités que sont les Services, c'est-à-dire les armées de l'air, de terre et de mer (avec les Marines).

Malgré ses qualités, le PPBS souffrait de déficiences graves. Pour y remédier, le prédécesseur de Caspard Weinberger avait créé en 1979

une organisation, le DRB (*Defense Ressource Board*), chargée d'harmoniser les demandes budgétaires issues des services avec les options stratégiques et les possibilités financières[8]. Caspard Weinberger va accroître l'importance du DRB. Il le fera d'une telle sorte que les services, par l'intermédiaire de leurs secrétaires respectifs, y sont désormais représentés aux risques de produire un effet diamétralement opposé à celui escompté. Le DRB devait décider des choix budgétaires litigieux sans être partie prenante aux luttes d'influence au sein du Pentagone. En donnant aux responsables des différentes armes voix au chapitre, l'arbitrage redevient un marchandage plutôt que le résultat de considérations stratégiques. Ce problème bureaucratique d'apparence anodine peut avoir de très importantes conséquences notamment sur l'avenir du projet *"Star War"*.

En définitive, les efforts en faveur d'une meilleure gestion du département de la Défense se sont très largement révélés vains. Il aurait fallu qu'ils précèdent l'augmentation du budget militaire. Depuis longtemps déjà, le Pentagone a perdu le contrôle absolu de la définition des systèmes d'armes au profit des constructeurs qui trop souvent se répartissent le marché sans réelle concurrence. Du fait de cette situation et malgré une augmentation sensible de son pouvoir d'achat entre 1982 et 1984, le Pentagone n'a donc pu acheter autant de matériel qu'il l'escomptait.

La troisième remarque que suscite le plan de "réarmement" des Etats-Unis lancé par Ronald Reagan concerne l'effet à long terme des augmentations du budget de la défense. Du simple fait que ce budget est conçu sur une base annuelle, le lancement d'un programme (exprimé en TOA, *Total Obligational Authority*) aura des implications financières à long terme extrêmement contraignantes. En effet, lors de la première année de ce programme, les TOA ne traduisent en dépenses réelles (*outlays*), dans le cas d'achat de matériel, qu'à concurrence de 12 % du programme en moyenne. Le solde est étalé sur les années suivantes. Cet étalement des dépenses tient au cycle d'acquisition des maté-

---

7. "Caspard le couteau", c'est-à-dire celui qui coupe les dépenses.

8. John Collins, Elizabeth Severns, Thomas Glakas, *US Defense Planning : a Critique*, CRS, juillet 1982.

Quelques termes employés pour caractériser le budget américain

TOA - Total Obligational Authority

Le concept de TOA représente la valeur du budget de la défense pour une année budgétaire (1ᵉʳ octobre-30 septembre) sans considérer le mode de financement du budget.

BA - Budget Authority (ou Obligational Authority)

Ce concept correspond approximativement à la notion française d'autorisation de programme. Il se rapporte au montant maximum que le Congrès affecte à un département ministériel ou à une agence pour une année budgétaire. Si les BA concernant les salaires sont pratiquement totalement consommées pendant l'année fiscale pour laquelle elles ont été votées, il n'en est pas de même pour celles qui se rapportent à des programmes s'étalant sur plusieurs années. C'est ainsi par exemple, que pour le budget de l'année fiscale 1985, 19 % des dépenses réelles (*outlays,* voir ci-après) provenaient de *Budget Authority* votées les années précédentes. A contrario, 26 % (259 millions de dollars) du budget fédéral pour cette même année 1985 seront dépensés ultérieurement. Ils viendront s'ajouter au 766 millions de dollars du *Budget Authority* votés les années précédentes et non encore utilisés.

Outlays

Les *outlays* se rapprochent de la notion de crédit de paiement utilisé dans le budget français. Elles concernent donc les dépenses réelles qui découlent des *Budget Authority* et qui seront effectives durant l'année budgétaire.

Le budget de la défense
(en milliards de dollars 1985)

	Année fiscale 1983	Année fiscale 1984	Année fiscale 1985
TOA	259,6	270,8	305,7
BA	260,4	269,9	305
Outlays	222,2	241,8	264,4

Répartition par titre en 1985

(*Budget Authority*)

Achat	107,6
Opération et entretien	81,4
Personnel	70,6
Recherche-développement	34
Divers	11,5

Répartition par origine de paiements en 1985

(*Outlays*)

Dépense votées lors du budget utérieur	95,8
Paiement des salaires (y compris les retraites)	89,8
Opérations pour l'année en cours	46
Investissements de l'année en cours	32,8

riels : de huit ans en 1955 pour un bombardier, il est passé à treize ans en 1980[9].

En 1980, près de 30 % des dépenses militaires de l'année résultaient d'engagements pris antérieurement. Avec les très nombreuses commandes lancées entre 1981 et 1984, ce pourcentage atteignait 35 % en 1985, et devrait s'accroître jusqu'à environ 40 % en 1988. Ceci explique qu'en dépit des énormes efforts consentis, les forces américaines n'aient pas radicalement changé de physionomie. L'armée de terre par exemple comptait en 1984 une seule division supplémentaire. Cette évolution est lourde de conséquences pour l'avenir. Quelle que soit l'Administration en poste en 1988, il lui faudra honorer les traites signées entre 1981 et 1984. La flexibilité dans les choix budgétaires intéressant la défense sera considérablement réduite, à moins d'une augmentation supplémentaire du budget - qui reste pour le moins incertaine - ou encore de coupes sombres dans les dépenses militaires futures. A cet égard, on ne peut qu'exprimer les plus grandes réserves sur l'avenir d'un certain nombre de grands programmes.

Comme le soulignait Harold Brown, prédécesseur de Caspard Weinberger au Pentagone, "*cette Administration a réalisé un certain nombre de bonnes choses avec la préparation des forces (readiness)... Mais elle a semé les graines d'un désastre. Elle s'est engagée dans la voie*

9. Congressional Budget Office Study, *Defense Spending and the Economy,* février 1983.

d'une structuration des forces (nouveaux porte-avions, nouvelles escadres d'avions, etc.) qui n'a de sens que si l'on peut garantir une croissance réelle du budget de la défense, et personne ne s'attend à ce qu'il en soit ainsi[10]".

● L'utilisation des avantages technologiques

Si Ronald Reagan s'est tenu à un point de son programme électoral, c'est bien celui qui consistait à *"obtenir une supériorité globale, technologique et militaire sur l'Union soviétique[11]"*. Cette supériorité, les Etats-Unis la trouve comme toujours non pas dans le nombre mais dans la qualité.

Cela est particulièrement vrai dans le domaine des armements classiques. L'armée de terre, à elle seule, recevra d'ici 1990 plus de 300 équipements nouveaux, depuis le nouveau char M1 jusqu'à l'hélicoptère d'attaque *AH-64 Apache.* Ces armes incorporent énormément de haute technologie et, par leur qualité, elles pèsent sur les choix en matière d'effectifs. Lors de son arrivée au pouvoir, l'Administration Reagan avait en effet deux options possibles.

La première option consistait à adopter tout ou partie des thèses défendues par les "unilatéralistes" favorables à la redéfinition des missions assignées aux forces classiques américaines. Pour ces derniers, les principaux défis militaires posés aux Etats-Unis se situant hors d'Europe, l'Amérique devrait disposer de forces classiques aptes à intervenir rapidement et dotées d'une très grande mobilité pour agir dans des zones difficiles d'accès avec très peu d'infrastructures logistiques. Le Pentagone aurait ainsi besoin de forces légères et non pas d'éléments lourds comme ceux destinés à combattre en Centre-Europe. Dans cette hypothèse, l'armée de terre américaine devrait moins investir dans les matériels et davantage dans les hommes, afin de disposer d'effectifs plus nombreux pour intervenir sur plusieurs théâtres d'opération à la fois.

La seconde option consistait à maintenir, comme c'est le cas depuis 1950, la priorité du théâtre européen, en modernisant les matériels lourds, et à augmenter les stocks de guerre pour un conflit de longue durée. Selon ce scénario, les investissements destinés aux forces classiques porteraient davantage sur les matériels que sur l'augmentation des effectifs.

C'est cette seconde option qui a continué à prévaloir. Si l'on regarde l'évolution de l'*US Army,* on s'aperçoit en effet que ses effectifs se sont stabilisés à leur niveau de 1980 soit 784 000 hommes. Par contre, la commande de matériel est passée de 6,6 milliards de dollars en 1980 à 23 milliards en 1985[12]. S'agissant d'un matériel de plus en plus complexe, la politique de recrutement a consisté à enrôler des hommes de mieux en mieux formés. En 1980, on comptait seulement 54 % de nouvelles recrues diplômées du second cycle (*High School Graduate*). Ce pourcentage atteignait 88 % en 1984. Cette qualité du recrutement depuis quelques années ne doit pas masquer l'existence de difficultés à former et à commander des soldats qui se recrutent parmi les minorités. Il y a 30 % de Noirs dans l'*US Army,* alors que cette communauté ne représente que 13 % de la population américaine, et 10 % de chicanos. L'appel au volontariat féminin (10 % de l'*US Army)* pourrait lui aussi poser de sérieux problèmes opérationnels.

Le recours à la haute technologie concerne toutes les armes. Il se traduit par un effort de recherche-développement particulièrement vigoureux (notamment dans les domaines des composants électroniques, programme VHSI-C[13]) et destiné à amorcer un certain nombre de programmes futuristes. C'est le cas par exemple du programme IDS (Initiative de défense stratégique, *Strategic Defense Initiative),* dont l'idée fut lancée par le président Reagan lors d'un discours prononcé en mars 1983. En 1989 la part de l'IDS dans la recherche-développement du Pentagone sera de 16 % contre 5 % en 1985.

Malgré l'engouement pour les technologies nouvelles, il faut raison garder. Peu d'entre elles sont suffisamment sûres et fiables pour que les planificateurs militaires s'en remettent à elles pour établir leurs prévisions à long terme. Beaucoup ne seront jamais incorporées dans des équipements opérationnels. Aussi est-il extrêmement hasardeux de spéculer sur la faisa-

10. Harold Brown, "Reagan Revolution Builds up Defense", *Los Angeles Times,* 7 février 1984.

11. Texte adopté par la convention nationale du parti républicain, Détroit, 15 juillet 1980.

12. Yves Boyer, *Les forces classiques américaines : structure et stratégies,* Cahier n° 34 de la Fondation pour les études de défense nationale, Paris, 1985.

13. *Very High Speed Integrated Circuits.*

Part de la recherche-développement (R&D) du département de la Défense (DoD) affecté à l'IDS (en milliards de dollars)							
	1983	1984	1985	1986	1987	1988	1989
DoD R&D	22,82	26,86	33,98	37,79	38,42	43,71	47,09
Croissance annuelle	14 %	18 %	26 %	11 %	2 %	14 %	8 %
IDS (budget)		0,99	1,77	3,79	4,98	6,26	7,40
Croissance annuelle			79 %	113 %	32 %	25 %	18 %
Pourcentage de la R&D de l'IDS par rapport à la R&D du Pentagone		4 %	5 %	10 %	13 %	14 %	16 %

bilité et les avantages opérationnels de programmes qui n'en sont qu'à une phase de recherche fondamentale. C'est le cas en particulier de l'IDS qui a été lancée en dépit d'une controverse très sérieuse qui agite toujours la communauté scientifique américaine.

A cet égard, il est bon de garder présent à l'esprit ce qu'en disait la commission Scowcroft, commission bipartisane mise sur pied par le président Reagan au début de 1983 et chargée de réfléchir sur l'avenir des forces stratégiques américaines : "*La recherche-développement dans le domaine des technologies de lutte contre les missiles balistiques (ABM)... est nécessaire afin d'éviter une surprise de la part des Soviétiques. Un tel programme contribuera également à réduire pour les Soviétiques les incitations... à abroger le traité ABM. Actuellement cependant, la Commission considère qu'aucune technologie ABM n'apparaît combiner à la fois une faisabilité prouvée, une capacité à survivre, des coûts peu élevés et une efficacité suffisante qui justifieraient que l'on aille au-delà du stade de développement technologique[14]*".

Selon certains commentateurs avertis, les protagonistes d'une BMD (*Ballistic Missile Defense*) auront de plus en plus de difficultés à justifier la faisabilité des systèmes stratégiques défensifs. Des contre-mesures restent toujours possibles. Le durcissement contre les rayons laser fait déjà l'objet de nombreuses recherches, y compris en France. La manœuvrabilité des

véhicules de rentrée (ogives) est également une autre parade et le Pentagone semble prêt à relancer avec vigueur les programmes MARV *(Manœuvering Re-entry Vehicle)*. Plus grave encore, les espoirs d'intercepter les missiles balistiques lors de leur phase de propulsion *(Boost Phase),* qui dure environ 400 secondes, semblent faire long feu, puisque l'on travaille d'ores et déjà à la réalisation de missiles à propulsion rapide de l'ordre de 50 secondes comme cela semble être le cas du *Midgetman,* fusée intercontinentale à une charge, recommandée par la commission Scowcroft. Enfin et surtout, une défense stratégique ne peut éluder, comme le fait l'IDS, la question des bombardiers et des missiles de croisière susceptibles d'attaquer les Etats-Unis.

Si on laisse de côté ces considérations d'ordre technique pour évaluer les chances qu'un système BMD soit mis en œuvre, deux paramètres sont à prendre en compte, pour ce qui est des seuls problèmes intérieurs américains.

Le premier concerne le rôle de l'appareil bureaucratique. Quelles sont les chances de l'organisation IDS de faire prévaloir ses objectifs au sein même du Pentagone ? On sait que l'IDS dépend directement du secrétaire à la Défense.

---

14. *Analyses of the Costs of the Administration's Strategic Defense Initiative 1985-1989,* 23 mai 1984, Congressional Budget Office.

Par contre, les fonds qui lui sont nécessaires transitent par les services (air, terre, mer) et on assiste déjà à d'intenses batailles internes pour l'affectation de crédits qui commencent à diminuer. La réalisation de l'IDS risque d'être rapidement affectée par des réductions dans le budget du Pentagone. Dès maintenant, les armées de l'air et de la marine ont exprimé des réticences à l'égard de l'IDS. La puissance de ces services n'est plus à démontrer. Dans le passé, ils ont prouvé qu'ils savaient imposer leur vue.

Le second facteur décisif pour l'avenir de l'IDS est le rôle des industries aérospatiales américaines. Celles-ci ont trouvé, avec l'affectation de 26 milliards de dollars consacrés aux recherches sur les programmes antimissiles, une excellente aubaine pour relancer la recherche spatiale qui avait eu tendance à péricliter depuis un certain nombre d'années. Leur engagement en faveur de l'IDS n'est qu'à ce prix.

Avec l'approbation, en août 1984, d'une stratégie spatiale particulièrement ambitieuse, qui redonne à la NASA, en liaison avec le Pentagone, le soin de relancer la recherche spatiale, la problématique se modifie pour les industries aérospatiales. Le programme civil de la NASA peut susciter un plus grand intérêt que celui lancé sous les auspices du département de la Défense, notamment s'il débouche sur la commercialisation des activités spatiales. Entre l'aventure hypothétique de l'IDS et le pari plus réaliste d'opérations commerciales grâce à l'espace, les industries aérospatiales hésiteront sans doute.

L'Amérique et ses alliés

Au regard de la nouvelle puissance américaine, l'Europe serait-elle le maillon faible de l'Alliance atlantique ? Décadents, défaitistes, candidats à la finlandisation, les Européens n'ont pas toujours bonne presse au-delà de l'Atlantique. La controverse sur les euromissiles, l'attachement à la détente et à l'arms control, la relative stagnation des budgets de défense, la cacophonie des politiques étrangères, la critique de la diplomatie américaine au Proche-Orient et en Amérique centrale, les nouvelles inquiétudes vis-à-vis de l'Initiative de défense stratégique du président Reagan, le retard voire la mentalité "pré-technologique" du Vieux

Continent, autant de comportements européens qui irritent, inquiètent ou exaspèrent une certaine Amérique.

Vue d'Europe à l'inverse, la nouvelle puissance américaine rassure tout autant qu'elle suscite de nouvelles et sérieuses inquiétudes. Un an après la querelle des euromissiles, c'est autour de la guerre des étoiles et des nouveaux concepts conventionnels de l'OTAN, que se concentre désormais le débat transatlantique. Comment peut-on élever le seuil nucléaire (avantages supposés de l'IDS et de FoFa) sans revenir aux seules pratiques de défense conventionnelle (catastrophes démontrées par deux récentes guerres mondiales) ?

Les nouveaux débats stratégiques

● Les suites de l'affaire FNI[15]

Commencé en décembre 1983, le déploiement des missiles *Pershing* et *Cruise* dans les pays européens de l'OTAN s'est effectué plus facilement que ne le laissait prévoir le phénomène antinucléaire des deux années précédentes. L'opposition pacifiste est certes restée politiquement puissante dans les pays non encore soumis à l'heure de vérité. Les Pays-Bas ont décidé, le 1er juin 1984, d'ajourner le déploiement de leurs 48 missiles *Cruise* au 1er novembre 1985. Si, à cette date, le nombre de *SS-20* soviétiques est supérieur à 378 (chiffre de juin 1984), La Haye acceptera alors de recevoir son contingent de missiles *Cruise*. Or, selon les estimations de l'OTAN, le nombre de *SS-20* était déjà, au mois d'avril 1985, de 474. En Belgique, en dépit d'une opposition très virulente à la diplomatie de Wilfried Martens, le Parlement a officiellement accepté, le 20 mars 1985, le déploiement de la première tranche de 16 missiles *Cruise* sur la base de Florennes. L'intégralité du contingent de 48 *Cruise* devrait être déployée dans le courant de 1985.

Dans les autres pays de l'OTAN, le déploiement s'est effectué avec la force du fait accompli. Au mois de décembre 1984, 118 missiles *Pershing II* et *Cruise,* sur un total de 572 prévus par la décision de 1979, étaient effectivement opérationnels en RFA, Italie et Grande-Bretagne. Cette relative atonie des mouvements antinu-

_____

15. Forces nucléaires intemédiaires (*Intermediate Nuclear Forces,* INF).

cléaires fut particulièrement remarquable en RFA où la moitié des *Pershing* initialement prévus (108) a été, en un an, effectivement implantée.

Mais ce premier déploiement des missiles *Pershing* et *Cruise* n'a pas pour autant calmé les inquiétudes européennes quant à la crédibilité de la garantie nucléaire américaine en Europe. Paradoxalement, c'est au moment même où les euromissiles sont censés "recoupler" les deux rives de l'Atlantique que de nouveaux doutes surgissent en Europe quant à la stabilité de l'engagement nucléaire américain. Variations sur un même thème, le spectre du découplage prend successivement plusieurs visages dont aucun d'ailleurs n'annule la menace de l'autre. En 1983, les euromissiles focalisaient le débat européen. Pour l'opinion antinucléaire, *Pershing* et *Cruise* donnaient à Washington les moyens et l'occasion de limiter la guerre nucléaire au Vieux Continent. Pour les gouvernements à l'inverse, ces armes rétablissaient la continuité stratégique et la parité des menaces entre l'Europe et les Etats-Unis. En 1984, le débat s'est déplacé vers "les étoiles" et l'Europe s'inquiète moins désormais d'une guerre nucléaire limitée que d'un conflit conventionnel généralisé à l'ensemble du théâtre européen.

Telle est en effet l'interprétation européenne des nouvelles orientations stratégiques définies à Washington ou à Bruxelles. L'Initiative de défense stratégique (IDS), lancée par l'Administration Reagan, et la doctrine FoFa (*Follow-on Forces Attack)*, adoptée par l'OTAN en novembre 1984, ne remettent-elles pas en cause le principe même de la dissuasion ? Une barrière antimissile dans l'espace, une dissuasion conventionnelle extrêmement sophistiquée au niveau du champ de bataille n'impliquent-elles pas un double découplage - par le haut et par le bas[16] entre les territoires européen et américain ?

● L'Europe face à l'IDS : oui impossible, non improbable

Les 26 milliards de dollars prévus, de 1985 à 1989, pour la phase de recherche du programme IDS ont donné quelque réalité aux anticipations futuristes de guerre des étoiles, évoquées par le président Reagan[17]. Le débat sur l'Initiative de défense stratégique domine désormais la scène atlantique, parce qu'il engage autant les relations euro-américaines que le type même de

rapports Est-Ouest souhaitables dans les prochaines décennies. Vu d'Europe, nombreuses sont en effet les raisons de douter, nourries souvent des graves ambiguïtés américaines sur la finalité même de l'IDS.

En ce qui concerne les *implications politico-stratégiques* du projet de défense américain, la même inquiétude domine dans l'ensemble des capitales européennes. S'il s'agit à long terme de construire un système de défense antimissile parfaitement étanche, rien dans l'état actuel de la technique ne permet de conclure à sa faisabilité. Rien sinon le rêve d'un Président. Même en admettant qu'une telle défense soit réalisable, encore faut-il que le rapport coût/efficacité reste positif, et qu'un éventuel bouclier spatial américain ne soit pas aisément détournable par des contre-mesures adverses plus simples et moins chères.

Mais, surtout, qu'adviendrait-il de la dissuasion nucléaire fondée, en vertu du traité ABM de 1972, sur l'égalité des vulnérabilités entre les populations américaines, européennes et soviétiques ? Une "bulle" américaine laisserait totalement vulnérable une Europe à découvert, et la RFA notamment a mis en garde les Etats-Unis contre la création de "zones d'inégales protections nucléaires au sein de l'Alliance". A moyen terme cependant, l'hypothèse la plus probable reste plutôt celle d'un système mixte, avec maintien des armes offensives et embryon d'armes défensives. Un tel scénario présente, du côté européen, l'avantage de maintenir encore la doctrine de dissuasion au rang de priorité, et constitue pour la France et la Grande-Bretagne, une garantie de crédibilité pour leurs forces nucléaires stratégiques. Mais Paris, Londres et Bonn s'interrogent néanmoins sur les effets déstabilisateurs d'un système intermédiaire : sur la course aux armements d'une part, s'il s'agit d'ajouter des systèmes défensifs à d'autres systèmes offensifs ; sur la dissuasion d'autre part, en raison des instabilités stratégiques consécutives à toute phase transitoire.

Quant à la troisième hypothèse, celle d'un système défensif couvrant également l'Europe

---

16. François Heisbourg, "L'Europe face à la politique militaire américaine", *Politique étrangère*, n° 3/84.

17. Voir à ce sujet la partie précédente de ce chapitre, "La politique de défense des Etats-Unis".

occidentale, elle ne suscite aucun enthousiasme du côté européen. La menace nucléaire sur le Vieux Continent ne se limite pas en effet aux seuls missiles, et un système défensif type IDS n'assurerait aucune protection contre les missiles de croisière, les avions à capacité nucléaire ou l'artillerie nucléaire du pacte de Varsovie. Une certaine convergence s'est ainsi dessinée entre les capitales européennes : "oui" à la recherche IDS, "non" au déploiement sans négociations avec Moscou, nécessité de juger tout progrès de l'IDS à l'aulne de deux conditions prioritaires, la limitation des armements et le renforcement de la dissuasion. A cet égard, on insiste à Paris sur les effets pervers de la rhétorique antinucléaire de Ronald Reagan, devenu paradoxalement le premier pacifiste occidental. Prétendre "libérer le monde de la menace d'une guerre nucléaire", n'est-ce pas entretenir de dangereuses illusions et affaiblir un peu plus le consensus atlantique, déjà si ébranlé lors de l'affaire FNI ?

S'agissant des *aspects diplomatiques* de l'IDS, la position des Européens apparaît par contre nettement plus ambiguë. Dans quelle mesure les membres d'une alliance militaire peuvent-ils défendre leurs intérêts face au pays leader, sans briser le consensus atlantique au bénéfice du bloc adverse ? D'un point de vue diplomatique, et si l'intégration au sein de l'OTAN a quelque sens, les chancelleries européennes ne peuvent ignorer ce dilemne. Ainsi Washington a-t-il obtenu le soutien de ses alliés à la phase de recherche de l'IDS, avant la réouverture des négociations de Genève le 12 mars 1985. Il est vrai que Moscou possède son propre programme ABM et que le traité de 1972 n'interdit pas les recherches en matière d'armes défensives. La discipline atlantique a donc joué, mais sans pour autant supprimer les inquiétudes européennes. L'intransigeance américaine sur l'IDS pourrait en effet hypothéquer un éventuel accord sur les FNI, et ces systèmes intermédiaires concernent au premier chef les Européens, et la RFA en particulier.

Demeurent enfin les *aspects technologiques* de l'IDS, face auxquels les Européens ne semblent finalement avoir d'autre choix que celui du "oui impossible, non improbable". Quelles que soient en effet les réserves sur la faisabilité d'un système de défense terminal, il est certain que la phase de recherche permettra des innovations et des sauts qualitatifs cruciaux tant dans les secteurs militaires que civils. Le défi technologique

et industriel est d'ores et déjà vital pour les nations européennes, dont l'ensemble des budgets de recherche-développement est de six fois inférieur au seul budget américain. Coopération euro-américaine ou programme spatial européen, tel est désormais l'objet du débat.

Dans une lettre rendue publique le 26 mars 1985, Caspard Weinberger invitait les Européens à participer aux travaux de recherche américains. Certains pays européens et, à Bonn, le ministère de la Défense sont tentés par une collaboration dont ils escomptent d'importantes retombées technologiques pour leurs industries nationales. La France, à l'inverse, et la chancellerie de Hans-Dietrich Genscher, se montrent davantage sceptiques : les clauses en matière de secret militaire, les obsessions américaines contre les transferts de technologie à l'Est, laissent mal augurer de telles coopérations, à moins d'accepter pour l'Europe un statut de simple sous-traitant. Paris souhaite notamment une concertation intra-européenne préalable à toute perspective de coopération. Pour la France, il ne saurait être question de négociations bilatérales et séparées avec Washington, comme le propose Caspard Weinberger, mais il est nécessaire de dresser ensemble l'inventaire des secteurs où les industries européennes pourraient coopérer en position de force. Paris devait alors proposer en avril 1985 un projet Eurêka susceptible d'intensifier la coopération technologique intereuropéenne en matière d'ordinateurs dits de "cinquième génération", de micro-électronique, d'intelligence artificielle et de "matériaux nouveaux", tels les lasers et l'optique électronique. Au plus haut niveau politique, la plupart des pays européens ont, dès le mois de juin, apporté leur soutien à cette initiative de recherche européenne, sans s'interdire toutefois toute participation au programme américain.

● Les réserves européennes à l'égard de FoFa

Moins spectaculaires que la guerre des étoiles, les nouveaux concepts d'extension du champ de bataille ou d'attaque en profondeur impliqués par les doctrines *Airland Battle* et FoFa[18] n'en suscitent pas moins de sérieuses réserves au sein de l'Alliance. Alors que la première ne concerne que les armées de terre et de l'air américaines, la

18. Idem.

doctrine FoFa engage l'avenir de la posture conventionnelle de l'OTAN. Mais l'inspiration reste la même : accroître, grâce à l'essor des technologies nouvelles et des progrès attendus en matière de C3I[19] la crédibilité - sinon la durée -de la séquence classique impliquée par la doctrine de *flexible response* ; diminuer donc la dépendance de l'OTAN à l'égard des armes nucléaires tactiques et contraindre l'adversaire à un éventuel emploi en premier du nucléaire. En cas de mobilisation rapide du pacte de Varsovie, le rapport des forces classiques sur le théâtre européen serait actuellement de 2,4 pour 1 en faveur du camp soviétique. C'est ce déséquilibre qu'il s'agirait de corriger en donnant à l'OTAN les moyens de riposte en profondeur sur les renforts du second échelon du pacte de Varsovie.

Nul doute que cette élévation du seuil nucléaire en Centre-Europe ne satisfasse le besoin de "réassurance" des opinions européennes et notamment ouest-allemandes. Mais jusqu'où peut-on aller trop loin dans la défense classique sans remettre en cause la dissuasion nucléaire ? Le SPD notamment a manifesté son inquiétude face à une évolution virtuelle de l'OTAN vers une stratégie offensive de "conquête territoriale à l'Est"[20] rendue possible par FoFa, sans parler des aléas technologiques - les nouvelles technologies en sont encore au stade expérimental - ou des réserves émises par certains experts sur la notion même de second échelon dans le dispositif soviétique.

Le général Rogers a certes contesté toute remise en cause de la stratégie de l'OTAN : FoFa n'impliquerait qu'un changement de tactique et de moyens, dont l'objectif serait au contraire de renforcer la dissuasion classique *et* nucléaire de l'Alliance. Mais les moyens se paient, et l'argument financier vient alors renforcer le caractère paradoxal - voire l'impasse - du débat européen en matière de sécurité. Comment peut-on élever le seuil nucléaire sans encourager le découplage et comment augmenter la crédibilité conventionnelle de l'OTAN sans grever les budgets nationaux des pays-membres ? Selon le général Rogers, l'accomplissement de FoFa nécessiterait un investissement de 30 milliards de dollars en dix ans, permettant notamment l'acquisition d'un millier de lance-roquettes et de près de 6 000 nouveaux missiles divers. Une augmentation de 4 % l'an des dépenses de défense dans les pays européens de

l'OTAN serait nécessaire. S'agit-il, pour les Etats membres, d'un objectif bien réaliste ?

● Le partage du fardeau

Vieux débat transatlantique, le problème du partage des dépenses entre les différents membres de l'OTAN resurgit à chaque étape des réajustements stratégiques de l'OTAN. L'Amérique accuse les Européens de ne point dépenser suffisamment pour leur propre défense. L'Europe conteste cette passivité dont on l'accuse tout en s'inquiétant des nouveaux défis financiers et industriels suscités par l'effervescence stratégique et technologique américaine.

En 1984, les accusations des Etats-Unis ont pris quelque peu l'allure d'un ultimatum. Au mois de juin en effet, le sénateur Sam Nunn, pourtant fervent partisan de l'Alliance atlantique, déposait un amendement proche des précédents avertissements de George Bush, Lawrence Eagleburger ou Edward Kennedy : vous payez nous restons, vous ne payez pas nous partons. L'amendement Nunn soumettait le maintien intégral du contingent américain en Europe à trois conditions. Les Européens devront augmenter de 3 % par an, en termes réels, leurs dépenses de défense, ou augmenter les stocks de munitions de façon à ce qu'un conflit de trente jours puisse être théoriquement soutenu, ou améliorer leurs moyens de défense anti-aérienne pour assurer à d'éventuels renforts américains la logistique et la crédibilité nécessaires. Faute de telles mesures, les Etats-Unis retireraient d'Europe 30 000 hommes par an pendant trois ans à partir de 1987.

Le Sénat repoussa certes la proposition de Sam Nunn mais la menace de telles injonctions demeure, récurrente et sérieuse. Le général Rogers et l'ensemble des responsables américains ne manquent pas de rappeler l'engagement pris en 1977 par l'ensemble des pays de l'Alliance d'une augmentation annuelle de 3 % des budgets de défense nationaux. Or, depuis 1982, les dépenses militaires des pays européens

---

19. Commandement, contrôle, communication et information.

20. Voir K. Voigt, Assemblée de l'Atlantique Nord, Rapport intermédiaire, Sub-Committee on Conventional Defense in Europe, novembre 1984.

n'ont connu qu'une augmentation moyenne de 1,2 % en termes réels. Et il semble peu probable - dans les conditions économiques actuelles - que l'objectif des 3 ou 4 % nécessaires à la réalisation de la doctrine FoFa soit atteint à l'avenir.

L'Initiative de défense stratégique américaine ne laisse pas par ailleurs d'inquiéter les Européens. Même en supposant que le budget de défense américain continue de s'accroître sur les cinq ans à venir, ce qui, nous l'avons dit, est loin d'être certain, son taux de croissance ne permettra pas d'absorber toutes les dépenses supplémentaires requises par l'IDS. S'il faut faire des choix, ce seront plutôt les forces américaines en Europe qui subiront des compressions budgétaires et non les systèmes stratégiques ou la marine

américaine. Vu d'Europe, ce seront autant de nouvelles pressions de Washington et du Congrès pour "rééquilibrer" le partage du fardeau et exiger une augmentation substantielle des budgets de défense des pays européens de l'OTAN.

● L'Europe de la défense

Nombreux sont les facteurs qui, dès 1984, ont joué en faveur d'une réaffirmation de l'identité européenne au sein de l'Alliance : incertitudes stratégiques quant à la fidélité de Washington à la dissuasion nucléaire ; défi industriel et technologique pour des industries européennes doublement menacées par l'essor américain et japonais ; tendances unilatéralistes d'une Amérique tournée davantage vers le Pacifique (en 1982, les

OTAN : Evolution des défenses militaires, 1978-1983

	1978			1979			1980		
	I	II	III	I	II	III	I	II	III
Canada	4 792	3,68	2,0	4 550	-5,05	1,8	4 703	3,36	1,8
Etats-Unis	197 938	0,59	5,1	138 796	0,62	5,1	143 981	3,74	5,6
Belgique	3 798	6,63	3,3	3 882	2,21	3,3	3 958	1,96	3,3
Danemark	1 584	3,87	2,3	1 593	0,57	2,3	1 618	1,57	2,4
France	25 384	6,14	4,0	25 962	2,28	3,9	26 425	1,78	4,0
RFA	26 007	4,23	3,3	26 355	1,34	3,3	26 692	1,28	3,3
Grèce	2 715	2,14	6,7	2 630	-3,13	6,3	2 276	-13,46	5,7
Italie	8 608	4,25	2,4	9 154	6,34	2,4	9 578	4,63	2,4
Luxembourg	43,8	8,68	0,8	45,1	2,97	0,8	52,5	16,41	0,9
Pays-Bas	5 106	-3,42	3,1	5 413	6,01	3,2	5 269	-2,66	3,1
Norvège	1 612	6,97	3,2	1 651	2,42	3,1	1 669	1,09	2,9
Portugal	788	1,16	3,5	800	1,52	3,5	868	8,50	3,5
Turquie	2 906	-8,41	5,2	2 578	-11,29	4,3	2 442	-5,28	4,3
G.-B.	23 694	3,30	4,6	24 744	4,43	4,7	26 749	8,10	5,1
Total OTAN		1,93			1,30			3,28	
Total Europe		3,70			2,17			2,69	

Source : SIPRI Yearbook 1984.
I : Dépenses militaires en millions de dollars.
II : Taux de croissance annuelle.
III : Dépenses militaires par rapport au PNB.

OTAN : Evolution des dépenses militaires, 1978-1983 (suite)

	1981			1982			1983		
	I	II	III	I	II	III	I	II	III
Canada	4 785	1,74	1,8	5 254	9,80	2,1	5 426	3,27	2,1
Etats-Unis	153 884	6,88	5,8	167 673	8,96	6,5	186 544	11,25	6,9
Belgique	3 995	0,93	3,4	3 862	-3,33	3,4	3 723	-3,60	3,4
Danemark	1 636	1,11	2,5	1 683	2,87	2,5	-	-	-
France	27 066	2,43	4,2	27 623	2,06	4,2	28 042	1,52	4,2
RFA	27 114	1,58	3,4	26 759	-1,31	3,4	27 355	2,23	3,4
Grèce	2 693	18,32	7,0	2 746	1,97	7,0	2 748	0,07	7,1
Italie	9 781	2,12	2,5	10 463	6,97	2,6	10 892	4,10	2,8
Luxembourg	54,3	3,43	0,9	54,8	0,92	-	55,9	2,01	-
Pays-Bas	53,25	1,06	3,2	5 306	-0,36	3,3	5 330	0,45	3,3
Norvège	1 686	1,02	2,9	1 752	3,91	3,0	1 780	1,60	3,1
Portugal	864	-0,46	3,5	865	0,12	3,4	873	0,92	3,4
Turquie	3 015	23,46	4,9	3 296	9,32	5,2	3 214	-2,49	4,9
G.-B.	25 221	-5,71	4,9	26 489	5,03	5,1	29 443	11,15	5,6
Total OTAN		4,23			6,25			8,23(e)	
Total Europe		0,83			2,58			3,85(e)	

Source : SIPRI Yearbook 1984.
I : Dépenses militaires en millions de dollars.
II : Taux de croissance annuelle.
III : Dépenses militaires par rapport au PNB.
(e) : Estimation.

échanges Etats-Unis/Pacifique dépassaient en effet pour la première fois le commerce Etats-Unis/Europe) ; volonté enfin de lever les malentendus et le mythe de la "démission" européenne : après tout, les pays européens de l'OTAN fournissent - avec 3 millions d'hommes - 90 % des forces terrestres, 80 % des avions de combat et 70 % des navires de combat de l'OTAN.

La relance de la coopération franco-allemande en matière de sécurité fut, à cet égard, le modèle et le moteur d'une réaffirmation de l'Europe au sein du dialogue transatlantique. Dès janvier 1983, Paris et Bonn ont solennellement célébré et revalorisé les dispositions militaires du traité de 1963, en créant notamment une commission franco-allemande chargée des questions stratégiques et de la coopération en matière d'armements. Le sommet de Rambouillet devait aussitôt consacrer cette relance par la signature d'un accord bilatéral pour la construction de l'hélicoptère de combat PAH-2. Du côté français, la création d'une Force d'action rapide (FAR) témoignait également de la volonté française d'accroître sa contribution à la défense classique de l'ensemble européen.

La réactivation de l'Union de l'Europe occidentale (UEO), dont le trentième anniversaire fut célébré à Rome le 26 octobre 1984, devait ensuite manifester la volonté commune des sept Etats membres d'intensifier la coopération intraeuropéenne en matière de sécurité. Le statut

OTAN : Evolution des dépenses militaires
par rapport au PNB — 1978-1983

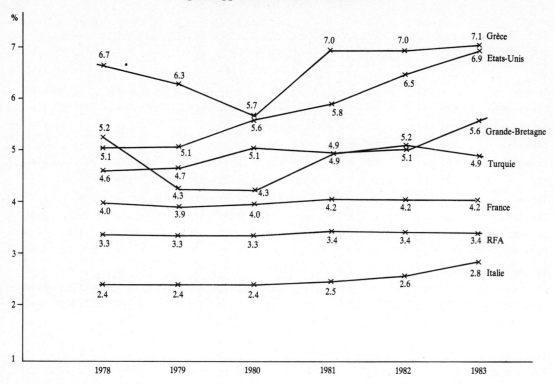

OTAN : Dépenses militaires par rapport
au PNB — 1983

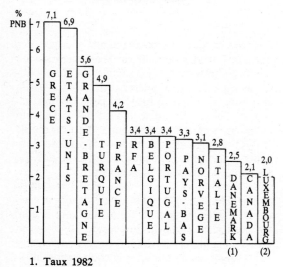

1. Taux 1982
2. Estimation

discriminatoire imposé à la RFA en matière d'armements classiques fut officiellement levé par le Conseil de l'UEO, désormais chargé de traduire la solidarité des Sept au sein de l'Alliance. La Communauté européenne - chargée de son côté d'examiner un projet d'union politique impliquant une harmonisation accrue des politiques étrangères - s'est enfin renforcée par l'adhésion de l'Espagne et du Portugal : deux pays également intéressés par une éventuelle adhésion à l'Union de l'Europe occidentale.

Ces initiatives institutionnelles sont bien loin toutefois de consacrer l'avènement d'une Europe de la défense. En matière diplomatique, comme en matière de coopération militaire ou industrielle, les accords de principe n'ont pas supprimé les divergences, voire les conflits d'intérêts entre partenaires européens. Ainsi, le projet d'avion de combat européen (ACE) -

lancé en décembre 1983 par cinq ministres de la Défense - rencontre-t-il d'énormes difficultés qui risquent d'en hypothéquer la réalisation. De même, l'Europe a-t-elle ajourné le projet français *Hermès* au profit d'une coopération euro-américaine sur la station orbitale *Colombus ;* et l'incertitude demeure quant aux chances du programme de coopération technologique européenne Eurêka face aux offres américaines de collaboration en matière de recherches spatiales.

Les difficultés du flanc sud

Ces premiers pas vers un renforcement du pôle européen de l'Alliance ne suppriment pas non plus l'hétérogénéité politique et stratégique inhérente à l'ensemble européen. La concentration du débat sur les pays de la zone Centre-Europe n'épuise pas en effet l'ensemble des différends euro-atlantiques, voire euro-européens. Sur le front sud notamment, les rivalités gréco-turques, les prises de positions d'Andreas Papandréou en matière de politique étrangère,

les incertitudes pesant sur la participation espagnole à l'OTAN témoignent de la fragilité d'une zone géostratégique pourtant cruciale pour la sécurité de la Méditerranée et de l'Alliance dans son ensemble.

● Le conflit gréco-turc

Il reste sans doute le problème majeur de l'Alliance dans la région est-méditerranéenne. Il s'agit d'un double conflit, Athènes et Ankara s'affrontant sur la question de la souveraineté chypriote d'une part, sur la délimitation des eaux territoriales et de l'espace aérien en mer Egée d'autre part.

Dès son arrivée au pouvoir en 1981, le gouvernement d'Andreas Papandréou définissait la menace turque comme prioritaire et plus dangereuse que la menace soviétique. En mars 1985, cette priorité devait ainsi amener le gouvernement à lancer un programme de modernisation des forces armées d'une ampleur qualifiée d'"historique" : 2,8 milliards de dollars pour la

Le conflit gréco-turc

Le conflit de la mer Egée

Entre la Grèce et la Turquie, le conflit porte d'abord sur la délimitation du plateau continental et le partage des eaux territoriales entre les quelque 3 000 îles de la mer Egée et le territoire turc. La convention de Genève de 1958 fixe les limites des plateaux continentaux. Athènes soutient que chacune de ses îles en mer Egée possède le sien propre, Ankara demandant à l'inverse une solution exceptionnelle afin d'éviter les chevauchements entre les zones grecques (Chios, Kos, Lesbos, Samos) et le plateau continental turc. Le contentieux est d'autant plus sérieux que la mer Egée est riche notamment de gisements pétroliers. S'agissant des eaux territoriales, Ankara refuse de même qu'Athènes étende de 6 à 12 miles la limite de son espace maritime, car la mer Egée deviendrait ainsi une mer presque totalement grecque.

Le second point de litige concerne le statut de certaines îles grecques. La convention de Lausanne (1924) interdit la militarisation des îles du Dodécanèse. Or Athènes a, depuis 1974, procédé à la militarisation de ces territoires et notamment de l'île de Lemnos. La décision d'Ankara de créer en 1975 une armée de la mer Egée en est directement fonction : basée à Izmir, c'est la seule armée turque non intégrée à l'OTAN. Athènes laisse entendre depuis qu'elle serait prête à démanteler certaines installations militaires des îles égéennes, en échange d'une garantie américaine pour la défense de ses frontières orientales : une solution inacceptable pour l'OTAN.

Chypre

Après l'accession de l'île à l'indépendance et en vertu du traité de 1960, la Grèce, la Turquie et la Grande-Bretagne sont puissances garantes de la neutralité chypriote, Londres possédant d'ailleurs deux bases militaires qui échappent au contrôle de Nicosie. La tentative de coup d'Etat contre Mgr Makarios le 15 juillet 1974 par le régime militaire grec justifia la première intervention turque, non condamnée par l'ONU, à l'inverse d'une seconde intervention de la Turquie au mois d'août 1974 : 40 % du territoire de l'île furent alors occupés par les forces d'Ankara. En 1975, les Chypriotes turcs y proclament un "Etat fédéré" : une partition de fait qui sera officialisée unilatéralement par la partie turque le 15 novembre 1983, avec la proclamation d'une République turque du Nord de Chypre comptant environ 150 000 habitants. Les Chypriotes grecs sont au nombre de 500 000.

Toutefois, ni la partition définitive, ni le rattachement de Chypre à la Grèce (Enosis) ne sont considérés aujourd'hui comme une solution satisfaisante à la question chypriote. Athènes souhaiterait plutôt une conférence internationale - incluant les Etats-Unis, l'URSS et les pays non alignés -, Ankara rejetant cette proposition au profit d'un dialogue intercommunautaire sous l'égide des Nations-Unies. Une rencontre des deux leaders chypriotes, Spyrosu Kyprianou et Rauf Denktash, a d'ailleurs eu lieu en janvier 1985, sous la tutelle du secrétaire général de l'ONU : sans résultat il est vrai, sinon celui d'accréditer le principe - mais non les modalités - d'une solution confédérale.

prochaine décennie. Outre les risques de dérapage de cette hostilité dans un véritable affrontement armé gréco-turc, ce sont surtout les potentiels militaires de l'OTAN et les relations gréco-américaines qui sont touchés par cette confrontation.

Depuis 1982, toutes les manœuvres de l'OTAN - terrestres au nord et aéronavales en mer Egée - ont été autant d'occasion de frictions entre Athènes et le commandement allié. La Grèce refuse de participer à des exercices qui favorisent, à ses yeux, la position turque en mer Egée. Les plans de l'OTAN excluent notamment l'île de Lemnos dont Ankara dénonce la militarisation abusive par rapport au traité de 1923 ; la limite de l'espace aérien lors de ces manœuvres est fixée à 6 miles - position turque - Athènes revendiquant à l'inverse un espace aérien de 10 miles afin que la défense aérienne de ses îles ne soit pas déléguée à l'aviation turque. En février 1985, le ministre de la Défense grec annonçait que son pays ne participerait plus à aucune manœuvre en mer Egée tant que subsisterait un problème turc. Il proposait que les exercices aient lieu désormais en mer ionienne, soit en dehors de l'espace aéromaritime compris entre la Grèce et la Turquie.

● La détérioration des relations gréco-américaines

Elle marquera le premier mandat d'A. Papandréou. Sur le plan militaire, l'avenir des quatre bases américaines en territoire grec reste sujet à caution[21]. L'accord du 8 septembre 1983 prévoyait le maintien de ces installations pour cinq ans, renouvelables donc en 1988. Au début de l'année 1985, Andreas Papandréou a prévenu Washington que la reconduction de l'accord ne serait plus envisagé par le *Pasok,* s'il venait à confirmer son pouvoir lors des prochaines élections législatives - ce qui fut fait -, et qu'il s'opposait de toutes façons à toute modernisation de l'arsenal nucléaire américain sur ses bases. La stagnation de l'aide militaire américaine pour l'année fiscale 1985 (500 millions de dollars) et l'augmentation à l'inverse de l'assistance à la Turquie (de 700 à 790 millions de dollars) risquent en outre de durcir la position critique d'Athènes au sein de l'Alliance, alors que le sentiment anti-américain s'avère déjà puissant parmi l'opinion publique. La Grèce y voit en effet un manquement à la règle des

7 pour 10 qui définit en principe les aides américaines à Athènes et Ankara.

Sur le plan diplomatique, Andreas Papandréou a multiplié les prises de position contraires à celles de ses partenaires de l'Alliance : opposition au déploiement en Europe des missiles *Pershing* et *Cruise,* proposition de zones dénucléarisées dans les Balkans, dénonciation des "missions d'espionnage" du *Boeing* sud-coréen abattu par les Soviétiques le 1er septembre 1983, refus de condamner l'intervention de l'Armée rouge en Afghanistan, soutien au général Jaruzelski et critiques à l'égard du syndicat polonais *Solidarité* décrit comme un "mouvement négatif et dangereux", etc.

Aussi le bouleversement de la vie politique intérieure grecque au printemps 1985 fut-il l'occasion de nouvelles interrogations occidentales sur l'évolution d'Andreas Papandréou. Contre toute attente en effet, le Premier ministre, le 9 mars, retira son soutien au président Caramanlis, restaurateur de la démocratie en 1974 et garant de l'équilibre politique du pays. Le nouveau président Christo Sartzetakis, fut élu le 29 mars par une nouvelle coalition *Pasok/Parti* communiste/Parti communiste de l'extérieur, alors qu'une réforme institutionnelle est également en cours, afin de diminuer les pouvoirs du président, seul jusqu'ici à pouvoir décider d'un référendum.

● La participation de l'Espagne à l'OTAN

Du côté ouest-méditerranéen, l'incertitude concerne l'évolution de l'Espagne au sein de l'OTAN. Le 30 mai 1982, l'Espagne de Calvo Sotelo devenait officiellement le 16e membre de l'Alliance atlantique, consacrant ainsi le premier élargissement de l'OTAN depuis l'adhésion de la RFA en 1955. Quelques mois plus tard, Madrid et Washington renouvelait l'accord "d'amitié, de défense et de coopération", qui, depuis 1953, définissait en termes bilatéraux le degré de coopération militaire entre les deux pays : les

---

21. Deux bases en Crète : Iraklion et Suda Bay (6e flotte américaine).
Deux bases près d'Athènes : Hellenikon, une base aérienne et un centre de commandement naval à Nea Makri.
Plus 12 autres installations auxilliaires, dont 5 stations radar dans le nord de la Grèce.
Total : 4 000 soldats américains.

Etats-Unis conservent quatre bases militaires sur le territoire espagnol[22] mais ne peuvent y stocker d'armes nucléaires ni les utiliser pour des opérations militaires situées hors de la zone OTAN. La victoire du Premier ministre socialiste Felipe Gonzales, le 28 octobre 1982, ne remit pas en cause les termes de l'accord avec Washington. Mais elle déclencha par contre un très virulent débat national sur le maintien ou le retrait de l'Espagne de l'OTAN. Le nouveau gouvernement gela en effet le processus d'intégration totale de l'Espagne dans la structure militaire intégrée, mais proposa un référendum national dont la question domine depuis la politique intérieure espagnole.

Les adversaires de l'adhésion - parmi lesquels le parti communiste espagnol, une forte minorité du PSOE lui-même et l'ensemble de l'UGT, centrale syndicale socialiste - refusent de voir l'Espagne intégrée dans une logique Est-Ouest contraire à la tradition de neutralité nationale. Les sentiments anti-américains, liés au souvenir du franquisme, se confondent en effet avec une pression neutraliste assez puissante pour mettre le gouvernement Gonzales en difficulté : 100 000 manifestants à Madrid au mois de juin 1983, puis 1984, et 100 000 autres à Barcelone, demandaient le retrait immédiat de l'OTAN et le démantèlement des bases américaines.

Le gouvernement socialiste à l'inverse confirme son ancrage occidental tout en conservant une réelle autonomie en matière de politique étrangère : c'est ainsi que Felipe Gonzales approuva la double décision de l'OTAN tout en critiquant sans nuance la politique américaine en Amérique centrale. De même tente-t-il de préserver les liens privilégiés de l'Espagne avec certains pays arabes, tout en amorçant un très prudent processus de reconnaissance diplomatique de l'Etat d'Israël.

S'agissant du référendum déjà plusieurs fois différé, Felipe Gonzales défend le statu quo actuel - maintien de l'Espagne dans l'OTAN sans intégration dans la structure militaire intégrée, maintien mais révision de l'accord bilatéral avec Washington, refus de toute nucléarisation du territoire national - tout en liant la solidarité de l'Espagne dans l'OTAN au processus d'intégration économique et politique dans le cadre européen. Le Premier ministre peut d'ores et déjà compter sur deux atouts. Après un débat difficile, le PSOE lui a finalement apporté son soutien lors de son congrès de décembre 1984. Par ailleurs, l'Espagne et le Portugal ont maintenant signé le traité d'adhésion à la CEE. La première condition nécessaire à la tenue du référendum sur l'OTAN est donc remplie : il aura lieu après le 1er janvier 1986, date à laquelle Madrid intègrera officiellement la Communauté européenne.

L'opposition reste toutefois très vive au sein de l'opinion et de la gauche socialiste. En octobre 1984, 52 % des personnes interrogées par le journal *El Pais* optaient pour le retrait de l'OTAN, 70 % affirmant en outre leur hostilité aux bases américaines. Et de nombreuses manifestations, telle la "marche sur Torrejon" en mars 1985, témoignent de la capacité de mobilisation des mouvements neutralistes. Le voyage du président Reagan à Madrid, en mai 1985, traduit, par l'ampleur des manifestations négatives qu'il a suscitées, la profondeur des sentiments anti-OTAN en Espagne. Après le retrait de Santiago Carrillo, partisan d'une ligne dure prosoviétique, la majorité du parti communiste espagnol a d'ailleurs opté pour une politique plus ouverte à la gauche indépendante, aux écologistes et aux pacifistes.

Les mêmes sondages montrent cependant qu'une majorité d'Espagnols est favorable à l'Europe (68 % en janvier 1985). C'est donc ce paradoxe d'une Espagne pro-européenne mais anti-atlantique que le Premier ministre devra désormais s'attacher à résoudre.

● Les risques d'instabilité en Méditerranée

Cette fragilité latente des pays d'Europe du Sud - et notamment du couple gréco-turc vital pour la position atlantique en Méditerranée - contraste avec l'accumulation conjointe des menaces et des crises dans l'ensemble du Bassin.

---

22. Torrejon (région de Madrid) : base aérienne, quartier général pour la 16e *US Air Force*. 4 000 hommes, 80 appareils dont le chasseur bombardier *F-46 Phantom*.
Saragosse : base aérienne, entraînement et ravitaillement. 4 000 hommes.
Rota (région de Cadix) : base navale pour la 6e Flotte américaine. 5 000 hommes. (L'accord de 1976, puis 1983, interdit la présence de sous-marins nucléaires.)
Moron (région de Séville) : 4 000 hommes.
Total : 12 000 Américains en Espagne.

Etat des forces des pays de l'OTAN

	Missiles balistiques		Bombardiers stratégiques	Armes nucléaires tactiques				Anti-SM Total charges
	Sol-Sol	Mer-Sol		Sol Lanceurs	Charges (¹)/puissance	Air Lanceurs	Charges	
France	18 SSBS (S3)	80 MSBS M-20 16 MSBS M-4	28 Mirage IVA (dont 18 seront refondus en Mirage IVP)	44 Pluton	100 (10 à 25 Kt)	30 Mirage III-E 45 Jaguar 36 Super-Etendard	100 (25 Kt)	
Grande-Bretagne		64 Polaris A3		12 Lance	*Total*	25 Buccaneer 50 Sea Harrier 100 TornadoGR1 28 Nimrod	150	
RFA				72 Pershing I 26 Lance		F-104 F-4E/F Tornado Atlantic	*Total*	
Italie				6 Lance		F-104 Tornado		400 (de – Kt à 20 Kt)
Grèce				36 Honest John	500 (de 1 à 400 Kt)	F-104	1 700 (de 100 Kt à 1,45 MT)	
Turquie				18 Honest John		F-104 F-4E/F		
Belgique				5 Lance		F-16		
Pays-Bas				6 Lance		F-104 F-16		
Danemark					+ 2 250 obus d'artillerie	F-16		
Norvège						F-16		
Portugal					(155 et 203 mm de 0,1 à 12 Kt)	*Total* 281 F-104 131 F-4E/F 178 F-16 223 Tornado		
Espagne								
Luxembourg								

Sources : Military Balance, IISS, INSED, OTAN.

1. Estimation.

	Effectifs			Forces classiques					
	Terre	Mer	Air	Chars de bataille	Avions de combat	Sous-marins dont SNA		Porte-avions /Aéronef	Porte-héli-coptères	Destroyers /Frégates
France	347 405	75 584	99 151	1 260	450	2	15	2	1	44
	(Forces nucléaires : 19 700)									
Grande-Bretagne	161 539	71 281	93 089	800	620	13	15	3		54
RFA	335 600	36 200	106 000	4 312	580	24				15
Italie	260 000	44 500	70 600	1 770	300	10			3	19
Grèce	135 000	19 500	23 500	1 560	303	10				21
Turquie	500 000	46 000	56 000	3 377	300	16				15
Belgique	65 102	4 557	20 948	330	149	—				4
Pays-Bas	64 664	16 867	16 810	925	182	6				18
Danemark	18 100	5 900	7 400	208	96	5				5
Norvège	19 500	7 500	9 500	128	114	14				5
Portugal	39 000	15 000	9 500	48	74	3				17
Espagne	240 000	57 000	33 000	844	215	8		1		22
Luxembourg	720		(2)		(2)					

2. Le Luxembourg ne possède pas de force aérienne, mais tous les avions AWACS de l'OTAN sont immatriculés au Luxembourg.

Depuis la fin des années 60, plusieurs facteurs ont en effet profondément modifié les conditions de stabilité en Méditerranée. Le premier de ceux-ci est l'augmentation de la présence militaire soviétique : le déploiement de bombardiers *Backfire* à long rayon d'action permet désormais aux forces du pacte de Varsovie de couvrir non plus seulement l'Est mais l'ensemble du Bassin. Le renforcement considérable de la flotte soviétique (40 à 50 bateaux par jour patrouillent dans les eaux méditerranéennes[23]) a privé la 6e Flotte américaine du monopole qui était le sien jusqu'aux années 1965-1970 et rendu moins sûres les voies de communication OTAN dans l'ensemble de la région. Le renforcement des échanges économiques et notamment du trafic pétrolier constitue le deuxième fait majeur : pour l'année 1985, les prévisions atteignent le chiffre de 425 millions de tonnes de pétrole par an[24], soit 8,5 millions de barils transitant chaque jour par la Méditerranée vers les pays européens. La militarisation des pays riverains et notamment de la Libye, dont les 80 aéroports et l'imposante flotte aérienne (*TU-22 Blinder* par exemple) dépassent largement les seuls besoins de défense du territoire national, est un troisième facteur inquiétant. Enfin la multiplication de conflits régionaux (Sahara occidental, Tchad, Liban) - liée à la montée de l'intégrisme musulman dans le Maghreb - affecte l'ensemble des équilibres internes et géopolitiques du bassin Méditerranéen.

Face à cette multiplicité de menaces économiques ou militaires, les pays membres de l'Alliance atlantique sont loin de présenter une réponse cohérente et unanime. Entre les Etats-Unis et l'ensemble des pays européens, le différend porte d'abord sur la nature même des conflits en zone méditerranéenne et moyen-orientale. Washington privilégie une analyse stratégique centrée sur l'affrontement Est-Ouest ; les pays européens insistent à l'inverse sur les déséquilibres Nord-Sud et se veulent davantage sensibles aux causes d'instabilité régionale - revendications nationales, facteurs ethniques ou religieux, etc.

Les premiers avancent des réponses militaires et demandent que les Européens assument d'autant plus de responsabilités en Méditerranée qu'ils sont directement dépendants de la stabilité de cette zone pour leur approvisionnement pétrolier. Les seconds préfèrent à l'inverse des solutions économiques et politiques et refusent d'intervenir militairement dans un espace géographiquement exclu du traité de l'Atlantique Nord. En dépit des attentes américaines, les pays du sud de l'OTAN et notamment la Turquie refusent ainsi que les bases militaires installées sur leur territoire soient utilisées par Washington pour des interventions hors zone OTAN, et au Moyen-Orient en particulier.

Henry Kissinger dénonçait depuis longtemps déjà le partage des tâches insidieusement établi dans l'Alliance, Washington s'occupant de la dissuasion en Europe et de la défense des intérêts européens dans le Tiers-Monde, l'Europe gérant à l'inverse la détente à l'Est ou le maintien des dialogues euro-africain et euro-arabe par exemple. Ainsi les relations euro-atlantiques restent-elles marquées par la réciprocité des incertitudes, l'Europe redoutant une dérive stratégique de la part de l'allié américain, Washington s'inquiétant à l'inverse des éventuelles dérives politiques de ses partenaires européens.

1.2. L'ETAT DE L'EMPIRE

A la veille de l'arrivée au pouvoir de Mikhail Gorbatchev, l'empire soviétique semblait connaître un retour à un conservatisme "normalisateur". L'appareil de l'Etat-Parti soviétique, sous les auspices de Constantin Tchernenko, retrouvait son équilibre après les velléités disciplinaires, voire réformistes, attribuées à l'interlude "andropovien". La situation en Pologne, après avoir été dominée par une période de conflit ouvert entre l'Etat et la société, semblait se "normaliser". Enfin, l'après-*Pershing* montrait, à la RDA et à la Hongrie en particulier, que la détente intra-européenne et surtout inter-allemande ne saurait se poursuivre au-delà de limites fixées par Moscou.

Or, cette restauration de l'ordre au centre comme à la périphérie de l'empire soviétique pendant "l'année Tchernenko" n'était qu'apparente et à bien des égards trompeuse.

---

23. Cinq bateaux par jour en 1964.

24. "Internaft Ltd Study" dans Maurizo Cremasco, IAI, octobre 1984.

L'arrivée au pouvoir de Gorbatchev annonce non seulement une relève de générations au sommet de la hiérarchie du Kremlin, mais relance, en URSS même, le débat sur la gravité de la crise et les remèdes à y apporter. Au-delà se pose le problème familier de la stabilité interne des régimes communistes en Europe du Centre-Est, mais plus généralement aussi celui de la cohésion externe du bloc soviétique. En effet, quarante ans après la fin de la guerre et l'établissement d'un glacis soviétique en Europe de l'Est, la situation reste conforme à la formule de Djilas : *"Pas d'Armée rouge sans communisme, pas de communisme sans Armée rouge"*. Cela reflète bien entendu la force et la pérennité du bloc soviétique, mais aussi sa faiblesse principale : la crise de légitimité permanente des régimes est-européens que rappellent périodiquement des crises ouvertes (1956, 1968, 1980-1981).

Si les crises intérieures en Europe de l'Est sont récurrentes, les failles dans la cohésion extérieure de l'alliance sont les avatars plus récents de la détente. Pour mieux exercer une influence sur l'Europe occidentale, l'URSS a encouragé une plus grande autonomie de certains de ses alliés est-européens (la Pologne des années 70, la Hongrie, la RDA au début des années 80). Mais la perte (relative) de contrôle sur les alliés de l'Est ne risquait-elle pas d'être plus rapide que l'érosion escomptée à l'Ouest et, par là même, plus dangereuse que bénéfique pour l'URSS ?

Crise et réforme en URSS : le moment Gorbatchev

Déclin intérieur et expansion à l'extérieur, c'est par cette formule que l'on pourrait résumer l'évolution de l'URSS au cours de la dernière décennie. Le déclin économique est incontestable. Il suffit pour s'en convaincre de lire la presse soviétique. Il existe un phénomène de crise,

La mortalité en URSS

Taux de mortalité (‰, pour les deux sexes)

Republique	1960	1982
Russie	7,1	10,1
Ukraine	6,9	11,3
Bielorussie	6,6	9,6
Estonie	10,5	11,9
Georgie	6,5	8,4
Arménie	6,8	5,5

Taux de mortalité par tranche d'âge et par sexe (‰)

Age	Hommes		Femmes	
	1964-1965	1973-1974	1964-1965	1973-1974
40-44	5,7	7,4	2,5	2,6
45-49	7,5	9,7	3,5	3,7
50-54	11,9	13,9	5,4	5,8
55-59	16,5	19,5	7,4	8,2
60-64	26,2	28,7	12,6	12,6

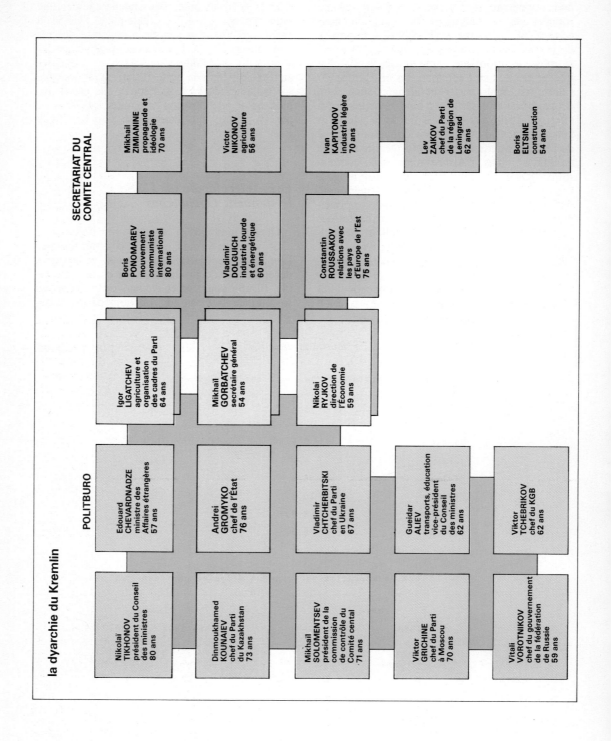

la dyarchie du Kremlin

POLITBURO

Nikolaï TIKHONOV
président du Conseil des ministres
80 ans

Dinmoukhamed KOUNAIEV
chef du Parti du Kazakhstan
73 ans

Mikhaïl SOLOMENTSEV
président de la commission de contrôle du Comité central
71 ans

Viktor GRICHINE
chef du Parti à Moscou
70 ans

Vitali VOROTNIKOV
chef du gouvernement de la fédération de Russie
59 ans

Edouard CHEVARDNADZE
ministre des Affaires étrangères
57 ans

Andrei GROMYKO
chef de l'État
76 ans

Vladimir CHTCHERBITSKI
chef du Parti en Ukraine
67 ans

Gueidar ALIEV
transports, éducation vice-président du Conseil des ministres
62 ans

Viktor TCHEBRIKOV
chef du KGB
62 ans

Igor LIGATCHEV
agriculture et organisation des cadres du Parti
64 ans

Mikhaïl GORBATCHEV
secrétaire général
54 ans

Nikolai RYJKOV
direction de l'Économie
59 ans

SECRÉTARIAT DU COMITE CENTRAL

Boris PONOMAREV
mouvement communiste international
80 ans

Vladimir DOLGUICH
industrie lourde et énergétique
60 ans

Constantin ROUSSAKOV
relations avec les pays d'Europe de l'Est
75 ans

Mikhaïl ZIMIANINE
propagande et idéologie
70 ans

Victor NIKONOV
agriculture
56 ans

Ivan KAPITONOV
industrie légère
70 ans

Lev ZAIKOV
chef du Parti de la région de Leningrad
62 ans

Boris ELTSINE
construction
54 ans

voire de décomposition du corps social [25], au point qu'un récent rapport de l'Académie des sciences considère l'alcoolisme comme plus dangereux que toutes les menaces extérieures ! La campagne spectaculaire lancée par Mikhail Gorbatchev contre l'alcoolisme traduit cette préoccupation.

Il y a aussi un déclin incontestable de l'attrait de l'idéologie soviétique dont les traits fondamentalement conservateurs ("ce qui est réel est socialiste, ce qui est socialiste est réel") ont remplacé la dimension mobilisatrice de l'utopie stalinienne, puis khrouchtchevienne (le communisme en 1980 !). Au plan du mouvement communiste international, les récentes "percées" du communisme en Afrique ne peuvent compenser les pertes de la Yougoslavie et de la Chine.

Le seul domaine où le succès fut indéniable est le domaine militaire. C'est la parité nucléaire avec les Etats-Unis qui assure véritablement à l'URSS son statut de puissance mondiale et compense les retards ou les échecs accumulés par ailleurs.

Le facteur Gorbatchev

Après une période de successions prolongée - trois secrétaires généraux septuagénaires sont décédés en moins de deux ans et demi -, l'arrivée au pouvoir d'un homme relativement jeune et, aux dires de certains dirigeants occidentaux, intelligent et énergique met un terme aux incertitudes de la crise de succession et amorce une relève des générations au Kremlin et plus généralement dans la *Nomenklatura* soviétique. Autant la nomination de Constantin Tchernenko, en février 1984, était, à l'évidence, une

solution de transition, autant celle de Mikhail Gorbatchev (54 ans) en mars 1985 a toute chance de marquer les années à venir.

La rapidité de la nomination de Gorbatchev (annoncée dès le lendemain de la mort de son prédécesseur) est à l'image de la fulgurante ascension d'un *apparatchik* de province qui, en six ans, s'est imposé à Moscou comme le successeur "incontournable" de la vieille garde.

Ayant adhéré au Parti à la fin de l'ère Staline (en 1952), pendant ses études de droit, il est le numéro un soviétique le mieux instruit depuis la première génération bolchevique des années 20. C'est après vingt-trois années passées dans l'appareil du Parti dans la province de Stavropol que Mikhail Gorbatchev fut appelé en 1978 à Moscou au poste "maudit" de responsable de l'Agriculture au secrétariat du Comité central. A ce titre, il devint membre (suppléant puis, en 1980, à part entière) du *Politburo*. Le fait, que en dépit des résultats désastreux de l'agriculture soviétique, son ascension ne fut pas entravée, suggère qu'il bénéficiait d'appuis solides, et de "protecteurs" puissants, traduisant, en partie, le profil politique du nouveau numéro un soviétique. C'est apparemment le vieil idéologue stalinien Mikhail Souslov (décédé en 1982) qui le fit "monter" à Moscou.

Mais c'est surtout sous le bref règne de Youri Andropov, que l'autorité de Gorbatchev s'affirma au sein de la direction soviétique. Au

---

25. Selon un rapport officiel, l'alcoolisme en URSS touche 85 % de la classe ouvrière ; l'espérance de vie a baissé de 67 à 61 ans au cours des vingt dernières années.

La dyarchie du Kremlin

Théoriquement responsables devant le Comité central, approuvé par un congrès du Parti qui se réunit tous les cinq ans, les membres du Bureau politique sont en fait tributaires d'une autre instance décisive : le Secrétariat. Ce dernier est une institution-clef de l'Etat-Parti dans la mesure où ce sont précisément les instances du secrétariat du Parti qui "doublent" l'appareil d'Etat (le gouvernement et les institutions). Les membres du Secrétariat ont à charge un secteur précis et préparent ainsi les décisions du Bureau politique. Autrement dit, contrôler le Secrétariat, c'est contrôler l'appareil, et

l'accession au poste de secrétaire général passe nécessairement par la double appartenance au Bureau politique et au Secrétariat. A la mort de Constantin Tchernenko, seuls Mikhail Gorbatchev et Grigory Romanov occupaient une telle position et étaient donc les deux seuls candidats sérieux à la succession. La promotion au cumul de deux fonctions de Egor Ligatchev et Nikolai Rijkov annonçait non seulement le déclin de Grigory Romanov, mais surtout que Mikhail Gorbatchev et ses amis occupent désormais les positions-clefs à la charnière de la dyarchie du Kremlin.

point que certains voyaient déjà en lui le successeur d'Andropov, considérant sa nomination plus probable que celle de Romanov, ancien patron du parti de Leningrad, ou celle de Tchernenko, l'incarnation de la continuité avec le conservatisme brejnevien[26]. Gorbatchev eut alors l'habileté de ne pas brusquer les choses et de s'allier à Tchernenko contre une promesse de succession viagère. Au fur et à mesure que Tchernenko s'avérait incapable d'exercer ses fonctions, Gorbatchev allait devenir une sorte de "secrétaire général bis".

A ce titre, il supervisa non seulement le "département général" (l'administration du Parti), mais aussi des domaines tels que l'idéologie, l'éducation et les relations avec les partis frères en Europe de l'Est. Comme tout nouveau chef du parti, Gorbatchev devra d'abord consolider son pouvoir ce qui, si l'on en croit les précédents historiques, peut durer plusieurs années. Il ne faut donc pas s'attendre à des bouleversements spectaculaires à très court terme.

Plusieurs facteurs indiquent cependant des changements de personnel importants à différents niveaux de la hiérarchie soviétique pouvant favoriser - si tel était bien le dessein de Mikhail Gorbatchev - la mise en place d'une nouvelle orientation politique.

Dès la première réunion du Comité central, convoquée du 22 au 24 avril 1985, Gorbatchev s'est donné les moyens de gouverner en modifiant à son profit l'équilibre politique au sein du groupe dirigeant. Après les disparitions d'Andropov, d'Ustinov et de Tchernenko, le Bureau politique était réduit à dix membres offrant ainsi au nouveau secrétaire général l'occasion de promouvoir aux postes vacants des hommes d'une "sensibilité" proche de la sienne. Les trois nouveaux promus, Victor Tchebrikov (KGB), Egor Ligachev (organisation du Parti) et Nikolai Rijkov (économie) sont non seulement des hommes qui ont amorcé leur ascension vers les sommets de la hiérarchie soviétique sous Andropov, mais qui représentent également trois volets complémentaires de l'approche (il est prématuré de parler de "ligne") Gorbatchev.

La promotion de Tchebrikov semble confirmer la montée en puissance du KGB et plus générale-

ment celle des appareils de sécurité dans le système politique soviétique. Tchebrikov, général d'armée depuis le printemps 1984, sera chargé de l'aspect disciplinaire (qui comprend autant l'écrasement de la dissidence que la lutte contre la corruption) de la politique de Gorbatchev : "*mettre de l'ordre dans chaque entreprise, chaque chantier de construction* [27]". C'est dire si la discipline est étroitement liée au projet de modernisation de l'économie dont est responsable Nikolai Rijkov, un technicien de l'économie, qui a fait ses classes dans les grands centres de l'industrie lourde (et de la défense) dans l'Oural. Sa tâche sera de mettre en œuvre "l'intensification" de l'économie soviétique préconisée par Gorbatchev et ce en augmentant la productivité qui doit "*atteindre les plus hauts niveaux mondiaux*".

Enfin Ligatchev est chargé de veiller à ce que la politique des cadres soit en harmonie avec la mise en place du projet de "modernisation" de l'économie. Dans ce domaine l'accent mis sur la compétence des cadres va de pair avec leur rajeunissement. Le modèle à suivre est, là encore, la région de Stavropol, celle que dirigea pendant si longtemps Gorbatchev. Selon un article de *La Russie soviétique* (2 avril 1985), cette région "*met sans hésiter les jeunes en avant. Actuellement l'âge moyen des secrétaires des comités d'arrondissements et des comités de villes du parti est de 42 ans.*"

Mais c'est surtout le XXVIIe congrès du PCUS, convoqué pour février 1986, qui devrait permettre de parachever le renouvellement des cadres et la recherche de remèdes à la crise du système en partie initiée sous Andropov. Ce dernier avait remplacé 9 des 23 chefs de départements du Comité central ainsi qu'environ 20 % des premiers secrétaires de région (*oblast*). Il est probable que ces bénéficiaires de la promotion Andropov n'hésiteront pas à se rallier à Gorbatchev qui d'ailleurs avait supervisé leurs nominations. Depuis son arrivée au pouvoir, Gorbatchev a lentement poursuivi cette évolution de l'appareil régional (quinze changements de pre-

---

26. Gorbatchev, Romanov et Tchernenko étaient les seuls à appartenir simultanément au Bureau politique et au Secrétariat, et, de ce fait, sans doute les seuls candidats plausibles à la succession.

27. Discours de Gorbatchev devant le Comité central le 25 avril 1985.

miers secrétaires de région depuis le début de 1985) sans bousculer les règles de la *Nomenklatura*.

Au début de juillet 1985, le nouveau secrétaire général du PC soviétique a parachevé la consolidation de son pouvoir par trois changements soudains au sommet de la hiérarchie soviétique ainsi que plusieurs remplacements de ministres et de hauts fonctionnaires. Le 1er juillet, Gorbatchev éliminait du Bureau politique et du Secrétariat Grigori Romanov qui était depuis trois ans son principal rival dans la lutte pour la succession. Dès le lendemain, à la surprise générale, on assistait à la nomination d'Andrei Gromyko (qui fit preuve, à la direction des Affaires étrangères, d'une longévité inégalée depuis Metternich) au poste de président du Soviet suprême (chef de l'Etat). Il était remplacé aux Affaires étrangères par le Géorgien Edouard Chevardnadze.

Certes, Gorbatchev rompt par là avec la pratique récente de cumul de la direction du parti et de l'Etat qu'inaugura Brejnev en 1977 (suivi par Andropov et Tchernenko), mais renoue avec une tradition ancienne qui remonte à Lenine, Staline et Khrouchtchev. Mais, surtout, le secrétaire général semble bien se réserver par là même un rôle prépondérant dans le domaine de la politique étrangère. En effet, l'"ascension" de Gromyko, patron incontesté dans ce domaine depuis la fin de l'ère Brejnev, à un poste essentiellement protocolaire en fera un interlocuteur obligé, mais non exclusif, pour les chefs d'Etat étrangers. La nomination d'Edouard Chevardnadze à la tête du ministère des Affaires étrangères est une première, non seulement parce qu'il s'agit d'un Géorgien, mais parce qu'après des personnalités comme Litvinov, Molotov ou Gromyko, la diplomatie soviétique est confiée à un homme peu connu et surtout sans expérience dans le domaine de la politique étrangère : Chevardnadze, qui a rang de général de la police, fut successivement ministre de l'Intérieur, puis chef du parti en Géorgie.

Mikhail Gorbatchev souhaite visiblement lui-même jouer un rôle actif en politique étrangère. Le maintien de Gromyko pouvait présager une coexistence difficile avec Gorbatchev à la tête de la diplomatie soviétique. Ce dernier aura donc désormais les mains libres dans ce domaine. Est-ce à dire, comme l'ont suggéré certains spécialistes, que l'héritage de Gromyko, fait de dogmatisme et du primat accordé au tête-à-tête soviéto-américain, pourrait faire place à plus de souplesse dans la politique soviétique sur le terrain européen ? En effet, depuis l'arrivée de Gorbatchev au pouvoir, une "offensive de charme" soviétique a succédé, de manière contrastée, à la "glaciation" promise lors du déploiement des premiers missiles *Pershing* en Allemagne. C'est ainsi que l'on assista d'abord à une offre sans précédent d'intensifier et d'institutionnaliser les rapports entre la CEE et le Comecon. Puis, tentant d'exploiter les réserves de certains pays européens face à l'Initiative de défense stratégique du président Reagan, Moscou a fait connaître son intérêt (voire même son offre de coopération) pour le projet Eurêka. Gorbatchev, qui rencontrera à l'automne François Mitterrand puis Ronald Reagan, joue visiblement la carte européenne, prolongeant sans doute l'objectif traditionnel de l'URSS : diviser les Européens des Américains.

Les remaniements de l'appareil du parti et de la diplomatie à peine terminés, Gorbatchev s'attaqua à la remise en ordre du haut commandement militaire[28]. Sous Tchernenko, les militaires avaient gardé un "profil bas" au sein des instances politiques : le "limogeage" du maréchal Ogarkov en septembre 1984 et le fait que le maréchal Sokolov, nouveau ministre de la Défense, ne soit que membre suppléant du Bureau politique illustraient cette réaffirmation du primat des politiques sur les militaires. On était loin de la "stratocratie" prévue par certains après l'invasion de l'Afghanistan et le coup d'Etat militaire en Pologne. Le vaste remaniement du haut commandement militaire ne semble pas destiné à modifier les rapports entre le parti et l'armée, mais plutôt à harmoniser l'entreprise de modernisation menée par Gorbatchev dans le secteur civil avec celle, non moins impérative, du secteur militaire. D'où le retour au devant de la scène du maréchal Ogarkov, en tant que premier vice-Premier ministre de la Défense et commandant en chef du pacte de Varsovie. Sa disgrâce ne fut d'ailleurs jamais totale puisque, peu après son "limogeage", il s'était signalé par une spectaculaire visite à Berlin-Est et surtout par un article

---

28. La mise à l'écart du général Ebichev (77 ans) de la direction politique des forces armées soviétiques et son remplacement par le général Lizitchev.

important dans le numéro de novembre de la revue *Communiste des forces armées*. Cet article reprenait les idées déjà exprimées dans son interview à la *Krasnaia Zvezda* (9 mai 1984), à savoir : les progrès de la science et de la technologie sont en train de modifier le clivage entre nucléaire et conventionnel ; l'économie soviétique doit se réformer si elle veut avoir une chance de réduire l'écart technologique avec les Etats-Unis.

Autrement dit la sécurité dans le domaine militaire exige le changement. Modernisation et innovation technologique dans le domaine militaire et dans le domaine économique sont inséparables. En ce sens, Ogarkov est à l'armée soviétique ce que Gorbatchev est au parti. Le congrès de février 1986 sera l'occasion pour Gorbatchev de fournir un cadre général à cette entreprise de modernisation. Un nouveau programme remplaçant celui de Khrouchtchev, adopté en 1961 et jugé trop utopique, sera présenté au congrès, permettant au nouveau maître du Kremlin d'imposer son "label" aux orientations à moyen-terme du système soviétique.

Si l'ascension de Gorbatchev fut impressionnante par sa rapidité et si la consolidation de son pouvoir semble s'engager dans des conditions favorables, que peut-on dire de ses visées politiques ? Ecartons d'emblée une source de malentendu : l'arrivée aux affaires d'un homme d'une génération qui n'a pas été formée par la "Grande Guerre patriotique" et les purges staliniennes n'annonce pas en soi un changement politique majeur. Le nouveau secrétaire général est relativement jeune mais le système soviétique, lui, est ancien.

On pourrait même dire que, promu d'abord par Souslov puis par Andropov avant de devenir le numéro deux sous Tchernenko, Gorbatchev fait figure de "produit de synthèse" de l'appareil. Comment penser qu'il puisse chercher à bouleverser un système auquel il doit son pouvoir ? D'autant que personne n'est mieux placé que Mikhail Gorbatchev lui-même pour connaître les pesanteurs bureaucratiques du système. Après tout, sa formation politique fut marquée par l'échec d'au moins deux tentatives différentes pour surmonter les blocages du système : celle de Khrouchtchev à la fin des années 50 qui visait les structures du parti comme clef pour modifier celles de l'économie, et celle de Liberman et Trapeznikov au milieu des années 60 qui préconisait des mécanismes de marché et une décentralisation radicale de la prise de décision économique et qui s'avéra inacceptable par l'appareil du parti. L'expérience Andropov - pourtant bien plus timide - ne fut guère plus concluante.

Le relatif mais constant déclin du rôle du secrétaire général du parti communiste en Union soviétique depuis Staline jusqu'à Tchernenko, en passant par Khrouchtchev, Brejnev et Andropov[29], constitue enfin une dernière invitation à la prudence.

Ces précautions - nullement formelles - prises, que sait-on des intentions de Gorbatchev ? On pourrait les résumer en disant que si rien ne permet d'affirmer qu'il soit un partisan de la réforme du système, plusieurs indices suggèrent qu'il serait favorable à des changements dans son *modus operandi*, et ce surtout dans la gestion de l'économie. En tant que responsable de l'agriculture, Gorbatchev avait fait une série de propositions allant dans le sens d'une plus grande autonomie dans la fixation des objectifs et des prix et surtout d'une plus grande place accordée au secteur privé. Notons au passage que l'embargo céréalier américain décrété par l'Administration Carter après l'invasion soviétique de l'Afghanistan (qui, contrairement à une opinion répandue, inquiéta sérieusement une direction soviétique confrontée alors non seulement aux échecs de son agriculture, mais aussi à une situation alimentaire grave en Pologne) contribua à surmonter les réticences initiales des appareils à la réforme de l'agriculture. Ceci est d'ailleurs indirectement confirmé par le fait que, l'embargo à peine levé, le décret Gorbatchev fut amendé dans un sens "conservateur". La direction Brejnev jugeait alors qu'il était moins coûteux d'importer que de réformer. Ce choix ne valait pas que pour l'agriculture.

Modernisation "*par le haut*"

Dans le domaine de la politique industrielle, Gorbatchev s'est prononcé (dans un discours important en décembre 1984) pour une "*profonde transformation dans l'économie et dans tout le système des rapports sociaux*". De telles

29. Voir l'essai de Archie Brown, dans T.H. Rigby, A. Brown et P. Reddaway (eds), *Authority Power and Policy in the USSR*, Londres, 1980.

professions de foi, ainsi que ses liens avec les milieux réputés "réformistes" de l'Académie des sciences, expliquent que les espoirs de changement dans la continuité se soient cristallisés sur sa personne. Mais si l'on analyse de plus près ses propositions concrètes, on s'aperçoit que la modernisation plus que la réforme semble être le maître-mot du projet Gorbatchev. En effet, la fameuse "intensification" de la croissance qui est désormais au centre du discours soviétique recouvre essentiellement l'idée que, si l'on ne peut plus compter sur une augmentation des ressources humaines et des matières premières, il convient de miser sur la productivité et l'introduction de technologies nouvelles.

Si Gorbatchev, dans la lignée d'Andropov, reprend le thème de la discipline et de la "responsabilité", il met sans doute plus l'accent sur la modernisation du secteur tertiaire, celui des services et de la révolution informatique. Or, toute l'expérience du système soviétique montre que l'obstacle principal à l'innovation technologique renvoie en dernière analyse à l'absence d'autonomie de décision des agents économiques et pose donc le problème du "centralisme bureaucratique" qui, lui, est éminemment politique.

Sur ce sujet décisif, l'approche de Gorbatchev au plenum d'avril 1985 demeura d'une grande prudence : *"En développant le principe de centralisation dans la réalisation des objectifs, il faut redoubler d'audace dans la voie de l'élargissement de l'autonomie et des droits de l'entreprise"*. Il faudra attendre des actes, des mesures précises, pour se prononcer sur la réalité des intentions de changement attribuées au nouveau secrétaire général du Parti communiste d'Union soviétique.

Le problème, somme toute ancien, du dilemme entre réforme-décentralisation ou contrôle et logique d'un système de pouvoir (et de privilège) qu'incarne la *Nomenklatura* se pose aujourd'hui pour Mikhail Gorbatchev dans un contexte nouveau, marqué par la révolution informatique. L'émergence de nouvelles technologies de la communication aura en effet de nombreuses implications économiques, militaires et politiques. On peut se demander jusqu'à quel point la nouvelle direction du Kremlin peut envisager d'abandonner ou d'atténuer la priorité donnée au contrôle pour que le système soviétique ne passe pas à côté de l'émergence de technologies nouvelles.

Certains technocrates soviétiques ont tendance à présenter l'ordinateur comme un moyen sinon un remède miracle pour introduire la rationalité dans l'économie de l'URSS. Mais là encore il convient de mesurer tant les retards pris, que le fait que l'ordinateur ne peut être un substitut à la réforme et qu'il n'a de chance de percer dans la vie économique et sociale que dans la mesure où son introduction accompagnera une réforme en profondeur des structures économiques.

Deux obstacles se posent en effet à la diffusion de l'informatique. Le seul micro-ordinateur soviétique, *Agat,* une imitation de *Apple II,* est, aux dires des experts de l'Académie des sciences, un échec. La révolution informatique risque par conséquent d'accentuer la dépendance technologique envers l'Occident. La direction Gorbatchev a décidé, au début de 1985, d'introduire des ordinateurs dans 64 000 écoles secondaires pour la rentrée scolaire dans le cadre d'une campagne que le directeur de l'Académie des sciences, Anatoly Alexandrov, compare à la campagne d'alphabétisation après la Révolution de 1917. Mais, tant dans le domaine de la gestion économique que dans celui de la vie sociale, le recours à l'informatique remet fondamentalement en question le monopole de l'information de l'appareil communiste qui est aussi un instrument décisif de contrôle social et politique. Il pose donc implicitement le problème sous-jacent à tout projet de réforme en profondeur, celui des obstacles que représente le système politique et un certain type de rapports entre l'Etat et la société.

Dans le système soviétique, plus que dans tout autre, l'information recouvre un rapport de pouvoir. Toutes les tentatives antérieures de réforme ont buté sur la question centrale du contrôle. Or Mikhail Gorbatchev n'a, bien entendu, nullement l'intention de présider au démantèlement d'un système de pouvoir dont il est après tout l'émanation. Mais, d'un autre côté, si l'ouverture nécessaire ne se produit pas, le déclin économique et la "pétrification" du système soviétique vont se poursuivre. Le décalage risque de devenir un "gouffre" entre un statut de superpuissance militaire au plan international et une économie arriérée et menacée par le déclin, même dans sa branche militaire.

Le système est-il capable de se réformer sans démanteler le contrôle politique ou bien préfèrera-t-il consolider les "acquis" de pouvoir même si cette consolidation est synonyme de déclin de l'empire ? Il serait hasardeux de conclure que les faiblesses intérieures du système doivent nécessairement limiter ses ambitions extérieures. La fuite en avant reste une option dans le cas où le retour à la détente-compétition des années 70 souhaité par Mikhail Gorbatchev (dans son premier discours de politique étrangère le 13 mars 1985) s'avèrerait impraticable. C'est en ce sens que les choix de politique intérieure qu'affronte à présent la direction Gorbatchev ont, par là même, aussi une dimension extérieure. Et il n'est pas sûr que la relève "moderniste" soit plus ouverte au dialogue avec l'Occident. On peut même formuler l'hypothèse inverse : la "vieille garde" hostile à la réforme avait plus de raisons de s'accommoder avec les Etats-Unis, alors que les "modernisateurs" risquent d'être plus enclins à la compétition qu'au dialogue.

Devant ces dilemmes d'un système en crise, trois hypothèses sont envisageables :

● La variante "néo-stalinienne" semble la moins probable : il ne s'agirait pas, bien entendu, d'un retour pur et simple à la cœrcition d'antan, mais plutôt d'un possible repli autarcique sur le "camp socialiste", ce qui, selon Djilas, n'exclurait pas une variante expansionniste : le projet de puissance comme seule source de légitimité d'un système en décomposition.

● La deuxième variante serait, elle, résolument réformiste : pour relancer l'économie et capter les énergies dormantes dans les sociétés, le système serait contraint de déserrer l'étau et de trouver un nouveau modus vivendi avec la société. Ce serait en quelque sorte l'adaptation à l'URSS d'un modèle hongrois libérant l'initiative privée dans le secteur économique tout en décentralisant l'administration. Même si la référence à la Hongrie de Kadar est devenue de bon ton dans les milieux dits "réformateurs" à Moscou, il y a au moins deux raisons qui rendent une telle option improbable. D'une part, la taille même du pays fait que l'expérience hongroise n'est pas transposable. Mais surtout la décentralistion de la prise de décision, de l'administration, une certaine confiance dans l'autorégulation des forces socio-économiques sont impensables en URSS, non seulement du fait de la logique d'un système politique, de l'obstruction de la *Nomemklatura*, produit de décennies de

centralisme bureaucratique, mais aussi parce que l'URSS est un empire multinational qu'une réelle décentralisation menacerait, à terme, d'éclatement. S'il fallait vraiment trouver un modèle de taille comparable ayant opté pour le marché, la décentralisation et l'ouverture vers l'Occident, il faudrait alors recourir au modèle actuellement mis en place en Chine. Gageons que c'est là probablement une raison suffisante pour qu'il soit écarté par la direction soviétique.

● Reste enfin l'option la plus plausible, celle d'une modernisation autoritaire. La "kagebisation" des appareils et des rapports avec la société qu'annonçait Andropov serait, dans l'optique Gorbatchev, complémentaire d'un pari sur la modernisation des technologies et des méthodes de gestion. Le changement "par le haut" ou si l'on préfère l'absolutisme plus ou moins "éclairé" correspondrait non seulement à une ancienne tradition russe mais surtout aux besoins d'autoperpétuation du système soviétique. Cette approche qui risque de caractériser la politique soviétique dans les années à venir, et dans laquelle certains placent des espoirs de changement plus profonds, n'est pas le résultat d'un sentiment d'assurance caractéristique de la direction soviétique dans les années 70. Elle traduit au contraire une crise intérieure grave doublée d'un défi stratégique et technologique lancé par un Occident que l'on a "oublié" de rattraper en 1980 mais dont on persiste à dénoncer la "futilité historique"[30].

Pour toutes ces raisons, il va de soi que l'issue du débat stratégique, économique et de politique étrangère à Moscou est particulièrement importante pour l'ensemble du bloc soviétique. L'échec de toutes les tentatives réformistes à la périphérie signifie-t-il que tout changement est improbable à l'Est tant qu'il n'aura pas lieu d'abord à Moscou[31] ? Il est vrai aussi que, dans le passé, la crainte de dérapage réformiste en Europe de l'Est a pu servir d'alibi aux conservateurs du Kremlin. Et la simultanéité aujourd'hui d'une crise de régime non résolue (Pologne) et

---

30. Ainsi le maréchal Ogarkov s'inquiète-t-il du retard technologique mais continu d'affirmer "la futilité historique du système capitaliste étant donné que la corrélation des forces a irréversiblement changé en faveur du communisme".

31. D'où les espoirs suscités par l'arrivée de la génération Gorbatchev auprès d'anciens protagonistes vaincus du printemps de Prague, tels que Z. Mlynar (*Unita*, 9 avril 1985).

L'émigration juive d'URSS

1950-1969	: 23.000
1970	: 1.027
1971	: 13.022
1972	: 31.903
1973	: 34.933
1974	: 20.695
1975	: 13.451
1976	: 14.325
1977	: 16.831
1978	: 28.993
1979	: 51.547
1980	: 21.471
1981	: 9.860
1982	: 2.700
1983	: 1.320
1984	: 980

L'émigration juive d'URSS représente un des baromètres de la détente Est-Ouest et plus particulièrement entre les Etats-Unis et l'URSS. C'est ainsi que l'année 1973 marque l'apogée de la détente selon Kissinger (et de l'émigration juive d'URSS). L'année 1974, par contre, amorce une chute considérable de l'émigration juive à cause, principalement, de "l'amendement Jackson" qui prétendait précisément établir un lien direct entre l'émigration juive et les échanges économiques soviéto-américains. Après les accords d'Helsinki, on note une progressive reprise de l'émigration juive qui culmina en 1979. La fin de la détente, après l'invasion soviétique de l'Afghanistan et la détérioration des rapports soviéto-américains, s'est traduite par une chute considérable de l'émigration juive que confirment d'ailleurs les chiffres préliminaires pour l'année 1985.

de la revendication d'une plus grande autonomie en politique étrangère (RDA, Roumanie, Hongrie) a certainement joué en ce sens pour la direction Tchernenko. Mais, à l'inverse, on sait également que le modèle hongrois (même s'il n'est pas transposable) a servi de référence aux partisans de la réforme économique en URSS et que le seul débat sur la nécessité de réformer le système politique (réforme dont toutes les autres dépendent) s'est engagé à Moscou précisément à propos des leçons à tirer de la crise polonaise.

Crise et "normalisation" en Europe de l'Est

Le bilan de l'ère Brejnev en Europe de l'Est renvoie à un double constat d'échec : il y a d'abord l'échec des tentatives de réformer de l'intérieur (1968, le printemps tchécoslovaque) et de l'extérieur (1980-1981, le mouvement *Solidarité*) des partis communistes au pouvoir, les structures du système politique et de tenter de les adapter à des sociétés et à des cultures politiques différentes de celles de la Russie soviétique. Il y a ensuite l'échec de la greffe de la technologie occidentale comme substitut à la réforme pour moderniser des économies en déclin et renforcer ainsi un consensus social reposant sur l'avènement tardif de la société de consommation et non plus sur la promesse idéologique d'un "avenir radieux". C'est cet objectif qu'avaient en commun, par delà leurs différences, Kadar et Gierek, mais aussi Husak

et Honecker. Si l'échec polonais fut le plus patent, c'est en fait l'ensemble des économies est-européennes qui tend vers la croissance zéro, ce qui réduit à la fois l'usage de la carotte économique vis-à-vis des sociétés et pose implicitement le problème de la réforme.

Si les techniques de "normalisation" ont été au fil des années considérablement perfectionnées, celles de la sortie de la crise restent partielles et surtout tributaires de la succession à Moscou.

"Normalisation" et retombées de la crise polonaise

Pour juger la situation polonaise, il convient d'abord de ne pas confondre le succès indéniable de la "pacification" que traduit la répression du mouvement *Solidarité* et celui, beaucoup plus douteux, de la "normalisation" qui repose sur le rétablissement du "rôle dirigeant du parti" et sur le degré d'acceptation tacite du régime par la société. Il est vrai que, comparé au bain de sang de Budapest en 1956 ou à l'intervention des armées du pacte de Varsovie en Tchécoslovaquie en 1968, le coup d'Etat militaire polonais représente, pour Moscou, une solution moins coûteuse et plus efficace. Mais autant la "pacification" semble réussie et "sophistiquée" (pourrissement, délégation de la répression à l'armée polonaise), autant est patente l'impossible soviétisation de la société et l'absence de remèdes aux causes du conflit polonais.

Les ingrédients économiques et politiques d'une "normalisation" à la hongroise, voire même de type tchécoslovaque, font défaut en Pologne. Jaruzelski ne dispose pas de la "carotte" économique pour obtenir un minimum de consensus social, et il ne semble pas non plus à même de coopter une partie significative de l'intelligentsia en se faisant passer pour un "moindre mal" (comme le fit Kadar en Hongrie). Enfin, ceux qui incarnèrent le changement en Pologne ne furent ni liquidés physiquement comme en Hongrie en 1956, ni soumis comme la direction Dubcek en Tchécoslovaquie en 1968. Walesa reste un facteur incontournable de la situation polonaise, et *Solidarité* clandestine, même réduite, demeure un symbole de continuité et de résistance, incompatibles avec la notion de "normalisation".

L'amnistie accordée aux prisonniers politiques en juillet 1984 n'a pas réussi à amorcer un consensus, voire un "dialogue", dans la mesure où elle fut suivie en octobre 1984 par l'assassinat du père Popieluszko, très lié à *Solidarité*. Cet événement a marqué un tournant dans le climat politique polonais. Il a rendu plus difficile les rapports entre l'Eglise et l'Etat à un moment où les autorités comptaient sur le rôle modérateur de l'Eglise, comme institution représentative des aspirations de la nation, pour isoler l'opposition politique et ce qui reste du mouvement clandestin *Solidarité*.

Alors que, dans un premier temps, les dirigeants soviétiques avaient craint la contagion de la crise polonaise, *Solidarité* n'a pas eu d'impact direct dans les pays voisins. Ceci s'explique par l'hostilité des appareils politiques et par l'indifférence des populations non seulement en URSS mais aussi en RDA, Tchécoslovaquie et Hongrie. Aujourd'hui on perçoit dans ces pays de la méfiance vis-à-vis des retombées d'un "rétablissement de l'ordre" à la polonaise, mettant plus l'accent sur l'efficacité de l'armée que sur le primat du parti, sur le nationalisme (même autoritaire) que sur l'idéologie marxiste-léniniste, et sur la recherche d'un modus vivendi avec l'Eglise plus que sur la répression "conséquente" (à la Husak)[32].

La polémique ouverte entre périodiques soviétiques et polonais sur les mérites de la stratégie politique de Jaruzelski constitue une autre particularité de la manière dont Moscou "gère" la crise polonaise. En mai 1983 un article dans l'hebdomadaire soviétique *Temps nouveaux* (6 mai 1983) accusait son "confrère" polonais *Polityka* (lié au vice-Premier ministre Rakowski) de promouvoir des "conceptions ouvertement antisocialistes" visant ainsi indirectement la politique de Jaruzelski.

Cette controverses soviéto-polonaise eut d'ailleurs ses prolongements en Union soviétique même. La question polonaise a servi de référence à un débat théorique sur la nature des contradictions en système socialiste et la pertinence d'un projet "réformiste" pour les résoudre.

Alors qu'il y a dix ans, Brejnev avait préconisé le "rapprochement" (*sblijenie*) et, à terme, la "fusion" (*slianie*) des Etats de la communauté socialiste, tout en intensifiant les rapports Est-Ouest (détente et "doctrine Brejnev"), Andropov sembla reconnaître la légitimité d'une certaine diversité à la périphérie au moment même où l'on entrait dans la "nouvelle guerre froide" de la première moitié des années 80. Une diversification des approches intérieures est aujourd'hui mieux acceptée par Moscou dans la mesure où elle est le prix à payer pour obtenir une stabilité relative : "compromis hongrois", "contre-révolution autolimitée" en Pologne, "national-autoritarisme" en Roumanie, déclin dans la "normalistion figée" en Tchécoslovaquie, etc. Autant de solutions locales qui relèvent de la délégation de la gestion de la crise plutôt que d'un effort collectif cohérent pour en sortir.

Le modèle hongrois

Si le "nationalisme autoritarisme" des régimes polonais et roumain représente, du point de vue soviétique, à la fois un mal nécessaire et un "antimodèle", la réforme hongroise, amorcée

---

32. Voir Jacques Rupnik, "The Military and "Normalisation" in Poland", dans Paul Lewis (ed), *Eastern Europe : Political Crisis and Legitimation,* Croon Helm, Londres, 1984, pp. 154-175. L'invasion-répression par l'armée polonaise interposée avait d'évidents avantages pour Moscou, mais elle rend aussi plus difficile le contrôle du processus de normalisation que dans les cas hongrois ou tchécoslovaque. On note cependant, que la visite de Gorbatchev à Varsovie, fin avril 1985 (la première d'un numéro un soviétique en dix ans), conforta le pouvoir de Jaruzelski et coïncida avec une période de durcissement vis-à-vis de l'opposition avec la préparation du procès d'Adam Michnik.

depuis 1968 et relancée depuis le second choc pétrolier de 1979, a pour elle à la fois la durée et la stabilité socio-politique. Mais elle connaît actuellement des signes d'essoufflement et hésite entre l'extension ou la régression de la dynamique réformiste qui bute sur trois obstacles principaux :

- le degré de privatisation de l'économie (25 000 petites entreprises représentant plus de 5 % du PNB) tolérable par un système communiste ;
- la réforme encourage le développement des inégalités sociales et l'émergence des "nouveaux pauvres" ou des laissés pour compte du "socialisme du goulasch" ;
- enfin le pluralisme économique exige, pour se développer, l'extension du pluralisme politique. Il ne s'agit pas seulement de considérer le degré de "tolérance répressive" vis-à-vis d'une petite frange d'intellectuels dissidents connus tels que Janos Kis ou Gyorgy Konrad. Comme le souligne le "père" de la réforme économique hongroise, Reszo Nyers, au stade actuel le problème n'est plus de remplir les magasins mais de trouver au plan politique les mécanismes adéquats d'institutionnalisation du pluralisme dans la société de sorte que les choix économiques soient en harmonie avec les orientations politiques d'ensemble. Le fait qu'un ministre consente à un débat pré-électoral (sur les inégalités, l'écologie et la liberté d'expression) avec un dissident (Laszlo Rajk) révèle la logique et les dérapages inhérents à l'assouplissement du système politique. Le XIIIe congrès du Parti communiste hongrois en mars 1985 fut de ce point de vue révélateur d'une volonté kadarienne de maintenir le cap et de combiner la poursuite de la réforme économique avec une reprise en main dans le domaine idéologique et politique.

L'homme chargé de cette reprise en main est Karoly Grosz, chef du parti de la région de Budapest et nouveau promu au Bureau politique, que certains appellent déjà le "Gorbatchev hongrois". Sobriquet révélateur puisqu'il relativise la signification de la nomination de celui-ci : Gorbatchev, perçu comme un "modernisateur" à Moscou, fait presque figure de "normalisateur" dans le contexte hongrois. Si, comme tel semble être le cas, Mikhail Gorbatchev est à la recherche d'une ouverture dans le domaine économique qui ne remette pas en cause le monolithisme politique, il semble qu'il

ne puisse chercher de l'inspiration ni dans l'approche "national autoritaire" qu'incarnent Jaruzelski ou Ceausescu ni dans une véritable réforme à la hongroise qui comporte pour l'appareil trop de risques politiques. Devra-t-il se contenter alors du prudent réformisme technocratique, dénué d'effets politiques, que pratique depuis 1982 la Bulgarie de Todor Jivkov ?

L'après-Pershing et les relations URSS-Europe de l'Est

Jusqu'à une période récente, il était d'usage (pour des raisons d'importance stratégique et de culture politique) de souligner, dans les rapports URSS-Europe de l'Est, le contraste existant entre les pays d'Europe centrale d'une part (Pologne, Tchécoslovaquie, Hongrie), et les pays balkaniques d'autre part (Bulgarie, Roumanie, Yougoslavie, Albanie). Les premiers posent périodiquement à Moscou un problème de stabilité intérieure du régime dans une société n'ayant pas renoncé à des traditions et aspirations démocratiques (Budapest 1956, Prague 1968, Varsovie 1980-1981) ; les seconds posent un problème d'allégeance d'appareils communistes "orthodoxes" cherchant à affirmer leur indépendance nationale vis-à-vis de Moscou (Yougoslavie 1948, Albanie 1960, Roumanie depuis 1964).

L'année 1984 a apporté quelques modifications à cette typologie. La question des euromissiles, et par delà celle des rapports interallemands ont révélé l'existence de nouvelles fissures dans le bloc soviétique, précisément là où on les attendait le moins. En effet, sur ces questions, au coeur des relations est-ouest, ce sont l'Allemagne de l'Est, la Hongrie et la Roumanie qui ont affirmé une spécificité, voire une divergence, par rapport à la ligne en vigueur à Moscou. S'il serait tout à fait excessif - comme l'ont fait certains - de parler d'un axe Berlin-Est/Budapest/Bucarest, on note néanmoins dans ce domaine une convergence explicite entre Berlin-Est et Budapest d'une part, et implicite entre Berlin-Est et Bucarest d'autre part.

Du bon usage des euromissiles... et de la RDA

Le débat sur les euromissiles a fait exploser le mythe de la RDA allié modèle de l'Union soviétique. Dans un premier temps - sous l'interlude Andropov -, Moscou sembla encourager un discours spécifiquement est-allemand sur la contribution des bons rapports interallemands à la sécurité européenne. Andropov a même "débarrassé" Honecker de l'ambassadeur Abrassimov qui fut longtemps le proconsul soviétique en RDA et surtout le verrou contre les risques de dérapages dans le rapprochement interallemand.

Les dirigeants est-allemands profitèrent de ce contexte pour accentuer la propension récente à la recherche d'une identité nationale par le biais de la réhabilitation d'aspects négligés de l'histoire allemande, ou, pour être plus précis, prussienne : de Frédérick II jusqu'à Bismarck en passant par Clausewitz, la RDA redécouvrait autant de figures "positives" de son passé. Enfin l'émergence d'un pacifisme indépendant - sous la protection tacite de l'Eglise protestante - a été tolérée par le régime (et par Moscou) dans la mesure où il permettait aussi d'encourager et de légitimer la pacifisme et le "neutralisme" en RFA.

Or, après le vote du Bundestag en novembre 1983 en faveur de l'implantation des euromissiles, cette politique d'ouverture de la RDA mettant l'accent sur la notion de "communauté de responsabilité" des deux Allemagnes (reprise tant en RDA qu'en RFA) n'était plus de mise pour Moscou. Une fois le déploiement des *Pershing* commencé, le recours par Moscou à la carte est-allemande vis-à-vis de la RFA a été inversé. Il s'agissait de "punir" le gouvernement du chancelier Kohl en freinant une politique inter-allemande dont le point culminant devait être la visite de Erich Honecker en RFA en septembre 1984. Or, la reprise en main par Moscou s'avéra particulièrement difficile.

En effet, même après le vote du Bundestag, Honecker persista dans son attitude conciliatrice. Il déclara vouloir "limiter les dégâts" face à la "glaciation" des relations Est-Ouest. Les autorités est-allemandes ne manifestèrent par ailleurs qu'un enthousiasme très limité devant le déploiement de missiles SS-21, 22 et 23 sur leur territoire dans le cadre des "mesures de rétorsions" soviétiques mises en vigueur en RDA ainsi qu'en Tchécoslovaquie, dès octobre 1983. Mais la RDA pouvait-elle se soustraire à la rapide détérioration des relations Est-Ouest après l'échec de l'URSS dans l'affaire des euro-

missiles ? La polémique entre Moscou et Berlin-Est s'engagea tout au long du printemps et surtout de l'été 1984.

Il y eut d'abord la nouvelle campagne soviétique contre le "revanchisme" allemand, campagne qui s'adressait en premier lieu à la RFA, mais aussi à la direction de Berlin-Est. Il y eut ensuite la controverse à propos du crédit de 1 milliard de deutschemarks (le second en un an) que la RFA avait accordé à la RDA en juillet 1984 en échange de concessions mineures (certaines facilitant la circulation pour les personnes entre les deux Allemagnes). Moscou dénonça cet accord comme une ingérence de la RFA, une preuve supplémentaire de son "revanchisme", et de sa volonté de "déstabiliser" la RDA en la soumettant à un "chantage économique". Le 2 août 1984, la *Pravda* réfuta la thèse de la "mission particulière" des deux Etats allemands dans la lutte pour la paix aussi bien que celle de la "limitation des dégâts". La politique étrangère devait rester le domaine réservé de Moscou.

La tension entre Moscou et Berlin-Est suggère plusieurs observations concernant le "bon usage" de la RDA par l'URSS tant dans le cadre des relations Est-Ouest que Est-Est.

La situation actuelle est inversée par rapport à celle qui prédominait au début des années 70. Moscou poussait alors la RDA dans le processus de la détente en dépit des réticences farouches du numéro un Est-allemand, Walter Ulbricht. Quinze ans après, c'est Erich Honecker qui rappelle aux Soviétiques l'importance de l'*Ostpolitik* allemande pour la détente en Europe.

Ce contraste traduit la difficulté pour Moscou de manipuler ses alliés : l'autonomie relative accordée à Honecker en fonction de la bataille des euromissiles en RFA a acquis une dynamique propre. Certes, la RDA reste le seul pays du pacte de Varsovie où les divisions soviétiques (19) surclassent celles de l'armée locale (6) ; Honecker n'a évidemment guère de moyens de résister aux Soviétiques. Mais, au-delà de la crise de 1984, il est clair que la RDA, qui est avec la Hongrie le seul "succès" économique dans le bloc soviétique, exigera de plus en plus que Moscou lui reconnaisse le statut et la dignité que lui accorde le gouvernement de Bonn.

Depuis quarante ans, Moscou invoque la menace allemande pour légitimer sa domination en Europe de l'Est. Aujourd'hui, les deux Allemagnes étant attachées à une certaine idée de la détente, il est particulièrement difficile pour Moscou de ressusciter le spectre du "revanchisme allemand", ne serait-ce qu'à destination des pays slaves du centre-est européen même si les associations de rapatriés de Prusse orientale (et des Sudètes) implantés au sein de la CDU du chancelier Kohl fournissent, par leurs revendications territoriales, un alibi inespéré à Moscou.

Berlin-Est/Budapest contre Prague/Moscou

La tension entre Moscou et Berlin-Est pose, plus généralement, le problème de "l'internationalisme", c'est-à-dire celui du degré de cohésion en politique étrangère exigé par Moscou de ses alliés est-européens. C'est sur ce thème que l'on assiste en 1984 à un débat lancé dès le début de l'année par la direction du Parti hongrois soutenue par celle de la RDA. Moscou a trouvé à Prague un allié fidèle pour mener la polémique et défendre sa version de l'unité.

Dans un article publié dans le mensuel hongrois *Tarsadalmi Szemle* (janvier 1984), le secrétaire aux Affaires internationales du Comité central, Matyas Szürös, suggéra qu'il fallait redéfinir la question de l'internationalisme prolétarien : mis à part les "situations extraordinaires", il était normal que les politiques des Etats membres de la communauté socialiste soient guidées, d'abord, par leur intérêt national. Et de critiquer ceux qui "surestiment" l'importance d'un "modèle uniquement correct" de socialisme. Szürös formule enfin la thèse hongroise selon laquelle les "petits pays" peuvent jouer un rôle de médiateur entre les grandes puissances.

Ces thèses furent attaquées sans ménagement par le PC de Tchécoslovaquie qui leur trouva une ressemblance avec l'hérésie du printemps de Prague de 1968. L'organe du parti, *Rudé Pravo* (30 mars 1984), dénonça toute velléité de mener une politique étrangère autonome, de placer les intérêts particuliers au-dessus de ceux de la communauté socialiste.

Mais, tout autant que cet échange entre Prague et Budapest, c'est l'usage qui en a été fait qui suscite l'intérêt. En effet, les critiques tché-coslovaques furent reprises par Moscou dans l'hebdomadaire *Temps nouveaux* (avril 1984), tandis que la position hongroise fut publiée à Berlin-Est (*Neues Deutschland,* 12 avril 1984). Autrement dit, Moscou se sert de l'orthodoxie antihongroise du PC tchécoslovaque, tandis que la direction est-allemande reprend à son compte les thèses hongroises pour répondre indirectement aux critiques qui lui étaient adressées par Moscou concernant la politique interallemande. L'opération se renouvela pendant l'été : la direction de Berlin-Est reproduisant dans *Neues Deutschland* (30 juillet 1984) un commentaire du journal hongrois *Nepszava* faisant l'éloge de la diplomatie de Berlin-Est au moment même où elle subissait les attaques de Moscou. A ce stade, il ne peut s'agir que d'une concertation au plus haut niveau, entre Honecker et Kadar, pour résister à la mise au pas imposée par Moscou.

Le facteur roumain

Si le soutien du Hongrois Kadar à Honecker fut explicite, celui du Roumain Ceausescu fut indirect. Le dirigeant roumain avait sa propre carte à jouer dans le contexte de l'après-*Pershing*. Après être allé, en 1982, jusqu'à soutenir la "proposition zéro" du président Reagan, Ceausescu continua, en 1983 et pendant une bonne partie de 1984 à mettre sur le même plan les missiles américains et soviétiques en Europe, ce qui évidemment ne pouvait convenir à ses alliés du pacte de Varsovie.

Mais les difficultés économiques (intérieures) et financières (extérieures) ont rendu sa marge d'autonomie bien précaire. Il a en effet suffi que la pression soviétique se fasse sentir dans ce domaine pour que, à la suite d'une visite de Gromyko à Bucarest, Ceausescu adapte son discours aux exigences soviétiques. Il a certes maintenu son voyage en RFA au mois d'octobre 1984 - alors que Honecker et le Bulgare Jivkov venaient d'annuler le leur - mais en prenant à son compte à Bonn l'argument soviétique. Pour lui, les "contre-mesures" prises par Moscou en RDA et en Tchécoslovaquie étaient justifiées par le déploiement des *Pershing II* et des missiles de croisière de l'OTAN. En mettant sur le même plan les missiles américains et les "contre-mesures" soviétiques, Ceausescu donnait l'impression d'oublier l'origine de la récente escalade des euromissiles, à savoir le déploiement, à partir de 1977, des SS-20 soviétiques.

Il n'en reste pas moins que Ceausescu continue à affirmer une spécificité roumaine en
politique étrangère vis-à-vis de Moscou, ne
serait-ce que dans les domaines qui, s'ils ne sont
pas vitaux pour Moscou, n'en sont pas moins
gênants. C'est ainsi qu'au cours de l'été 1984, la
Roumanie se distingua en étant la seule du bloc
soviétique à participer aux Jeux olympiques de
Los Angeles. Le succès des athlètes roumains
fut ensuite célébré à Bucarest à l'occasion du
quarantième anniversaire de la libération du
pays de la domination nazie. Assis entre le
président chinois et Erich Honecker - seul chef
d'Etat du bloc soviétique présent -, Ceausescu
se livra à un discours résolument nationaliste
allant jusqu'à "oublier" le rôle de l'Union soviétique dans la libération du pays en 1944. Il
n'aborda pas directement le problème des relations interallemandes : pourtant son discours sur
l'indépendance et l'autonomie de la politique
étrangère apportait un appui indirect à
Honecker.

L'alliance entre la RDA et la Hongrie reste
sans doute l'élément nouveau le plus significatif
pour les rapports entre Moscou et ses alliés. Il
s'agit de pays non slaves qui se distinguent au
sein du bloc soviétique par leur niveau de
développement économique. Ce sont les deux
pays qui ont le plus profité de la détente pour
importer de la technologie de pointe, pour
moderniser leur économie et améliorer le niveau
de vie de leur population, pour obtenir, ainsi, un
certain consensus social. Ce sont aussi deux pays
pour qui la détente des années 70 s'est traduite
par la redécouverte pragmatique d'un espace
centre-européen et c'est tout naturellement que
l'Allemagne fédérale et l'Autriche devinrent,
tant pour la RDA que pour la Hongrie, des
partenaires économiques privilégiés. Pour toutes
ces raisons, c'est Budapest et Berlin-Est qui
avaient le plus à perdre si la fin de la détente
devait signifier la réduction ou même la coupure
des liens tissés avec l'Europe occidentale et
surtout avec la RFA. D'où leur pression conver-
gente sur Moscou pour éviter que le durcissement dans les relations entre l'URSS et les Etats-
Unis n'ait des répercussions trop néfastes sur
leur marge de manœuvre en politique étrangère.

Il s'agit là d'un fait radicalement nouveau car
tant la Hongrie que l'Allemagne de l'Est étaient
jusqu'alors pour Moscou des alliés modèles dans
ce domaine.

La montée du nationalisme d'appareil

Toutes ces tensions entre le centre et la
périphérie de l'empire soviétique renvoient en
définitive au phénomène majeur qui touche
aujourd'hui l'ensemble des partis communistes
au pouvoir, la montée des "nationalismes
d'appareil" (par opposition à celui de la société).
Les régimes communistes, au-delà de leurs
diversités, recherchent de moins en moins un
semblant de légitimité dans l'idéologie marxiste-
léniniste. Ils n'ont plus les moyens d'invoquer
une légitimité économique (le "nouveau contrat
social") et ont de plus en plus recours au
nationalisme (idéologie traditionnellement
dominante en Europe de l'Est) comme légitimité
de rechange.

Le délire nationaliste de Ceausescu invoquant
une roumanité mythique (remontant à l'époque
des Daces et des Thraces) n'est que la variante
extrême (pour ne pas dire caricaturale) d'un
"nationalisme officiel" qui cherche visiblement à
récupérer à son profit le sentiment national de
la société. Le même phénomène est perceptible
dans le discours passablement "décommunisé"
du général Jaruzelski. Même les partis réputés
idéologiquement les plus orthodoxes n'échappent pas à cette tendance : Honecker a encouragé la recherche d'une légitimité historique
prussienne pour un régime orphelin. De son
côté, Husak a utilisé la carte du nationalisme
slovaque comme instrument de "normalisation"
depuis 1968. Enfin, la Bulgarie exprime à sa
manière cette dérive nationaliste par une énergique campagne de bulgarisation des noms de
Turcs au cours de laquelle plusieurs centaines de
membres de la minorité turque auraient trouvé
la mort.

On note, par ailleurs, que la vigueur de ce
nationalisme d'appareil a tendance à être proportionnelle à la personnalisation du pouvoir
dans les Etats-partis d'Europe centrale et balka-
nique. Enver Hoxha, le maître autoritaire de
l'Albanie depuis plus de quarante ans, était à
bien des égards le prototype même de cette
tendance. Et sa succession pose à Moscou un
problème plus général. Ayant exporté la géron-
tocratie à la périphérie de son empire, Moscou
devra, à peine la succession au Kremlin assurée,
faire face à une série de crises de succession. Le
processus a donc déjà commencé avec la disparition d'Enver Hoxha (avril 1985) et son remplacement à la tête du parti albanais par Ramiz Alia.

Nationaliste et tenant de l'orthodoxie stalinienne la plus dure, Hoxha avait rompu avec le "révisionnisme" soviétique au début des années 60, privant ainsi Moscou d'une base navale précieuse dans l'Adriatique. Il se refusa depuis à toute reprise de dialogue avec Moscou, même après sa rupture avec la Chine post-maoïste. Bien qu'à la mort de Hoxha, son successeur désigné, Ramiz Alia, se soit empressé de renvoyer à l'expéditeur le message de condoléances soviétique, on peut se demander si l'ouverture partielle sur le monde extérieur amorcée depuis ne pourrait permettre à terme à Moscou de renouer avec Tirana. Dans un contexte régional marqué par l'instabilité dans les Balkans et plus précisément la tension yougoslavo-albanaise à propos du sort de la province du Kosovo, Moscou pourrait se présenter comme le garant potentiel de l'indépendance albanaise...

L'émergence du "nationalisme d'appareil" est certes un palliatif dans l'immédiat, mais pose à terme des problèmes sérieux pour la cohésion de l'empire soviétique. Depuis 1945, la domination soviétique avait neutralisé les conflits nationalistes interétatiques en Europe de l'Est. Or ceux-ci sont en train de refaire surface : qu'il s'agisse de la minorité grecque en Albanie, albanaise dans la province turbulente du Kosovo en Yougoslavie, macédonienne et turque en Bulgarie, hongroise en Roumanie et en Slovaquie ; ce qui n'était jusqu'à une période récente qu'une question relativement marginale est devenu, pour la "mère patrie" (Albanie, Yougoslavie, Hongrie, etc.), argument de tension dans les relations avec les pays voisins.

On voit là poindre à l'horizon non seulement le spectre de l'instabilité ancestrale des Balkans, mais aussi la réouverture du contentieux national entre Etats communistes d'Europe de l'Est. Bien sûr, l'Union soviétique peut en profiter pour pratiquer la célèbre devise impériale *divide et impera*. Mais ne risque-t-elle pas, par ce jeu, d'affaiblir plus encore son emprise, sur une alliance déjà en difficulté ? A l'exception de la Bulgarie tous les nationalismes d'Europe de l'Est sont pour des raisons historiques et politiques fondamentalement antirusses.

Comment situer Gorbatchev par rapport à ce double problème de la cohésion de la politique intérieure et extérieure au sein du bloc soviétique ? Sera-t-il, sur le plan intérieur, l'homme du changement, comme l'espèrent certains anima-teurs du printemps de Prague qui prétendent bien le connaître, ou bien ne faut-il se fier qu'aux actes, c'est-à-dire au durcissement de la répression en Pologne coïncidant avec son voyage à Varsovie à la fin avril pour les cérémonies de renouvellement du pacte de Varsovie ?

Dans la mesure où Gorbatchev semble favorable à l'idée d'une réforme économique en URSS même, cela ne peut que légitimer des expériences analogues déjà en cours dans des pays tels que la Hongrie et, plus récemment, la Bulgarie. La visite de Gorbatchev à Sofia en septembre 1984 nous fournit quelques éléments quant à son approche des problèmes de la périphérie du bloc soviétique.

Mettant l'accent sur la fermeté et la coordination au sein de la communauté socialiste, dans la lutte contre l'"impérialisme", il réfuta catégoriquement les thèses hongroises sur le primat (sauf en période de crise) de l'intérêt national. Le besoin "d'unité de l'intérêt national et international" est aujourd'hui "plus grand que jamais". S'en prenant à la "fameuse politique de différenciation entre l'URSS et les pays de l'Est" prôné par le vice-président américain Bush à Vienne, Gorbatchev dénonça les tentatives occidentales d'affaiblir le "front unifié, cohérent et internationaliste" que représente l'URSS avec ses alliés. Une plus grande tolérance envers la diversité des solutions apportées dans la gestion de la crise à la périphérie de l'empire n'implique nullement plus d'autonomie en politique étrangère[33].

Conclusion

L'Union soviétique a un double objectif de sécurité en Europe de l'Est : sécurité extérieure, une zone tampon avec à l'OTAN ; sécurité de l'ordre intérieur, une communauté d'Etats fondée sur une idéologie et le "rôle dirigeant du parti".

La simultanéité d'une crise de régime non résolue (Pologne) avec une revendication de plus grande autonomie en politique étrangère (RDA, Hongrie, Roumanie) a aussi des réper-

33. La *Pravda* du 21 juin a publié une mise en garde on ne peut plus explicite à cet égard concernant les dangers du "révisionnisme", du "communisme national", de l'"antisoviétisme", du "cléricalisme" et même de la "russophobie" au sein de la communauté socialiste.

cussions sur les deux institutions censées assurer la cohésion du bloc soviétique.

- *Le Comecon :* La crise économique pose non seulement le problème de la stabilité socio-politique en Europe de l'Est, mais aussi celui de savoir dans quelle mesure la région reste pour Moscou un atout ou devient un fardeau. Comment l'URSS peut-elle transformer la dépendance énergétique et militaire en dépendance politique ? Le dernier sommet du Comecon (juin 1984) n'est pas très encourageant pour les projets soviétiques d'intégration accélérée. Les Européens de l'Est ont négocié ferme sur deux points essentiels pour eux : la continuité de l'approvisionnement énergétique par l'URSS à des prix "raisonnables" (mais s'alignant sur le cours mondial) ; la poursuite des échanges économiques entre l'Europe de l'Est et l'Europe occidentale.

- *Le pacte de Varsovie* reste l'instrument de contrôle privilégié qui résiste le mieux aux nouvelles tensions Est-Ouest. On note néanmoins les difficultés croissantes qu'ont les Soviétiques à imposer une augmentation des dépenses militaires - alors que celles de l'URSS augmentèrent plus rapidement au cours de la décennie écoulée que celles des Etats-Unis, les budgets militaires est-européens augmentent moins vite que ceux des pays d'Europe occidentale (en % du revenu national) - et faire accepter un élargissement du rayon d'action du pacte de Varsovie en dehors du théâtre européen. Seules la RDA et la Tchécoslovaquie soutiennent activement les percées soviétiques dans le Tiers-Monde en fournissant des armes, une aide économique et même un appareil policier.

Enfin, les débats précédant le renouvellement du pacte de Varsovie arrivant à expiration en mai 1985 confirmèrent que les divergences de politique étrangère ne furent pas sans incidence sur le fonctionnement du Pacte. La Roumanie, dans un premier temps, laissa savoir qu'elle souhaitait une période plus courte que la simple reconduction du traité pour une période de vingt ans. Mais c'est le vice-ministre hongrois des Affaires étrangères, Istvan Roska, qui, le lendemain d'une réunion à Moscou des ministres du pacte de Varsovie, affirmait dans une interview à Budapest (*Nepszava,* 2 mars 1985) que le traité liait des *"Etats indépendants qui respectent le principe de non-ingérence dans leurs affaires intérieures".* Propos qui, depuis l'invasion de la

Tchécoslovaquie d'août 1968, n'étaient pas particulièrement évoqués au sujet du pacte de Varsovie. Le fait qu'ils furent immédiatement repris à Berlin-Est par *Neues Deutschland* suggère qu'il faut les interpréter comme un prolongement de la controverse sur l'internationalisme et l'intérêt national qui domina les rapports entre Moscou et ses alliés en 1984.

L'empire soviétique connaît une double crise : celle du système qui dépasse sa dimension économique officiellement admise, et celle de l'alliance qui évolue d'un bloc monolithique vers une série de satellites négociant chacun avec Moscou un modus vivendi particulier. La Pologne, dans cette optique, n'est que le sommet de l'iceberg dans la mesure où c'est le seul domaine de l'empire (avec l'Afghanistan) où la société civile est non seulement un élément de résistance, mais une donnée incontournable dans la gestion de la crise. Or si les régimes communistes sont devenus de plus en plus habiles dans une "gestion de la crise" adaptée aux conditions de chaque pays on ne peut distinguer aucune solution d'ensemble. Les blocages administratifs et surtout politiques (centralisme, absence d'institutions intermédiaires capables d'absorber la pression de la société) restent les mêmes avec des différences de degré plus que de nature.

En tout état de cause, l'URSS a non seulement renoncé à gagner les "cœurs et les esprits" des sociétés est-européennes, mais elle s'accommode d'une diversification des approches pratiquées à la périphérie de l'empire pourvu qu'elles préservent une relative "stabilité dans la fidélité". Dans cette optique, Gorbatchev semble représenter une étape supplémentaire dans cette relative souplesse envers la recherche de solutions locales. Mais son approche suggère qu'il ne s'agit pas pour lui de réformer le système, mais d'opérer des réformes à l'intérieur du système.

Le deuxième volet de la crise de l'empire concerne les rapports entre le centre et la périphérie. Si la Roumanie s'est relativement assagie dans le rôle de trouble fête du pacte de Varsovie qu'elle affectionne depuis une vingtaine d'années, la Hongrie et la RDA, deux élèves modèles de l'alliance soviétique, ont posé le problème de l'autonomie de politique étrangère qu'ils jugent indispensable au maintien du statu quo intérieur. La réaction soviétique a confirmé que, lorsqu'il s'agissait de choisir entre la sécurité, c'est-à-dire l'alignement, le contrôle et la perspective à terme du changement de statu quo en Europe, Moscou choisirait toujours le contrôle, même au prix d'une détérioration des relations avec l'Europe occidentale.

Aussi est-on amené à se demander dans quelle mesure les divergences analysées plus haut sont réelles et dans quelle mesure elles traduisent un simple partage des tâches. Les controverses entre Moscou et Berlin-Est et Budapest ne reflèteraient-elles que deux faces de la politique soviétique vis-à-vis de l'Europe occidentale. On retrouve aujourd'hui les mêmes questions qui se posaient à la fin des années 50 à propos du plan Rapacki ; dans les tentatives de surmonter le partage de l'Europe, et de "sortir de Yalta", qui profite de la neutralisation de l'Europe centrale ? Et "qui finlandise qui", pour citer une célèbre formule de Pierre Hassner ?

Le déclin de l'idéologie comme ciment de l'empire, la résurgence des nationalismes s'accompagne aujourd'hui de la redécouverte d'un espace centre-européen dont on retrouve confusément les signes tant dans le comportement des Etats que dans celui des sociétés. La détente a permis à de petits Etats centre-européens de renouer des liens historiques et économiques.

Au niveau des sociétés, on trouve cette redécouverte d'un espace centre-européen dans le domaine culturel, tant dans les écrits de Milan Kundera ou du Hongrois Gyorgy Konrad que dans les espoirs soulevés par un pape qui fut jusqu'à une date récente l'archevêque de Cracovie. Au plan politique, ce sont les dissidents pacifistes qui, à travers le rapport entre désarmement et droits de l'homme, s'interrogent sur la façon de surmonter la contradiction entre sociétés du bloc soviétique et l'équilibre nucléaire qui a garanti quarante ans de paix en Europe, mais au prix de la négation des aspirations à la liberté des sociétés de l'empire soviétique.

Cette nostalgie d'une Europe retrouvée est révélatrice d'un fait majeur pour l'empire soviétique aujourd'hui. Il y a quarante ans le glacis est-européen était conçu par Staline pour immuniser la Russie face aux influences occidentales. En fait, il ne cessa d'avoir le rôle exactement inverse : celui de véhicule d'influence occidentale dans le monde soviétique. Enfin, cette quête de l'Europe révèle à sa façon que, par delà les alliances militaires, le décalage entre les cultures

et les sociétés d'URSS et d'Europe du Centre-Est, loin de se réduire en quarante ans, s'est transformé peut-être en un gouffre quasiment insurmontable.

1.3. LES RELATIONS EST-OUEST

Réalités et limites du dialogue

L'après-Pershing ou l'inévitable reprise du dialogue

Le précédent rapport RAMSES avait montré que la grande crise Est-Ouest du début des années 80 marquait en fait l'aboutissement d'une lente détérioration du processus de détente entamé dès le milieu des années 70.

Culminant avec le double choc de l'Afghanistan et des euromissiles en 1979-1980, la rupture de la détente entre Washington et Moscou devait entraîner des conséquences aussi graves au sein des démocraties occidentales elles-mêmes, qu'au niveau des relations Est-Ouest proprement dites. Contrastant avec les profondes fissures apparues dans l'ensemble atlantique et la rupture du consensus sur la défense révélée par l'importante vague pacifiste des années 1980-1983, les relations soviéto-américaines furent caractérisées quant à elles par une extrême prudence de part et d'autres - et cela, même au plus fort de l'affaire des *Pershing*. A aucun moment, en effet, les superpuissances ne se mirent en position d'affrontement direct sur le terrain, que ce soit au Moyen-Orient, en Amérique centrale ou dans le sous-continent indien. Cette prudence, il est vrai, resta cependant masquée, aux yeux de l'opinion occidentale par une rhétorique souvent violente tant à Washington qu'à Moscou, rappelant l'époque de la guerre froide.

Après 1983 - "l'année fatidique" des euromissiles[34] -, la période 1984-1985 considérée dans le présent rapport marque une nette accalmie, mais en aucun cas un retour au *statu quo ante*. Plutôt que d'évoquer un "retour à la détente", il serait plus exact de la caractériser comme étant

---

34. L'expression est du président Mitterrand, discours du Bundestag, janvier 1983.

celle de l'arrêt - temporaire ? - du processus de détérioration des relations Est-Ouest et surtout américano-soviétiques. Cette période a certes été marquée par d'importants signes d'amélioration (dans le ton et parfois dans la substance de ces relations), mais aussi par une série d'obstacles impressionnants - et non résolus - tant au plan politique que militaire.

Au total, l'équation soviéto-américaine, comme les relations à l'intérieur de l'alliance occidentale, apparaissent, en 1984-1985, comme traversant une phase de transition. Une phase dans laquelle, après les grands chocs du début de la décennie, chacun semble rechercher les grandes lignes du régime à venir, en fonction d'un rapport de forces politiques et militaires fluctuant en pleine mutation.

Accalmie mais incertitude apparaissent donc comme les deux mots-clefs de cette période.

Ceci vaut tout d'abord au plan des relations transatlantiques où l'on constate en 1984 à la fois les signes d'un net apaisement des tensions précédentes (déploiement des *Pershing,* reflux de la vague pacifiste, amélioration tout au moins du climat des relations germano-américaines), mais aussi la persistance de divergences profondes sur les dossiers essentiels de l'Alliance. Qu'il s'agisse des questions militaires ou politiques, en effet, aucun des problèmes fondamentaux soulevés au début des années 80 n'a trouvé de solution en 1984-1985.

La même constatation s'impose quant aux grands dossiers politiques de l'Alliance, restés sans réponse depuis la fin des années 70, à commencer par la question des relations avec l'URSS et l'Europe de l'Est dans l'"après-détente".

Dans ce domaine, malgré une nette amélioration du "climat" transatlantique au lendemain du déploiement des premiers *Pershing* à la fin de 1983 - amélioration favorisée par le boycott soviétique des négociations de Genève, une attitude plus souple de la part de Washington à l'égard du dialogue avec l'Est, et la présence du gouvernement conservateur à Bonn -, les démocraties occidentales paraissent encore très éloignées d'une politique cohérente face à l'URSS. Du côté américain, les signes d'ouverture apparus à partir de janvier 1984 et confirmés au lendemain de la réélection du président

Reagan ne signalent pas de changement d'attitude quant au fond pour ce qui concerne l'URSS et les relations avec ce pays. Pour Washington, en effet, il n'est pas question de revenir à la détente, et la rhétorique nouvelle de l'Administration Reagan sur l'arms control est davantage destinée à "occuper le terrain" et à calmer les inquiétudes des alliés qu'à signaler un changement d'attitude quant à l'appréhension des relations avec Moscou.

Sur le Vieux Continent, à l'inverse, la volonté d'une "normalisation" rapide avec Moscou au lendemain de l'affaire des missiles l'a largement emporté à Londres, Rome et Paris, tandis qu'à Bonn, le gouvernement Kohl poursuivait essentiellement la même politique à l'Est que son prédécesseur (les concours financiers à l'Est étant même augmentés). Signe des temps, tandis que ministres des Affaires étrangères et chefs d'Etat européens multipliaient dès 1984 les rencontres au plus haut niveau avec Moscou, l'Administration Reagan en était encore un an plus tard à définir les termes d'une éventuelle rencontre avec Mikhail Gorbatchev, le nouveau chef du Kremlin. Ce n'est finalement qu'en juin 1985 que la date de cette rencontre a été fixée (19-20 novembre 1985).

Dans tout cela par conséquent, 1984 et 1985 n'auront permis qu'une "gestion" meilleure des différences transatlantiques en matière de relations avec l'Est, mais non l'émergence d'un consensus, comme ce fut le cas en 1967-1968 après l'adoption du rapport Harmel. Encore faut-il ajouter que la persistance des divergences sur le dossier Est-Ouest coïncide avec la poursuite des problèmes psycho-politiques révélés ces dernières années (malaise à l'égard des armes nucléaires et de la défense en général, et surtout crise d'identité en RFA culminant lors de l'affaire de Bitburg à l'occasion de la visite du président Reagan en Europe au début mai 1985 et des cérémonies marquant le quarantième anniversaire de la fin de la Seconde Guerre mondiale).

Accalmie et incertitude vont également caractériser l'évolution des rapports soviéto-américains en 1984-1985. Après la date charnière du premier déploiement des *Pershing* en novembre-décembre 1983, la période considérée ici sera celle d'un laborieux retour au dialogue, où signes d'amélioration et reculs brutaux se succéderont comme autant de douches écossaises, donnant à cette évolution une image de *"stop and go"*.

Mais, si une reprise du dialogue se manifeste - et ce dès le début 1984 -, encore faut-il préciser que celle-ci s'explique de part et d'autre davantage par des raisons négatives que positives.

Du côté soviétique, tout d'abord, la menace maintes fois répétée en 1983 d'imposer une "ère glaciaire" sur les relations Est-Ouest (en Europe surtout), en cas de déploiement des *Pershing,* ne sera pas mise en application. Malgré le dépit, la colère même, et le ton très dur adopté par les dirigeants soviétiques au cours des trois premiers mois de 1984[35], malgré l'insistance aussi d'Andrei Gromyko à réclamer le retrait des *Pershing* et le *"retour à la situation qui prévalait en Europe avant le déploiement des fusées américaines[36]",* le Kremlin comprend très rapidement qu'il ne peut se cantonner très longtemps dans l'attitude de boycott des négociations sur les armements. Les premiers signes d'un assouplissement de la position soviétique apparaissent donc dès le 2 mars 1984 dans un discours de Constantin Tchernenko qui, rhétorique mise à part, constitue une réponse favorable aux offres de dialogue présentées par Ronald Reagan six semaines plus tôt (dans un discours le 16 janvier).

Le revirement soviétique - qui illustre une fois de plus le pragmatisme et le "réalisme" de la diplomatie de l'URSS -s'explique par trois raisons essentielles.

● En premier lieu, les Soviétiques comprennent que l'isolement dans lequel ils ont cru bon de se cantonner dans l'"après-*Pershing"*, en boycottant notamment les négociations sur les armements, les pénalise bien plus qu'il n'impressionne les Occidentaux. Au contraire : cet isolement les coupe des opinions publiques occidentales (et surtout européennes), tout en facilitant la tâche de la diplomatie américaine, laquelle multiplie les offres de négociations dans tous les domaines en 1983-1984. Cette préoccupation explique d'ailleurs que la rupture imposée par Moscou ait été soigneusement calibrée et surtout centrée sur les missiles à moyenne portée (FNI) et les négociations sur les armes stratégiques (START[37]). Par contre, une délégation soviétique se rend effectivement à Stockholm pour l'ouverture de la Conférence sur le désarmement

en Europe (CDE), le 17 janvier 1984, tandis que, dès le 16 mars 1984, les conversations de Vienne sur la réduction des forces classiques en Europe Centrale (MBFR[38]) pouvaient elles aussi reprendre.

● La deuxième raison, également politique, est davantage liée au souci de maintenir la cohésion de l'empire en Europe de l'Est. Les Soviétiques découvrent rapidement en 1984 que les mesures de "riposte" décrétées contre l'Occident en général et l'Europe de l'Ouest en particulier avaient également le don d'effrayer leurs propres "alliés" d'Europe de l'Est[39] autant - sinon plus - que leurs adversaires, et qu'en réaction, les relations entre Européens de l'Est et de l'Ouest dérivaient dangereusement hors de tout contrôle vers un net réchauffement intereuropéen, et surtout interallemand. D'où la nécessité d'une reprise en main des démocraties populaires et l'annulation des visites de Erich Honecker (RDA) et Todor Jivkov (Bulgarie) en RFA prévues pour l'automne 1984.

● La dernière raison est essentiellement militaire : la poursuite du programme de réarmement stratégique américain, surtout dans le domaine nouveau des armes défensives. Un an à peine après le célèbre discours sur la "guerre des étoiles" du 23 mars 1983 du président Reagan[40], l'IDS a pris l'allure d'un programme structuré de toute première importance aux Etats-Unis. Les Soviétiques savent que leur seule façon d'influer sur l'IDS (via les alliés des Etats-Unis, et surtout le Congrès) consiste à mettre ce dossier sur la table des négociations de Genève, même si cela implique l'acceptation, au moins temporaire, du

35. Gueorgui Arbatov dira lors d'une conférence à l'IFRI en mars 1984 : *"Nous sommes conscients d'avoir en face de nous le gouvernement américain le plus antisoviétique et le plus militariste de l'histoire de nos relations avec les Etats-Unis."*

36. Discours aux électeurs de la circonscription de Minsk, 27 février 1984.

37. *Strategic Arms Reduction Talks.*

38. *Mutual and Balanced Forces Reductions* (négociations sur la réduction mutuelle et équilibrée des forces).

39. Certaines de ces mesures impliquant notamment l'implantation de fusées SS-22 (1 000 km de portée) en RDA et en Tchécoslovaquie.

40. Auquel Youri Andropov, qui ne s'y était pas trompé, avait répliqué quatre jours plus tard, en dénonçant la volonté américaine d'établir une supériorité stratégique sur l'URSS.

fait accompli des *Pershing*. C'est très exactement ce que fera le Kremlin dès le printemps 1984 : abandonnant les préconditions posées par Gromyko en février (le retour au *statu quo ante*), l'URSS propose le 29 juin 1984 l'ouverture immédiate de négociations sur la "démilitarisation" de l'espace.

Les Américains, de leur côté, vont également évoluer dans le sens de la reprise du dialogue. Pour quatre raisons essentielles : la campagne présidentielle, Ronald Reagan veut se faire une image d'homme de paix et prendre de vitesse son adversaire Walter Mondale sur le terrain de l'arms control ; les alliés, qu'il faut continuer à rassurer car le premier déploiement des *Pershing* ne met pas fin à cette affaire[41] ; le Congrès, qui tient les cordons de la bourse du budget du Pentagone, et qu'il s'agisse des armes stratégiques ou de l'IDS, arms control et allocations budgétaires sont désormais étroitement imbriqués[42]. A cela s'ajoute une dernière préoccupation, d'ordre économique : le souci des milieux financiers, agricoles, mais aussi industriels de relancer les relations commerciales avec l'URSS.

Ces préoccupations de part et d'autre, qui, on le voit, n'ôtent rien à la confrontation entre les deux Grands, expliquent l'instauration à partir du printemps 1984 d'un certain dégel dans les relations entre les superpuissances et un adoucissement notable de la rhétorique employée à Washington comme à Moscou. Le mot "dialogue" remplace des deux côtés les qualificatifs employés précédemment "d'empire du mal" ou "d'héritier du nazisme". Mais, de même qu'une hirondelle ne fait pas le printemps, ces signes de modération ne suffisent pas - tant s'en faut - à rétablir "l'esprit de la détente" du début des années 70.

Ainsi, la modération manifestée du côté américain en réponse au boycott par les Soviétiques des Jeux olympiques de Los Angeles ou encore la prudence dont fait preuve l'URSS dans l'affaire du Nicaragua (en en mentionnant à aucun moment en 1984 l'éventualité d'une assistance militaire directe au régime de Managua) n'empêcheront pas de brusques reculs en d'autres occasions : qu'il s'agisse de la controverse sur l'interprétation des accords de Yalta (ouverte par un discours du président Reagan en août 1984), du meurtre du major Nicholson en RDA par une sentinelle soviétique début 1985, ou encore de la propagande soviétique à l'occasion de la très contestable visite du cimetière de Bitburg par le président Reagan en mai 1985. D'où une *fragilité* évidente de la "reprise" américano-soviétique qui apparaît d'autant plus grande que celle-ci est pour l'essentiel centrée sur le domaine des armements et de l'arms control. Domaine traditionnellement complexe et difficile où de surcroît l'impact des révolutions technologiques en cours (en matière d'armes spatiales notamment) menace de réduire encore les chances d'un succès significatif.

Genève : d'une impasse à l'autre

Le ballet diplomatique sur les armements nucléaires - et désormais spatiaux - recommence donc en juin-juillet 1984, six mois à peine après l'interruption décrétée par Moscou en "représailles" contre les euromissiles. En fait, l'interruption n'a été que sélective (elle ne touche pas aux négociations plus "politiques" centrées sur l'Europe - CDE, MBFR) et elle n'interdira pas non plus, ni la réunion de la Commission consultative permanente prévue par les accords SALT [43], ni des consultations bilatérales périodiques sur le problème de la non-prolifération dans le Tiers-Monde, pas plus que la conclusion - discrète il est vrai - en juillet 1984 d'un accord de modernisation des télétypes entre Washington et Moscou (accord dit du "téléphone rouge" de 1963). D'emblée, les Soviétiques parlent de négocier sur l'espace, en laissant soigneusement de côté les armes nucléaires à moyenne portée : ils visent bien sûr à stopper le plus tôt possible l'IDS et insistent sur un moratoire complet sur les essais (que vient indirectement appuyer une initiative française introduite au Comité du désarmement de Genève en juin 1984).

---

41. On le verra par la suite aux Pays-Bas et en Belgique, lorsque ces deux pays auront à se prononcer (début 1985) sur l'implantation de leur quote-part de missiles de croisière sur leur sol.

42. Les marchandages continuels sur le financement du programme de missiles MX montreront à quel point arms control et modernisation militaire sont désormais liés l'un à l'autre aux Etats-Unis. A tel point que l'Administration n'obtiendra de justesse début 1985 le financement des vingt premiers missiles qu'en justifiant ce programme par la nécessité de disposer d'une "monnaie d'échange" à Genève, à troquer contre l'éventuelles réductions par les Soviétiques de leurs propres arsenaux.

43. *Strategic Arms Limitation Talks* (négociations en vue de la limitation des armements stratégiques).

Les Américains, tout en acceptant immédiatement l'offre soviétique du 29 juin, lient habilement l'ouverture des négociations sur l'espace à la reprise des pourparlers sur les euromissiles et sur les armes stratégiques. Ils refusent en outre d'accepter à l'avance tout moratoire sur les armes spatiales qui "préjugerait", dira Robert McFarlane, conseiller pour la Sécurité nationale, "de l'issue des négociations".

Les Soviétiques rejettent alors les conditions américaines : la date du 18 septembre, un instant annoncée pour la reprise des négociations, ne sera donc pas respectée.

L'épisode de l'été 1984 est instructif à plusieurs égards quant au "style" de négociation soviétique :
- en premier lieu, la décision de reprendre les négociations marque un retournement total de la position de l'URSS. Celle-ci n'avait-elle pas déclaré qu'elle ne négocierait plus tant que les *Pershing* déjà déployés ne seraient pas retirés ? L'URSS fait donc une fois de plus preuve de "réalisme" et n'hésite pas à se déjuger pour sortir de l'isolement dans lequel elle s'était enfermée ;
- en second lieu, l'offensive diplomatique soviétique sur le thème de la "démilitarisation de l'espace" lui permet de sauver la face (on ne mentionne plus les *Pershing),* tout en exploitant un nouveau créneau de propagande (la course aux armements dans l'espace lancée par Washington). En fait, l'URSS, bien que plus discrètement que les Etats-Unis, travaille elle aussi depuis vingt-cinq ans sur les applications militaires de l'espace ;
- enfin, le refus d'accepter le compromis négocié au cours de l'été 1984 (ouverture de conversations sur l'espace *liées* à la reprise des négociations nucléaires - euromissiles et armes stratégiques) s'explique sans doute davantage par la volonté des dirigeants du Kremlin de ne faire aucun cadeau au président sortant, que par l'espoir d'une victoire de Mondale (mieux disposé à l'égard de l'arms control et de Moscou).

De fait, le même compromis, rejeté en juillet-août 1984 et à nouveau discuté sans succès lors d'une rencontre Shultz-Gromyko à New York en septembre 1984, sera accepté sans changement par l'URSS dès lors que Ronald Reagan aura été réélu. Le 22 novembre, deux semaines après l'élection présidentielle américaine, Washington et Moscou annoncent qu'ils sont tombés d'accord pour entreprendre de "nouvelles négociations" sur les armements nucléaires et spatiaux. A cet effet, une réunion entre les deux ministres des Affaires étrangères est annoncée pour les 7 et 8 janvier 1985 à Genève, en vue de "*parvenir à une unité de vues sur les sujets et objectifs inhérents à une telle négociation".*

La réunion de Genève, événement de ce début d'année donnera lieu à une immense "couverture" médiatique (900 journalistes dont 500 Américains et les trois présentateurs-vedettes des chaînes de télévision américaines). Une couverture qui d'emblée donne le ton véritable de ces négociations : il s'agit, avant tout, comme pour les euromissiles, d'un "grand show" destiné aux opinions publiques occidentales, bien plus que d'une entreprise réellement orientée vers la réduction des armements.

Sur le fond, en effet, les positions des deux parties restent exactement les mêmes :
- pour ce qui est des euromissiles : l'URSS insiste sur le retrait des *Pershing* déployés, les Etats-Unis sur des plafonds équilibrés ;
- pour les armes stratégiques : les propositions introduites de part et d'autre dans les START avant la fin 1983 demeurent, à savoir réduction à 5 000 ogives de part et d'autre proposée par les Etats-Unis avec limitation sur les capacités d'emport (c'est-à-dire les missiles lourds soviétiques), et réductions plus modestes dans le cadre des "plafonds" fixés dans le traité SALT II pour la partie soviétique ;
- pour ce qui est des armes spatiales enfin, l'URSS continue d'exiger un moratoire sur tous les essais et les déploiements tandis que les Etats-Unis entendent mener à bien leur programme IDS qu'ils nomment pudiquement "recherche", en attendant d'éventuels déploiements. Pour Washington, l'IDS n'est pas négociable, car on ne négocie pas sur la "recherche". Par contre, Genève est destinée à expliquer la philosophie du programme américain et la "transition" jugée nécessaire vers un autre régime de dissuasion où les armes défensives joueront un rôle central.

Le compromis trouvé à Genève ne peut, bien entendu, que refléter ce fossé, les deux Grands se mettant toutefois d'accord sur la procédure, à savoir une *négociation unique* (initialement proposée, imprudemment d'ailleurs par la partie américaine sous l'appelation de *umbrella talks)* dans laquelle opèreront trois sous-groupes :

l'espace, les armes stratégiques et les armes nucléaires à moyenne portée (euromissiles).

Du côté américain, le compromis de Genève sera présenté comme une grande victoire diplomatique pour Washington. La "fermeté" de Ronald Reagan n'a-t-elle pas payé ? Les Soviétiques ont dû "ravaler" leurs menaces et leur mauvaise humeur dans l'affaire des *Pershing* et revenir la tête basse à la table des négociations sans pré-conditions, et sans obtenir les moratoires qu'ils exigeaient (ni sur les euromissiles, ni sur l'espace). L'IDS est donc préservée et les négociations reprennent. Le Pentagone, le Congrès et les alliés ont tout lieu d'être contents.

Toutefois, les Soviétiques également ont de bonnes raisons d'être satisfaits des résultats de la rencontre Shultz-Gromyko.

D'abord, parce que le compromis de Genève permet à l'URSS de sortir de son impasse sans perdre la face, dans une tractation d'égal à égal.

En second lieu, parce que la reprise du dialogue sur les armements va permettre la réouverture de liens commerciaux avec l'Occident (et les Etats-Unis), très réduits depuis l'affaire d'Afghanistan. Coïncidence qui n'en est pas une : au moment où George Shultz et Andrei Gromyko négociaient à Genève sur les armements, leurs homologues du commerce extérieur, Lionel Olmer et M. Patolitchev décidaient la convocation (pour la première fois depuis 1978) de la "Grande commission" soviéto-américaine sur le commerce entre les deux pays.

Enfin, parce que Andrei Gromyko a remporté à Genève deux points de procédure passés le plus souvent inaperçus, mais importants pour la suite des négociations :
- l'IDS fait désormais partie intégrante de la négociation (malgré les dénégations de l'Administration Reagan). Mieux, l'idée de "prévention de la militarisation de l'espace" inscrite dans le communiqué de Genève du 8 janvier 1985 équivaut à fixer, comme objectif des négociations sur l'espace, la notion de moratoire par Moscou ;
- ensuite le concept d'une *négociation unique,* plutôt que deux négociations parallèles (l'une sur l'espace, l'autre sur le nucléaire) proposé par George Shultz[44]. La différence ici est bien sûr essentielle : dans le second schéma, la progres-

sion de chaque sous-groupe ne conditionne pas directement l'issue des négociations ; un échec sur l'espace par exemple n'interdirait pas la poursuite des deux autres négociations sur les armes nucléaires. A l'inverse, l'approche retenue à Genève sur l'insistance d'Andrei Gromyko suppose une progression parallèle des trois sous-groupes, l'absence d'accord sur l'un (l'espace) entraînant la remise en cause de l'ensemble des négociations.

C'est bien cette optique que devaient d'ailleurs rappeler Andrei Gromyko comme d'autres officiels soviétiques au lendemain même de la rencontre de Genève, refroidissant l'enthousiasme des médias occidentaux, qui déjà avaient cru pouvoir annoncer le retour à la détente au lendemain de ces entretiens. Ainsi, malgré la reprise des négociations - le 12 mars 1985 - et à l'issue de la première session (mars-avril 1985), l'impasse demeure en fait totale entre les deux parties. Après dix-sept mois d'interruption, tout se passe comme si les deux Grands étaient passés sans transition d'une impasse totale sur les euromissiles à une impasse encore plus complète sur les trois sujets considérés, l'espace étant devenu le nouveau centre de la querelle des superpuissances.

Si Américains et Soviétiques sont en effet d'accord pour considérer que armes offensives (nucléaire) et armes défensives (espace) doivent être examinées dans leur "inter-relation" (comme l'indique d'ailleurs le communiqué de Genève du 18 janvier), les deux parties ont des vues diamétralement opposées quant à la substance même des négociations :
- les Soviétiques exigent une interdiction immédiate des armes spatiales (moratoire sur les essais) en échange d'un accord demain sur les armes nucléaires offensives ;
- à l'inverse, les Américains cherchent un accord nucléaire d'abord, tout en voulant poursuivre leur programme de "recherche" IDS et, au besoin, procéder à des essais.

Dans ces conditions, on voit mal comment Genève pourrait permettre de débloquer la situation.

---

44. Entre temps, en effet, l'Administration Reagan avait abandonné son idée d'"*umbrella talks*" lancée à l'automne 1984.

Perspectives

L'issue de ces négociations, comme de la compétition désormais engagée entre armes nucléaires offensives et armes spatiales, est en effet ailleurs.

Elle réside d'abord dans ce que la technologie permettra de réaliser dans les années à venir, donc largement dans le financement qui pourra lui être consacré. Ce qui ramène le problème au Congrès, et à l'opinion publique.

L'histoire de l'arms control est à cet égard riche d'enseignements. Elle enseigne d'abord qu'il ne peut y avoir d'accord sans parité préalable sur tel ou tel type d'armements. L'hypothèque de la défense stratégique que l'on croyait levée en 1972 (par le traité ABM[45]) étant désormais réouverte, il va de soi qu'aucun accord sérieux sur les armements offensifs ne sera possible, tant que cette question n'aura pas été résolue. Or, en matière spatiale, la situation technologique semble à ce point ouverte qu'aucune des deux parties ne pourra réellement être sûre que l'autre n'obtiendra pas d'ici cinq ou dix ans la "percée" technologique qui lui permettra de construire un réseau efficace d'armes défensives. Comme, par ailleurs, aucun accord signé à Genève ne pourra effectivement interdire la recherche de part et d'autre et qu'un moratoire sur les essais qui pourrait gêner ces programmes (tout au moins dans leur phase opérationnelle) serait en tout état de cause insuffisant, on peut, sans grand risque de se tromper, prévoir une accélération de part et d'autre tant des programmes offensifs (pour tenter de saturer toute défense future) que défensifs.

Ceci nous conduit à une seconde leçon tirée du traité ABM de 1972. Celui-ci n'a été rendu possible que parce que la technologie à l'époque n'avait *pas* atteint un stade de maturité suffisante pour permettre le déploiement d'armes défensives efficaces et financièrement économiques[46]. Il n'est pas sûr - loin de là ! - que cette maturité soit atteinte ou même atteignable aujourd'hui. Mais une chose est sûre, tant que la technologie n'aura pas été explorée, et que les réponses sur ces deux points (efficacité et coût) n'auront pas été apportées, il est infiniment peu probable que les négociateurs de Genève puissent se mettre d'accord sur quoi que ce soit de substantiel.

Ce qui, en dernière analyse, laisse deux hypothèses :

- ou bien Américains et Soviétiques, modifiant leurs positions actuelles et passées, conviennent de renoncer à ce qui crée l'instabilité actuelle de leur équation stratégique (à savoir la surabondance et les performances désormais antiforces de leurs armes offensives), donc à réduire très profondément leurs arsenaux offensifs, ce qui permettrait de faire l'économie de toute défense, et dans ce cas Genève produirait un véritable accord de désarmement mutuel (hypothèse d'école, à en juger par l'histoire des négociations) ;

- ou bien, la méfiance subsistant, chacun poursuivra ses efforts tant en matière offensive que défensive et, dans ce cas, un accord à Genève ne sera possible que lorsque la technologie, étant allée au bout de sa course actuelle, aura pour ainsi dire "parlé" et aura fourni ses réponses : tel système de défense avec tel pourcentage d'efficacité, contre tel type de frappe et à tel prix.

Le plus probable dans cette hypothèse est que, d'ici dix à quinze ans, les arsenaux des deux Grands comprendront à la fois des armes offensives et défensives. Nous resterions donc *dans* la dissuasion - et non pas dans l'après-nucléaire comme le laissait entendre au départ l'Administration Reagan - mais dans un régime différent de dissuasion aux implications particulièrement inquiétantes pour l'Europe[47]

Au jeu de la course technologique, Américains et Soviétiques savent bien tous les deux que les Etats-Unis partent à la fois favoris (à cause de leur dynamisme technologique), mais aussi avec un handicap majeur : celui d'être une démocratie dont les choix militaires sont avant tout des choix financiers qui doivent être votés par le Congrès.

Tout le jeu des Soviétiques dans les négociations qui commencent sera bien entendu d'influencer les choix que fera le Congrès lorsqu'il s'agira de voter les crédits de recherche

---

45. *Anti-Ballistic Missile.*

46. On veut dire par là que la défense ne puisse être saturée ou contournée par un accroissement des moyens offensifs moins onéreux par l'adversaire.

47. Voir Pierre Lellouche, *L'avenir de la guerre*, Mazarine, Paris, 1985.

(plus de 20 milliards de dollars d'ici à 1989) et surtout les crédits de fabrication et de déploiement des nouvelles armes. Dans le même temps, l'objectif de la diplomatie soviétique sera bien sûr de consolider le traité ABM (qui interdit les essais de tels systèmes) tout en jouant bien entendu une "table" de négociations contre l'autre dans le but de diviser les alliés. Ainsi "l'intransigeance" de Washington dans l'affaire de l'IDS sera-t-elle présentée aux Européens comme la seule cause de l'échec des négociations nucléaires (euromissiles en particulier) et réciproquement. L'URSS gardant de surcroît, dans tout cela, la possibilité de brouiller les cartes, de croiser ses moratoires (sur les *Pershing*, l'espace, etc.)[48].

Ainsi, plus encore que par le passé, les négociations engagées en mars 1985 seront-elles avant tout le théâtre feutré d'une formidable épreuve de force politique dont l'enjeu, une fois de plus, sera l'influence de l'opinion publique occidentale.

Dans ce contexte, la stratégie américaine consiste à gagner du temps à Genève, tout en accélérant l'effort technologique et industriel. Ainsi, les offres de coopération technologique faites aux Européens ont pour objectif essentiel de neutraliser l'opposition (ou les inquiétudes des gouvernements alliés) par des promesses alléchantes aux industriels. De même, espère-t-on contrer, du côté américain, les pressions soviétiques sur l'Europe. Dans le même temps, l'insistance du Pentagone à mettre en avant les violations soviétiques du traité ABM et l'importance de l'"IDS soviétique" déjà en cours doit permettre non seulement de justifier le programme américain, mais aussi d'en accélérer la mise en œuvre. Dès avril 1985, le Pentagone, dans un rapport soumis au Congrès, laissait entendre que les Etats-Unis pourraient ne plus se sentir liés par les dispositions du traité ABM compte tenu des violations soviétiques. Et que, en conséquence, les Etats-Unis pourraient procéder aux essais de "composants" d'ABM nécessaires à l'IDS mais prohibés par le traité ABM[50].

On voit mal dans tout cela ce qui laisserait présager un retour au "beau fixe" dans les relations Est-Ouest. Certes, les deux Grands, après s'être harangués (sans toutefois s'affronter directement), puis avoir cessé de se parler, recommencent à négocier. Ils viennent même

d'inaugurer, comme à la belle époque de Nixon (puis de Carter) des conversations "régionales" (sur le Moyen-Orient notamment), résultat d'une proposition avancée par Reagan dans son discours aux Nations-Unies de septembre 1984. De même voit-on s'intensifier à nouveau les échanges commerciaux, essentiellement en matière agro-alimentaire, et l'on verra se tenir, les 19 et 20 novembre 1985, le sommet Reagan-Gorbatchev, première rencontre de ce type depuis les grandes crises de la fin des années 70.

Mais ces signes d'un léger mieux sont encore bien loin d'annoncer un changement radical des rapports soviéto-américains. La négociation de Genève, en particulier, ne saurait pas résoudre à elle seule les incertitudes technologiques ouvertes devant nous quant à l'avenir même de la dissuasion, donc de l'équilibre militaire entre les deux superpuissances. Elle ne saurait surtout mettre un terme à l'antagonisme politique fondamental qui oppose les deux systèmes.

On pourrait résumer cette situation par une image : nous vivons, depuis le milieu des années 70 (avec la crise de la détente), une nouvelle donne du jeu stratégique mondial entre les deux Grands. Les soubresauts de ces dernières années, bien qu'ayant laissé place, temporairement, à la reprise du dialogue, continueront très probablement, tout au moins tant que les nouvelles cartes de la puissance n'auront pas été abaissées sur la table : puissance militaire, avec l'issue de la compétition technologique engagée dans l'espace ; puissance politique, avec l'évolution interne des deux alliances, soumises à de plus en plus de tensions centrifuges.

Le problème allemand

La dénonciation par l'URSS du "revanchisme" et du "militarisme" ouest-allemands et l'ajournement du voyage de Erich Honecker en

---

48. C'est dans ce contexte qu'il convient de replacer l'annonce faite en avril 1985 par l'URSS d'un moratoire unilatéral de six mois sur le déploiement des armes nucléaires soviétiques de portée intermédiaire en Europe.

49. Encore doit-on noter que la notion de "composant" d'ABM est mal définie dans le traité, et que cela permettra en tout état de cause des "dérapages" des deux côtés.

50. Voir plus haut, dans cette partie, les développements sur l'état de l'Empire.

RFA ont mis en évidence le rôle déterminant du facteur allemand dans les relations Est-Ouest en Europe. L'Allemagne avait déjà été au coeur du débat sur les euromissiles et pour certains porte-parole du mouvement de la paix (*Friedensbewegung*), le déploiement des *Pershing* et des missiles de croisière était perçu comme une entrave à l'*Ostpolitik* et un obstacle au rapprochement avec la RDA. De son côté, le gouvernement fédéral était conscient des inconvénients d'une relance de la course aux armements et marquait sa préférence pour la conclusion d'un accord de limitation qui permettrait de faire l'économie de la modernisation prévue par la résolution de l'OTAN du 12 décembre 1979. Enfin, des Français avaient cru discerner un courant "national-neutraliste" en RFA et ils craignaient que la priorité accordée au développement des relations interallemandes ne conduise les dirigeants de Bonn à négliger les intérêts de la sécurité occidentale.

En RDA, on s'inquiétait aussi des effets négatifs du déploiement des FNI et Erich Honecker avait lancé des mises en garde à ce sujet. Dans sa lettre ouverte au chancelier Kohl parue dans le *Neues Deutschland* du 10 octobre 1983, il l'avait adjuré au nom du "peuple allemand" de ne pas consentir à une décision qui affecterait négativement les relations Est-Ouest et mettrait en question les acquis de la détente. Pour les dirigeants est-allemands, il s'agissait surtout d'empêcher que la "palissade des *Pershing*" rende plus difficile les contacts avec la RFA et de faire en sorte que les dommages provoqués par une relance de la course aux armements soient limités (*Schadensbegrenzung*). C'est pourquoi ils ont voulu maintenir le dialogue à la fois pour continuer de plaider la cause du désarmement selon l'argumentaire du pacte de Varsovie et pour faire valoir leurs intérêts propres dans la perspective du rapprochement entre les deux Allemagnes.

Au début de l'année 1984, tout semblait se passer comme si les perturbations du climat international (*Grosswetterlage*) après la rupture des négociations sur les FNI et des START n'avaient eu qu'une incidence négligeable sur les relations interallemandes qui se poursuivaient à un rythme de croisière. Erich Honecker avait accepté une invitation du gouvernement fédéral et, à l'occasion d'un "pélerinage" dans sa patrie sarroise, il comptait bien être reçu à Bonn comme un chef d'Etat. La RDA ne répugnait

pas à accepter des crédits ouest-allemands en échange de quelques concessions d'ordre humanitaire comme le démantèlement des dispositifs de tir automatique installés le long de la frontière et l'assouplissement du régime des autorisations de sortie de ses ressortissants. Enfin, le gouvernement de Bonn dirigé par Helmut Kohl mettait en oeuvre une *Ostpolitik* qui ne différait guère de celle que prônait naguère le SPD et paraissait résolu à persévérer dans la voie où s'était engagée la RFA en 1969-1970. Ainsi les choses restaient en l'état et les deux Allemagnes poursuivaient leur dialogue et développaient leur coopération sans avoir à se soucier apparemment de la dégradation des relations Est-Ouest et du déploiement des missiles américains et soviétiques de part et d'autre de la ligne de démarcation en Europe.

C'est à cette euphorie que sont venus mettre un terme la campagne soviétique contre le "revanchisme" et le "militarisme" allemands et l'ajournement du voyage que Erich Honecker devait effectuer en septembre 1984 en RFA. Il est vrai que la référence au "Reich allemand dans ses frontières de 1937" et les propos ambigus tenus par certains dirigeants de Bonn sur la configuration territoriale d'une Allemagne réunifiée étaient de nature à éveiller des soupçons sur la finalité de l'*Ostpolitik*. En outre, la participation du chancelier fédéral à des rassemblements de réfugiés silésiens pouvait être interprétée comme une adhésion aux thèses de ceux qui revendiquaient un droit de retour dans leur ancienne patrie. On conçoit donc que les pays de l'Est directement intéressés aient réagi vigoureusement et que l'Union soviétique ait saisi l'occasion pour fixer des bornes à la coopération interallemande. Depuis lors, les querelles se sont apaisées et des assurances ont été données par le chancelier Kohl à la fois sur la question des frontières et sur la nature des relations entre la RFA et la RDA, dans le message sur l'état de la nation du 27 février 1985.

Erich Honecker s'est félicité de cette évolution et les dirigeants polonais ont relevé qu'au sein du parti chrétien-démocrate, les tenants d'une révision de la frontière Oder-Neisse avaient perdu du terrain. Il n'en reste pas moins que la question allemande est ouverte et que l'on débattra encore longtemps des moyens de la résoudre, puisque les conceptions des uns et des autres sont loin de coïncider comme l'ont encore démontré récemment les polémiques suscitées par les propos hétérodoxes d'un parlementaire SPD, Jürgen Schmude. Celui-ci avait suggéré de tenir compte des réalités qui s'étaient établies en Europe au cours des quarante dernières années et de ne pas invoquer à tout propos le préambule de la Loi fondamentale qui pose l'exigence de l'unité allemande en termes incompatibles avec la pratique d'une *Ostpolitik* conséquente. Or il a été désavoué par la direction de son parti et a fourni au gouvernement CDU/FDP l'occasion de réaffirmer une fois de plus son attachement à une politique qui vise à surmonter à long terme la division de l'Allemagne.

On se bornera à quelques réflexions sur la manière dont se pose aujourd'hui la question allemande, sur la liaison qui existe entre les solutions pratiques concevables et l'organisation de la sécurité en Europe, enfin, sur les motivations de l'URSS qui avait renoncé depuis une dizaine d'années à mettre la RFA au pilori et qui use de nouveau contre elle d'arguments que l'on n'était plus habitué à entendre.

La question allemande
à l'ère de la détente

La diminution de la confrontation Est-Ouest avait facilité la coopération interallemande et, selon la formule utilisée par Egon Bahr dans son intervention du 15 juillet 1963 devant l'Académie évangélique de Tutzing, le rapprochement des deux Etats devait modifier dans une certaine mesure la nature de leurs relations (*Wandel durch Annäherung*). Après l'érection du mur de Berlin (août 1961), les dirigeants de Bonn ont pris conscience du fait que la division de l'Allemagne était une réalité durable et qu'il valait mieux s'en accommoder que de nourrir la chimère d'une réunification par la voie d'élections libres. En attendant que les conditions de la reconstitution de l'unité allemande soient réunies, on s'efforcerait de conclure des arrangements en vue de l'amélioration du sort des hommes en RDA (*menschliche Erleichterungen*).

Bien entendu, cette démarche pragmatique n'impliquait pas un abandon des positions de principe et participait d'une stratégie visant à surmonter la division du pays. Une politique de rapprochement à petits pas avait été tentée par

le gouvernement de grande coalition (SPD-CDU/CSU) dès 1966, mais ce n'est qu'après la reconnaissance de l'existence de deux Etats allemands par le gouvernement SPD-FDP dirigé par le chancelier Brandt, que l'on parvint à des résultats tangibles. Depuis l'entrée en vigueur du *Grundlagenvertrag* du 21 décembre 1972, les relations entre la RFA et la RDA s'inscrivent dans un cadre juridique *sui generis* et la référence à la nation allemande est devenue une constante du discours politique à Bonn. Il est vrai que le préambule de la Loi fondamentale du 23 mai 1949 appelle *"le peuple allemand dans son ensemble à parachever par une libre autodétermination l'unité et la liberté de l'Allemagne"*.

Ultérieurement les accords de Paris d'octobre 1954 ont permis l'adhésion de la RFA à l'OTAN et les gouvernements des Etats-Unis, du Royaume-Uni et de la France ont déclaré à cette occasion qu'ils favoriseraient *"la constitution par des moyens pacifiques d'une Allemagne entièrement libre et unifiée"*. Cet engagement a été visé à plusieurs reprises par le Conseil atlantique (paragraphe 9 du communiqué d'Ankara du 26 juin 1980, paragraphe 6 de la déclaration adoptée le 10 juin 1982 lors du sommet de l'OTAN à Bonn et paragraphe 7 de la déclaration de Washington sur les relations Est-Ouest du 31 mai 1984) et le gouvernement fédéral ne se fait pas faute de rappeler à ses alliés que la question allemande reste ouverte et qu'elle doit le rester. Le gouvernement fédéral a adopté la même attitude vis-à-vis des pays de l'Est comme en témoignent la lettre relative à l'unité allemande adressée à Leonid Brejnev le jour de la signature du traité de Moscou du 12 août 1970 et la consécration par le *Grundlagenvertrag* du régime particulier régissant le commerce interallemand ; en effet, celui-ci est considéré à Bonn comme le signe visible de la permanence de la nation allemande par delà sa division en deux Etats.

En RDA, on se montre plus circonspect sur la référence à la nation allemande, bien que cette perspective ne soit pas absente du débat politique. En fait, jusqu'en 1969, la thèse officielle était celle de "deux Etats-une nation". La Constitution, du 7 octobre 1949, affirmait que *"l'Allemagne est une République démocratique indivisible"* et qu'il *"n'existe qu'une nationalité allemande"*. Dans la déclaration du gouvernement soviétique relative à la reconnaissance de

BIBLIOTHEQUE
Université du Québec à Rimouski

la souveraineté de la RDA, en date du 25 mars 1954, il est également question de la *"réunification de l'Allemagne sur une base démocratique et en accord avec les intérêts du renforcement de la paix"* ; on trouve des formules similaires dans le traité entre l'URSS et la RDA du 20 septembre 1955 et le pacte d'assistance du 16 juin 1964. Enfin, dans la nouvelle Constitution d'avril 1968, la RDA se présente comme *"un Etat socialiste de la nation allemande"* et elle se propose de *"surmonter la division de l'Allemagne qui a été imposée à la nation allemande par l'impérialisme et de procéder à un rapprochement par étapes des deux Etats allemands jusqu'à leur unification sur la base de la démocratie et du socialisme."*

Toutefois, après l'accession au pouvoir à Bonn du gouvernement de petite coalition Brandt/Scheel, les autorités de la RDA se sont élevées contre la thèse ouest-allemande de "l'unité de la nation" et ont tenté d'accréditer la thèse d'une *nation socialiste* qui se développerait en RDA, dans "l'Etat socialiste allemand", et qui serait distincte de la *nation bourgeoise* qui subsiste en RFA. A leurs yeux, la question nationale ne pourra être résolue qu'à la faveur de la mutation historique que provoquera le passage du capitalisme au socialisme (déclaration de Erich Honecker au 8e congrès du SED en juin 1971).

Le fait est que le pacte d'assistance entre l'URSS et la RDA, conclu le 7 octobre 1975, au lendemain de la signature de l'Acte final d'Helsinki ne vise plus l'unité de l'Allemagne et que Erich Honecker a repété *urbi et orbi* que les relations entre la RDA et la RFA relevaient désormais de la coexistence pacifique entre Etats appartenant à des régimes politiques et sociaux différents. Dans un entretien avec l'hebdomadaire *Révolution* (6 janvier 1984), il a récusé la théorie d'une *"existence continue du Reich allemand dans ses frontières de 1937"* à laquelle le gouvernement de la RFA reste attaché et a affirmé *"que sur le sol allemand sont nés deux Etats à systèmes sociaux différents, indépendants l'un de l'autre : la RDA socialiste et la RFA capitaliste qui font en plus partie d'alliances différentes. Elles s'unissent aussi peu que le feu et l'eau"*. Ultérieurement, il s'est référé expressément à Lénine pour justifier les relations entre pays à régimes sociaux différents sur la base de la coexistence pacifique et il a exposé ses conceptions en la matière dans un article destiné à la revue *Problèmes de la paix et du socialisme* dont de larges extraits sont parus dans le quotidien *Neues Deutchland* du 24 mars 1984.

Chronologie des relations interallemandes (1973-1985)

1972

21 décembre : Signature du traité sur les bases des relations entre la RFA et la RDA (*Grundlagenvertrag*).

1973

21 juin : Entrée en vigueur du *Grundlagenvertrag*.
31 juillet : Le tribunal constitutionnel de Karlsruhe, saisi par le gouvernement du Land de Bavière, rend un arrêt par lequel il constate que le traité entre la RFA et la RDA n'est pas incompatible avec la Loi fondamentale.
18 septembre : Admission de la RFA et de la RDA à l'ONU (résolution 3050 (XXVIII) de l'Assemblée générale.)
15 novembre : Les autorités est-allemandes augmentent le montant du change obligatoire (*Mindestumtausch*) pour les visiteurs occidentaux en RDA et à Berlin-Est. Ces mesures seront atténuées en octobre 1974, mais on continuera de pratiquer à Berlin-Est la politique de l'*Abgrenzung*.

1974

14 mars : Signature du protocole relatif à l'établissement des représentations permanentes de la RFA et de la RDA, respectivement à Berlin-Est et à Bonn. Celles-ci se sont ouvertes le 2 mai suivant.
6 mai : Démission du chancelier Brandt en relation avec l'affaire Guillaume.
15 mai : Walter Scheel est élu président de la République fédérale.
16 mai : Helmut Schmidt est élu chancelier fédéral.
29 mai : Le secrétaire général du parti communiste est-allemand (SED), Erich Honecker, se prononce en faveur du développement de la coopération avec la RFA.
19 juin : Le *Bundestag* décide d'installer l'Office fédéral de l'environnement à Berlin-Ouest. Cette décision suscite la protestation du gouvernement de la RDA qui la juge incompatible avec l'accord quadripartite sur Berlin. Jusqu'en août, les autorités est-allemandes perturbent la circulation en transit entre Berlin-Ouest et la République fédérale.
7 octobre : Entrée en vigueur de la révision de la constitution de la RDA du 6 avril 1968. La référence à la nation allemande est abolie.
12 décembre : Accord entre la RFA et la RDA en vue de la prolongation de 1976 à 1981 des avances sans intérêts accordées à la RFA pour le règlement de sa dette commerciale (*swing*).

1975

30 janvier : Dans son discours sur l'état de la nation, le chancelier Schmidt se félicite de la poursuite des conversations interallemandes qui porteront en 1975 sur l'amélioration des voies de communication et de la circulation en transit entre la RFA et Berlin-Ouest.

24 mars : Le représentant permanent de la RFA à Berlin-Est, Günter Gaus, entame des négociations sur différents problèmes d'intérêt commun (circulation en transit, postes et téléphone, coopération culturelle, scientifique et technique, etc.).

Août : A l'occasion de la conférence au sommet d'Helsinki, le chancelier Schmidt rencontre le premier secrétaire du parti communiste est-allemand, Erich Honecker, et s'entretient avec lui du développement des relations entre la RDA et la RFA. Dans une interview accordée au quotidien *Neues Deutschland,* le 6 août 1975, Erich Honecker porte un jugement positif sur cette rencontre et souligne que, depuis la normalisation des relations interallemandes, 7 à 8 millions de citoyens de la RFA et d'habitants de Berlin-Ouest se sont rendus en RFA et que 1,1 million de citoyens est-allemands ont pu se rendre en RFA.

7 octobre : Signature d'un traité d'amitié et d'assistance entre la RDA et l'URSS. Ce traité ne fait plus allusion à la perspective de la réunification de l'Allemagne et renforce l'intégration de la RDA au sein de la communauté socialiste.

19 décembre : Accord entre la RFA et la RDA sur l'amélioration des communications avec Berlin-Ouest.

Décembre : Expulsion du correspondant du *Spiegel* à Berlin-Est. Les bureaux du *Spiegel* à Berlin seront fermés sur décision des autorités est-allemandes en janvier 1978.

1976

30 mars : Nouveaux accords entre la RFA et la RDA sur les communications postales et téléphoniques.

28 juillet : A la suite d'un accident dont a été victime un habitant de Hambourg le long de la frontière entre les deux Allemagnes, le chancelier Schmidt proteste contre l'usage par la police est-allemande d'armes à feu contre les ressortissants de la RFA. Des propos polémiques sont échangés pendant l'été, mais en septembre les deux Etats allemands prennent des mesures pour améliorer leurs relations et éviter le renouvellement de tels incidents.

1977

1er janvier : Les autorités est-allemandes exigent un visa d'entrée en RDA pour les citoyens d'autres Etats que la RFA et l'entité de Berlin-Ouest.

6 janvier : La France, la Grande-Bretagne et les Etats-Unis protestent contre cette mesure et s'élèvent contre la prétention de la RDA selon laquelle l'accord quadripartite sur Berlin ne s'appliquerait qu'au secteur occidental.

Février : Dans une interview à la *Saarbrücker Zeitung* des 19-20 et 21 février 1977, Erich Honecker laisse entendre qu'un règlement satisfaisant de la question de la reconnaissance de la citoyenneté est-allemande par la RFA conditionne la liberté d'aller et de venir entre les deux Etats.

17 février : Dans un discours devant les secrétaires d'arrondissement (*Kreisleitung*) de la SED, Erich Honecker se prononce en faveur de la poursuite de la normalisation des relations entre la RFA et la RDA.

9 mars : Dans son discours sur l'état de la nation allemande, le chancelier Schmidt évoque la possibilité d'une

rencontre avec Erich Honecker. Celui-ci indique dans une interview à la *Saarbrücker Zeitung,* le 6 juillet 1978, qu'une telle rencontre serait utile si elle contribuait à la recherche de solutions aux problèmes concrets qui se posent.

26 juin : M. Abrassimov, ambassadeur de l'URSS en RDA, proteste contre la visite d'hommes politiques ouest-allemands à Berlin-Ouest, celle-ci étant jugée incompatible avec les stipulations de l'accord quadripartite.

15 juillet : Le chancelier Schmidt accompagne le président Carter à Berlin. Dans les jours qui suivent la circulation en transit entre la RFA et Berlin-Ouest est perturbée par les autorités est-allemandes.

26 juillet : Accord entre la RFA et la RDA sur le tracé de l'autoroute Hambourg-Berlin.

11-14 septembre : Première visite officielle d'un ministre ouest-allemand en RDA ; il s'agit de Dieter Haack, ministre de la Construction et de l'Urbanisme.

16 novembre : Accords entre la RFA et la RDA en vue de l'amélioration des communications entre les deux Etats allemands. Ces accords ont trait à l'aménagement de l'autoroute Hambourg-Berlin, à la réouverture du canal de Teltow et à l'amélioration des voies navigables. En outre, un versement forfaitaire de 400 millions de deutschemarks à la RDA est prévu pour couvrir les frais de transit.

29 novembre : Signature d'un protocole entre la RFA et la RDA sur la question des frontières. Ce protocole entérine les conclusions de la Commission sur les frontières, dont la création avait été prévue par le *Grundlagenvertrag.*

1979

29 juin : Modification de la loi électorale en RDA en vue d'aligner Berlin-Est sur le statut des autres circonscriptions électorales pour l'élection des députés à la chambre du Peuple (*Volkskammer*).

31 octobre : Accord entre la RFA et la RDA sur le régime fiscal des véhicules dits "poids lourds".

1980

30 avril : A l'occasion de la visite de Günter Mittag à Bonn, des arrangements sont conclus en vue d'améliorer les communications entre les deux Etats allemands.

11 août : Erich Honecker invite le chancelier Schmidt à se rendre en RDA.

22 août : Le chancelier Schmidt décline l'invitation en prétextant l'évolution de la situation en Pologne (grèves à Gdansk et naissance du mouvement *Solidarité*).

9 octobre : Les autorités est-allemandes décident unilatéralement et sans concertation préalable avec le gouvernement fédéral de doubler le montant du change obligatoire auquel sont assujettis les visiteurs en RDA.

13 octobre : Dans un discours prononcé à Gera, Erich Honecker subordonne l'amélioration des relations interallemandes à quatre conditions : reconnaissance par la RFA d'une nationalité est-allemande, élévation des représentations permanentes au rang d'ambassades, dissolution de l'Agence d'investigation de Salzgitter et fixation de la frontière entre les deux Etats le long de la ligne médiane de l'Elbe.

1981

11-13 décembre : Rencontre du chancelier Schmidt et du premier secrétaire de la SED, Erich Honecker, à Werbelinsee. Cette rencontre fait l'objet d'appréciations positives en RFA et en RDA.

1982

30 septembre : Dans un discours prononcé devant l'Assemblée générale de l'ONU, M. Wischnewski fait état de la rencontre entre Helmut Schmidt et Erich Honecker de décembre 1981 et affirme la nécessité de la poursuite de la coopération interallemande.

13 octobre : Dans la déclaration du gouvernement devant le *Bundestag*, le nouveau chancelier Kohl affirme que la politique antérieure vis-à-vis de la RDA sera poursuivie et s'inscrira dans la perspective d'une politique de paix en Europe.

1983

28 juin : Le gouvernement fédéral garantit un crédit de un milliard de deutschemarks à la RDA. Franz Josef Strauss, qui a joué un rôle non négligeable dans la réalisation de cette opération, effectue une visite "privée" en Tchécoslovaquie, en Pologne et en RDA, en juillet. Il est reçu par Erich Honecker et s'entretient avec lui des problèmes posés par les fusées américaines et le change obligatoire. Son attitude surprend les membres de la CSU, mais Franz Josef Strauss s'explique en arguant de la nécessité de trouver des méthodes nouvelles pour faire aboutir l'*Ostpolitik*.

4 juillet : Le chancelier Kohl met l'accent sur la nécessité de reconstituer l'unité allemande dans un discours prononcé au Kremlin à l'occasion de la visite officielle qu'il effectue en URSS.

5 octobre : Dans une lettre adressée au chancelier Kohl, Erich Honecker l'adjure au nom du "peuple allemand" de ne pas consentir au déploiement d'armes nucléaires américaines sur le territoire de la RFA.

23 octobre : Dans sa réponse, le chancelier Kohl affirme sa fidélité à l'Alliance atlantique et demande à Erich Honecker d'inciter l'URSS à faire preuve de souplesse dans les négociations de Genève sur les FNI. Il estime que les tensions internationales ne doivent pas dissuader les deux Etats allemands de poursuivre leur coopération.

1984

Printemps : L'Union soviétique amorce une campagne contre le revanchisme et le militarisme ouest-allemands qui trouve son point culminant au cours de l'été (articles de la *Pravda* des 27 juillet et 2 août).

25 juillet : Le gouvernement fédéral garantit un nouveau crédit de 950 millions de deutschemarks à la RDA. Le 1er août entre en vigueur un accord intergouvernemental par lequel les autorités est-allemandes prennent des mesures pour faciliter la circulation entre la RFA et la RDA. (Diminution du change obligatoire, augmentation de la durée du séjour à l'Ouest des retraités de la RDA, etc.). Le fait que les ressortissants de Berlin-Ouest ne bénéficient pas de ces allègements suscite des controverses en RFA.

2 septembre : Le chancelier Kohl assiste à une réunion de la Fédération des réfugiés à Brunswick. Ce geste est interprété dans les pays socialistes européens et en URSS comme un encouragement aux tendances révisionnistes et comme une entorse à l'*Ostpolitik*.

4 septembre : Le représentant de la RDA à Bonn, Ewald Moldt, annonce que la visite de Erich Honecker en RDA ne pourra avoir lieu à la date convenue et il invoque comme prétexte de cet ajournement les commentaires discourtois de personnalités ouest-allemandes à l'égard du chef de l'Etat est-allemand.

12 novembre : Accords entre la RDA et la société des Usines Volkswagen sur la fabrication sous licence de moteurs d'automobiles et sur la fourniture de produits de l'industrie mécanique et électro-technique.

30 novembre : Démantèlement par la RDA de la dernière installation de tir automatique le long de la frontière entre les deux Allemagnes.

16 décembre : Ouverture du pont qui enjambe la vallée de la Werra entre Wartha et Eisenach. La construction de ce pont a été encouragée par la RFA qui en escompte une amélioration des échanges entre la Thuringe et la Hesse.

1985

Janvier : Une église néo-gothique qui se trouvait à proximité du mur de Berlin est dynamitée sur ordre des autorités est-allemandes pour faciliter le contrôle du passage de la frontière. Helmut Kohl révèle que 40.000 ressortissants de la RDA ont pu se rendre en RFA pendant l'année 1984.

Février : L'annonce de la participation du chancelier Kohl au Congrès des réfugiés silésiens, qui doit se tenir à Hanovre en juin 1985 suscite des controverses en RFA et des réactions négatives en RDA et dans les autres pays socialistes.

27 février : Message sur l'état de la nation. Le chancelier Kohl dissipe certains des malentendus qui avaient surgi à propos de l'*Ostpolitik* et de la question des frontières et souligne la nécessité de développer la coopération entre les deux Etats allemands.

1er mars : Hermann Axen, membre du bureau politique du SED, s'entretient à Bonn avec Hans Dietrich Genscher sur les moyens de ranimer le dialogue interallemand.

10 mars : A l'occasion de la visite de la foire de Leipzig, Erich Honecker formule une appréciation positive sur les prises de position du chancelier Kohl et se montre disposé à rétablir le dialogue sur des bases normales.

12 mars : A la veille des funérailles de Constantin Tchernenko, le chancelier Kohl rend visite à Erich Honecker, à Moscou. Dans un communiqué publié à l'issue de leurs entretiens, les deux hommes d'Etat soulignent le caractère positif des négociations soviéto-américaines qui viennent de s'ouvrir à Genève, reconnaissent que "l'inviolabilité des frontières et le respect de l'intégrité territoriale et de la souveraineté de tous les Etats en Europe est une condition essentielle du maintien de la paix" et prennent l'engagement de développer des relations normales et de bon voisinage entre la RFA et la RDA "dans l'intérêt de la paix et de la stabilité en Europe".

Mars : La Fédération des Eglises évangéliques en RDA et l'Eglise évangélique en Allemagne adoptent le texte d'une admonestation pour la paix (*Wort zum Frieden*) qui sera lue et diffusée à l'occasion des offices du 8 mai. Les deux Eglises demandent aux Allemands de s'accommoder des conséquences de la Seconde Guerre mondiale et aux gouvernements des deux Etats d'œuvrer en faveur de l'établissement d'un ordre de paix en Europe.

15 mars : Signature d'un accord entre les ministères des Postes et des Communications de la RFA et de la RDA en vue d'améliorer les liaisons téléphoniques avec Berlin-Ouest.

5 juillet : Accord entre la RFA et la RDA en vue de l'augmentation des avances sans intérêts (swing) accordées à la RDA pour le règlement de sa dette commerciale. Pour la période 1986 à 1990, elles passent de 600 à 850 millions de deutschemarks.

Il n'en reste pas moins que la visée d'une Allemagne unifiée sous la bannière du socialisme n'est pas exclue à long terme et que les autorités est-allemandes s'efforcent de faire droit dès à présent aux aspirations nationales de la population en réhabilitant les héros de l'histoire allemande. La publication en 1979 d'une biographie de Frédéric II par Ingrid Mittenzwei soulignant le rôle positif joué par le roi de Prusse, l'éclat avec lequel a été célébrée l'année Luther et l'éloge de Bismark prononcé par Kurt Hager, un membre du bureau politique, lors d'une session du comité central du SED en septembre 1983 ne font que confirmer la volonté des autorités est-allemandes de tenir en éveil la conscience nationale.

Dans un appel à la population à l'occasion du trente-cinquième anniversaire de la fondation de la RDA les dirigeants du parti et de l'Etat ont évoqué la question de la division de l'Allemagne et considéré qu'elle n'était qu'une phase transitoire en direction de l'Allemagne socialiste. La RDA, *"héritière des traditions humanistes et démocratiques de l'histoire allemande, avait vocation à conduire l'Allemagne tout entière sur le chemin de la paix, de la démocratie et du progrès social"*. C'est sans doute dans le même esprit que Erich Honecker aurait concédé au bourgmestre régnant de Berlin-Ouest, Richard von Weizsäcker, lors de leur rencontre de septembre 1984 au château de Niederschönhausen, que l'histoire allemande n'était pas figée, que la division ne se perpétuerait pas nécessairement et qu'il était permis d'imaginer les formes que la nation allemande pourrait revêtir à l'avenir.

Le problème allemand et la sécurité en Europe

Dès l'origine, des considérations de sécurité ont influé sur l'énoncé du problème allemand et il n'est pas nécessaire de rappeler les dispositions prises par les vainqueurs de la Seconde Guerre mondiale pour mettre l'Allemagne hors d'état de nuire. La situation s'est modifiée lorsque deux Etats allemands se sont constitués à la faveur de la guerre froide et qu'ils sont devenus partie intégrante des systèmes politico-militaires qui se font face sur le continent européen. Non seulement leur participation aux alliances est jugée essentielle pour le maintien de l'équilibre des forces, mais leur territoire sert également au stationnement de troupes étrangères et au déploiement de systèmes d'armes dont l'emploi en temps de guerre provoquerait des destructions incommensurables.

La concentration des forces armées et des armements en Europe centrale est un phénomène sans précédent et on conçoit que les pays directement intéressés manifestent de l'intérêt pour un désarmement régional. Depuis octobre 1973, siège à Vienne une conférence sur la réduction mutuelle des forces en Europe, dite MBFR, et, en janvier 1984, s'est ouverte à Stockholm une conférence à 35 sur les mesures de confiance et de sécurité et sur le désarmement en Europe. Jusqu'à présent, peu de progrès ont été enregistrés sur la voie d'une réduction équilibrée des armements dans la zone de contact entre les deux mondes et le succès des pourparlers de Stockholm est conditionné par la reprise du dialogue soviéto-américain. En revanche, la modernisation des armements se poursuit à un rythme inquiétant et les deux Etats allemands sont impliqués directement dans ce processus, puisque c'est sur leur territoire que seront déployées les armes nucléaires jugées les plus déstabilisantes - les *Pershing* américains et les *SS-22* soviétiques.

Les militants de la paix ont exploité cette situation et leurs thèses ont eu un large écho en RFA, mais on a assisté également à l'émergence d'une contestation pacifiste en RDA. Certes, il ne faut pas surestimer la signification et la portée du mouvement en RDA car les pouvoirs publics le tiennent en lisière et il se manifeste surtout à l'ombre des Eglises protestantes. Celles-ci ont affirmé l'existence d'une "communauté de responsabilité" (*Verantwortungsgemeinschaft*) des Allemands pour le maintien de la paix et la promotion du désarmement, et ce point de vue a été pris en compte par les gouvernements de la RFA et de la RDA. Depuis les rencontres entre Willy Brandt et Willi Stoph à Erfurt et à Cassel, au printemps 1970, le rôle spécifique des deux Etats allemands en la matière a été reconnu et les aspects militaires de la sécurité en Europe font l'objet de consultations régulières entre Bonn et Berlin-Est.

Ces échanges de vues donnent lieu à toutes sortes de spéculations et chez les alliés on redoute la connivence entre deux Etats qui pourraient être tentés de faire prévaloir leurs intérêts nationaux sur les exigences de la sécurité collective. Ces craintes se sont avérées vaines jusqu'à présent : le gouvernement fédéral n'a cessé de protester de sa fidélité à l'Alliance atlantique et s'est bien gardé de quitter les sentiers battus, tandis que la marge de liberté du gouvernement est-allemand très étroite au sein du pacte de Varsovie et que sa capacité d'influencer la politique de sécurité de Bonn est limitée.

Il n'en reste pas moins que la RDA est vouée à plaider la cause du désarmement nucléaire en Europe et qu'en agissant de la sorte elle sert les intérets de la "communauté socialiste" et les siens propres. Quant à la RFA, elle ne peut rester insensible à cette argumentation puisque la modernisation des armes nuclaires de portée intermédiaire (FNI) ne suscite pas dans les milieux officiels une adhésion enthousiaste et que la conclusion d'un accord de limitation des armements y est vivement souhaitée. L'appel à la négociation lancé aux deux protagonistes par le chancelier Kohl lors de la visite de Nicolae Ceaucescu à Bonn, en octobre 1984, et la satisfaction exprimée par le gouvernement fédéral lors de la reprise des pourparlers soviéto-américains sur la maîtrise des armements, en mars 1985, témoignent de la permanence de cet état d'esprit en RFA. Mais, en même temps, le refus de Bonn de prendre en compte les thèses orientales et le faible écho de la voix du gouvernement fédéral à Washington ont pu dissuader Erich Honecker de faire en Allemagne de l'Ouest un voyage dont les résultats risquaient d'être maigres aussi bien au plan de la "détente militaire" en Europe qu'à celui du règlement du contentieux interallemand. Mais à cet égard le veto soviétique a été le facteur déterminant.

La campagne de l'URSS contre le révisionnisme allemand

C'est au printemps 1984 que l'Union soviétique a amorcé une campagne de presse contre le "revanchisme" et le "militarisme" allemands et bien que les coups aient été dirigés principalement contre le gouvernement fédéral, il convient d'y voir également un avertissement aux autorités de Berlin-Est qui semblaient oublier la logique de la lutte des classes internationale et négliger l'incidence négative du déploiement des *Pershing* et des missiles de croisière américains sur la sécurité de la "communauté socialiste". En effet, les relations interallemandes ne paraissaient pas avoir été affectées par la rupture des négociations soviéto-américaines sur les FNI et

Erich Honecker avait accepté de se rendre en RFA en réponse à une invitation qui lui avait été faite jadis par le chancelier Schmidt. Or les dirigeants soviétiques ne pouvaient que prendre ombrage d'un voyage dont ils ne voyaient plus l'utilité dès lors que Bonn jouait le jeu de Washington et qu'ils avaient décidé de renouer le dialogue avec les Etats-Unis sur les questions militaires.

Dans ces conditions, il était difficile à Erich Honecker de maintenir ses projets, d'autant que l'éventualité de sa visite suscitait à Bonn des commentaires malencontreux, que son séjour en RFA soulevait des problèmes protocolaires délicats et que le gouvernement fédéral n'était pas disposé à aborder de front les questions pendantes entre les deux Etats allemands. Le 4 septembre 1984, le représentant permanent de la RDA à Bonn, Ewald Moldt, annonçait que la visite de Erich Honecker n'aurait pas lieu à la date prévue et il imputait la responsabilité de cet ajournement aux membres de la majorité gouvernementale qui s'étaient répandus en commentaires discourtois et "indignes" à propos du chef de l'Etat est-allemand. Cet argument n'a pas été jugé convaincant et il apparaît surtout comme un prétexte qui masque les motivations réelles des acteurs et plus particulièrement de l'Union soviétique dans le refroidissement des relations avec la RFA.

Parmi les reproches adressés à la RFA dans les organes de presse soviétiques ou dans des documents d'origine gouvernementale, on relève à la fois la collusion avec les Etats-Unis dans leur recherche de la "supériorité militaire", la volonté de se soustraire aux contraintes qui pèsent sur elle dans le domaine des armements et la répudiation des engagements pris dans les années 70 de ne pas mettre en question le statu quo territorial en Europe. D'emblée, le gouvernement fédéral s'est défendu contre ces accusations et le ministre des Affaires étrangères, Hans Dietrich Genscher, s'est inscrit en faux contre les imputations soviétiques dans une déclaration remise à la presse le 6 août 1984. Cette mise au point n'a pas fait taire les polémiques germano-soviétiques. Bien plus, les propos tenus le 13 septembre suivant par le ministre italien des Affaires étrangères, Giulio Andreotti, sur le risque du "pangermanisme" ont relancé la controverse et révélé que la "question allemande" était aussi un sujet de préoccupation à l'Ouest.

On ne peut que se livrer à des conjectures sur les mobiles de la campagne anti-allemande de l'URSS mais une analyse du contenu des textes publiés permet de se faire une opinion à ce sujet.

● Le rôle joué par le gouvernement fédéral dans la modernisation de l'arsenal nucléaire américain en Europe est vivement ressenti par les Soviétiques qui ne manquent pas d'établir un rapport directement opératoire entre l'"impérialisme" américain et le "révisionnisme" allemand. Ce point a surtout été souligné par Alexandre Yacovlev, le directeur de l'Institut d'économie mondiale et de relations internationales de Moscou (IMEMO), dans une communication présentée à un symposium sur le "revanchisme" et le "militarisme" qui s'est tenu à Prague en septembre 1984. Il semble bien que l'une des raisons pour lesquelles ils pourraient avoir dissuadé Erich Honecker de se rendre en RFA est l'attitude trop "complaisante" du chancelier Kohl à l'égard des Américains et son refus de souscrire à un moratoire sur le déploiement des *Pershing* et des missiles de croisière.

● Les Soviétiques s'interrogent sur la signification de la réactivation de l'UEO et sont enclins à interpréter la levée des dernières hypothèques sur l'industrie d'armements allemande comme le signe d'un relâchement des contraintes imposées à la RFA par ses partenaires occidentaux. Dans un mémorandum remis au gouvernement fédéral le 10 juillet 1984, le gouvernement soviétique souligne le fait que le déploiement des fusées américaines de portée intermédiaire a été suivi presque immédiatement de l'annulation de l'interdiction faite à la RFA de fabriquer des bombardiers stratégiques et des missiles à long rayon d'action. Il estime que cette coïncidence n'est pas fortuite et qu'elle est de nature à faire naître des doutes sur le *caractère purement défensif de la doctrine militaire ouest-allemande*. Il rappelle enfin que la RFA est liée par des accords (accord de Postdam, traité de Moscou du 12 octobre 1970 et Acte final d'Helsinki) qui l'obligent à faire en sorte que *le sol allemand ne soit jamais une source de menace pour les pays voisins et le monde entier*. Ces prises de position reflètent les craintes latentes des Soviétiques vis-à-vis d'une Allemagne qui est autorisée désormais à se doter de systèmes d'armes à longue portée et qui pourrait ne plus être liée par les stipulations du traité de non-prolifération après 1995.

● L'URSS et les pays socialistes sont fortement indisposés par les discours occidentaux sur le dépassement de l'ordre établi à Yalta et considèrent que les propos tenus par les dirigeants américains tendent à créer l'atmosphère propice à une mise en question des résultats de la Seconde Guerre mondiale. Ce thème a été esquissé par le vice-président Bush dans une conférence prononcée le 21 septembre 1983 devant l'Association autrichienne de politique étrangère et a été développé depuis lors par le secrétaire d'Etat, George Shultz et le président Reagan.

Lors de l'ouverture de la conférence de Stockholm sur les mesures de confiance et de sécurité et sur le désarmement en Europe (17 janvier 1984), George Shultz a notamment déclaré que les Etats-Unis ne reconnaissaient pas "*la légitimité de la division artificielle qui avait été imposée à l'Europe et à l'Allemagne*" car elle est une "*source d'instabilité et de tension*". En 1984, le président des Etats-Unis s'est exprimé à plusieurs reprises dans le même sens et dans son discours devant le Parlement de Strasbourg, le 8 mai 1985, il a lancé un appel à l'unité des peuples européens. Les dirigeants ouest-allemands ont pu se prévaloir de ces déclarations pour démontrer le bien-fondé de leurs requêtes en faveur de l'autodétermination et plaider la cause de la renaissance d'une nation allemande intégrée à l'Occident.

Les craintes d'une mise en question du statu quo territorial et politique en Europe au détriment des pays socialistes ont été renforcés par le caractère tranchant de certaines prises de position officielles au cours de l'année 1984. On peut citer pour mémoire l'insistance du gouvernement fédéral à proclamer en toutes circonstances l'objectif de la réunification, les propos tenus par certains ministres, comme Friedrich Zimmerman, sur la reconstitution du "*Reich dans ses frontières de 1937*", enfin, les variations sur le thème de la frontière Oder-Neisse et les provocations gratuites à l'égard de la Pologne sur ce sujet. C'est sans doute pour couper court aux spéculations allemandes sur la modification de la carte politique de l'Europe et sur la création d'un ordre de paix (*Friedensordnung*) axé sur le *Mitteleuropa* que l'Union soviétique a usé vis-à-vis de la RFA d'un ton polémique inhabituel.

● Si Erich Honecker a persisté dans son dessein de se rendre en RFA jusqu'à la fin du mois d'août et a été approuvé par les Hongrois et les Roumains dans la mesure où son geste pouvait être interprété comme l'expression d'une volonté de dialogue avec l'Occident, les autorités est-allemandes n'ont pas contesté le bien-fondé des reproches de révisionisme faits aux Allemands de l'Ouest. Dans un article paru en octobre 1984 dans la revue du ministère des Affaires étrangères de la RDA, *Horizont,* il s'était exprimé en termes similaires et, dans les autres pays de l'Est (Pologne, Hongrie), on ne paraissait pas mécontent du rappel à l'ordre de Moscou. Toutefois, on peut se demander s'il ne visait pas également les dirigeants est-allemands dans la mesure où le développement des relations interallemandes a parfois été perçu à Moscou comme un facteur d'affaiblissement du régime socialiste en RDA et le fourrier du "revanchisme" (éditorial de la *Pravda* du 1er septembre 1984).

Conclusion

Au lendemain de la Seconde Guerre mondiale, l'Allemagne vaincue devint le principal enjeu de la confrontation Est-Ouest et sa division fut la conséquence du partage de l'Europe en sphères d'influence. Certes, la République fédérale s'affirmait comme le seul représentant légitime du peuple allemand et revendiquait le droit de parler en son nom jusqu'au rétablissement de l'unité nationale. Toutefois, au fil des ans cette perspective s'éloignait, tandis que la RDA se construisait selon le modèle socialiste et s'intégrait au système politico-militaire dominé par l'URSS. Dans les années 60, le développement séparé des deux Etats allemands était devenu une réalité incontournable et, à la faveur de la détente, on s'engagea dans la voie d'une normalisation des relations interallemandes qui déboucha en 1972 sur la signature du traité fondamental et rendit possible en 1973 l'admission de la RFA et de la RDA à l'ONU.

Certains pensaient que ce *modus vivendi* préfigurait une coexistence durable de deux Etats souverains et que la question de la réunification allemande ne se posait plus. Or les débats récents sur la sécurité européenne et les mouvements d'opinion dans les deux Etats allemands ont de nouveau attiré l'attention sur le problème allemand qui demeure le problème européen par excellence.

D'une part, la vigueur de la contestation antinucléaire en République fédérale à fait naître des doutes sur la fermeté du gouvernement de Bonn, en ce qui concerne l'application de la double décision de l'OTAN et partant son ancrage à l'Ouest ; d'autre part, la rupture des négociations soviéto-américaines sur la limitation des armes nucléaires de portée intermédiaire n'a pas interrompu le dialogue entre la RFA et la RDA qui justifient toutes deux leur attitude par la responsabilité commune qu'elles doivent assumer pour le maintien de la paix et de la sécurité en Europe. Enfin, si le gouvernement chrétien-démocrate-libéral qui a accédé au pouvoir à l'automne 1982 continue de pratiquer une *Ostpolitik* qui ne le cède en rien à celle de ses prédécesseurs, il ne cesse de mettre l'accent sur sa finalité ultime, à savoir la reconstitution de l'unité perdue par la libre autodétermination des Allemands.

Tout semble se passer comme si le débat sur les euromissiles et la relance de la course aux armements avaient servi de révélateur à une "identité allemande" qui transcende les clivages idéologiques et appelle la mise en œuvre d'une politique de "sécurité commune". Mais, en s'engageant dans cette voie (*deutscher Sonderweg*), les Allemands ne risquent-ils pas d'ébranler les fondations du système de sécurité existant et de récréer autour d'eux la "coalition de la peur" ?

L'un des meilleurs analystes de la question allemande et de ses implications pour la sécurité européenne, Eberhard Schulz, de l'Association allemande de politique étrangère (Bonn), juge excessives les craintes qui se manifestent à cet égard aussi bien à l'Ouest qu'à l'Est ; toutefois, il reconnaît que des maladresses ont été commises - notamment vis-à-vis des Polonais - et qu'en entretenant des incertitudes sur la solution du problème allemand, le gouvernement fédéral ne parviendra pas à dissiper les appréhensions que la perspective d'une Allemagne unifiée inspire à tous ses voisins. Or chaque fois qu'un homme politique ou un publiciste ouest-allemand suggère de mettre entre paranthèses les références à la Loi fondamentale et à la décision du 31 juillet 1973 du tribunal constitutionnel de Karlsruhe sur l'unité allemande, il ne fait que relancer le débat.

Aujourd'hui, tous les partis politiques en RFA sont d'accord pour affirmer que rien ne doit être négligé pour surmonter la division du pays, tout en précisant que la réalisation de cet objectif ne saurait aller à l'encontre du maintien de la paix et de la sécurité sur le continent ; ceci implique notamment le développement de la coopération Est-Ouest, la renonciation définitive à toute prétention territoriale et une stabili-

sation de l'équilibre sur lequel repose la dissuasion réciproque. C'est dire que le problème allemand ne peut être résolu que dans *"une Europe en état d'équilibre, de paix et de coopération d'un bout à l'autre du territoire que lui attribue la nature"*.

2. Les conflits régionaux

En dépit des développements de l'euroterrorisme (et de ceux de la violence sauvage sur les stades, symbolisé par les 38 morts du stade du Heysel à Bruxelles en mai 1985), le Tiers-Monde continue de monopoliser le privilège douteux de la violence sous toutes ses formes. Les conflits régionaux ont obéi, en 1985, à la logique qui est la leur, en l'absence de progrès de toute négociation, celle de la violence.

En Amérique centrale, au Nicaragua comme au Salvador, les forces révolutionnaires comme celles de la contre-révolution semblent s'épuiser, alors même que l'Amérique hésite à s'engager davantage. Au Moyen-Orient et dans le Golfe, l'expression d'"engrenage de la violence" s'applique parfaitement. Dans le Golfe, à l'escalade qu'avait constituée la guerre des tankers a succédé la guerre des villes.

Spectateurs largement impuissants mais non résignés, les deux Grands s'inquiètent désormais des risques de dérapage d'un conflit qui dure depuis cinq ans. Mais il est plus facile de commencer une guerre que de la terminer. Et ceci s'applique plus encore à des régimes non démocratiques et idéologiques. La guerre a sa propre dynamique et obéit à une logique qui lui appartient en propre.

D'international qu'il était, le conflit libanais est redevenu régional, sans que le Liban puisse se réjouir de ce rétrécissement des enjeux. En dépit des grandes manoeuvres diplomatiques qui s'engagent, le conflit israélo-arabe semble devoir être caractérisé davantage par l'immobilisme que par le changement. Réticence américaine, division arabe, faiblesse palestinienne, peur israélienne, tout concourt à un immobilisme que démentent les apparences extérieures et la multitude des missions de bons offices.

En Afrique australe, le contraste entre les succès diplomatiques de la République sud-africaine et la montée de la violence interne est tout aussi symbolique de l'état du continent africain que peuvent l'être les crises de succession internes et l'interminable conflit tchadien.

2.1. LES CARAIBES ET L'AMERIQUE CENTRALE

Jusqu'à la fin des années 50, l'Amérique centrale et les Caraïbes ne sont que des objets dans le tumulte de l'histoire. Carrefour de races, de cultures, de religions, terre des épices et des esclaves, zone privilégiée des rivalités coloniales aux XVIIe et XVIIIe siècles, puis de l'affirmation de la jeune puissance américaine au XIXe, "l'arrière-cour des Etats-Unis" exprime dans ses conséquences extrêmes "la névrose latino-américaine"[1] : archaïsme des structures économiques, dominées par la grande propriété ; détention de la richesse et du pouvoir par quelques familles ; oscillation des régimes politiques entre populisme et caudillisme ; velléités d'indépendance et interventions répétées des Etats-Unis au nom de la doctrine de Monroe.

Plus profondément, les pays de cette partie du monde souffrent d'une insuffisance d'identité. Façonnées par des traumatismes historiques (anéantissement des civilisations précolombiennes, trafic du "bois d'ébène..."), dépourvues de traditions étatiques, l'Amérique centrale et les Caraïbes sont toujours demeurées sous tutelle, l'empire espagnol s'effaçant derrière les républi-

---

1. Carlos Rangel, "La névrose latino-américaine", *Commentaire*, n° 9, printemps 1980.

Caraïbes-Amérique centrale
Quelques dates-clefs

1492-1498 : Découverte de l'Amérique, par les trois voyages de Christophe Colomb.

1519-1521 : Conquête de l'empire aztèque par Cortez.

1535-1823 : Vice-royauté de la Nouvelle-Espagne (Mexique, Amérique centrale, Caraïbes).

1776-1783 : Guerre d'indépendance des Etats-Unis.

1821 : Proclamation de l'empire du Mexique d'Iturbide (Mexique, Honduras, Nicaragua, Costa Rica et Guatemala).

2 décembre 1823 : Enoncé de la doctrine de Monroe.

1824-1840 : Provinces-Unies de l'Amérique centrale (fédération unissant le Salvador, le Honduras, le Nicaragua, le Costa Rica et le Guatemala).

1838-1841 : Indépendances du Costa Rica, du Guatemala, du Honduras, du Nicaragua et du Salvador.

1862-1867 : Expédition du Mexique.

1898 : Guerre hispano-américaine de Cuba.

1901-1909 : "Politique du gros bâton" du président Theodore Roosevelt.

3 novembre 1903 : Proclamation de l'Etat de Panama (à la suite d'une révolte suscitée par les Etats-Unis contre le gouvernement colombien).

1911-1926 : Soumission du Nicaragua au "pouvoir de police internationale" de troupes américaines (en janvier 1928, ces troupes interviennent à nouveau).

1927-1933 : Rébellion sandiniste au Nicaragua.

1931 : Début de la "politique du bon voisinage".

2 septembre 1947 : Conclusion du pacte panaméricain de Rio de défense mutuelle.

30 avril 1948 : Charte de Bogota, instituant l'Organisation des Etats américains.

Juin 1954 : Démission, au Guatemala, du président "progressiste" Arbenz (sous la pression, notamment, des Etats-Unis).

1er janvier 1959 : Prise du pouvoir par Fidel Castro à Cuba.

13 mars 1961 : Proposition du président Kennedy d'une "Alliance pour le progrès".

18-20 avril 1961 : Fiasco du débarquement de la baie des Cochons.

Février 1962 : Exclusion de Cuba de l'Organisation des Etats américains.

22-28 octobre 1962 : Crise des fusées.

Septembre-octobre 1964 : Tournée du général de Gaulle en Amérique latine.

Avril 1965 : Soulèvement de Saint-Domingue, envoi massif de Marines américaines.

Janvier 1966 : Tenue à La Havane de la Tricontinentale.

8 octobre 1967 : Mort de "Che" Guevara dans la jungle bolivienne.

Novembre 1974 : Rapport Linowitz, examinant les axes d'une nouvelle diplomatie des Etats-Unis vis-à-vis de l'Amérique latine.

Mars 1977 : Tournée africaine de Fidel Castro.

10 août 1977-18 avril 1978 : Signature et ratification des traités sur le canal de Panama.

17 juillet 1979 : Renversement de la dictature Somoza au Nicaragua.

5-6 janvier 1981 : Entretiens entre les présidents Reagan et Portillo (projet Reagan de marché commun Etats-Unis, Canada et Mexique).

Février 1981 : Tentative (vaine) de médiation du gouvernement ouest-allemand dans la guerre civile du Salvador.

Juin 1981 : Création de l'Organisation des Etats des Caraïbes orientales, pour faire face aux menaces de déstabilisation.

28 août 1981 : Déclaration franco-mexicaine sur le Salvador.

24 février 1982 : Initiative des Etats-Unis pour le bassin des Caraïbes (CBI).

Avril-juin 1982 : Guerre des Falkland.

9 janvier 1983 : Création du groupe de Contadora (Mexique, Panama, Colombie et Venezuela).

27 avril 1983 : Discours du président Reagan sur l'Amérique centrale devant les deux chambres du Congrès.

25 mai 1983 : Assassinat d'un conseiller militaire américain au Salvador.

25-31 octobre 1983 : Intervention à la Grenade des forces armées des Etats-Unis et de six micro-Etats des Caraïbes.

11 janvier 1984 : Présentation au public du rapport de la commission bipartite Kissinger sur l'avenir de l'Amérique centrale (proposition d'une aide de 8,4 milliards de dollars sur cinq ans).

Avril 1984 : Affaire du minage des ports nicaraguayens, condamné par le Sénat des Etats-Unis.

6 mai 1984 : Election de Napoléon Duarte à la présidence du Salvador.

10 mai 1984 : A la suite de la saisine sur l'affaire du minage de la Cour internationale de justice, demande par cette dernière d'arrêt de toutes les opérations américaines ("mesures conservatoires").

7 septembre 1984 : Plan de paix pour l'Amérique centrale du groupe de Contadora.

28-29 septembre 1984 : Réunion des dix ministres des Affaires étrangères de la CEE, de l'Espagne et du Portugal, et de ceux des pays d'Amérique centrale.

15 octobre 1984 : Rencontre du président Duarte et de représentants de l'insurrection salvadorienne.

4 novembre 1984 : Victoire des sandinistes aux élections constituantes et présidentielles nicaraguayennes.

18 janvier 1985 : Suspension *sine die,* à l'initiative des Etats-Unis, des rencontres secrètes américano-nicaraguayennes de Manzanillo ; également retrait des Etats-Unis de la procédure en cours devant la Cour internationale de justice à propos du minage des ports nicaraguayens.

20 février 1985 : Déclaration du secrétaire d'Etat des Etats-Unis : "Le Nicaragua se trouve derrière le rideau de fer".

2 mars 1985 : Entretien (sans résultat) entre Daniel Ortega et George Shultz.

31 mars 1985 : Triomphe de la Démocratie chrétienne (parti du président Duarte) aux élections législatives du Salvador.

12 avril 1985 : Proposition par le groupe de Contadora d'un accord sur la réduction des armements en Amérique centrale.

1er mai 1985 : Embargo commercial total décidé par les Etats-Unis à l'encontre du Nicaragua. Le président nicaraguéen, Daniel Ortega, accomplit au même moment, son troisième voyage à Moscou.

Juin 1985 : Après un vote négatif en avril, accord du Sénat américain pour une aide non militaire aux *contras.*

La doctrine de Monroe

● La doctrine de Monroe, président des Etats-Unis de 1817 à 1825, est d'abord une réponse aux efforts russes pour contrôler les côtes occidentales de l'Amérique et aux menaces d'opérations européennes visant à étouffer les mouvements d'indépendance en Amérique latine.

Cette doctrine est formulée dans *un message au Congrès du 2 décembre 1823* (œuvre du secrétaire d'Etat John Adams). Elle s'articule autour de trois principes :

- *" Les continents américains (...) ne peuvent plus être considérés désormais comme susceptibles d'une colonisation future par aucune puissance européenne ".* Toute tentative de ce type impliquera *" le droit et les intérêts des Etats-Unis ".*

- *" A l'égard des colonies ou dépendances actuelles ",* les Etats-Unis ne procèderont à aucune intervention. Mais, s'il y a proclamation d'indépendance, toute intervention européenne sera considérée *" comme la manifestation d'une disposition inamicale à l'égard des Etats-Unis ".*

- *" En ce qui concerne l'Europe, notre politique (...) demeure (...) la même, c'est-à-dire ne pas intervenir dans les affaires intérieures d'aucune de ces puissances ".*

La doctrine de Monroe se présente comme un engagement de caractère exclusivement politique. Aucune autorisation, aucune ratification n'est donnée par le Congrès.

● La signification profonde et les ambivalences de la doctrine de Monroe se développent tout au long du XIXe siècle :

- *Elle est l'une des premières expressions de ce qui deviendra "la Présidence Impériale" :* recours au secret ; maintien à l'écart du Congrès (notamment lors des crises) ; envoi de forces armées ; négociation d'"accords exécutifs"...

- *Face à l'Amérique latine,* la doctrine, certes, interdit bien toute ingérence européenne : l'aventure mexicaine de Napoléon III (1862-1867), rendue possible par la guerre de Sécession, est condamnée à l'échec notamment par la fin de cette dernière ! *Mais chaque étape dans l'exclusion des Etats européens des affaires américaines a pour corollaire les progrès de la puissance nord-américaine, l'extension de ses interventions :* la guerre hispano-américaine de 1898, tout en mettant fin à la présence politique de l'Espagne en Amérique, se traduit par l'annexion de Porto Rico, ainsi que par un protectorat de fait sur Cuba.

Dans cette perspective, la doctrine connaît un quadruple renforcement :

- *l'hostilité à l'encontre de tout regroupement, de toute unification spécifiquement latino-américains ;*

- *" la diplomatie du dollar " :* la tradition anticolonialiste des Etats-Unis refusant les conquêtes territoriales, *" le concept de pax americana dans les régions instables du golfe du Mexique et d'Amérique centrale est pour une large part une politique d'investissements "* (Benjamin Williams, historien américain). Des interventions répétées assurent la protection de ces intérêts dans *" les républiques bananières " ;*

- *l'exercice d'un " pouvoir de police internationale "* (président Theodore Roosevelt, 1905), provisoirement désavoué en 1928 ;

- *la constitution (dans l'entre-deux-guerres) d'un espace juridico-politique américain,* écartant toute action des institutions universelles (Société des Nations, Cour permanente de justice internationale) et conférant des pouvoirs d'arbitre aux Etats-Unis.

- Enfin *la doctrine de Monroe n'entrave guère le dynamisme des Etats-Unis au-delà du continent américain.* A partir de 1885 (participation au congrès de Berlin sur les problèmes africains) et jusqu'en 1941 (entrée dans la Seconde Guerre mondiale), l'influence tant mondiale (médiations) que régionale (Asie, Europe) des Etats-Unis s'affirme (certes, avec des chocs en retour, notamment entre 1919 - non-ratification du traité de Versailles - et 1941).

● Au lendemain du second conflit mondial, et au moment de la guerre froide, la doctrine de Monroe est à la fois confirmée et transcendée par le nouveau rôle des Etats-Unis. La défense contre l'URSS et le communisme impose une stratégie globale, s'appuyant sur des instruments régionaux : pacte atlantique, *pacte de Rio* (2 septembre 1947). Comme celui-là instaure une solidarité atlantique, celui-ci stipule une sécurité commune du continent : *" Toute attaque armée contre un Etat américain sera considérée comme une attaque contre les autres Etats américains ".*

Les enjeux, les luttes en Amérique latine ne se dissocient plus du face-à-face universel. D'où, pour garder "l'Amérique aux Américains", une double démarche, complémentaire et contradictoire :

- L'Amérique au sud du Rio Grande devient l'une des pièces d'une politique mondiale (*containment, roll back,* déclenchement de coups d'Etat, débarquement de troupes). Toutefois la proximité géographique, l'impératif de sécurité, la tradition d'intervention et l'indifférence de l'opinion publique américaine se traduisent par des procédés particulièrement expéditifs (Guatemala, 1954 ; Cuba, 1961 ; Brésil, 1964 ; Saint-Domingue, 1965...).

- Les Etats-Unis prennent conscience de la nécessité d'une politique plus ouverte, prenant en considération les aspirations latino-américaines. D'où une succession d'initiatives, de rapports : Alliance pour le progrès (1961) ; rapport Linowitz (1974) ; politique des droits de l'homme du président Carter (1977) ; Initiative pour le bassin des Caraïbes (1982) ; rapport Kissinger (1984). Mais, jusqu'à présent, ces efforts avortent, l'idéal de justice se heurtant aux priorités de la sécurité.

● Notamment depuis le milieu des années 70, les fondements mêmes de la doctrine de Monroe subissent des ébranlements sans précédent :

- *L'autorité des Etats-Unis sur l'ensemble du continent, leur capacité d'arbitrage, leurs ingérences dans les affaires intérieures se trouvent de plus en plus mises en question* (de l'accord germano-brésilien en matière nucléaire - 1975 - à la guerre des Falkland - 1982 - ou à leurs interventions en Amérique centrale).

- *A la demande même d'Etats de la région, l'influence de puissances extérieures augmente.* C'est, d'abord et surtout, l'aide soviétique (Cuba, Nicaragua...). C'est, aussi, l'appel à l'Europe des Dix (réunion des ministres des Affaires étrangères de la CEE et de leurs homologues d'Amérique centrale à San José de Costa Rica, septembre 1984). Le continent américain n'est plus hors du monde (s'il le fut jamais).

- *Les Etats-Unis, eux-mêmes, acceptent plus ou moins ces mutations,* en envisageant de discuter avec l'URSS des conflits de la zone, en cherchant à mobiliser leurs alliés européens et en imaginant quelque temps d'édifier une forteresse nord-américaine (projet du président Reagan de marché commun Etats-Unis, Canada et Mexique, 1981).

ques bananières. Le mélange des croyances et des logiques, la rencontre des magies africaines et du catholicisme absolu, l'absence de racines nationales contraignent ces pays à se lancer dans la quête d'une forme d'unité. Cuba, par ses expéditions africaines, renoue ou tout au moins se convainc de renouer le fil brisé de l'histoire : les descendants des esclaves reviennent sur la terre de leurs ancêtres aider la libération de frères, dont ils ont été injustement séparés !

Les tensions de l'Eglise dans cette partie du monde symbolisent la violence des antagonismes. L'Eglise a su demeurer proche des couches les plus pauvres, les aider, les organiser. Nombre de prêtres et d'évêques se sont profondément engagés dans les luttes sociales. D'où l'attrait des concepts marxistes et le développement d'une "théologie de la libération" : l'Eglise doit former le peuple de Dieu. Cette "dérive idéologique" a conduit à de vigoureux rappels à l'ordre du Vatican.

La révolte contre le Yankee, le modèle marxiste (et même le terrorisme, pour certains) représentent des voies d'accès tant à la cohésion nationale qu'à la reconnaissance internationale. Certes, dans cette région éclatée entre des nations artificielles et des micro-Etats, seul le Mexique a les atouts d'une vraie puissance, mais il lui faut la concrétiser en une diplomatie continue, dotée des moyens nécessaires.

La prise du pouvoir à La Havane par Fidel Castro (janvier 1959) fait entrer la région dans le champ de la rivalité Est-Ouest. Mais, à la suite de la crise des fusées (octobre 1962), puis de la mort de "Che" Guevara (8 octobre 1967), l'abcès cubain semble être à la fois admis et circonscrit.

Dans la seconde moitié des années 70, le fragile statu quo se rompt de manière irréversible. Cuba apparaît à nouveau comme une menace non dans la région mais en Afrique, où la décolonisation portugaise, la fin du système impérial en Ethiopie entraînent l'envoi de 25 000 soldats cubains en Angola et de 11 000 dans la Corne de l'Afrique. Par ailleurs, le golfe du Mexique et les pays qui le bordent sont désormais des enjeux : par exemple, la Jamaïque, depuis octobre 1980 (victoire du conservateur Edward Seaga), se trouve érigée en laboratoire du libéralisme dans le Tiers-Monde, tandis que l'île de la Grenade, de mars 1979 à octobre

1983, se lance, sous la direction de Maurice Bishop, dans une expérience de populisme marxiste se combinant tout de même avec l'accueil des touristes !

La cassure majeure se produit avec le renversement au Nicaragua, le 17 juillet 1979, de la dictature Somoza, dont la famille était au pouvoir depuis 1936.

Le Nicaragua somoziste apparaît comme une caricature ubuesque des sociétés centre-américaines : en 1978, 5 % de la population dispose de 40 % du revenu national ; la famille Somoza possède la moitié des terres... En janvier 1978, le meurtre du directeur du seul journal d'opposition, *La Prensa,* provoque une "mutinerie nationale" contre le régime en place. Et les sandinistes, organisés, entraînés à la guérilla, s'imposent comme la force motrice. Au Salvador, à partir de 1979 (renversement de la dictature Romero), cohabitent l'escalade de la violence et la recherche d'une solution réformiste.

Ainsi, en 1979, Amérique centrale et Caraïbes rejoignent-elles l'Indochine, le golfe Persique ou la Corne de l'Afrique, constituant les "*trois ou quatre points chauds d'importance dans le monde*" (Cyrus Vance, mai 1979), espaces déstabilisés dans lesquels toute élection, tout coup d'Etat, tout affrontement interne ou interétatique acquièrent d'emblée un écho mondial et prennent une signification quasi universelle.

Une dérive irréversible

Entre 1959 et 1979, la situation se modifie en profondeur. En 1959, l'Amérique appartient bien aux Etats-Unis : le cordon sanitaire autour du Cuba castriste, son exclusion de l'OEA ne soulèvent que quelques objections ; le rêve guévariste des "*focos*", harcelé, désespéré, meurt misérablement dans la jungle bolivienne. Le projet d'une force interaméricaine est même débattu au lendemain de l'opération de Saint-Domingue (1965).

En 1979, il n'existe plus d'espace américain préservé. Tout déclin du prestige des Etats-Unis - effondrement du Sud-Vietnam, puis de l'Iran impérial ; montée de puissances latino-américaines ; revendications d'un nouvel ordre international... - invite au bouleversement de l'état des choses.

A travers la Grenade, le Nicaragua ou le Salvador des années 80, les Etats-Unis redécouvrent la théorie des dominos[2], et surtout les dilemmes non résolus des années 60 : une réforme authentique de l'organisation économique, sociale, politique des pays de la région impliquant des mutations d'ampleur révolutionnaire ; les forces mises en marche risquent de suivre un autre chemin que celui de la démocratie libérale... Alors les Etats-Unis ne doivent-ils pas s'en tenir au strict impératif de sécurité ? Mais, à long terme, les conditions mêmes de cette sécurité ne seront-elles pas mises en question du fait de l'absence de réformes ?

Ces dilemmes de l'ère Kennedy-Johnson se trouvent accentués, durcis par la sensibilité de plus en plus vive de la région aux ondes de choc venues d'ailleurs. Les Etats-Unis sentent qu'il y a quelque chose d'irrémédiablement changé, comme le reconnaît Zbigniew Brzezinski, conseiller pour la Sécurité nationale du président Carter (au moment où il abandonne ses fonctions après la victoire de Reagan) : "*On ne peut pas réclamer le droit de se syndiquer librement pour un ouvrier de Gdansk et nier, dans le même temps, le droit à la terre du paysan salvadorien... L'Amérique latine et centrale est un peu l'Europe de l'Est des Etats-Unis*" (12 janvier 1981). A l'indifférence succède une certaine mauvaise conscience, à la doctrine de Monroe la référence à l'universalité des droits de l'homme. Il n'existe plus de "chasses gardées".

L'URSS, fidèle à sa méthode selon laquelle toute action est à long terme, est désormais présente dans la région de manière très difficilement réversible. Son point d'appui demeure Cuba, dont l'armée est de très loin la plus grande force des Caraïbes. Les livraisons soviétiques de matériel militaire, d'une dizaine de milliers de tonnes par an dans les années 1970-1975, sont multipliées par 6 ou 7 dans les années 80 (68,3 milliers de tonnes en 1982 ; 55 en 1983) ; 4 000 "conseillers" soviétiques assistent l'armée cubaine. La "filière cubaine" apparaît comme une donnée incontestable, mais mouvante, s'insérant dans un dispositif complexe de relations : acheminements clandestins d'armes, aides diverses à des forces de guérilla, présence de conseillers des pays de l'Est...

L'Administration Reagan et le dilemme américain

La zone Caraïbes-Amérique centrale, si elle ne constitue pas en tant que telle un enjeu économique, est vitale pour la sécurité des Etats-Unis. En temps de paix, les ports du golfe du Mexique assurent 44 % du commerce extérieur des Etats-Unis ; la moitié du pétrole brut importé par ces derniers est acheminé par les Caraïbes. En période de guerre, l'approvisionnement de l'Europe et des autres alliés des Etats-Unis confère un rôle stratégique central au golfe du Mexique (dont la côte américaine concentre la moitié de la capacité de raffinage des Etats-Unis), au détroit et à la côte orientale de Floride, ainsi qu'au canal de Panama. Or, Cuba se trouve au coeur de ce carrefour ; quant au Nicaragua et à l'île de la Grenade, ils occupent des points géographiques remarquablement favorables pour désorganiser les trafics de la "Méditerranée américaine".

Depuis la présidence Carter (1977-1981), les événements touchant cette région soulignent, tel un miroir déformant, les contradictions de la diplomatie des Etats-Unis. Ainsi l'Amérique centrale est-elle la seule zone où l'idéalisme cartérien donne lieu à un début de concrétisation cohérente (traités sur le canal de Panama). Mais le poison de la guérilla, promesse de combats insaisissables, interminables, signe d'un possible Vietnam, change toute bonne volonté en naïveté : au Nicaragua, les Etats-Unis, en 1978 et 1979, multiplient les pressions pour obtenir le retrait du dictateur Somoza ; pourtant, ce départ accompli, leurs relations avec la junte sandiniste révolutionnaire se tendent très vite : le Nicaragua, en accroissant son potentiel militaire, et en invoquant la solidarité révolutionnaire, apparaît comme un nouveau point d'appui pour "l'internationale terroriste" (selon l'expression employée quelque temps en 1981-1982 par l'Administration Reagan).

Avec la présidence Reagan, Caraïbes et Amérique centrale sont clairement identifiées comme l'une des priorités de la diplomatie américaine. Le caractère vital de la région impose une démarche dépassant les clivages partisans, rassemblant une Amérique forte

---

2. "Si le gouvernement salvadorien tombait aux mains de la guérilla, le Costa Rica, le Honduras, Panama, tous ces pays suivraient" (Ronald Reagan, 4 mars 1983).

(discours du président Reagan devant les deux chambres du Congrès, le 27 avril 1983 ; création, en juillet 1983, d'une commision bi-partisane, présidée par Henry Kissinger). Le débat entre fermeté et libéralisme n'en est que plus aigu et permanent, divisant l'Administration.

C'est, d'abord, le conflit entre Thomas O. Enders, sous-secrétaire d'Etat pour l'Amérique latine (de juillet 1981 à mai 1983), et Jeane J. Kirkpatrick, ambassadeur des Etats-Unis auprès des Nations-Unies. "*La logique fondamentale de l'approche Enders tendait vers une forme de règlement négocié des problèmes régionaux. La logique de la ligne Kirkpatrick-Clark (ce dernier est alors conseiller pour la Sécurité nationale) conduisait vers des engagements militaires sans limites précises. Mais aucune des deux options n'excluait totalement l'autre et, dans leur mise en oeuvre, elles se confondent parfois[3]*". Thomas Enders est évincé le 27 mai 1983. Mais le débat ne cesse de resurgir (par exemple, entre George Shultz et Caspard Weinberger à propos de la livraison de *Mig 21* à Managua, en novembre 1984).

La politique de l'Administration Reagan semble osciller entre des ripostes immédiates, brutales mais en définitive hésitantes, et un projet à long terme, qui ne parvient pas à prendre forme.

Les ripostes sont dictées par une certaine conception de la sécurité. Ainsi que l'annonçait peut-être le pacte de Rio (1947), et comme le soulignent les discours du président des Etats-Unis, l'espace américain fait désormais partie du champ de bataille contre l'empire du mal. Survenant à deux jours d'intervalle, la mort de plus de 200 Marines à Beyrouth (23 octobre 1983) et le débarquement de la Grenade (25 octobre) légitiment, pour Ronald Reagan, cette vision d'une menace et d'un combat unique : "*Les événements qui se sont déroulés au Liban et à la Grenade, pays pourtant bien éloignés l'un de l'autre, sont étroitement liés. Non seulement l'URSS a aidé et encouragé la violence dans ces deux Etats, mais elle lui a fourni un soutien direct... Aujourd'hui notre sécurité nationale peut fort bien être menacée sur des fronts éloignés... J'ai plus que jamais acquis la conviction que, nous, les Américains d'aujourd'hui, saurons préserver la liberté et maintenir la paix...*"

Mais cette Amérique, qui retrouve son optimisme et sa certitude d'incarner le bonheur du monde, n'a qu'une envie mitigée d'être à nouveau "le soldat de la liberté". Certes l'opération de la Grenade paraît confirmer avec éclat la vision reaganienne : évidemment critiquée par l'*establishment,* elle est largement approuvée par la majorité silencieuse.

En fait, l'ère du Vietnam et de la présidence impériale est révolue et n'est pas oubliée. L'assassinat, au Salvador, le 25 mai 1983, d'un jeune conseiller militaire fait la couverture des grands magazines américains : la hantise d'un engrenage "à la vietnamienne" reste intacte. Avec le Congrès, c'est une négociation âpre, incessante sur le nombre des conseillers, l'ampleur des rallonges budgétaires. En avril 1984, le minage des ports nicaraguayens déclenche le scandale ; une résolution, approuvée par 84 sénateurs contre 12, condamne la participation de la CIA à l'opération. La colère du très conservateur sénateur Barry Goldwater éclaire le fond du litige : "*Comment, bon Dieu, pouvons-nous apporter notre appui à une politique étrangère dont nous ignorons tout[4] ?*"

Gérer la révolution[5] ?

Depuis le choc cubain, quatre présidents des Etats-Unis, Kennedy, Nixon, Carter et Reagan[6], ont tenté de nouer un "nouveau dialogue" avec l'Amérique latine[7].

Chacune de ces tentatives cherche d'abord, à propos des rapports entre les Etats-Unis et l'Amérique, à mettre en lumière la logique novatrice de la vision d'ensemble du Président : générosité du kennedysme ; réalisme nixonien ; moralisme carterien ; enfin, confiance du reaganisme dans l'initiative et le sens de la compétition... Ainsi l'Initiative pour le bassin des Caraïbes est-elle portée par une vision libérale (loi

---

3. Christopher Dickey, "Central America : From Quagmire to Cauldron", *Foreign Affairs, America and the World 1983,* p. 661.

4. *Time Magazine,* 23 avril 1984, p. 6.

5. Tom J. Farer, "Manage the revolution ?", *Foreign Policy,* automne 1983, pp. 96-117.

6. Les présidents Johnson (1963-1969) et Ford (1974-1977) ont été sans doute l'un et l'autre trop prisonniers du Vietnam, de ses suites, pour réfléchir sur l'Amérique latine, s'ils en avaient le désir !

7. Kennedy : Alliance pour le progrès (1961) ; Nixon : rapport Linowitz (1974) ; Carter : politique des droits de l'homme, traités sur le canal de Panama ; Reagan : Initiative pour le bassin des Caraïbes (1982), rapport Kissinger (1984)

d'août 1984, ouvrant le marché américain aux produits manufacturés en provenance de la zone).

Le rapport Kissinger (janvier 1984) est encore plus ambitieux, proposant une stratégie globale, à long terme pour l'Amérique centrale.

Pour chacune de ces entreprises, les obstacles sont toujours les mêmes : interminables discussions budgétaires avec le Congrès ; impossibilité d'un parallélisme entre l'octroi de l'aide et la mise sur pied des réformes devant conditionner son versement ; incompréhensions et frictions entre la nouvelle politique et les susceptibilités nationales... La bonne conscience des Etats-Unis ne peut qu'être maladroite, brutale et accusée d'impérialisme face à ces sociétés depuis toujours inégalitaires, violentes et corrompues. En outre, l'ampleur même des promesses souligne les limites des réalisations[8] : "*Du point de vue politique, le rapport Kissinger n'examine pas le problème-clef de la répartition du pouvoir politique dans les sociétés centre-américaines. Sa recommandation essentielle - augmentation massive de l'aide militaire et financière des Etats-Unis - aura peu d'effet sur la réduction des tensions sociales dans des pays dominés par des groupes civils et militaires non représentatifs et attendant le soutien des Etats-Unis[9]*".

Le marxisme, lui, apporte des explications et des remèdes simples et politiques... Bref, "*une réforme démocratique au Salvador (ou en Amérique centrale et dans les Caraïbes) exige la révolution ; mais le plus probable est que les forces favorables à la révolution n'en réaliseront pas une de type démocratique ![10]*".

---

8. Ainsi l'ouverture commerciale, dans le cadre de l'Initiative pour le bassin des Caraïbes, laisse-t-elle de côté les textiles à la production massive desquels l'économie des Caraïbes est prête (*Financial Times*, 27 novembre 1984, "US Scheme Leaves Carribeans Unimpressed").

9. *Strategic Survey 1983-1984*, p. 121.

10. Tom J. Farer, article cité, p. 107

Le rapport Kissinger (11 janvier 1984)

Depuis 1979 (chute de la dictature Somoza au Nicaragua), l'Amérique centrale s'impose comme l'une des préoccupations majeures de la diplomatie des Etats-Unis. Eviter un nouveau Vietnam, c'est d'abord empêcher la cassure de l'opinion américaine. *D'où la volonté de l'Administration Reagan d'obtenir, par une forme de dramatisation, un consensus sur les problèmes de l'isthme :* discours du Président devant les deux chambres du Congrès (27 avril 1983) et surtout mise sur pied, en juillet 1983, d'une commission bipartite, présidée par Henry Kissinger.

Kissinger est choisi parce qu'il symbolise à la fois *un réalisme libre des rigidités idéologiques et une capacité à prendre en considération les données mondiales, et d'abord Est-Ouest.* La commission Kissinger reçoit pour mission de dépasser les "*deux écoles de pensée (qui) s'affrontent (...) au Congrès et dans le pays : l'une voit les racines indigènes à la source du mécontentement en Amérique centrale ; l'autre joue sur l'existence d'influences extérieures malveillantes. L'une prône la nécessité de l'aide économique, le respect des droits de l'homme et des réformes démocratiques ; l'autre réclame des hélicoptères et rapidement*" (New York Times).

Le rapport, rendu public le 11 janvier 1984, et dédié à la mémoire d'un homme de fermeté, le sénateur Henry Jackson, surmonte souvent le dilemme ; parfois il le subit.
- *Le diagnostic* ne s'en tient pas aux facteurs externes mais, au contraire, analyse les interactions entre la crise économique, les tensions opposant tendances démocratiques et pouvoirs oligarchiques et, enfin, la subversion soutenue par Cuba et l'URSS.
- En ce qui concerne *la sécurité des Etats-Unis,* le danger essentiel réside dans la "proliféraion d'Etats maxistes-léninistes...". La stratégie de l'Administration Reagan de lutte contre les forces révolutionnaires (régime sandiniste du Nicaragua, rébellion salvadorienne...) est donc avalisée.

- La recommandation centrale du rapport propose *un accroissement considérable de l'aide économique et militaire, dont le montant déjà très important serait plus que doublé dans les cinq ans à venir* (8,4 milliards de dollars entre 1985 et 1990).

Si un accord unanime se fait sur les recommandations en matière d'aide, des divergences entre partisans de la fermeté et libéraux se manifestent à propos *des liens entre respect des droits de l'homme et octroi de l'aide.* Depuis l'Alliance pour le progrès du président Kennedy (1961), ce problème surgit lors de chaque tentative des Etats-Unis en direction d'une politique de générosité : faut-il imposer des conditions en matière de garanties des libertés au versement de l'assistance économique ? Pour une majorité, il est urgent de mettre fin à ces atteintes massives aux droits. Pour Kissinger notamment, de telles conditions seraient interprétées comme un encouragement à une victoire marxiste-léniniste au Salvador.

Sans doute (comme le souligne le *Strategic Survey* de 1983-1984), la plus grave lacune du rapport résulte-t-elle de l'absence de réflexion sur la question du pouvoir politique dans les sociétés centre-américaines : rien n'indique comment une aide, même énorme, obligera des oligarchies non-représentatives, attachées à l'appui américain, à se rallier à des réformes qui mettront radicalement en cause leur domination. Par ailleurs, des injections d'argent dans des économies, dont la ressource principale demeure l'agriculture, ne peuvent que disloquer leurs structures archaïques et fragiles.

Enfin, au moment où une politique budgétaire rigoureuse s'affirme comme l'une des priorités du second mandat du président Reagan, le plan Kissinger pour l'Amérique centrale n'échappera pas à cette contrainte majeure. Le Congrès, auquel devront être notamment soumises les implications financières du programme, enfermera ce dernier dans des bornes strictes, qui (comme lors de l'Alliance pour le progrès) pourraient lui ôter l'essentiel de sa vigueur.

Des controverses de diagnostic

Mais, depuis la cassure de 1979, le débat aux
Etats-Unis, entre ces derniers et les pays latino-
américains ou au sein du camp occidental, a
porté moins sur les solutions que sur "les origines du mal" : les ébranlements de la région
résultent-ils de la subversion communiste ou des
vices des systèmes sociaux ? Ces oppositions de
diagnostic expriment des divergences de fond sur
la nature des rébellions, l'importance du
communisme en leur sein, la légitimité du
combat armé, les raisons de son enracinement
dans la zone, enfin le rôle de Cuba et, au-delà,
de l'URSS.

Dans son style sommaire, le général Haig,
secrétaire d'Etat de janvier 1981 à juin 1982, fait
bien saisir la netteté manichéenne de l'analyse
reaganienne : "*Il n'y avait pas le moindre doute
que Cuba fournissait à la fois matériels et
catéchisme idéologique à l'insurrection salvadorienne. En outre, Cuba n'avait pas les moyens
d'une action de l'envergure de la rébellion
salvadorienne sans l'approbation et le soutien
logistique de Moscou[11]*". D'où la quête obstinée
par les Etats-Unis des preuves de la main
castriste en Amérique centrale, ainsi que de celle
du Nicaragua sandiniste au Salvador.

Les Etats-Unis concentrent leur attention sur
deux points :
- l'acheminement d'armes par le Nicaragua à
la rébellion salvadorienne. Les deux pays
n'ont pas de frontière commune, séparés par le
Honduras - golfe de Fonseca au bord du Pacifique (voir la carte de cette région à la fin de ce
volume). Les Etats-Unis surveillent le trafic du
golfe, organisent des manœuvres et transforment
le Honduras en "un pays-clef"[12], une place
forte. Mais les formes utilisées pour l'acheminement (notamment, les bateaux de pêche) réduisent tout contrôle (presque exclusivement
aérien) à une efficacité très aléatoire ;
- l'évolution du potentiel militaire nicaraguayen. Les Etats-Unis, redoutent un nouveau
Cuba au coeur de l'isthme et dénoncent la
constitution d'un arsenal nicaraguayen, fer de
lance de la révolution sandiniste : 50 000 soldats,
réguliers, 50 000 miliciens, des armements
sophistiqués soviétiques - soit une force supérieure à celles du Salvador, du Honduras et du
Guatemala réunies - enfin, un encadrement de
conseillers des pays de l'Est. En fait, en raison
de la guérilla des "*contras*", et à la suite des

élections consolidant sa légitimité (4 novembre
1984), le gouvernement sandiniste semble avoir
pour priorité d'assurer son autorité sur le territoire du Nicaragua (acquisition, en novembre 1984, d'hélicoptères soviétiques *MI-24* antiguérilla). Paradoxe bien connu du gouvernement révolutionnaire condamné à lutter contre
la subversion, ce combat promettant la victoire
de la lumière sur l'obscurité !

Ainsi les Etats-Unis, face aux Caraïbes et à
l'Amérique centrale, demeurent dominés par le
"syndrôme cubain". L'Administration Reagan,
si elle se résigne parfois à négocier ("entretiens secrets" entre le vice-ministre nicaraguayen des Affaires étrangères et le représentant
spécial du président Reagan pour l'Amérique
centrale, entre juin 1984 et janvier 1985), considère le Nicaragua comme un abcès, un cancer,
qui, s'il ne peut pas être cautérisé, doit être
entouré d'un cordon sanitaire symbolisé par un
embargo économique, annoncé assez malheureusement par les Etats-Unis à la veille du
sommet de Bonn en mai 1985. Le mal est trop
proche pour tolérer toute infiltration. De la
Chine des années 40 à l'Iran de Khomeiny, les
échecs majeurs des Etats-Unis se sont produits
au contact de l'intransigeance révolutionnaire ;
chacun des pactes qu'ils ont signés ou tenté de
signer avec "le diable", les a conduits à la
défaite. Alors, avec le Nicaragua sandiniste,
peut-il y avoir un honnête compromis ? Mais, au
nom de la lutte contre le fléau marxiste, les
Etats-Unis ne risquent-ils pas un nouvel enlisement ?

D'où deux formules débattues : la chirurgie,
par l'intervention militaire directe et brutale,
que peut encourager le succès de l'opération de
la Grenade ; l'action par influence avec le soutien aux guérillas antisandinistes. Tandis que
l'éventualité de la première réveille la hantise
d'un nouveau Vietnam, la seconde est portée par
l'idée ou l'illusion selon laquelle la guérilla est
une recette que les démocraties doivent et peuvent mettre à leur service ; d'où déceptions et
amertume : les combattants *contras* n'ont rien de
libérateurs triomphants ; quant à l'assistance
américaine, elle subit les tergiversations du
Congrès et même de l'Administration Reagan.

---

11. Alexander Haig Jr, *Caveat*, McMillan, 1984, p. 122.
12. *Strategic Survey 1983-1984*, p. 116.

Face aux oscillations des Etats-Unis, pays latino-américains et alliés européens tentent de faire valoir des analyses moins abruptes, qui ne sont pas, elles non plus, sans contradictions : les nouveaux "damnés de la terre", que seraient les révolutionnaires centre-américains, se révèlent être, à peine au pouvoir, des hommes d'appareil, prêts à établir une nouvelle *Nomenklatura*.

Chez certains socialistes européens, l'Amérique latine demeure aujourd'hui l'ultime refuge du lyrisme tiers-mondiste des années 60, ainsi que la source d'une culpabilité diffuse, liée notamment à l'effondrement de l'expérience d'Allende au Chili (1970-1973). Mais l'enthousiasme laisse la place à un sentiment de frustration.

Pour les pays de la région et, d'abord, pour les quatre du groupe de Contadora, l'ébranlement, la guerre se déchaînent à leurs portes, menaçant un ordre vulnérable : il s'agit non pas d'appeler à une véritable résistance culturelle *"contre cet impérialisme financier et intellectuel"* qui *"s'approprie les modes de penser, (...) les modes de vivre[13]"*, mais prosaïquement d'empêcher que l'incendie ne s'étende !

---

13. Jack Lang, Discours à la Conférence mondiale sur les politiques culturelles, Mexico, 27 juillet 1982, *Documents d'actualité internationale*, n° 22, 15 novembre 1982, p. 423.

Le groupe de Contadora

● *Le groupe de Contadora (île sur la côte Pacifique de Panama) est créé le 9 janvier 1983.* Il associe le Mexique, Panama, la Colombie et le Venezuela.

La démarche, qui inspire le groupe, est d'abord notamment présente dans *l'appel de Managua.* Lancée, *le 21 février 1982,* par le président du Mexique dans le cadre de la Conférence de vingt-six partis latino-américains (COPPAL), cette initiative cherche à faire prévaloir *une logique de négociation et de médiation :* "*Toutes les parties intéressées à la paix dans la région doivent faire des concessions réelles. Personne ne doit être obligé de renoncer à ses principes essentiels ou à ses intérêts vitaux".*

Le groupe de Contadora rassemble quatre Etats, situés à la périphérie des conflits centro-américains mais dangereusement menacés par leur éventuelle extension. Ces Etats, dotés de régimes d'orientation démocratique, entretiennent des relations plutôt satisfaisantes tant avec les Etats-Unis qu'avec le Tiers-Monde. Ils concentrent les atouts de possibles médiateurs.

● *Le 19 mai 1983, le Conseil de Sécurité, confie à l'unanimité au groupe de Contadora la tâche de "n'épargner aucun effort pour trouver des solutions au problème de la région (...) dans un dialogue franc et constructif"* avec tous les Etats de la région.

● *Le 7 septembre 1984, le groupe propose un projet de traité :*

- le texte aurait pour zone d'application les cinq Etats du "champ de bataille" : Guatemala, Honduras, Salvador, Nicaragua et Costa Rica. Seraient hors de la zone Belize (enclave entre le Guatemala et le Mexique) et les Etats périphériques (Mexique, Panama et, au-delà, Cuba) ;

- les forces militaires des cinq Etats seraient soumises à de strictes limites quantitatives et qualitatives ;
- tout soutien aux forces d'insurrection serait interdit ;
- enfin les cinq pays établiraient chez eux "*un système démocratique, représentatif et pluraliste, garantissant la participation populaire de façon effective..."*

Ce texte est vite accepté par le Nicaragua. Ce dernier prouve ainsi sa "modération" et cherche à paralyser l'aide aux forces *contras.* Les Etats-Unis se montrent réservés : le traité consacrerait la légitimité révolutionnaire et la supériorité militaire du Nicaragua sandiniste ; en outre les mécanismes de contrôle seraient très insuffisants...

● Conformément à cette volonté de médiation, le groupe de Contadora noue le dialogue avec les autres Etats s'efforçant de "briser la logique des blocs". D'où *la rencontre fondamentalement symbolique de San José de Costa Rica (28-29 septembre 1984),* rassemblant les ministres des Affaires étrangères :

- des quatre Etats du groupe ;
- des cinq pays d'Amérique centrale, visés par le plan du 7 septembre ;
- enfin de l'Europe des Dix, ainsi que des deux futurs Etats-membres (Espagne, Portugal).

Dans son communiqué la conférence annonce "*une structure nouvelle qui permettra un dialogue politique et économique entre l'Europe et l'Amérique centrale",* et considère "*qu'il est impossible de résoudre les problèmes de cette région par la voie des armes et qu'il faut des solutions politiques".*

Les Etats-Unis font savoir (notamment par une lettre - en principe secrète - aux Dix) leur méfiance à l'encontre de cette procédure portant atteinte aux principes de la doctrine de Monroe.

Ainsi, avec des motifs profondément éloignés, Mexique et France, Venezuela et Allemagne fédérale tentent d'opposer au diagnostic des Etats-Unis une démarche autre. Les forces révolutionnaires expriment une légitimité ; elles constituent des forces politiques représentatives, disposées à assumer les obligations et à exercer les droits qui en découlent (déclaration franco-mexicaine du 28 août 1981 sur le Salvador). De cette analyse, résulte évidemment une approche, écartant la solution militaire et axée sur le dialogue entre gouvernement en place et rébellion au Salvador. Toutefois, la gauche européenne, essentiellement l'Internationale socialiste, à travers l'échec de ses tentatives répétées de médiation, découvre l'intransigeance, le prosélytisme de la révolution.

Bref, alors que pour les Etats-Unis du président Reagan, se déroule à nouveau un combat entre liberté et communisme soviétique, pays latino-américains et pays européens veulent croire qu'une "troisième voie", combinant négociation et médiation, doit être explorée (rencontre des dix ministres des Affaires étrangères de la CEE, de ceux de l'Espagne et du Portugal, et de ceux des pays d'Amérique centrale, San José de Costa Rica, 28-29 septembre 1984).

Le défi nicaraguayen

L'Amérique centrale, de marécage, devient chaudron[14]. La guerre ravage l'ensemble de l'isthme, touchant, outre les territoires du Nicaragua et du Salvador, ceux du Guatemala, du Honduras (transformé en base américaine) et du Costa Rica (menacé dans sa "neutralité perpétuelle") - soit, au total 9 fronts, 110 000 morts, 1 million de personnes déplacées sur une population de 20 millions...

Dans ces conditions, toute réforme, toute révolution est d'emblée érigée en exemple : selon que l'expérience du président Napoléon Duarte au Salvador, depuis 1982, réussira ou avortera, la démocratie, semble-t-il, s'épanouira ou mourra dans le reste de l'isthme ! Pourtant au nord et au sud du Nicaragua - outre le Salvador -, le Guatemala, Belize, le Honduras, le Costa Rica et Panama sont tous à des degrés divers engagés sur le chemin d'une forme de démocratie. Mais, considérée - au moins par les Etats-Unis - comme l'une des régions-clefs de

l'antagonisme Est-Ouest, l'Amérique centrale s'organise pour le moment autour du défi nicaraguayen et de l'expérience salvadorienne.

Tout (ou presque tout) indique que le Nicaragua sandiniste a choisi, depuis 1979, la révolution dans le sens marxiste-léniniste du terme : édification d'un "homme nouveau" ; mobilisation permanente de la population ; utilisation de l'armée comme instrument de formation politique des masses ; appel à la "solidarité socialiste"[15] ; dénonciation de l'impérialisme yankee...

La logique révolutionnaire s'étend peu à peu à l'ensemble de la vie sociale. Ainsi *La Prensa,* symbole d'une résistance libérale à la dictature Somoza, fait-elle l'objet de censures répétées et finit-elle par ne plus paraître en janvier 1985, son directeur se réfugiant à l'étranger. Mais les contradictions de cette société en révolution et en guerre se manifestent le plus durement dans l'Eglise : alors que la hiérarchie catholique se sent menacée, persécutée, les prêtres de l'"Eglise populaire" considèrent que l'expérience sandiniste représente une chance historique. En décembre 1984, le père Fernando Cardenal, ministre de l'Education, est exclu de la Compagnie de Jésus.

Comme tout nationalisme (notamment du Tiers-Monde), le sandinisme veut, non sans succès, affirmer un élan unanime. A cet égard, en dépit des obstacles mis à l'expression de l'opposition, les élections constituantes et présidentielles du 4 novembre 1984 consolident et consacrent dans une large mesure cette quasi-unanimité révolutionnaire : participation massive (près de 80 % des électeurs) ; obtention des deux tiers des sièges par les sandinistes... L'hypothèque des élections est levée ; et les résultats montrent que le vote a été libre !

---

14. Christopher Dickey, "Central America : From Quagmire to Cauldron ?", article cité, p. 661.

15. Selon La Havane, 4 000 coopérants cubains - dont 200 conseillers militaires - seraient présents au Nicaragua. Washington avance les chiffres de 8 000 coopérants cubains - dont 2 000 conseillers militaires. En outre, l'armée nicaraguayenne reçoit massivement des armements soviétiques : chars *T 54* et *T 55,* artillerie lourde, orgues de Staline, hélicoptères...

"*C'est la guerre qui est le problème numéro un*[16]". La tension est omniprésente : présence d'environ 10 000 guérilleros *contras*[17] ; menaces d'opérations "coup de poing" de l'aviation américaine contre des installations militaires... Entre les Etats-Unis et le Nicaragua, en dépit des "entretiens secrets"[18], l'incompréhension est totale. Les Etats-Unis, guettant tout ce qui annonce un second Cuba (acquisition d'avions, extension de la base aérienne de Punta Huete...), voudraient une démocratie pluraliste, paisible dans un pays qu'a ravagé la guerre civile ; les dirigeants sandinistes sont eux convaincus de tenir le flambeau de la révolution.

Pour le moment, c'est la stratégie de l'attention qui l'emporte : les Etats-Unis décident un embargo commercial total le 1er mai 1985, alors que le président du Nicaragua accomplit son troisième voyage à Moscou.

L'expérience du Salvador : prochain domino ? ou laboratoire de la réconciliation ?

Depuis 1982, le Salvador est devenu le pays où se joue de manière privilégiée l'avenir de la démocratie en Amérique latine.

Le Salvador illustre de manière exemplaire la tragédie de l'Amérique centrale : 45 000 morts depuis 1979 (pour une population de 4,9 millions de personnes) ; près d'un tiers du territoire plus ou moins contrôlé par la guérilla ; une armée archaïque mais, semble-t-il, s'adaptant peu à peu à sa mission[19] ; existence de milices armées ("escadrons de la mort") ; enfin une vie politique légale, tiraillée entre une droite violente - l'Alliance pour la rénovation nationale, ARENA, que dirige le major d'Aubuisson, "tueur psychopathe" - et la démocratie chrétienne, dont le chef est Napoléon Duarte.

Sous la surveillance inquiète des Etats-Unis, les choix démocratiques s'imposent chaotiquement. L'Assemblée constituante, élue le 28 mars 1982, a une majorité de droite et désigne pour son président le major d'Aubuisson. Le 6 mai 1984, Napoléon Duarte gagne tout de même l'élection présidentielle[20].

Duarte jouit d'un authentique charisme et d'une large popularité. Sa foi démocratique est claire et surtout, depuis son accession au pouvoir, se traduit dans une action politique cohérente, obstinée, et d'abord dans une réforme des services de sécurité : "*Je crois dans la compassion, la tolérance et l'amour. C'est pourquoi je m'efforce de faire preuve de tolérance avec tous, tant vis-à-vis de l'oligarchie d'extrême-droite qui, je l'ai dit nettement, a opprimé notre peuple qu'à l'égard de la gauche marxiste et subversive qui tue*[21]..." Ainsi le président Duarte, lors de sa "tournée" en juillet 1984, convainc-t-il les Européens qu'il incarne bien la voie démocratique... Conséquent, le président Duarte noue le dialogue avec la rébellion. C'est la rencontre entre le Président et quatre représentants du FDR et du FMLN[22], le 15 octobre 1984, à La Palma, en pleine zone de guérilla. Les symboles sont omniprésents : les discussions se tiennent dans l'église, en présence d'un évêque ayant la mission de "modérateur".

Une commission mixte, comprenant quatre représentants du gouvernement, quatre délégués de la guérilla et un évêque, devra mettre au point les mesures menant à la pacification du pays et à la définition d'une solution politique.

C'est un pari que fait le président Duarte : en parlant avec la rébellion, il assure sa légitimité

---

16. Daniel Ortega, président du Nicaragua, *Le Monde*, 7 novembre 1984.

17. Les maquis sont disséminés le long de la frontière septentrionale avec le Honduras (notamment d'anciens somozistes) et de la frontière méridionale avec le Costa Rica (ex-sandinistes). Jusqu'à présent, ils n'ont obtenu aucun succès militaire d'envergure...

18. Les "entretiens secrets" ont eu lieu, en général à Manzanillo (Mexique), de juin 1984 à janvier 1985, entre l'ambassadeur américain, Harry Shlaudeman, et le vice-ministre nicaraguayen des Affaires étrangères, Victor Hugo Tinoco. Ils sont suspendus *sine die*, à l'initiative des Etats-Unis.

19. Lydia Chavez, "Salvador's Army Changes Tactics ; Troops Feared for Their Brutality Now Try to Win Villagers' Confidence", *International Herald Tribune*, 29 août 1984.

20. Dans le cas où le major d'Aubuisson aurait été élu président, les Etats-Unis auraient très probablement suspendu leur aide au Salvador.

21. Entretien avec Napoléon Duarte, *Playboy*, novembre 1984.

22. Il s'agit, pour le Front démocratique révolutionnaire (bras politique de la guérilla, regroupant des partis de gauche) de Guillermo Ungo et Ruben Zamora. Le Front Farabundo Marti de libération nationale, organe de coordination politico-militaire (environ 10 000 combattants), est représenté par Fermin Cienfuegos et Facundo Guardado.

mais il montre aussi que les représentants de cette dernière "*venus de l'étranger par avion ont traversé tout le pays en voiture, depuis l'aéroport jusque dans le nord de Chalatenango. Ils sont repartis de même[23]*". Mais, jusqu'à présent, les forces de l'insurrection maintiennent les

mêmes exigences "inacceptables" (partage du pouvoir, renvoi des conseillers américains...).

_____

23. Entretien avec le président Duarte, *Le Monde*, 30 octobre 1984.

La recherche de solutions : l'imbroglio des expériences politiques et des initiatives diplomatiques

La zone

Sur le terrain, outre les dictatures, sont en compétition :

- deux expériences révolutionnaires : *Cuba depuis 1959, le Nicaragua depuis 1979.* La victoire électorale des sandinistes, le 4 novembre 1984, consacre l'engagement irréversible du Nicaragua dans la voie du socialisme marxiste ;
- des expériences démocratiques : République dominicaine, Jamaïque dans les Caraïbes ; Costa Rica, Guatemala, Honduras et surtout Salvador dans l'isthme. Depuis 1982, *le Salvador* devient "l'Etat test" de la capacité de ces pays à promouvoir la justice sociale et la démocratie politique ;
- *des contacts* ont lieu, sans résultats concrets, entre le président salvadorien, Napoléon Duarte, et certains représentants de l'insurrection (première rencontre, le 15 octobre 1984).

Les Etats latino-américains

Jusqu'à présent l'unique intervention essentielle incombe au groupe de Contadora (Mexique, Panama, Colombie et Venezuela). Le 7 septembre 1984, ce groupe rend public *un plan de paix pour l'Amérique centrale :* réduction des potentiels militaires, interdiction d'implanter des bases, arrêt du soutien aux mouvements de subversion... Le Nicaragua se rallie à ces propositions (afin de paralyser l'aide aux forces antisandinistes). Les Etats-Unis estiment le projet beaucoup trop flou. Au début de 1985, le processus est enlisé (suspension *sine die* du groupe de Contadora).

Par ailleurs, le Mexique tente quelque temps de s'imposer comme médiateur (*appel de Managua*, lors de la Conférence des partis politiques d'Amérique latine, 19-21 février 1982).

Les Etats-Unis

Leurs efforts pour mettre sur pied une politique ambitieuse mêlent pour le moment actions concrètes et intentions :

- *Caraïbes* : Initiative pour le bassin des Caraïbes (CBI, 24 février 1982). Ce plan se fonde sur une démarche libérale ("crédit d'impôt" pour les investissements dans la région, importations en franchise...) et accroît considérablement l'ampleur de l'aide (350 millions de dollars en 1981, 800 en 1982). Le 5 août 1984, le président américain signe une loi, ouvrant pour douze ans le marché américain à de nombreux produits manufacturés fabriqués dans la zone.

- *Amérique centrale* : le rapport de la Commission bipartite Kissinger (11 janvier 1984) préconise une approche globale (développement économique, problèmes sociaux, sécurité, aspects diplomatiques). Ses recommandations combinent un plan d'urgence de stabilisation et une action à moyen terme

(aide de 24 milliards de dollars entre 1985 et 1990). Jusqu'à présent, ce texte ne constitue qu'une orientation.

L'URSS

Si l'URSS est présente tant par ses fournitures d'armements au Nicaragua que par la filière cubaine, elle s'en tient, dans le domaine diplomatique, à la condamnation répétée de la politique américaine, ainsi qu'au soutien des prises de position du gouvernement sandiniste. Ce qui veut pour le moment, semble-t-il, l'URSS, c'est la reconnaissance d'un droit de regard sur les problèmes de la région (mais n'est-il pas acquis dès lors que, dans les entretiens américano-soviétiques - en particulier Haig-Dobrynine -, ces problèmes - notamment le rôle de Cuba - sont discutés ?).

L'Europe occidentale ou ses Etats

Elle s'efforce d'agir en médiateur par trois canaux essentiels :

- *Les partis et l'Internationale socialistes* : contacts du parti socialiste français avec les forces révolutionnaires d'Amérique centrale (février 1982) ; tentative de médiation entre le gouvernement sandiniste et l'opposition démocratique (réunion de l'Internationale socialiste, Rio de Janeiro, octobre 1984).

- *Certains gouvernements* :
. ouest-allemand : tentative (vaine) de réunion à Bonn de l'ensemble des forces politiques salvadoriennes (février 1981) ;
. français : notamment, le 28 août 1981, déclaration franco-mexicaine sur le Salvador, initiative qui, en fait, heurte les susceptibilités de la région.

- *L'Europe des Dix* : première conférence entre les Etats-membres de l'Europe des Dix (plus l'Espagne et le Portugal) et les pays du groupe de Contadora (Mexique, Panama, Colombie, Venezuela), ainsi que ceux d'Amérique centrale - Costa Rica, Nicaragua, Salvador, Honduras, Guatemala - (San José de Costa Rica, 28-29 septembre 1984). Cette rencontre se traduit par l'appui des Etats européens au plan de paix du groupe de Contadora. En outre, elle amorce l'amplification de la coopération économique entre les deux régions.

La Cour internationale de justice

A la suite du minage de ses ports par la CIA (avril 1984), le Nicaragua saisit la Cour de La Haye. Le 10 mai, par quatorze voix contre une, la haute juridiction demande, à titre de mesures conservatoires, l'arrêt de tout minage et de toute forme de blocus. Le 18 janvier 1985, les Etats-Unis annoncent qu'ils dénient toute compétence à la Cour sur ce dossier.

Pour le président Duarte, l'impasse tragique du Salvador, comme toutes celles de l'histoire, ne saurait être dépassée que par l'audace. C'est là le raisonnement d'un homme d'Etat. L'histoire dira s'il a été sage ou naïf. Il aura au moins été courageux, peu de politiques peuvent en dire autant ! Le 31 mars 1985, la démocratie chrétienne du président Duarte gagne les élections législatives (33 sièges sur 60). La victoire est d'autant plus remarquable que sa dimension n'était pas attendue.

Comme toujours, la prudence doit s'imposer dans l'évaluation des perspectives de l'Amérique centrale. L'escalade de la violence apparaît sans doute comme l'évolution la plus probable, impliquant des pressions militaires renforcées des Etats-Unis. Mais le fait même que l'expérience salvadorienne continue de vivre rappelle que les populations souhaiteraient retrouver une existence normale. Tant le groupe de Contadora que l'Europe occidentale peuvent accompagner, soutenir cette orientation fragile...

2.2. LE MOYEN-ORIENT ET LE GOLFE

Comme s'il s'agissait d'un phénomène naturel et inévitable, les foyers de tension en différents points du Moyen-Orient se relaient en permanence. Lorsque l'un s'apaise, un autre s'active comme pour entretenir à tout prix l'image d'une poudrière dont il faut toujours redouter qu'elle ne s'embrase tout entière un jour.

Si ces conflits interagissent naturellement, ils ont chacun leurs raisons et leur dynamique propre, de sorte que la région paraît aujourd'hui éclatée en plusieurs conflits autonomes qui se déroulent sur différents fronts simultanément. Les conflits du Proche-Orient ont cependant cette caractéristique commune : ils se prolongent indéfiniment et paraissent insolubles. La guerre entre l'Iran et l'Irak dure depuis cinq ans, le conflit libanais a commencé il y a maintenant dix ans, sans parler du plus "insoluble" des conflits de ce monde : le conflit israélo-arabe (quarante ans). Certains évoluent, se transforment, d'autres semblent "tourner en rond" mais, dans tous les cas, les problèmes qui sont à l'origine de ces conflits restent entiers et la plupart du temps s'aggravent.

Les risques d'extension ou d'internationalisation sont permanents et le Liban en a fourni la preuve. La crise de ce pays donne une bonne mesure du danger qu'il y a à laisser s'accumuler des tensions et des conflits dont l'interaction inévitable aboutit à la déflagration que nous avons connue en 1982-1983. Pour les Occidentaux qui ont payé cher leur intervention dans cette crise, il convient désormais d'empêcher à tout prix l'extension des conflits. A défaut de trouver des règlements, les grandes puissances consacrent leurs efforts à tenter de maintenir les conflits géographiquement limités. En ce sens, on peut dire qu'elles ont relativement bien réussi.

En 1984 et 1985, le conflit du Golfe ainsi que celui du Liban se sont intensifiés mais ont pu être contenus. La guerre entre l'Iran et l'Irak, malgré des flambées épisodiques spectaculaires, est restée depuis cinq ans un conflit interétatique classique qui, à aucun moment, n'a sérieusement perturbé le marché mondial du pétrole ou les échanges entre le Golfe et le reste du monde. Le conflit libanais, loin d'être réglé lui aussi, s'est quelque peu transformé depuis le départ de la Force multinationale, avec un retour à un niveau régional, ce qui ne signifie nullement une réduction de la violence, bien au contraire. Quant au conflit israélo-arabe, si les risques d'un nouvel affrontement militaire entre Israël et ses voisins paraissent minimes, les chances d'un règlement négocié de la question palestinienne restent-elles aussi très réduites.

La guerre du Golfe

Cinq ans après son déclenchement, la guerre entre l'Iran et l'Irak n'a toujours pas permis à l'un ou à l'autre des belligérants de prendre un avantage décisif, et les observateurs se risquent de moins en moins à faire des pronostics. Le président irakien Saddam Hussein, que certains disaient condamné, apparaît, à la fin de l'année 1984, comme le maître de la situation, renforcé sur le plan intérieur et jouissant d'une nette supériorité en armements et d'un appui international impressionnant. Pourtant, il ne parvient pas à remporter une victoire sur l'Iran dont les capacités défensives, voire offensives, ont été sous-estimées.

Les deux protagonistes poursuivent des stratégies opposées. Tandis que Téhéran ne craint pas de prolonger le conflit indéfiniment pourvu qu'il reste limité au front terrestre, Bagdad à l'inverse voudrait y mettre fin à tout prix et ceci en le portant sur les différents fronts à la fois : terrestre, maritime et aérien, avec le bombardement d'objectifs civils. Le bilan des pertes est difficile à établir car les deux pays ne fournissent pas de chiffres, mais il est estimé à plus d'un million et demi de victimes (morts ou blessés) pour les cinq années écoulées, un chiffre qui reste bien entendu provisoire.

La stratégie des deux adversaires s'explique par les moyens militaires dont ils disposent et par leur situation politique intérieure.

L'Iran, dont l'aviation est aujourd'hui quasi inopérante, doit compter exclusivement sur son armement terrestre et autant que possible sur l'enthousiasme de ses combattants. Il est encore capable de riposter de façon ponctuelle au bombardement aérien de ses villes en portant quelques coups durs à son ennemi comme il l'a montré au printemps 1985, ou de frapper et endommager quelques pétroliers dans les eaux du Golfe ou encore quelques installations portuaires chez ses voisins arabes qui soutiennent l'Irak. A terme cependant, l'Iran serait certainement incapable de soutenir pendant longtemps un effort semblable. En revanche, c'est sur le front terrestre qu'il estime pouvoir encore marquer quelques points : après avoir réussi à occuper quelques positions stratégiques dans les marais qui se situent dans la zone frontalière en territoire irakien, Téhéran est aujourd'hui capable de harceler les troupes irakiennes et espère parvenir à couper la route vitale pour l'Irak qui lie la ville de Bassorah, au sud, à la capitale, au centre.

Même si ces opérations ne donnent pas de résultats militaires tangibles, elles permettent en tout cas de prolonger la guerre et d'exercer ainsi une pression constante sur le président Saddam Hussein dont le départ reste pour l'imam Khomeiny une condition essentielle pour l'arrêt de la guerre. La poursuite des combats est donc importante à deux titres : parce que l'Irak le supporte mal sur le plan politique et parce que l'Iran lui-même n'a toujours pas intérêt à accepter une issue diplomatique tant qu'il n'a pas pu apporter à son peuple une victoire, même partielle. Comment justifier en effet le refus depuis trois ans de négocier et le sacrifice de centaines de milliers d'hommes ?

L'Irak, lui, n'a aucune raison de s'inquiéter sur le plan militaire. Le déséquilibre en sa faveur est de plus en plus important. Contrairement à l'Iran qui doit chercher sur le marché international des armes les quelques pays prêts à lui vendre, le plus souvent à prix d'or, des équipements militaires, Bagdad reçoit d'URSS et de France un matériel très sophistiqué qui lui a permis, en 1984 et 1985, de porter la guerre d'abord dans les eaux du Golfe, de façon à empêcher les exportations iraniennes de pétrole dont les revenus permettent d'alimenter la machine de guerre, puis sur les villes à forte concentration civile, dans l'espoir de démoraliser la population et d'amener le gouvernement à assouplir sa position. Mais les attaques de pétroliers n'ont pas été très concluantes puisque Téhéran parvient toujours à exporter son pétrole tandis que le bombardement des villes s'est avéré dangereux pour l'Irak : en effet les villes irakiennes sont plus proches de la frontière que les villes iraniennes et par conséquent plus vulnérables ; les habitants de Bagdad ont eu la mauvaise surprise de voir s'abattre des missiles sol-sol sur la capitale quelques heures après les bombardements de Téheran par l'aviation irakienne. Sur le front terrestre enfin, l'Irak a montré à plusieurs reprises que sa défense était efficace et qu'il était capable de contenir et parfois de refouler les assauts iraniens.

Certes, l'arsenal militaire dont dispose aujourd'hui l'Irak (et qu'il renforce encore par de nouveaux achats) lui fournit les moyens de résister longtemps ; mais c'est au plan politique qu'il devient impératif pour le régime irakien de mettre rapidement fin aux combats. Saddam Hussein estime que c'est là pour lui le seul moyen de se maintenir au pouvoir. Il pense aussi que la paix serait le plus grave défi lancé à son ennemi Khomeiny et peut-être le meilleur moyen d'entraîner un changement politique en Iran.

Depuis plus de deux ans donc, la stratégie irakienne consiste à exercer une pression militaire suffisamment grande sur l'Iran pour le contraindre à négocier. Or la situation n'a quasiment pas évolué depuis ; les atouts de l'Irak n'ont pas suffi à lui assurer une victoire, de même que les faiblesses de l'Iran n'ont pas entraîné sa défaite. L'impasse reste donc totale dans le Golfe ; la guerre d'usure est par définition une guerre où les belligérants se consument et où la victoire de l'un ou de l'autre, même si elle devait se produire, paraîtrait dérisoire.

C'est précisément ce que souhaitaient semble-t-il la majorité des pays voisins ainsi que les grandes puissances. L'Iran et l'Irak, en raison de leur poids dans la région et de leur politique indépendante, suscitaient en effet la méfiance de leur entourage. Leur affrontement présentait donc des avantages non négligeables. Pour les monarchies pétrolières du Golfe, ce bénéfice est à la fois économique (la chute des exportations iraniennes et irakiennes permet l'écoulement de leur propre pétrole) et politique (l'Iran et l'Irak, absorbés par la guerre, n'interviennent presque plus dans les affaires régionales). Pour Israël, la guerre met aux prises un ennemi arabe traditionellement très virulent et un Etat révolutionnaire islamique dont l'idéologie peut constituer à terme une grave menace pour l'Etat hébreu. Quant à la Syrie, jamais le président Assad ne s'est senti aussi influent dans la région que depuis que l'Irak est enlisé dans sa guerre avec l'Iran.

Les effets de la poursuite du conflit sont aussi globalement positifs pour les Etats-Unis et l'Union soviétique. Washington a profité de l'inquiétude des pays voisins pour renforcer ses cartes dans la région ; l'Irak a sensiblement évolué sur le plan diplomatique vers une position plus modérée sur le conflit israélo-arabe et a rétabli les relations avec les Etats-Unis, après dix-sept ans de rupture. Ce rapprochement entre Bagdad et Washington n'a pas nui pour autant aux relations qu'entretient Moscou avec l'Irak. La guerre a renforcé la dépendance militaire de l'armée irakienne à l'égard du matériel soviétique ; en répondant à ses demandes, Moscou permettait à l'Irak de résister face à l'Iran, ce qui lui valait la gratitude des monarques du Golfe. Cette "collusion" américano-soviétique dans le conflit du Golfe s'explique par le fait que les enjeux de la guerre ne coïncident nullement avec le clivage Est-Ouest. Aucune des deux superpuissances ne semble avoir pour le moment intérêt à la victoire de l'un ou de l'autre des belligérants.

Le conflit libanais : retour à des dimensions régionales

Au Liban non plus, aucune perspective de règlement ne semble se dessiner. Après avoir provoqué une crise internationale, la question libanaise revient à des proportions régionales ; le rôle de chacun des acteurs tend à se préciser. Mais les conflits politiques restent entiers et s'accompagnent, en 1985, d'une grave crise économique qui se traduit par un effondrement de la monnaie et un ralentissement de l'activité. C'est là sans doute une conséquence prévisible de dix années de guerre ; pour les Libanais cependant, le "miracle économique" prouvait au monde la volonté de ce pays de survivre et constituait le dernier ciment de l'unité nationale. L'effondrement de ce mythe aujourd'hui est donc profondément démoralisant.

Au plan politique, un nouveau tournant est pris au printemps 1984 avec l'abrogation unilatérale par le président Amine Gemayel de l'accord israélo-libanais conclu un an plus tôt et la reconnaissance quasi officielle du rôle de la Syrie au Liban, symbolisée par le voyage présidentiel à Damas en février. Le *deal* entre Amine Gemayel et le président Assad conclu alors est toujours en vigueur aujourd'hui, puisque les deux parties ont respecté leurs engagements : Gemayel a renoncé au soutien des puissances occidentales (qui de toute façon ne le lui offraient plus), il a accepté de faire une place plus importante sur l'échiquier politique à ses anciens adversaires chiites, druzes et sunnites, et s'est engagé à ne conclure un nouvel accord avec Israël qu'en concertation étroite avec la Syrie. Ce que le président syrien offre en échange, c'est un soutien sans faille à Amine Gemayel face aux pressions israéliennes pour conclure un nouvel accord d'une part mais surtout face à ses opposants à l'intérieur.

Or, c'est sur ce dernier point que le soutien de Damas s'est avéré le plus précieux. Gemayel est en effet un président peu populaire. Au sein de son propre camp, il a dû faire face en mars 1985 à un mouvement de dissidence ouverte tandis qu'un mois plus tard, le chef du gouvernement d'union nationale, Rachid Karamé, remettait sa démission. Dans les deux cas, si la Syrie n'a pas été capable de prévenir la crise, elle a pu la contenir et empêcher l'effondrement du pouvoir en place.

Accepter que la Syrie joue un rôle au Liban, c'était en réalité reconnaître un état de fait. Depuis dix ans, aucun règlement ni même aucune trêve n'était possible sans l'accord de Damas.

Les plans de paix pour le Proche-Orient depuis 1967

	Résolution 242 du Conseil de Sécurité. 22 novembre 1967	Les accords de Camp David. 18 septembre 1978	Déclaration de Venise de la CEE. 12 juin 1980	Projet de résolution franco-égyptien à l'ONU. 28 juillet 1982
Retrait israélien	des territoires occupés (ambiguité : tous les territoires ou une partie)	Accords conclus sur la base de la résolution 242 (l'ambiguïté sur tous ou certains territoires subsiste)	Base : la résolution 242. Retrait de *tous* les territoires occupés en 1967	La résolution 242 constitue une base pour des négociations
Reconnaissance d'Israël	Droit de chaque Etat de vivre en paix et sécurité à l'intérieur de frontières sûres et reconnues		Droit à l'existence et à la sécurité de tous les Etats de la région, y compris Israël	Reconnaissance mutuelle et simultanée entre Israël et l'OLP
Droits des Palestiniens		Autonomie pour les populations de Cisjordanie et Gaza après une période transitoire de cinq ans	Reconnaissance des droits légitimes du peuple palestinien et de son droit à l'autodétermination	Droit à l'autodétermination avec tout ce que cela implique
Problème des réfugiés	Juste règlement du problème des réfugiés			
Colonies de peuplement israéliennes en Cisjordanie		Aucun accord précis. Le principe du gel des implantations pendant la période transitoire de cinq ans n'est pas admis par Israël	Elles représentent un obstacle grave au processus de paix. Elles sont illégales au regard du droit international	
Statut de Jérusalem		Le problème a été discuté mais aucun accord n'est conclu	Rejet de toute initiative visant à changer le statut de la ville. Nécessité de garantir le libre accès pour tous aux Lieux Saints	
Cadre des négociations		Les négociations directes égypto-israéliennes seront élargies à la Jordanie et aux représentants des habitants de Cisjordanie et Gaza	L'OLP devra être associée à la négociation qui devra se dérouler dans le cadre d'une conférence internationale avec la participation des membres permanents du Conseil de Sécurité	L'OLP doit être associée aux négociations comme représentant des Palestiniens. Le secrétaire général de l'ONU devra présenter des propositions au Conseil de Sécurité
Les différentes réactions	Adoptée par les membres du Conseil de Sécurité et approuvée par tous les pays de la région (l'OLP l'accepte implicitement). De ce fait, elle est considérée comme la meilleure base pour engager des négociations	Accords signés par les Etats-Unis, l'Egypte et Israël. Approuvés par le Soudan et Oman. Rejetés par le reste du monde arabe, les Palestiniens des territoires occupés et l'URSS. Considérés comme insuffisants par la CEE	Approuvée par les pays arabes et l'OLP. Rejetée par Israël	Approuvé par les pays arabes modérés. Pas de réaction officielle américaine ou soviétique. Rejeté par Israël

	Plan Reagan. 1er septembre 1982	Plan arabe de Fès, 9 septembre 1982	Plan soviétique. 29 juillet 1984	Accord jordano-palestinien. 11 février 1985
Retrait israélien	Base : la résolution 242. Rejet d'une annexion ou d'une domination permanente d'Israël sur la Cisjordanie et Gaza	Retrait de tous les territoires occupés en 1967, y compris Jérusalem	Evacuation par Israël de tous les territoires occupés en 1967	Retrait de tous les territoires occupés en 1967 pour parvenir à une paix globale sur la base des résolutions de l'ONU
Reconnaissance d'Israël	La reconnaissance d'Israël par les Arabes est une condition préalable pour la négociation	Droit de tous les Etats de la région à l'existence (Israël n'est pas explicitement mentionné)	Droit de tous les Etats à l'existence, y compris Israël	Reconnaissance implicite de la résolution 242, donc d'Israël
Droits des Palestiniens	Période transitoire d'autonomie totale puis autogouvernement des habitants de Cisjordanie et Gaza en association avec la Jordanie	Droit à l'autodétermination. Création d'un Etat palestinien indépendant après une période transitoire de quelques mois durant laquelle la Cisjordanie et Gaza sont placés sous le contrôle de l'ONU	Droit à l'autodétermination et à l'édification d'un Etat en Cisjordanie et Gaza, cet Etat définira ensuite ses rapports avec ses voisins (possibilité de confédération avec la Jordanie est admise). Mise sous tutelle de l'ONU de ces territoires pour une période transitoire	Droit à l'autodétermination dans le cadre d'une confédération entre les deux Etats jordanien et palestinien
Problème des réfugiés		Droit de retour des réfugiés dans leur terre natale et dédommagement de tous ceux qui ne retournent pas	Donner la possibilité aux Palestiniens de retourner dans leurs foyers ou les dédommager	Le problème des réfugiés doit être résolu conformément aux résolutions de l'ONU, c'est-à-dire le rapatriement ou l'indemnisation
Colonies de peuplement israéliennes en Cisjordanie	Les Etats-Unis désapprouvent toute implantation nouvelle pendant la période de transition	Démantèlement des colonies installées après 1967 sur les territoires arabes	Démantèlement des colonies de peuplement créées après 1967	
Statut de Jérusalem	Jérusalem est indivisible. Son statut définitif devra être déterminé lors de négociations	Jérusalem capitale de l'Etat palestinien. Liberté de croyance et de culte pour tous dans les Lieux Saints	La partie orientale de Jérusalem doit être restituée aux Arabes et devenir partie intégrante de l'Etat palestinien	Jérusalem - Est capitale de l'Etat palestinien
Cadre des négociations	Négociations directes entre Israël et les pays arabes. Participation de la Jordanie et des Palestiniens (sans autre précision)	Une commission arabe est constituée pour prendre des contacts avec tous les membres du Conseil de Sécurité. Elle comprend un représentant de l'OLP	Une conférence internationale avec participation des Etats-Unis et de l'URSS est le seul cadre efficace pour des négociations. L'OLP doit participer en tant que seul représentant légitime du peuple palestinien	Conférence internationale avec participation d'une délégation commune jordano-palestinienne
Les différentes réactions	Considéré comme positif par les pays arabes modérés. Rejeté par Israël, les Arabes radicaux et l'URSS. Considéré insuffisant par l'OLP	Adopté par l'ensemble des pays arabes, y compris l'OLP (à l'exception de la Libye). Approuvé par l'URSS. Considéré comme positif par les Etats-Unis. Rejeté par Israël	L'OLP et l'ensemble des pays arabes l'approuvent. Rejeté par les Etats-Unis et Israël	Approuvé par l'Egypte et les pays de la CEE. Considéré comme positif par les Etats-Unis. Réactions mitigées en Israël. Condamné par la Syrie et les dissidents de l'OLP

Un consensus fragile semble exister aujourd'hui entre Libanais sur trois points essentiels. Premièrement, la majorité s'est résignée à accepter l'influence syrienne comme un mal nécessaire mais un moindre mal. C'est ainsi que même le mouvement de dissidence du mois de mars 1985, au sein des Forces libanaises, qui reprochait principalement au président Gemayel sa politique trop syrienne, a fini par faire publiquement allégeance deux mois plus tard au régime de Damas.

Deuxième facteur de consensus : les Palestiniens ne sont plus une composante de l'équilibre interne libanais depuis le départ de l'OLP, et il convient de les maintenir à tout prix hors du jeu ; les civils demeurent dans les camps (ils sont près de 500 000), ce qui a facilité le retour d'un certain nombre de combattants proches d'Arafat. Mais il est évident qu'aucune des factions libanaises ne souhaite voir les Palestiniens jouer à nouveau un rôle quelconque au Liban. Sur ce point, ils sont bien entendu soutenus par la Syrie dont la volonté est d'éliminer toute influence de l'OLP d'Arafat dans les camps, toujours dans le but de contrôler plus efficacement la "carte palestinienne". C'est dans ce contexte qu'il faut replacer les terribles affrontements du mois de mai 1985 entre Palestiniens d'une part et miliciens chiites du mouvement *Amal,* soutenus par Damas, de l'autre et dont les populations civiles des camps sont une fois de plus les victimes.

Enfin, la nécessité d'obtenir l'évacuation totale par Israël du territoire national a été également dans la première moitié de 1985 un facteur de rapprochement entre Libanais. C'est ainsi que les opérations menées par les chiites contre les forces israéliennes dans le Sud ont été applaudies publiquement par le président Gemayel lui-même comme des actes de résistance courageux.

Mais ce consensus ne suffit pas pour créer les conditions d'une reconstruction du pays. Les institutions qui régissaient le Liban depuis l'indépendance ne sont plus adéquates et la recherche d'une nouvelle formule s'avère très difficile. Après dix années de guerre pendant lesquelles tous les Libanais se sont battus, les uns pour défendre leurs acquis, les autres pour obtenir une place plus influente dans le système, aucune communauté n'est en effet disposée à accepter facilement un compromis. Or, tant que ce

compromis n'aura pas été trouvé pour établir une nouvelle constitution, un équilibre durable ne sera pas possible et la menace d'une "cantonalisation" plus ou moins reconnue continuera de planer.

Quant au Sud-Liban, il aura été, tout au long de cette année, au centre des préoccupations du gouvernement israélien. Intervenue initialement pour déraciner les Palestiniens, l'armée israélienne s'est trouvée prise dans l'engrenage implacable de l'occupation et le cycle des opérations de guérilla, antiguérilla et répression qui a amené le gouvernement à accélérer le retrait de ses troupes. Désormais, ce ne sont plus seulement les infiltrations palestiniennes qui inquiètent Israël, mais aussi les chiites qui s'avèrent beaucoup plus redoutables. En trois ans, Israël s'est aliéné les populations du Sud et se trouve aujourd'hui face à un problème plus durable puisqu'il est confronté à des populations autochtones et non plus à des Palestiniens qui s'étaient installés là en dix ans. C'est donc contre cette population libanaise qu'Israël aura peut-être à se protéger.

L'une des données nouvelles les plus spectaculaires des deux ou trois dernières années est l'apparition de ce que certains appellent le "facteur chiite". Depuis les attentats à l'aide de "camions suicide" contre les quartiers généraux des contingents français et américain de la Force multinationale en octobre 1983, la pratique de ce type d'opérations est devenue courante dans le Sud du Liban. Pour les forces israéliennes, ces "bombes vivantes", selon les termes de Shimon Pérès, sont la cause principale des difficultés d'Israël au Liban et ont sans doute été à l'origine de la décision du gouvernement d'accélérer le retrait de ses troupes. Faut-il en conclure que les chiites constituent aujourd'hui une force politique et militaire homogène organisée au niveau régional, poursuivant un même but ?

Il existe sans doute un réseau de terroristes vraisemblablement lié à l'Iran qui opère au Liban et ailleurs au nom de la "guerre sainte" islamique. Mais il convient de faire preuve de prudence dans l'analyse et le diagnostic. Il paraît difficile en effet de dire que les chiites qui luttent contre l'occupation israélienne au Sud-Liban s'identifient aux combattants iraniens qui mènent la guerre contre l'Irak. De même, les chiites d'Irak n'ont pas fraternisé avec leurs coreligionnaires iraniens lorsque ceux-ci ont lancé les attaques contre les villes chiites irakiennes. La majorité des chiites du Liban, au même titre que les autres communautés libanaises, luttent pour se faire une place influente dans le nouveau système libanais qui est en train d'être mis en place. Les partisans d'un régime intégriste au Liban ne constituent en fait qu'une minorité numériquement faible mais qui, par son organisation et son activisme, risquerait de faire échouer les tentatives de compromis de la majorité. Quant aux opérations spectaculaires survenues ici ou là, plus que d'un "facteur chiite" au niveau régional, il conviendrait de parler d'une méthode introduite par l'Iran et qui a fait école dans la région à cause de son efficacité.

Conflit israélo-arabe : les grandes manœuvres diplomatiques

Les initiatives et contre-initiatives pour un règlement global du conflit israélo-arabe lancées en 1982 ont tourné court car leurs auteurs n'étaient pas en mesure d'y consacrer les efforts nécessaires. Le président Reagan, aux prises avec de graves difficultés au Liban, a dû rapatrier ses soldats et refermer le dossier libanais au début 1984, pour se consacrer à sa campagne électorale. Les Soviétiques n'étaient pas non plus en mesure de relancer le plan Brejnev de 1981, absorbés comme ils l'étaient par le problème de la succession interne. Quant aux pays arabes qui s'étaient en principe mis d'accord à Fès sur une position commune, les éternelles divisions et luttes d'influence ont à nouveau pris le dessus, et notamment parmi les principaux concernés, les Palestiniens.

Deux années vont s'écouler pendant lesquelles le vide diplomatique est complet. 1984 sera en fait une année d'attente : attente du résultat des élections législatives (de juillet) en Israël ; attente de l'installation d'un chef véritable à la tête du Kremlin ; attente de la réélection de Reagan aux Etats-Unis et de la période en principe favorable qui devrait suivre pour une relance des efforts diplomatiques américains ; attente enfin de l'issue de la crise au sein de la centrale palestinienne pour savoir s'il faudra compter avec l'OLP dans un éventuel processus diplomatique.

C'est en novembre 1984 que toutes les données se précisent et qu'un début d'activité diplomatique semble s'amorcer. La relance est faite par la partie arabe. Le roi Hussein de Jordanie rétablit les relations diplomatiques avec l'Egypte et décide d'accueillir à Amman la 17e session du Conseil national palestinien (CNP). En acceptant l'initiative jordanienne, le chef de l'OLP, Yasser Arafat, a lui aussi franchi un pas important, puisqu'il renonce à se réconcilier avec les tendances de l'OLP installées à Damas, qui sont en dissidence depuis 1983 et décide de consacrer la division de l'organisation. Pour la première fois, Arafat ne donne pas la priorité au consensus, estimant qu'il est plus important de s'associer à une initiative arabe qui a des chances, même faibles, de recevoir un écho favorable à Washington. Le soutien du Caire est illustré par la présence d'une importante délégation égyptienne à la conférence ; celui de l'Arabie Saoudite et des petits émirats s'exprime par des communiqués officiels de soutien.

La réunion du CNP marque le début d'une négociation laborieuse entre Jordaniens et Palestiniens conduisant à la signature, en février 1985, d'un accord aux termes duquel les deux parties se prononcent en faveur d'une négociation avec Israël sur la base d'un échange des territoires contre la paix.

L'accord est jugé positif à Washington, tandis que Moscou s'abstient de le condamner. Parallèlement, il ressort de la rencontre entre Gromyko et Reagan à New York, en novembre, que les deux Grands souhaitent rétablir le dialogue et se concerter à nouveau sur les questions internationales, en particulier sur le Proche-Orient. Or, le souhait des pays arabes a toujours été d'associer l'Union soviétique au processus, afin d'amener les plus radicaux d'entre eux (notamment la Syrie) à coopérer.

Ces premiers signes encourageants sont suivis au début 1985 par une proposition égyptienne pour l'ouverture de négociations entre Israéliens, Jordaniens et Palestiniens, qui suscite une réaction positive de la part du Premier ministre israélien, Shimon Pérès. A la veille de son voyage à Washington, le président Moubarak est optimiste ; il espère que les Etats-Unis prendront le relais en acceptant ses propositions et en se lançant à nouveau dans une médiation au Moyen-Orient, ce qui devrait lui permettre de faire une rentrée triomphante au sein du monde arabe.

Le Conseil de coopération du Golfe

Le Conseil de coopération du Golfe est créé lors d'un sommet des souverains de la péninsule arabique qui s'est tenu à Abou Dhabi, capital des Emirats arabes unis les 25 et 26 mai 1981. Il regroupe six Etats : l'Arabie Saoudite, Bahrein, les Emirats arabes unis, Koweit, Oman et Qatar. Le CCG a une population totale d'environ 12 millions d'habitants et contrôle 70 % des réserves connues du pétrole du Moyen-Orient.

Créé à la faveur du conflit Iran-Irak, il est destiné à fournir un cadre formel pour le développement de la coopération régionale. En fait, ce sont les préoccupations en matière de sécurité qui sont à l'origine de sa création, même si les responsables politiques locaux s'efforcent de minimiser cet aspect en public. La menace d'une extension de la révolution iranienne a semble-t-il été déterminante. Sur le plan politique, ses membres se prononcent contre toute ingérence étrangère dans la région, d'où qu'elle vienne et affirment leur volonté d'assurer eux-mêmes la sécurité du Golfe. La ligne officielle en politique étrangère est celle du non-alignement, avec maintien des relations traditionnelles avec l'Occident mais sans que cela ne soit dirigé contre l'URSS.

Les institutions

Le CCG s'est doté d'une structure institutionnelle permanente composée :

- d'un "Conseil suprême" des six souverains des pays membres qui en assurent la présidence à tour de rôle ; il se réunit tous les six mois ;

- d'un Conseil des ministres des Affaires étrangères, chargé d'exécuter les décisions du Conseil suprême et qui nomme les Commissions ; il se réunit tous les trois mois ;

- d'un secrétariat général qui veille au fonctionnement du CCG et qui supervise les travaux des différentes commissions nomées par le Conseil des ministres. Le secrétaire général est Abdallah Bishara, de nationalité koweitienne, qui occupe ce poste depuis la création du CCG ;

- d'un "Conseil des Sages", chargé de régler les différends entre les pays membres, notamment les litiges frontaliers, sorte de cour d'arbitrage dont les décisions sont contraignantes.

En outre, des comités ministériels se réunissent régulièrement pour traiter des questions économiques, financières, sociales, commerciales, culturelles et bien sûr pétrolières.

Principaux accords depuis la création du Conseil

- Un accord économique en 26 points conclu en novembre 1981 entre les six chefs d'Etat, jetant les bases d'un marché commun du Golfe : suppression des barrières douanières, libre circulation des hommes et liberté d'entreprise pour tous les citoyens des pays membres. L'objectif à terme étant la coordination des activités économiques des six pays.

- Défense : réunion des ministres de la Défense en janvier 1982. Des décisions sont prises mais elles restent secrètes. Elles concernent vraisemblablement la coordination des défenses aériennes des six pays. En revanche, les six ne sont pas parvenus à conclure un traité de défense commune ni un pacte de sécurité collective malgré de nombreuses réunions des ministres de l'Intérieur, notamment à cause de l'opposition du Koweit. En novembre 1984, lors du cinquième sommet des chefs d'Etat, un accord est conclu entre les six pour la création d'une Force de déploiement rapide, destinée à intervenir en cas d'agression étrangère sur le territoire d'un pays membre. Cette force devrait comprendre 10 000 à 13 000 hommes qui seront prélevés sur les forces armées nationales des six.

- Pétrole : accord en février 1982 pour négocier en bloc avec les pays industrialisés, constituer un comité ministériel de coordination des politiques pétrolières, créer un comité des compagnies pétrolières nationales pour l'harmonisation des prix, adopter uns stratégie commune au sein de l'OPEP. Enfin, il existe un projet de construction d'un pipe-line commun pour transporter du pétrole par le golfe d'Oman.

- Finances : création en novembre 1982 d'un fonds d'investissement du Golfe avec un capital d'environ 20 milliards de francs, destiné à promouvoir des projets industriels communs.

Malgré quelques divergences de vues entre ses membres, le CCG apparaît comme la première tentative réussie d'un groupement de pays arabes. Ce succès a été rendu possible par le conflit du Golfe qui a fourni un prétexte pour exclure aussi bien l'Iran que l'Irak. Le CCG est donc une sorte de "club" des monarchies conservatrices pétrolières que rassemblent des intérêts communs, des préoccupations communes et une même perception des relations internationales.

Mais la nouvelle Administration Reagan ne s'engage qu'avec prudence. Elle souhaite avoir un minimum de garanties préalables, car il n'est pas question cette fois, pour elle, de prendre le risque d'un nouvel échec au Moyen-Orient, après les revers subis au Liban. Emissaires, conseillers et ministres du président Reagan assurent une activité américaine suivie dans la région, mais, pour l'heure, la discrétion est de rigueur. Pour les Etats-Unis, aucune grande offensive diplomatique n'est possible avant que le terrain n'ait été sérieusement préparé, c'est-à-dire avant que les termes d'un accord n'aient été mis au point avec les différents belligérants.

Or, Israël ne semble pas plus en mesure aujourd'hui qu'hier de s'engager dans un quelconque processus de paix. Le gouvernement que dirige actuellement Shimon Pérès est un gouvernement d'union nationale où toutes les tendances de l'éventail politique se trouvent représentées et qui éprouve déjà beaucoup de mal à se mettre d'accord sur la politique économique à suivre pour sortir de la crise et sur les modalités du retrait du Liban.

Même si les pays arabes modérés manifestent une volonté de négociation réelle, Tel Aviv a bien conscience de la faiblesse de ses ennemis : la puissance de l'OLP a considérablement diminué, l'Egypte continue de dépendre de l'aide américaine pour sa survie, tandis que le poids financier et politique de l'Arabie Saoudite se trouve réduit, en une période où le pétrole n'est plus une considération majeure pour les pays industrialisés. Dans ces conditions, Israël n'a pas de raison impérative d'accepter une négociation sur la base des propositions arabes qui risquerait de mettre en danger la cohésion de son gouvernement puisque aucun des acteurs côté arabe n'est en mesure d'exercer une pression sérieuse sur Israël ou les Etats-Unis.

Dans le passé, les Arabes se sont souvent tournés vers Moscou pour trouver un contrepoids à l'influence américaine et faire valoir leur position. Aujourd'hui, ils semblent plus réticents, après la déception qu'a provoquée la passivité de Moscou durant la guerre du Liban en 1982.

Absence ou discrétion de la stratégie soviétique ?

Il n'est pas dans la nature des dirigeants soviétiques, et a fortiori de la "vieille garde" au pouvoir jusqu'à l'arrivée de Gorbatchev, de se mettre en avant en situation de crise, lorsque les risques sont jugés trop importants. Dans le cas particulier du conflit libanais de 1982, le Kremlin était en outre aux prises avec le problème de la succession d'un Brejnev mourant. On s'est alors empressé de dire que Moscou avait perdu toute influence dans la région et que le Moyen-Orient pourrait redevenir le domaine réservé des Américains. Trois ans après pourtant, l'Union soviétique a effectué un retour discret mais substantiel dans la région.

Outre l'alliance durable avec la Syrie, l'Egypte a rétabli ses relations diplomatiques avec Moscou ; Koweit, furieux du refus américain de lui vendre des missiles *Stinger* au printemps 1984, s'adresse à l'URSS pour demander des armes équivalentes, demande à laquelle celle-ci s'est empressée de répondre en fournissant même des experts militaires ; enfin, Moscou annonce le renforcement de ses liens avec le Yémen du Nord, principal protégé de l'Arabie Saoudite dans la péninsule, par la signature d'un traité d'amitié et de coopération. L'URSS a donc bel et bien maintenant un pied dans la région du Golfe, sans avoir eu recours à la stratégie de subversion et de déstabilisation maintes fois annoncée par certains observateurs. C'est au contraire en soutenant le régime irakien dans la guerre, qu'elle a gagné les faveurs des émirs du Golfe. Pour l'URSS, la prochaine étape souhaitée devrait être l'établissement de relations diplomatiques avec les régimes de la péninsule.

Les mouvements islamiques étant le principal courant d'opposition aujourd'hui dans le monde arabe, son exploitation poserait de très sérieux problèmes à Moscou car elle risquerait de provoquer des troubles au sein des communautés musulmanes d'URSS, un problème devenu délicat depuis l'occupation de l'Afghanistan. Dès lors, il est beaucoup plus sûr et plus efficace pour le Kremlin de cultiver ses rapports au niveau officiel avec les dirigeants arabes de façon à leur offrir une alternative à leur alliance avec Washington. Peu importe qu'ils aient une politique conservatrice ou qu'ils soient hostiles à l'idéologie communiste, ce qui intéresse l'Union soviétique, c'est avant tout de favoriser des situations où les pays de la région seront tentés de faire appel à elle, soit pour du matériel militaire, soit pour un soutien diplomatique. Moscou a appris en effet que, pour pêcher dans les eaux troubles du Moyen-Orient, seule une politique opportuniste convenait.

Conclusion

L'état de guerre est devenu au Moyen-Orient un état permanent et quasi naturel. Mais, dans la mesure où une certaine "ligne rouge" est respectée, tout le monde, les grandes puissances autant que les acteurs régionaux, s'en accomode. Pour le conflit du Golfe, la ligne rouge c'est l'extension du conflit aux pays pétroliers voisins, la menace sur les voies de communication maritime et le risque d'effondrement d'un des deux belligérants. Au Liban, c'est toujours le risque de désintégration de l'Etat et de son partage entre ses deux voisins, ainsi que la mort de soldats occidentaux. Sur le front israélo-arabe enfin, c'est le déclenchement (très peu probable) d'un nouveau conflit général.

Dans ces limites que tout le monde semble respecter, les conflits peuvent évoluer, sans provoquer de grandes inquiétudes. En fait, pour la plupart des pays de la région, l'état de guerre est devenu une composante permanente du système intérieur et régional. La guerre alimente et aggrave les problèmes internes, mais elle sert aussi de prétexte pour retarder indéfiniment les réformes nécessaires. Le cercle vicieux ainsi créé devient de plus en plus difficile à briser, à mesure que les conflits se prolongent. Aujourd'hui, certains Etats considèrent même qu'ils ont plus à craindre d'un règlement que d'une prolongation de l'état de guerre. Autrefois en effet, les régimes du Moyen-Orient tombaient à la suite de défaites militaires alors que, depuis quinze ans, ils font preuve d'une capacité de survie remarquable. La guerre est installée sur les différents fronts ; les pays de la région et la communauté internationale s'y sont adaptés, de sorte qu'il devient coûteux de changer cet état de fait.

Cet "équilibre dans la guerre" prévaut depuis plusieurs années, sans espoir d'issue militaire décisive ou de règlement politique. La fin de ces conflits, en effet, implique des concessions telles de la part des différents protagonistes qu'il ne sera pas difficile aux uns et aux autres de prétendre avoir remporté une victoire. Or chacun a besoin précisément d'une victoire pour justifier les efforts investis et les pertes humaines subies pendant des années et éviter qu'une paix ne s'accompagne d'une irruption de problèmes internes conduisant à la chute des régimes en place. Les défis de la paix sont trop grands et personne ne semble vouloir y faire face.

2.3. LE CONTINENT AFRICAIN

En 1984-1985, le continent africain se trouve confronté à une situation économique toujours plus précaire, dont la famine en Ethiopie consti-

tue l'expression la plus dramatique et la plus spectaculaire : 150 millions d'Africains sont directement menacés par la famine et la malnutrition.

Les gouvernements de la plupart des pays africains doivent faire face en effet à des déficits budgétaires et à un endettement record. La dette extérieure globale de l'Afrique, qui était de 158 milliards de dollars à la fin de l'année 1984, atteindra 170 milliards, fin 1985, ce qui représentera environ 60 % du PNB des Etats. Les uns après les autres font appel au FMI : Gambie, Kenya, Liberia, Madagascar, Malawi, Mali, Maurice, Niger, Sénégal, Soudan, Ouganda, Zaïre, Zimbabwe.

L'augmentation du nombre des régimes militaires traduit pour partie au moins la précarité des situations économiques, tout autant que la fragilité des institutions démocratiques. Le 31 décembre 1983, le général Mohamed Buhari prenait le pouvoir au Nigeria, au nom de l'armée, *"pour mettre fin à l'hégémonie d'un gouvernement corrompu"*. En Guinée, la disparition du président Sekou Touré, le 26 mars 1984, allait entraîner l'arrivée des militaires pour *"prendre un pouvoir en déshérence et pour maintenir l'unité du pays"*, en mettant en place un Comité de redressement national, dirigé par le colonel Lansana Conté. En Mauritanie, le 14 décembre 1984, le colonel Mounia Sid Ahmed Ould Taya, président du Comité militaire du salut national, destituait le chef de l'Etat, Mohamed Kouna Ould Haidalla, auquel il reprochait un excès de pouvoir personnel contraire à la collégialité de la direction militaire.

On serait tenté de penser que le 21e sommet de l'Organisation de l'unité africaine (OUA), qui s'est tenu à Addis Abeba du 18 au 21 juillet 1985, a marqué la volonté des responsables africains, conscients de la gravité de la situation, d'y porter enfin remède. Cette réunion a, en effet, adopté une déclaration solennelle, aux termes de laquelle les membres de l'OUA s'engagent à tout faire pour réussir un programme de relance prioritaire en cinq ans, en mettant l'accent sur la réhabilitation de l'agriculture et la production alimentaire : 25 % des budgets des Etats devront dorénavant être consacrés à ces activités. Les Etats-membres ont pris, par ailleurs, l'engagement d'honorer leurs dettes, tout en demandant des mesures pour les plus démunis d'entre eux et la convocation d'une conférence internationale sur la dette africaine.

Préparé avec sérieux par un comité directeur de sept membres, ce sommet a pu utilement se consacrer aux problèmes du développement, dans la mesure où les problèmes politiques n'accaparaient pas l'intérêt des participants, débarrassés du problème de l'admission au sein de l'OUA de la République arabe sarahouie démocratique (RASD), effective depuis novembre 1984, unis dans leur répudiation envers le régime d'Afrique du Sud et peu désireux de rouvrir le dossier du Tchad.

L'impression qui prévaut est que l'Afrique a voulu remettre de l'ordre dans ses affaires. L'élection attendue depuis deux ans d'un secrétaire général de l'OUA, en la personne du candidat nigérien Idé Oumarou, est à cet égard révélatrice.

Encore faudrait-il, pour éviter la déception causée par l'échec du plan d'action de Lagos de 1980, énonçant un nouveau code du développement en rupture avec les stratégies menées antérieurement, et dont les objectifs pour l'an 2000 étaient la création d'un marché commun africain et l'autosuffisance alimentaire, que les dirigeants africains aient la volonté de mettre en œuvre ces résolutions de l'OUA, ce qui suppose des réformes fondamentales de leurs économies, et qu'ils n'oublient pas la dimension humaine des problèmes du développement, et notamment la nécessité de faire adhérer et participer les populations à l'œuvre entreprise.

Tel est bien d'ailleurs le sens des réflexions du président de la République du Sénégal, Abdou Diouf, élu président de l'OUA, et pour lequel le développement économique ne peut être réalisé en dehors du respect des droits de l'homme. Aussi a-t-il demandé, dans sa conclusion des travaux du sommet, que soit ratifiée la Charte africaine des droits de l'homme et des peuples, adoptée à l'unanimité par les chefs des Etats africains en 1981 à Nairobi, mais qui jusqu'alors n'a été signée que par six Etats-membres.

Ces idées rejoignent celles exprimées par les participants à la Conférence sur la démocratie en Afrique, qui s'est tenue du 1er au 3 juillet 1985 à Dakar, et qui réunissait, à l'initiative du Parti démocrate des Etats-Unis, par le biais de l'Institut national démocrate pour les Affaires interna-

tionales créé en 1983 et du Parti socialiste sénégalais (PS), une vingtaine de partis politiques africains, et paraissent traduire une préoccupation grandissante en faveur de la démocratisation des systèmes politiques.

Ce sont toutefois les développements de la situation en Afrique australe, un des points chauds du continent et la zone géostratégique la plus importante, et au Tchad qui, une fois encore, nous semblent justifier d'un traitement plus approfondi.

L'Afrique australe

La conclusion d'un traité de non-agression entre l'Afrique du Sud et le Mozambique - le 16 mars 1984 - faisant suite à la conclusion d'un accord tripartite angolo-américano-sud-africain - le 16 février 1984 - a pris le monde entier à l'improviste. Le revirement de Prétoria, paraissant délaisser l'offensive pour la négociation avec ses voisins noirs, intrigua tous les observateurs plus habitués au déroulement du cycle opérations de guérilla-représailles militaires. Etait-ce l'amorce tant attendue et si peu espérée d'un processus complexe de détente en Afrique australe ? Force est de constater, un an plus tard, que les espoirs de règlement conçus à cette époque se sont estompés.

Pour replacer ces événements dans leur continuité historique, on rappellera que dans les années 60, alors que la plupart des pays africains étaient aux prises avec de graves difficultés internes et externes à la suite de la vague de décolonisation, la partie australe du continent restait à l'écart de ces bouleversements et apparaissait comme une zone de paix et de prospérité organisée autour de l'Afrique du Sud. Mais l'émancipation des colonies portugaises de l'Angola et du Mozambique, à la suite du coup d'Etat qui renversa, le 25 avril 1974, le régime portugais, eut des répercussions considérables dans cette région. La position dominante des Etats blancs, République sud-africaine et Rhodésie, était contestée dans la mesure où ils étaient désormais au contact d'Etats noirs, indépendants et faisant preuve d'une hostilité agissante par leur soutien à la lutte des mouvements de libération. Pour Prétoria et Salisbury, cette évolution contenait en germes la fin du système économique fondant la prospérité de la minorité blanche. Elle révélait en outre, pour la première fois, l'intervention dans la région de l'URSS et de la Chine.

Dans le même temps, l'Afrique du Sud subissait les conséquences diplomatiques de la politique de l'apartheid. De la simple désapprobation, on passait à la neutralité des pays occidentaux - soulignée par les déclarations de l'Administration Carter et indiquant ouvertement que les Etats-Unis n'interviendront pas dans cette région quels que puissent être les développements de la situation -, puis enfin à l'hostilité - marquée par le vote au Conseil de Sécurité de l'embargo sur les armes à destination de l'Afrique du Sud (résolution 418 du 4 novembre 1977) et par l'initiative devant conduire à l'indépendance de la Namibie (résolution 435 du 29 septembre 1978).

Obsédée par l'idée d'un assaut généralisé des mouvements d'inspiration marxiste, l'Afrique du Sud a alors été conduite à relever le défi et à concevoir et appliquer la politique dite de la "constellation d'Etats". Il s'agissait pour Prétoria, en tirant parti de la dépendance géographique et économique des pays voisins à son égard - une dépendance qu'elle s'efforçait par ailleurs d'aggraver -, de bâtir en Afrique australe une constellation d'Etats rattachés à l'Afrique du Sud par des liens de dépendance de toute nature. Cette politique a été mise en œuvre en usant alternativement ou parallèlement de la force et de la persuasion.

Par la force, l'Afrique du Sud a tenté de décourager les pays voisins d'entretenir sur leur sol des bases de l'ANC[24] et de la SWAPO[25]. Elle a, dans le même temps, cherché à déstabiliser les régimes voisins par l'intermédiaire des mouvements d'opposition qu'elle soutenait, UNITA[26] en Angola, MNR[27] au Mozambique, ZAPU[28] au Zimbabwe.

Par la persuasion, elle a recherché la signature, avec les pays de la ligne de front, d'accords de sécurité ou de non-subversion. Ces efforts ont abouti, en 1984, à un début de normalisation des rapports de Prétoria avec ses voisins dans trois domaines :

● La conclusion d'accords de sécurité :
- avec le Swaziland : accord informel à la suite de la rencontre des ministres des Affaires étrangères (Johannesburg, 3 juin 1983) ;

- avec le Lesotho : accord prévoyant la neutralisation des éléments subversifs (LLA[29] et ANC) de chacun des deux pays (3 juin 1983) ;
- avec l'Angola : accord tripartite angolo-américano-sud-africain prévoyant la création d'une "commission mixte" chargé de contrôler le désengagement sud-africain (Lusaka, 16 février 1984) ;
- avec le Mozambique : pacte de non-agression conclu par le président Machel et P.W. Botha (Komatipoort, 16 mars 1984).

● La recherche d'une coopération économique :
- avec le Zimbabwe : reconduction en 1982 de l'accord commercial préférentiel conclu avec la Rhodésie ;
- surtout avec le Mozambique : réunion le 16 janvier 1984, pour la première fois, de quatre groupes mixtes chargés d'étudier, outre les problèmes de sécurité, ceux relatifs à l'économie, au tourisme et au barrage de Cabora Bassa.

● L'ouverture de perspectives d'un règlement dans l'affaire namibienne : à l'offre sud-africaine de désengagement du 15 décembre 1983 répondent quelques signes témoignant d'une évolution de la position des responsables angolais sur le retrait des troupes cubaines, considéré par Prétoria et Washington comme le préalable à l'indépendance de la Namibie.

Ces évolutions s'expliquent pour les raisons suivantes. En premier lieu, les difficultés croissantes rencontrées par les pays de la ligne de front et les limites à leurs tentatives de réactions collectives : difficultés dues à l'existence sur leur territoire de puissants mouvements d'opposition aidés par Prétoria ; à la position géographique de certains d'entre eux qui les contraint à faire transiter leurs importations et exportations par l'Afrique du Sud ; à la gravité des problèmes économiques auxquels ils sont confrontés, qu'ils soient de nature conjoncturelle, en raison de la sécheresse exceptionnelle, ou structurelle, en

---

24. *African National Congress.*

25. *South West Africa People's Organization.*

26. Union nationale pour l'indépendance totale de l'Angola.

27. *Mozambique National Resistance Movement.*

28. *Zimbabwe African People Union.*

29. *Lesotho Liberation Army.*

raison de la stagnation ou du recul d'une économie locale en pleine désorganisation.

Il faut, en deuxième lieu, prendre en compte la puissance sud-africaine tenant à sa situation géographique exceptionnelle, à ses énormes ressources naturelles et à ses progrès dans les technologies avancées, sans compter bien entendu son écrasante supériorité militaire.

Enfin, les Etats-Unis, après une phase de désengagement sous l'Administration Carter, ont repris conscience du caractère vital de cette région pour l'Occident et, dans la perspective de la confrontation Est-Ouest, se sont fixés comme objectif de mettre fin à la présence des troupes étrangères, c'est-à-dire cubaines en Angola.

Ce retour des Etats-Unis sur la scène a été encouragé par les timides tentatives de réformes engagées par les autorités sud-africaines : aménagement du système économique par l'ouverture des centres d'affaires aux Non-Blancs (mars 1984) et assouplissement de la législation syndicale ; sur le plan politique, association des métis et des Indiens à la vie politique (réforme du 2 novembre 1983) et attribution d'un statut particulier pour les "Noirs urbains" qui ne peuvent être rattachés à un *bantoustan*.

Mais l'Afrique du Sud, après s'être ménagée de tels atouts, n'a pu les utiliser pour consolider la percée réalisée au début de 1984. Sur le plan intérieur comme dans les relations avec ses voisins, sa politique s'est heurtée à des résistances et a connu des déboires, dont elle est d'ailleurs en partie responsable, tant les voies empruntées furent ambiguës et parfois contradictoires.

Sur le plan intérieur, l'évolution de l'Afrique du Sud a été marquée par une alternance des phases de répression et de tentatives de conciliation. Elle a connu, à partir de septembre 1984, la plus grande agitation depuis les événements de Soweto en 1976. Nés en septembre dans la région du Vaal, les troubles ont fait tâche d'huile et se sont étendus aux provinces du Natal, du Transvaal et du Cap, touchant de nombreux secteurs de la vie professionnelle, sociale et éducative.

Des tentatives de conciliation ont bien eu lieu en décembre 1984 et en janvier 1985, symbolisés par les propos tenus par le président Botha lors de la cérémonie marquant son entrée en fonction. Le 25 janvier 1985, il évoqua l'assouplissement de la dénationalisation, la définition d'une citoyenneté accordée à la population noire, la limitation des déplacements forcés, la recherche d'un statut pour les Noirs urbanisés et surtout l'amorce d'un dialogue avec les Noirs, qu'il s'agisse de la communauté dans son ensemble ou même de l'ANC.

A ces propos, relativement encourageants, firent suite, comme par un effet de balancier, des mesures de répression en février et en mars portant à près de 300 morts les victimes au cours des neuf derniers mois. Ces violences ne semblent pas avoir empêché Pretoria de poursuivre son action de réforme dans le sens d'un allègement des pratiques discriminatoires : annonce le 11 avril 1985 du dépôt, au cours du second semestre, d'un projet de loi modifiant les dispositifs de l'*influx-control*, c'est-à-dire les mesures qui réglementent les déplacements des Noirs en zone blanche ; présentation le 15 avril, au Parlement, d'un rapport recommandant l'abolition de l'acte de 1949 interdisant les mariages mixtes et de l'acte de 1957 interdisant les relations sexuelles entre partenaires de races différentes. Le président Botha invitait, le 19 avril, les chefs de tous les partis politiques à se joindre au vote du Comité spécial ministériel sur le développement constitutionnel de la communauté noire afin de créer un "forum de négociation" avec ceux des dirigeants noirs qui rejettent la violence.

Mais, dans le même temps, la situation de l'Afrique du Sud s'affaiblit tant sur le plan économique que moral. En effet, elle subit les répercussions de la crise mondiale, de la baisse du prix de l'or et de la raréfaction des crédits publics et privés. Certaines parties de son territoire sont atteintes par la sécheresse, même si les effets de celle-ci ne sont pas aussi dramatiques que dans d'autres zones du continent africain. Enfin, le syndicalisme noir est devenu une force importante, active, organisée pour obtenir en faveur des travailleurs, des avantages substantiels qui érodent la situation privilégiée de la minorité blanche.

L'image de l'Afrique du Sud dans les milieux internationaux a été ternie par les violences et la répression gouvernementale. La désignation de l'évêque Desmond Tutu comme prix Nobel de la paix, a pris dans ces circonstances une signification particulière et elle ne peut qu'encourager, tant à l'intérieur qu'à l'extérieur de l'Afrique du Sud, les partisans d'un changement radical du système politique. C'est notamment aux Etats-Unis qu'un revirement de l'opinion est en cours. Une véritable croisade, d'inspiration morale, a pris naissance dans les campus universitaires, où le désinvestissement, c'est-à-dire la cessation des investissements en Afrique du Sud et le boycottage des firmes qui ont des intérêts dans ce pays, est exigé.

Le Parti démocrate a été le plus prompt à réagir à ce mouvement relayé par les Eglises, et le Parti républicain n'a pu rester à l'écart. L'Administration a fait un geste en ne renvoyant pas son ambassadeur à Prétoria après le raid sud-africain sur la ville de Gaborone, capitale du Botswana, mais elle n'a pas modifié sa politique de "l'engagement constructif" tendant à obtenir la modification des lois raciales plus par la diplomatie et la persuasion que par les sanctions. Elle n'a pu toutefois empêcher le Sénat et la Chambre des représentants de voter des projets de lois, différents dans leurs modalités, mais allant dans le sens de la politique de "désinvestissement".

S'agissant des relations entre l'Afrique du Sud et ses voisins, les accord conclus au début de 1984 n'ont pas eu toutes les suites favorables que chaque partenaire était en droit d'en espérer.

Pour Prétoria, le Mozambique et l'Angola devaient cesser d'aider et d'abriter les bases de l'ANC - qui représentait la forme d'hostilité à l'apartheid la plus organisée -, et celles de la SWAPO. En échange, le gouvernement d'Afrique du Sud devait cesser de soutenir les mouvements de guérillas du type UNITA, MNR, ZAPU, LLA. Ces "bons procédés" n'ont pas eu l'effet voulu, d'une part parce que les accords ont été appliqués avec une relative mollesse, d'autre part parce que les mouvements d'opposition, n'acceptant pas d'être sacrifiés, ont repris leur autonomie et ont tenu à conserver leur individualité et leur présence combative.

Au Mozambique, la situation n'a cessé de se dégrader au cours des derniers mois. L'activité grandissante de la RENAMO[30] place les autorités de ce pays dans une situation d'extrême fragilité. Pour conforter son partenaire de l'accord N'Komati, le gouvernement sud-africain a dû envoyer des représentants aux Comores, en Somalie, au Kenya, en Malaisie,

pays censés apporter un appui militaire au mouvement de résistance mozambicaine. Le Mozambique n'a pas retiré tout le bénéfice de l'aide économique que les Occidentaux lui ont apporté, soit par insuffisance voire inexistence des structures nécessaires, soit en raison des actes de guérilla qui découragent les initiatives et font fuir les coopérants qu'ils soient de l'Est ou de l'Ouest. Les contacts avec l'Afrique du Sud se sont néanmoins poursuivis et l'attachement des deux parties aux dispositions de l'accord de N'Komati a été rappelé lors des entretiens Machel-Pik Botha du 21 mars 1985.

En Angola, la situation intérieure n'a pas évolué. L'UNITA n'a pas marqué de points décisifs et le gouvernement central n'a pu réduire la présence et l'action de ce mouvement. L'influence et le soutien cubains et soviétiques demeurent importants à Luanda. Le 15 avril, Pik Botha annonçait le retrait définitif des troupes sud-africaines conformément à l'accord conclu à Lusaka le 16 février 1984. Mais Luanda conteste que ce retrait ait été terminé le 17 avril comme cela a été affirmé à Prétoria.

Enfin, s'agissant de la Namibie, le groupe de contact, aux réunions duquel la France ne participe pas, est en sommeil. Les Etats-Unis s'efforcent toujours de convaincre les Angolais de lier le retrait des forces cubaines à l'indépendance du territoire. En attendant, le 18 avril, l'Afrique du Sud décidait de mettre en place un gouvernement et une assemblée législative intérimaires dans l'attente de l'accord sur l'indépendance.

Cette initiative a été critiquée par l'ensemble de la communauté internationale qui, en juillet 1985, à la suite de l'aggravation de la situation intérieure, allait être conduite à s'engager plus avant dans la condamnation de l'apartheid. En effet, le 21 juillet, le gouvernement du président Botha proclamait l'état d'urgence dans 36 districts judiciaires, afin de pouvoir réprimer, avec plus de facilités que ne le lui permettait la loi sur la sécurité intérieure de 1982, des émeutes qui s'amplifiaient au fil des mois et se propageaient à l'ensemble du territoire. En application de cette législation qui donne à la police des pouvoirs d'exception, plusieurs centaines de personnes étaient en quelques jours arrêtées et détenues sans jugement. Dès le 25 juillet, le gouvernement français rappelait son ambassa-

---

30. Résistance nationale du Mozambique.

deur, décidait la suspension de tout investissement français nouveau, saisissait le Conseil de Sécurité d'une résolution condamnant les pratiques du gouvernement de Prétoria, et notamment l'instauration de l'état d'urgence, et appelait les membres de l'ONU à prendre des sanctions économiques volontaires contre l'Afrique du Sud.

Ce texte, légèrement modifié, devait être adopté le 26 juillet par treize voix et les deux abstentions du Royaume-Uni et des Etats-Unis, qui persistent à penser que des sanctions économiques, ou sont inefficaces, ou ne peuvent qu'aggraver la situation matérielle de la population noire, et ne souhaitent pas par ailleurs compromettre des relations économiques profitables... Il ne semble donc pas à ce stade que l'Administration américaine, malgré la forte pression de l'opinion publique dont il a été question ci-dessus, ait modifié sa politique d'engagement constructif.

Ainsi, en ce milieu de 1985, la politique du gouvernement sud-africain est-elle partout en échec. Les accords passés avec l'Angola et le Mozambique, concernant la neutralisation des forces de l'ANC, ne semblent pas avoir réduit la combativité de cette organisation. La communauté internationale est unanime pour condamner l'apartheid et s'engage dans la voie des sanctions.

Les réformes mineures auxquelles il a été procédé ont eu l'effet inverse de celui qui était escompté. Le gouvernement doit faire face à un mouvement général de rejet des discriminations raciales. L'ensemble des organisations anti-apartheid se sont fédérées dans le Front démocratique uni (UDF[31]) et relaient en l'amplifiant l'action de l'ANC qui, par la voix de Oliver Tambo, appelle à l'offensive générale contre "la dictature militaire sud-africaine". Les jeunes, auxquels le régime actuel n'offre aucune chance, s'engagent en masse dans la lutte. Rien, pourtant, dans les déclarations des responsables sud-africains, ne permet encore de penser qu'il puissent envisager une autre politique que celle de la répression violente.

Le conflit tchadien

L'interminable conflit tchadien dans lequel la France est impliquée depuis vingt ans n'a pas

pris fin en 1985, quelque espoir que l'on ait pu concevoir, lorsqu'éclata, le 17 septembre 1984, la nouvelle d'un accord franco-libyen sur le retrait simultané et concomitant et sous contrôle international des troupes de Paris et de Tripoli.

A ce jour, le pays demeure partiellement occupé par des troupes étrangères au Nord, miné par la subversion au Sud, en proie à d'insurmontables difficultés économiques et financières, ravagé par la famine dans les zones du Sahel. Les tentatives pour rassembler les factions ont échoué.

De plus, les conditions dans lesquelles ont été négociées et appliquées les modalités du retrait des troupes libyennes ont tendu les rapports entre la France et ses partenaires africains et ouvert une crise de confiance que les responsables français au XIe sommet franco-africain de Bujumbura, le 11 décembre 1984, et depuis cette réunion, s'efforcent de surmonter.

● Sans revenir sur les vingt années d'affrontement au cours desquelles l'existence même du Tchad, en tant qu'Etat indépendant, a été à différentes reprises remise en cause, on rappellera sommairement qu'en juin 1982, les troupes de Hissene Habré s'étaient emparées de N'Djamena et avaient non sans difficultés occupé le Sud tchadien. Les coalisés du GUNT[32], sous les ordres de Goukouni Oueddei, précédent chef du gouvernement, s'étaient repliés sur le Tibesti, alors sous la protection de la Libye. Armés par celle-ci et appuyés par les troupes libyennes, ils avaient, en mai et juin 1983, occupé plusieurs oasis dans le Nord du Tchad et même, momentanément, s'étaient emparés d'Abeche, fin juillet 1983.

Les troupes gouvernementales de Hissene Habré reprennent Faya-Largeau qu'elles doivent évacuer six jours plus tard sous les bombardements de l'aviation libyenne. Cette intervention aérienne modifie les données de la situation. Elle peut faire craindre un effondrement des troupes gouvernementales qui ne disposent pas d'aviation et qui sont insuffisamment équipées et psychologiquement affaiblies.

31. *United Democratic Front.*

32. Gouvernement d'union nationale de transition.

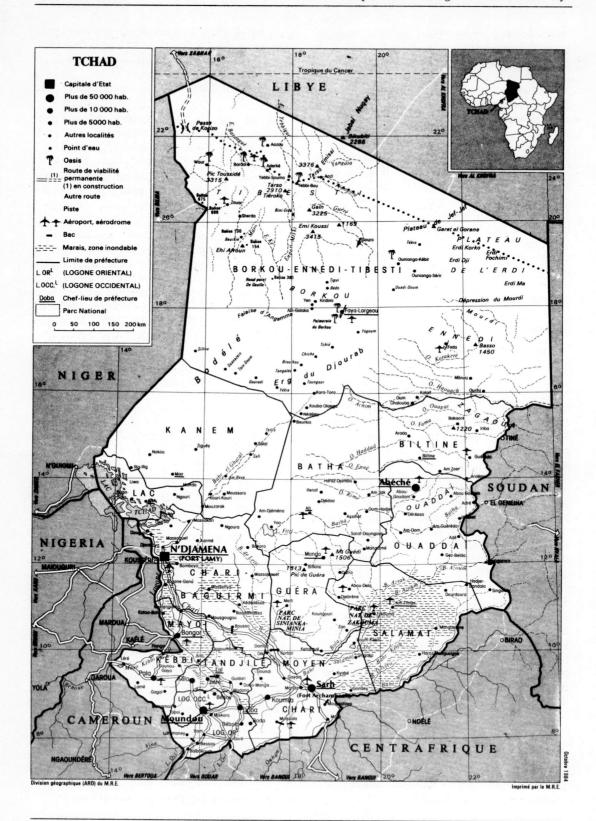

Soucieux d'empêcher l'extension d'un conflit qui pouvait déboucher sur une confrontation Est-Ouest, désireux de rassurer ses alliés africains liés à la France par des pactes de défense ou d'assistance, le gouvernement français, au cours des mois précédents, s'était progressivement engagé dans des actions de soutien indirect aux forces de N'Djamena. Le 8 août, devant les risques de détérioration accrus et les menaces sur la capitale, était déclenchée l'opération *Manta*, consistant en le déploiement d'un cordon sanitaire français dans le Sahel tchadien. Des moyens importants furent affectés à cette entreprise. En octobre 1983, la mise en place du dispositif français de plus de 3000 hommes, équipés de matériel lourd et moderne, appuyés par une aviation basée à N'Djamena, était terminée.

Cette intervention qui ne se fondait pas, juridiquement, sur un accord de défense - puisque seul un accord de coopération militaire et technique du 6 mars 1976 lie la France et le Tchad -, puisait sa justification dans les principes de la Charte des Nations-Unies selon lesquels un Etat peut porter assistance à un autre Etat pour assurer sa souveraineté, et à la demande express de ce dernier. Cette demande avait été également exprimée par la majorité des Etats africains.

● Cette intervention a, sur un *plan militaire*, très largement atteint ses objectifs :
- il s'agissait tout d'abord d'empêcher les forces libyennes et les protégés locaux de Goukouni Oueddei de s'emparer de N'Djamena à l'occasion d'une offensive appuyée par l'armée régulière de Tripoli ;
- à une rare exception près, notamment la destruction d'un *Jaguar,* les combats ont cessé. Les forces libyennes sont demeurées prudemment dans leur zone ;
- les forces tchadiennes ont été rééquipées et instruites. Un millier de spécialistes ont été formés ou recyclés pour l'utilisation des automitrailleuses légères, des canons 205, des missiles antichars.

Sur le plan politique, en revanche, les résultats sont plus contrastés. En s'interposant sur le 15ᵉ puis sur le 16ᵉ parallèle, la France entendait prouver à ses alliés africains, dans la grande tradition de la Ve République, qu'elle continuait d'assumer ses responsabilités en Afrique en participant militairement à la défense de l'intégrité du territoire de l'un d'entre eux, ce qui était stratégiquement important pour freiner toute tentative d'expansion libyenne en Afrique noire.

C'est d'ailleurs en ces termes que le président Mitterrand rappelait les objectifs de l'opération *Manta* dans un entretien télévisé du 16 décembre 1984 : "*Vous avez là la situation du Tchad : la Libye, toujours la bande d'Aouzou, ici même, phagocytée par la Libye depuis maintenant onze à douze ans, et vous avez l'Afrique noire. Elle est là : vous avez le Niger, le Nigeria, d'origine britannique, le Cameroun, d'origine allemande, certes, mais surtout d'influence française, le Centrafrique et le gros de l'Afrique noire se trouve là. Restent naturellement l'Egypte et le Soudan, ce sont des pays de nature différente. A partir du moment où les forces du colonel Kadhafi arrivaient là, au mois d'août 1983, il suffisait de trois ou quatre jours pour que tout le reste fut pris. La totalité du Tchad était, quand je suis arrivé à la présidence de la République, sous le contrôle de la Libye. La France était partie. Voilà la situation en 1981. Dès lors, je vais m'efforcer de faire reculer cette influence que je crois dangereuse, non seulement pour le Tchad - nous n'avons pas d'accord militaire avec le Tchad, pas d'accord du tout - mais, il y a une réalité politique pour obéir à ma conception générale d'une stratégie en Afrique, c'est-à-dire pour éviter le contact entre les forces libyennes et cet énorme continent d'Afrique noire dans lequel s'exerce une réelle influence de la France et où il y a des obligations françaises de sécurité.*"

Un deuxième objectif de l'opération *Manta* était de favoriser les conditions d'un règlement politique, c'est-à-dire de faciliter une entente, qui ne fut pas précaire, des différentes factions qui se déchirent au Tchad. L'échec sur ce point fut dans un premier temps patent. En réalité, Hissene Habré a profité de la protection militaire française pour remettre en route l'Etat tchadien en ruines, et rallier à sa cause un certain nombre de dissidents dans le Sud, peuplé et riche, du pays, politique qui a porté ces fruits dans un premier temps, grâce notamment à une série de tournées effectuées par les dirigeants dans cette région. Toutefois, après le 26 août 1984, les commandos rebelles, qui s'étaient rapprochés du pouvoir, se sont à nouveau retrouvés dans la résistance, dans la mesure où, faute de moyens financiers, le gouvernement tchadien n'a pu intégrer ces éléments dans l'armée régulière tchadienne.

Dans cette situation de force relative, le président du Tchad était plus soucieux des conditions dans lesquelles il pourrait reprendre les territoires occupés qu'enclin à envisager des compromis avec ses adversaires, et cela d'autant plus que des indications sérieuses laissaient entendre que les rapports entre Goukouni et le colonel Kadhafi se détérioraient et que les troupes libyennes et leurs alliés connaissaient des difficultés de ravitaillement dans leur zone.

Or, la position de Hissene Habré se heurtait aux préoccupations françaises telles que les exprimait, le 11 avril 1984, Pierre Mauroy à l'Assemblée nationale. *"Il n'a jamais été question et il n'est pas question aujourd'hui que nos forces s'engagent directement au nord de la zone de défense... Si nos troupes étaient attaquées, elles se défendraient et pourraient même poursuivre leurs agresseurs... Mais une solution ne peut être militaire. Elle ne peut être que diplomatique et politique ; elle passe par la mobilisation des gouvernements et des opinions africaines, à travers l'OUA, par la réconciliation tchadienne et la reconstitution de l'Etat..."*

En réalité, en août 1984, un an après le déclenchement de l'opération *Manta,* l'impression ressentie était celle de l'enlisement :
- pour le gouvernement français d'abord, dont les objectifs différaient de plus en plus de ceux du président Habré et qui ne trouvait dans les organisations africaines aucun relais à ses actions de dissuasion et de paix ;
- pour le colonel Kadhafi également, déçu par ses protégés, dont le pays traverse une grave crise économique et où des oppositions, vite réprimées d'ailleurs, se manifestent.

Toutefois les contacts officiels ou secrets, par ministres ou fonctionnaires ou par émissaires personnels, n'ont en réalité jamais cessé entre la France et la Libye, sans que l'on puisse pondérer l'incidence réelle de chaque acte de ce vaste carrousel diplomatique. Mais, à partir de juillet 1984, le processus s'accélère : participation de l'ambassadeur Georgy à la célébration du 15e anniversaire de la révolution libyenne ; traité surprise entre le Maroc et la Libye qui est signé le 13 août 1984 ; voyage privé de François Mitterrand au Maroc ; voyage de Claude Cheysson à Alger et à Tunis ; mission de Guy Penne

dans de nombreux pays africains. Le 13 septembre, Claude Cheysson était invité à se rendre à Tripoli, qu'il rejoignait le 15 septembre dans le plus grand secret. Après une première série de discussions, il revint s'entretenir à Paris avec le président de la République et pouvait signer, le 17, la déclaration comportant le retrait concomitant et total des troupes des deux pays au terme d'une période de quarante-cinq jours, et sous contrôle international.

● Le sentiment de satisfaction exprimé par les autorités gouvernementales françaises, et largement ressenti par l'opinion à l'annonce de ce retrait, ne devait pas tarder à se muer en inquiétude, la diplomatie française étant finalement placée en situation difficile, de "porte-à-faux" dira-t-on.

Certes, le retrait des troupes étrangères est toujours salué favorablement par les organisations africaines et les pays progressistes. Mais le gouvernement de Hissene Habré et les partenaires habituels de la France, y compris le chef de l'Etat du Zaïre, le général Mobutu, qui avait maintenu un contingent de deux mille hommes à N'Djamena, avaient été mis devant le fait accompli. A la mauvaise humeur ressentie s'ajoutaient des reproches plus précis. D'une part, la France paraissait faire trop confiance au colonel Kadhafi, personnage dont les actions démentent régulièrement les propos ; d'autre part, le départ des troupes françaises était décidé sans qu'ait été obtenue, voire recherchée, la garantie que Tripoli ne poursuivrait pas, par d'autres moyens que l'occupation du terrain, son entreprise de déstabilisation du gouvernement tchadien qu'il continuait à ne pas reconnaître.

Inlassablement, dans les semaines qui suivirent, les responsables français, alors que les premiers retraits s'opéraient dans une certaine confusion, s'efforcèrent de répondre aux craintes exprimées par les uns et les autres, en soulignant qu'elles ne se désengageaient pas du Tchad, qu'elles maintenaient leur confiance au gouvernement légitime de Hissene Habré avec lequel la coopération militaire et économique allait se développer, qu'elles maintenaient des forces d'intervention, à proximité, pour parer à toutes difficultés rencontrées dans l'application de la déclaration commune du 16 septembre.

Mais, dans les premiers jours de novembre, il apparaissait d'une part que les Libyens alimentaient les troubles dans le Sud du pays, d'autres part, qu'ils n'évacueraient pas la zone Nord, suivant les termes convenus. Néanmoins, le 10 novembre, un communiqué commun franco-libyen annonçait la fin des opérations de retrait. Or, les renseignements recueillis dans les jours qui suivirent, ou fournis obligeamment par les Américains, démontrèrent que la Libye avait maintenu en place des effectifs non négligeables. Le président de la République rencontrait alors en Crète le colonel Kadhafi et réaffirmait d'une part que la France ne faillirait pas à son engagement envers le Tchad, d'autre part que l'évacuation totale des forces libyennes était la condition à tout développement des relations entre Paris et Tripoli.

Soucieux d'apaiser les craintes de l'opinion publique française et internationale qu'une telle politique ne pourrait manquer de susciter, dans sa conférence télévisée du 16 décembre 1984, le président Mitterrand déclarait : "*Selon moi, les Libyens ne disposent pas de force offensive qui puisse descendre vers le Sud, dans l'état actuel des choses. Si cet état actuel des choses devait changer, bien entendu les dispositions sont prises. Il y a en Centrafrique, l'armée française... Vous me dites : pourquoi est-ce que vous ne montez pas jusqu'au Nord ? C'est donc que vous acceptez le fait accompli ? Je n'accepte pas la possession du Tchad par la Libye, je la dénonce... Celle-ci, en droit, relève de l'autorité, de la souveraineté du Tchad. Je ne suis pas chargé de dire le droit. Ce que je peux vous dire, c'est que la France n'acceptera jamais, politiquement et juridiquement, cette amputation d'un Etat africain. Mais je ne suis pas le gendarme de l'Afrique. L'armée française n'est pas chargée de cela. Il appartient d'abord au gouvernement du Tchad, ensuite à l'Organisation africaine, de reconquérir, s'il le désire...*"

● En juin 1985, la situation au Tchad demeure donc encore confuse mais susceptible d'évoluer.

- Sur le plan militaire, le 16e parallèle constitue toujours la ligne de démarcation des différentes forces en présence. Il semblerait que, depuis février 1985, les Libyens aient profité de la relève pour ramener des hommes, ce qui porterait environ à 3 500 le nombre de combattants libyens sur le territoire tchadien, au nord du 16e parallèle. Ils opèrent notamment dans la région du Borkou-Ennedi-Tibesti (BET) et tien-

nent notamment les postes de Fada, Faya-Largeau, Gouro, Ouadi-Doum, etc.

Les forces armées gouvernementales, qui tiennent la partie Nord au-dessous du 16e parallèle (Biltine, Abéché, N'Djamena...), bénéficient toujours de l'assistance militaire technique française sous la forme de conseillers, d'instructeurs et de personnel chargé de la maintenance et de la réparation des appareils.

Dans le Sud, les 3 à 4 000 personnes enrôlées dans les bandes rebelles sont éparpillées en différents points, notamment dans la région du Moyen Chari.

- Sur le plan politique, en dépit de l'échec des tentatives de médiation amorcées par différents pays africains pour réunir autour d'une même table les différentes parties, il semble que, tout récemment, une solution interne de règlement politique se fasse jour. Certes, les efforts du Gabon, du Congo et du Mali notamment, pour faciliter une solution politique, n'ont pas, dans un premier temps, apporté de résultat décisif. C'est ainsi que la conférence de Brazzaville d'octobre 1984, organisée par le Congo, mandaté par l'OUA, n'a pu permettre un rapprochement entre les positions des différentes parties, ces dernières s'étant opposées immédiatement sur la question de leur légitimité. De même, la volonté du président Moussa Traoré du Mali, de réunir à Bamako le 1er avril 1985, Goukouni Oueddei et le président Hissene Habré, n'a abouti qu'à des rencontres bilatérales entre le chef d'Etat malien et chacune de ces personnalités. Ceci dit, l'espoir de jouer un rôle de médiateur est toujours exprimé par de nombreux chefs d'Etat africains comme l'a fait tout récemment le président Eyadéma du Togo, lors de sa visite officielle en France.

En revanche, si le gouvernement d'Hissene Habré n'est manifestement pas en mesure de prendre l'offensive pour récupérer les territoires du Nord, ainsi que de pacifier par la force le Sud du pays, des solutions de négociation entre les différentes parties s'amorcent. C'est ainsi que le président Hissene Habré a déclaré qu'il était prêt à rencontrer l'opposition. De même, certains responsables des forces du Sud, comme le colonel Kotiga, ont manifesté leur intention de rallier le gouvernement de Hissene Habré. Enfin, l'ancien chef d'état-major du GUNT et actuel président du Front démocratique du

Tchad, le général Djibril Négué Djogo, a déclaré au journal *Jeune Afrique*[33] qu'il était disposé à participer à une nouvelle table ronde réunissant les différentes tendances politiques tchadiennes en vue d'une réconciliation nationale. Il a reconnu qu'"*il existe désormais un pouvoir de fait à N'Djamena. Et il s'avère que Hissene Habré est incontournable. Dans ces conditions, nous sommes prêts à l'accepter comme président. Après tout, c'est un Tchadien. Il a le droit d'être à la tête de son pays.*"

En dernier lieu, certains faits encourageants se font jour au niveau économique. Dans le Sud, les cultivateurs sont revenus sur leurs terres et ont repris les semailles ; d'autre part, les Américains sont en train d'effectuer des forages pétroliers dans le Sud, avec des résultats prometteurs.

---

33. *Jeune Afrique*, n° 1275, 12 juin 1985.

NB : Quatre ouvrages importants peuvent être recommandés aux personnes désirant obtenir plus d'informations sur les évolutions du continent africain :
- M. Diouf, *Intégration économique, perspectives africaines*, NEA/Publisud, Dakar/Paris, 1984, 281 pages ;
- P.F. Gonidec, *L'Etat africain*, LGDJ, Paris, 2e édition, 1985, 362 pages ;
- Edem Kodjo, *Et demain l'Afrique*, Stock, Paris, 1985, 366 pages ;
- E. M'Bokolo, *L'Afrique au XXe siècle*, Le Seuil, Paris, 2e édition, 1985, 393 pages.

La lecture des deux revues suivantes est également conseillée :
- *Politique étrangère*, n° 2, 1984, dossier intitulé "Déséquilibres africains" réalisé sous la direction de Gérard Conac ;
- *Pouvoirs*, "Les pouvoirs africains", sous la direction de Gérard Conac, n° 25, avril 1983, PUF.

2

Deuxième partie :

Flux de capitaux et économie mondiale

Endettement international et envolée du dollar : tels furent depuis le début des années 80 les phénomènes marquants de la conjoncture financière internationale. Il s'agit là de deux déséquilibres importants et durables, dont la résorption nécessitera un ajustement coûteux, voire conduira à une crise nouvelle si les exigences de cet ajustement ne sont pas comprises à temps. En dernière analyse, ce sont les mouvements de capitaux qui sont à l'origine de ces difficultés et qui en détermineront l'évolution.

Les mesures d'ajustement prises par les pays débiteurs sous les recommandations et le contrôle du Fonds monétaire international ont commencé de porter leurs fruits. Mais les déséquilibres économiques internes subsistent et requièrent la poursuite d'un effort très coûteux, alors même que les sources de financement externes se sont taries. Aussi peut-on craindre une détérioration du climat politique et social dans plusieurs pays, notamment en Amérique latine ; les relations des pays en développement endettés avec leurs créditeurs paraissent en conséquence susceptibles de se dégrader brusquement. Le fardeau de l'endettement international pèse encore sur la plupart des pays en développement ; il pourrait de nouveau dans un avenir proche donner lieu à de nouvelles crises d'ampleur internationale.

Dans un monde où les innovations financières ont considérablement élargi les opportunités de placement offertes aux détenteurs de capitaux, il ne faut pas s'étonner que les remoux créés par le problème de l'endettement se soient accompagnés d'une réorientation massive des mouvements financiers internationaux. Nouveaux produits financiers, imagination féconde sur les principales places financières, ont considérablement contribué à la progression du phénomène d'intégration financière entre les principaux pays industrialisés. Il faut y voir une des pressions principales à l'origine des politiques de déréglementation adoptées par la plupart des administrations.

La redistribution géographique des flux de capitaux qui s'est ainsi produite est elle-même à l'origine de l'envolée du dollar américain sur les marchés des changes. Alors que le billet vert s'est soudainement et fortement affaibli au mois de juillet 1985, et que l'ensemble des indicateurs économiques donne à penser que la poursuite de cette baisse est maintenant inévitable, la nature de l'ajustement est encore elle-même très incertaine. Jusqu'à présent, c'est un ajustement "en douceur" qui a prévalu. Mais le risque d'"atterrissage en catastrophe" reste réel, et apparaît d'autant plus préoccupant qu'une partie importante des créances détenues par l'étranger sur les Etats-Unis est constituée d'actifs à court terme, très mobiles et facilement déplaçables : l'économie internationale restera-t-elle sur une trajectoire stable ?

1. Endettement et développement

Après avoir occupé la toute première place de l'actualité économique internationale pendant plus de deux années, et tenu en haleine banquiers, gouvernements, organisations internationales et opinions publiques, le sujet de l'endettement international n'a plus, en 1985, l'attribut de crise aiguë qui avait suscité intérêts et passions.

Pour certains, le système a vaincu la crise, la "normalisation" est avancée, le calme est revenu même si les lendemains sont douloureux. Sans doute faut-il voir dans cette accalmie une preuve de la solidité et de la résilience du système financier international, de la validité des réponses au coup par coup opposées aux nombreuses alertes successives, de l'effort important consenti à la fois par les pays débiteurs dont l'ajustement a été spectaculaire, par les instances créditrices lors des multiples opérations de rééchelonnement, et par le Fonds monétaire international, gardien de la cohésion globale du système : autant de bonnes raisons d'oublier le pessimisme d'hier, de se féliciter des dispositions prises, et d'exercer intérêts et passions sur d'autres sujets de préoccupation.

Mais c'est bien sûr une vision trop partielle et superficielle, qui reste fondée sur le court terme et privilégie les développements strictement financiers, au détriment d'une analyse plus poussée des déséquilibres économiques profonds qui caractérisent, en 1985, la conjoncture économique internationale et qui pourraient faire renaître la "crise" de l'endettement, et ce au détriment des aspects politiques trop souvent méconnus mais difficiles à appréhender de la situation des pays débiteurs.

Aussi paraît-il opportun de profiter de l'accalmie relative pour dresser un bilan du problème de l'endettement des pays en développement et de ses ramifications internationales, et pour tenter d'éclaircir, au passage, quelques interrogations, trop souvent tues : pourquoi les pays en développement ont-ils, en règle générale, accepté de jouer le jeu ? La sévérité des programmes d'ajustement mis en place est-elle de nature à conduire à une déstabilisation sociale et politique dans les pays débiteurs ? Pourquoi maintient-on encore la fiction de ces créances irrecouvrables, comptabilisées en valeur nominale dans les livres des banques ? Quel est le véritable rôle du FMI, qu'il est communément de bon ton de dénigrer ? Enfin, comment sera financée la croissance des pays en développement dans les années à venir ?

A cette fin, il semble utile de résumer le déroulement de la crise de l'endettement et d'en rappeler la genèse, avant de décrire la situation actuelle dans ses aspects objectifs et ses fragilités, en prenant en compte l'influence de l'évolution économique et financière internationale.

1.1. 1973-1984 : DE L'ENTHOUSIASME A LA DESILLUSION

Par bien des côtés, la situation rappelle celle des années 30 ; succédant à une expansion importante de l'endettement international dans le courant des années 20, une vague de défauts vint remettre en question le bien-fondé des politiques d'emprunts et de prêts de la période précédente. En 1938, près de 40 % de l'ensemble des bons émis par l'étranger et détenus par des agents privés américains, étaient en défaut de paiement[1]. Ce fut, dès la fin de 1933, le cas de pratiquement toutes les dettes latino-américaines et de nombreux pays européens. Parmi les causes de ces défauts en masse, venait en premier lieu la dépression mondiale, qui se traduisit par une chute du prix des matières premières et une contraction du commerce international, et assécha les sources de revenu nécessaires aux débiteurs pour tenir leurs engagements.

Cependant, plusieurs autres facteurs ont contribué à la crise de l'endettement dans les années 30[2], notamment l'insuffisance des études préalables à l'attribution des prêts (ignorance du stock de la dette déjà contractée), la compétition pour les prêts, ou encore une affectation douteuse de ces prêts à des emplois non productifs, voire frauduleux. Ces motifs sont ceux que l'on retrouve dans les explications actuelles de la crise de l'endettement.

1. D'après Cleona Lewis, *America's Stake in International Investments,* The Brookings Institution, Washington, DC, 1938.

2. Pour une analyse détaillée, se reporter à Cleona Lewis, *op. cit.,* pp. 403-412.

Défauts sur les bons sur l'étranger du portefeuille américain au 31 décembre 1935 (en millions de dollars)

Pays de l'emprunteur	Encours de la dette	Montants en défaut (quant au paiement des intérêts)	Pourcentage en défaut
Europe	2 278	1 152	50,6
Allemagne	773	770	99,6
Suède	123	123	100,0
Hongrie	53	53	100,0
Autres	1 328	206	15,5
Amérique latine	1 214	938	77,3
Brésil	310	289	93,2
Chili	236	236	100,0
Colombie	144	144	100,0
Argentine	334	79	23,6
Pérou	74	74	100,0
Mexique	139	139	100,0
Cuba	115	72	62,9
Autres	171	140	81,6
Autres pays	2 535	100	3,9
Total	6 336	2 427	38,3

Source : Cleona Lewis, *America's Stake In International Investments,* The Brookings Institution, Washington, DC, 1938.

Après les multiples défauts des années 30, l'endettement auprès du secteur privé ne se développe pas significativement jusqu'à la fin des années 60. Les gouvernements des pays en développement empruntèrent alors aux gouvernements et institutions multilatérales[3]. Il y a eu, dans les années 70, conjonction de deux phénomènes importants, d'une part un déficit structurel caractéristique des pays en développement, d'autre part un afflux considérable de fonds à la recherche d'un placement rémunérateur, en provenance des pays exportateurs de pétrole.

Dans le même temps, l'environnement macroéconomique international fut très propice à la progression de l'endettement : forte croissance, faibles taux d'intérêt nominaux, forte inflation des prix du commerce mondial, auxquels vinrent s'ajouter les effets du premier choc pétrolier. L'augmentation importante des besoins de financement externe des pays en développement les incita dès lors à s'endetter auprès des banques commerciales. Ces dernières, sous l'empire d'une conjoncture favorable, se précipitèrent dans ce qu'elles percevaient comme une exposition à très bon rapport risque/rendement. Ainsi, l'évolution à la fois de l'offre et de la demande conduisit à une forte expansion des prêts bancaires aux pays en développement.

Après le deuxième choc pétrolier, la conjoncture se modifia. La lutte contre l'inflation devint prioritaire dans les principaux pays industrialisés, qui mirent en place des politiques monétaires restrictives. En même temps, les déficits des paiements des pays en développement se creusèrent sous l'effet du deuxième choc pétrolier. Cette période fut caractérisée par une hausse des taux d'intérêt et un raccourcissement de l'échéance des emprunts.

L'environnement économique est une cause indéniable de l'émergence d'une situation de crise[4]. Ainsi, l'environnement économique du début des années 80, caractérisé par une forte décélération de l'activité économique, par des taux d'intérêt nominaux très élevés, par une détérioration des termes de l'échange des pays en développement (et donc des taux d'intérêt réels élevés), a joué un rôle de révélateur et de catalyseur de cette crise. Mais, de façon analogue à la situation des années 30, d'autres déséquilibres fondamentaux expliquent en profondeur les difficultés qui se sont révélées[5]. Ces

déséquilibres se situent au niveau des politiques macroéconomiques des pays en développement, mais diffèrent considérablement d'un pays à l'autre (même si l'on retrouve dans la gestion de ces pays quelques traits communs, notamment une monnaie surévaluée incitant à la fuite des capitaux par crainte de dévaluation).

**Pays en développement endettés.
Taux d'intérêt réel**

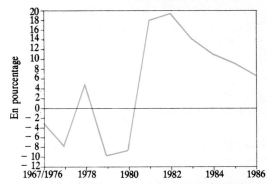

1. Le taux d'intérêt réel est calculé en retranchant du taux LIBOR la variation des prix unitaires des exportations des pays en développement endettés.

2. Les pays en développement endettés, dans la classification du FMI, regroupent tous les pays en développement sauf les pays du Moyen-Orient exportateurs de pétrole.

Sources : FMI et Cisi-Wharton.

Ainsi, l'accroissement de la dette argentine a principalement servi à financer les fuites de capitaux, et non les déficits des balances des paiements courants. Tel est aussi le cas du Mexique. En revanche, les politiques d'emprunt du Brésil et du Chili ont été dictées par les déficits des paiements courants. Au Chili, ce déficit était dû à un report massif de la demande sur les biens d'importation durables, provoqué par une surévaluation considérable du taux de change ; au Brésil, c'est le déficit budgétaire qui

3. Jonathan Eaton et Mark Gersovitz, *Poor Country Borrowing in Private Financial Markets and the Repudiation Issue,* Princeton Studies in International Finance, n° 47, juin 1981.

4. Voir l'analyse de Paribas, dans *Conjoncture,* janvier 1984.

5. Rudiger Dornbusch, *External Debt, Budget Deficits and Disequilibrium Exchange Rates,* Working Paper n° 1336, National Bureau of Economic Research, Cambridge, Massachusetts, avril 1984. Voir aussi : Thomas O. Enders et Richard P. Mattione, *Latin America, The Crisis of Debt and Growth,* Studies in International Economics, The Brookings Institution, Washington, DC, 1984.

fut principalement responsable de la croissance des besoins de financement externes. Dans tous les cas, la gestion de la dette extérieure et de sa croissance a pour le moins manqué de rigueur.

Si l'on dresse un tableau du financement de la balance des paiements des principaux pays endettés entre 1977 et 1984, on constate en premier lieu que le déficit de ces pays a considérablement augmenté entre 1977 et 1981-1982, puis a remarquablement diminué en 1983-1984, sous l'effet notamment des programmes d'ajustement mis en place sous l'égide du Fonds monétaire international.

Financement de la balance des paiements des principaux pays endettés 1977-1984 (1)
(en milliards de dollars)

	1977	1978	1979	1980	1981	1982	1983	1984
(1) Déficit de la balance des paiements	26,7	37,9	35,4	41,3	79,5	74,9	39,6	31,1
(2) Accumulation de réserves (- : utilisation)	5,9	10,8	18,9	15,2	- 8,9	- 21,5	- 0,9	7,7
(3) Total ((1) + (2))	32,6	48,7	54,3	56,5	70,6	53,4	38,7	38,8
Financé par :								
(4) Flux hors dette	7,0	8,7	13,0	10,4	12,8	11,5	8,0	8,7
en % de (3)	21 %	18 %	24 %	18 %	18 %	22 %	21 %	22 %
- Transferts officiels	2,9	3,1	3,9	4,0	4,3	3,8	3,8	3,7
- Investissements directs (net)	3,9	4,9	6,3	5,4	8,8	7,8	4,1	4,8
- Allocations de DTS et réévaluations	0,2	0,7	2,8	1,0	- 0,3	- 0,2	0,1	0,2
(5) Accroissement de l'endettement extérieur net dû au financement de la balance des paiements ((3) - (4))	25,6	40,0	41,3	46,1	57,8	41,9	30,7	30,1
(6) Accroissement de l'endettement extérieur net constaté		55,9	59,0	69,2	74,2	65,1	40,5	34,2

Source : FMI, *World Economic Outlook,* avril 1984, annexe statistique, tables 27 et 35.
1. Le groupe des "principaux pays endettés" comprend les 25 pays en développement les plus endettés en 1982, à savoir : Algérie, Argentine, Brésil, Chili, Colombie, Corée, Egypte, Hongrie, Inde, Indonésie, Israël, Malaisie, Maroc, Mexique, Nigeria, Pakistan, Pérou, Philippines, Portugal, Roumanie, Afrique du Sud, Thaïlande, Turquie, Venezuela, Yougoslavie.

La deuxième observation que ce tableau suscite est la quasi-constance des flux non créateurs de dette, c'est-à-dire les transferts officiels, les investissements directs, les allocations de DTS. Dès lors, l'augmentation des besoins de financement externes ne pouvait être couverte que par une utilisation des réserves officielles ou par recours à l'endettement extérieur. Jusqu'en 1981, c'est cette dernière formule qui a été préférée ; mais, en 1981 et 1982, l'accroissement considérable du déficit de la balance des paiements courants a nécessité de puiser dans les réserves. Depuis fin 1982, l'ajustement a prévalu : une réduction massive des importations a permis aux pays endettés de réduire remarquablement le déficit de leur balance des paiements courants.

Enfin, on remarque (lignes (5) et (6) du tableau) que l'accroissement de l'endettement extérieur constaté a été supérieur aux besoins de financement recensés. Bien que ces données chiffrées sur les balances des paiements et flux financiers soient sujettes à caution, et que le recensement statistique de l'endettement soit encore imparfait, la différence ainsi mise en évidence suggère qualitativement que les fuites de capitaux ont joué un rôle non négligeable dans l'accroissement de la dette et les difficultés récentes des pays endettés.

Il serait faux de dire que personne n'avait annoncé la crise. Mais aucune mesure n'a pourtant été prise pour prévenir son éclatement, en août 1982, avec la cessation de paiement du Mexique qui ne disposait plus des réserves en devises et des financements externes adéquats pour assurer le service de la dette. Ce fut une véritable réaction en chaîne qui fut ainsi amorcée, entraînant une vague de cessations de paiements.

Un des problèmes principaux, particulièrement apparent dans le cas du système bancaire le plus exposé, celui des Etats-Unis, tient à la concentration géographique des risques bancaires sur un certain nombre de pays, tout particulièrement les pays d'Amérique latine les plus endettés. En outre, les chiffres globaux concernant la totalité du secteur bancaire américain ne reflètent pas toujours l'acuité des risques encourus par certaines des plus grandes banques.

Exposition (1) des banques américaines sur les pays en développement non pétroliers (en milliards de dollars)

	Juin 1983	Décembre 1983	Mars 1984	Juin 1984	Septembre 1984
Toutes banques					
Capital	74,7	79,3	80,4	84,7	86,9
Exposition en % du capital					
Afrique	6,3 %	6,1 %	6,0 %	5,6 %	5,2 %
Asie	38,6 %	38,1 %	36,2 %	33,6 %	31,2 %
Amérique latine	94,0 %	90,4 %	91,0 %	88,0 %	85,7 %
Neuf plus grandes banques					
Capital	30,2	31,5	31,9	34,1	34,3
Exposition en % du capital					
Afrique	12,5 %	12,1 %	11,7 %	10,6 %	10,1 %
Asie	62,4 %	61,7 %	60,2 %	54,5 %	51,5 %
Amérique latine	137,4 %	135,2 %	136,8 %	132,1 %	131,4 %

Source : Federal Financial Institutions Council, *Statistical Release,* différentes dates.

L'"exposition" des neuf plus grandes banques américaines est, en relation à leur capital, bien supérieure à l'exposition de l'ensemble des banques. Moins sensible certes que pour les banques américaines, cette concentration est aussi toutefois une caractéristique des bilans des banques européennes et notamment françaises.

Venant encore renforcer les risques, les difficultés de paiement se révélaient beaucoup plus

Répartition géographique des créances bancaires françaises à plus d'un an sur l'extérieur (en milliards de francs, décembre 1984)

Créances sur :	Décembre 1983	Décembre 1984	En % du total des créances 1984	Créances à court terme (1-2 ans)	Créances à moyen terme (2-7 ans)	Créances à long terme (+ de 7 ans)
Pays industrialisés	133	146	28 %	53	45	47
Centres off-shore	18	21	4 %	10	7	5
Pays de l'Est	57	64	12 %	13	38	13
dont URSS	18	23	4 %	3	14	6
Autres	39	41	8 %	10	24	8
Pays en développement	241	295	56 %	63	110	122
dont OPEP	58	77	15 %	23	34	19
Amérique latine	89	120	23 %	17	30	74
Argentine	6	9	2 %	3	3	3
Brésil	52	65	12 %	7	7	51
Mexique	16	27	5 %	1	13	13
Asie	30	23	4 %	6	8	9
Corée du Sud		6	1 %	4	1	1
Philippines		1	0 %	0	1	1
Afrique	64	67	13 %	13	35	20
Maroc		14	3 %	2	5	7
Côte-d'Ivoire		10	2 %	1	4	6
Moyen-Orient		7	1 %	4	3	1
Total PED non OPEP	183	218	41 %	39	76	103
Total général	449	526	100 %	140	199	187

Source : Banque de France.

aiguës pour les pays latino-américains, sur lesquels l'exposition des banques était la plus importante, que pour les pays asiatiques, à l'exception des Philippines. Le rapport "endettement extérieur/recettes d'exportations de biens et services" des pays d'Asie est resté remarquablement stable entre 1973 et 1983, alors qu'il passait de 175 % à 285 % pendant la même période dans les pays d'Amérique latine. Cette différence tient à la stratégie de croissance des pays d'Asie, essentiellement fondée sur le développement des exportations, alors que les pays latino-américains adoptaient des politiques de substitution aux importations[6]. Quant aux pays africains, force est de reconnaître que l'ampleur de leur drame pourtant réel n'a pas représenté de menace pour le système bancaire et financier international. Le problème de ces pays relève plutôt des institutions d'aide multilatérales et des aides nationales au développement, jusqu'à présent insuffisantes et impuissantes à leur donner une place sur l'échiquier géo-économique mondial.

Dans les années 30, la plus grande partie de la dette internationale était constituée de titres, dont les porteurs assuraient individuellement la totalité des risques. Dès lors, les défauts pouvaient être absorbés par le système sous la forme d'une perte de revenu des investisseurs : ces derniers, tantôt formaient des clubs de négociation afin d'essayer de rétablir le flux des paiements qui leur étaient dûs, tantôt vendaient à perte leurs titres en défaut. Les pertes étaient importantes, mais pouvaient, par l'appauvrissement de certains détenteurs privés de richesse, être absorbées sans que la structure économique en fût menacée.

C'est là la différence fondamentale avec le système présent. Depuis le début des années 60, les banques ont considérablement accru le montant et le champ de leurs opérations internationales. Elles assurent donc un processus d'intermédiation international essentiel entre les ressources et les emplois de capitaux. Or, à l'heure actuelle, une grande partie de la dette internationale est détenue par des banques commerciales dans les pays industrialisés, et représente une forte proportion de leur capital. Il s'ensuit une fragilité inhérente au système : les banques sont des intermédiaires financiers à fort levier, qui génèrent un volume important de prêts à partir d'une base de capital relativement faible, et jouent pour cette raison un rôle pivot dans le fonctionnement et le financement des économies nationales. Dès lors, si leur équilibre financier était mis en danger dans leurs opérations internationales, la santé des économies nationales dans lesquelles elles fonctionnent serait aussi menacée. Les mécanismes de l'intermédiation bancaire assurent la transmission des chocs à tout le système. La plupart des banques qui ont une activité internationale se financent auprès de banques plus importantes, ce qui augmente le risque de propagation des difficultés bancaires.

Dès lors, le risque de faillites bancaires pouvait paraître à juste titre menaçant, à la suite des cessations de paiement de pays sur lesquels les créances de plusieurs établissements représentaient une proportion inconsidérée de leurs avoirs totaux et de leur capital. Bien entendu, quelques voix s'élevaient ici ou là pour réclamer que les banques payent les coûts d'une expansion excessive de leurs activités et d'une mauvaise appréciation de leurs risques ; en fait, il est difficilement envisageable, pour les autorités monétaires, de laisser une banque importante faire faillite, comme l'ont d'ailleurs confirmé à plusieurs reprises les réactions de la Réserve fédérale américaine aux difficultés qu'a connues, indépendamment des problèmes de l'endettement des pays en développement, le système bancaire américain depuis 1984. Par l'intermédiaire des banques, la crise de la dette touchait donc, dès août 1982, l'ensemble des structures économiques ; les conséquences de la crise pouvaient dépasser le cadre du seul système bancaire directement touché.

Ainsi s'explique la polarisation immédiatement apparente des recommandations concernant la gestion de la crise. A ceux qui se montraient confiants dans l'aptitude des gouvernements (pour la dette officielle) et des banques (pour la dette bancaire) à faire face aux problèmes au fur et à mesure qu'ils se présentaient (gestion de la dette au coup-par-coup), s'opposaient ceux qui, mettant l'accent sur l'intégration financière des économies, recommandaient une approche globale de nature à alléger le fardeau de la dette et à réduire ainsi les tensions pesant sur le système financier international. Cette dernière approche donnait lieu à de nombreuses

---

6. Banque des règlements internationaux, *Rapport annuel,* 1984.

propositions très imaginatives[7], qui avaient le mérite de traiter le problème en profondeur et dans une optique de long terme. Mais, à l'examen, ces propositions apparaissaient difficiles à mettre en œuvre, voire inadaptées à la situation.

Il s'avérait difficile tout d'abord de ne pas tenir compte de la spécificité des problèmes propres à chaque pays ; mais il était impossible de prévoir une solution globale qui tienne compte de cette spécificité. Ensuite, ces solutions heurtaient les principes d'orthodoxie financière dont il paraissait pourtant important, pour la stabilité du système, de maintenir au moins l'apparence. Les banques sont rémunérées sur le risque qu'elles prennent, suivant un principe financier sain de relation risque/rendement. Une entorse ouverte à ce principe pouvait avoir deux inconvénients, le premier de tarir complètement les flux bancaires à destination des pays en développement, le second d'être mal admis par d'autres catégories d'emprunteurs, notamment ceux qui ont réussi à assainir momentanément leur situation financière au prix d'efforts d'ajustement draconiens. Enfin, le grand nombre de banques impliquées, la diversité de leurs intérêts (voir ci-dessous) et la variété de leurs relations avec leurs gouvernements rendaient peu praticables les approches globales préconisées.

Conformément à l'histoire des flux financiers internationaux depuis le XIXe siècle, l'enthousiasme des prêteurs a fait place, en août 1982, à la désillusion, et à la grande réticence des banques à accroître leurs prêts "spontanés" aux pays lourdement endettés. Face à l'assèchement des crédits, c'est le Fonds monétaire international qui a assuré le maintien d'un flux minimal de fonds vers les pays débiteurs, par la mise en place de programmes d'ajustement conjointe à la coordination efficace de financements bancaires et de ses propres crédits.

On mesure mieux le rôle du FMI en pensant au processus même de négociation dès lors qu'une cessation de paiement intervient : le pays endetté en cessation de paiement ne peut verser les arriérés d'intérêt qu'en échange d'une garantie d'obtention des ressources financières minimales qui lui sont nécessaires ; les banques créditrices ne peuvent accepter de maintenir leur engagement qu'en échange d'une garantie que la politique économique suivie par le pays débiteur assurera sa solvabilité. Sans intervention exté-

rieure, la négociation risque fort d'aboutir à un blocage, car les garanties restent invérifiables[8].

C'est grâce à l'intervention extérieure - en l'occurence celle du Fonds monétaire international, des organisations internationales, notamment la Banque des règlements internationaux, qui ont accordé des prêts-relais, et des banques centrales des pays créditeurs - que progressent les négociations entre débiteurs et créanciers : "*L'acceptation, par les pays débiteurs, de la conditionnalité du FMI est devenue un élément-clef (des) négociations (...), dont les banques ont fait dépendre leur propre acceptation des programmes de refinancement*[9]". C'est ainsi qu'un nombre croissant de rééchelonnements ont pu être réalisés, tout en préservant la solidarité parmi les banques. Face à la crise de l'endettement, les banquiers ont en effet des motivations importantes pour accepter les contraintes et les coûts de la négociation collective.

Toutefois, la syndication des prêts bancaires aux pays en développement met en jeu un très grand nombre de banques ; son fonctionnement est dès lors soumis aux lois de la "logique de l'action collective". En particulier, les intérêts perçus par chaque banque individuellement peuvent différer de l'intérêt collectif du syndicat. Lorsqu'il devient nécessaire de rééchelonner une dette, le risque existe que plusieurs banques soient individuellement tentées de se retirer, laissant aux autres la charge du refinancement, voire que l'une d'entre elles déclare la mise en défaut officielle de l'emprunteur. Ainsi, la logique de l'action collective tend à s'articuler autour des deux pôles, l'un de convergence des attitudes, l'autre de fuite, dissociation, et pani-

---

7. Pour un exposé de ces propositions, voir le bulletin *Conjoncture* de la banque Paribas, janvier 1984.

8. Les adeptes de la théorie des jeux reconnaîtront ici un exemple caractéristique de "dilemme du prisonnier", jeu dans lequel chacun des joueurs a intérêt à être coopératif s'il est sûr que l'autre le sera, le résultant étant qu'aucun ne coopère. Pour plus de précision, voir la note n° 2 dans l'encart intitulé "Sommets économiques : la fin d'une idéologie dominante", dans le chapitre 1 de la partie III du présent rapport.

9. Banque des règlements internationaux, *Rapport annuel*, 1984, p. 124.

que[10]. La stabilité du premier n'est assurée que si les mouvements éventuels de retrait apparaissent comme des cas isolés, s'il y a rachat immédiat des créances des banques qui se désistent. Il est remarquable que la convergence, depuis août 1982, ait pu être aussi bien maintenue.

1.2. L'AJUSTEMENT-MIRACLE

Ainsi, quoi que l'on pense, au demeurant, de la nature des programmes d'ajustement macroéconomique mis en place par le Fonds monétaire international, c'est d'abord l'existence même de ces programmes qui a joué un rôle déterminant dans la gestion de la crise, et le fait qu'ils emportent l'adhésion des gouvernements des pays débiteurs.

L'objectif essentiel des programmes d'ajustement du Fonds monétaire est de réorienter la politique économique des pays en développement de manière à rétablir une position extérieure saine, en vue de restaurer au plus vite leur côte internationale de crédit notamment auprès des banques. L'action préconisée comporte trois axes principaux, à savoir :

- une plus grande stabilité des prix, ce qui implique une maîtrise des déficits budgétaires et de la croissance monétaire ;
- une meilleure "vérité" des prix, des taux de change, des taux d'intérêt - afin de rétablir des conditions propices à l'accroissement de la production, des investissements, des exportations -, ce qui implique entre autres le démantèlement d'étroites réglementations et de lourdes subventions, et l'abandon de la politique de taux de change surévalués qui a caractérisé les politiques économiques de la plupart des pays endettés ;
- enfin, une gestion plus prudente de la dette extérieure - ce qui implique, au moins provisoirement, une diminution sensible des besoins d'emprunt et une reconstitution des réserves en devises.

Il s'agit de mesures correctives de grande ampleur, compte tenu des dérapages très sensibles des équilibres macroéconomiques des pays en développement, alors qu'ils ont déjà subi de plein fouet la récession mondiale. En comparaison, l'ajustement déjà important et coûteux des

pays européens apparaît beaucoup plus limité. On ne peut donc qu'être sensible au choc social et économique que créent ces trains de mesures. En outre, ils définissent des objectifs plus que des stratégies, et des objectifs difficilement réalisables dans le court terme. Enfin, on peut aussi leur reprocher de méconnaître la spécificité de chaque économie nationale, et en particulier des pays en développement, car elles résultent d'un diagnostic établi sur la base d'un modèle d'économie de marché, ouverte et équilibrée.

Mais, encore une fois, l'existence et le contenu de ces programmes sont deux aspects indépendants et importants de leur raison d'être. Ce dont les pays débiteurs devaient faire preuve, c'est d'une volonté de remédier aux politiques qui ont contribué à créer la situation de crise. Toute crise est une rupture ; il est nécessaire, pour en briser la dynamique, de prendre des mesures claires et brutales. Vus sous cet angle, les programmes d'ajustement mis en place sous l'égide du Fonds monétaire international ont incontestablement joué un rôle positif. C'est en revanche maintenant qu'il est urgent de mettre en place des montages à plus long terme et mieux adaptés à la situation propre de chaque pays ; c'était difficile au moment de la crise, cela est nécessaire aujourd'hui pour éviter une prochaine rupture.

Dans les faits, au demeurant, le Fonds monétaire international s'est, jusqu'à l'interruption de ses versements au Brésil, mi-février 1985, montré tout à fait tolérant ; dans bien peu de cas les objectifs monétaires et budgétaires fixés ont pu être tenus ; ils ont alors été corrigés en hausse. En ce qui concerne les engagements de balance des paiements, l'ajustement était, pour ainsi dire, forcé : il ne peut y avoir déficit qu'à concurrence des financements disponibles. En outre, la reprise du commerce mondial sous l'impulsion de l'expansion considérable des importations américaines a permis que les objectifs de balance des paiements soient même, en général, dépassés. Dès lors, les programmes d'ajustement eux-mêmes ont été jusqu'à présent beaucoup plus contraignants sur le papier que dans la réalité. La véritable contrainte, pesante

10. Voir Jeffrey D. Sachs, *Theoretical Issues in International Borrowing*, Working Paper n° 1189, NBER, Cambridge Mass., août 1983 ; Daniel Cohen et Jeffrey D.Sachs, "The Debt of Nations", mimeo, avril 1984.

et incontournable, a été celle de l'indisponibilité de financements extérieurs. N'aurait-elle pas été encore plus lourde sans l'intervention du FMI ?

L'ajustement extérieur s'est, dans l'ensemble, remarquablement effectué. Comme le note le Fonds monétaire international[11], les sept pays les plus endettés (Argentine, Brésil, Corée, Indonésie, Mexique, Philippines et Venezuela) ont réduit de près de 40 milliards de

dollars leur déficit global des paiements courants entre 1982 et 1984, année où, pris globalement, ils ont presque atteint l'équilibre. Cela dit, l'ajustement n'a pas été uniforme au sein de ce groupe.

---

11. *World Economic Outlook,* Fonds monétaire international, Washington, DC, avril 1985.

L'ajustement des paiements courants des pays en développement (1981-1985) (en milliards de dollars)

	1981			1982			1983			1984			1985		
	B	I	E	B	I	E	B	I	E	B	I	E	B	I	E
Afrique	-20,0	74,2	68,5	-20,6	67,2	61,2	-13,9	55,1	54,7	-10,3	54,7	59,1	-11,8	55,6	58,9
Côte-d'Ivoire	-1,7	2,1	2,4	-1,1	1,8	2,5	-0,9	1,5	2,2	-0,4	1,4	2,5	-0,3	1,5	2,7
Egypte	-2,1	7,9	4,0	-2,2	7,7	4,0	-0,8	7,5	3,7	-0,4	7,5	3,6	-0,6	7,9	3,8
Gabon	0,4	0,8	2,2	0,3	0,7	2,2	0,2	0,7	2,0	0,4	0,7	2,0	0,4	0,7	1,9
Nigeria	-5,9	18,9	18,0	-7,7	16,9	12,9	-3,5	9,9	9,6	-0,1	7,5	10,9	0,2	6,7	10,9
Zaïre	-0,9	1,0	0,8	-0,7	0,7	0,7	-0,6	0,6	0,8	-0,5	0,6	0,8	-0,5	0,6	0,9
Amérique latine	-40,6	98,4	96,8	-34,7	78,9	88,6	-8,6	56,3	87,5	-2,5	59,5	102,8	-8,9	62,8	100,0
Argentine	-4,7	9,4	9,1	-2,5	5,3	7,6	-2,3	4,5	7,8	-2,4	4,7	8,7	-1,6	4,7	8,9
Brésil	-11,7	22,1	23,3	-16,3	19,4	20,2	-6,8	15,4	21,9	-0,7	13,9	27,1	-2,0	15,8	26,4
Chili	-4,8	6,2	3,8	-2,1	3,6	3,7	-1,0	2,8	3,8	-2,0	3,4	3,6	-1,7	3,7	4,4
Colombie	-2,2	-	3,2	-2,6	-	3,3	-2,0	4,2	2,9	-3,1	4,7	3,1	-1,5	3,8	3,6
Mexique	-12,5	25,1	19,4	-4,9	15,1	20,9	5,3	9,0	22,3	4,0	11,8	24,1	-0,1	15,3	22,1
Venezuela	4,1	12,1	20,2	-4,2	13,2	16,5	4,4	6,4	14,8	4,4	7,3	16,0	1,9	8,2	13,2
Asie (Bassin pacifique)	-15,6	140,2	131,5	-16,5	137,4	126,2	-11,9	141,9	134,3	-6,8	153,1	151,6	-7,3	162,7	159,3
Corée	-4,6	24,3	20,7	-2,7	23,5	20,9	-1,6	24,9	23,2	-1,4	28,1	27,0	-1,1	29,0	28,8
Indonésie	-0,6	16,5	23,3	-5,3	17,9	19,7	-6,3	17,7	18,7	-2,9	15,0	19,4	-2,6	15,3	19,7
Philippines	-2,3	7,9	5,7	-3,4	7,7	5,0	-2,8	7,5	5,0	-1,1	5,8	5,3	-0,9	5,1	5,0

Source : Banques de données et estimations Cisi-Wharton, juillet 1985.
B : Balance des paiements courants.
I : Importations de marchandises (FOB).
E : Exportations de marchandises (FOB).

C'est la Corée qui a le mieux réussi, en parvenant à maintenir le niveau de ses importations et à accroître ses recettes d'exportations. Dans les autres cas, des coupes sombres ont été nécessaires dans les importations (voir tableau), tout particulièrement marquées pour le Mexique (9 milliards en 1983 contre 25 milliards en 1981) et l'Argentine (4,5 milliards en 1983 contre 9,4 en 1981). Mais le Mexique parvenait à augmenter ses recettes d'exportations dès 1982, alors que le Brésil n'y parvenait qu'en 1984, mais de façon substantielle (+ 25 %). Quant à l'Argentine, elle n'avait pas retrouvé en 1984 un niveau de recettes d'exportations, en dollars courants, comparable à celui de 1981, de même que le Venezuela, victime de la conjoncture pétrolière internationale.

Une comparaison globale par régions montre que c'est l'Amérique latine qui a fourni l'effort le plus important, réduisant ses importations de 98,4 milliards de dollars en 1981 à 59,5 en 1984

alors qu'elle parvenait à maintenir ses recettes d'exportation (96,8 milliards en 1981, 102,8 en 1984). Les pays du bassin du Pacifique parvenaient à diminuer substantiellement le déficit courant sans que la croissance des importations en soit affectée, sauf temporairement en 1982.

Quant à l'Afrique, le déficit courant a été réduit mais reste substantiel (10 milliards de dollars) par rapport aux autres régions ; la diminution des importations a été très marquée et leur valeur ne rejoindra pas encore en 1985 celle des recettes de 1981, tandis que les exportations ont, aussi, fortement diminué et ne montrent encore en 1985 aucun dynamisme. Le FMI[12] souligne certes que la contrainte financière extérieure a été relativement moins importante pour les pays les plus pauvres, notamment

12. *Idem.*

La croissance réelle dans les pays en développement
(taux moyen annuel en pourcentage)

	1980	1981	1982	1983	1984
Afrique	4,4	0,1	1,2	- 0,5	1,0
Côte-d'Ivoire	nd	nd	- 2,6	- 4,0	- 2,2
Egypte	9,2	8,8	5,5	- 3,1	- 3,5
Gabon	nd	nd	- 0,8	2,3	1,2
Nigeria	nd	nd	- 2,2	- 4,9	- 0,9
Zaïre	nd	nd	2,0	- 2,7	2,6
Amérique latine	6,2	0,7	- 1,3	- 3,4	2,7
Argentine	1,1	- 7,1	- 5,3	2,8	2,4
Brésil	7,9	- 1,9	1,4	- 3,2	4,1
Chili	- 1,5	3,4	- 13,9	- 0,7	6,3
Mexique	8,3	7,9	- 0,5	- 5,3	3,5
Venezuela	- 1,7	0,4	0,6	- 4,8	- 1,5
Asie (Bassin pacifique)	5,8	6,7	3,6	5,7	5,9
Corée	- 3,0	6,9	5,5	9,5	7,4
Indonésie	9,9	7,9	2,2	4,2	6,5
Philippines	5,0	3,8	3,0	1,0	- 5,5

Source : Banques de données Cisi-Wharton, juillet 1985.

ceux d'Afrique, puisqu'ils étaient plus dépendants de flux de financement officiels qui se sont moins taris que les flux bancaires ; mais la forte diminution des recettes d'exportations a néanmoins accentué les coûts de l'ajustement.

L'inégalité des performances se retrouve dans les chiffres relatifs à la croissance, en termes réels, de la production intérieure. Les pays d'Asie (bassin du Pacifique) ont retrouvé des taux de croissance élevés, à l'exception des Philippines (- 5,5 % en 1984). Après une dépression marquée en 1982 et 1983, l'Amérique latine a, elle aussi, retrouvé le chemin de la croissance ; le Venezuela cependant reste à la traîne ; quant à l'Argentine, les prévisions disponibles pour 1985 font état d'une croissance négative.

L'Afrique connaît, pour sa part, une quasi-stagnation de son revenu réel depuis 1981, c'est-à-dire une baisse du revenu réel par habitant, particulièrement marquée en Côte d'Ivoire, au Nigeria, en Egypte.

Au vu de ces résultats, on peut tirer quelques conclusions connues : les pays endettés d'Asie, par leur dynamisme à l'exportation, ont pleinement su profiter de la reprise américaine pour faire face avec succès à des difficultés temporaires liées à un endettement important. Seule exception à ce constat, les Philippines n'ont pas encore réussi à assainir leur situation économique. Les pays d'Afrique connaissent une situation de crise économique chronique, dont le problème de l'endettement n'est qu'un des multiples aspects. Leur cas relève de l'aide au développement, mais il ne saurait suffire d'en augmenter le volume, même si cette mesure est essentielle. Ce sont les modalités de cette aide, ses objectifs, son affectation, ce sont aussi les structures d'assistance technique mises en place, qui doivent faire l'objet d'un examen approfondi. Il ne fait aucun doute que la situation désespérée des pays les plus pauvres ne relève pas de la même thérapeutique que celle des pays en développement d'Amérique latine.

Ces derniers ont, globalement, réussi leur ajustement extérieur. Mais, comme le note Anatole Kaletsky[13], des menaces de crise persistent. Ils n'ont consenti en effet que la moitié des efforts d'ajustement préconisés. En termes de stratégie, l'amélioration de la situation extérieure est venue de l'obtention d'importants excédents commerciaux, et devait, dans les programmes du FMI, reposer sur un dosage de deux types de mesures, les premières portant, par le biais d'une dévaluation des taux de change, sur des transferts de ressources au profit des biens à l'exportation et des biens substituts aux importations, les secondes portant sur une réduction adéquate de la demande interne, afin de compenser la pression inflationniste résultant du premier train de mesures sur le marché intérieur. C'était là une faiblesse importante des programmes d'ajustement, car les pays débiteurs ont mis l'accent sur le premier train de mesures, et refusé d'arbitrer entre la rigueur que demandait le second et la relance de leurs économies déjà exsangues.

La conséquence a été un important dérapage inflationniste, qui a, dans le cas du Brésil, été sanctionné par une rupture avec le FMI : l'augmentation moyenne annuelle des prix à la consommation au Brésil est passée de 95 % en 1982 à près de 300 % en 1985. Les risques d'hyperinflation que sous-tendent ces chiffres ne sont pas de nature à restaurer la confiance des créanciers, malgré des résultats tout à fait remarquables sur le plan des échanges avec l'extérieur.

Trois ans après la cessation de paiements mexicaine, le constat que l'on peut dresser comporte donc deux volets : d'une part, un ajustement extérieur forcé considérable a été effectué par les pays en développement fortement endettés, surtout par ceux qui dépendaient le plus massivement de flux bancaires pour assurer leurs besoins de financement extérieur ; d'autre part, la continuation de dérapages macro-économiques internes importants dans la plupart des pays latino-américains et dont la correction requiert des années de rigueur économique et pose d'importants problèmes politiques et sociaux.

Depuis août 1982, l'épicentre de la crise de l'endettement des pays en développement, du point de vue du système financier international, s'est situé en Amérique latine. C'est aussi dans cette région du monde que persistent, en dépit de l'amélioration que nous avons décrite ci-dessus, les menaces les plus importantes. Mais il serait inapproprié d'assimiler les difficultés du

---

13. *Financial Times*, 20 février 1985.

sous-continent au seul problème de la dette extérieure, et de méconnaître les réalités internes spécifiques de chaque pays de la région.

S'il est manifeste que les contentieux financiers occupent le premier rang des déclarations officielles des gouvernements locaux, c'est plus dans un souci de ménagement des organismes créanciers que par volonté de politique intérieure. La réalité de chaque pays survit à la crise économico-financière. Sa juste appréciation sera cruciale à la fois pour l'avenir des relations que les pays industrialisés peuvent tisser avec eux, pour permettre à ces pays de retrouver l'accès aux sources de financement dont ils ont un besoin vital pour leur développement, mais aussi pour éviter qu'une crise majeure ne vienne confirmer la fragilité de l'équilibre politique dans des démocraties naissantes où pauvreté et inégalités endémiques engendrent des aspirations que la contrainte extérieure vient frustrer sans aménité.

1.3. VISAGES D'AMERIQUE LATINE

Au-delà de l'enjeu économique important que représentent les pays d'Amérique latine, l'évolution de leur rôle géopolitique reste un facteur important des relations internationales, et un élément déterminant, notamment, de la politique extérieure américaine dont on connaît l'attachement à l'hémisphère occidental.

Les cinq dernières années ont été celles de la naissance de la démocratie en Amérique latine. Un régime, celui du Chili, fait encore figure de vestige du passé, qui perd toutefois ses derniers appuis, tant à l'intérieur que dans les capitales sud-américaines et à Washington. Les deux évolutions les plus importantes sont celles du Brésil et de l'Argentine. Mais il serait injustifié de comparer l'arrivée au pouvoir de Raoul Alfonsin, surgie des ruines d'une hiérarchie militaire vaincue et discréditée, et encore peu assurée d'un réel soutien populaire, avec celle de feu Tancredo Neves au Brésil, qui représente une réelle amorce de mutation de la société brésilienne, mutation entamée - et c'est essentiel - par les militaires eux-mêmes.

En matière de politique extérieure, le Mexique entend avoir sa propre analyse de la situa-

tion centre-américaine qui le concerne au premier chef. Avec l'accession au pouvoir de Raoul Alfonsin, l'Argentine s'est rapprochée des positions mexicaines ; l'ouverture indéniable de l'Argentine en Amérique centrale constitue une nouvelle corde à l'arc des membres du groupe de Contadora (Mexique, Venezuela, Colombie, Panama).

Dans cet écheveau de relations politiques internes et régionales, les difficultés économiques viennent singulièrement compliquer l'analyse. Elles rendent périlleuses les importantes mutations dont la région est le cadre, mais aussi les relations de compromis établies avec les créanciers extérieurs et le Fonds monétaire

Population d'Amérique latine (en millions d'habitants) (variante moyenne)			
	1950	1985	2000	2025
Argentine	17,2	30,6	37,2	47,4
Brésil	53,4	135,6	179,5	245,8
Chili	6,1	13,1	15,0	18,8
Colombie	11,6	28,7	38,0	51,7
Mexique	27,4	79,0	109,2	154,1
Amérique latine tempérée(1)	25,5	45,7	55,5	70,1
Amérique latine tropicale(2)	86,0	223,2	304,1	436,3
Amérique latine(3)	164,9	406,2	550,0	786,6

Source : Nations-Unies, 1985.
1. Argentine, Chili, Falklands, Uruguay.
2. Bolivie, Brésil, Colombie, Equateur, Guyane française, Guyana, Paraguay, Pérou, Surinam, Venezuela.
3. Pays des groupes 1 et 2, Amérique centrale et Caraïbes.

international. Il est extrêmement difficile d'apprécier les conditions objectives de la stabilité politique et sociale d'un pays, ou de répondre à la question fondamentale de savoir si la sévérité économique des programmes d'ajustement qu'ont adoptés, ou doivent nécessairement adopter et poursuivre ces pays, est compatible avec cette stabilité.

Les trois premières années de l'ajustement ont apporté la preuve de la capacité de sacrifice et d'efforts d'économies chancelantes et de populations dont le degré de privation est déjà extrême. Il serait vain d'émettre des conjectures sur les risques d'effondrement politique, de soulèvements populaires, de radicalisation. En revanche, il paraît important de décrire quelques traits saillants du contexte politique, économique, et social de quelques pays aux évolutions symptomatiques.

Chili : L'isolement d'une dictature

Dans un continent où les dictatures cèdent le pas l'une après l'autre devant des gouvernements démocratiques, le régime chilien apparaît de plus en plus isolé. Aujourd'hui, le régime autoritaire du général Augusto Pinochet est confronté à une crise économique doublée d'une érosion manifeste de son assise politique.

On est bien loin du "miracle" économique chilien de la fin des années 70. Le Chili avait réussi, à partir de 1973, à considérablement assainir une économie en proie à l'hyperinflation, à redresser les finances publiques, et à libéraliser le commerce extérieur. En 1979, le gouvernement décida, afin de favoriser le processus de désinflation, de fixer le cours de la monnaie chilienne à un taux de 39 pesos par dollar. Mais l'inflation au Chili était encore bien supérieure à l'inflation américaine, et les salaires étaient indexés sur cette inflation. La fixation du taux de change conduisit donc à une surévaluation croissante du peso chilien, et à un accroissement important du pouvoir d'achat des salariés.

En raison de la surévaluation, la demande se porta massivement sur les biens durables importés, ce qui entraîna une détérioration importante du solde commercial. Ce report de la demande se fit au détriment de la production intérieure, et conduisit à un accroissement du chômage, et à une dégradation des finances publiques qui vint vint renforcer la détérioration de la balance des paiements courants. La chute des cours du cuivre, dont le Chili tire près de la moitié de ses recettes d'exportation, entraîna en outre une diminution marquée des recettes d'exportation. L'aggravation du déficit extérieur fut financée par recours à l'endettement[1]. L'économie chilienne s'effondra en 1982, année où la production chuta de 14 % en volume. En juin 1982, le gouvernement mit fin à la surévaluation du peso et a depuis cherché, par des dévaluations fréquentes, à stabiliser le déficit des paiements courants.

Stabilité des prix et équilibre de la balance des paiements sont les deux objectifs fixés dans le cadre du programme d'ajustement conclu avec le FMI. Pourtant, le gouvernement chilien a mené en 1984 une politique budgétaire expansionniste.

Elle permit une reprise significative de l'activité économique, mais conduisit aussi à une nouvelle dégradation des comptes extérieurs. En 1985, l'endettement du pays et le niveau de ses réserves en devises restent préoccupants.

La crise économique a contribué à entraver sérieusement l'assise du régime d'Augusto Pinochet. Celui-ci avait réduit l'opposition au silence et était même plébiscité en 1978. Aujourd'hui, l'érosion du régime se diffuse au sein de classes traditionnellement acquises au Général. 1983 fut l'année de manifestations d'envergure, suivies par un semblant d'ouverture de courte durée. Les *protestas* se multiplient et sont sévèrement réprimées. Leur impact reste limité en raison du manque de cohésion de l'opposition. Mais le problème de la transition politique de ce régime de plus en plus isolé se pose avec acuité. A l'heure actuelle, la classe moyenne, particulièrement touchée par la crise économique, pourrait être tentée de se tourner vers les mouvements d'obédience marxiste, selon un scénario comparable à celui de l'essor du sandinisme au Nicaragua d'avant 1979[2]. Deux menaces principales pèsent sur le futur politique du Chili : un durcissement du régime, éloignant encore toute perspective d'ouverture et de libéralisation ; ou une tentative de renversement du chef de l'Etat par la force, propulsant au pouvoir des groupes extrêmistes[3].

---

1. Voir l'analyse de Rudiger Dornbusch, *External Debt, Budget Deficits and Disequilibrium Exchange Rates*, Working Paper n° 1336, National Bureau of Economic Research, Cambridge, Mass., avril 1984.

2. Voir, à ce sujet, Lynda Schuster, "Chile's Middle Class Weighs Alternatives, Possibly Marxist, to Economic Nightmare", *Wall Street Journal*, 12 février 1985.

3. Voir l'article sur le Chili dans *Journal of Defense and Diplomacy*, novembre 1984.

Pérou : Lourde tâche pour Alan Garcia

Le Pérou fait figure, en Amérique latine, de pays en faillite. Sa dette extérieure totale, proche de 14 milliards de dollars, représente plus des trois quarts du produit intérieur brut. L'inflation s'est accélérée depuis 1982 et dépasse 100 %. Des conditions climatiques désastreuses ont depuis quelques années grandement perturbé la production. Le pays possède d'importantes ressources minières (cuivre, zinc, plomb, argent), mais la chute des cours, depuis 1980, a frappé son commerce extérieur de plein fouet. Cet effondrement des cours, et la réduction depuis 1982 des crédits extérieurs, ont contraint le Pérou à un ajustement forcé ; nécessitant une forte réduction des importations, une dévaluation importante de la monnaie, et des politiques budgétaire et monétaire restrictives.

Ce climat de crise économique est doublé d'une atmosphère de violence et de guérilla, que fait depuis plusieurs années régner le Sentier lumineux (*Sendero luminoso*), organisation d'obédience marxiste. Outre sa prédilection pour l'extrême violence, le Sentier lumineux se caractérise par une idéologie simpliste et l'absence d'objectifs. Le chef du mouvement, Abimael Guzman, résume ainsi l'esprit de l'organisation : *"Nous ne voulons pas d'élections. Nous ne sommes pas des révisionnistes. Nous prendrons le pouvoir après un bain de sang. Et nous y parviendrons dans deux ans[1]"*.

C'est ce climat de crise et d'insécurité qu'ont sanctionné les Péruviens lors de l'élection d'Alan Garcia à la présidence de la République. Son parti, l'Alliance populaire révolutionnaire américaine (APRA), de tendance social-démocrate, cherche à restaurer une identité nationale en crise. Son programme[2] implique un repli du pays sur lui-même, et condamne les mesures "socialement explosives" préconisées par le FMI. La renégociation de la dette extérieure s'annonce donc âpre et difficile. Alan Garcia a annoncé qu'il se passerait du FMI et négocierait directement avec les banques commerciales. On n'a pas fini d'entendre parler de la dette péruvienne.

La dette du pays est certes relativement modeste en comparaison de celle des grands pays latino-américains ; une confrontation entre le Pérou et ses créanciers, coûteuse pour les banques créditrices, n'ébranlerait toutefois pas directement le système bancaire international. Mais elle pourrait entraîner des réactions en chaîne de la part des pays voisins. La tâche des créanciers, lors des négociations, est avant tout de faire preuve de pragmatisme et non d'application brutale de l'orthodoxie économique de l'ajustement, et de savoir *"trouver une place politiquement réaliste pour le curseur de l'austérité[3]"*.

1. Nicole Bonnet, "Sentier lumineux annonce un boycottage sanglant des élections d'avril", *Le Monde*, 2 mars 1985.

2. Nicole Bonnet, "Le plan gouvernemental de M. Garcia prend le contre-pied des recommandations du FMI", *Le Monde*, 31 mai 1985.

3. Pierre Briançon, "Le Pérou fait suer les banques", *Libération*, 23 avril 1985.

Colombie : Une situation privilégiée

Avec 13,1 milliards de dollars de dette extérieure, soit moins d'un cinquième de sa production intérieure brute, la Colombie semble avoir jusqu'à présent échappé à la crise de l'endettement qui frappe le sous-continent. Elle est de fait le seul pays qui n'a pas eu besoin de rééchelonner sa dette extérieure ; elle a en 1984 refusé le programme d'ajustement que lui proposait le FMI, arguant que ses perspectives d'exportations lui permettraient de surmonter ses difficultés de balance des paiements sans prendre de mesures d'ajustement[1].

Deuxième producteur mondial de café, la Colombie reste en 1985 un pays essentiellement agricole. Mais son sous-sol recèle presque toutes les richesses naturelles, notamment or, platine, charbon, pierres précieuses, hydrocarbures. La récente découverte de réserves considérables de pétrole dans les régions frontalières du Venezuela est porteuse de sérieux espoirs de développement. D'importants projets d'exploitation des ressources énergétiques et minières ont été entrepris et devraient permettre au pays, dès la seconde moitié des années 80, de diversifier ses exportations.

Toutefois, si l'avenir de la Colombie est prometteur (on peut espérer que son potentiel et son évident dynamisme porteront leurs fruits), elle demeure un pays pauvre, avec un PIB par tête de 1 300 dollars[2] ; cette pauvreté est inégalement ressentie, puisque les Blancs, 20 % de la population, ont un niveau de vie comparable, en moyenne, à celui des Européens.

A la tête du pays, le président Belisario Betancur a, depuis son entrée en fonction en août 1982, forcé un respect unanime. A l'intérieur, il a conclu une trêve avec les leaders des différents mouvements de guérilla qui perturbent gravement la marche du pays depuis plus de trente ans. A l'extérieur, il est à l'origine de l'initiative du groupe de Contadora (regroupant le Mexique, le Venezuela, le Panama et la Colombie), qui

1. *Le Monde*, 27 novembre 1984

2. *Latin America Weekly Report*, 4 janvier 1985.

souhaite alerter les pays de la région sur les menaces que représentent entre autres l'instabilité politique en Amérique centrale et les perspectives d'exportation par le régime sandiniste de sa révolution[3].

Un problème essentiel reste celui du trafic de stupéfiants dont les revenus alimentent une économie clandestine vigoureuse. On estime que la vente à l'étranger de marijuana et de cocaïne raffinée rapportent autant de ressources que l'ensemble des exportations déclarées du pays[4]. Ce trafic s'est accompagné d'un développement inquiétant de la corruption, non seulement au niveau politique, mais aussi au sein même des structures économiques, financières et bancaires. Le gouvernement a entrepris, notamment sous la pression américaine, de s'attaquer à ce problème. Mais, paradoxalement, cette lutte a peut-être déjà contribué à entraver le crédit dont jouit le pays : les ressources "illicites" qui ont pu être dégagées par les ventes de stupéfiants aux Etats-Unis ont contribué à diminuer les besoins de financement externe du pays, voire à l'isoler de la crise financière internationale[5].

Récemment, la situation économique et financière de la Colombie s'est dégradée et a commencé à inquiéter les milieux financiers internationaux. Victime d'une diminution des revenus d'exportation due à la mauvaise conjoncture extérieure, la Colombie a préféré s'endetter, puis, face au resserrement de la contrainte financière extérieure, puiser dans ses réserves, plutôt que d'accepter la contrainte de l'ajustement. La diminution notable des réserves de change a considérablement affecté la côte de crédit et réduit la marge de manœuvre du pays, alors que la Colombie a un besoin crucial de capitaux extérieurs pour financer le plan de développement ambitieux qu'elle a adopté. Elle a cependant réussi à obtenir de ses banques en juillet 1985 une réponse positive pour un prêt de l'ordre de 1 milliard de dollars.

---

3. *Financial Times,* 23 avril 1985.

4. "Les singularités de la situation financière de la Colombie", *Problèmes économiques,* n° 1898, 14 novembre 1984, La Documentation française, Paris.

5. *Idem.*

Mexique : Un "bon élève" à mi-parcours

Le Mexique a parcouru un chemin considérable depuis que sa cessation de paiement en août 1982, a révélé au grand jour la gravité d'une crise économique qui mettait fin à plusieurs années de forte expansion. Fin mars 1985, le pays concluait un accord de principe avec le Fonds monétaire international sur les conditions de la troisième et dernière année de son plan d'ajustement ; il signait aussitôt avec ses banques créditrices un accord de rééchelonnement pluriannuel portant sur 49 milliards de dollars, c'est-à-dire près de la moitié de sa dette extérieure.

Malgré ces succès, c'est un optimisme prudent qui doit rester de mise : la charge future du service de la dette mexicaine reste importante ; l'effort d'austérité doit être encore poursuivi avec ténacité pour continuer d'assainir l'économie. Mais cet effort est jugé de plus en plus pesant par une population dont le revenu réel a diminué fortement après avoir progressé de près de 25 % par habitant entre 1978 et 1981. Par ailleurs, la baisse continue des prix du pétrole, dont le pays tire plus de 70 % de ses recettes d'exportations, et le ralentissement de la croissance aux Etats-Unis, qui absorbent les trois quarts des exportations mexicaines, sont autant de facteurs qui pèseront sur la conjoncture économique mexicaine et sur l'aptitude du pays à générer les ressources en devises nécessaires à faire face aux paiements du service de sa dette.

Douzième puissance économique occidentale, premier pays hispanique par sa population (79 millions d'habitants), le Mexique dispose d'énormes richesses minières, en particulier d'hydrocarbures. La production de pétrole brut était en 1983 de 149 milliards de tonnes (quatrième rang mondial), pour des réserves évaluées à 8 milliards de tonnes, 70 % des recettes d'exportation (1,5 milliard de barils/jour) du Mexique proviennent du pétrole, qui procure également 45 % des recettes fiscales du pays[14]. Sa politique économique a souffert d'un engouement excessif pour le secteur pétrolier dont on attendait qu'il fît merveille. Cet engouement, partagé par les créanciers internationaux, fut responsable à la fois d'un programme d'expansion fort coûteux, et du déclin de l'agriculture traditionnelle qui continue d'employer 36 % de la population active. En cinq ans, depuis 1980, les importations de céréales ont triplé.

---

14. David Bardner, *Financial Times,* 4 juin 1985.

Le rééchelonnement de la dette mexicaine

Depuis 1984, se dessine un changement de mentalité au sein de la communauté bancaire internationale à l'égard des modalités de rééchelonnement de la dette des pays en développement et plus particulièrement de certains pays parmi les plus endettés. La prise de conscience du caractère extrêmement contraignant pour ces pays des politiques d'ajustement mises en œuvre, la discipline dont ils ont généralement fait preuve autant dans l'application de ces programmes que dans l'acquittement du service de leur dette, le redressement dans la plupart d'entre eux des principaux indicateurs économiques, enfin les pressions du FMI et de certaines banques centrales (notamment la FED) en vue de faire prévaloir les impératifs à long terme des pays débiteurs, ont conduit les banques commerciales à envisager les rééchelonnements dans une perspective à plus long terme. C'est ainsi qu'en 1984 a été conclu avec le Mexique un accord de rééchelonnement pluriannuel qui, tant par les sommes (49 milliards de dollars) que par le report d'échéances (quatorze ans) concernés, représente un tournant dans la gestion des problèmes d'endettement. Les principaux volets de cet accord sont les suivants :

- les conditions du prêt (*new-money*) de 5 milliards de dollars accordé par les banques en 1983, ont été modifiées. Le Mexique doit payer d'avance au moins 1 milliard de dollars ; la dette restante est assortie d'une marge (*spread*) réduite de 0,75 % et l'échéance est reportée de cinq ans ;

- les échéances de la fraction de la dette publique, qui n'a toujours pas fait l'objet d'un réaménagement (environ 20 milliards de dollars) et qui est due entre 1985 et 1990, sont rééchelonnées sur quatorze ans. Le remboursement du principal commencera en 1986 ; au cours des premières années, les

remboursements porteront sur de petites sommes. La marge moyenne pondérée au-dessus du LIBOR sera de 1 1/8 % ;
- les échéances d'environ 24 milliards de dollars de dette publique, déjà rééchelonnée en 1983 et due entre 1987 et 1990, sont reportées jusqu'en 1998. A partir du 1er janvier 1985, la marge moyenne au-dessus du LIBOR sera de 1 1/8 % ;
- le taux d'intérêt des prêts est indexé sur le taux des certificats de dépôt américain et non plus sur le *prime rate* (plus cher pour les emprunteurs) ;
- les banques non américaines ont la faculté d'échanger, avec l'accord de leurs banques centrales, leurs créances en dollars sur le Mexique en créances libellées en monnaie nationale. La rémunération de ces créances sera alors calculée à partir des taux nationaux comparables au taux des certificats de dépôt américain ;
- les données économiques mexicaines devront être communiquées aux banques commerciales par les autorités mexicaines.

Cette "première" mexicaine pourrait constituer à l'avenir un modèle de gestion des problèmes de la dette ; déjà le Venezuela vient de s'entendre avec ses créanciers pour rééchelonner sur douze ans 21 milliards de dette publique. Ces accords de rééchelonnement pluriannuels pourraient s'avérer décisifs pour ceux des pays fortement endettés contraints d'appliquer des programmes d'ajustement draconiens : ils pourraient notamment faciliter et accélérer leur réinsertion au sein des marchés de capitaux internationaux. Toutefois, la conclusion de tels accords devrait dépendre crucialement de l'engagement des pays débiteurs à poursuivre les politiques d'assainissement de leurs économies.

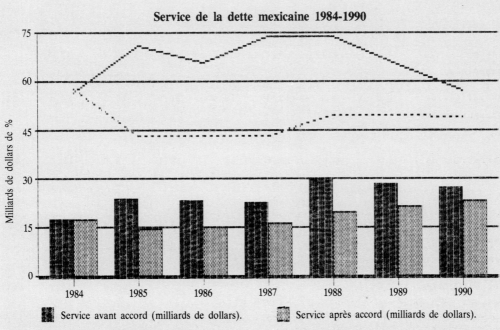

Service de la dette mexicaine 1984-1990

Milliards de dollars de %

75						
60						
45						
30						
15						
0	1984	1985	1986	1987	1988	1989	1990

▓ Service avant accord (milliards de dollars).　　▒ Service après accord (milliards de dollars).

— Ratio avant accord (% des exportations).　　- - Ratio après accord (% des exportations).

L'ajustement draconien mis en place dès la fin de 1982 a porté ses fruits : le déficit public a été réduit de 10 % du PIB sous l'administration de Lopez Portillo à 7 % en 1984. L'inflation, qui atteignait 100 % en 1983, était en 1984 de l'ordre de 60 %. Bien que ces taux soient encore supérieurs à la fois aux prévisions et aux objectifs convenus avec le FMI, ils témoignent d'un assainissement sérieusement mené. Les prix administrés ont été sensiblement relevés, notamment dans le secteur pétrolier, l'électricité et l'alimentation. Le remarquable redressement de la balance commerciale a, quant à lui, été acquis au prix d'une réduction drastique des importations.

Le principal syndicat, la Confédération des travailleurs mexicains, est étroitement lié au parti officiel, le PRI (*Partido Revolucionario Institucional*), lui-même proche du gouvernement. Cette caractéristique du système politique mexicain a permis d'obtenir des syndicats qu'ils acceptent une réduction de l'ordre de 30 % des salaires réels par rapport à 1982. Mais cette cohésion des partenaires sociaux, née dans le climat d'urgence qui succéda à la cessation de paiement, devait cependant se relâcher par la suite. Au cours de l'année 1984, en effet, les pressions privées et syndicales en faveur d'une relance de l'économie se firent plus fortes[15], atténuant les effets de la discipline initiale.

15. *World Financial Markets,* Morgan Guaranty Trust, mai 1984.

L'ajustement économique du Mexique
(en milliards de dollars)

	1970	1975	1980	1981	1982	1983	1984	1985
PIB réel : accroissement(%)	8,7	5,6	8,3	7,9	- 0,5	- 5,3	3,5	3,6
Augmentation des prix à la consommation(%)	5,1	15,2	26,3	27,9	58,9	101,9	65,5	54,3
Balance commerciale	- 2	- 3,7	- 4,1	- 5,7	5,8	13,3	12,3	6,9
Exportations de marchandises FOB	1,3	2,9	15,3	19,4	20,9	22,3	24,1	22,1
Importations de marchandises FOB	2,3	6,6	19,4	25,1	15,1	9,0	11,9	15,3
Balance des paiements courants	0,9	- 3,7	- 6,8	- 12,5	- 4,9	5,3	4,0	- 0,1
Dette extérieure totale	-	-	-	-	-	90,6	93,7	95,15

Source : Banques de données, estimations et prévisions Cisi-Wharton, juillet 1985.

Si les indicateurs économiques mexicains se sont redressés, la situation sociale du pays reste donc préoccupante. Elle offre l'image d'un bouillonnement de paradoxes où s'opposent richesse ostentatoire et détresse extrême. La corruption fait figure de mode de gestion, malgré les velléités du président de la Madrid d'assainir, dans ce domaine aussi, la situation. A moyen terme, le Président devra, pour asseoir la démocratie, prendre ses distances vis-à-vis du PRI. Ce dernier a su éviter jusqu'à présent, par des pratiques électorales au besoin frauduleuses, de céder trop de terrain, lors des élections locales, au principal parti d'opposition, le PAN (Parti d'action nationale) (15 % des suffrages). Mais il est important pour l'avenir démocratique du pays que de telles pratiques cessent et que le PAN remporte quelques victoires. A ce titre, les élections de juillet 1985 n'ont pas permis que s'amorce une évolution dans ce sens.

Par sa position géographique et son importance, le Mexique est un acteur régional de premier plan. Son évolution interne dépend aussi de ses relations avec son puissant voisin américain, notamment en ce qui concerne les réformes économiques à moyen terme concernant l'ouverture et la libéralisation du pays[16]. Or les relations entre les Etats-Unis et le Mexique sont un mélange d'étroite interdépendance et d'hostilité marquée. Le Mexique a toujours affirmé son autonomie régionale, et rejette la typologie Est-Ouest dans la définition de la crise qui sévit en Amérique centrale, qu'il attribue à l'inégalité économique, à l'injustice sociale et à la répression politique. La solution militaire appliquée par Ronald Reagan depuis 1980 a occasionné la fuite vers le territoire mexicain de plusieurs dizaines de milliers de réfugiés en provenance principalement du Salvador et du Guatemala. A l'inverse, l'approche préconisée par le groupe de Contadora, auquel le Mexique appartient, est fondée sur la diplomatie et la négociation.

L'aptitude du gouvernement mexicain à faire preuve d'autonomie vis-à-vis de l'extérieur notamment vis-à-vis des Etats-Unis est un élément important de sa légitimité. Jusqu'à présent, le gouvernement mexicain a su faire preuve d'un pragmatisme certain dans ses options politiques et économiques fondamentales, comme en témoigne le fait qu'il ait consenti à l'orthodoxie imposée par le FMI tout en affirmant choisir lui-même cette austérité pour le bien du pays. Il

appartient aux pays industrialisés, en premier lieu aux Etats-Unis, et aux créanciers du Mexique, de toujours savoir doser la contrainte extérieure aux nécessités politiques et économiques internes du pays, condition nécessaire à une sortie de crise sans nouvelle alerte.

Brésil : Sur le chemin de la démocratie

Avec une dette extérieure supérieure à 100 milliards de dollars, le Brésil est le pays en développement le plus endetté. Mais, là-aussi, la dette n'est qu'un des nombreux problèmes auxquels l'administration civile du président José Sarney doit faire face. Les réponses du pays aux exigences des créanciers extérieurs seront dictées par un arbitrage complexe entre différentes contraintes internes et externes, aussi bien politiques et sociales qu'économiques.

Le Brésil est loin d'être démuni d'atouts. C'est en effet la huitième puissance économique du monde occidental. Son sous-sol, partiellement exploité seulement, recèle d'importantes ressources minières et des hydrocarbures. Le pays s'est beaucoup modernisé en vingt ans. L'ensemble du territoire est en chantier ; à Itaipu, s'élève le plus grand barrage du monde. Les mines de fer et de bauxite de Carajas recèlent des gisements d'une grande richesse. Le Brésil est aussi le premier exportateur d'armes du Tiers-Monde. C'est enfin un pays agricole important, premier producteur mondial de café, second producteur mondial de soja.

Mais le Brésil abrite aussi une misère considérable. La région du Nordeste, qui rassemble le quart de la population du pays, connaît une famine chronique. Les écarts de revenus s'accroissent. La plupart des paysans sont sans terre, alors que, dans les grandes exploitations, la moitié des surfaces cultivables restent en friche. Si, en dix ans, la production alimentaire par habitant a crû de 31 %, la quantité disponible pour la consommation intérieure a en revanche diminué de 15 % entre 1977 et 1985, en raison du recyclage des cultures vivrières en cultures d'exportation, afin de dégager les ressources en devises nécessaires au paiement du service de la dette extérieure.

---

16. Voir le *Financial Times,* survey sur le Mexique, 4 juin 1985.

Ce sont les chocs pétroliers des années 70, et plus récemment le niveau élevé des taux d'intérêt américains, qui sont à l'origine de l'accumulation de la dette extérieure et des difficultés du pays à assurer le service de cette dette. Le gouvernement a tenté d'isoler l'économie brésilienne des chocs extérieurs et d'éviter la déflation qu'aurait requise un ajustement à ces chocs, en versant des subventions destinées à maintenir certains prix intérieurs à bas niveau, et en incitant les entreprises publiques à recourir à l'endettement extérieur. Ces politiques permirent de financer la croissance et l'équipement du pays. Mais elles engendrèrent un important déficit budgétaire, qui se traduisit par un très

lourd déficit des paiements courants (6,8 milliards de dollars en 1983). Très vite, le pays, ayant trop puisé dans ses réserves en devises, ne fut plus à même de faire face à la charge croissante du service de sa dette.

En 1984, la situation extérieure du Brésil s'est considérablement améliorée. Le pays a réussi à dégager un excédent commercial de 13,2 milliards de dollars, dépassant les prévisions les plus optimistes, et rééquilibrant pratiquement sa balance des paiements courants. Cela permettait au gouvernement d'annoncer à la fin 1984 qu'il ne solliciterait aucun crédit nouveau de la part des banques commerciales en

L'ajustement économique du Brésil
(en milliards de dollars)

	1970	1975	1980	1981	1982	1983	1984	1985
PIB : accroissement(%)	8,7	5,6	7,9	- 1,9	1,4	- 3,2	4,1	3,5
Augmentation des prix à la consommation(%)	20,0	27,8	100,2	109,9	95,4	193,8	220,6	232,8
Balance commerciale	0,2	- 3,5	- 2,9	1,1	0,8	6,5	13,2	10,6
Exportations de marchandises FOB	2,7	8,7	20,1	23,2	20,2	21,9	27,1	26,4
Importations de marchandises FOB	2,5	12,2	23,0	22,1	19,4	15,4	13,9	15,9
Balance des paiements courants	- 0,6	- 6,7	- 12,8	- 11,7	- 16,3	- 6,8	- 0,7	- 2,0
Dette extérieure totale	-	-	-	-	-	92,3	97,8	100,1

Source : Banques de données, estimations et prévisions Cisi-Wharton, juillet 1985.

1985. L'économie brésilienne retrouvait une croissance positive (4 %) après trois années de dépression.

Mais le pays est loin d'avoir surmonté la crise. L'inflation et le déficit des finances publiques restent à un niveau extrêmement préoccupant et doivent être contrôlés si le gouvernement veut à terme rétablir des bases saines d'expansion économique, et des conditions propices à l'investissement. Six lettres d'intention signées avec le FMI se sont soldées par des échecs. Quant à la septième, préparée à la fin 1984, elle fut jugée totalement irréaliste. En février 1985, le FMI suspendait ses versements au Brésil.

Les négociations se poursuivent. Mais la marge de manœuvre du gouvernement Sarney, aux prises avec un équilibre politique et social fragile, apparaît extrêmement étroite. La rigueur des mesures d'ajustement nécessaires entre en conflit avec l'indispensable besoin de croissance du pays, les promesses de croissance faites par le gouvernement, les espoirs suscités par l'évolution démocratique.

Ce n'est qu'en 1986, avec l'élection d'une assemblée constituante, que les structures démocratiques seront réellement greffées dans la société brésilienne. D'ici là, les risques d'explosion sociale demeurent, et imposent au gouvernement de s'attaquer sans tarder aux plaies ouvertes qui jalonnent le panorama social brésilien : le problème agraire, qui a fait en mai 1985 l'objet d'une proposition de réforme dont l'objectif est de distribuer 480 millions d'hectares à 7 millions de paysans d'ici à l'an 2000 ; le problème des inégalités sociales et régionales, qui nécessite une réforme fiscale en profondeur ; enfin, le problème de climat de corruption généralisée dans lequel le pouvoir des généraux a pris fin, et qui requiert maintenant une "moralisation" énergique de la vie publique.

Ces réformes nécessitent du doigté et du temps, car elles remettent en cause de nombreux avantages acquis et suscitent une opposition vigoureuse ; mais elles conditionnent la crédibilité et la légitimité de la "nouvelle république". Il importe que les négociations en vue du rééchelonnement de la dette extérieure brésilienne prennent en compte ces aspects politiques et sociaux de la réalité économique du pays, et permettent d'aboutir à un programme d'ajustement dont l'étalement dans le temps permette

enfin que les objectifs retenus soient crédibles et réalisables sans compromettre la transition démocratique au Brésil.

Argentine : Austérité pour une démocratie naissante

L'accord conclu le 11 juin 1985 entre le Fonds monétaire international et l'Argentine met fin, au moins dans l'immédiat, à une longue période d'incertitude et d'inquiétude sur la position du gouvernement Alfonsin vis-à-vis de la dette extérieure du pays. Il témoigne en effet d'une prise de conscience très nette, dans les milieux officiels argentins, qu'un traitement de choc est devenu indispensable pour enrayer la détérioration continue de l'économie du pays, condition nécessaire à la consolidation d'une démocratie naissante. Cette prise de conscience s'accompagne d'un souci de respecter les engagements extérieurs.

Alors que de nombreux observateurs fixent leur attention sur le problème que pose une dette extérieure évaluée à 46 milliards de dollars, il apparaît en fait clairement que ce n'est pas le déséquilibre le plus préoccupant dans une économie au bord de la faillite. L'inflation a dépassé, au début de l'année 1985, un taux de 1 000 % en rythme annuel ; le déficit budgétaire représente environ 10 % du PIB ; le sous-emploi atteint un niveau critique. Dès lors, ce n'est probablement ni pour plaire à ses créanciers, ni pour se plier à la contrainte extérieure, que l'Argentine s'engage ainsi sur la voie de l'austérité. Il n'y avait simplement pas d'autre alternative.

Le problème de la dette argentine est en fait essentiellement politique. L'accroissement considérable de cette dette à la fin des années 70 et au début des années 80 a principalement financé des fuites de capitaux privés, encouragées par le maintien de taux de change surévalués et par une libéralisation financière excessive : les détenteurs de capitaux, désireux d'acquérir des actifs étrangers (réels ou financiers), achetaient des devises à leur banque centrale, qui finançait en s'endettant à l'extérieur la diminution correspondante de ses réserves. Mais le service de cette dette demande maintenant un effort d'ajustement qui touche l'ensemble de l'économie. C'est ainsi qu'une grande partie de l'endettement extérieur argen-

Les difficultés économiques de l'Argentine
(en milliards de dollars)

	1970	1975	1980	1981	1982	1983	1984	1985
PIB réel accroissement(%)	4,6	- 0,8	1,1	- 7,1	- 5,3	2,8	2,4	- 5,6
Augmentation des prix à la consommation(%)	13,6	182,8	100,8	104,5	164,8	344,0	626,7	699,3
Balance commerciale	0,1	- 0,9	- 2,5	- 0,3	2,3	3,3	4,0	4,2
Exportations de marchandises FOB	1,8	3,0	8,0	9,1	7,6	7,8	8,7	8,9
Importations de marchandises FOB	1,7	3,9	10,5	9,4	5,3	4,5	4,7	4,7
Balance des paiements courants	- 0,2	- 1,3	- 4,8	- 4,7	- 2,5	- 2,3	- 2,4	- 1,6
Dette extérieure totale	-	-	-	-	-	43,6	45,2	46,1

Source : Banques de données, estimations et prévisions Cisi-Wharton, juillet 1985.

tin met en jeu un véritable transfert des couches les plus pauvres de la population vers les couches les plus aisées[17]. On conçoit mieux dès lors que la logique de l'orthodoxie financière ait été quelque peu contestée en Argentine.

Les difficultés actuelles de l'Argentine illustrent remarquablement à quel point l'économique est inséparable du politique. La démocratie naissante, qui a engendré de nombreux espoirs chez les Argentins, pourrait ne pas résister à l'austérité économique ; mais, en même temps, l'austérité est nécessaire pour restaurer une stabilité économique indispensable à la démo-cratie. Le pari que fait le gouvernement Alfonsin en juin 1985 est double, à la fois économique et politique, les deux aspects se renforçant mutuellement.

Ce pari met en œuvre des mesures d'ajustement d'une exceptionnelle sévérité : gel des prix et des salaires, relèvement important des tarifs

17. Voir Rudiger Dornbusch, *Argentina since Martinez de Hoz*, Working Paper n° 1466, National Bureau of Economic Research, Cambridge, Mass., septembre 1984.

publics, réduction drastique du déficit budgétaire, imposant resserrement monétaire, dévaluation immédiate de plus de 15 %, création d'une nouvelle unité monétaire[18]. Plus que l'effet d'annonce, c'est la détermination du gouvernement à respecter ces mesures qui pourra modifier le comportement d'agents économiques trop habitués à l'hyperinflation et aux résolutions sans lendemain de gouvernements successifs : quarante ministres des Finances se sont succédés en trente-huit ans sans parvenir à résorber une situation d'instabilité financière chronique.

La véritable bataille politique se joue entre le gouvernement et les syndicats, notamment la Confédération générale du travail (CGT) proche du mouvement péroniste. Ce dernier, affaibli par des dissensions internes et un début d'atomisation, qu'il a payés par une défaite électorale mal acceptée, n'a pas pour autant perdu sa représentativité au sein du monde ouvrier. Or, les promesses de progression des salaires réels, qui faisaient partie du programme initial du président argentin et de son ministre des Finances Bernardo Grinspun, ont disparu du programme établi avec le concours du FMI par le nouveau ministre des Finances Juan Sourrouille. Le succès de ce nouveau programme requiert la confiance du peuple argentin et une cohésion sociale et politique que le gouvernement Alfonsin risque d'avoir du mal à mobiliser. La popularité du président Alfonsin, sa fermeté habile et mesurée vis-à-vis d'une hiérarchie militaire discréditée, ont assis son autorité. Mais il ne dispose que d'une très légère majorité à la chambre des députés.

Pour la communauté internationale, l'Argentine représente également un enjeu à la fois économique et politique. L'enjeu économique concerne tout d'abord les créanciers de l'Argentine et le système financier international, dans la mesure où celui-ci pourrait être affecté par une cessation de paiement argentine. Parmi les créanciers, ce sont les banques américaines qui seraient alors les plus touchées. On sait d'ailleurs que ces banques jouent une partie serrée avec leurs régulateurs pour éviter un déclassement de leurs créances sur le pays ; cette préoccupation n'est pas sans rapport avec le soutien apporté à plusieurs reprises par le gouvernement américain à la mise en place de prêts-relais destinés à permettre à l'Argentine de régulariser ses versements d'intérêts. Mais l'enjeu économique a

trait aussi, à plus long terme, au développement d'un pays dont le potentiel agricole et énergétique est énorme.

L'enjeu politique est lui-même multiple. Premièrement, il est de l'intérêt du monde occidental que l'accession de l'Argentine à la démocratie soit définitivement confirmée et consolidée. Deuxièmement, et ceci concerne en premier lieu les Etats-Unis, l'Argentine entend mener en Amérique latine une politique étrangère autonome et active. Suivant en cela le Mexique, elle a adopté une ligne très nette d'ouverture aux régimes marxistes centre-américains, susceptible de gêner la politique étrangère américaine dans la région. Mais, surtout, l'Argentine est le pays latino-américain dont le programme nucléaire est le plus évolué[19], ce qui, par les conséquences possibles sur l'équilibre politique et stratégique régional, est de nature à inquiéter sérieusement le gouvernement américain. Pour toutes ces raisons, le problème argentin ne peut se réduire à la seule considération de la dette extérieure du pays ou des intérêts strictement financiers des créanciers.

Le pays semble avoir compris que l'assainissement économique est devenu une option forcée. Il importe maintenant que ses partenaires internationaux prennent acte de cette nouvelle maturité, et facilitent dans la mesure du possible un ajustement trop longtemps retardé. Un rééchelonnement pluriannuel de la dette argentine semble maintenant s'imposer.

1.4. ENJEUX FUTURS

Le problème de l'endettement international est loin d'avoir disparu. Par bien des aspects, on se trouve à mi-parcours de sa résolution. La crise déclenchée en 1982 semble avoir touché à son terme, le système a survécu, les pays débiteurs se

---

18. La nouvelle unité monétaire, l'austral, remplace 1 000 pesos et vaut 1,25 dollar au jour de son introduction.

19. L'Argentine a signé mais n'a pas ratifié le traité de Tlatelolco (1967) pour la prohibition des armes nucléaires en Amérique latine. Dans la région, seuls Cuba et la Guyana n'ont pas signé ce traité. Pour le Brésil et le Chili, il ne sera applicable que lorsque tous les autres pays latino-américains l'auront mis en œuvre.

sont ajustés, la croissance de la dette totale des pays en développement s'est ralentie ; toutefois, si le ratio de la dette en pourcentage des exportations a diminué, il reste encore supérieur, pour l'ensemble des pays en développement endettés, au niveau de 1982. Celui du service de la dette se maintient également à un niveau excessif : 40 % des recettes d'exportation des pays d'Amérique latine, près de 30 % de celles des pays d'Afrique, 11 % pour ceux d'Asie.

Cela veut dire que la tâche des débiteurs, comme celle des créanciers, s'annonce lourde et périlleuse. En un mot, tous les risques d'effondrement du système que la crise de 1982 avait révélés sont encore présents et pourraient facilement être réactivés.

Répudiation et rationalité

On ne s'est pas assez demandé pourquoi, malgré quelques sautes d'humeur bien compréhensibles, les pays endettés, notamment les gros débiteurs d'Amérique latine, ont accepté les règles du jeu, et n'ont pas adopté une attitude plus radicale vis-à-vis de leurs créanciers.

La plupart des experts financiers internationaux écartent généralement l'hypothèse de moratoires unilatéraux ou de répudiation, sous prétexte qu'une telle décision irait à l'encontre des intérêts des pays débiteurs. Certes, tant qu'un pays a librement accès au marché international des capitaux, il n'a pas intérêt à répudier sa dette. Il peut toujours le faire ultérieurement. Mais lorsque cet accès lui est contesté ou chichement - chèrement - accordé, il devient rationnel pour le débiteur de peser le pour et le contre d'une telle décision. Or, si le bénéfice lié à une répudiation de la dette est évident - c'est le

montant actualisé des charges futures du service de cette dette -, son coût est beaucoup plus difficile à évaluer. Il dépend en effet de la nature et de la durée des réactions des pays et organismes créditeurs.

Ces réactions sont difficiles à prévoir : exclure un pays important, ou plusieurs pays, du commerce international de façon efficace et prolongée est une mesure dont il faudrait encore prouver et la désirabilité (c'est coûteux pour les entreprises des pays industrialisés et les conséquences politiques peuvent donner à réfléchir) et la faisabilité (nécessité d'une coordination dont, jusqu'à présent, la communauté internationale s'est rarement montrée capable). On ne peut guère prendre en exemple de réaction le défaut du Ghana au début des années 70. L'importance des pays latino-américains dans l'économie mondiale n'est en effet pas comparable. Les flux à court terme destinés au financement des flux commerciaux seraient interrompus, mais, assez rapidement, des pressions importantes de la part des exportateurs demanderaient leur rétablissement. Enfin, la saisie des avoirs à l'étranger du pays en défaut n'est pas très crédible puisque ce pays aurait généralement à sa disposition l'option symétrique de confiscation et nationalisation. Dès lors, il n'apparaît pas clairement établi, qu'une répudiation soit économiquement irrationnelle : cela dépend des perceptions des coûts de la répudiation[20].

---

20. Deux études, fort complètes, du problème de l'endettement ont abordé cette question et concluent qu'une décision de répudier n'est probablement pas dans l'intérêt des pays débiteurs :
- William R. Cline, *International Debt and The Stability of the World Economy*, Policy Analyses in International Economics, n° 4, Institute for International Economics, Washington, DC, septembre 1983.
- Thomas O. Enders et Richard P. Mattione, *Latin America, The Crisis of Debt and Growth*, Studies in International Economics, The Brookings Institution, Washington, DC, 1984.

Répudiation, domination et rationalité

On entend souvent qu'une décision de répudier, de la part d'un pays débiteur, serait irrationnelle, en raison du coût économique d'une telle mesure. En fait, on oublie dans ce raisonnement qu'une action de ce type serait extrêmement coûteuse pour les pays créditeurs aussi bien que pour les débiteurs : d'une part, leurs secteurs bancaires pourraient en être sérieusement affectés ; d'autre part, les éventuelles mesures de rétorsion qu'ils prendraient auraient aussi leur propre coût pour les créanciers eux-mêmes, puisque priver un pays de financement commercial revient aussi à se priver d'un débouché. Dès lors, il ne suffit pas de se poser la question de la rationalité de l'option de répudiation pour les débiteurs seulement. Il est essentiel de raisonner dans un cadre stratégique et dynamique tenant compte des réactions des différents acteurs. La notion de rationalité prend alors une signification nouvelle.

Pour le voir, nous utilisons un modèle classique de théorie des jeux à deux acteurs, souvent utilisés dans l'analyse de problèmes internationaux[1]. C'est un modèle dominant/dominé dans lequel le pays dominé dispose d'une menace crédible. Dans notre analyse, le joueur dominant, A, représente un ou plusieurs pays créditeurs ; le joueur dominé, B, représente un ou plusieurs pays débiteurs. L'objet du jeu est le paiement du service de la dette. Schématiquement, A dispose de deux stratégies, l'une d'exigence inébranlable (E), l'autre de conciliation (C). Le joueur B, ou bien se soumet (S), ou bien *menace* de répudier (M).

L'étape suivante est d'évaluer les coûts et bénéfices des différentes stratégies. Afin de donner plus de force à l'argumentation, nous supposerons que l'option de répudier est, dans tous les cas, plus coûteuse pour le joueur B que celle de se soumettre : nous nous plaçons ainsi dans la circonstance où la décision de répudier serait, dans une analyse conventionnelle, irrationnelle. Ensuite, nous faisons l'hypothèse que la conciliation, de la part du joueur A, est toujours bénéfique au joueur B ; enfin, il est admis que, si B joue la soumission, il est profitable pour A de se montrer exigeant.

On peut alors établir la matrice du jeu. Elle comprend quatre couples de stratégies. La première, (E)/(S), assez représentative de la situation actuelle, permet aux banques de maintenir leur profit (bénéfice : + 2) et exige un effort d'ajustement important de la part des pays endettés (coût : − 1). Si les instances créditrices décidaient d'adopter une attitude conciliatrice radicale ((C)/(S)), les banques perdraient le profit (bénéfice : 0) et les pays endettés y trouveraient leur avantage (bénéfice : + 2). Dans le cas où le pays endetté joue la stratégie de menace (M), si le joueur A reste exigeant, B devra mettre sa menace à exécution. Les coûts sont importants pour les deux joueurs (A : coût - 2, B : coût - 3). Enfin, si B menace et A est conciliant, les coûts pour B sont encore importants (- 2) (par exemple, B perd l'accès au marché des capitaux et aux financements pour ses importations tout en recevant des concessions sur son service de la dette) et A encourt un coût d'une unité.

La solution rationnelle optimale, statique, de ce jeu est la combinaison soumission/exigence : B a toujours intérêt à se soumettre, auquel cas A gagne à se montrer exigeant. Mais supposons alors que B menace de répudier, et soit déterminé à

en accepter les coûts : il peut perdre trois unités, mais menace d'en faire perdre deux à A. Si sa détermination est inébranlable, A sera rationnellement amené à faire des concessions, afin de minimiser ses pertes.

Mais, si tel est le cas, B maximisera ses gains en quittant la posture menaçante et en jouant de nouveau la soumission. La dernière étape du jeu sera, pour A, de reconnaître son intérêt à stopper court la conciliation et revenir à la stratégie (E). Le tour complet aura coûté quatre points à B, et un point à A ; mais, tôt ou tard, si la détermination de B persiste, A comprendra qu'il dispose d'une stratégie plus performante, celle qui consiste à osciller entre exigence et conciliation, afin d'éviter que B utilise sa menace. Clairement, cette stratégie (représentée sur la matrice par la flèche en trait plein) est bénéfique aux deux joueurs[2].

Ce que ce jeu, certainement trop simple pour bien appréhender la réalité, permet toutefois de comprendre, c'est qu'il existe un concept de rationalité qui prend en compte les réactions de chacun des joueurs. Suivant ce concept, il peut être tout à fait rationnel d'accepter fermement les coûts d'une option jugée irrationnelle, si l'on croit que la menace de cette option fera reculer l'autre joueur[3]. Naturellement, le jeu ainsi décrit n'est pas facile à jouer ; même si A découvre la stratégie dynamique optimale d'oscillation, il faut encore déterminer à quel moment précis changer de stratégie pour minimiser les pertes. La structure trop simple de ce jeu ne permet pas d'analyser ce problème.

En dernière analyse, ce jeu demande une grande maturité aux deux joueurs, quant à la perception de leurs intérêts au-delà du court terme. Or, l'évolution depuis la première cessation de paiement importante par le Mexique en août 1982 semble appuyer l'hypothèse que la maturité progresse dans les deux camps. Les pays endettés deviennent de plus âpres négociateurs, même s'il n'est pas pour le moment question qu'ils forment un front uni, un "cartel". Les banquiers créditeurs de leur côté, poussés par leurs instances gouvernementales et par le FMI, se prennent à envisager des concessions qu'il eût été impensable de suggérer dans un passé récent, comme par exemple la possibilité de rééchelonnements pluriannuels, voire de rééchelonnements des charges d'intérêt.

On peut attendre d'une meilleure prise de conscience de part et d'autre qu'elle permette à des négociations complexes de dénouer les difficultés avant qu'elles ne provoquent de rupture violente. L'avenir n'est pas aux solutions radicales, mais plutôt à une radicalisation progressive et déguisée de l'orthodoxie financière par le biais de tractations et négociations savamment dosées. En septembre 1984, ont eu lieu des renégociations importantes de dette. Des concessions nouvelles substantielles ont alors été consenties à certains débiteurs (Mexique notamment) : allongement de la période de consolidation et des durées de rééchelonnement, diminution des taux d'intérêt par rapport aux taux initialement contractés. Peut-être peut-on y voir une illustration du processus de négociation que nous avons esquissé.

---

1. Karl Deutsch, *The Analysis of International Relations*, Englewood Cliffs, Prentice-Hal, 1978.

2. *Idem.*

3. On reconnaît ici le fondement rationnel de la doctrine de dissuasion.

Matrice représentative d'un jeu de menace contre domination

A : Pays créditeur (dominant)

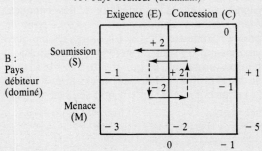

Quoi qu'il en soit, l'analyse économique est très insuffisante pour apprécier le risque d'une répudiation. Car le danger est en fait essentiellement politique. Certes, les gouvernements actuellement en place en Amérique latine ont fermement annoncé qu'ils n'envisageaient pas de prendre une telle mesure. Les sommets de Quito, puis de Cartagena, ont montré que les grands pays de la région ne souhaitaient pas mettre en œuvre cette option, ni même celle d'établir un "cartel des débiteurs" pour offrir un front uni aux créanciers. Mais ils ont à composer avec une opinion publique qu'il faut convaincre du bien-fondé des programmes d'ajustement coûteux qui ont été adoptés sous l'égide du Fonds monétaire international. Leur survie politique en dépend. Si elle était mise en question, la répudiation pourrait alors être justifiée par des critères de rationalité politique, soit pour les gouvernements menacés, soit par les formations d'opposition qui pourraient les renverser. Des pays comme l'Argentine, le Brésil, ne sont pas à l'abri d'un tel scénario.

Les conséquences d'un scénario de répudiation majeure par un gros débiteur latino-américain sur le système financier international seraient très lourdes. Premièrement, le mouvement pourrait faire boule de neige et s'étendre rapidement à d'autres pays débiteurs importants ; une répudiation groupée serait bien sûr encore plus dangereuse. Deuxièmement, le système bancaire international serait fortement ébranlé ; tous les systèmes bancaires seraient atteints, mais, très probablement, la panique se concentrerait sur le milieu bancaire américain, le plus fortement exposé et le plus fragile (à la lumière des récents événements qui l'ont déjà secoué, à savoir les problèmes de la *Continental Illinois,* et les rumeurs, même sans lendemain, sur *Manufacturers Hanover).*

Les banques centrales, si elles parviennent, en temps de crise, à établir la coordination nécessaire, pourraient limiter et contrôler les conséquences, en injectant les liquidités nécessaires, mais ne pourraient les éviter complètement. Au mieux, il y aurait une perturbation importante des flux financiers et commerciaux internationaux et de l'intermédiation bancaire, une récession mondiale, et probablement une baisse importante du dollar, dans l'hypothèse où d'importants dépôts seraient retirés du système bancaire américain et placés dans des banques mieux préparées à faire face à la crise (disposant

par exemple de provisions plus confortables). Le travail de réorganisation de l'intermédiation bancaire nationale et internationale serait considérable. Les conséquences sur la croissance du commerce international en seraient d'autant plus durables.

Le scénario extrême de répudiation claire et nette n'en est pas moins assez peu probable : la cessation de paiement provoque immédiatement une négociation entre créanciers et débiteurs. Si l'intérêt des débiteurs à ne pas être mis au ban du système financier international est souvent invoqué pour justifier d'une confiance répandue dans le fonctionnement actuel du système, une telle négociation n'en est pas moins aussi dans l'intérêt immédiat des créanciers. En fait, si l'annonce d'une cessation de paiement met au grand jour les difficultés, ou la mauvaise volonté d'un pays débiteur à satisfaire ses engagements, la frontière, du côté créditeur, entre une créance recouvrable et une créance irrécouvrable est quant à elle très floue, ce qui confère au système une flexibilité certaine.

Dans ce domaine, la législation américaine est plus stricte que les législations européennes puisqu'elle impose aux banques de classer comme "non performantes" les créances sur lesquelles les intérêts ont un retard de plus de quatre-vingt-dix jours. C'est une mesure que les banques abhorrent, puisque, alors qu'elles comptabilisent l'intérêt sur les créances normales avant même qu'il soit perçu, elles ne sont autorisées à porter l'intérêt des créances "non performantes" à leur compte d'exploitation que lorsqu'il est effectivement payé.

Dès lors, la transformation d'une créance en "créance non performante" entraîne une diminution importante des profits. A titre d'exemple, l'enjeu des négociations de mars 1984 pour le paiement des arriérés d'intérêt de l'Argentine portait sur 24 millions de dollars de manque à gagner sur les gains de deux seules banques, *Manufacturers Hanover* et *Citicorp,* pour le premier trimestre 1984[21]. En outre, les banques américaines doivent provisionner leurs créances non performantes, ce qui affecte aussi le niveau de leurs profits. S'il devient nécessaire d'effacer la créance douteuse, il y a non seulement dimi-

21. *International Herald Tribune,* 13 mars 1984.

nution des recettes, mais aussi des avoirs. Le bilan des banques concernées se rétrécit : le poste d'actif est diminué du montant de la créance à effacer ; cette diminution doit être financée par une diminution correspondante des profits, des provisions ou du capital propre.

William Cline[22] a étudié le scénario d'un moratoire prolongé des trois principaux pays débiteurs latino-américains (Argentine, Brésil, Mexique), en supposant qu'il apparaisse nécessaire d'effacer les créances correspondantes. En 1983, ces trois pays devaient, au titre du service de leur dette, 13,7 milliards de dollars aux neuf plus grandes banques américaines. En 1982, ces banques avaient réalisé un profit (avant impôt) de 5,5 milliards. Ainsi, les neuf banques concernées auraient à financer 8,2 milliards de dollars par réduction de leur capital (c'est-à-dire 28 % de leur capital). Une telle réduction, si elle ne met pas les banques en faillite, entraînerait, en l'absence d'intervention de la part des autorités, une contraction importante de liquidités, puisque, pour rétablir le ratio réglementaire de 5 %, les banques devraient comprimer le crédit de façon significative (pour une amputation du capital de 8 milliards de dollars, les créances bancaires devraient diminuer de 160 milliards) : la hausse des taux qui s'ensuivrait aurait un effet récessif important sur l'économie américaine.

Bien entendu, si un tel scénario se matérialisait, l'évolution serait très probablement différente de celle qui vient d'être décrite, du fait de l'intervention possible et probable des autorités politiques, bancaires et réglementaires. Tout d'abord, il y aurait certainement recherche immédiate de négociation, de façon à maintenir les créances concernées au bilan des banques. Les autorités de contrôle des banques pourraient allonger le délai pendant lequel les intérêts peuvent rester impayés. En cas d'échec, elles pourraient aussi autoriser un ratio capital/créances plus faible, et permettre un étalement dans le temps de l'effacement des créances. Enfin, la Banque centrale pourrait injecter les liquidités nécessaires pour juguler l'effet récessif mentionné tout en évitant de stimuler l'inflation. L'aptitude des autorités monétaires à gérer de façon efficace la situation dépendrait de l'ampleur de la crise, et ne serait probablement tenue en échec qu'en cas de moratoire généralisé.

Le risque mérite que l'on s'y arrête, et que surtout des mesures soient prises de part et d'autre pour en diminuer la probabilité. Celle-ci dépend principalement de la conjoncture économique internationale et du bon vouloir des banques quant à un flux adéquat de financements à destination du Tiers-Monde. Car il est un peu vain de croire que les institutions multilatérales et les gouvernements peuvent se substituer aux banques pour assurer ce financement, alors que l'un des soucis les mieux partagés à l'heure actuelle est la réduction des déficits budgétaires. De même ne faut-il pas trop compter sur une expansion importante des flux d'investissement direct à destination du Tiers-Monde. Une expansion de leur rôle est tout à fait souhaitable dans la mesure où ce type de financement s'accompagne en général de transferts de technologie et de savoir-faire, et où il n'accroît pas la dette. Mais les conditions politiques et économiques d'une telle expansion ne sont pas réunies[23].

La situation des banques

Or les banques commerciales paraissent peu soucieuses de reprendre rapidement leurs activités de prêts aux pays en développement. L'heure, pour les banques, est à la consolidation des bilans et à l'assainissement d'une situation qui mérite aussi ajustement. C'est notamment le cas du système bancaire américain, qui a depuis 1984 révélé sa fragilité et sa vulnérabilité, non seulement à travers son exposition excessive sur les pays latino-américains en difficulté, mais aussi et surtout à travers son manque de prudence dans le financement d'entreprises américaines, notamment dans le domaine énergétique, et qui s'avèrent maintenant incapables de rembourser les banques. L'effondrement de *Continental Illinois*, septième banque américaine, et son sauvetage par quasi-nationalisation ont, avec la crise de l'endettement et d'autres difficultés qui ont suivi (notamment, le *run* sur les institutions d'épargne de l'Ohio), éclairé tous les problèmes qui pèsent sur l'organisation du secteur bancaire américain : celui de la réglementation et de la surveillance, et celui de la garantie des dépôts bancaires.

22. William R. Cline, *op. cit.*

23. Voir FMI, *World Economic Outlook, op. cit.*, et FMI, *Foreign Private Investment in Developing Countries*, Occasional Paper n° 33.

Plus que dans tout autre système bancaire, les banques américaines sont jugées sur leurs performances et sont à la merci de l'évolution de leurs cours en bourse. Elles sont soumises à des pressions croissantes de la part de leurs autorités de tutelle réglementaire pour accroître leur capital. Mais tout ce qui affecte leur niveau de profit fait baisser leur cours et compromet la réussite d'une éventuelle émission d'actions à cette fin. Dans un climat extrêmement compétitif, les banques américaines s'attachent donc à continuer à verser des dividendes alléchants même si les créances qui ont engendré leurs profits sont des plus douteuses, et sont insuffisamment provisionnées. Elles peuvent poursuivre cette stratégie tant qu'elles agissent conformément à la réglementation en vigueur.

On comprend alors pourquoi elles persistent à maintenir, en valeur nominale, des créances pour le moins douteuses à leur actif : toute diminution de leur valeur affecterait leur profit et le cours de leurs actions. Mais que l'on ne s'y trompe pas : l'essentiel n'est pas la créance elle-même, mais les intérêts auxquels elle donne droit. Les banques sont autorisées à créditer au jour le jour sur leurs livres les intérêts que leur rapportent leurs créances, même si le contrat de prêt ne prévoit que des versements d'intérêt trimestriels ou semestriels : les banques passent donc les paiements en écriture avant qu'ils ne soient effectivement perçus. Mais si, comme on l'a vu, les impayés au titre des intérêts excèdent quatre-vingt-dix jours, elles doivent classer les créances correspondantes dans la catégorie des

créances "non performantes", cesser d'inscrire les revenus d'intérêt sur ces créances, et déduire de leur revenu les montants déjà enregistrés mais jamais perçus.

Il s'ensuit une diminution sensible des profits trimestriels qu'elles déclarent et du montant des dividendes qu'elles sont à même de verser à leurs actionnaires, contribuant ainsi à engendrer de nouveaux doutes sur la qualité de certaines de leurs créances. Ce fut le problème principal des négociations avec l'Argentine en mars 1984 ; farce comptable devant laquelle on ne peut s'empêcher de penser que le problème de la dette des pays en développement est beaucoup plus sérieux que cela. Mais c'est toute l'organisation du secteur bancaire américain et sa surveillance réglementaire qui sont en jeu.

En tout état de cause, le système bancaire est vulnérable au risque de dévalorisation brutale de ses créances sur le Tiers-Monde, et les banques restent donc attachées à la valeur nominale de leurs créances. Plutôt que d'en passer une partie par pertes et profits, elles ont tenté de faire appel à d'autres mécanismes de protection dont l'essor a cependant été de courte durée, notamment l'achat de polices d'assurances et l'échange de certaines créances. C'est la *Citicorp* qui a innové en acquérant auprès de la société d'assurances *Cigna* et du syndicat de réassurance de la *Lloyd's*, une police d'assurance sur 900 millions de dollars de créances qu'elle détenait sur le Brésil, l'Argentine, le Venezuela, le Mexique et

Les banques américaines et les arriérés argentins

Au 31 mars 1984, sur le total de près de 3 milliards de dollars d'intérêts impayés par l'Argentine, 500 millions l'auraient été pour une période supérieure aux 90 jours de rigueur. L'Argentine demandait, pour résorber ces impayés, des conditions que les banques ne voulaient accepter à cause du précédent qu'elles auraient créé. Le ministre argentin Bernardo Grinspun réclamait de nouveaux prêts, et un rééchelonnement de la dette de son pays sur quinze ans ; il annonçait : *"l'Argentine ne peut continuer à consacrer les deux tiers de ses recettes d'exportations et 8 % de sa production nationale au paiement des intérêts de sa dette aux conditions actuelles"*. En cas de blocage, certaines grandes banques new-yorkaises auraient vu leurs profits trimestriels sérieusement amputés.

On connaît les détails du sauvetage astucieux mais un peu incongru organisé par le Trésor américain à l'initiative du Mexique. Quatre pays fortement endettés d'Amérique latine ont décidé de prêter 300 millions de dollars à l'Argentine : le Mexique et le Venezuela chacun 100 millions, le Brésil et la Colombie chacun 50 millions, cette somme devant leur être remboursée par le biais d'un prêt du Trésor américain à l'Argentine dès que ce pays aurait conclu un accord avec le Fonds monétaire international. Les banques ont consenti un nouveau prêt de 100 millions de dollars, garanti sur les dépôts argentins à la *Federal Reserve* américaine, et l'Argentine elle-même a consenti à puiser 100 millions dans ses réserves. Au total, les 500 millions requis ont ainsi pu être rassemblés. Tout cela pour éviter aux grandes banques new-yorkaises de décevoir leurs actionnaires.

les Philippines[24]. Cet accord était toutefois annulé sans commentaires en février 1985.

L'autre fait marquant a été le développement, par les petites banques, d'opérations de troc de créances entre banques. On ne peut pas parler de l'émergence d'un marché secondaire des créances sur le Tiers-Monde, car les banques ont été attentives à ce qu'il s'agisse de troc et non de vente : la décote éventuelle, qui peut être importante, n'est ainsi pas apparente et les créances échangées gardent leur valeur nominale. Ainsi, ont pu être échangées entre elles certaines créances sur le Mexique, le Pérou, le Brésil ou d'autres pays, échange permettant aux banques de rééquilibrer la concentration géographique trop marquée de leur portefeuille de créances. Ces opérations ne devraient toutefois pas progresser beaucoup, car elles risquent d'amener la dévalorisation que les banques redoutent, ou bien par le développement d'un véritable marché secondaire de la dette, ou bien par décision des autorités de tutelle réglementaire qui ne pourraient alors plus accepter la fiction de la valeur d'origine des créances. Le système bancaire, peut-on penser, mettra tout en œuvre pour éviter d'en arriver là.

"Aujourd'hui", écrit Philippe Norel dans *Le Monde diplomatique*, l'endettement *"apparaît plus que jamais comme une fiction quant à son remboursement à la valeur d'origine. Pour les économies débitrices, il constitue au contraire une redoutable réalité dans la mesure où il devient prétexte pour renforcer une extraversion difficilement réversible. Cette extraversion est nécessaire pour le FMI comme pour les banques afin de maintenir le reste de confiance que les techniques de rééchelonnement semblent provisoirement apporter. Sans lui, la dévalorisation des créances que les banques connaîtraient pourrait devenir réellement catastrophique et mettre ainsi en péril l'équilibre financier international".*

Aux prises avec des structures fragiles de leur bilan, avec une compétition plus âpre sur la scène financière nationale et internationale, avec l'incertitude sur l'évolution de la nature de leur tutelle réglementaire, les banques ne montrent aucune intention de reprendre leurs prêts aux pays en développement endettés. Ces derniers représentent un risque encore trop important, dont elles préfèrent se désengager. Ils n'ont donc aucune autre alternative que poursuivre la voie coûteuse de l'ajustement afin de retrouver à terme une côte de crédit qui leur rende l'accès aux financements bancaires internationaux.

Faciliter l'ajustement

Deux éléments peuvent contribuer à diminuer, pour les pays débiteurs, les coûts de l'ajustement, et donc également éloigner les risques qu'une nouvelle crise ne vienne rendre vains les efforts déjà consentis.

Le premier est l'attitude des créanciers, notamment les banques qui, même si elles n'envisagent pas de nouveaux prêts, peuvent maintenant adopter une vision à plus long terme des rééchelonnements. Le poids du service de la dette dans les prochaines années reste beaucoup trop important pour nombre de pays. Les rééchelonnements pluriannuels, suivant l'exemple de celui consenti pour le Mexique, sont nécessaires pour étaler la charge de la dette sur une longue période. Les pays en développement ne peuvent pas, sans danger pour leur économie, soutenir trop longtemps le surplus commercial nécessaire pour faire face au service de leur dette. Un flux soutenu d'importations reste nécessaire au développement de leur production interne.

De même est-il nécessaire d'adopter une vision à plus long terme des possibilités d'ajustement. Il est difficile de ramener en un an une inflation de 300 % à un taux de 50 %. L'assainissement économique demandera du temps ; il serait maladroit et dangereux de la part des créanciers de se montrer impatients. Il est donc là aussi nécessaire de mettre en œuvre des programmes à long terme, un des problèmes à résoudre étant celui du contrôle de leur application et des performances. Ce rôle pourrait être confié au FMI : on retrouve les grandes lignes du plan proposé pendant la "crise" par Minos Zombanakis[25]. Les mentalités ont peut-être suffisamment évolué pour que ces idées inspirent dorénavant les négociations à venir entre débiteurs et créanciers.

24. Voir l'article de Philippe Norel, *Le Monde diplomatique,* mars 1985.

25. Voir son article dans *The Economist,* 30 avril 1985.

L'autre élément important est la conjoncture économique internationale. Certes, les programmes d'ajustement mis en place ont conduit à un assainissement indéniable de la situation des pays en développement. Mais, fondamentalement, c'est la conjoncture économique internationale qui a permis ce rétablissement, et, surtout l'extraordinaire croissance de l'économie américaine, en 1983 et 1984, véritable locomotive pour le reste du monde. Or il est encore difficile de diagnostiquer avec certitude les perspectives, même à court terme, de l'économie américaine, perspectives qui conditionnent, à moins d'une modification sensible des politiques économiques d'autres pays, celles de l'économie mondiale.

Comme le souligne le rapport annuel de la Banque centrale de Belgique, *"rarement, depuis la période de restauration d'après-guerre, la santé de l'économie internationale n'a dépendu autant des impulsions d'un seul pays... Faute de moyens ou de volonté, aucun autre pays que les Etats-Unis, aucun groupe de pays, ne paraît prêt à donner à sa dépense intérieure une impulsion suffisante pour relayer la demande américaine, dans le rôle de tracteur que cette dernière a joué au cours des dernières années".*

Ce qui rend difficile toute conjecture précise sur l'avenir de l'économie américaine, c'est la montée de déséquilibres macroéconomiques importants qui a accompagné son expansion, à savoir la "surévaluation" du dollar, le déficit budgétaire massif et le déficit record de la balance des paiements courants. La persistance de ces déséquilibres a ceci d'inquiétant qu'elle a créé de fortes pressions au protectionnisme aux Etats-Unis et menace ainsi la structure et l'harmonie des relations commerciales internationales. Quoiqu'explicable, cette association de déséquilibres n'est pas traditionnelle.

L'observation et la théorie économiques conduisaient en effet à penser que les mouvements de taux de change reflètent généralement l'offre et la demande sur le marché des changes liées aux transactions de biens et services ; dès lors, un déficit des paiements courants finissait par s'accompagner d'une dépréciation (dévaluation) du taux de change. Ce fut le cas pour l'Allemagne entre 1977 et 1979 : appréciation excessive du deutschemark, entraînant un important déficit des opérations courantes, et un affaiblissement en retour de la monnaie alle-

mande, permettant à son tour un rééquilibrage des opérations courantes. Dans le cas des Etats-Unis de la première moitié des années 80, on observe une appréciation excessive du dollar, mais qui persiste, voire s'accentue parallèlement à l'aggravation du déficit des paiements courants qu'elle entraîne : d'où l'interrogation répandue, immédiate : est-ce durable, comment s'arrête le processus ?

Situation nouvelle, certes, rendue possible par la conjonction de deux phénomènes : l'abandon, avec l'effondrement du système de Bretton-Woods, du régime de taux de change fixe, et le développement considérable des marchés financiers nationaux et des flux internationaux de capitaux. Dans le passé, les mouvements internationaux de capitaux étaient principalement déterminés par le financement des importations et exportations de biens et services, ou des motivations d'investissement à long terme. Le comportement avait alors une influence de stabilisation automatique sur les balances des paiements et sur le taux de change.

Depuis, les flux de capitaux se sont de plus en plus dissociés de l'économie réelle, prenant un comportement plus autonome dicté par des considérations de rendement et d'arbitrage. Comme le souligne M. Gleske, membre du directoire de la Bundesbank[26], *"cette évolution a été favorisée par l'efficacité extrême des systèmes de télécommunications. En l'espace de quelques secondes, des faits, des opinions, des analyses et des prévisions sont communiqués simultanément à toute personne intéressée dans le monde. Aussi les actifs détenus en diverses devises et dont le volume s'est considérablement accru peuvent-ils être déplacés en conséquence d'un signal électronique".*

Cette évolution est extrêmement importante : elle implique que les relations entre devises répondent aujourd'hui avant tout à la structure des mouvements de capitaux. Mais les variations de taux de changes modifient sensiblement le flux de marchandises et les équilibres commerciaux. Il y a donc eu inversion de la relation originelle entre finance et commerce internatio-

26. Revue de presse de la *Bundesbank*, 29 janvier 1985, traduit dans la revue de presse de la Banque de France, 4 avril 1985.

naux : alors que, pendant la période de reconstruction de l'après-guerre et la forte expansion des années 60, la finance avait été au service du commerce international, c'est maintenant le commerce international qui pourrait bien fluctuer au gré des caprices de la finance.

Ainsi, tous les débats sur les mérites respectifs des différents systèmes de taux de change, toutes les analyses des conséquences sur les scénarios probables d'évolution de l'économie internationale de la transformation de la finance internationale, doivent être précédés d'une description approfondie des mécanismes de l'intégration financière croissante qui caractérise l'évolution des marchés des capitaux.

2. L'intégration des marchés financiers

On se trouve, actuellement, à une étape charnière dans l'évolution des marchés de capitaux. La déréglementation qui prévaut sur la quasi-totalité des places financières met en cause les clivages nationaux et institutionnels et ouvre la voie à un marché mondial des capitaux.

Le processus d'intégration des places financières est un phénomène récent. Avant la Seconde Guerre mondiale, les marchés, du fait de réglementations nationales rigides, étaient isolés géographiquement et segmentés institu-tionnellement. Néanmoins, ce cloisonnement des flux de capitaux devait rapidement contras-ter avec la libéralisation du commerce interna-tional. Nombre d'intervenants sur les marchés financiers se sont employés à contourner les règlements qui les paralysaient, en recourant, essentiellement, à l'introduction d'innovations financières. La concurrence croissante et le développement spectaculaire des technologies de l'information et de l'électronique bancaire ont accéléré une évolution dont la vague de déréglementations, apparue au début de la

Petit lexique du marché international des capitaux

Eurodevise : c'est un dépôt en monnaie convertible effec-tué dans des banques localisées à l'extérieur de la zone de circulation légale de la monnaie considérée (eurobanques) et donc non soumis à la législation de la mère-patrie. Le préfixe "euro" a très largement perdu son sens géographique. Ce type de dépôt a, en effet, rapidement débordé le cadre de l'Europe et des "asia-devises", "arab-devises", etc. sont apparues. Le préfixe "xéno" serait donc aujourd'hui plus approprié que celui d'"euro" consacré toutefois par l'usage[1].

Marché euromonétaire : ce marché est composé de dépôts et de crédits à court terme (l'échéance maximale est de dix-huit mois) libellés en eurodevises.

Eurocrédits à moyen et long terme : ces crédits, souvent simplement appelés "eurocrédits", sont des prêts à terme en eurodevises consentis à partir de dépôts en euromonnaies par plusieurs banques réunies en un syndicat. Ce type de crédit se distingue très nettement des prêts à court terme en eurodevises de montants limités qui sont accordés par une seule banque.

Euro-obligation : c'est un titre négociable libellé en euro-devises et placé par un syndicat international de banques, principalement dans les pays autres que celui dont la monnaie sert à dénommer l'emprunt.

Marché des eurocapitaux à moyen et long terme : ce marché regroupe deux compartiments : celui des eurocrédits et celui des euro-obligations.

Obligation étrangère : c'est un titre négociable émis sur un marché national par un non-résident, libellé dans la monnaie du pays où se réalise l'émission et placé principalement dans ce pays par un syndicat bancaire national. A la différence de l'émission euro-obligataire, l'émission étrangère est soumise à la réglementation édictée par les autorités nationales.

Marché des émissions internationales : ce marché comprend deux secteurs : celui des émissions euro-obligataires et celui des émissions étrangères. Chacun de ces secteurs a un compartiment primaire où sont émis et placés les titres et un compartiment secondaire où sont achetés/vendus les titres déjà émis. Le marché secondaire permet notamment aux investis-seurs de revendre leurs titres dans les meilleures conditions. La qualité de ce marché s'apprécie essentiellement par le professionnalisme des opérateurs et la liquidité que favorise la présence d'organismes de compensation.

1. Voir C. Dufloux et L. Margulici, *Les eurocrédits, pourquoi ?, comment ?,* La revue *Banque* éditeur, Paris, 1984 ; et Yves Simon, *Techniques financières internationales,* Economica, Paris, 1985.

décennie 80, est un aboutissement logique. Le processus amorcé aux Etats-Unis se propage rapidement aujourd'hui quasiment à l'ensemble des places financières.

L'apparition de l'euromarché dans les années 50 devait marquer le point de départ du mouvement d'intégration des places financières. Aujourd'hui, ce processus s'accélère alors que les institutions et les marchés financiers sont le théâtre de restructurations profondes.

Origine et développement des euromarchés

Deux éléments ont déterminé la création des euromarchés :
- une offre de placements de dollars hors des Etats-Unis : l'Union soviétique, dans les années 50, voulant soustraire du contrôle américain ses fonds en dollars, les déposa en Europe auprès de deux banques soviétiques, la *Moscow Narodny Bank* à Londres et la *Banque commerciale pour l'Europe du Nord* à Paris. Ces dépôts bancaires furent appelés "eurodevises" ;
- une demande de dollars en Europe pour financer des crédits : en 1957, le gouvernement britannique imposa, pour endiguer la faiblesse de la livre, de sévères restrictions sur les prêts en sterling à des non-résidents. Les banques londoniennes recoururent alors au dollar pour effectuer des prêts à court terme aux non-résidents.

A partir de 1960, les Etats-Unis devaient, involontairement, favoriser le développement des euromarchés, en accentuant le dédoublement entre le marché intérieur américain et le reste du monde, du fait, notamment :
- du déficit croissant de leur balance des paiements ;
- de diverses mesures réglementaires qui bridaient les forces du marché et créaient les conditions de l'ouverture d'un marché libre hors des Etats-Unis. La réglementation Q, par exemple, limitant la rémunération des dépôts bancaires aux Etats-Unis, incita les détenteurs de dollars à placer leurs ressources ailleurs qu'aux Etats-Unis. En 1963, les autorités américaines instaurèrent une taxe d'égalisation des intérêts (*Interest Equalisation Tax*) qui frappait exclusivement les revenus encaissés par les résidents américains au titre de leurs placements en valeurs mobilières étrangères. Les emprunteurs étrangers se détournèrent donc du marché de New York et recoururent à l'euromarché. Dès lors, à côté des marchés des eurodevises, se sont créés des marchés d'euro-obligations : marchés financiers où s'émettent et s'échangent des titres obligataires libellés en euromonnaies. Ce marché a été le premier à permettre le développement d'une technique de financement à long terme par consortium bancaire international ("syndicat"). L'emprunteur qui souhaite procéder à une émission choisit une ou plusieurs banques comme chef de file. Ces banques organisent un consortium bancaire de garantie de l'émission qui traite avec un syndicat de placement (composé de 10 à 50 eurobanques), lequel prend ferme tout ou partie de l'émission (qu'il replace, en général auprès de sa clientèle). Le marché euro-obligataire devait connaître un nouveau développement avec la mise en œuvre en mars 1965, afin de remédier au déséquilibre de la balance des paiements américaine, du programme de la FED. Ce programme comprenait le *Volun-*

tary Foreign Credit Restraint Programme qui plafonnait les possibilités de prêts des institutions financières américaines aux étrangers et le *Foreign Direct Investment Programme* qui limitait les transferts de capitaux des sociétés américaines à leurs filiales étrangères. Dès lors, les sociétés non américaines se tournèrent vers le marché euro-obligataire.

Mais ce marché financier, qui ne connaissait que les taux fixes, a été le cadre d'une crise en 1969 et 1970 à la suite d'une hausse des taux d'intérêt aux Etats-Unis. Les euro-obligations en dollar, à taux fixe, furent délaissées. Dès lors, comment emprunter ni à court terme, ni à taux fixe ? La réponse est venue en 1970 des eurocrédits bancaires à moyen et long terme et à taux variable (crédit *roll-over*). Ainsi, s'est développé, à partir du marché des eurodevises, un marché des eurocrédits à moyen et long terme par le biais de la transformation bancaire. Ces eurocrédits sont pour l'essentiel des prêts bancaires syndiqués. Un pool bancaire composé de plusieurs dizaines de membres et appelé "syndicat" est constitué afin de diminuer les risques de chaque prêteur en les diffusant sur le plus grand nombre possible.

Les restrictions réglementaires qui avaient suscité la création de l'euromarché furent progressivement levées, mais l'efficacité éprouvée de ce marché devait garantir non seulement sa survie mais également son développement. L'absence de réglementations qui le caractérise lui a permis de répondre rapidement et de façon appropriée aux besoins de financement des grands emprunteurs (Etats, entreprises publiques, importantes sociétés, organisations internationales, etc.).

Mais c'est la crise énergétique qui fut l'élément fondamental de l'essor du marché. Ce sont les euromarchés, au lendemain du premier choc pétrolier, qui ont assuré, pour l'essentiel, la collecte des dépôts des uns et la satisfaction des besoins de financement des autres ("recyclage des pétrodollars"). Parallèlement, le marché des euro-émissions a pris une nouvelle dimension, en offrant des placements plus rémunérateurs et rendus liquides par l'organisation d'un marché secondaire. Pendant cette période, les euromarchés se sont élargis et diversifiés en proposant des formes multiples de placements, de crédits et d'emprunts, en utilisant de plus en plus largement d'autres devises que le dollar. Le montant total des euro-émissions est passé de quelque centaines de millions de dollars américains en 1965, à 6,9 milliards en 1972 et 81,7 milliards en 1984. Les eurocrédits syndiqués sont passés de 8,6 milliards de dollars en 1972 à un niveau record de 91,3 milliards en 1981.

2.1. *L'EUROMARCHE :*
LE PREMIER PAS VERS UN
SYSTEME FINANCIER INTEGRE
A L'ECHELLE MONDIALE

La création de l'euromarché ne relève pas de décisions gouvernementales mais de la volonté des banques, dès les années 50, de s'adapter à de nouveaux besoins (recherche de sécurité puis d'efficacité). Les euromarchés devaient connaître un développement rapide et diversifié à partir de la fin des années 60 ; les chocs pétroliers leur ont donné une nouvelle impulsion.

Depuis le début des années 80, les euromar-chés sont le siège de modifications structurelles profondes. Il y a deux ans, les eurocrédits syndiqués constituaient encore la pierre angulaire des marchés internationaux de capitaux. Aujourd'hui, le marché euro-obligataire apparaît comme la première source de financement international. Par ailleurs, l'intensification de la concurrence entre bailleurs de fonds pour les bonnes signatures, consécutive à la crise de l'endettement, a conduit à une multiplication de formules "taillées sur mesure" qui rend de plus en plus caduque la distinction traditionnelle entre les marchés et traduit une intégration progressive du marché des eurocrédits et du marché des euro-obligations.

Marché des eurocrédits et euro-obligations
(en milliards de dollars)

	1981	1982	1983	1984
Euro-obligations	31,3	50,3	50,1	81,7
Eurocrédits bancaires	91,3	90,7	60,2	51,7

Source : OCDE, *Statistiques financières*, différents numéros.

Le marché des eurocrédits :
la quête d'une nouvelle efficacité

Après avoir atteint un niveau record en 1981-1982, les eurocrédits "classiques" syndiqués sont, depuis, en très forte régression. Aujourd'hui, les banques internationales ont considérablement réduit les crédits aux pays en développement et voient leurs meilleurs clients (les pays industrialisés essentiellement) se tourner de plus en plus vers le marché euro-obliga-taire où ils trouvent des formes d'emprunt meil-leur marché et plus élaborées que les eurocrédits classiques.

Le marché consortial aux prises
avec la crise de l'endettement
des pays en voie de développement

L'anémie qui frappe aujourd'hui le secteur des eurocrédits s'explique largement par la crise de l'endettement des pays en développement[1]. Le volume des crédits octroyés par les banques aux pays en développement non membres de l'OPEP n'a cessé de s'amenuiser depuis la fin de l'année 1982. Et près des deux tiers de ces crédits étaient destinés à trois pays latino-américains dans le cadre d'une opération de réaménage-ment de leur dette. Le recul des crédits "sponta-nés" aux pays en développement a donc été bien plus marqué.

La concrétisation du "risque pays" a rendu les eurobanques plus sélectives[2]. Aujourd'hui, la priorité des banques va à l'amélioration de la

---

1. *Problèmes économiques*, "Les marchés internationaux des capitaux et les marchés des actions dans le monde en 1984", 20 mars 1984.

2. Fonds monétaire international, *Occasional Paper*, n° 31, Washington, DC, août 1984.

Prêts bancaires internationaux à moyen et long terme : ventilation selon les pays/organismes emprunteurs (en milliards de dollars)			
	1981	1982	1983	1984
Zone de l'OCDE	45,8 (50,16%)	50,8 (56,01%)	28,2 (46,84%)	27,1 (52,42%)
Pays exportateurs de pétrole	6,0 (6,58%)	7,7 (8,49%)	6,4 (10,63%)	2,9 (5,61%)
Autres pays en développement	37,6 (41,18%)	30,3 (33,41%)	23,8 (39,53%)	18,7 (36,17%)
Europe de l'Est	1,5 (1,64%)	0,5 (0,55%)	0,9 (1,50%)	2,7 (5,22%)
Organismes internationaux de développement	0,1 (0,11%)	0,2 (0,22%)	0 (0%)	0,1 (0,19%)
Autres pays et non attribués	0,3 (0,33%)	1,2 (1,32%)	0,9 (1,50%)	0,2 (0,39%)

Source : OCDE, *Statistiques financières*, différents numéros.

qualité de leur portefeuille et à la restauration de leur rentabilité. Aussi, la compétition fait-elle rage pour prêter aux entités publiques et privées des pays industrialisés et de quelques pays en développement. La concurrence entre bailleurs de fonds est d'autant plus acharnée que les liquidités restent abondantes et que les occasions de prêts dans la majorité des pays industrialisés se raréfient. En effet, le rythme lent de la reprise économique (ailleurs qu'aux Etats-Unis), la réduction des déséquilibres extérieurs, joints à une expérience de taux d'intérêt élevés tendent à déprimer la demande de crédit des pays industrialisés. Qui plus est, ces pays recourent, en proportion croissante, à des formes d'emprunts plus flexibles et moins chers que les crédits syndiqués[3]. Certes, quelques crédits de montant important, dépassant le milliard de dollars (*jumbo loans),* ont été sollicités, notamment au début de l'année 1984, afin de financer des fusions et des acquisitions de compagnies pétrolières aux Etats-Unis.

Mais ces opérations ponctuelles et exceptionnelles ne sont pas représentatives de l'état général du marché des eurocrédits. En fait, les crédits bancaires sont essentiellement canalisés vers une tranche plutôt étroite d'emprunteurs à risque intermédiaire dont la cote de crédit est insuffisante pour leur permettre d'accéder au marché euro-obligataire dans des conditions satisfaisantes. Ainsi, certains pays d'Europe de l'Est[4] (Union soviétique, RDA notamment), d'Europe du Sud, d'Asie (Corée du Sud et Indonésie surtout) ou d'Afrique du Nord ont obtenu des eurocrédits facilement et dans de bonnes conditions, compte tenu de la concurrence interbancaire et de l'érosion, en conséquence, des marges. Néanmoins, aujourd'hui, certains de ces pays mêmes, à l'instar des pays industrialisés, cherchent à bénéficier des autres formes de prêt bon marché désormais disponibles sur le marché. L'Espagne, par exemple, draine des fonds du marché américain du papier commercial ; la Thaïlande, la Malaisie ou la Grèce se tournent, de plus en plus, vers les

---

3. Ce point sera développé en détail dans les paragraphes suivants.

4. Les pays d'Europe de l'Est ont accru leur part pour la porter au niveau antérieur à la crise de l'endettement en Pologne.

marchés de titres à taux variable pour couvrir une partie non négligeable de leurs besoins de financement.

Dès lors, face à un marché de crédits de plus en plus réduit et à des marges ramenées à des niveaux dangereusement bas, les banques commerciales (*commercial banks*) doivent restructurer leurs activités et ce d'autant plus qu'aujourd'hui elles doivent également affronter la concurrence agressive des banques d'affaires (*investment banks*).

**Marges pratiquées
sur les prêts bancaires internationaux**

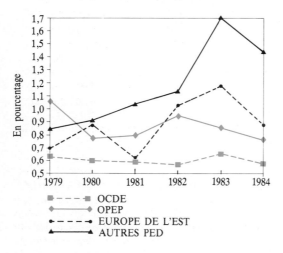

Source : OCDE (mars 1985).

Vers la primauté des formules hybrides

Les banques d'affaires, longtemps exclues du marché des eurocrédits, ont vu dans les nouveaux besoins des prêteurs l'occasion de se placer au détriment des banques commerciales.

L'instabilité actuelle des conditions financières (taux de change, taux d'intérêt, etc.) pousse les bailleurs de fonds à privilégier tout placement liquide et sûr au détriment des investissements à long terme. Aussi les banques d'affaires ont-elles récemment lancé un tout nouveau type d'opération, de courte durée, à la liquidité assurée et destiné aux meilleures signatures[5]. Ces nouveaux montages, sorte d'opération hybride inspirée par

les eurocrédits classiques, les obligations à taux variable et le marché du papier commercial aux Etats-Unis[6], ont pour caractéristique essentielle de regrouper étroitement les techniques des marchés obligataires et bancaires. Le caractère liquide et négociable de ces nouveaux crédits tend à faire tomber en désuétude l'ancienne distinction entre les crédits bancaires et les marchés de titres.

Le principal instrument proposé au départ (par Merril Lynch) fut la prise ferme renouvelable (*Revolving Underwriting Facility* ou RUF). Le RUF est une facilité à moyen terme permettant à l'emprunteur d'émettre sur les euromarchés, de temps en temps et pendant une période déterminée, des euronotes (papier à court terme) à travers la banque d'affaires (exclusivement) mais avec le support d'un "filet de sauvetage" assuré par les banques commerciales. Ces banques commerciales garantissent la facilité en s'engageant à acheter elles-mêmes, à un prix fixé à l'avance, les euronotes que le client souhaite émettre mais que la banque d'affaires s'avèrerait incapable de replacer sur le marché.

Au total, les emprunteurs se voient offrir une formule souple et bon marché du fait des taux normalement peu élevés du marché à court terme et de la demande très forte pour ce genre de papier. Mais cette nouvelle technique a pour effet essentiel de court-circuiter la traditionnelle intermédiation assurée par les banques commerciales qui, face à la capacité des banques d'affaires de proposer des papiers négociables et peu chers, voient leur influence menacée par une concurrence sévère.

C'est pourquoi nombre de banques commerciales, qui dominaient jadis le marché des eurocrédits syndiqués, ont réagi, et cherchent désormais à concurrencer les banques d'affaires en jouant un rôle analogue. C'est ainsi qu'a été créée en 1984 la "facilité d'émission d'effets" (*Euronote Issuance Facility*), baptisée "SNIF" ou "NIF" selon les banques : cette nouvelle formule diffère du RUF par la méthode de placement. Dans le cadre d'une facilité d'émis-

---

5. Ian M. G. Ross, "Euronote Issuance Facilities. Un tout nouveau type de crédit", *Banque,* février 1985.

6. Le papier commercial est une sorte de billet à ordre à court terme dont le caractère renouvelable en fait une formule de financement à moyen terme.

sion d'effets, un panel de banques (surtout commerciales) s'engagent soit à acheter (pour leur propre compte ou avec l'intention de le replacer auprès de leur clientèle) périodiquement le papier à court terme (trois ou six mois) émis par le client, soit à consentir un crédit dans le cas où elles ne désireraient pas acquérir le papier. Ce faisant, les banques commerciales jouent un rôle plus actif, participant au placement en concurrence directe avec les banques d'affaires. Les techniques dans ce marché sont actuellement en évolution rapide ; toutes les semaines pratiquement, de nouvelles formules apparaissent visant à perfectionner le produit.

En conséquence, les euronotes, qui occupaient une place modeste avant 1984, commencent à prendre une part importante du marché, remplaçant presque intégralement les eurocrédits "classiques" pour les emprunteurs de meilleure qualité de l'OCDE.

Volume des "euronotes issuance facilities" (en milliards de dollars)			
1981	1982	1983	1984
0,9	2,4	3,2	16,0

Source : The Economist, 20 avril 1985.

Le succès de cette formule confirme l'intérêt qu'y trouve chaque partie. Les investisseurs potentiels se voient offrir un papier non seulement rémunérateur mais aussi réalisable à toute échéance d'intérêt et par conséquent peu risqué. Les emprunteurs ont des garanties d'obtention de fonds à moyen terme pour des montants importants et à des coûts minimes. Enfin, les banques intermédiaires voient dans ce type d'opération l'occasion d'accroître les activités rémunératrices sans affecter normalement le volume du bilan. Les banques perçoivent, en effet, des commissions qu'elles comptabilisent sans augmentation corrélative de leurs actifs dans l'hypothèse où les titres sont placés auprès des investisseurs. Le développement du rôle de ces opérations hors bilan en tant que sources de revenus pour les banques contribue à estomper

les anciennes frontières entre les différents types d'établissements financiers.

Mais le gonflement de ces "engagements de garantie" n'est pas sans incidence sur la solidité du système bancaire du fait des transformations d'échéances auxquelles il donne lieu et surtout parce que le recours aux fonds bancaires risque de s'exercer au moment le moins opportun[7]. En outre, nombre d'emprunteurs (la Suède et le Danemark en particulier) ont recouru à ce type de crédit bon marché pour rembourser leur dette par anticipation. Les banques commerciales ont ainsi vu leurs profits entamés du fait de cette substitution de prêts peu rémunérateurs aux crédits syndiqués.

Au total, contraint par la crise de l'endettement, la raréfaction des opérations *jumbo*, la réduction des marges et la concurrence croissante, le marché des eurocrédits se restructure profondément (diminution de l'importance des formes traditionnelles de crédits bancaires, augmentation de la part des formules hybrides : RUF, SNIF notamment) pour tendre de plus en plus vers le marché euro-obligataire. Les banques commerciales s'engagent, chaque jour davantage, dans un type d'activité qui était traditionnellement celle des banques d'affaires (opérations sur titres négociables, rémunération sur commissions...). La liquidité croissante des nouveaux prêts accordés par les banques tend à rendre caduque l'ancienne distinction entre crédit bancaire et titre. De surcroît, si autrefois une banque participant à un syndicat gardait le montant de sa participation dans son bilan jusqu'à échéance de l'emprunt, aujourd'hui, les banques tendent à s'échanger entre elles leurs participations bancaires : certaines des grandes

---

7. Les risques encourus par les banques ont amené la Banque d'Angleterre à annoncer en avril 1985 que, dorénavant, les engagements de garantie nés de l'octroi de "facilités d'émission d'effets" seraient pris en considération lors du calcul du ratio : fonds propres/prêts que les banques sont contraintes de respecter. Cette décision tend à menacer l'expansion du marché des SNIF par les tensions sur les coûts des banques qu'elle induit. Toutefois, l'impact attendu de cette mesure fait l'objet de deux réserves importantes. En premier lieu, les autres banques centrales n'ayant pas suivi la Banque d'Angleterre dans cette démarche, les banques non anglaises peuvent tourner cette disposition en comptabilisant leurs SNIF au travers de filiales situées en dehors de la Grande-Bretagne. En second lieu, cette initiative ne vise que les "facilités d'émission d'effets" à l'exclusion des autres engagements de garantie des banques tels les crédits *stand by* par exemple.

banques échangent avec des banques de moindre standing leurs participations indésirables. Ainsi, ont été réconciliés les intérêts divergents des banques (préférence pour la liquidité) et des emprunteurs (désir d'emprunt à moyen et long terme).

Le marché des euro-obligations : une efficacité éprouvée

Après plusieurs années d'expansion ininterrompue, l'activité d'émission sur le marché euro-obligataire s'est remarquablement accélérée (+ 63,1 % de 1983 à 1984), pour atteindre en 1984 un montant record de 81,7 milliards de dollars[8]. Cette croissance s'est fortement concentrée sur le secteur des euro-obligations en dollars, où le volume des émissions est passé de 39,2 à 65 milliards de dollars (+ 66,7 %) ; mais, en pourcentage, l'accroissement le plus marqué (411 %) a porté sur les émissions en euroyens qui ont bénéficié des mesures de déréglementation nippones (voir plus loin dans ce chapitre). En volume, l'activité d'émission en euroyens a

crû de 232 millions en 1983 à 1,19 milliard de dollars en 1984 et s'est établie pour le seul premier trimestre de 1985 à 1,21 milliard de dollars.

L'expansion du marché euro-obligataire a aussi concerné les secteurs de la livre sterling (2,1 milliards en 1983 et 4 milliards de dollars en 1984), du dollar canadien et de l'ECU (voir l'encart sur la reconnaissance de l'ECU sur le marché international). Par contre, le volume des nouvelles émissions en deutschemark a stagné : de 4 milliards en 1983, il n'est passé qu'à 4,3 milliards de dollars en 1984. Dans le cas du deutschemark, la tendance en cours à une diversification accrue des monnaies s'est heurtée à une résistance des investisseurs due à la vigueur du dollar et aux rendements relativement faibles des obligations libellées en deutschemark. En revanche, les émissions en yen, livre sterling, dollar canadien et ECU ont bénéficié d'évolutions favorables de taux d'intérêt et/ou de taux de change.

---

8. Banque des règlements internationaux, 55e rapport annuel, Bâle, 10 juin 1985.

La reconnaissance de l'ECU sur le marché international

Aujourd'hui, le marché des obligations en ECU est un des plus importants secteurs du marché euro-obligataire. Ce marché encore inexistant début 1981, représente maintenant un volume de 2,8 milliards de dollars. En 1984, l'ECU est la quatrième devise de support des émissions euro-obligataires (3,81 %) derrière le dollar américain (80,03 %), le deutschemark (5,80 %) et la livre sterling (5,03 %).

Outre un accroissement quantitatif, le marché de l'ECU a enregistré une diversification des investisseurs et des emprunteurs. Alors qu'à l'origine, les obligations en ECU étaient achetées par les particuliers des pays du Benelux essentiellement, les investisseurs (institutionnels surtout) suisses, scandinaves et japonais ont fait preuve, depuis, d'un intérêt croissant pour ce marché. Mais surtout, en novembre 1984, la première émission libellée en ECU fut lancée, par la CEE, sur le marché national américain ; cet emprunt de 200 millions d'ECU fut largement souscrit par les investisseurs institutionnels américains. Etant donné la sophistication du marché financier américain, cette percée de l'ECU est remarquable.

Côté emprunteurs, le marché a également subi un net élargissement : en 1982, il était dominé par des institutions et pays européens ; aujourd'hui des emprunteurs scandinaves, un nombre croissant d'entreprises privées relevant surtout du secteur financier s'y présentent également. En novembre 1983, la Banque mondiale a lancé une émission en ECU pour un

montant de 150 millions ; cet emprunt a connu un immense succès puisqu'il a été entièrement souscrit le premier jour.

Le choix de modalités s'est également élargi pour les investisseurs : à côté des obligations à taux fixe, les obligations à taux variable sont de plus en plus courantes, les durées se sont allongées dans des proportions importantes (la durée maximale de dix ans a été portée à quinze ans). De plus des émissions ont été divisées en plusieurs tranches, ayant chacune une durée et un coupon différents.

Le développement du marché des obligations en ECU, véritable innovation sur le marché international des capitaux, est dû essentiellement à trois facteurs : l'appui officiel de la CEE, les efforts de quelques banques et surtout la valeur intrinsèque de la formule. Le succès enregistré par l'ECU reflète en tout premier lieu l'incertitude des opérateurs vis-à-vis de l'évolution du marché des changes et des taux d'intérêt, paramètres contre lesquels l'ECU offre une protection significative. En effet, la relative stabilité de l'ECU (notamment par rapport aux différentes monnaies européennes prises individuellement ou au yen) et du taux d'intérêt des obligations (essentiellement taux fixe), qui est une sorte de moyenne des taux des obligations libellées dans les monnaies de la CEE, réduit les risques de change et de taux. De surcroît, les investisseurs sont attirés par le niveau élevé (et notamment par rapport au taux servi sur le deutschemark) du taux d'intérêt offert sur l'ECU.

Le dynamisme du marché euro-obligataire s'explique par un certain nombre de facteurs : des rendements positifs ; les mesures de déréglementation prises par les autorités de plusieurs pays industrialisés (voir plus loin dans ce chapitre) ; une sollicitation croissante, par les investisseurs, de titres émis par les emprunteurs jouissant d'une très bonne cote de crédit et ce, au détriment des créances bancaires qui ont pu être perçues comme offrant une sécurité moindre du fait de la crise de l'endettement ; la préférence des banques pour des actifs négociables et un financement à plus long terme ; enfin et surtout, la prolifération des innovations financières. C'est en effet l'esprit inventif des institutions financières qui a été la raison fondamentale du dynamisme du marché euro-obligataire.

Le marché est le théâtre, depuis le début des années 70 et surtout 80, d'une floraison d'innovations[9]. L'innovation financière désigne soit la création d'un produit financier totalement nouveau, soit (et plus fréquemment) la modification à la marge de certaines caractéristiques d'actifs financiers existants (sophistication). Ces innovations témoignent de la capacité d'adaptation d'un marché euro-obligataire soumis à des chocs multiformes dans un environnement économique caractérisé par une montée et une diversification des risques (instabilité des taux d'intérêt et des taux de change...) ; elles relèvent d'une volonté d'offrir aux emprunteurs et aux investisseurs la possibilité de choisir le type de risque qu'ils souhaitent couvrir ou supporter.

Trois faits marquants ont, récemment, dominé l'évolution du marché euro-obligataire :
- le développement considérable du marché des obligations à taux flottant ;
- une forte extension du recours aux obligations à option ;
- l'apparition d'une vague de swaps.

La popularité croissante des obligations à taux variable

Le dynamisme du marché euro-obligataire résulte, en grande partie, de la popularité croissante des obligations à taux variable (FRN, *Floating Rate Notes*)[10]. Ce marché est passé de 5 milliards de dollars américains en 1980 à 15 milliards en 1983 et 34 milliards en 1984. Les FRN représentent aujourd'hui près de la moitié des euro-émissions en dollars et plus du quart du

total des euro-émissions nouvelles. Le développement de ce secteur s'est opéré au détriment, essentiellement, du marché des obligations à taux fixe (20 % d'augmentation seulement de 1983 à 1984) qui reste cependant prépondérant avec près de 60 % du total des euro-émissions en 1983, et du marché des crédits syndiqués.

Introduites sur le marché euro-obligataire en 1970, les FRN sont des obligations dont le taux d'intérêt est adapté tous les trois ou six mois au taux du marché à court terme, généralement le LIBOR. Mais, en 1984, le LIBOR, trop onéreux, a eu tendance à s'effacer comme base de référence en faveur du LIBID qui est traditionnellement inférieur au LIBOR, du LIMEAN et même du taux des bons du Trésor américain. Cette évolution traduit une intégration croissante entre les marchés monétaires nationaux et le marché de l'eurodollar ; les emprunteurs tendent de plus en plus à arbitrer entre ces différents marchés.

L'instabilité actuelle des taux d'intérêt explique largement le succès récent des émissions à taux flottant, puisque cette formule constitue une protection évidente contre la volatilité des taux. Néanmoins, cet instrument réunit diverses autres caractéristiques qui en font un papier particulièrement attrayant notamment pour les banques commerciales (intervenant majeur sur le marché des FRN). Bien que peu rémunératrices (en particulier par rapport aux crédits syndiqués), les FRN présentent pour les banques le double avantage d'être assorties de signatures irréprochables et d'être liquides. Le caractère liquide des FRN, assuré par l'existence d'un marché secondaire efficace, permet aux banques d'introduire une certaine flexibilité dans leurs actifs dont une fraction importante est bloquée à long terme par les rééchelonnements de la dette des pays en développement. Aussi, les banques

9. Voir les articles de C. Dufloux, "L'imagination créatrice des banquiers sur les marchés euro-obligataires", *Banque,* juin 1982 ; "De nouvelles euro-obligations pour attirer les investisseurs", *Banque,* novembre 1983 et janvier 1984. Voir aussi l'ouvrage de Hubert de La Bruslerie, *Euro-obligations et marché international des capitaux,* CLET, Paris, 1984.

10. Ms Ramsden Nfe, "The International Market for Floating-Rate Instruments", Bank of England, *Quarterly Bulletin,* septembre 1984.

Le taux d'intérêt de l'eurocrédit

Sur l'euromarché, le taux d'intérêt est déterminé librement par confrontation de l'offre (prêteur) et de la demande de fonds (emprunteurs). Le coût des emprunts sur l'euromarché diffère sensiblement de leur coût sur les marchés nationaux.

Divers facteurs expliquent ce phénomène :
- les taux sont largement administrés sur les marchés nationaux ;
- la prime de risque est plus sensible à la qualité de l'emprunteur sur le marché de l'eurocrédit que sur les marchés nationaux ;
- les eurocrédits sont généralement de montant très élevé, ce qui permet de mieux répartir les frais fixes et de réduire leur coût par rapport à celui des marchés nationaux ;
- les eurobanques ne sont pas assujetties au système des réserves obligatoires qui grève les crédits nationaux.

Le taux de l'eurocrédit peut être fixe durant la totalité de la durée de l'emprunt mais, le plus souvent, il est variable, c'est-à-dire révisable selon une périodicité courte. En effet, les banques prêtent à moyen et long terme des ressources empruntées essentiellement à court terme dont le taux varie en fonction de la conjoncture. Si la banque s'engage à prêter à un taux d'intérêt déterminé sur moyenne ou longue période (crédit à taux fixe), elle s'expose alors au risque de devoir payer un taux sur son passif (à court terme) supérieur au taux fixe qu'elle percevra sur son actif (à moyen et long terme). Pour pallier ce risque de transformation des taux dû à la volatilité des taux à court terme, l'eurobanque indexe le taux de ses prêts sur un taux à court terme répercutant ainsi sur son client son coût de refinancement.

Ce taux indexé est déterminé pour une courte période (généralement six mois). Il est révisable à chaque échéance et sa fixation s'établit alors en fonction des taux observés sur le marché à court terme. Le taux de référence est très souvent le *London Interbank Offered Rate* ou LIBOR qui est le taux "offert" à Londres par des banques de premier rang sur les dépôts en eurodollars à six mois (taux prêteur). A cette base, s'ajoute une marge (*spread*) qui constitue la rémunération du banquier et dont le montant est variable. Différents éléments concourent à la détermination de ce montant : le risque de l'emprunteur, le volume de l'emprunt, la concurrence plus ou moins vive entre les banques, etc.

Mais, récemment, les eurobanques ont eu tendance à diversifier leur base de référence. Elles ont ainsi pu indexer le taux de leurs prêts sur :
- le LIBID qui est le taux "demandé" à Londres par des banques de référence sur les dépôts à court terme en eurodollars (taux emprunteur) ;
- le LIMEAN qui est une moyenne entre le LIBOR et le LIBID ;
- le *prime rate* américain qui est le taux propre à chaque banque américaine et auquel elle prête à court terme à sa clientèle nationale de premier ordre.

ont-elles recouru moins fréquemment au marché interbancaire pour se refinancer et ont-elles privilégié l'émission de FRN.

La sollicitation croissante par les banques du marché des FRN (en 1984, près de 50 % des nouvelles euro-émissions de FRN ont été achetées par les banques, le solde ayant été principalement acheté par les investisseurs institutionnels surtout américains et japonais) est une manifestation supplémentaire du changement structurel profond (primauté du concept de "négociabilité") qui s'est opéré dans leur comportement depuis la crise de l'endettement.

Les FRN faisant, par conséquent, l'objet d'une forte demande, les conditions ont rapidement tourné en faveur des emprunteurs. Le montant unitaire des émissions s'est considérablement accru (dépassant parfois le milliard de dollars), pouvant permettre aux emprunteurs de se procurer autant de fonds en émettant des FRN qu'en recourant aux crédits syndiqués. Les échéances se sont allongées (des emprunts sans échéance ont même été lancés) et le différentiel par rapport à l'index de référence s'est fortement réduit. Dès lors, de nombreux emprunteurs parmi les pays industrialisés ont cherché à réduire le coût de leur dette existante (née de crédits syndiqués essentiellement) en renégociant les termes de cette dette ou en la remboursant par anticipation avec le produit d'emprunts bon marché (FRN et SNIF également). Au total, 10 milliards et 19 milliards de dollars américains ont été, respectivement, renégociés et refinancés en 1984.

Ces refinancements expliquent en partie la croissance sans précédent qu'a connue le marché des FRN. Mais, à côté des Etats, les banques, qui trouvent sur le marché des FRN des ressour-

Restructuration volontaire de la dette en 1984 (en milliards de dollars)			
	Renégociation	Refinancement	Total
Canada	5,0	0,8	5,8
Danemark	0,2	2,3	2,5
Italie	2,6	3,5	6,1
Espagne	0,9	0,5	1,4
Suède	-	6,5	6,5
Royaume-Uni	0,9	1,1	2,0
Autres	0,1	3,9	4,0
Total	9,7	18,6	28,3

Source : Bank of England, *Quarterly Bulletin,* mars 1985.

ces à long terme à des taux ajustables aux conditions de marché (correspondant aux besoins de financement des eurocrédits *roll-over),* sont des emprunteurs majeurs. La participation des banques à ce marché, non seulement en tant qu'intermédiaires, mais également en qualité d'emprunteurs et d'investisseurs, est un des moteurs essentiels d'intégration du marché des eurocrédits et du marché euro-obligataire.

Le développement du recours aux obligations avec option

Parmi les euro-obligations avec option, on distingue des options qui permettent le choix de la date de remboursement, le choix de la monnaie de remboursement et enfin le choix d'acquérir "autre chose" qui est conféré par les obligations avec warrants.

● Le choix de la durée

La durée d'un emprunt peut faire l'objet d'un allongement ou d'un raccourcissement. Sur le marché euro-obligataire, la modification joue essentiellement dans le sens du remboursement anticipé, mais deux expressions doivent être distinguées : les *put options* et les *call options.*

Dans le cas des *put options,* l'émission est assortie d'une option de remboursement anticipé au gré du porteur. Lorsque le marché est insta-

ble, que l'évolution des taux d'intérêt est imprévisible, offrir aux investisseurs une *put option* peut faciliter le placement des titres. En effet, le souscripteur pourra toujours se faire rembourser si les conditions de l'opération s'avèrent défavorables, eu égards à l'évolution du marché (notamment en cas de hausse des taux d'intérêt).

Au contraire, les *call options* désignent le cas où l'option de remboursement est au gré de l'emprunteur. Les *call options* permettent à l'émetteur de profiter d'une baisse des taux d'intérêt en annulant la dette ancienne et en réempruntant à un taux d'intérêt plus avantageux. Généralement, et afin de dédommager l'investisseur de cette modification du contrat de base, il est prévu que le remboursement se fera avec une légère prime (cette prime décroît avec l'éloignement de la date d'émission) au-dessus du pair.

● Le choix de la monnaie de remboursement (*currency linked*)

Les emprunts avec option monétaire donnent à l'obligataire le choix entre deux monnaies (voire plus) pour le remboursement et généralement aussi pour le service des intérêts. Le coût de conversion entre les monnaies est fixé lors de l'émission pour toute la durée de l'emprunt ; le risque de change est supporté intégralement par l'émetteur. Cette formule est ancienne puisqu'elle fut utilisée avant 1970 ; néanmoins, elle connaît un regain d'actualité lors de chaque période d'instabilité monétaire. Elle permet à l'investisseur soit de se protéger contre le risque de change, soit de profiter d'un éventuel gain de change. Par ailleurs, l'emprunteur peut bénéficier de ces formules puisque le fait d'offrir un avantage particulier lui permet d'émettre ces obligations à un taux inférieur à celui des obligations classiques.

Dans les années 70, la plupart de ces émissions étaient libellées en livre sterling/deutschemark. Les investisseurs avaient la possibilité de se faire rembourser en deutschemark, à un cours convenu au départ, dans le cas où la livre sterling se déprécierait. A partir de 1980, plusieurs euro-obligations de ce type, libellées essentiellement en dollar/yen et en dollar/franc suisse, ont été lancées.

● Le choix d'acquérir "autre chose" : les obligations avec warrants

Les warrants sont des certificats qui donnent au détenteur le droit d'obtenir des actions, des obligations, de l'or... à des conditions fixées à l'avance. Le warrant peut être détachable et faire l'objet d'une offre et d'une demande (il existe un marché secondaire des warrants). Il peut être exercé à date fixe ou à n'importe quel moment selon les clauses du contrat.

L'obligation assortie de warrant donnant droit à l'acquisition d'actions est une formule ancienne puisqu'elle est apparue vers 1920 sur le marché financier américain ; elle a été introduite, dans les années 60, sur le marché euro-obligataire. Mais cette technique n'a connu de véritable développement qu'au début des années 80.

Depuis 1980, le marché euro-obligataire a enregistré à la fois un fort développement du recours à cette formule (en 1983, les obligations avec warrants constituaient 12 % du marché euro-obligataire) et une extension des possibilités offertes par cet instrument : à côté des warrants permettant de souscrire des actions ont été créés des warrants permettant l'acquisition d'obligation et même d'or (cette dernière innovation ayant vu le jour en 1983).

Les obligations assorties de warrants qui donnent droit à la souscription d'actions ont fait l'objet d'une très forte demande au cours du premier semestre de 1984, période pendant laquelle les principales bourses de valeurs ont connu une activité soutenue.

C'est l'instabilité des conditions financières qui a suscité en 1981 l'apparition de warrants permettant l'acquisition d'obligations. Dans un contexte économique caractérisé par un niveau élevé et une volatilité extrême des taux d'intérêt, les émetteurs qui répugnaient à s'endetter à des taux fixes de l'ordre de 16 ou 17 % ont imaginé d'émettre des titres assortis de taux inférieurs mais auxquels étaient attachés des warrants donnant droit à l'acquisition d'autres obligations à taux fixe ou variable. Ces warrants sont des actifs fondamentalement spéculatifs qui permettent à l'investisseur de profiter de l'évolution du marché. Si certaines innovations ont été des échecs (notamment les warrants sur obligations à coupon zéro[11]), les formules taux fixe/taux variable ont été très prisées.

L'explosion des swaps

Un swap attaché à une obligation permet d'échanger certains termes de cette obligation. Il existe deux grandes catégories de swaps : sur le taux d'intérêt et sur le cours de change. Le swap sur le taux d'intérêt consiste à modifier la nature des paiements d'intérêt. On transforme des taux fixes en taux flottants, des taux indexés sur le LIBOR en taux indexés sur le *prime rate* américain ou inversement. Le swap sur le cours de change est un échange d'une dette en une monnaie X contre une dette, de montant équivalent, en une monnaie Y. L'échéancier et les cours de change à appliquer sont, dans la plupart des cas, convenus entre les parties dès le début de l'opération. Diverses combinaisons de ces deux types de swap sont possibles.

Le swap exploite les divergences d'appréciation par les différents marchés des risques afférents aux emprunteurs. Il permet à chaque emprunteur, pourvu qu'il trouve une contrepartie dont les besoins sont les mêmes en volume mais diamétralement opposés en matière de taux d'intérêt et de devises, de s'endetter à son gré,

---

11. Les obligations à "coupon zéro" sont apparues en 1981 sur l'euromarché, quelques mois après avoir vu le jour aux Etats-Unis. Ce type d'obligation a un intérêt nul (*zero coupon*) qui est compensé par un prix d'émission nettement inférieur à la valeur nominale qui est la valeur de remboursement.

Pourquoi les swaps ?

L'avantage du swap sur le taux d'intérêt est double : d'une part l'opérateur peut obtenir une structure de taux différente, d'autre part il bénéficie au terme du swap de conditions plus avantageuses. Un exemple permettra d'éclairer ce dernier point. Soient deux opérateurs : une société jouissant d'une cote de crédit médiocre et une banque dont la cote de crédit est excellente. La société, compte tenu de son rang, ne pourra s'attendre à émettre sur le marché euro-obligataire qu'en versant des coupons très élevés ; au contraire, elle pourra toujours s'endetter à taux variable facilement et dans des conditions avantageuses auprès de sa banque locale. Inversement, la banque n'aura, elle, aucun mal à emprunter sur le marché euro-obligataire à taux fixe et en acquittant des coupons très faibles. Les deux intervenants s'entendront alors pour emprunter chacun sur le marché sur lequel il bénéficie des conditions relativement les plus favorables : la société s'endettera à taux variable auprès de sa banque, la banque émettra une obligation à taux fixe ; ils procèderont ensuite au swap, c'est-à-dire à l'échange des paiements d'intérêts. La société obtiendra ainsi des fonds moins chers qu'en s'endettant directement à taux fixe ; la banque enregistrera un gain d'intérêt dans la mesure où la société lui versera une prime pour le swap. Le bénéfice du swap est ainsi réparti entre les deux opérateurs.

Le swap sur le cours de change est motivé par la volonté de l'emprunteur d'éviter le risque de change inhérent à un endettement en une monnaie autre que sa monnaie nationale. Supposons qu'une société américaine jouissant d'une bonne cote de crédit auprès du marché américain veuille s'endetter en franc suisse sur le marché helvétique afin de bénéficier de taux d'intérêt plus faible que sur le marché américain. Elle empruntera sur le marché américain (dette libellée en dollar) et concluera un swap sur devise avec une société suisse, dont l'accès au marché national se fait dans des conditions plus favorables. Chaque contrepartie remboursera en la monnaie de support de l'emprunt qu'elle a effectué (c'est-à-dire la monnaie nationale) mais paiera les intérêts de la dette de l'autre.

---

sur n'importe quel marché du monde. La technique du swap est un facteur d'intégration puissant des différents segments du marché des obligations internationales.

Cette technique introduite sur le marché euro-obligataire en 1981 connaît depuis un développement spectaculaire. Durant certains mois, en 1984, 80 % des euro-obligations émises auraient été assorties de swaps. Selon des estimations de Salomon Brothers, quelque 65 milliards de dollars de swaps sur le taux d'intérêt ont été négociés en 1984 (soit trois fois plus qu'en 1983), les swaps sur devises se chiffrent aux alentours de 15 milliards de dollars. Le succès de cette formule vient de ce qu'elle permet à tout intervenant d'accéder à n'importe lequel des marchés de capitaux.

2.2. EMERGENCE D'UN SYSTEME FINANCIER INTEGRE A L'ECHELLE MONDIALE ?

Une vague de déréglementation s'étend aujourd'hui aux principales places financières. Réduisant les obstacles à la circulation des capitaux, ce mouvement est l'une des forces majeures d'internationalisation et d'intégration des marchés nationaux et internationaux de capitaux.

Dans presque tous les pays dont les marchés financiers ont des ramifications internationales, les pouvoirs publics, sous la pression conjointe de la concurrence extérieure, des innovations technologiques (nouvelles technologies de l'information et de l'électronique bancaire) et des innovations financières déréglementent leurs systèmes financiers. Cette déréglementation n'implique pas seulement le démantèlement des réglementations existantes, mais s'efforce aussi d'introduire un cadre réglementaire plus souple, mieux adapté aux contraintes actuelles, et destiné notamment à favoriser et organiser la libre concurrence entre les différentes entités financières nationales et étrangères. Mais ce processus est lourd de conséquences sur l'efficacité de l'action des autorités nationales et de certains instruments de politique économique, aussi bien que sur la structure et l'organisation des systèmes financiers nationaux. C'est pourquoi les pouvoirs publics, notamment au Japon, en Allemagne et dans d'autres pays européens, s'efforcent de maîtriser cette évolution. Aussi la libéralisation des places financières est-elle plus ou moins significative et avancée selon les pays. C'est de l'issue de cet antagonisme entre pouvoirs publics et forces du marché que dépendra l'émergence d'un véritable marché unique des capitaux à l'échelle mondiale.

Une contradiction fondamentale

L'application de l'informatique et des télécommunications aux transactions financières suscite aujourd'hui une accélération et un élargissement sans précédent des flux de capitaux internationaux. A l'ère électronique les marchés sont submergés d'informations. Grâce à la révolution informatique, quiconque dispose d'une simple prise électrique a accès aux données électroniques, les satellites transmettent une profusion de données financières (prix, taux d'intérêt, etc.). Ces développements accélèrent la vitesse de circulation de l'information et permettent une remarquable progression des transactions financières. Lorsque les informations qui circulent indiquent qu'il existe des opportunités de profit sur d'autres places financières, les capitaux tendent à se déplacer. La rapidité et la facilité avec lesquelles un volume croissant de capitaux peut être transféré (la plupart du temps à la vitesse de la lumière et de façon électronique) d'une place à une autre pousse à l'internationalisation des opérations et à l'interpénétration des différents marchés financiers.

Les opérateurs sont d'autant plus incités à étendre le champ de leur activité à l'échelle internationale qu'aujourd'hui les occasions de profit se raréfient. La crise de l'endettement des pays en voie de développement, la récession intervenue dans les pays industrialisés au début des années 80, l'extrême concurrence qui règne actuellement sur les marchés de capitaux, limitent la gamme des opérations possibles et compriment les rémunérations.

Cependant, le maintien jusqu'à une date récente de nombreuses restrictions règlementaires nationales (entraves mises à l'implantation de banques étrangères sur le marché national, stricte délimitation des secteurs d'activité réservés à chaque type d'établissement, etc.) et le cloisonnement des marchés financiers qui en résultait endiguaient les tendances profondes à l'internationalisation des opérations bancaires et financières. Pour desserrer ces contraintes réglementaires, nombre d'intervenants sur les marchés financiers nationaux ont recouru à l'introduction d'innovations financières[12]. Aux Etats-Unis surtout, depuis le début des années 70, de multiples innovations financières sont apparues à l'initiative des agents non étatiques afin de contrecarrer la réglementation (la réglementa-

tion Q, le système des réserves obligatoires, etc.). Par ailleurs, les swaps sur taux d'intérêt et sur devise qui ouvrent à tout emprunteur l'accès au marché de son choix au travers le monde, permettent de contourner les réglementations nationales. Par l'arbitrage entre les différents marchés auquel ils donnent lieu, les swaps évitent les restrictions de change et affaiblissent, en conséquence, le contrôle des banques centrales sur leur système financier et leur monnaie.

Dès lors, sous la pression des innovations technologiques et financières, les pouvoirs publics dans plusieurs pays industrialisés, et en tout premier lieu aux Etats-Unis, cèdent le pas devant les lois du marché et s'acheminent vers une libéralisation de leurs marchés financiers.

La déréglementation des marchés financiers nationaux

Les transformations financières se sont opérées à un rythme extraordinairement rapide aux Etats-Unis et ont déterminé l'apparition du marché national le plus déréglementé du monde. Sous la pression de la concurrence, certains gouvernements européens et le gouvernement japonais ont amorcé la libéralisation de leurs marchés internes.

Le défi américain

Les autorités américaines ont procédé à la fois à l'instauration de règlements visant à favoriser la concurrence, et à la suppression des législations qui avaient pour effet de brider les forces du marché.

Ainsi, la loi de 1980 (*Depository Institutions Deregulation and Monetary Control Act*) tend à placer l'ensemble des institutions de dépôt sur un pied d'égalité. Citons dans cette perspective la légalisation d'innovations financières telles

---

12. Voir Christian de Boissieu, "Les innovations financières aux Etats-Unis", *Observations et diagnostics économiques,* revue de l'Observatoire français des conjonctures économiques (OFCE), février 1983 ; et, du même auteur, "Innovations financières, politique monétaire et financement des déficits publics", dans D.E. Fair et F.L. de Juvigny (eds), *Government Policies and the Working of Financial Systems in Industrialized Countries,* Martinus Nijhoff, 1984.

que les comptes NOW (*Negotiable Order of Withdrawal*) et ATS (*Automatic Transfer Service*).

L'autorisation donnée par les autorités américaines pour la création, le 3 décembre 1981 à New York, des *International Banking Facilities (IBF)* relève aussi de leur souci de favoriser la concurrence. Les IBF sont des comptes que toute banque établie aux Etats-Unis, américaine ou étrangère, peut ouvrir à des non-résidents (exclusivement). Ces comptes ne peuvent être utilisés que pour des crédits aux non-résidents. Les opérations sur ces comptes échappent à la réglementation fiscale et bancaire américaine (zone off-shore). Néanmoins, certaines restrictions ont été imposées par les autorités américaines afin qu'il n'y ait pas d'interférences avec la politique monétaire interne (il existe un montant minimum de dépôt, etc.). A ces réserves près, le fonctionnement des IBF peut être assimilé à celui des filiales étrangères des banques américaines alors qu'elles sont domiciliées aux Etats-Unis. La création des IBF relève de la volonté des autorités américaines d'accroître la compétitivité internationale des banques situées aux Etats-Unis et de les mettre à même de concurrencer l'euromarché.

Par ailleurs, en 1982, a été votée par le Congrès la loi "Garn-Saint-Germain". Cette loi permet aux banques d'offrir un produit financier voisin des *Money Market Mutual Funds* (MMF)[13] apparus en 1972 et qui ont fortement étendu leur part de marché au détriment des banques. En 1982 également, a été introduite la *Shelf Procedure 415,* formule d'enregistrement ou de visa global de la *Securities and Exchange Commission* qui favorise le lancement rapide d'émissions nouvelles à New York.

Nombre de réglementations qui enserraient les opérateurs dans un carcan trop rigide ont d'autre part été abolies. Les plafonds pesant sur les taux d'intérêt sont progressivement éliminés depuis 1978. La réglementation Q, interdisant la rémunération des dépôts à vue et plafonnant celle des dépôts à terme, est assouplie depuis 1980 ; elle sera supprimée en 1986. Et surtout, le 18 juillet 1984 a été abolie la *withholding tax,* c'est-à-dire l'impôt à la source de 30 % prélevé sur les intérêts des obligations nouvellement émises par le gouvernement fédéral ou par les entreprises américaines et acquises par des étrangers.

Ces évolutions ont profondément transformé la scène financière américaine. Aujourd'hui, la compétition s'exacerbe entre les intermédiaires financiers dont la rentabilité subit, en conséquence, de fortes pressions à la baisse. Qui plus est, les investisseurs, qui sont en proportion croissante des institutions non bancaires (compagnies d'assurance, *pension funds...*) n'hésitent plus à faire chuter les commissions demandées par les banques d'affaires. Dès lors, les institutions financières pour maintenir, voire accroître, leur part de marché offrent une floraison de nouveaux produits financiers ; le phénomène de concentration des organismes financiers s'amplifie avec la multiplication des fusions, des reprises et des faillites. Corrélativement, le clivage entre banques commerciales et banques d'affaires est de plus en plus ténu (bien que le *Glass-Steagall Act* soit toujours en vigueur[14]) : aujourd'hui chaque type d'organisme tend à travailler dans tous les domaines (domaine de la banque, des titres, de l'assurance, etc.) et à élargir la gamme des services spécialisés offerts (courtage, placement, conseil, garanties...).

A l'instar des évolutions constatées sur l'euromarché, la distinction entre prêt bancaire et titre s'effrite chaque jour davantage. L'accent aujourd'hui mis par les autorités monétaires sur l'impératif d'un renforcement du ratio fonds propres/prêts a favorisé l'apparition récente de crédits incorporant une clause de transférabilité : plutôt que d'accroître leurs fonds propres, les banques peuvent s'échanger de tels crédits. Cette pratique, si elle se généralisait, tendrait à rendre caduque l'ancienne séparation entre prêt et titre. Enfin, les organismes financiers américains interviennent de plus en plus sur les places financières européenne et japonaise tandis que les institutions étrangères intensifient leur action à l'intérieur du marché américain.

---

13. Les MMF sont des fonds de placement spécialisés dans le marché monétaire qui permettent aux petits épargnants d'avoir accès aux taux libres du marché à court terme.

14. Le *Glass-Steagall Act* de 1933 a introduit une séparation nette entre les banques d'affaires (*investment banks*) et les banques commerciales (*commercial banks*) en interdisant à ces dernières, qui collectent l'épargne et octroient les crédits, de s'occuper des émissions et des transactions sur valeurs mobilières.

Mais le défi américain se cristallise également dans l'apparition de deux nouveaux compartiments du marché des capitaux : les marchés de contrats à terme des devises et des titres financiers (*financial futures*) d'une part, le marché des options d'autre part[15].

Les marchés de contrats à terme et les options : genèse et historique

Les marchés de contrats à terme de devises ont vu le jour en 1972 avec la création de l'*International Monetary Market* (IMM), filiale du *Chicago Mercantile Exchange* (deuxième bourse de commerce américaine après le *Chicago Board of Trade*). Les institutions spécialisées dans les échanges à terme de matières premières (or, zinc...) et de denrées (blé, cacao...) étendirent les couvertures à terme aux devises étrangères (deutschemark, yen, franc suisse, livre sterling, dollar canadien, peso mexicain et franc français). En 1975, l'apparition de contrats à terme sur les créances hypothécaires garanties par la *Government National Mortgage Association* a donné une nouvelle impulsion à ce marché. A partir d'octobre 1979, les fluctuations considérables des taux d'intérêt, consécutives à la mise en place d'une nouvelle politique monétaire américaine, devaient susciter un développement impressionnant des marchés de contrats à terme de titres financiers. En 1980, 12,5 millions de contrats de devises et de titres financiers ont été conclus aux Etats-Unis (soit plus de 100 % par rapport à l'année précédente). Face à ce succès, le *New York Stock Exchange* chercha à s'approprier une partie de ce marché en créant en juillet 1980 le *New York Futures Exchange*. Aujourd'hui, outre les devises étrangères, les transactions à terme portent sur une myriade d'actifs financiers (papier commercial à trente jours et à trois mois, bons du Trésor à trois mois et à un an, titres publics dont l'échéance se situe entre quatre et six ans, eurodollar depuis 1981, etc.) et d'indices boursiers.

Si les options sur matières premières et sur valeurs boursières existent depuis très longtemps, ce n'est qu'en décembre 1982 que le *Philadelphia Stock Exchange* a ouvert des marchés d'options sur devises étrangères (deutschemark, livre sterling, yen, franc suisse et dollar canadien). Depuis lors, le nombre de contrats s'est accru très rapidement : près de 1,5 million de contrats ont été négociés en 1984 contre 192 000 en 1983. Le 24 janvier 1984, l'*Index and Options Market* de Chicago lançait le premier marché d'options sur contrat à terme de deutschemark.

Les contrats à terme constituent une promesse de livraison à une date ultérieure d'actifs financiers ou de devises dont le taux d'intérêt (*interest rate futures market*) et le taux de change (*currency futures market*) ont été, respectivement, fixés dès l'origine. Il existe un marché secondaire des *financial futures*[16] : un contrat peut être acheté/vendu à tout moment entre la date d'émission et celle de la livraison des devises ou actifs financiers. Le prix de ces contrats fluctue jusqu'à leur terme selon l'évolution des taux d'intérêt et des taux de change constatés sur le marché au comptant.

Les marchés des *financial futures* assurent une double fonction : une fonction économique et une fonction de pourvoyeur d'informations. Leur rôle économique consiste en la gestion du risque de change ou d'intérêt[17]. Ces marchés permettent aux opérateurs de se protéger de ces risques (opération de couverture) ou d'en profiter (opération de spéculation). S'ils mettent en présence deux opérateurs dont l'objectif identique est de se couvrir, le risque économique est réparti entre les deux intervenants de telle sorte que chacun voit son risque réduit. Si (et c'est le cas le plus fréquent) une des contreparties est un spéculateur, ces contrats transfèrent tout ou partie du risque de l'opérateur qui cherche à se couvrir vers le spéculateur[18]. Il existe également des contrats organisés entre spéculateurs.

15. Voir : *A Study of the Effects on the Economy of Trading in Futures and Options*, United States House of Representatives, Washington, DC, décembre 1984.

16. Le marché à terme de devises (*forward market*), qui existe depuis fort longtemps, diffère du marché des contrats de devises (*financial futures*) en ce qu'il ne permet pas de céder les créances et engagements sur un marché secondaire.

17. Contrairement à la gestion du risque de change qui existe depuis longtemps du fait des marchés à terme de devises (*forward market*), la gestion du risque d'intérêt n'a qu'une réalité récente avec l'apparition en 1975 du premier marché des contrats d'actifs financiers. En ce sens, ces derniers marchés constituent une innovation plus fondamentale que les marchés des contrats de devises.

18. Supposons qu'un importateur britannique doive verser dans trois mois 10 000 dollars à une société américaine. Cet importateur s'expose alors au risque de devoir acheter dans trois mois un dollar plus cher que ce qu'il vaut à l'heure actuelle. Pour couvrir son risque de change, l'importateur peut conclure avec un spéculateur un contrat à terme (trois mois) de devises fixant, aujourd'hui, le cours de change à appliquer dans trois mois (cours à terme) et déterminant dans le même temps le prix en livres de son importation. A la date de règlement (ou d'échéance du contrat), le gain (ou la perte) enregistré par l'importateur correspondra à la différence entre le cours au comptant et le cours contractuel : si le prix du dollar s'avère plus (moins) élevé sur le marché des changes au comptant qu'il ne résulte des termes du contrat, l'importateur réalise un gain (perte). Ce gain (perte) correspond exactement à la perte (gain) du spéculateur (jeu à somme nulle).

Mais ces marchés jouent également un rôle important de pourvoyeur d'informations. Tout comportement de recherche de profit ou de couverture de risque repose sur des anticipations de prix au comptant. Les intervenants s'efforcent de collecter et de traiter toute l'information disponible pertinente afin d'être en mesure de faire les meilleures prédictions des prix futurs. Or, si les anticipations formées sont cohérentes avec l'information pertinente et fondent les comportements de spéculation ou de couverture, les prix des contrats sont conformes aux conditions présentes et futures de l'offre et de la demande ou reflètent toute l'information disponible ("marché efficient"). Dès lors, ces prix contiennent des informations sur l'évolution des prix au comptant et accroissent le stock d'informations disponible pour les opérateurs.

L'option, quant à elle, confère à son détenteur le droit (et non l'obligation) d'acheter (*call option*) ou de vendre (*put option*) une quantité déterminée d'actifs financiers ou de devises à un prix convenu à l'avance ("prix d'exercice") et cela à tout moment jusqu'à la date d'expiration de l'option. L'achat d'une option diffère fondamentalement d'un contrat à terme dans la mesure où le détenteur d'une option possède un droit d'exercice mais n'a pas l'obligation de réaliser l'opération. L'acheteur de l'option peut soit revendre son option (il existe un marché secondaire des options), soit l'exercer, soit ne pas dénouer son opération (auquel cas l'option perd toute valeur le lendemain de sa date d'expiration). Les droits d'acheter et de vendre s'exercent à l'encontre du vendeur de l'option qui, en contrepartie, reçoit le prix de cette option (*premium*). Le prix de l'option est déterminé en fonction de trois variables essentiellement : la variabilité potentielle du prix de l'actif traité, le terme du contrat et la différence observée entre le prix d'exercice de l'option et le prix constaté de l'actif. Par l'achat d'une option, un opérateur se protège des risques de change[19] ou d'intérêt (opération de couverture) tout en pouvant bénéficier d'une évolution favorable des cours et des taux d'intérêt[20].

Ces inflexions dans la répartition des risques doivent être accueillies favorablement si le risque est finalement supporté par celui qui est le plus à même de l'assumer. Toutefois, l'exacerbation de la concurrence entre intermédiaires financiers, l'amenuisement des marges bénéficiaires et la complexité croissante des nouveaux produits financiers qui caractérisent aujourd'hui le paysage financier américain, ainsi que la réduction de la transparence des marchés qui en résulte, contiennent en puissance de nouvelles difficultés. Aussi les pouvoirs publics surveillent-ils de très près les multiples transformations affectant leur système financier.

Quoiqu'il en soit, le dynamisme d'un marché américain de plus en plus compétitif et innovateur, qui exerce un attrait croissant sur les investisseurs et emprunteurs de toute nationalité, suscite de nombreuses réactions sur les autres places financières dont le rôle peut être remis en question. Déjà, la Bourse londonienne s'est entendue, en mai 1985, avec celle de Philadelphie pour rendre d'ici quelques mois, leurs options sur devises interchangeables. Cet accord devrait permettre de vendre à Philadelphie une option achetée à Londres et inversement.

Ces évolutions modifient les données de la compétition financière internationale et ont conduit à de nombreuses interrogations sur l'avenir de l'euromarché d'une part et sur la place qu'occuperont dans un avenir proche les marchés financiers japonais et européens d'autre part.

---

19. Voir "L'option de change : un nouvel instrument de gestion du risque de change", *Index*, revue économique de la banque d'Indosuez, octobre 1984.

20. Reprenons l'exemple de la note 18 : l'importateur britannique choisit d'acheter une option d'achat (plutôt que d'acheter les dollars à terme). Dans le cas où le marché évolue contre lui (baisse des cours telle que le prix d'exercice est supérieur au cours au comptant), l'importateur ne réalisera pas son option et sa perte se limitera au montant de la prime (alors qu'elle est théoriquement illimitée dans le cas de l'achat à terme de devises). A l'inverse, si l'évolution des cours lui est favorable (hausse des cours telle que le prix d'exercice de l'option est inférieur au cours au comptant), l'option sera exercée et l'importateur enregistrera un gain égal à l'écart entre le prix d'exercice et le cours au comptant moins le montant de la prime. Le gain (perte) réalisé correspond à une perte (gain) de même montant pour le vendeur de l'option qui accepte d'être en position de change (opération de spéculation). Un exportateur, par exemple, peut estimer profitable de vendre des options d'achat de devises : si l'option est exercée, il est contraint de vendre des devises mais à un prix jugé précédemment acceptable, et la prime reçue en début d'opération vient compenser (partiellement ou totalement) la perte de change. Si l'option n'est pas réalisée, son gain est égal au montant de la prime.

Vers un déclin de l'euromarché ?

Certains, aux Etats-Unis notamment, estiment le déclin de l'euromarché inéluctable. La supression en juillet 1984 de la retenue à la source de 30 %, que les Etats-Unis appliquaient aux intérêts d'obligations souscrites sur leur territoire par des étrangers, risque en effet de provoquer une disparition des grandes signatures américaines de l'eurodollar et un transfert des investisseurs vers le marché national américain. La volonté des autorités américaines de drainer quelques milliards de dollars supplémentaires et de financer ainsi, au moins en partie, le déficit budgétaire explique largement cette abolition. Qui plus est, et afin de riposter à l'attrait incontestable qu'exerce le marché financier américain sur les capitaux en circulation, la RFA et la France ont, le 3 octobre 1984, supprimé leur propre taxe de retenue à la source. La Suisse, les Pays-Bas, la Grande-Bretagne, l'Australie envisagent également d'abolir leur taxe. Dès lors, ne va-t-on pas assister à un rapatriement massif des capitaux de l'euromarché vers les marchés nationaux ? Les principales places financières sont-elles en passe de "domestiquer" à leur profit l'euromarché ?

De fait, ce dispositif fiscal avait favorisé l'essor de l'euromarché. En effet, pour attirer des souscripteurs étrangers découragés par cette retenue à la source, des émetteurs américains, ou allemands, se sont tournés vers l'euromarché. Une caractéristique importante de ce dernier en a résulté : les émissions en eurodollars ou en eurodeutschemark se faisaient à un taux moins élevé que les émissions sur les marchés nationaux en raison de l'avantage procuré par l'absence de retenue à la source. La suppression de ces taxes fait donc perdre à l'euromarché un de ses avantages relatifs : de fait les taux des obligations nationales et des euro-obligations se sont fortement rapprochés.

Néanmoins, l'impact de l'abrogation de ces taxes, notamment la taxe américaine, ne doit pas être surestimé. Tout d'abord, des accords de non double imposition passés avec certains Etats (RFA, Pays-Bas, Royaume-Uni) pouvaient permettre à l'investisseur de récupérer dans son pays cette retenue à la source. Ensuite, vraisemblablement, seuls des émetteurs américains se réorienteront vers le marché national américain ; or, la part des firmes américaines ne représente que 20 % environ du marché euro-

obligataire, ce qui est important mais pas prédominant. L'existence des contraintes réglementaires de la SEC (*Securities and Exchange Commission*), auxquelles sont soumises les émissions à New York, risque fort, en effet, de dissuader les emprunteurs non américains d'émettre sur le marché américain. Enfin, l'euromarché garde des atouts non négligeables même si l'avantage de son coût pour les emprunteurs s'est amenuisé. Son anonymat total par le biais de bons au porteur, la rapidité des montages, la simplicité d'émission, la diversité des types et des monnaies d'emprunt, sa faculté d'innovation, contribuent à préserver son originalité.

Il reste que, s'il est encore trop tôt pour juger définitivement des conséquences de l'abrogation de cette taxe sur l'euromarché, l'on peut cependant constater que les deux emprunts émis par le Trésor américain (d'un montant de 2 milliards de dollars) en Europe et au Japon n'ont guère reçu d'accueil enthousiaste. Certainement, le fait que la formule au porteur n'ait pas été utilisée (sous la pression du Congrès) n'y est pas étranger. La réglementation américaine, pour limiter la fraude fiscale et prévenir le recyclage des fonds de la mafia, interdit aujourd'hui au Trésor et aux institutions parapubliques[21] d'émettre à l'étranger des titres au porteur. Ces restrictions sur l'anonymat à New York représentent un handicap majeur aux yeux des euro-investisseurs.

C'est pourquoi le Trésor américain a mis au point, afin de concilier le respect de la législation et la demande d'anonymat des investisseurs étrangers, une procédure spéciale. A titre dérogatoire, les obligations publiques pourront être émises à l'étranger sous la forme de titres au porteur si les banques internationales qui en assurent la garde garantissent que les souscripteurs sont non-résidents américains sans que ces derniers se voient pour autant contraints de décliner nom et adresse. Si ce compromis a permis au Trésor de drainer quelque 2,5 milliards de dollars en 1984, il reste qu'à l'heure actuelle, le maintien de particulari-

---

21. Les opérateurs privés peuvent émettre des obligations sous la forme de titres au porteur s'il est prouvé que le souscripteur est un non-résident (sinon les émissions doivent être souscrites sous forme nominative en conformité avec le droit commun). Mais le problème est que, pour justifier le caractère de non-résident, le détenteur de l'obligation doit décliner son identité.

tés juridiques et spécificités techniques, les habitudes des euro-investisseurs, préviennent une fusion totale entre marché euro-obligataire et marché national américain. La suppression de la retenue à la source américaine représente, toutefois, un pas vers l'intégration de ces deux marchés.

La "révolution" londonienne

Mais la réponse au défi américain se prépare avant tout à Londres. Face à l'accroissement de la concurrence exercée par les Etats-Unis, une véritable "révolution" financière est en cours dans la City londonienne. Cette révolution a été précipitée par l'abandon du système des commissions fixes sur la Bourse de New York en 1975. Cette suppression a conduit à une vague de fusions aux Etats-Unis : seules les firmes les plus importantes étant en mesure de compenser les pertes de recettes enregistrées sur les opérations boursières en développant leurs activités dans des domaines nouveaux. En outre, libérées du carcan réglementaire, les firmes américaines ont pu abaisser les coûts supportés par leurs clients. La compétitivité accrue de l'industrie boursière américaine menaça alors sérieusement l'activité de la City comme en a témoigné la suppression du contrôle des changes anglais en 1979. Les firmes américaines se sont massivement implantées à Londres et se sont appropriées une part croissante du marché financier londonien.

Dès lors, il s'avérait urgent pour la Bourse londonienne de s'adapter. C'est le 27 juillet 1983 qu'un accord entre le ministère du Commerce et de l'Industrie d'une part et le conseil du *Stock Exchange* d'autre part amorce la révolution financière à Londres. Plusieurs décisions ont été envisagées. Le système des frais de courtage fixes devra disparaître au plus tard en décembre 1986[22]. La distinction rigide qui existait depuis deux siècles entre *jobber* ("contre-partiste", c'est-à-dire membre du *Stock Exchange* qui n'est pas qu'un simple intermédiaire financier mais fait des offres d'achat/vente pour son propre compte) et *broker* ("courtier", c'est-à-dire agent qui fait des offres d'achat/vente pour le compte de sa clientèle) doit être supprimée avant octobre 1986. Désormais, les *brokers* à l'instar des *jobbers* pourront "faire le marché"[23]. Par ailleurs, la Bourse londonnienne ouvre ses portes aux firmes de courtage étrangères et il est prévu que le capital des membres de la Bourse pourra être détenu à 100 % (au lieu du plafond actuel de

29,9 %) par des tiers à compter de mars 1986. Enfin le *Stock Exchange* va mettre en place un système de communication en temps réel en vue d'assurer la diffusion continue des cours acheteurs et vendeurs.

Le marché des *gilt edged* (fonds d'Etat britanniques) va également être le cadre de profondes transformations ; le modèle retenu serait proche de celui en vigueur sur le marché des bons du Trésor américain. Les commissions devraient être négociables avant la fin de 1986 ; le mode de cotation sera continu ; trois nouvelles catégories d'institutions seront créées : les *broker dealers* qui seront les intermédiaires, les *inter dealer brokers* qui seront des intermédiaires spécialisés entre contre-partistes uniquement et les *money brokers* qui auront pour fonction de prêter des fonds ou des titres aux *broker dealers*. A l'inverse du marché des bons du Trésor américain qui est largement libre, le marché des *gilt edged* sera sous le contrôle du *Stock Exchange* et de la Banque centrale d'Angleterre.

Ces mesures de déréglementation effectives ou simplement annoncées ont induit un mouvement de fusions et de prises de participations. Plusieurs banques nationales (*merchant bank* et grandes banques commerciales) et étrangères (notamment Citicorp, Security Pacific, la Société générale, etc.) ont pris des participations (dans la limite actuelle de 29,9 %) dans les plus grands *jobbers* ou *brokers* de la place de Londres. Cette osmose entre la Bourse londonienne et le marché financier national et international est appelée à se développer puisque l'intégralité du capital des membres du *Stock Exchange* pourra prochainement être souscrite par des tiers.

Mais, outre ce décloisonnement entre des marchés ou segments de marché autrefois bien distincts, la révolution financière londonienne s'est manifestée par l'ouverture en septembre 1982 d'un marché de contrats de taux d'intérêt et

---

22. Depuis le 1er avril 1984, l'abolition des commissions fixes sur le commerce des titres étrangers est effective.

23. Le "faiseur de marché" (*market maker*) est la véritable clef de voûte du marché boursier de Londres. Il s'engage à "faire le marché" d'une liste publiée de titres, c'est-à-dire à annoncer pour chaque titre un cours auquel il est acheteur et un cours auquel il est vendeur. Quelle que soit la conjoncture, le faiseur de marché assure la négociation des titres annoncés, à l'achat comme à la vente. C'est cette activité qualifiée de "contrepartie" qui garantit la liquidité du marché.

de devises, le LIFFE (*London International Financial Futures Exchange*), et par la création, en mai 1985, d'un marché d'options sur devises qui doit, comme on l'a vu, travailler en étroite collaboration avec le *Philadelphia Stock Exchange* (numéro un mondial pour ce type d'opérations).

Le LIFFE a connu un développement remarquable depuis sa création : 2,6 millions de contrats furent négociés en 1984. Cet essor s'explique essentiellement par deux éléments : la grande diversité des instruments sur lesquels portent les contrats (dépôts à trois mois en livres sterling et eurodollars, titres publics à vingt ans, bons du Trésor américain, etc.) d'une part, et la liquidité du marché assurée par des spéculateurs qui bénéficient de l'expérience des marchés américains d'autre part.

Aujourd'hui, l'activité des *financial futures* se polarise sur les trois marchés de Chicago, New York et Londres, mais ces marchés spécialisés se multiplient autour de la planète (en Australie, au Canada, à Singapour[24]) et s'interpénètrent de plus en plus dans une perspective d'internationalisation. Si quelques pessimistes ont invoqué la tendance à la déflation qui se généralise dans les pays occidentaux pour prédire la stabilisation voire la contraction de ces marchés, il ne faut cependant pas s'y tromper : les options et les contrats à terme de devises et d'actifs financiers sont de véritables instruments de gestion et sont donc appelés à se développer dans un environnement économique caractérisé par une montée des risques (volatilité des taux d'intérêt et des taux de change...).

---

24. La place financière de Paris envisage de créer un marché de contrats à terme.

25. Voir l'article de Philippe Sigogne et Thierry Schwob, "Le Japon à l'âge mûr", *Observations et diagnostics économiques*, revue de l'OFCE, juillet 1985.

Libéralisme et modernisation : leitmotiv des autorités françaises

Après une phase de nationalisation du système bancaire et de contrôles accrus des marchés financiers, le gouvernement socialiste s'engage aujourd'hui dans un processus graduel de déréglementation et poursuit, par ailleurs, la modernisation de la place parisienne amorcée à la fin des années 70. Les mutations intervenues sur les grandes places étrangères, et en particulier à Londres qui se fixe aujourd'hui pour objectif d'être "la" place financière de l'Europe, ont conduit le ministère des Finances à accélérer les transformations affectant le marché financier français. De fait, le système français, traditionnellement caractérisé par un fort degré de réglementation et une concurrence limitée entre les intermédiaires financiers, ne paraissait plus être en mesure de faire face aux contraintes de la compétition internationale.

Profitant d'une conjoncture favorable, notamment d'une demande de crédits internes modérée, les autorités françaises ont supprimé le 1er janvier 1985 le système connu sous le nom d'"encadrement du crédit" et l'ont remplacé par un régime se rapprochant certes dans ses grandes lignes du précédent, mais porteur d'inflexions qui, pour accessoires qu'elles soient, vont dans le sens d'une plus grande flexibilité et laissent aux banques une plus large autonomie de décision. La question aujourd'hui est de savoir dans quelle direction va évoluer ce nouveau dispositif, qui recèle à la fois un potentiel de libéralisation accrue mais aussi une possibilité de plus grande "administration" et de contrainte plus stricte.

Par ailleurs, le gouvernement s'apprête à prendre plusieurs mesures de libéralisation des marchés financiers sur la base du rapport que Bernard Tricot (ancien président de la Commission des opérations de bourse) lui a remis en février

1985. Les principales dispositions sont destinées à modifier les rôles relatifs des banques et des agents de change. Ainsi, les commissions perçues sur les actions sont l'objet d'un meilleur partage entre les banques qui apportent les ordres en Bourse et les agents de change qui les exécutent : le gouvernement relève de 27,5 % à 40 % la part de la commission que les agents de change rétrocèdent aux établissements bancaires. En outre, les autorités viennent de définir des seuils (2 millions de francs pour les actions et 10 millions pour les obligations) à partir desquels les commissions seront, désormais, librement négociables entre banquiers et agents de change. Enfin, les pouvoirs publics s'attachent à développer la fonction de contrepartie[1] en habilitant les agents de change et les établissements de crédit à créer des sociétés de contrepartie. Le but de cette réforme est d'accroître la liquidité de la place parisienne et de la mettre ainsi à la portée des très grands investisseurs étrangers.

Un certain nombre de dispositions prises visent à introduire plus de souplesse et de concurrence sur le marché primaire obligataire : par exemple, les émetteurs auront désormais plus de liberté dans le choix de la banque qui aura la charge de diriger leurs émissions et les chefs de file une responsabilité accrue. De plus, le gouvernement libéralise l'accès au "petit marché" sur lequel les émissions ne font pas l'objet d'autorisation préalable des autorités monétaires mais où le montant que chaque entité peut emprunter est soumis à une limite annuelle. Les pouvoirs publics ont relevé cette limite de 200 à 500 millions de francs pour 1984, et envisagent actuellement de la porter à 1 milliard de francs par an d'ici à 1986.

Des mesures de libéralisation sont également intervenues

dans le domaine des opérations internationales. Comme il a déjà été mentionné, le 3 octobre 1984 a été supprimée la retenue à la source (25 %) qui frappait les intérêts des obligations détenues par les étrangers. En avril 1985, le gouvernement a poursuivi sa politique d'assouplissement progressif d'un contrôle des changes extrêmement contraignant en autorisant la reprise des euro-émissions obligataires libellées en franc (suspendues depuis 1981). Les autorités voient là notamment un moyen d'accroître la confiance des étrangers dans le franc.

Mais, outre ces initiatives dans le domaine de la déréglementation, les autorités françaises intensifient aujourd'hui leurs efforts de modernisation de la place parisienne : la préparation d'un marché informatisé fonctionnant en continu et la promotion d'importantes innovations en constituent les deux volets essentiels. Dans cette perspective, il faut noter le remarquable essor qu'ont connu les SICAV de trésorerie et les Fonds communs de placements à court terme[2] suite à la modification du régime des taux d'intérêt créditeurs en septembre 1981. La loi Delors de janvier 1983 a, quant à elle, permis l'introduction sur le marché financier français de nombreux produits financiers nouveaux. Plus récemment, le gouvernement a autorisé le lancement d'un nouvel instrument de placement à court terme (six mois à deux ans) émis par les banques : les certificats de dépôt négociables sur le marché monétaire[3]. Ces dépôts peuvent être libellés en francs français ou en devises. En sus des certificats de dépôt, les autorités viennent d'annoncer la création prochaine, prévue en plusieurs étapes, d'un marché de contrat à terme d'instruments financiers : le MATIF. Les premiers contrats, que seuls les agents de change pourront négocier (pour le compte de tous les intervenants) seront conclus en septembre 1985 et porteront sur des obligations exclusivement. Le 1er janvier 1986, ce marché sera ouvert à l'ensemble des intermédiaires (banquiers, investisseurs institutionnels...) et élargi aux instruments financiers à court terme. Enfin, en septembre 1986, la totalité des négociateurs auront accès aux contrats sur l'inté-

gralité des produits financiers alors négociables. La création de ce marché représente une étape déterminante dans la tentative d'alignement de la place parisienne sur les normes des grands marchés mondiaux. Toutefois, pour être véritablement performant, il devra être ouvert à des produits financiers exprimés non seulement en francs français mais également en devises. Or, le démantèlement du contrôle des changes n'a fait l'objet d'aucune promesse de la part du gouvernement français. Enfin, la création d'un marché d'options négociables est à l'étude ; sa réalisation constituerait une pièce maîtresse dans la gamme des instruments du marché parisien et consacrerait les efforts des autorités nationales pour moderniser le marché financier français.

1. La fonction de contrepartie est la possibilité donnée aux établissements financiers d'intervenir sur le marché pour en assurer la liquidité. Il s'agit de permettre à ces établissements de stocker des titres sans qu'ils aient préalablement trouvé le client à qui céder ensuite ces papiers. Actuellement, l'absence de véritable contrepartie constitue l'un des principaux handicaps de la Bourse de Paris par rapport aux grandes places financières internationales.

2. Les SICAV et Fonds communs de placements à court terme sont constitués d'obligations à court terme et offrent à leurs acquéreurs une rémunération voisine de celle du marché obligataire avec les avantages d'une grande liquidité.

3. Le mécanisme des certificats de dépôt est le suivant : une entreprise, par exemple, disposant d'excédents de trésorerie, effectue dans une banque un dépôt à terme rémunéré à un taux proche de celui du marché monétaire ; en contrepartie, la banque lui remet un certificat de dépôt dont elle peut se défaire à tout moment sur le marché. Notons que si théoriquement ce marché est ouvert à l'ensemble des agents, dans la pratique, le montant minimum requis de 10 millions de francs laisse peu de chance aux particuliers d'y accéder.

La libéralisation japonaise : une approche prudente et pragmatique

Le système financier nippon[25] qui a été mis en place au lendemain de la Seconde Guerre mondiale devait répondre au souci des autorités japonaises de canaliser vers l'industrie un maximum de ressources à un coût minimal. Les activités bancaires et financières ont été étroitement spécialisées : il fallait distinguer, les banques commerciales (les grandes banques ou *city banks* et les banques locales et régionales) qui accordaient des prêts à échéance maximale de deux ans, les banques de crédit à moyen et long terme, les banques de gestion de patrimoine (*trust banks*) et enfin les maisons de titres (*Security Houses*) qui s'occupaient d'émissions et de négociations de valeurs mobilières. Le financement indirect par l'intermédiaire des banques était la règle. Le marché obligataire libre,

très peu sollicité par les entreprises, restait embryonnaire. Le marché monétaire, très réglementé, quant à lui, se réduisait à sa dimension interbancaire (le marché de l'argent au jour le jour) ; il n'existait pas de marché pour le financement à court terme non bancaire.

A la segmentation du système financier s'ajouta un contrôle étatique quasi total sur les taux d'intérêt débiteurs et créditeurs, à court et à long terme[26]. Afin de favoriser la croissance rapide de l'investissement, les autorités maintenaient le plus souvent les taux d'intérêt en deçà de leur niveau d'équilibre, ce qui induisait de

---

26. Une structure rigide des taux d'intérêt fut établie autour du taux d'escompte officiel, la Banque centrale pouvant, en modifiant le niveau de l'escompte, influer sur l'ensemble des taux.

fréquents rationnements du crédit. En contre-partie de cette réglementation, les autorités japonaises assurèrent aux institutions financières une situation très protégée : limitation stricte de la concurrence interne, contrôles étroits des entrées et sorties de capitaux. Au total, le système financier nippon se caractérisa par une réglementation et un cloisonnement stricts et par un isolement total des marchés étrangers.

Depuis le début des années 70 et surtout des années 80, on assiste à un assouplissement pro-gressif des réglementations pesant sur le système financier nippon. Trois raisons expliquent large-ment cette évolution. En premier lieu, les pres-sions exercées par les gouvernements étrangers et surtout les Etats-Unis en vue de promouvoir une internationalisation accrue du yen et d'élar-gir l'accès du marché des capitaux japonais aux opérateurs étrangers. En second lieu, la modifi-cation du comportement financier des entrepri-ses et des ménages. La nouvelle politique de gestion des liquidités des entreprises, le ralentis-sement de la croissance des revenus et le vieillis-sement de la population apparus au Japon au cours de la décennie 70, ont conduit les déten-teurs de ressources à rechercher des placements plus rémunérateurs que les dépôts bancaires assortis de taux d'intérêts maintenus artificielle-ment bas. En troisième lieu, les nouveaux besoins de financement des pouvoirs publics. A la suite du premier choc pétrolier, le budget de l'Etat est devenu très déficitaire et les autorités nationales ont, pour financer leur déficit, émis massivement des titres publics dont une large fraction arrive à échéance en 1985. Le finance-ment des considérables besoins publics suppose aujourd'hui l'existence d'un marché financier plus large et plus sophistiqué (création de nou-veaux instruments de placement : bons du Tré-sor... ; accroissement de la liquidité du marché secondaire ; etc.).

Les autorités publiques ont dès lors introduit diverses mesures de libéralisation. Certaines de ces dispositions ont eu pour effet de remettre sensiblement en cause la division des tâches qui caractérisait le système financier nippon : en 1981, par exemple, une nouvelle loi bancaire a autorisé les banques à procéder, dès avril 1983, à la vente directe à leur clientèle d'obligations gouvernementales, titres qu'elles peuvent de surcroît négocier sur le marché secondaire. Crai-gnant cette nouvelle concurrence, les *Security Houses* ont alors demandé et obtenu le droit, en

juin 1983, de faire aux particuliers des avances, à concurrence d'un maximum de 5 millions de yens, gagées sur des obligations gouvernementa-les. Ces initiatives ont, dans le même temps, favorisé le développement du marché obligataire et notamment son compartiment secondaire. Par ailleurs, le marché monétaire s'est trouvé ren-forcé par l'autorisation donnée aux banques, en 1979, d'émettre des certificats de dépôt négocia-bles. Toutefois, ces émissions demeuraient l'objet de restrictions importantes : par exemple, le montant minimal unitaire de ces certificats a été fixé dans un premier temps à 500 millions de yens, ce qui dissuadait, étant donnée l'impor-tance de ce montant, les ménages et les petites entreprises d'intervenir sur ce marché. Les nou-velles possibilités d'arbitrage permises par ces instruments financiers ont cependant imprimé un mouvement de libéralisation progressive des taux réglementés des marchés à court terme.

Mais c'est dans le domaine des opérations internationales que les mesures de libéralisation ont été les plus nombreuses et les plus consé-quentes. En 1979, un assouplissement substan-tiel de la réglementation des entrées de capitaux étrangers est intervenu, processus dont la nou-velle loi sur le contrôle des changes adoptée en décembre 1980 marque l'apogée. Cette loi pose le principe de la liberté des transactions extérieu-res (à quelques réserves marginales près) et, surtout, les pouvoirs publics affichent alors leur volonté de ne plus renforcer les contrôles pour des considérations de taux de change. Cette libération des mouvements de capitaux a puis-samment contribué à l'internationalisation des opérations financières japonaises et à l'intégra-tion des marchés financiers nippons aux marchés étrangers. Et ce d'autant plus qu'en 1980 égale-ment, le ministère des Finances libéralise l'émis-sion d'obligations libellées en yen par des non-résidents sur le marché intérieur japonais (marché "samouraï") : limité à l'origine aux gouvernements étrangers et aux organisations internationales, l'accès de ce marché a été étendu aux sociétés emprunteuses de premier ordre et fait l'objet depuis lors d'assouplisse-ments progressifs.

Par ailleurs, diverses mesures ont favorisé le développement du marché de l'euroyen : notam-ment, en juin 1983, les banques japonaises et étrangères ont été autorisées à consentir aux non-résidents des prêts en euroyen à échéance maximale d'un an ; cette mesure a été étendue aux résidents en juin 1984. Ce marché, qui existe depuis 1977, ne jouait qu'un rôle des plus modestes, seuls les gouvernements étrangers et les institutions internationales pouvant y lancer des émissions.

C'est toutefois le programme de réformes contenu dans l'accord américano-japonais rendu public le 29 mai 1984 qui constitue certainement l'aspect le plus spectaculaire de la déréglementation financière nippone. Cet accord, conclu après de longues négociations engagées à la suite de la visite du président Reagan au Japon en novembre 1983, comprend diverses mesures susceptibles de faciliter l'accès des institutions étrangères aux marchés de capitaux japonais et de conférer au yen un statut de monnaie internationale correspondant à la position du Japon comme deuxième puissance économique du monde occidental.

Cet accord constitue certes une étape importante dans le processus de déréglementation du système financier nippon ; toutefois, les concessions d'application immédiate que les Japonais ont accordées aux Américains restent limitées.

Contenu de l'accord américano-japonais sur l'internationalisation financière du Japon

Cet accord comprend quatre volets :

● Plusieurs réformes ont été introduites en vue de stimuler le développement du marché de l'euroyen :
- à dater du 1er décembre 1984, les collectivités publiques et sociétés étrangères jouissant d'une évaluation AAA ont été autorisées à émettre, sans constituer de garanties, des obligations sur le marché de l'euroyen . Cette autorisation a été étendue, à compter du 1er avril 1985, aux sociétés étrangères ayant un classement (*rating*) AA. Ni le volume ni le nombre de ces émissions ne sont limités ;
- un nombre plus important de firmes japonaises pourront émettre des euro-obligations en yen : quelque 30 sociétés de premier ordre pourront lancer des émissions d'obligations classiques et 108 firmes des obligations convertibles. Toutefois, le rapatriement au Japon des fonds ainsi collectés n'est autorisé qu'à l'expiration d'un délai de 180 jours ;
- à compter du 1er décembre 1984, les banques étrangères peuvent être chef ou co-chef de file des syndicats d'émission d'euro-obligations en yen. Les chefs de file ne sont, par ailleurs, soumis à aucune directive ou restriction ;
- sur le marché de l'euroyen, il existe dorénavant une liberté totale pour les taux d'intérêt offerts et pour les délais de maturité. En outre, les opérateurs pourront procéder à des opérations de swap portant sur les devises et les taux d'intérêt ;
- les banques étrangères et japonaises sont autorisées depuis le 1er décembre 1984 à émettre en dehors du Japon des certificats de dépôt en euroyen à échéance de six mois maximum.

● L'accord contient également des mesures tendant à ouvrir les marchés intérieurs de capitaux aux institutions financières étrangères :
- fin 1985, les institutions financières étrangères seront autorisées à intervenir dans la gestion des fonds de pension japonais ;
- l'accès à la Bourse de valeurs de Tokyo devrait être élargi aux institutions étrangères ;
- les restrictions concernant les achats de valeurs mobilières japonaises par des non-résidents seront supprimés dans les prochains mois ;
- les succursales japonaises de banques étrangères seront autorisées, dans les prochains mois, à placer des obligations d'Etat nouvellement émises et à négocier ces effets sur le marché secondaire.

● Un certain nombre de dispositions libéralisent les opérations de change :
- la levée, le 1er avril 1984, des restrictions sur les opérations de change à terme : ces contrats ne devront plus nécessairement avoir un support commercial ;
- la suppression, le 1er juin 1984, des restrictions imposées par les autorités sur la faculté des banques de convertir leurs devises en yen dans le cadre d'opérations croisées (*swap ceilings*).

● Une certaine déréglementation des taux d'intérêt est prévue :
- depuis avril 1985, les banques sont autorisées à proposer de nouvelles formules de dépôts (les "certificats de marché monétaire") d'un montant nominal élevé (50 millions de yens au minimum) dont la rémunération est liée à l'évolution des taux du marché ;
- les plafonds de taux d'intérêt sur les dépôts importants seront assouplis puis supprimés en deux ou trois ans ;
- certaines mesures adoptées visent à développer les marchés à taux libres et notamment le marché des certificats de dépôt libellés en yen : les banques étrangères et japonaises ont dorénavant plus de liberté pour émettre au Japon des certificats de dépôt libellés en yen (diminution du montant minimum des certificats de dépôt : en avril 1985 le montant minimal unitaire du papier émis a été réduit à 100 millions de yens, relèvement du plafond des émissions de certificats alloué à chaque banque, baisse de la période d'échéance minimale...).

Un certain nombre de points restent en suspens et doivent faire l'objet de négociations ultérieures. Les mesures d'ores et déjà adoptées répondent surtout aux préoccupations japonaises même si elles tiennent partiellement compte des requêtes américaines. Enfin, la pratique des "recommandations" aux institutions financières permettra, si besoin était, de moduler l'application de l'accord en fonction des circonstances.

Les mesures de libéralisation contenues dans l'accord américano-japonais s'articulent autour de quatre grands thèmes :

- le développement du marché de l'euroyen ;

- l'ouverture des marchés intérieurs de capitaux aux institutions financières étrangères ;

- la libéralisation des opérations de change ;

- la libéralisation des taux d'intérêt et le développement des marchés à taux libres.

Par ailleurs, d'autres mesures de libéralisation ont été mises à l'étude dont plusieurs sont déjà adoptées. En avril 1985 a été supprimée la retenue à la source de 20 % qui était appliquée aux émetteurs japonais d'obligations en euroyen sur l'intérêt versé aux investisseurs non résidents. Une libéralisation des prêts en euroyen à plus d'un an aux résidents est envisagée depuis que, le 6 mars 1985, ont été autorisés les euro-crédits en yen à moyen et long terme aux non-résidents. Un marché d'acceptations bancaires en yen, ouvert non seulement aux instituts financiers mais également aux sociétés commerciales et aux particuliers non résidents, a été créé le 1er juin 1985 ; un marché libre des bons du Trésor pourrait également bientôt voir le jour.

Notons enfin deux projets importants : la création d'un marché de contrat à terme d'une part et la mise en place d'un centre bancaire off-shore d'autre part. Suite à l'ouverture, en septembre 1984, du SIMEX (*Singapore International Monetary Exchange*), premier marché en Asie à proposer des contrats à terme, le Japon envisage aujourd'hui la création d'un marché de contrats à terme d'instruments financiers. Les premiers contrats devraient porter sur les obligations à long terme de l'Etat. Les conditions des transactions devraient être connues prochainement et le marché pourrait devenir opérationnel vers octobre 1985. Par ailleurs la création d'un centre bancaire off-shore à Tokyo, permettant aux non-résidents prêteurs et emprunteurs

d'effectuer en toute liberté leurs opérations en devises (système pratiqué à Hong-Kong et Singapour) et/ou en monnaie nationale (système pratiqué aux Etats-Unis avec les IBF), pourrait intervenir en 1986. Ce marché aurait pour conséquence de centrer sur Tokyo le marché asiatique du dollar que se partagent actuellement Singapour et Hong-Kong.

Certes, nombreuses sont encore les réglementations pesant sur le système financier nippon. Les taux d'intérêt internes sont toujours largement déterminés par les autorités publiques, les taux des petits dépôts en particulier sont toujours réglementés et leur libéralisation n'a fait l'objet que de vagues promesses accordées aux Américains. Les marchés des nouveaux instrument déterminés par les autorités publiques. Les de dépôt, ont vu leur croissance endiguée par le montant relativement élevé des placements minimums requis. Par ailleurs, les eurocrédits en yen à moyen et long terme aux résidents n'ont toujours pas fait l'objet d'une autorisation de la part des autorités publiques. Il faut, de surcroît, reconnaître que l'accès des opérateurs étrangers au marché financier japonais, bien que sensiblement facilité par le train de mesures de libéralisation de l'accord de mai, reste peu aisé : le degré élevé de connaissance du marché nippon par les institutions japonaises vient introduire un élément de discrimination entre opérateurs nationaux et étrangers ; le relatif consensus qui prévaut aujourd'hui parmi les institutions financières japonaises contre l'implantation étrangère entrave cette dernière...

La prudence avec laquelle le Japon libéralise son système financier s'explique par trois raisons au moins. Tout d'abord les pouvoirs publics craignent qu'une déréglementation trop brutale et rapide occasionne une instabilité des taux de change et provoque des perturbations trop sensibles du système bancaire et financier. Ensuite la volonté des autorités japonaises de ne pas perdre le contrôle de leur politique monétaire en particulier constitue une force d'opposition importante à des changements de grande ampleur. Aujourd'hui, le Japon est le théâtre de vives controverses. La Banque du Japon, plutôt favorable à la déréglementation financière, s'oppose à l'internationalisation du yen qui ne laisserait pas de l'amener à intervenir sur le marché des changes, ce qui compromettrait le contrôle qu'elle exerce actuellement sur la création de monnaie. A l'inverse, le ministère des

Finances, réticent vis-à-vis de la libéralisation du système financier interne, œuvre en faveur de la mise en place des mesures susceptibles d'accroître l'internationalisation du yen. Enfin nombre d'opérateurs financiers, qui se voyaient très protégés par le système financier précédent, tendent à résister aux transformations qui risqueraient de menacer leurs "droits exclusifs".

Mais les conditions d'une libéralisation et d'une internationalisation accrues sont mises en place comme l'atteste, par exemple, l'expansion sans précédent qu'a connue récemment le marché des euro-obligations en yen. Si en 1982 ces obligations représentaient 0,72 % seulement du marché euro-obligataire (le yen étant alors la cinquième devise de support des émissions euro-obligataires), elles atteignaient un pourcentage de 1,53 en 1984 et 4,77 pour les deux premiers mois de 1985 (le yen prenant alors la troisième place derrière le dollar : 80,32 % et le deutsche-mark : 5,32 % et devant l'ECU : 3,05 % et la livre sterling : 1,70 %). Par ailleurs l'internationalisation du yen, que l'on peut juger insuffisante aujourd'hui[27] si l'on considère notamment l'accroissement des activités internationales des sociétés japonaises, sera indéniablement renforcée par les mesures de libéralisation. Et les réglementations pesant encore sur le système financier intérieur devraient être appelées à disparaître sous la pression de la concurrence exercée par les secteurs internes déjà libéralisés et par l'étranger. Aujourd'hui les autorités japonaises semblent acquises aux changements tout en souhaitant néanmoins que la déréglementation intérieure et l'internationalisation du yen soient réalisées de façon cohérente et progressive. D'ici une décennie le Japon compte bien devenir un centre financier international à l'instar de New York et de Londres.

---

27. En 1984 seulement 4 % des transactions d'importation internationales étaient libellées en yen contre 12 % en deutschemark et cette devise ne représentait que 3,7 % des réserves officielles de change des gouvernements étrangers (13 % de ces réserves étant constituées par des deutschemarks).

Vers la libéralisation du marché financier allemand

La déréglementation et la multiplication des innovations financières intervenues sur les marchés financiers de New-York, Londres et Tokyo, l'affaiblissement du deutschemark, incitent les autorités allemandes à amorcer une libéralisation prudente de leur marché financier. Mais c'est la décision prise par la *Deutsche Bank* (l'une des plus importantes banques allemandes) à la fin de l'année 1984 de centraliser à Londres ses opérations sur les marchés financiers internationaux et d'acquérir 5 % du capital de la banque d'affaires britannique *Morgan Grenfell* qui a précipité le processus de libéralisation du marché financier allemand. Il est alors devenu évident qu'un assouplissement des contrôles étroits qui pèsent encore aujourd'hui sur ce marché s'imposait, à moins d'accepter une contraction sévère de son activité.

La déréglementation du système financier a commencé en octobre 1984 avec la suppression de la retenue fiscale à la source qui frappait les dividendes versés aux non-résidents titulaires d'obligations allemandes. Toujours dans la perspective de drainer vers le marché financier allemand plus de capitaux étrangers, l'accord conclu en 1981 entre la *Bundesbank* et les principales maisons d'émission allemandes, aux termes duquel seules les banques nationales étaient habilitées à être chef de file de consortium bancaire pour l'émission d'euro-obligations libellées en deutschemark, a été révisé le 1er mai 1985. Les banques sous contrôle étranger implantées en Allemagne peuvent dorénavant exercer leur activité sur le marché des euro-émissions en deutschemark. A la même date, la *Bundesbank* a accordé aux banquiers la possibilité d'introduire toute une gamme d'instruments financiers nouveaux, tels les obligations à coupon zéro, les *financial futures,* les swaps en devises et autres innovations, alors qu'elle s'y était jusque-là opposée en raison des risques d'inflation qu'ils comportent. Par ailleurs, il est question de lever les entraves à la libre émission par les sociétés allemandes (banques comprises) d'obligations libellées en monnaie étrangère (excepté sans doute pour les obligations en ECU) ; aujourd'hui, en effet, ces émissions sont soumises à une autorisation spéciale de la *Bundesbank*. A plus long terme, la *Bundesbank* envisagerait également une modification de la réglementation concernant les réserves minimales, son principal instrument de régulation de la masse monétaire. Cette réforme a pour objectif essentiel de rapatrier certaines opérations pratiquées sur l'euromarché de Luxembourg, lequel fut créé par les banquiers allemands pour se soustraire aux réserves obligatoires.

Au total, si la *Bundesbank* ne se départit certes pas de sa traditionnelle prudence, il reste que les réformes effectives et envisagées constituent une véritable petite "révolution" dans la mesure où certaines d'entre elles sont de nature à mettre en cause les principes qui, depuis toujours, ont fondé la politique monétaire et plus largement la politique économique allemande, à savoir la parfaite maîtrise de la croissance des agrégats monétaires.

3. Le dollar-roi : apogée d'un règne ?

D'importants bouleversements sont intervenus depuis 1973 dans la distribution géographique des flux de capitaux. Avant cette date, la balance des paiements courants des pays industrialisés était globalement excédentaire : ces pays étaient fournisseurs nets à la fois de ressources réelles aux pays en développement, et de ressources financières en contrepartie de leur excédent courant. Cette distribution géographique des flux de capitaux s'expliquait par un surplus de l'épargne interne par rapport aux besoins d'investissement dans les pays industrialisés, et une insuffisance, au contraire, de l'épargne dans les pays en développement, alors que les débouchés d'investissement y étaient abondants.

Elle fut bouleversée, après 1973, par les deux chocs pétroliers, qui entraînèrent des excédents massifs des paiements courants des pays exportateurs de pétrole et furent l'une des sources de l'expansion marquée de l'endettement des pays en développement. Simultanément, la hausse des prix du pétrole entraîna dans les pays industrialisés une diminution de l'épargne par rapport aux dépenses d'investissement donc une diminution des flux de capitaux en provenance de ces pays. Les pays industrialisés devinrent alors, en raison du niveau de développement de leurs institutions financières, les intermédiaires du recyclage, vers les pays en développement, des surplus des pays de l'OPEP. Certes, le montant croissant, dès cette période, du désajustement statistique de la balance des paiements mondiale et des erreurs et omissions des balances des paiements nationales empêche toute analyse précise des flux financiers. Mais, comme le pensent les experts du FMI[1], il est peu probable que cette imprécision soit de nature à remettre en question l'évolution du rôle des pays industrialisés : d'abord principale source de

financements, ils sont devenus des intermédiaires pour ces financements.

Dès 1981, le surplus des paiements courants des pays exportateurs de pétrole du golfe Persique, qui avait atteint 70 milliards de dollars en 1980, diminue fortement. En 1982, il se transforme en déficit : il s'ensuit une importante contraction des ressources financières disponibles pour les crédits internationaux et recensées par les balances des paiements ; cela dit, les statistiques font apparaître une incohérence importante : les trois groupes des pays industrialisés, des pays du Golfe exportateurs de pétrole, et des autres pays en développement sont tous importateurs nets de capitaux dès 1982, pour un montant de 111 millions de dollars, alors que le groupe des pays à économie planifiée n'exporte que 10 milliards de dollars. Les 100 milliards restant sont un casse-tête pour les analystes des balances des paiements.

A partir de 1982 s'installe une structure géographique de flux très polarisée ; les Etats-Unis sont devenus le principal pôle d'attraction des capitaux mondiaux ; les pays du golfe Persique connaissent un déficit courant relativement stable, les autres pays en développement ont considérablement réduit le leur ; le groupe des pays industrialisés dans son ensemble est importateur de capitaux, mais, en son sein, le Japon est devenu le premier exportateur de capitaux (35 milliards de dollars en 1984, plus de 40 prévus pour 1985), et la CEE est elle aussi modestement exportatrice depuis 1983. Enfin, la source principale de capitaux est inconnue, ce qui est dommageable pour l'analyse globale,

---

1. Rapport annuel 1984 de la *Bundesbank*.

Flux des Paiements courants 1970-1986

Milliards de dollars

+ 160
+ 140
+ 120
+ 100
+ 80
+ 60
+ 40
+ 20
− 20
− 40
− 60
− 80
− 100
− 120
− 140
− 160

Erreurs statistiques (1)
Pays en développement
Autres pays en développement
Japon
États-Unis

de pétrole du Golfe persique

1970 1971 1972 1973 1974 1975 1976 1977 1978 1979 1980 1981 1982 1983 1984 1985 1986

SOURCE: BANQUES DE DONNÉES, ESTIMATIONS ET PREVISIONS, CISI-WHARTON, MAI 1985.
NOTA : Un signe + indique un surplus des paiements courants, soit une exportation de capitaux.
Un signe − indique un déficit des paiements courants, soit une importation de capitaux.
(1) incluant l'apport de fonds des pays à économie planifiée.

La balance des paiements

La balance des paiements d'un pays enregistre les données relatives aux transactions de toute nature réalisées pendant une période spécifiée entre les résidents de ce pays et les résidents d'un (balances bilatérales) ou de tous les pays étrangers. Elle reflète donc l'ensemble des transferts de ressources, réelles et financières, entre différents pays, ou entre un pays et le reste du monde.

Conventions d'enregistrement

Les règles comptables qui régissent la constitution des balances des paiements sont très semblables à celles de la comptabilité d'entreprise : les enregistrements se font en partie double, c'est-à-dire que chacun d'entre eux fait l'objet de deux écritures qui se compensent. Ainsi, par construction, et sous réserve d'erreurs et omissions sur lesquelles nous reviendrons, les recettes et dépenses comptabilisées dans la balance des paiements s'équilibrent toujours.

Concrètement, chaque transaction donne lieu à la fois à un crédit (signe +) et à un débit (signe -). Par convention, tout accroissement des avoirs sur l'étranger (avoirs financiers, ou acquisition de biens et services en provenance de l'étranger), ou toute diminution des engagements vis-à-vis de l'étranger sont enregistrés sous forme de *débit* dans la balance des paiements et affectés d'un signe -. Parallèlement, un *crédit* correspond à une diminution des avoirs sur l'étranger (ou un transfert à l'étranger de biens et services nationaux) ou à un accroissement des engagements vis-à-vis de l'étranger. Ainsi, toute transaction qui donne lieu à un achat de la monnaie nationale est un crédit et vice-versa. Un exemple très simple permet d'illustrer cette arithmétique.

Imaginons que la France exporte vers un pays étranger un lot d'automobiles, livré par un navire français, pour un prix total (transport inclus) de 1 milliard de francs, à régler dans les 90 jours. Cette transaction se traduit par une cession de biens (les automobiles) et services (transport) français et par l'acquisition d'une créance à court terme sur l'étranger. Si les frais de transport s'élèvent à 20 millions de francs, le poste "exportations de marchandise" de la balance des paiements est *crédité* d'un montant de 980 millions de francs, le poste "exportation de services-transports" est crédité de 20 millions de francs, et enfin le poste "créances à court terme sur l'étranger" est *débité* de 1 milliard de francs.

Supposons alors que l'organisme acheteur effectue le paiement en tirant la contrepartie de 700 millions de francs qu'il détient sur des comptes en banque à l'étranger, et les 300 millions restant sont débités sur des comptes qu'il détient auprès de banques françaises : cette nouvelle transaction se traduit par la disparition de la créance à court terme que la France détenait à l'issue de la transaction précédente, par l'acquisition par la France de dépôts bancaires à l'étranger (augmentation des avoirs sur l'étranger), et par la diminution des dépôts bancaires étrangers en France (diminution des engagements vis-à-vis de l'étranger). Ainsi, le poste "créances à court terme sur l'étranger" est *crédité* de 1 milliard de francs ; le poste (sous-poste du précédent) "dépôts bancaires à court terme des résidents à l'étranger" est *débité* de

700 millions de francs, et le poste "créances privées à court terme de l'étranger" est *débité* de 300 millions de francs.

Analyse des comptes

La balance des paiements comprend deux parties principales : les opérations courantes et les transactions en capital.

Les transactions courantes recouvrent les importations et exportations de biens et services, les intérêts et dividendes reçus ou versés (revenus d'investissement), et les transferts publics et privés (notamment les dons au titre d'aide publique au développement et les rapatriements de revenus par les travailleurs immigrés).

Les transactions en capital recouvrent les flux de capitaux investis par le pays à l'étranger ou investis par l'étranger dans le pays. Il convient de distinguer les flux à court terme (notamment les dépôts bancaires à vue) et les flux à long terme (qui comprennent les flux d'investissement direct (participation au-delà d'un certain seuil au capital d'entreprises étrangères) et les flux de portefeuille (acquisition, ou cession d'actions ou d'obligations). Les transactions en capital comprennent enfin les flux de réserves officielles (accroissement ou diminution des réserves de change).

Alors que le total de l'ensemble des postes est nul par construction, ce n'est généralement pas le cas lorsque l'on considère un sous-ensemble de ces postes. On peut ainsi faire apparaître des déséquilibres, au sein de la balance des paiements, qui ont une signification économique importante.

Le premier solde significatif est celui des échanges de marchandises. Si on y ajoute les services, on obtient la balance des biens et services, qui donne une mesure du transfert net des ressources réelles vers l'extérieur. Plus significative encore est la balance des paiements courants, solde de toutes les opérations courantes (biens, services et transferts). Puisque la balance des paiements doit être au total équilibrée, la balance des paiements courants doit être opposée à celle des capitaux : un déficit (surplus) des opérations courantes correspond à un surplus (déficit) de la balance des capitaux : cette dernière mesurant l'acquisition, ou la cession d'avoirs financiers, le solde des paiements courants mesure, en contrepartie, la variation de la *position extérieure nette* (avoirs moins engagements) du pays.

On considère aussi souvent la *balance de base,* égale au solde des paiements courants plus celui des flux de capitaux à long terme. Cette balance, dans un certain sens, exclut les flux de nature réversible et transitoire et peut refléter les tendances à long terme de la balance des paiements d'un pays. Lorsque l'on parle, plus généralement, de "déséquilibre de la balance des paiements", on se réfère habituellement à la somme des soldes des paiements courants et des transactions en capital, hors réserves officielles. Un tel déséquilibre crée une pression sur les taux de change : un surplus représente un excès de demande de monnaie nationale par rapport aux devises étrangères, un déficit au contraire un excès de demande de devises.

Les autorités monétaires diposent de réserves internationales, sous forme d'or, de devises, de droits de tirage spéciaux ou encore d'obligations d'Etat (notamment les bons du Trésor américains). Les variations de ces réserves dépendent de la politique de taux de change suivie. Dans le régime de Bretton Woods, caractérisé par un système de change fixe, tout déséquilibre de la balance des paiements (hors réserves) devait être compensé par une variation équivalente des réserves officielles afin de défendre le taux de change. Lorsque les taux de change sont autorisés à flotter librement, aucune variation de réserves officielles n'est nécessaire : c'est la variation du taux de change qui permet d'équilibrer les opérations courantes et les mouvements de capitaux. Dans la pratique toutefois, les autorités monétaires ne sont généralement pas indifférentes aux variations des taux de change et utilisent fréquemment (mais à des degrés divers suivant les pays, les périodes et les modes), leurs réserves en devises pour tenter de défendre le taux de change de leur monnaie, s'inscrivant traditionnellement à contre-courant des pressions sur les taux : lorsque, par exemple, la monnaie nationale est menacée, les autorités monétaires achètent leur propre monnaie en vendant de leurs réserves.

L'efficacité de telles interventions est très contestée. On admet généralement que les autorités monétaires ne disposent pas de quantités suffisantes de réserves pour s'opposer durablement aux forces de marché. Surtout, les autorités monétaires n'ont pas entièrement la latitude de poursuivre un objectif de taux de change au moyen des seules réserves officielles et indépendamment des objectifs monétaires qu'elles se fixent. Supposons en effet que le pays ait un déficit de 10 milliards de dollars de sa balance des paiements entièrement financé par les réserves officielles : les importateurs nationaux obtiennent les devises de leur Banque centrale en échange de monnaie nationale ; sauf réaction compensatoire ("stérilisation") des autorités monétaires (expansion monétaire, par le biais par exemple d'un achat d'obligations), le stock de monnaie nationale en circulation serait donc diminué du montant correspondant. On touche là à l'une des contraintes majeures de l'interdépendance.

Erreurs et omissions

En fait, il est d'autant plus difficile et délicat d'interpréter la balance des paiements que d'importantes erreurs et omissions affectent la collection des données statistiques nécessaires à son établissement. Au niveau de la balance des paiements de chaque pays tout d'abord, et en dépit de la règle de partie double, le poste "erreurs et omissions" est généralement nécessaire pour équilibrer les débits et crédits enregistrés. Les sources d'erreur viennent de problèmes de couverture des données, et de la nécessité d'estimer certaines données man-

quantes, mais aussi du problème de valorisation des flux lorsque, par exemple, la documentation douanière sur un produit importé donne un prix qui est différent de celui de la facturation.

On considère généralement que le poste "erreurs et omissions", dans les balances des paiements nationales, reflète essentiellement des entrées de capitaux à court terme non enregistrés. Il est toutefois difficile de prouver cette conjecture ; il existe également des sources importantes d'erreur dans les postes des paiements courants, notamment dans l'enregistrement des intérêts et dividendes versés ou perçus, mais aussi dans celui du commerce international de services.

Mais il existe au niveau mondial un autre décalage statistique tout aussi gênant : si les enregistrements de données étaient exacts et homogènes, la somme, poste par poste, de l'ensemble des balances des paiements nationales et des organismes internationaux devrait être nulle. Or on observe, au niveau mondial, un déficit important des opérations courantes, notamment de plus de 20 milliards de dollars en 1980, plus de 70 en 1981, de plus de 100 en 1982, pour revenir à près de 70 milliards en 1983 et plus de 80 en 1984.

Ce désajustement mondial, lors de l'agrégation, provient pour une part des erreurs et omissions de chaque balance nationale, mais aussi des différences de couverture statistiques et de procédures d'enregistrement de chaque pays. Une étude du FMI a montré que, au sein des opérations courantes, la somme des balances des marchandises exhibait un surplus relativement faible, alors que celle des services donnait lieu à un déficit important et croissant.

Il convient donc de ne manier qu'avec circonspection les chiffres des balances des paiements. Tentant d'harmoniser les données à partir d'une exploration méthodique des sources de désajustement, le CEPII[1] conclut que les Etats-Unis et autres pays de l'OCDE sous-évaluent les recettes du compte courant, et que le rôle des revenus financiers dans le décalage des flux d'opérations courantes est prépondérant. Dès lors, les Etats-Unis et la France pourraient avoir une *"position plus créditrice qu'il n'y paraît"*. Il est donc difficile de fonder une analyse précise et fine de l'économie internationale sur les seules statistiques brutes de balance des paiements.

---

1. Voir Joaquim Oliveira-Martins et Colette Leroy, "Les désajustements mondiaux de balance des paiements", *Economie prospective internationale*, CEPII, n° 17, 1er trimestre 1984.

d'autant plus que le montant ainsi importé d'on ne sait où est de l'ordre de grandeur du déficit des paiements américains.

Cette répartition internationale des flux de capitaux se reflète dans la relation, au niveau national, entre l'épargne privée, l'investissement

privé, et les besoins de financement des administrations publiques. Les grands pays industrialisés ont développé, dans la seconde moitié des années 70 et au début des années 80, d'importants déficits budgétaires, qui ont absorbé une part croissante de l'épargne interne. Mais, au sein de ce groupe, deux évolutions symptomati-

Taux d'épargne

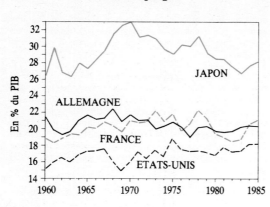

ques retiennent l'attention. Tout d'abord aux Etats-Unis, le déficit budgétaire s'est considérablement accru depuis 1981, alors que l'épargne reste en pourcentage du PIB, la plus faible des grands pays industrialisés. Bien que le taux d'épargne ait augmenté depuis 1982 et atteint 18,2 % en 1984, il reste très insuffisant pour couvrir les besoins de financement publics et privés, qui représentent 115 % de l'épargne disponible. Ce sont les afflux de capitaux étrangers qui fournissent les 15 % restant : cet afflux a donc non seulement limité l'éviction de l'investissement privé par le déficit budgétaire, mais aussi permis de financer l'extraordinaire croissance américaine en 1983-1984.

Utilisation de l'épargne privée

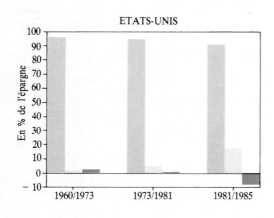

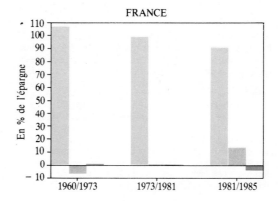

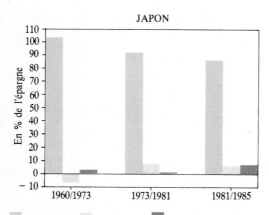

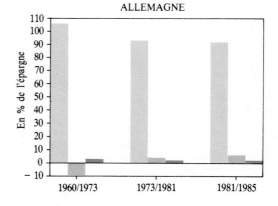

Investissement privé   Déficit budgétaire*   Balance des paiements courants**

* + = déficit, − = surplus.   ** + = surplus, − = déficit.

Sources : Banque de données, estimations et prévisions, Cisi-Wharton, avril 1985.

Au Japon, à l'inverse, le taux d'épargne national est considérablement plus élevé, même s'il s'inscrit tendanciellement à la baisse depuis 1978 (il a malgré tout remonté de près de 1 % en 1984). En outre, les besoins de financement des administrations publiques, qui absorbaient 14 % de cette épargne en 1978, en ont absorbé 7 % en 1983 et moins de 5 % en 1984. Simultanément, les demandes d'investissement privé au Japon ont absorbé une proportion décroissante de l'épargne disponible. Dès lors, le Japon est, dès 1981, devenu un exportateur net de capitaux, exportant 1,5 % de l'épargne japonaise en 1981, 6,7 % en 1983, 10,3 % en 1984.

On mesure ainsi l'interaction étroite entre la géographie des flux de capitaux et les équilibres macroéconomiques nationaux ; les aspects macroéconomiques seront traités en détail dans la partie suivante. C'est à la façon dont cette interaction agit sur la scène monétaire internationale que sera consacrée la fin de cette partie, dans le cadre d'une analyse des différents scénarios d'évolution du dollar américain, à savoir les scénarios d'"atterrissage en douceur" (*soft landing*) et ceux d'"atterrissage en catastrophe" (*hard landing*).

3.1. LE DOLLAR AUX CIMES : UNE ASCENSION SPECTACULAIRE

Depuis 1980, le dollar s'est considérablement apprécié par rapport à l'ensemble des autres monnaies. Cette appréciation a été particulièrement marquée, en termes nominaux, par rapport aux monnaies européennes, notamment le deutschemark, le franc français, la lire italienne, la livre sterling. L'évolution de la monnaie américaine par rapport au yen a été beaucoup moins nette : après une appréciation très importante du dollar par rapport au yen dans le courant de l'année 1979, les premières années de la décennie 80 ont été marquées par des fluctuations assez larges du rapport dollar/yen, conduisant toutefois, là aussi, à une nette appréciation du dollar.

Plus significative est l'appréciation en termes effectifs (c'est-à-dire la hausse de la valeur du dollar exprimée par rapport à un panier des monnaies des principaux pays industrialisés pondéré par leur part dans le commerce mondial). Entre 1980 et 1984, cette appréciation a été de l'ordre de 45 %. Le yen, lui, s'est apprécié de 25 % environ sur la période, et le dollar cana-

Taux de change effectifs des principales monnaies (1980 : 100)

	1981	1982	1983	1984	1985(1)
Dollar américain	112,4	125,6	132,9	143,3	152,8
Yen japonais	113,0	106,6	117,4	124,1	125,0
Deutschemark	92,6	96,4	98,8	96,1	95,4
Franc français	89,5	81,4	74,3	69,8	69,8
Livre sterling	99,0	94,2	86,7	82,0	77,0
Lire italienne	86,8	80,1	76,2	71,2	67,4
Dollar canadien	102,8	104,9	108,1	106,2	104,7

Sources : Banque de données Cisi-Wharton, Fonds monétaire international, juillet 1985.
1. Prévisions.

LA LIRE ITALIENNE FACE AU DOLLAR AMÉRICAIN

LE YEN FACE AU DOLLAR AMÉRICAIN

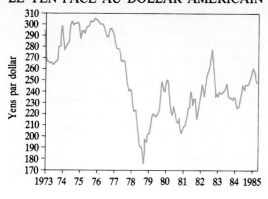

LA LIVRE STERLING FACE AU DOLLAR AMÉRICAIN

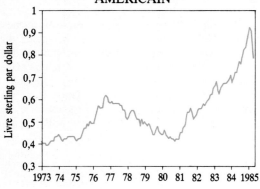

LE DOLLAR CANADIEN FACE AU DOLLAR AMÉRICAIN

LE DEUTSCHEMARK FACE AU DOLLAR AMÉRICAIN

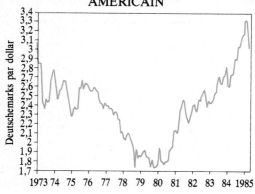

LE FRANC FRANÇAIS FACE AU DOLLAR AMÉRICAIN

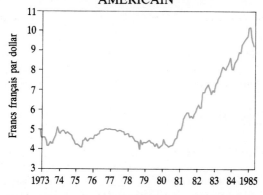

Sources : Banque de données Cisi-Wharton, *the Economist.*

dien de plus de 5 %. A l'inverse, les monnaies européennes se sont, en termes effectifs, considérablement dépréciées (- 30 % environ pour la lire et le franc français, - 20 % pour la livre sterling, - 5 % pour le deutschemark). Il y a

donc bien eu dépréciation des monnaies européennes et appréciation des autres monnaies.

Pour apprécier convenablement l'évolution des pouvoirs d'achat de chaque monnaie, la notion de taux effectif n'est pas encore suffisante, car il faut aussi tenir compte des différentiels d'inflation entre les différents pays. On introduit alors la notion de taux de change effectif réel, qui est le taux de change effectif ajusté en fonction des différentiels d'inflation. Suivant cette mesure, le pouvoir d'achat du dollar s'est accru de près de 40 % entre 1980 et 1984, celui du dollar canadien de plus de 10 % ; celui du yen est resté relativement stationnaire ; à l'inverse, ceux du franc français, du deutschemark, de la livre sterling ont perdu de l'ordre de 20 %.

Taux de change effectif réel 1980-1986
des principales monnaies

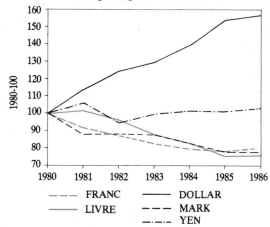

Source : Banque de données, estimations et prévisions, Cisi-Wharton, mai 1985.

Encore faut-il interpréter ces indicateurs avec prudence. Le résultat obtenu dépend, bien sûr, de la formule choisie de pondération des monnaies, et de la mesure d'inflation retenue. Les mouvements de taux de change effectifs réels reflètent une évolution des rapports de compétitivité internationale, mais celle-ci ne peut s'analyser correctement qu'en termes bilatéraux et par produits. Globalement toutefois, ces chiffres témoignent d'une dégradation de la compétitivité internationale des produits des Etats-Unis, et d'une amélioration de celle des produits européens ; la position stable du Japon est le résultat d'une amélioration importante de sa compétitivité globale par rapport aux Etats-Unis et d'une dégradation notable par rapport aux pays européens.

En fait, le choix de la période d'analyse et de l'année de référence pour les comparaisons et l'analyse des mouvements relatifs des monnaies n'est pas neutre. Si l'on compare à 1975 par exemple, on constate qu'en termes effectifs, le yen s'est apprécié de près de 57 %, alors que le dollar s'est apprécié de 34 % et le deutschemark de 24 % : le choix de 1975 comme année de base minimise donc la forte hausse du dollar. La raison en est simple : à la fin des années 70, le dollar s'est beaucoup déprécié en termes effectifs, alors que le yen, particulièrement faible en 1975, s'est apprécié fortement jusqu'en 1978. Une autre remarque s'impose : en termes effectifs réels, le dollar n'a fait que rattraper le terrain perdu au cours des années 70, puisqu'il a, entre 1970 et 1980, perdu environ 55 % de son pouvoir d'achat. Si l'on en croit les chiffres, ce pouvoir d'achat était d'ailleurs en 1960 supérieur de 20 % à ce qu'il est aujourd'hui. En termes effectifs, le dollar n'a rejoint qu'en juin 1983 le niveau qu'il avait à la fin des années 60.

On était alors à la fin de la période de prospérité de l'après-guerre, dominée par les Etats-Unis. Les réserves internationales en dollars détenues par les gouvernements et banques centrales s'étaient multipliées pour financer les déficits croissants de la balance des paiements américains, dûs à d'abondants investissements américains à l'extérieur. Ces réserves représentaient une masse trop importante de dollars pour que la convertibilité du dollar en or, fondement du système d'étalon de change-or issu des accords de Bretton Woods, restât crédible ; on connaît la suite : le président Nixon suspendit, le 15 août 1971, la convertibilité du dollar en or. Les années 70 furent celles de la faiblesse de la monnaie américaine, qu'il fallut alors, à la fin de la décennie, soutenir. Aujourd'hui, comme dans les années 60 jusqu'à la rupture du système, subsiste l'attitude de "douce insouciance" (*benign neglect*) des autorités américaines, attitude toutefois de plus en plus critiquée par certains groupes d'intérêt américains, notamment ceux qui font les frais de la perte de compétitivité liée à la hausse du dollar. On a même vu, le 15 mai 1985, le Sénat américain demander officiellement, malgré sa majorité républicaine, une intervention concertée des pays industrialisés pour faire baisser le dollar.

Ces remarques permettent de mieux appréhender la difficulté de s'entendre sur ce qu'est une valeur d'équilibre pour le dollar. Le consen-

Sous-évaluation du yen ou surévaluation du dollar ?

Donald Regan, secrétaire d'Etat au Trésor jusqu'à la fin de la première Administration Reagan, a su tout au long des quatre dernières années démontrer son goût pour les prises de position fermes et définitives. Ce libéral convaincu en appelle aux forces du marché partout où existerait un déséquilibre injustifié.

Les relations commerciales américano-japonaises deviennent ainsi très vite pour lui un sujet de préoccupation. D'autant que de nombreux dirigeants d'entreprise, comme Lee Morgan président de *Caterpillar Tractor,* viennent protester contre la concurrence déloyale des Japonais. Pour Regan, l'affaire est entendue, les Japonais sous-évaluent artificiellement le yen. Sinon comment pourrait-on expliquer que le déficit commercial américain vis-à-vis du Japon puisse atteindre presque 20 milliards de dollars en 1983, soit près du tiers du total de l'impressionnant déficit extérieur des Etats-Unis ? En novembre 1983, lors d'une rencontre avec son homologue japonais Noboru Takeshita, Donald Regan met sur pied un groupe de travail sur le taux de change yen/dollar. Le 29 mai 1984 ce groupe publie son rapport (voir l'encart ci-dessus, intitulé "Contenu de l'accord américano-japonais sur l'internationalisation financière du Japon").

Cet accord est instructif à deux titres. D'une part malgré la pétition de principe libérale de Regan, comment justifier que seul le Japon soit visé ? Le système financier français ressemble à s'y méprendre au système japonais - protection, contrôle des taux d'intérêt, encadrement du crédit, circuit postal... - et pourtant il semble figurer bien loin sur la liste des priorités de Washington. D'autre part, de l'avis même des économistes de l'Administration américaine, rien dans les faits ne justifiait une telle hâte et les mesures prises ne devraient avoir qu'un impact très limité sur le yen[1].

Reprenons brièvement les principaux arguments de Donald Regan. Tout d'abord le yen est-il sous-évalué ? L'analyse des cinq dernières années montre que ceci n'est vérifié ni en termes nominaux, ni en termes réels. Par rapport à la moyenne des années 1973 à 1979, la parité yen/dollar s'est même réévaluée de presque 10 % en 1984 alors que les monnaies européennes ont perdu en quatre ans de 20 à 40 % de leur valeur. En termes réels la réponse est identique, seules les monnaies européennes ont perdu de la valeur par rapport au dollar. C'est bien évidemment le dollar qui s'est surévalué par rapport à toutes les monnaies depuis 1980. Le déficit budgétaire américain conjugué au contrôle monétaire a conduit à une hausse fantastique des taux d'intérêt américains et attiré les capitaux aux Etats-Unis.

Deuxième argument, le yen n'est pas assez internationalisé. Comme avant eux les Allemands, et dans une moindre mesure les Suisses, les Japonais n'ont pas favorisé l'extension du rôle du yen comme monnaie de réserve. En 1983 il n'y a guère plus de 4 % de yen dans les stocks de réserves détenus par les banques centrales, c'est peu pour un pays dont le PNB est environ égal à la moitié de celui des Etats-Unis. Les autorités japonaises en conviennent et se sont engagées à prendre une plus grande part au fonctionnement du système monétaire international. En revanche, la référence faite par certains experts américains au rôle trop faible du yen comme monnaie de facturation des échanges japonais est clairement un mauvais procès. Si 3 % seulement des importations japonaises sont libellées en yen, c'est parce qu'il s'agit là pour la plus grande part de matières premières dont le cours international est fixé en dollar. A l'exportation le yen intervient pour 34,5 % des transactions. C'est peu, mais il s'avère que cela tient essentiellement aux partenaires américains qui répugnent à négocier autrement qu'en dollar. Au contraire plus de la moitié des exportations japonaises à destination de l'Europe sont facturées en yens.

Enfin l'hypothèse que la fermeture des marchés financiers serait un facteur de sous-évaluation du yen ne résiste pas non plus à l'examen. S'il est vrai qu'avant 1979 des écarts significatifs existent entre les taux d'intérêt japonais et le taux de l'euroyen, ceux-ci sont quasiment nuls depuis, preuve que l'arbitrage peut se faire et que les marchés interagissnet[2]. Rien ne distingue plus, de ce point de vue, les actifs en yen des autres actifs. Surtout les statistiques disponibles montrent que depuis 1981 le grand problème des autorités japonaises n'a pas été tant d'ouvrir leurs marchés des capitaux aux étrangers que de limiter les sorties de fonds attirés par les taux d'intérêt élevés aux Etats-Unis. Comme le souligne avec humour C. Fred Bergsten[3], il est souhaitable d'aggraver, et non de faire disparaître, les barrières aux sorties de capitaux afin d'éviter toute nouvelle dépréciation du yen !

1. Rien n'exclut, bien au contraire, que l'impact global soit une *baisse* du yen. Voir sur ce sujet l'étude de Jeffrey Frankel, conseiller économique chargé des affaires internationales à la Maison-Blanche, d'août 1983 à août 1984 : *The Yen/Dollar Agreement : Liberalizing Japanese Capital Markets,* Institute for International Economics, Washington, DC, décembre 1984.

2. Voir J. Frankel, *op. cit.*

3. "What to do about the US-Japan Economic Conflict", *Foreign Affairs,* été 1982.

sus, à la fin des années 60, était que le dollar était surévalué. C'est une crise monétaire qui a permis son ajustement. Mais, en fait, en longue période, il y a eu surajustement, puisqu'à la fin des années 70, le consensus était bien que le dollar était sous-évalué. Et de nouveau, depuis 1982, on parle de dollar surévalué. Le système monétaire international est fondamentalement

différent, mais les mêmes questions se posent : la situation est-elle durable ? S'il doit y avoir un ajustement important, quand et comment se fera-t-il ? Quels en seront les coûts ?

Il faut expliquer dans un premier temps ce qu'il faut entendre par déséquilibre. La notion de surévaluation en elle-même n'a de sens que par rapport à une valeur de référence, que l'on considère comme valeur d'équilibre. Or, définir la valeur d'équilibre d'une monnaie en fonction des autres monnaies n'est pas chose aisée. Si, en effet, on considère que c'est la valeur à laquelle, quotidiennement, l'offre et la demande de dollars sur les marchés des changes s'ajustent, alors on ne peut considérer le dollar comme surévalué, puisque c'est justement ainsi que son taux actuel est défini. Tel est, bien sûr, l'argument officiel de l'Administration Reagan ; si les actifs libellés en dollars ont un tel succès, c'est parce que l'Amérique est redevenue forte, et que les perspectives de rémunération du capital, liées à la vigueur de l'économie, y sont incomparablement meilleures. Pourquoi dans ces conditions parler de surévaluation ? Il n'y a certainement pas à l'heure actuelle, au taux de change présent, excès de l'offre privée de dollars par rapport à la demande privée sur le marché des changes, ni intervention des banques centrales (la *Federal Reserve* américaine en dernier) pour maintenir artificiellement le taux !

D'ailleurs, la valeur du dollar assure bien l'équilibre des paiements extérieurs des Etats-Unis ; le problème est que cet équilibre provient de la combinaison d'un déficit record des paiements courants et d'un surplus de la balance en capital ; situation qui commence à apparaître intolérable aux chefs d'entreprise américains, et qui a provoqué aux Etats-Unis l'émergence d'importantes pressions protectionnistes auxquelles l'Administration pourrait bien avoir du mal à résister dans l'avenir aussi bien qu'elle a su le faire jusqu'à présent. C'est lorsque l'on fonde l'analyse sur les développements réels que le dollar apparaît fortement surévalué.

En fait, les deux approches évoquées ci-dessus ne sont qu'apparemment contradictoires. Elles prennent en effet comme référence des horizons temporels totalement différents. Il est incontestable que le taux de change au jour le jour de la monnaie américaine reflète très exactement sa valeur d'équilibre à court terme, principalement influencée par les développements financiers. Mais, dans le long terme, les développements réels retrouvent nécessairement de l'importance : n'oublions pas que la fonction économique des mouvements de taux de change est de maintenir un équilibre entre la demande intérieure à la fois d'actifs financiers étrangers, mais aussi de biens, services, actifs réels d'autres pays, et la demande étrangère pour ces mêmes

actifs dans le pays considéré. Dans le moyen terme, la "surévaluation" réelle du dollar menace d'être source de récession pour l'économie américaine : tout accroissement de la demande interne aux Etats-Unis se porte maintenant en majeure partie sur les importations de biens et services étrangers ; les perspectives de croissance de la production américaine s'en trouvent donc fortement affectées ; à leur tour, les développements financiers ne pourront que refléter une telle évolution ; la demande d'actifs financiers se portera alors nécessairement sur d'autres marchés.

Il est certain que, récemment, développements réels et développements financiers ont connu un écart grandissant. Dans le cas des Etats-Unis, le déficit important des paiements courants s'explique certes en partie par le différentiel de croissance économique entre ce pays et le reste du monde, mais également par l'arrivée massive de capitaux provenant du reste du monde, dont la contrepartie, par le biais d'un dollar fort, a été une aggravation du déficit commercial. En Allemagne au contraire, en dépit d'une forte augmentation des importations en 1984, la vigueur des exportations a conduit à un surplus commercial et un excédent des comptes courants, qui ne s'est pas accompagné d'une appréciation du deutschemark, lequel s'est même déprécié non seulement par rapport au yen, mais aussi par rapport à d'autres monnaies européennes. Selon la Banque centrale allemande[1], une des raisons principales de cette dépréciation est à chercher dans les sorties massives de capitaux allemands, elles-mêmes dues à la faiblesse relative des taux d'intérêts intérieurs. Au Japon enfin, le surplus des paiements courants s'est en 1984 fortement accru, alors que le taux de change effectif réel du yen est resté relativement stable.

La tâche d'expliquer l'appréciation de la monnaie américaine a beaucoup divisé les économistes depuis 1980. Deux approches polarisent les débats, très différentes quant à l'analyse et aux implications prospectives, même si commence à se faire jour une certaine convergence sur la direction de l'évolution future de la monnaie américaine[2].

---

2. Voir *The Economist*, 4 mai 1985.

Pour ceux qui pensent que les déterminants fondamentaux des taux de change sont les balances des paiements courants et les différentiels de taux d'inflation, l'évolution du dollar ne peut s'expliquer que dans le cadre d'un mouvement de nature spéculative. En effet, les données fondamentales de l'économie ne peuvent plus rendre compte des mouvements des taux de change de la monnaie américaine. Selon cette interprétation, c'est même d'une "bulle" spéculative qu'il s'agit : les spéculateurs savent bien que le dollar est surévalué, et ils anticipent, à terme, une chute de la monnaie américaine. Mais vendre trop tôt leurs dollars revient à renoncer à une partie des gains, surtout si le dollar est encore plus surévalué demain qu'il ne l'est aujourd'hui.

Il se crée donc une situation dans laquelle les spéculateurs sont prisonniers de leurs motivations, gèrent leur portefeuille avec une grande nervosité - que l'on observe d'ailleurs depuis plusieurs mois sur le marché des changes - en attendant le signal de la débandade. Ce type de comportement illustre la phrase que Charles Kindleberger prête à un banquier lors de la célèbre crise spéculative de la *South Sea Bubble*[3] : *"Lorsque tout le monde agit follement, on est bien obligé, dans une certaine mesure, d'agir pareillement"*. Cet enchaînement auto-entretenu de comportements rationnels qui entraînent pourtant un déséquilibre croissant aboutit à terme à l'explosion de la bulle. Selon cette vision, une chute brutale de la monnaie américaine est inévitable, car tôt ou tard, les opérateurs prendront conscience du dérapage croissant, et modifieront brusquement leurs anticipations.

Pour les autres, en conformité avec l'écart grandissant que nous avons noté entre les développements réels et les développements financiers, ce n'est pas la balance commerciale qui agit sur les taux de change, mais plutôt les flux de capitaux, eux-mêmes attirés par les anticipations de rendement réel sur les actifs financiers ; dans ces anticipations interviennent les taux d'intérêt, le climat favorable de l'économie américaine ayant retrouvé une croissance non inflationniste, et le fameux effet "refuge" qui exprime l'attraction qu'exerce un pays de nouveau prospère politiquement aussi bien qu'économiquement.

Cette approche est tout aussi difficile à tester que la première ; les mouvements de taux d'inté-

**Différentiel des taux d'intérêt
à court et à long terme 1975-1985**

taux nominaux

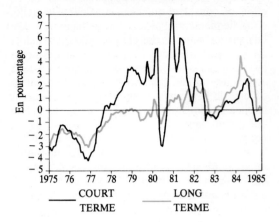

taux réels

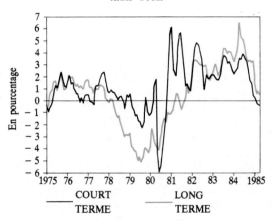

Note : Le taux d'intérêt à court terme est le taux auquel les emprunts à court terme sont effectués entre les institutions financières.

Le taux à long terme est le taux des obligations d'Etat à long terme.

Les taux d'intérêt réels sont les taux représentatifs des taux à court et à long terme des différents pays, déflatés par l'accroissement en taux annuel glissant des prix à la consommation de la période correspondante.

Le différentiel est calculé en soustrayant du taux américain une moyenne des taux des autres pays (groupe des Dix + Suisse) pondérée par le PIB moyen sur la période 1975-1983.

Sources : Banque de données Cisi-Wharton, mai 1985 et *The Economist.*

---

3. Charles P. Kindleberger, *Manias, Panics And Crashes, A History of Financial Crises*, Basic Books, Inc., Publishers, New York, 1978.

rêt ne peuvent expliquer parfaitement la hausse du dollar, puisqu'à au moins deux reprises (début 1981 et surtout début 1985), celle-ci s'est poursuivie alors que les différentiels des taux d'intérêt chutaient fortement. En tout état de cause, si cette dernière approche conduisait, jusqu'en 1984, à anticiper une poursuite de la hausse du dollar - qui s'est vérifiée -, elle laisse depuis présager une baisse du dollar, puisque la formidable expansion de l'économie américaine s'est considérablement ralentie, et que des pans entiers de l'industrie de ce pays ont vu leurs profits très affectés par la perte de compétitivité qu'ils ont subie.

Afin d'approfondir l'analyse et de mieux comprendre les mécanismes par lesquels le dollar s'est apprécié depuis 1980, il est utile de se pencher plus en détail sur le déficit des paiements courants qui a accompagné son ascension et sur la façon dont ce déficit a pu être financé.

3.2. LE DEFICIT AMERICAIN DES PAIEMENTS COURANTS

Depuis 1960 et jusqu'en 1982, la balance des paiements courants américains a été continuellement en surplus, sauf légèrement en 1971-1972 (déficit cumulé de l'ordre de 7 milliards de dollars) puis en 1977-1978 (déficit cumulé de l'ordre de 30 milliards de dollars). En 1982 s'opère un véritable retournement de tendance, puique le déficit cumulé entre 1982 et 1985, en dollars de 1982, devrait être de l'ordre de 250 milliards de dollars. Les modalités de financement de ces déficits s'avèrent très différentes de celles qui avaient prévalu auparavant[4].

En 1977 et 1978, le besoin de financement extérieur cumulé, de l'ordre de 30 milliards de dollars, a été satisfait par des mouvements officiels de réserves, et non par des entrées de capitaux privés. Bien au contraire, aussi bien les investissements directs que les investissements de portefeuille et les flux déclarés par les banques, loin de contribuer au financement du déficit courant, y ont ajouté un besoin de financement supplémentaire supérieur à 40 milliards de dollars. Le besoin total de financement extérieur sur la période, supérieur à 70 milliards, a été couvert par des interventions des banques centrales des pays industrialisés et

des autorités américaines sur le marché des changes afin de soutenir le dollar (pour plus de 60 milliards) et des entrées non enregistrées de capitaux de l'ordre de 10 milliards.

Cela amène à quelques considérations rapides sur la rubrique "entrées non enregistrées de capitaux", qui correspond au poste "écart statistique" ou "erreurs et omissions" de la balance des paiements. C'est une rubrique nécessaire pour assurer la compensation, dans la comptabilité de la balance des paiements (voir encart) entre le déficit (surplus) des paiements courants et les entrées (sorties) totales nettes de capitaux. Mais on ne peut avec certitude considérer qu'il s'agit de flux de capitaux ; les sources d'erreur peuvent en effet tout aussi bien provenir de l'enregistrement des transactions au titre des paiements courants, par exemple les échanges commerciaux, ou surtout les échanges de services, ou encore les recettes d'intérêt ou les dividendes versés sur les investissements à l'étranger, ou reçus de l'étranger.

Selon la Banque de réserve fédérale de New York[5], ces erreurs se comportent davantage comme des flux de capitaux que comme des flux de paiements courants. Il est donc probable, mais pas certain, que la plus grande partie de ces erreurs provienne de flux de capitaux mal enregistrés (si l'on retenait l'autre hypothèse, les montants des déficits des paiements courants seraient assez substantiellement réduits, mais resteraient néanmoins à un niveau sans précédent. A part pour 1982, cela ne modifierait pas de façon significative l'analyse des financements faite ci-dessous). On note qu'il s'agit en général d'entrées de capitaux dont le montant est, depuis 1979, extrêmement important.

A partir de 1982, le financement des déficits des paiements courants américains est très différent. En 1982, les statistiques ne permettent guère une analyse approfondie : d'importantes entrées de capitaux non enregistrées (33 milliards) financent à la fois le déficit des paiements courants (9,2 milliards) et une partie des sorties de capitaux au titre des flux bancaires (45 milliards) et des flux officiels (8 milliards),

4. Voir Roger M. Kubarych, "Financing the US Current Account Deficit", Federal Reserve Bank of New York, *Quarterly Review*, vol. 9, n° 2, été 1984.

5. *Idem.*

Financement de la balance des paiements courants des Etats-Unis, 1974-1984 (Flux annuels, en milliards de dollars courants)

	1974	1975	1976	1977	1978	1979	1980	1981	1982	1983	1984
Balance des paiements courants	1,9	18,1	4,0	-14,5	-15,4	-1,0	1,9	6,3	-9,2	-41,6	-101,7
Flux officiels	9,4	2,7	10,9	32,7	29,8	-18,5	2,2	-5,3	-7,8	-0,9	-5,6
Avoirs des E-U (réserves, prêts..)	-1,1	-4,3	-6,8	-4,1	-3,9	-4,9	-13,3	-10,3	-11,1	-6,2	-8,6
Engagements des E-U	10,5	7,0	17,7	36,8	33,7	-13,7	15,5	5,0	3,3	5,3	3,0
Allocations de DTS	0,0	0,0	0,0	0,0	0,0	1,1	1,2	1,1	0,0	0,0	0,0
Flux privés	-9,9	-26,7	-25,1	-17,2	-28,0	-7,0	-30,1	-24,4	-16,0	33,1	77,3
Investissement direct	-4,3	-11,6	-7,6	-9,2	-8,2	-13,3	-2,3	13,5	19,6	6,4	15,2
.des E-U à l'étranger			-11,9	-12,9	-16,3	-25,2	-19,2	-9,6	4,8	-4,9	-6,0
.de l'étranger aux E-U			4,3	3,7	7,9	11,9	16,9	23,1	14,9	11,3	21,2
Flux bancaires	-3,5	-12,9	-10,4	-4,7	-17,5	6,4	-36,1	-42,0	-45,1	23,7	20,3
Avoirs des banques américaines			-21,4	-11,4	-33,6	-26,2	-46,8	-84,2	-111,1	-25,4	-7,3
Engagements des banques américaines			11,0	6,7	16,3	32,6	10,7	42,1	65,9	49,1	27,6
Autres	-2,2	-2,2	-7,1	-3,3	-2,3	-0,1	8,2	4,1	9,6	3,0	41,9
Avoirs américains			-11,2	-7,4	-7,3	-8,0	-6,4	-6,9	-1,5	-13,0	0,8
Avoirs de l'étranger			4,1	4,2	5,0	7,8	14,6	11,0	11,1	16,0	41,1
dont bons du trésor			2,8	0,5	2,2	5,0	2,6	7,1	6,4	8,7	22,5
Entrées non enregistrées de capitaux	-1,5	5,9	10,0	-1,0	13,6	25,4	24,9	22,2	32,9	9,3	30,0

Source : Survey of Current Business, US Department of Commerce.
Conventions de signes :
+ : entrée de capitaux ou diminution des avoirs sur l'extérieur
- : sortie de capitaux ou accroissement des avoirs sur l'extérieur.

complétées par d'importants investissements directs de l'étranger aux Etats-Unis (flux net de 20 milliards) et d'achats d'obligations (11 milliards d'obligations achetées par l'étranger pour un flux net de 10 milliards).

En 1983, la structure des financements est beaucoup plus marquée. C'est une entrée de capitaux privés qui finance en majeure partie le déficit des paiements courants. Mais si la contribution du secteur non bancaire, par le biais des investissements directs (6 milliards nets) et des acquisitions d'obligations (3 milliards nets), est plus limitée que l'année précédente, le secteur bancaire, pour sa part, véhicule d'importantes entrées de fonds (24 milliards nets), alors qu'il est traditionnellement exportateur de capitaux. Il y a donc un retournement important des flux bancaires nets, dû à la diminution considérable des nouveaux prêts consentis par les banques américaines à l'étranger (de 111 à 25 milliards). Simultanément, les nouveaux dépôts placés par les étrangers (banques et non-banques) auprès des banques américaines diminuent (de 66 à 50 milliards), mais le solde des flux bancaires est positif.

L'année 1984 confirme et amplifie ce retournement puisque, sur toute l'année, le secteur bancaire américain n'augmente ses créances sur l'extérieur que de 7 milliards de dollars, alors qu'il reçoit des dépôts de l'étranger pour un montant proche de 28 milliards (très inférieur à celui reçu en 1983). Mais un phénomène nouveau apparaît. La contribution du secteur bancaire (20 milliards) n'assure plus l'essentiel du financement d'un déficit courant beaucoup plus élevé ; s'ajoutant à une entrée non enregistrée de capitaux de 30 milliards, on note une reprise importante de l'investissement privé de l'étranger aux Etats-Unis, qui se conjugue avec un désinvestissement des Etats-Unis à l'étranger, et surtout un gonflement considérable des acquisitions d'obligations diverses, et notamment de bons du Trésor américain, par les non-résidents.

A partir de la structure de la balance en capital des Etats-Unis, on peut sommairement reconstituer la séquence logique selon laquelle s'est opérée la formidable appréciation du dollar américain. Dans un premier temps, en 1980, les mesures de redressement économique prises par l'Administration Carter, puis la plate-forme de politique économique de la nouvelle Administration Reagan restaurent la confiance des investisseurs étrangers dans les actifs américains. On observe ainsi une forte augmentation des flux de capitaux privés d'origine non bancaire (hors erreur et omissions) sur la période 1980-1982 : d'une sortie nette de 12 milliards de dollars en 1979, on passe à une entrée nette de 6 milliards en 1980, 18 en 1981, 29 en 1982. Le retournement des flux d'investissement direct est très frappant, dû à une importante diminution des investissements directs américains à l'étranger et à une forte augmentation de ceux des non-

résidents aux Etats-Unis. Ainsi, d'une sortie nette de capitaux de 13 milliards en 1979, puis seulement 2 milliards en 1980, on passe à une entrée nette de 14 milliards en 1981, puis 20 en 1982.

Les flux bancaires en revanche, sauf momentanément en 1979, continuent de véhiculer d'importantes sorties de capitaux : la raison est liée aux besoins internationaux de financement des balances des paiements ; il y a, sur les euromarchés, une insuffisance des ressources par rapport aux demandes d'emprunts, donc un renchérissement des conditions de crédit bancaire par rapport aux taux du marché américain. C'est ce différentiel qui attire les flux bancaires en provenance des Etats-Unis[6].

Sur la période 1980-1982, ce sont donc les entrées de capitaux privés non bancaires (investissements privés et achats d'obligations émises aux Etats-Unis) qui constituent le facteur déterminant de l'appréciation du dollar. La hausse de la monnaie américaine est alors tempérée par d'importantes sorties nettes de capitaux bancaires. Le mythe de la "confiance retrouvée" semble donc fournir une explication plausible de l'intérêt suscité par les actifs américains. Mais il ne faut pas donner trop d'importance à cet effet de confiance : les entrées brutes annuelles de capitaux privés non bancaires aux Etats-Unis ont en fait diminué entre 1980 et 1982.

En 1983, la hausse du dollar se produit dans un contexte de très forte expansion économique et de taux d'intérêt réels élevés. On observe un très net déclin des entrées nettes de capitaux privés non bancaires, dû à une quasi-stagnation du flux d'entrées brutes aux Etats-Unis, et à une forte augmentation des investissements américains à l'extérieur. Ce sont alors les flux bancaires qui soutiennent l'expansion du dollar[7], en dépit de la détérioration des comptes courants de la balance des paiements américaine. Le retournement remarquable de ces flux s'explique par deux considérations : tout d'abord l'assèchement des crédits aux pays en développement, que nous avons décrit dans les chapitres précé-

---

6. Voir à ce sujet, l'étude de Helmut W. Mayer, *Interaction Between the Euro-Currency Markets and the Exchange Markets,* Etudes économiques de la BRI, n° 15, mai 1985.

7. *Idem.*

Balance en capital des Etats-Unis : le rôle des banques et des autres flux privés, 1977-1984 (en milliards de dollars)

	1977	1978	1979	1980	1981	1982	1983	1984
Flux bancaires nets	-4,7	-17,5	6,4	-36,1	-42,0	-45,1	23,7	20,3
Autres flux privés nets	-12,5	-10,5	-12,3	5,9	17,8	29,2	9,5	57,1
Entrées brutes	7,9	12,9	19,7	31,5	34,1	26,0	27,3	62,3
Sorties brutes	20,3	-23,5	-33,2	-25,6	-16,5	3,3	-17,9	-5,2
Erreurs et omissions	-1,0	13,6	25,4	24,9	22,2	32,9	9,3	30,0

Source : Survey of Current Business, US Department of Commerce.
Conventions de signes :
+ : entrée de capitaux.
- : sortie de capitaux.

dents, et la faiblesse de la demande de crédits bancaires internationaux dans les pays industrialisés ailleurs qu'aux Etats-Unis. Cette conjonction a entraîné une importante redistribution géographique des flux de capitaux bancaires vers les Etats-Unis. On ne peut guère y lire une

En 1984, les entrées nettes de capitaux bancaires se poursuivent, mais jouent un rôle maintenant secondaire, puisque l'on assiste à un afflux massif de capitaux privés non bancaires. Il y a donc une diminution de l'intermédiation, par les banques américaines, des afflux de capitaux étrangers, et ceci pour plusieurs raisons[8]. En premier lieu, les nouveaux dépôts placés dans les banques américaines ont fortement chuté, en raison des difficultés rencontrées par le secteur bancaire américain, et notamment à la suite de la crise de la *Continental Illinois*. En conséquence, il y a eu un report vers les investissements non bancaires. En second lieu, le souci des banques, sous la pression de leurs autorités de tutelle réglementaire, de consolider leur situation, d'augmenter le rapport de leur capital à leurs créances, a conduit à une réduction de leurs créances sur l'étranger.

Face à ce déclin relatif de l'intermédiation

bancaire, la demande, par les investisseurs privés étrangers du secteur non bancaire, d'actifs américains a été particulièrement forte. Les investissements directs de l'étranger aux Etats-Unis ont presque doublé, de 11 à 21 milliards de dollars, entre 1983 et 1984 ; les achats de bons du Trésor américain par les non-résidents sont passés de 9 milliards en 1983 à 22 milliards en 1984. Enfin, les achats d'obligations diverses sont passées de 7 à 19 milliards de dollars. L'attrait vers les Etats-Unis apparaît donc évident en 1984. Il a été renforcé par les efforts déployés par le Trésor américain pour financer au coût le plus faible le déficit budgétaire record de l'Administration. L'abolition de la retenue à la source atteste d'ailleurs du souci des autorités américaines de favoriser le financement de ce déficit par les capitaux extérieurs. En 1984, ceux-ci ont permis à leurs détenteurs d'acquérir 14 % des bons du trésor sur le marché américain[9].

---

8. Voir l'article de Catherine L. Mann, "US International Transactions in 1984", dans le *Bulletin* de la Réserve fédérale, Washington, DC, mai 1985.

9. *Bulletin* de la Réserve fédérale, op. cit.

Bien entendu, il faut, nous l'avons souligné à plusieurs reprises, interpréter avec prudence les données relatives aux balances des paiements, d'autant plus que les chiffres annuels peuvent atténuer, voire masquer, des mouvements de capitaux significatifs. Ces statistiques donnent néanmoins un point de départ raisonnable à toute réflexion sur l'évolution future du dollar, et permettent d'établir les conclusions suivantes.

Tout d'abord, depuis 1981, la demande privée d'actifs américains par des non-résidents a été supérieure, à taux de change constant, au besoin de financement lié au déficit croissant des paiements courants des Etats-Unis. C'est bien sûr ce qui explique, fondamentalement, dans le moyen terme, l'appréciation de la monnaie américaine.

Deuxièmement, il serait un peu rapide d'en conclure que l'appréciation du dollar est un gage de confiance dans la politique économique de l'Administration Reagan, sous prétexte qu'elle traduit l'attrait du marché américain pour les investisseurs étrangers. Il y a eu certes un essor de l'investissement direct de l'étranger aux Etats-Unis en 1981 et 1983 ; mais ce sont, en 1983, les flux bancaires qui ont été prédominants, alors que les entrées au titre d'investissements directs ont été inférieures de 25 % à celles de 1982 et de plus de moitié à celles de 1981. Il semble en fait y avoir eu report, en 1983, de l'intérêt des investisseurs étrangers vers les investissements dits de portefeuille (titres divers) et surtout les bons du trésor, reflétant plus une préférence pour le rendement, le court terme et la liquidité qu'une confiance sereine dans l'économie américaine. C'est aussi sur cette autre forme de placement que se reporte de façon très nette la préférence des investisseurs étrangers en 1984, gage de prudence plus que de confiance.

Troisièmement, la question n'est pas de savoir si les Etats-Unis pourront trouver les flux de capitaux nécessaires au financement d'un déficit des paiements courants croissant. C'est là une différence de taille avec la situation des pays en développement, pour lesquels l'indisponibilité de flux de financement externes a entraîné une diminution forcée des déficits. Dans les meilleures hypothèses, à savoir la réalisation d'un accord entre l'Administration américaine et le Congrès sur une réduction substantielle du déficit budgétaire, le déficit des paiements courants restera important pendant plusieurs

années : on ne force pas les Etats-Unis à l'ajustement. L'OCDE[10] prévoit qu'il dépassera 150 milliards de dollars, en taux annuel, au second semestre 1986. S'il y a déficit, il sera évidemment, pour des motifs d'équilibre comptable, financé. En revanche, la véritable question a trait aux conditions de ce financement, à savoir taux de change et taux d'intérêt. Si, pour des raisons diverses, les capitaux étrangers privés n'affluaient plus aussi facilement vers les Etats-Unis, il faudrait, pour en attirer un volume suffisant, ou bien une hausse substantielle des taux d'intérêt, ou bien une dépréciation importante du dollar (telle qu'elle rétablisse des anticipations d'appréciation), ou bien les deux.

3.3. ATTERRISSAGE EN DOUCEUR OU ATTERRISSAGE EN CATASTROPHE ?

Les statistiques de la balance des paiements permettent d'appréhender l'évolution du taux de change de la monnaie américaine par le biais des préférences *géographiques* des détenteurs de capitaux. La préférence monétaire, à savoir celle qui a trait à la monnaie dans laquelle les actifs sont libellés, a ici peu d'importance, car c'est plutôt, dans le moyen et le long terme, la destination finale des capitaux qui détermine la tendance des taux de change : les actifs en effet, à une exception près, ont, pour attirer les investisseurs, d'autres caractéristiques que la monnaie de libellé, à savoir le rendement, le risque, les anticipations de plus-values[11]. L'exception est celle des encaisses liquides en devises, dont la seule propriété significative est effectivement la monnaie dans laquelle elles sont libellées. Cette exception est importante ; dans une période relativement calme, on peut penser que la demande de telles encaisses restera stable et que ses variations ne représenteront qu'une proportion minime des transactions sur les marchés des changes. Mais, dans une période d'incertitude marquée, les positions de trésoreries liquides au jour le jour sur telle ou telle

10. OCDE, *Perspectives économiques,* juin 1985.

11. Sur cette question de la détermination des taux de change par les préférences géographiques, plutôt que monétaires des investisseurs, voir la remarquable étude de Helmut Mayer (*op. cit.*).

monnaie peuvent avoir des conséquences très importantes sur les marchés des changes.

Les statistiques annuelles des balances des paiements ne permettent pas d'appréhender ce phénomène, ni de rendre compte des fluctuations à court terme des taux de change qui agitent parfois violemment les marchés des changes. Tel a été notamment le cas au début de l'année 1985. Après avoir atteint des sommets en février et mars 1985, le dollar a brusquement chuté en avril, sous l'effet de plusieurs facteurs : dans un premier temps, les autorités monétaires, incluant la Réserve fédérale américaine, ont procédé à des interventions concertées sur les marchés des changes, vendant près de 11 milliards de dollars en une semaine[12]. Cette décision a, pour un moment, fourni la preuve que les banques centrales considéraient - enfin - la situation du marché des changes comme étant tout à fait désordonnée, et entendaient sérieusement y mettre de l'ordre ; ensuite, les prévisions de croissance aux Etats-Unis confirmèrent les signes de ralentissement déjà perceptibles ; enfin, les difficultés du secteur bancaire américain contribuèrent à rendre les opérateurs plus méfiants vis-à-vis des actifs américains.

Cela dit, le dollar ne s'est pas effondré autant que certains le craignaient. Au mois de mai, le dollar s'est raffermi, le calme est revenu. Puis, en juin et juillet, la monnaie américaine a de nouveau fortement chuté, revenant au niveau qu'elle avait atteint une année auparavant. Certes, le dollar a ainsi perdu plus de 10 % en termes effectifs par rapport à son point le plus haut de février 1985. Mais cette baisse ne peut être qu'un prélude à un ajustement plus ample qui devra s'effectuer à un horizon indéterminé. Peut-être ce prélude à la baisse peut-il donner à penser que le processus d'"atterrissage en douceur" est commencé. Mais il est encore trop tôt, mi-1985, pour pouvoir l'assurer.

Si l'on croit au contraire que le taux de change du dollar reste porté par une "bulle" de spéculation rendant inévitable un "atterrissage en catastrophe", il faut se demander quelles conditions, quel signal, en amorceront l'explosion. Question difficile, qui amène à étudier plus spécifiquement les comportements de spéculation.

Or, si le climat de mouvement spéculatif donne une explication assez plausible à la nervosité récurrente sur le marché des changes, il est difficile de comprendre les ressorts de cette spéculation. L'anticipation que le dollar doit maintenant se déprécier semble très répandue : pourquoi la spéculation ne se fait-elle pas à la baisse du dollar ?

Anatole Kaletsky[13] suggère que la spéculation actuelle sur les marchés des changes est une forme passive de spéculation : elle serait le fait des trésoriers d'entreprise qui conservent passivement les revenus d'exportations ou d'investissement qu'ils reçoivent sous forme de dollars et qui proviennent de l'énorme déficit courant américain, au lieu de les convertir dans leur propre monnaie. Si tel est le cas, une partie importante des flux à court terme détenus par les non-résidents aux Etats-Unis pourrait être maintenue sous cette forme par passivité plus que par volonté. Peut-être est-il préférable de constater que les gestionnaires de trésorerie ne perçoivent pas une incitation suffisante à convertir leurs dollars en d'autres monnaies. Si cette incitation naît un jour, il peut se produire une sortie massive de capitaux placés à court terme aux Etats-Unis, précipitant l'effondrement de la monnaie américaine.

Il est difficile de préciser quel événement, ou quelle conjonction d'événements pourrait précipiter un tel scénario. Mais on peut réfléchir aux bouleversements qui pourraient alors se produire. L'analyse des flux annuels n'est pas suffisante pour en apprécier les risques. Il faut plutôt se pencher sur les stocks de créances accumulées sur les Etats-Unis, autrement dit sur la dette américaine envers l'étranger[14].

Cette dette s'est considérablement accrue depuis 1982, en raison des entrées massives de capitaux évoquées. Si l'on inclut les entrées de capitaux non enregistrées dues aux erreurs et omissions, les Etats-Unis sont devenus débiteurs nets dès 1983 ; leur dette nette vis-à-vis de l'extérieur aurait même dépassé 100 milliards de dollars en 1984. Même si l'on exclut les flux non enregistrés, la position créditrice du pays vis-à-

12. OCDE, *Perspectives économiques*, juin 1985.

13. Anatole Kaletsky, "Prepare for a Soft Landing", *Financial Times*, 6 juin 1985.

14. Voir l'analyse de Robert Triffin, *The European Monetary System : Tombstone or Cornerstone*, Federal Reserve Bank of Boston, Conference Series n° 28, mai 1984.

Position extérieure nette des Etats-Unis, 1949-1984
(en milliards de dollars)

	Stocks en fin d'année					Flux annuels moyens			
	1949	1969	1978	1982	1984	1950/69	1970/78	1970/82	1979/84
ENGAGEMENTS	-20	-103	-387	-804	-1 006	-4	-32	-54	-103
Court terme(1)	-7	-49	-263	-450	-543	-2	-24	-31	-47
Institutions officielles	-3	-19	-176	-195	-190	-1	-17	-14	-2
Autres	-4	-30	-87	-255	-353	-1	-6	-17	-44
Autres	-8	-51	-112	-221	-301	-2	-7	-13	-32
Investissements directs	-3	-12	-42	-102	-149	-	-3	-7	-18
Investissements de portefeuille	-3	-32	-54	-93	-118	-2	-2	-5	-11
Autres	-3	-7	-16	-26	-34	-	-1	-2	-3
Flux non enregistrés (erreurs et omissions)	-5	-3	-12	-133	-162	-	-1	-10	-25
AVOIRS	54	159	448	834	895	+5	+33	+52	+75
Court terme(1)	27	30	150	436	466	+1	+13	+31	+53
Réserves officielles	26	17	19	34	36	-	-	+1	+3
Créances des banques	1	13	131	402	430	+1	+13	+30	+50
Autres	16	98	244	324	342	+4	+16	+17	+16
Investissements directs	11	71	163	221	227	+3	+10	+12	+11
Investissements de portefeuille	4	19	53	75	86	+1	+4	+4	+6
Autres	1	8	28	27	30	-	+2	+2	-
Aides à l'étranger	11	31	54	74	87	+1	+3	+3	+6
POSITION NETTE	34	56	61	30	-111	+1	+1	-2	-29
Court terme(1)	21	-19	-113	-14	-77	-2	-10	-	+6
Réserves	23	-2	-157	-161	-154	-1	-17	-12	-
Autres	-2	-17	44	147	77	-1	+7	+13	+6
Autres	7	47	132	103	41	+2	+10	+4	-15
Investissements directs	8	59	120	119	78	+3	+7	+5	-7
Investissements de portefeuille	1	-13	-	-18	-32	-1	+2	-	-5
Autres	-2	1	12	2	-4	-	+1	-	-3
Flux non enregistrés (erreurs et omissions)	-5	-3	-12	-133	-162	-	-1	-10	-25
Aides à l'étranger	11	31	54	74	87	+1	+3	+3	+6

Sources : Robert Triffin, *The European Monetary System : Tombstone or Cornerstone ?*, Federal Reserve Bank of Boston, Conference Series n° 28, mai 1984, Tableau 3 ; et *Survey of Current Business*, US Department of Commerce, pour les statistiques postérieures à 1982.
1. Comprend les réserves officielles, les dépôts et créances bancaires, et les dettes du Trésor américain envers l'étranger.

vis du reste du monde est de l'ordre de 50 milliards de dollars à la fin 1984, et par conséquent, le pays doit nécessairement devenir débiteur net au courant de l'année 1985 en raison de son important déficit courant. Cela signifie que chaque année, à partir de 1985 et jusqu'au rétablissement d'une position créditrice nette, les intérêts et dividendes versés par les Etats-Unis à l'étranger seront supérieurs à ceux qu'ils reçoivent de l'étranger sur leurs créances. Cela contribue encore à alourdir leur déficit des paiements courants.

Mais ce qui est important, ce n'est pas tant la dette nette, que la structure des créances brutes détenues par l'étranger sur les Etats-Unis, et surtout les créances à court terme, qui comprennent les dépôts bancaires, les bons du Trésor américain, et les réserves en dollars détenues par les banques centrales. Le montant total de ces créances s'élevait, fin 1984, à près de 550 milliards de dollars, dont au moins 350 détenus par des investisseurs privés. Ces capitaux peuvent, par leur nature et leur liquidité, être déplacés très rapidement. Cette mobilité serait susceptible d'affecter profondément le marché des changes si, tout d'un coup, les anticipations des opérateurs allaient dans le sens d'une dépréciation importante du dollar et les incitaient à redistribuer géographiquement leurs actifs. Si l'on inclut les flux de capitaux non enregistrés, la masse de ces capitaux "flottants" dépasse maintenant 500 milliards de dollars.

Au total, la situation du dollar américain sur le marché des changes paraît très vulnérable. Les déséquilibres macroéconomiques américains, à savoir déficits budgétaire et extérieur - qui traduisent une insuffisance marquée de l'épargne interne par rapport aux besoins d'investissements - impliquent que le pays dépend dangereusement des capitaux extérieurs pour financer la demande interne. Jusqu'à présent, l'absence relative de débouchés fiables et rémunérateurs dans les pays industrialisés autres que les Etats-Unis et le mouvement de défiance vis-à-vis des pays en développement ont été un facteur de stabilité pour la situation monétaire internationale dans la mesure où ils ont permis que la demande externe d'actifs américains soit suffisamment forte. L'avenir du dollar dépend de l'évolution de cette demande, et de celle du déséquilibre entre l'épargne et l'investissement internes.

Les économies des pays industrialisés sont très dépendantes de la conjoncture économique américaine. En Europe et au Japon, la croissance a été tirée par les exportations, notamment par la demande américaine. Dès lors, on peut se demander quelles alternatives existent aux placements aux Etats-Unis pour les capitaux internationaux à la recherche d'une rémunération. De nombreux analystes estiment ainsi qu'en l'absence d'alternatives dignes de ce nom, il est très improbable que les capitaux quittent massivement le marché américain pour d'autres débouchés.

Le risque de voir un tel mouvement se produire et entraîner une chute brutale de la monnaie américaine leur semble donc minime, faute de débouchés. Beaucoup plus crédible apparaît à leurs yeux le scénario d'"atterrissage en douceur", qui voit une amélioration progressive des perspectives économiques en Europe, conjuguée à un tassement des perspectives aux Etats-Unis, où le déficit budgétaire serait enfin jugulé. Dans ce scénario, les investisseurs réserveraient dans leurs portefeuilles de titres une place plus importante aux actifs non américains, ce qui entraînerait une baisse du dollar ; mais cette réallocation interviendrait progressivement, et ne reflèterait pas un mouvement de défiance vis-à-vis de la situation économique américaine. Au demeurant, c'est bien un ajustement de ce type qui semble s'être mis en place depuis mai 1985.

Mais doit-on pour autant méconnaître les risques de débandade généralisée qui subsistent et qui n'apparaissent lointains que parce qu'ils ne se sont pas encore matérialisés en dépit d'avertissements répétés depuis maintenant plus de deux ans ? On ne peut plus nier l'élément spéculatif qui a contribué à la hausse du dollar et au maintien d'une appréciation auto-entretenue, alors même que les différentiels de taux d'intérêt nominaux (et réels) aussi bien que les anticipations de dépréciation à terme représentaient d'indiscutables facteurs de baisse. Depuis le début de 1985, les signaux d'inquiétude sur les marchés des changes se sont multipliés. Le taux de croissance américain a été plus faible que prévu, la fragilité du système bancaire américain s'est confirmée, le débat sur la réduction de l'énorme déficit budgétaire a progressé, mais ne donne pas encore de signe d'aboutissement.

Le SME dans le système monétaire international

Première étape marquante de la construction monétaire européenne, le Système monétaire européen (SME), créé en décembre 1978 et mis en œuvre en mars 1979[1] a tenu la gageure de survivre et de s'imposer en dépit d'un accueil généralement réservé et sceptique. Il répondait au souci d'intégration économique européenne en privilégiant dans un premier temps la coopération monétaire. Son mécanisme de change devait établir en Europe une zone de relative stabilité monétaire. Une deuxième phase, "institutionnelle", de son fonctionnement prévoyait la création d'un "fonds monétaire européen", sorte de banque centrale parachevant l'union monétaire.

Six ans plus tard, cette seconde étape du système monétaire européen semble avoir été renvoyée aux calendes grecques. La livre sterling ne fait toujours pas partie du mécanisme de change ; les marges de fluctuation autorisées pour la lire italienne restent encore de + 6 %, alors que celles des autres monnaies sont de + 2,25 %. Mais, globalement, les résultats obtenus s'avèrent positifs. Le mécanisme a pu être maintenu, malgré le contexte d'instabilité économique et financière marquée qui caractérise le début des années 80. Les fluctuations et la variabilité des monnaies participant au mécanisme de change du SME ont été effectivement réduites, et restent plus faibles que celles des monnaies externes.

Le SME n'est pas un système de taux de change fixes. Il permet le réalignement négocié des cours-pivots pour tenir compte des divergences de conjoncture et de politiques économiques. A ce titre, les réalignements successifs qu'a connus le système - sept entre le 24 septembre 1979 et le 21 mars 1983, un huitième à l'issue de la crise de la lire le 20 juillet 1985, conduisant à une dévaluation de la monnaie italienne de 8 % environ par rapport à l'ECU - ne doivent pas être interprétés comme signes de mauvais fonctionnement, mais au contraire comme preuve de flexibilité d'un mécanisme qui permet à des pays de situations et sensibilités économiques différentes de stabiliser leurs taux de change. Ces réalignements ont prouvé que le SME emportait l'adhésion politique de ses membres[2], symbolisant la coopération monétaire européenne. Certains pays, dont la France, ont, pour se conformer à la discipline du SME, accepté des changements importants dans la direction de leur politique économique.

Le système monétaire européen a donc certainement favorisé une certaine convergence des politiques économiques, marquées par un souci d'assainissement généralisé. Là s'arrête la causalité : ce mouvement de convergence aurait peut-être eu lieu sans le SME ; car il faut bien reconnaître que l'évolution des déséquilibres économiques et financiers internationaux nécessitait tôt ou tard un ajustement.

Certaines critiques font valoir que la discipline du SME biaise la convergence, car elle requiert en fait un alignement sur les politiques économiques les plus austères, alors qu'apparaît l'idée - peut-être encore prématurée - que l'Europe a maintenant besoin de politiques plus expansionnistes[3]. Si l'on accepte la discipline du SME, tout effort isolé de relance au niveau national est condamné à faire long feu et à nécessiter un ajustement ultérieur, car il entraînera des déséquilibres incompatibles avec le maintien de taux de change fixes. En revanche, un effort coordonné d'expansion n'est pas incompatible avec cette discipline. Pour l'Europe, cela peut être une option à considérer dans le cas où, par exemple, une nouvelle récession s'installerait aux Etats-Unis. Mais il s'agirait alors d'une forme active de convergence de politiques économiques, à savoir le choix coordonné de nouvelles politiques et d'un calendrier de mise en œuvre. Les pays européens ont encore à faire la preuve de leur capacité à entreprendre une telle action dans le cadre de coopération monétaire et de concertation économique qu'a instauré le SME.

Il y a fort à penser que les années à venir vont créer l'occasion de ce test. Le retournement prévisible de la politique économique américaine, la baisse nécessaire du dollar, quelles que soient ses modalités, vont soumettre le SME à rude épreuve, pour plusieurs raisons. Tout d'abord, l'envolée du dollar a été un important facteur de stabilité. En effet, la réallocation des portefeuilles d'actifs des investisseurs s'est effectuée au détriment des monnaies fortes du SME, facilitant ainsi pour les monnaies plus faibles le maintien, dans les marges fixées, des cours de change. On peut se demander comment le système résistera aux pressions internes que la baisse du dollar menace de créer et qui pourraient de nouveau renforcer le deutschemark vis-à-vis des autres monnaies. Ensuite, les opinions publiques des différents pays risquent de ne pas tolérer trop longtemps la poursuite de l'austérité, ce qui pourrait créer des pressions politiques pour sortir du carcan de la convergence. Enfin, l'évolution de la conjoncture économique américaine et internationale donnera probablement lieu à des interprétations et des réactions diverses de la part des gouvernements, qui pourraient là aussi mettre en difficulté le processus de convergence que l'on a observé depuis 1983.

L'identité du SME semble s'être récemment affirmée à travers le succès remarquable de l'ECU privé (voir le chapitre précédent) sur les marchés financiers. Ce succès est-il un phénomène de mode ou traduit-il une innovation durable[4] ? Sur les marchés financiers, le succès n'est en fait jamais acquis. C'est dans la mesure où l'ECU continuera d'offrir une combinaison attractive de rendement et de sécurité que les agents privés s'y intéressent. Pour le moment, l'ECU privé reste plus attractif pour les emprunteurs que pour les investisseurs et son marché, en pleine expansion, reste relativement étroit géographiquement. Son développement est un défi pour les autorités, qui n'ont pas su jusqu'à présent l'accompagner par une expansion de l'usage de l'ECU officiel, et qui doivent, face à cet essor imprévu issu du seul marché, excercer un contrôle monétaire nécessaire, mais d'autant plus délicat qu'il n'existe pas de Banque centrale au niveau européen.

1. Pour une description du fonctionnement du SME, voir RAMSES 1981, partie 3, chapitre 1.

2. Voir le rapport de David F. Lomax, "The Time is Ripe", *ECU Newsletter,* Instituto bancario San Paolo di Turino, n° 11, janvier 1985.

3. Pour une discussion de cet argument, voir la partie 3 de ce volume, chapitre 1.

4. Peter Montagnon, "A Passing Fashion or a Longer Term Change ?", *ECU Newsletter,* n° 9, juin 1984.

La création d'une Banque centrale européenne parachèverait l'intégration monétaire européenne. C'est une étape politiquement prématurée, car l'indépendance monétaire reste un attribut important de souveraineté. D'ici là, l'avenir de la coopération monétaire européenne reste vulnérable aux chocs extérieurs, et notamment aux évolutions du dollar.

L'ECU reste une unité monétaire, un panier de monnaies, assorti de certaines innovations financières qui en font un véhicule financier attractif. Mais ce n'est pas une monnaie susceptible de faire contrepoids au dollar. La vision souvent évoquée d'un système monétaire tripolaire (dollar, yen, ECU) néglige l'instabilité inhérente à un tel système[5] et néglige aussi le fait que les mouvements des monnaies résultent en dernière analyse de la structure géographique de flux de capitaux et non de la préférence monétaire[6], sauf dans le court terme.

5. Christian de Boissieu, "Les illusions d'un système monétaire "polycentrique" dollar-ECU-yen", *Le Monde*, 18 septembre 1984.

6. Helmut W. Mayer, *Interaction Between the Euro-currency Markets and the Exchange Markets*, BIS Economic Papers, n° 15, mai 1985.

Si les acteurs de la politique économique des Etats-Unis s'avéraient incapables de mettre en œuvre les mesures nécessaires pour résorber progressivement les grands déséquilibres des finances publiques et des comptes extérieurs, si l'Amérique s'enfonçait de nouveau dans une période de récession ou d'inflation, l'inquiétude gagnerait les investisseurs, et pourrait remettre en question leurs choix d'investissement. La crise spéculative reste possible.

Toute la tâche économique de l'Administration américaine consiste maintenant à permettre un ajustement en douceur de la valeur du dollar. Les messages rassurants se multiplient ; la Réserve fédérale a adopté une politique monétaire beaucoup plus laxiste afin d'entretenir une croissance minimale. Le pas essentiel à franchir reste un accord sur une réduction substantielle du déficit budgétaire. Qui prendra alors le relais de la croissance ?

3

Troisième partie :

Performances et politiques : convergences et conflits

1. Un tournant pour les économies dominantes

1.1. Les antikeynésiens ont-ils vraiment gagné ?
1.2. Les économies occidentales face à l'Amérique
1.3. Etats-Unis, Europe, Japon : coordination ou confrontation ?

2. Les nouveaux visages de la contrainte énergétique

2.1. La victoire du marché sur le cartel
2.2. La baisse des prix : bénéfices et risques à court terme
2.3. La baisse des prix du pétrole : implications à long terme pour les pays consommateurs

3. Commerce international : reprise, déséquilibres, incertitudes

3.1. Une reprise déséquilibrée
3.2. Des changements de structure
3.3. Protectionnisme ou libéralisme ?

4. Nouvelles technologies et stratégies économiques

4.1. Haute technologie : l'impact économique
4.2. Etats-Unis - Japon : l'axe majeur de la compétition électronique
4.3. Quelle place pour l'Europe ?

5. La construction européenne : l'accouchement douloureux et inachevé de la Communauté à Douze (décembre 1983-juin 1985)

5.1. Le lancinant dossier financier
5.2. Un serpent de mer : la réforme de la politique agricole commune
5.3. La Communauté III
5.4. L'Union européenne ou les équivoques de la relance institutionnelle
5.5. Le révélateur : le défi technologique et militaire

6. Economies de l'Est, échanges Est-Ouest : un profil bas

6.1. L'URSS : les dilemmes de la croissance
6.2. L'Est sort-il de la crise ?
6.3. Commerce Est-Ouest : mécomptes et désenchantement

Après deux années d'expansion remarquable, l'économie américaine, vecteur unique de l'économie mondiale depuis 1983, marque maintenant le pas. Aucun des partenaires des Etats-Unis ne paraît cependant susceptible de prendre le relais d'une croissance pourtant vitale dans la conjoncture économique internationale présente. A moins d'une initiative coordonnée, au demeurant improbable, les politiques économiques suivies en Europe resteront marquées par un souci de rigueur et de sauvegarde des acquis de la désinflation. Le risque existe cependant que s'installe une récession prolongée, menaçant la stabilité économique et financière internationale.

Le processus de désinflation engagé dans la plupart des pays industrialisés a été grandement facilité par l'effondrement de la conjoncture pétrolière internationale. Mais la baisse des prix du pétrole s'accompagne aussi d'effets pervers. Elle entraîne pour les pays producteurs une baisse des revenus dont les conséquences politiques et économiques, nationales et internationales, peuvent être considérables. Elle peut aussi pousser les pays consommateurs à relâcher leurs efforts d'économies d'énergie et de diversification. Les conditions propices à l'occurence d'un nouveau choc pétrolier pourraient se trouver très vite réunies.

La croissance du commerce international, propulsée par l'expansion américaine, s'est accompagnée d'importants déséquilibres. Le déficit commercial considérable des Etats-Unis est à l'origine de la montée de pressions protectionnistes de toutes sortes dans ce pays. Jusqu'à présent contenues, ces pressions mettent potentiellement en danger les acquis de la libéralisation qui, sous l'égide du GATT, a permis la formidable expansion des échanges. Entre la tentation protectionniste et les efforts renouvelés pour une nouvelle libéralisation, le système commercial est pris entre deux flux de pressions contraires qui hypothèquent son évolution.

L'Europe, particulièrement à la traîne dans le domaine de l'électronique, est prise en ciseau entre les Etats-Unis et le Japon, qui se disputent les marchés des nouvelles technologies. Enjeu de cette compétition, elle dispose néanmoins d'atouts importants qu'il lui faut maintenant mobiliser afin d'éviter le risque de sclérose industrielle que toute absence prolongée ou toute dépendance excessive dans le domaine des nouvelles technologies ne manquerait pas d'entraîner.

L'enjeu technologique n'est pas le seul problème d'une Europe institutionnelle en mutation. L'admission de l'Espagne et du Portugal, effective le 1er janvier 1986, va réveiller les débats bien connus qui ont marqué les différentes étapes de la construction européenne, notamment dans le domaine de la Politique agricole commune et celui des ressources de la Communauté.

Au-delà du rideau de fer, les pays socialistes n'ont pas été épargnés par la crise économique mondiale. Ils restent confrontés aux problèmes d'organisation économique identifiés depuis de nombreuses années ; mais ils ont aussi souffert de la crise économique occidentale, et découvert le poids de la contrainte extérieure. Considérations économiques aussi bien que politiques font à présent douter d'une reprise substantielle des échanges Est-Ouest.

1. Un tournant
pour les économies dominantes

Voilà déjà près de quinze ans que l'économie mondiale vit l'interminable transition qui devait mener de la forte croissance de l'après-guerre à une nouvelle phase de stabilité correspondant à l'arrivée à maturité des économies industrielles développées. Loin de s'effectuer de manière continue, cette "transition" se caractérise par les multiples soubresauts d'un ancien ordre économique mondial qui n'en finit pas de se désagréger. On a ainsi assisté depuis l'effondrement du système de Bretton Woods en 1970-1971, à une succession de crises éclatant toutes les quatre ou cinq années, intervalle à peine suffisant pour que le monde se remette entre-temps. Cette belle régularité fait craindre à juste titre que 1986 ne soit elle aussi l'occasion d'une crise de grande ampleur du système économique mondial.

De tous côtés se précisent des foyers de crise qui pourraient à eux seuls durablement déprimer la conjoncture internationale. Le retournement prévisible de la politique économique de Ronald Reagan, et la résorption de la surévaluation de la monnaie américaine qui devrait en résulter, sont potentiellement à même de conduire à une nouvelle montée des tensions. Or, au sein des économies dominantes, le pôle américain est, à l'heure actuelle, le seul facteur dynamique de croissance. Pour des raisons structurelles mais aussi et surtout politiques, ni le Japon, où la demande interne est insuffisante, ni l'Europe ne paraissent à même de venir au secours de l'expansion. Enfoncée dans une récession qui a déjà trop duré, l'Europe semble accepter avec résignation la persistance du chômage et l'affaiblissement progressif de son tissu industriel. Si l'économie mondiale devait connaître à nouveau la récession, de nombreux acquis de l'ère de l'expansion d'après-guerre, notamment dans les domaines monétaire et commercial, seraient remis en question ; le délicat équilibre de la dette internationale, analysé ci-dessus, s'en trou-

verait sérieusement compromis. A plus d'un titre, les années 1985 et 1986 s'annoncent donc décisives.

Avec l'arrivée et le maintien au pouvoir aux Etats-Unis et au Royaume-Uni de gouvernements décidés à mettre résolument en œuvre des stratégies anti-keynésiennes inspirées par les thèses de la "macroéconomie classique", l'après-guerre et ses rêves généreux de solidarité, *welfare*, aide au développement, sont bel et bien enterrés. Quatre ans après, il n'est pas question de revenir sur un débat qui a largement été évoqué mais plutôt de dresser un bilan. Il importe en effet d'une part de souligner ce qui dans cette nouvelle politique macroéconomique a été véritablement une rupture et d'autre part de déceler dans ses succès et ses échecs les signes avant-coureurs d'une nouvelle pratique de la politique économique.

Nouvelle macroéconomie classique ou nouvelle macroéconomie keynésienne, les enjeux dépassent bien évidemment le simple débat d'école. C'est en fait la nature même des sociétés occidentales qui est en jeu à travers la redéfinition du rôle de l'Etat, l'effondrement des systèmes de protection sociale et la crise de l'industrie.

1.1. LES ANTIKEYNESIENS ONT-ILS VRAIMENT GAGNE ?

Etats-Unis : désenchantements de la reaganomie

Après une remise en question de leur domination économique au cours de la stagflation des années 70, les Etats-Unis ont connu en 1983 et

Etats-Unis : indicateurs macroéconomiques (en pourcentage)								
	1979	1980	1981	1982	1983	1984	1985	1986
PIB (1)	2,4	- 0,3	2,6	- 2,0	3,8	7,1	2,8	2,7
Prix à la consommation (1)(2)	11,3	13,5	10,3	6,2	3,2	4,3	3,6	4,1
Taux de chômage	5,8	7,2	7,6	9,7	9,6	7,5	7,4	7,5
Solde des opérations courantes (3)	0,0	0,1	0,2	- 0,3	- 1,3	- 2,8	- 2,8	- 2,9

Source : Banques de données, estimations et prévisions Cisi-Wharton, juillet 1985.
1. Taux de croissance annuel.
2. Indice des prix à la consommation.
3. En pourcentage du PIB.

1984 une conjoncture à bien des égards exceptionnelle. La croissance du produit national brut, qui atteint 6,7 % en 1984, est à un niveau que l'on n'avait pas connu depuis trente-trois ans. Reagan pouvait même annoncer durant sa campagne électorale de l'été qu'en six mois l'industrie américaine avait créé plus d'emplois que tous les pays européens réunis depuis 1974. L'inflation semble maintenant s'être stabilisée en dessous de 4 % l'an, soit près de 10 % de moins qu'en 1980 et quatre à cinq points en deçà du score moyen de l'Administration Carter. Cette dernière avait, il est vrai, hérité du premier choc pétrolier et subi de plein fouet la deuxième hausse massive du prix du pétrole en 1979.

Ces signes extérieurs de succès sont loin d'être négligeables. Ils ont largement contribué à la réélection triomphale de Ronald Reagan face à un candidat démocrate très peu convaincant en matière de politique économique. Il importe cependant d'évaluer la situation avec plus de précision.

Dans un premier temps, l'économie américaine a payé sa désinflation exceptionnelle par un recul de la production et une montée du chômage non moins exceptionnels. La hausse massive des taux d'intérêt, induite par le choc frontal entre une politique budgétaire très expansionniste et une politique monétaire restrictive, fut une cause essentielle de la récession

de 1981-1982. En fait, la baisse du chômage obtenue en 1984 n'apparaît comme un succès que par référence au taux de chômage de 10 % qui a accompagné cette récession ; le taux de 7,6 % atteint en 1984 demeure en effet sensiblement supérieur aux 7 % de 1980. Malgré la désinflation induite par la récession, les taux d'intérêt sont demeurés élevés. Pour financer l'expansion, l'épargne intérieure, largement absorbée par le service d'une dette publique en croissance exponentielle, a dû être complétée par un énorme afflux de capitaux étrangers attirés par des taux d'intérêt réels très élevés.

Les taux d'intérêt aux Etats-Unis 1973-1985

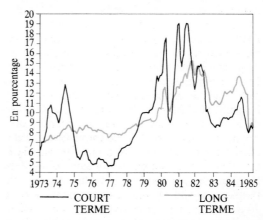

— COURT TERME　　　　　LONG TERME

Sources : FMI, Banques de données Cisi-Wharton, *The Economist,* pour les chiffres de 1985.

Le déficit budgétaire est ainsi très directement à la source, tout à la fois, du déséquilibre de la balance des paiements américaine et de l'envolée du dollar. Au sein même de l'équipe gouvernementale, un débat acerbe oppose tout au long du dernier trimestre de 1983 Martin Feldstein, alors chef des conseillers économiques de la Maison-Blanche, à Donald Regan : le premier soutenant que c'est effectivement à l'aggravation du déficit public qu'il faut attribuer la flambée des taux d'intérêt et donc la hausse du dollar ; le second affirmant qu'il n'en est rien et que la baisse des monnaies européennes traduit une défiance du marché à laquelle il ne peut rien.

Hormis ces débats, très longuement relatés par la presse américaine, ce sont finalement des analyses assez traditionnelles qui semblent le mieux rendre compte des quatre premières années de l'Administration Reagan. Une relance budgétaire, alliée à une politique monétaire restrictive, a induit une forte croissance, un déficit public élevé, une montée des taux d'intérêt et une surévaluation du dollar. Toute la question est de savoir s'il est possible, à moyen terme, de continuer à financer, avec des capitaux japonais ou allemands qui font tant défaut aux débiteurs du Tiers-Monde, une croissance qui crée des déséquilibres de plus en plus difficiles à résorber.

La dette publique américaine : un formidable déséquilibre structurel à résorber

Au premier rang de ces déséquilibres structurels se trouve la montée de la dette publique. Atteignant près de 1 600 milliards de dollars en 1984, aux dires mêmes de l'Administration, celle-ci a quasiment doublé depuis l'arrivée de Ronald Reagan à la Maison-Blanche[1]. Certes, l'équilibre budgétaire n'est pas une fin en soi[2]. Mais lorsque, comme c'est le cas aujourd'hui, les taux d'intérêt réels dépassent nettement le taux de croissance de la production, les intérêts d'une dette publique indéfiniment reconduite pourraient à terme absorber la totalité du revenu national. Ce n'est pas tout à fait une hypothèse d'école : si l'on en croit les simulations réalisées par *Data Ressources Inc*, la seule augmentation de la dette publique américaine d'ici à 1990, sous l'hypothèse d'une politique budgétaire inchangée, représenterait 1 738 milliards de dollars, soit le quart du PNB américain.

Le problème qui se pose aux autorités américaines est ainsi double : d'une part réduire aussi vite que possible le déficit budgétaire ; d'autre part résorber au moins en partie le stock total de dette accumulé depuis quatre ans.

L'Administration Reagan a proposé un premier train de mesures visant à ramener le déficit budgétaire à 100 milliards de dollars en 1988, alors que le déficit envisagé pour 1985 s'élève à plus de 200 milliards. L'objectif serait de diminuer les dépenses de l'Etat de 42 milliards en 1986, de 85 milliards en 1987 et de 110 milliards en 1988. Ronald Reagan s'étant engagé à préserver le système de retraite, ces fortes réductions de dépenses nécessiteraient la suppression de nombreux programmes gouvernementaux[3], une ponction de près de 30 milliards de dollars sur les dépenses militaires, et des économies réalisées sur les programmes de santé (Medicare, Medicaid...), les salaires des fonctionnaires et divers budgets sectoriels. Il reste cependant à négocier ce plan avec un Congrès où les républicains sont loin de dominer.

On peut certes espérer que, fort du consensus sur l'absolue nécessité de réduire le déficit budgétaire, le président Reagan saura faire aboutir les négociations. Plus délicat et d'une tout autre ampleur est le problème de la réduction de la dette publique : celle-ci continuera à croître en tout état de cause au-delà de 1988. Les masses en jeu sont telles que l'on peut parler d'un véritable transfert intergénérationnel opéré au détriment des couches de la population qui auront à terme à subir un prélèvement fiscal - ou un prélèvement inflationniste - très élevé, seule possibilité de ramener les créances sur l'Etat à une proportion satisfaisante et stable du revenu national.

---

1. Des amateurs de records ont évalué que cette dette représentait aujourd'hui une pile de billets de 1 000 dollars haute de plus de 100 kilomètres et devrait doubler une nouvelle fois au cours des quatre ou cinq prochaines années si aucune mesure nouvelle n'intervenait.

2. Un modèle célèbre, dû au prix Nobel d'économie Paul Samuelson, établit même que tant que le taux d'intérêt réel est inférieur au taux de croissance de l'économie, l'existence d'une dette publique perpétuelle permet d'élever le bien-être général. L'Etat peut ainsi assurer le transfert nécessaire entre les générations successives. Le système de retraite français fournit un exemple d'un tel transfert.

3. Comme, parmi d'autres, le *Small Business Administration Program, Rural Housing Program, NASA Research and Development Program...*

Composantes cycliques et structurelles du déficit budgétaire des Etats-Unis (en milliards de dollars)			
Année fiscale	Total	Cyclique	Structurel
Déficit observé			
1980	60	4	55
1981	58	19	39
1982	111	62	48
1983	195	95	101
Déficit prévu			
1984	187	49	138
1985	208	44	163
1986	216	45	171
1987	220	34	187
1988	203	16	187
1989	193	- 4	197

Source : *Economic Report of the President*, Washington, DC, février 1984.

On peut donc s'attendre à un ralentissement important de la demande interne et de la croissance américaine, ralentissement devant s'accompagner d'une baisse de la valeur réelle du dollar. Les avis restent toutefois plus que partagés quant à l'horizon à envisager. C'est bien évidemment là l'une des inconnues essentielles du deuxième pari économique de Ronald Reagan.

En tout état de cause, Ronald Reagan se trouve à court terme indéniablement en position de force sur le terrain de la politique économique face à ses interlocuteurs tant internes qu'externes.

A l'intérieur, la défaite des démocrates apparaît d'abord comme le rejet unanime de tout ce que représentent les nostalgiques du *New Deal*. La tentative d'amener le débat sur le terrain de la politique industrielle s'est soldée par un échec. Et finalement la seule idée véritablement nouvelle des démocrates en matière économique, le projet de réforme fiscale globale du sénateur Bradley, a été reprise à son compte par l'Admi-

nistration en place qui compte en faire son cheval de bataille.

Au plan international, les critiques de la politique économique des Etats-Unis, et des risques qu'elle fait courir au système monétaire et financier international, devraient s'atténuer si le Congrès vote les dispositions de réduction du déficit budgétaire. Si la croissance américaine se stabilise alors comme prévu aux environs de 3 %, il sera de la responsabilité des Européens d'abandonner leurs politiques récessives des dernières années. Là aussi, le calendrier des événements, que Ronald Reagan a su jusqu'à présent si parfaitement contrôler, sera décisif.

Mais, au-delà de la bonne impression que donnent les résultats obtenus dans le court terme, il est encore trop tôt pour porter un jugement étayé sur la stratégie économique reaganienne. Au vu de l'énormité de la dette publique, que viennent encore aggraver des déficits budgétaires records, on peut craindre que le cheminement futur de l'économie américaine soit particulièrement difficile, entre le

Le débat sur la désindustrialisation :
les démocrates à la recherche d'un nouveau souffle

L'automne 1983, phase initiale de la campagne présidentielle, voit le débat sur la politique industrielle porté au premier plan par les médias américains. Ce débat, lancé quelques années auparavant déjà par des articles d'économistes ou d'hommes d'affaires éminents dans une presse plus spécialisée, a soudain connu un regain de popularité avec la diffusion de livres à grands tirages[1]. Derrière des titres accrocheurs - *Minding America's Business, Recapitalizing America, The Twenty Year Century, The Next American Frontier, Beyond the Waste Land...* -, les auteurs défendent l'idée que les Etats-Unis se désindustrialisent et qu'une nouvelle politique de l'Etat est nécessaire pour éviter une catastrophe.

Politiquement, le débat sur la politique industrielle, teinté d'un brin de nationalisme que n'auraient pas désavoué certains responsables européens, marque la tentative d'un éventail assez large d'économistes, proches du parti démocrate, de formuler une nouvelle stratégie économique. Devant le rejet quasi unanime de l'héritage du *New Deal* par l'opinion américaine, il importe en effet de pouvoir proposer une alternative à la reaganomie. Encore peu spécifique sur ses propositions économiques, le candidat Mondale, semble prêt à avaliser un programme qui modifierait dans l'opinion son image d'homme des syndicats traditionnels et des groupes de pression divers.

Le constat que font les auteurs de ces nombreux livres tient en quelques idées forces. Tout d'abord l'industrie américaine est entrée depuis dix ans dans une dangereuse phase de déclin. La productivité stagne alors qu'elle progresse rapidement en Europe et surtout au Japon. La croissance trop modérée de l'activité est un signe de faiblesse qui interdit le redéploiement de l'appareil productif. Enfin, les fermetures d'entreprises se multiplient, conduisent des régions entières à la catastrophe économique et condamnent au chômage des millions de travailleurs.

Les causes de ce déclin sont multiples et sont à rechercher dans les fondements mêmes de l'économie libérale. En s'internationalisant, les firmes américaines ont progressivement recentré leurs activités vers des pays où la main-d'œuvre est sous-payée. La gestion du crédit par un système bancaire privé conduit à privilégier la rentabilité de court terme face à l'intérêt national à moyen terme. L'organisation du travail, construite sur la fiction du contrat bilatéral employeur-salarié, est profondément incompatible avec le degré de coopération requis par la production moderne.

Mais l'ensemble des intervenants s'accordent surtout à reconnaître la défaillance de la politique publique. L'Etat fédéral et les gouvernements locaux n'ont pas su se donner les moyens d'une véritable politique industrielle structurée dans le cadre d'un plan comme c'est le cas au Japon ou en France. De l'avis même de l'un des principaux protagonistes, Robert Reich, professeur à la *Kennedy School of Public Administration* de Harvard, ce débat s'est très vite avéré dépassé malgré son succès initial.

Tout d'abord, politiquement, la tendance, modérément radicale, de plusieurs des économistes concernés a été très nettement supplantée auprès de Walter Mondale par le courant plus traditionnel des néokeynésiens. Ensuite, la conjoncture économique de 1983 ne pouvait plus justifier, vis-à-vis de l'opinion publique, du moins à court terme, les discours alarmistes sur la désindustrialisation. La faible croissance de la productivité américaine a permis que l'expansion économique s'accompagne d'une très forte création d'emplois, dont les Américains commencent à percevoir les bienfaits. S'il est déjà inquiétant pour les experts, le déficit commercial est loin de se situer au premier plan des inquiétudes du pays. Par ailleurs l'exemple des pays européens, qui poursuivent depuis la fin de la guerre des politiques industrielles actives, est difficilement convaincant, comme le souligne, peu charitablement, l'*Economic Report of the President* publié en février 1984. Enfin et surtout, les arguments retenus par les tenants de la désindustrialisation pour étayer leurs thèse ne sont pas validés par les faits.

Les différents indicateurs macroéconomiques disponibles confirment qu'à tout le moins, en termes relatifs, l'industrie américaine a réalisé depuis une dizaine d'années une performance plus qu'honorable. Le *stock de capital industriel* s'est accru d'environ 4,5 % par an de 1973 à 1980, soit très nettement plus que dans les pays européens. Seule l'industrie japonaise a investi plus durant la même période. Et encore, ceci n'est plus vrai depuis 1976. Les *dépenses de recherche-développement*, loin d'être sacrifiées au profit à court terme, ont vu leur progression s'accélérer depuis dix ans, passant de 1,9 % par an de 1960 à 1972 à 2,4 % par an de 1972 à 1979. En 1979, la part de sa valeur ajoutée que l'industrie américaine consacre à la recherche-développement atteint 6,5 %, contre seulement 3,7 % pour l'industrie japonaise et 4 % pour l'industrie allemande. Autre indicateur de vitalité du redéploiement industriel, la *répartition de l'emploi* apparaît particulièrement favorable aux Etats-Unis. L'industrie américaine s'est dégagée des activités à faible croissance presque aussi rapidement qu'au Japon ou en RFA tandis qu'elle se développait beaucoup plus rapidement dans les secteurs à forte croissance. Enfin la thèse du déclin est contredite par les diverses mesures du *poids de l'industrie américaine* dans le monde. Toutes montrent qu'après avoir nettement décliné jusqu'à la fin des années 60, la part de la production industrielle américaine dans le total des pays de l'OCDE s'est stabilisée depuis 1973. Après avoir autorisé le rattrapage lié à la reconstruction des économies détruites par la guerre, les Etats-Unis ont ainsi consolidé leur position à un niveau tout à fait respectable.

Nous sommes donc loin des déclarations alarmistes sur la disparition de l'industrie américaine et sur la catastrophique prolongation des tendances de l'après-guerre.

1. B. Bluestone et B. Harrison, *The Deindustrialization of America*, Basic Books, New York, 1982 ; S. Bowles, D. Gordon et T. Weisskopf, *Beyond the Waste Land. A Democratic Alternative to Economic Decline*, Anchor Press, New York, 1983 ; I. Magaziner, et R. Reich, *Minding America's Business : The Decline and Rise of the American Economy*, Random House, New York, 1983 ; S. Miller et D. Tomaskovic-Devey, *Recapitalizing America : Alternatives to the Corporate Distortion of National Policy*, Routledge and Kegan, Boston, 1983 ; R. Reich, *The Next American Frontier*, Times Books, New York, 1983 ; F. Rohatyn, *The Twenty-Year Century-Essay on Economics and Public Finance*, Random House, New York, 1983. Voir aussi le numéro spécial de la *Revue d'économie industrielle* préparé par B. Bellon et J. Niosi, n° 30, 4e trimestre 1984.

L'industrie américaine face à ses concurrentes, 1960-1983

	Etats-Unis	Japon	RFA	Europe
Stock de capital				
1960-1973	3,1	12,8	6,5	5,3
1973-1976	3,5	6,7	2,3	3,2
1976-1980	4,8	4,6	2,0	2,5
Emploi (heures)				
1960-1973	1,6	2,3	0,5	-
1973-1980	-0,2	-1,0	-2,3	-
1980-1982	-4,4	0,1	-4,2	-
Part dans l'emploi total (variation 1973-1980) *Industrie en croissance*				
- rapide	11,8	3,1	3,0	-
- lente	-7,1	-9,7	-9,2	-
Part des dépenses de recherche-développement dans la valeur ajoutée du secteur manufacturier	6,5	3,7	4,0	-
Productivité horaire				
1960-1973	3,4	10,5	5,7	-
1973-1980	1,3	7,0	4,0	-
1980-1982	2,3	4,9	2,0	-
Niveau de productivité (Etats-Unis = 100)	100,0	84,0	78,3	-
Production				
1960-1973	5,4	12,5	5,1	-
1973-1980	1,8	2,9	1,1	1,6
1980-1983	0,4	1,6	-1,2	-1,4
Part des exportations mondiales de produits manufacturés				
1960	22,3	6,2	17,4	65,8
1970	17,4	10,7	18,1	64,5
1973	14,8	11,5	19,9	67,2
1980	15,4	13,3	17,9	66,0
1981	17,0	16,1	16,6	61,2
1982	16,2	15,5	17,6	62,2
1983	15,7	17,7	16,6	60,3

Source : R. Lawrence, *Should US Trade Policies be changed ?* Centre for European Policy Studies, CEPS Papers n° 11/12/13, 1984.
Note : Sauf indication contraire, les chiffres indiquent des taux de croissance annuels moyens.

Projet fiscal présenté par le département du Trésor

Objectif : Neutralité fiscale, simplification de la fiscalité.
Méthode : Elargissement de l'assiette imposable, baisse du taux moyen d'imposition.

Les ménages :
- 3 tranches. Réduction du nombre de tranches imposables de 14 à 3. Les taux d'imposition, qui variaient de 11 à 50 %, seront de 15, 25 et 35 %.
- Seuil d'exonération fiscale porté à 11 800 dollars pour une famille de 4 enfants (8 937 dollars actuellement).
- Déduction personnelle relevée à 2 000 dollars.
- Reconduction de l'indexation sur l'inflation des tranches d'imposition en vigueur depuis le 1er janvier 1985.

Effets :
- Réduction moyenne du taux d'imposition marginal de 20 %.
- Réduction du taux d'imposition moyen de 8,5 %.

	Couple de deux actifs avec deux personnes à charge		Couple d'un actif, avec "crédits d'impôts"	
	Régime en vigueur	Proposition du Trésor	Régime en vigueur	Proposition du Trésor
Revenus (en dollars)				
- salaires	50 000	50 000	300 000	300 000
- assurance vie employeur	-	170	-	300
- assurance santé complémentaire	-	110	-	1 700
- dividendes	-	-	29 800	30 000
- revenu d'intérêt	-	-	-	-
- retraite	-	-	-	-
- revenu ou perte nette d'opération de limited partnership	-	-	(100 000)	(30 000)
Total	50 000	50 280	229 800	320 000
Abattement	-6 000	-5 000	-2 250	-5 000
Revenu brut ajusté	44 000	45 280	227 550	297 000
Déductions				
- cotisations de bienfaisance	1 000	94,40	8 000	2 060
- impôts versés aux Etats et collectivités locales	2 860	-	17 000	-
- autres déductions (1)	8 790	8 690	17 000	17 000
Total	12 650	8 784,40	42 000	19 060
Déduction minimale forfaitaire	-3 710	-3 800	-3 710	-3 800
Total des déductions autorisées	8 940	4 984,40	38 290	15 260
Revenu imposable	30 700	32 925,6	187 080	277 740
Impôt	4 745	4 323,9	73 241,7	87 079
Pourcentage de variation	-	-8,9	-	+18,9
Taux d'imposition marginal	25	25	50	35

Les entreprises :
- Taux d'imposition uniforme des bénéfices de 33 % au lieu d'un maximum de 46 %.
- Allègement partiel du système de la double taxation des dividendes.
- Revenus du capital indexés et imposés comme des revenus ordinaires à 35 %.
- Indexation des intérêts reçus et versés.
- Limited partnerships imposés comme les entreprises.
- Suppression totale des crédits d'impôt à l'investissement.
- Extension des crédits d'impôt de RD mais plafonnement.
- Remplacement du régime d'amortissement accéléré du capital (ACRS) par un régime de dépréciation "économique", indexation des déductions d'amortissement.

Sources : Pour la partie concernant les ménages : *Wall Street Journal* ; pour la partie concernant les entreprises : *Bulletin économique* de la Banque Paribas, janvier 1985.
1. Intérêts prêts hypothécaires et crédits à la consommation.

risque d'un regain d'inflation et celui d'une nouvelle récession. Il reste à l'Administration en place à trouver la trajectoire stable qui évite ces deux dangers. Ironiquement, il lui faudra peut-être s'inspirer à cet effet des principes du *fine tuning*[4] qu'elle avait si résolument rejetés.

Le déséquilibre interne n'est pas le seul motif d'inquiétude. La surévaluation du dollar et l'énorme déficit commercial qui l'accompagne ont des retombées très néfastes sur les industries d'exportations américaines. Dès lors, le débat sur la désindustrialisation pourrait connaître un regain d'actualité, notamment dans le climat de guerre commerciale américano-japonaise des derniers mois de 1984 et du début 1985. Il pourrait notamment conduire à l'adoption de mesures protectionnistes déguisées, destinées à secourir certains secteurs de l'industrie américaine victimes de la concurrence extérieure.

Le bilan économique de Margaret Thatcher

Comme la première Administration Reagan, l'équipe gouvernementale qui s'installe en juin 1979 aux côtés de Margaret Thatcher est d'abord cimentée par la conviction que les politiques keynésiennes, et la conception du rôle de l'Etat qu'elles impliquent, sont à la source des maux qui rongent l'économie et la société britanniques. La "stratégie financière de moyen terme" immédiatement mise en place par le nouveau gouvernement rappelle l'*Economic Recovery Tax Act* de Reagan ; le gouvernement prend des engagements fermes en matière de désinflation, et se déclare prêt à assumer les coûts de court terme d'un ajustement draconien.

Avec Margaret Thatcher se produit un retournement complet des conditions dans lesquelles s'exerce la politique économique. Jusqu'alors la politique macroéconomique était d'abord une politique de gestion de la demande et de l'emploi. La politique de lutte contre l'inflation faisait au contraire l'objet de mesures microéconomiques concernant la distribution des revenus et les salaires. Le gouvernement Thatcher entend lui définir sa politique macroéconomique par référence au seul taux d'inflation et éventuellement au taux de change. La résorption du chômage devra venir à terme, quand l'ensemble des décisions microéconomiques (réforme du marché du travail, dénationalisation, mesures fiscales...) auront pu exercer leurs effets.

Le bilan de Margaret Thatcher à mi-course

Au moment de la mise en place du nouveau programme économique de Margaret Thatcher, certaines voix optimistes s'étaient élevées pour prédire que le coût à payer pour la nécessaire désinflation pourrait être limité et que la purge serait de courte durée[5]. Plus prudents, les responsables gouvernementaux s'étaient contentés d'afficher des objectifs monétaires sans prendre aucun autre engagement. De fait, l'économie britannique résiste mal à court terme au traitement énergique qui lui est appliqué. L'effet immédiat de la nouvelle politique économique est de déclencher la récession la plus brutale qu'ait connue l'économie britannique depuis la Seconde Guerre mondiale. L'examen détaillé des années 1980 à 1983 montre même que la chute de la production est plus grave qu'au cours de la crise de 1929. Dans le même temps, la livre s'apprécie rapidement et les effectifs des chômeurs gonflent démesurément.

La croissance promise par les monétaristes et les théoriciens de l'offre d'outre-Manche se fait attendre jusqu'à la deuxième moitié de 1981. Moins rapide à venir que l'expansion reaganienne, ce redémarrage de l'activité est aussi largement moins convaincant. Le PIB ne retrouve son niveau de 1979 qu'en 1983 et la production industrielle est aujourd'hui encore inférieure de près de 10 % à ce qu'elle était avant le premier gouvernement Thatcher. Plus grave encore, cette lente sortie du tunnel de l'économie britannique n'a pas empêché la détérioration continue de l'emploi. En 1984, plus de trois millions de Britanniques, soit environ 13 % de la population active, sont au chômage.

Sur le terrain de l'inflation, Margaret Thatcher a très nettement tenu ses engagements. Le taux d'inflation, qui avait atteint 20 % au cours de 1980, se stabilise en 1983 autour de 5 %. Indéniablement, il s'agit là d'un succès qui a largement contribué à la victoire de Margaret Thatcher aux élections de juin 1983.

4. Le réglage fin de la conjoncture par des politiques macroéconomiques de stabilisation.

5. Voir les interventions de Milton Friedman et des économistes britanniques Laidler et Minford devant la chambre des Communes en 1980.

Royaume-Uni : indicateurs macroéconomiques (en pourcentage)							
	1979	1980	1981	1982	1983	1984	1985	1986
PIB réel	2,0	- 2,3	- 1,0	2,2	3,2	1,6	3,6	1,0
Prix à la consommation (1)(2)	13,5	17,9	11,9	8,6	4,6	5,0	6,3	5,5
Taux de chômage	5,6	6,9	10,6	12,3	13,1	13,2	13,2	13,5
Solde des opérations courantes (3)	- 0,3	1,7	3,0	2,0	0,8	0,0	0,6	0,7

Source : Banques de données, estimations et prévisions Cisi-Wharton, juillet 1985.
1. Taux de croissance annuel.
2. Indice des prix à la consommation.
3. En pourcentage du PIB.

Politiques macroéconomiques : un reaganisme inversé ?

Face à l'inflation, Margaret Thatcher utilise tout l'arsenal des politiques macroéconomiques. En rupture par rapport à ses prédécesseurs, elle propose dès l'origine une combinaison de politiques monétaire et budgétaire originale. Le rôle central est dévolu à la stratégie financière. Celle-ci s'accompagne d'une politique budgétaire restrictive à deux titres : d'une part, il s'agit de contrôler le déficit budgétaire et la création monétaire qu'il peut induire ; d'autre part, il importe de diminuer la part du gouvernement dans l'activité économique en réduisant ses dépenses.

Il est paradoxalement difficile de conclure, au vu des décisions prises et de leur impact, que la politique monétaire du gouvernement Thatcher a été véritablement restrictive. La première raison en est que, du moins au cours des trois premières années, l'objectif choisi, la masse monétaire au sens large (M3), a été constamment dépassé. Il s'est progressivement avéré qu'il s'agissait là d'un agrégat peu significatif et le gouvernement a finalement décidé de formuler ses objectifs en termes d'une définition plus étroite de la monnaie, la base monétaire[6]. Les évolutions nettement divergentes de ces deux

indicateurs ont contribué à développer un certain scepticisme des milieux financiers. De plus, à plusieurs reprises ce ne sont clairement pas ces objectifs intermédiaires qui ont guidé les choix de politique monétaire. Dans un climat de désinflation, d'appréciation du taux de change, de chômage élevé, les autorités ont en effet pu faire preuve d'un certain pragmatisme sans que la crédibilité de leur action fût pour autant remise en question. De fait, la politique monétaire suivie semble avoir été relativement neutre.

La stratégie budgétaire en revanche s'est avérée extraordinairement restrictive. Les mesures volontaristes de réduction du déficit budgétaire ont provoqué une récession, qui a en fait aggravé ce déficit, illustrant le mécanisme bien connu de "stabilisation automatique" : en période de chute de la croissance les recettes publiques (impôts directs sur le revenu et sur les sociétés, TVA...) diminuent alors même que les dépenses augmentent (transferts sociaux, indemnisation du chômage, aides aux entreprises publiques...). En conséquence, un déficit tend à apparaître.

---

6. Essentiellement les billets et la monnaie divisionnaire détenue par le plublic.

Evolution de la production en Grande-Bretagne

Indices de la production aux prix de 1980, 2ᵉ trimestre 1979 = 100

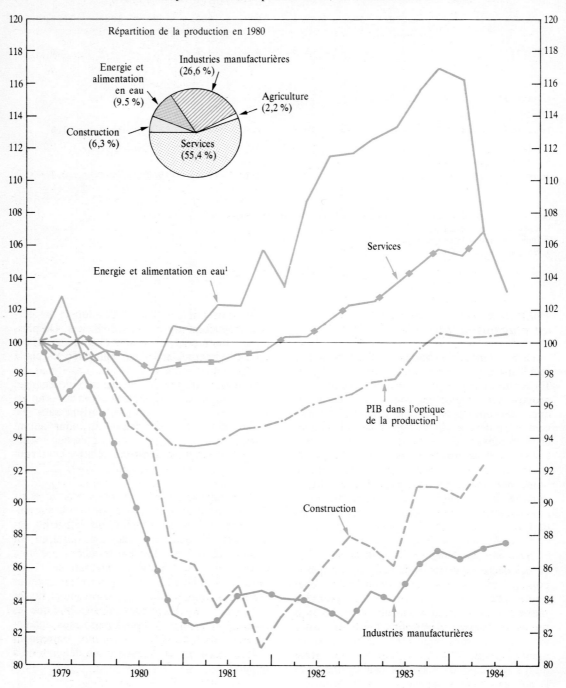

Source : OCDE, *Etudes économiques, Royaume-Uni,* janvier 1985.
1. Les chiffres de 1984 sont affectés par la grève des mineurs.

Masses monétaires (Grande-Bretagne)

Pourcentages de variation
par rapport au même trimestre
de l'année précédente

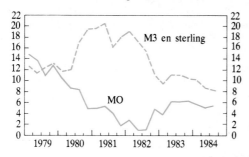

Source : OCDE, *Etudes économiques, Royaume-Uni,* janvier 1985.

Il est possible et intéressant d'évaluer ce qui, dans les soldes budgétaires observés, résulte de ce type de phénomène cyclique et ce qui relève de l'action volontaire du gouvernement (appelé "déficit structurel"). Les résultats obtenus par les experts de l'OCDE sont instructifs. La politique de restriction fiscale menée par les conservateurs britanniques est mesurée par la variation cumulée du solde budgétaire structurel. De 1980 à 1982, celle-ci atteint le total impressionnant de 5,4 % du PNB. La récession qui en a résulté a conduit à une dégradation automatique des finances publiques qui a plus que compensé la contraction budgétaire initiale. En 1980, le déficit des finances publiques s'élève à 3,8 % du PNB. Le gouvernement Thatcher s'est ainsi montré à court terme incapable de réduire le déficit budgétaire de façon significative.

Pris dans cette contradiction qui oppose équilibre budgétaire et politique restrictive, ce gouvernement a tenté de limiter le déficit budgétaire en aggravant le caractère restrictif de sa politique. C'est ce qui explique l'énorme excédent structurel des premières années. Celui-ci, en freinant de plus en plus l'activité, a conduit presque automatiquement à une situation budgétaire de plus en plus éloignée des objectifs.

Pour tenter de corriger cette situation qu'il jugeait désastreuse, le gouvernement britannique a progressivement aggravé la pression fiscale. En théorie, Margaret Thatcher a tenu ses engagements électoraux, d'une part en diminuant le taux d'imposition marginal des très

hauts revenus - de 83 % à 60 % -, et d'autre part en relevant le seuil minimal d'imposition. Cependant, ces mesures ont essentiellement contribué à diminuer la progressivité du système fiscal, tandis que la hausse des impôts indirects, principalement la TVA, provoquait une forte montée du poids des impôts. S'élevant à moins de 35 % en 1979, la part des prélèvements fiscaux dans le PIB atteignait 39,5 % en 1982, après trois années de politique conservatrice.

*La politique microéconomique :
désengagement et déréglementation*

Par son action microéconomique, le gouvernement s'est efforcé de lever les entraves au libre jeu des forces du marché et de régénérer les conditions de l'offre. Pour ce faire, il a rapidement éliminé les contrôles des rémunérations, des prix, des changes et du crédit bancaire. Il a entrepris de supprimer les législations restrictives en matière d'activités bancaires et boursières.

Plus significativement encore, la vente au secteur privé d'une partie des entreprises publiques a symboliquement marqué la fin d'une époque. Le programme de privatisation a touché les plus grandes entreprises sans épargner les services publics, comme le montre l'exemple de *British Telecom.* Au total, plus de onze grandes entreprises, représentant 170 000 personnes, auront été dénationalisées à la fin de 1985. A ces quelque 10 % du secteur public devraient venir s'ajouter dans les prochaines années certains des anciens fleurons du secteur public : *British Airways, British Steel, British Leyland* et même certains services publics comme *British Rail* ou le *Central Electricity Generating Board.* Au-delà du succès parfois relatif de ce programme, le gouvernement a ainsi indéniablement convaincu l'opinion du changement de contexte économique.

Le dernier volet de la politique de l'offre britannique concerne le marché du travail. Considérés comme les principaux responsables du marasme économique, les *trade unions* ont vu le cadre juridique de leur intervention profondément remanié par une série de lois en 1980, 1982 et 1984. Les diverses immunités associées à l'activité syndicale ont été limitées. Les lois qui accordaient un droit de regard syndical à l'embauche et en cas de licenciement ont été

**Variations conjoncturelle et structurelle du solde financier
des administrations publiques
(en pourcentage du PNB/PIB nominal)**

		Variation du solde effectif	Variation liée aux stabilisateurs automatiques	Variation du solde structurel	Variation du solde structurel corrigée des effets de l'inflation
Etats-Unis	1980	-1,8	-1,3	-0,5	-0,3
	1981	+0,3	-0,6	+0,9	+0,4
	1982	-2,9	-1,9	-1,0	-1,5
	1983	-0,3	+0,5	-0,8	-1,0
	1984	+0,7	+1,4	-0,7	-0,8
	1985	-0,3	+0,2	-0,5	-0,5
	1986	-0,1	+0,1	-0,2	0,0
Japon	1980	+0,3	+0,1	+0,2	+1,0
	1981	+0,5	-0,1	+0,6	+0,2
	1982	+0,4	-0,0	+0,4	-0,1
	1983	+0,1	-0,5	+0,6	+0,4
	1984	+0,9	+0,4	+0,5	+0,8
	1985	+1,2	+0,2	+1,0	+1,1
	1986	+0,9	0,0	+0,9	+0,8
Allemagne	1980	-0,4	-0,2	-0,2	0,0
	1981	-0,7	-0,8	+0,1	+0,2
	1982	+0,4	-1,0	+1,4	+1,4
	1983	+0,6	-0,6	+1,2	+1,0
	1984	+0,5	+0,1	+0,4	+0,3
	1985	+0,8	+0,3	+0,5	+0,5
	1986	+0,2	+0,2	0,0	0,0
France	1980	+0,9	-0,4	+1,3	+1,5
	1981	-2,0	-1,0	-1,0	-1,0
	1982	-0,9	-0,3	-0,6	-0,6
	1983	-0,4	-0,5	+0,1	0,0
	1984	+0,3	-0,8	+1,1	+1,0
	1985	-0,4	-0,7	+0,3	+0,2
	1986	-0,2	-0,4	+0,2	+0,1
Royaume-Uni	1980	-0,6	-1,7	+1,1	+2,4
	1981	+0,7	-2,2	+2,9	+0,4
	1982	+0,9	-0,8	+1,8	+0,4
	1983	-1,2	+0,1	-1,3	-2,5
	1984	-0,5	+0,2	-0,7	-0,7
	1985	+0,4	+0,1	+0,3	+0,5
	1986	+0,7	+0,3	+0,4	+0,3

Variations conjoncturelle et structurelle du solde financier des administrations publiques (en pourcentage du PNB/PIB nominal) (suite)

		Variation du solde effectif	Variation liée aux stabilisateurs automatiques	Variation du solde structurel	Variation du solde structurel corrigée des effets de l'inflation
Italie	1980	+1,5	+0,5	+1,0	+4,4
	1981	-3,8	-0,4	-3,4	-4,7
	1982	-0,7	-1,0	+0,3	-0,6
	1983	+0,2	-1,4	+1,6	+1,3
	1984	-1,1	-0,6	-0,5	-2,4
	1985	+0,4	0,0	+0,4	-0,9
	1986	0,0	-0,1	+0,1	+0,1
Canada	1980	-0,9	-0,4	-0,5	-0,4
	1981	+1,1	+0,2	+0,9	+0,9
	1982	-3,4	-3,0	-0,4	-0,3
	1983	-1,2	+0,5	-1,7	-1,7
	1984	-0,2	+0,6	-0,8	-0,8
	1985	+0,4	+0,5	-0,1	0,0
	1986	+0,5	+0,4	+0,1	+0,3
Moyenne des six grands pays (Etas-Unis non compris)	1980	+0,1	-0,3	+0,4	+1,3
	1981	-0,5	-0,7	+0,2	-0,4
	1982	-0,2	-0,7	+0,7	+0,1
	1983	-0,2	-0,4	+0,3	0,0
	1984	+0,3	0,0	+0,2	0,0
	1985	+0,6	+0,1	+0,5	+0,5
	1986	+0,4	0,0	+0,4	+0,3
Moyenne des sept grands pays	1980	-0,7	-0,8	0,0	+0,6
	1981	-0,2	-0,6	+0,5	-0,1
	1982	-1,5	-1,3	-0,2	-0,6
	1983	-0,2	0,0	-0,2	-0,5
	1984	+0,5	+0,7	-0,2	-0,4
	1985	+0,1	+0,1	0,0	0,0
	1986	+0,2	+0,1	+0,1	+0,2

Source : OCDE, *Perspectives économiques,* juin 1985.
Note : Le signe + indique un mouvement restrictif (excédent).
Le signe - indique un effet d'expansion (déficit).

Privatisation : ventes effectuées entre 1979-1980 et 1984-1985
(en livres sterling)

		Total
1979-1980		
British Petroleum (5 %)	276 millions	
Autres	101 millions	377 millions
1980-1981		
British Aerospace (51,6 %)	43 millions	
North Sea Oil Licences	195 millions	
Autres	167 millions	405 millions
1981-1982		
British Sugar Corporation (24 %)	44 millions	
Cable and Wireless (49,4 %)	182 millions	
Amersham International (100 %)	64 millions	
Autres	204 millions	494 millions
1982-1983		
Britoil (51 %)	334 millions	
Associated British Ports (51,5 %)	46 millions	
International Aeradio (100 %)	60 millions	
British Rail Hotels (91 %)	34 millions	
North Sea Oil Licences	33 millions	
Autres	75 millions	582 millions
1983-1984		
British Petroleum (7 %)	543 millions	
Cable and Wireless (22 %)	263 millions	
Britoil (48,9 %)	293 millions	
Autres	69 millions	1 168 millions
1984-1985		
Associated British Port (48,5 %)	50 millions	
British Gas (Wytch Farm Oil) (100 %)	82 millions	
Enterprise Oil (100 %)	380 millions	
Sealink (60,6 %)	40 millions	
Jaguar (100 %)	297 millions	
Immos (75 %)	95 millions	
British Telecom (50,2 %)	1 500 millions	2 444 millions

Source : OCDE, *Etudes économiques*, Royaume-Uni, janvier 1985.

abrogées ou révisées. Le gouvernement s'est même directement ingéré dans le mode de fonctionnement des syndicats, en imposant le vote à bulletin secret pour tout un ensemble de décisions. A de nombreuses reprises, le gouvernement s'est heurté de front aux organisations syndicales. Plusieurs grands mouvements de grève dans la sidérurgie (1980), la fonction publique (1981), les chemins de fer (1982) et les services de santé (1982) et très récemment les mines de charbon, se sont soldés par des échecs.

Au total cependant cette stratégie d'opposition frontale n'a pas eu les effets escomptés sur l'évolution des salaires. De 1979 à 1984, les salaires réels ont crû de plus de 8 %, soit presque l'équivalent des gains de productivité, et ce malgré la progression inquiétante du chômage.

La désinflation Thatcher : un parti à l'issue encore incertaine

La politique suivie depuis six ans par Margaret Thatcher appelle plusieurs commentaires. Tout d'abord, de même que pour la politique économique américaine, on peut expliquer l'essentiel des résultats obtenus à l'aide des mécanismes keynésiens traditionnels. Une politique budgétaire très restrictive a permis, au prix d'une importante chute de l'activité, de réduire l'inflation. S'il est vrai que le gouvernement a su convaincre de sa détermination anti-inflationniste, cet "investissement de crédibilité" n'a pas rendu moins douloureuse une stratégie fort coûteuse en emplois. Rien n'indique encore que tout le coût ait été payé, c'est-à-dire que le chômage ne va pas continuer à s'aggraver, et qu'une reprise de l'activité ne s'accompagnera pas d'un regain d'inflation.

Face à toutes ces interrogations, il est encore trop tôt pour déceler les bénéfices structurels de la politique suivie. En ce qui concerne le marché du travail, la preuve reste encore à faire que l'érosion du pouvoir syndical aura les effets escomptés. Le renouveau industriel annoncé par les défenseurs de la politique Thatcher est lui aussi fragile. Les indéniables gains de productivité pourraient n'être que le résultat de la disparition de pans entiers d'une industrie qui, de 1979 à 1982, a perdu plus de 15 % de sa capacité productive. Comme le note fort à propos un économiste américain[7], la Belgique a

connu une "explosion" de productivité analogue de 1973 à 1983, alors même que son taux de chômage passait de 2,8 % à 14,8 %.

En tout état de cause, les années à venir devraient permettre de clarifier ces différents problèmes. Comme les autres économies européennes, l'économie britannique aura à démontrer sa capacité à aborder une nouvelle phase de croissance, faute de quoi elle s'enfoncerait plus avant encore dans un déclin devenu irréversible.

1.2. LES ECONOMIES OCCIDENTALES FACE A L'AMERIQUE

A l'impulsion donnée par la politique expansionniste de Reagan correspond un formidable consensus déflationniste dans le reste de l'OCDE. Au cours des cinq dernières années, le caractère restrictif des politiques budgétaires s'est accentué partout, à l'exception des Etats-Unis. Considérés globalement, le Japon, la République fédérale d'Allemagne, la France, le Royaume-Uni, l'Italie et le Canada ont réduit le déficit *structurel* de leurs finances publiques d'un montant équivalent à près de 2 % du PNB de 1980 à 1984[8]. Au cours de l'année à venir, ces politiques devraient être poursuivies, contribuant ainsi à une accentuation de la déflation. Dans le même temps, la politique budgétaire de Ronald Reagan conduisait aux déficits massifs que l'on a décrits plus haut. Si l'on transcrit ceux-ci en termes structurels, seule manière d'évaluer véritablement la nature des politiques mises en jeu, il apparaît que la montée du déficit budgétaire américain est presqu'exactement équivalente à la réduction opérée chez les six autres grands pays.

A cette convergence des politiques entre les principaux partenaires des Etats-Unis doit être opposée la dissymétrie profonde qui semble caractériser les mouvements des monnaies euro-

---

7. Voir Jeffrey Sachs dans *Brookings Papers on Economic Activity*, 1983, n° 2.

8. Par "structurel", on entend ici la mesure du déficit budgétaire obtenue en retranchant du déficit effectivement observé l'effet des stabilisateurs économiques, c'est-à-dire l'impact des fluctuations de la croissance sur les recettes et les dépenses du gouvernement central.

péennes et du yen japonais par rapport au dollar. C'est d'abord au détriment du deutschemark que s'est effectué le spectaculaire redressement de la monnaie américaine, tandis que l'on observait une relative stabilité du taux de change du yen vis-à-vis du dollar. Cette dissymétrie se confirme lorsque l'on tient compte des mouvements inflationnistes internes pour comparer les taux de change réels des différents pays, comme on l'a vu ci-dessus dans le chapitre 3 de la seconde partie de ce rapport. Ce clivage entre l'Europe et le Japon pourrait bien révéler une fracture plus profonde entre les économies occidentales.

Solde financier des administrations publiques
(variation cumulée depuis 1980 en pourcentage du PIB)

	Etats-Unis		Six grands OCDE(1)	
	Effectif(2)	Structurel(3)	Effectif(2)	Structurel(3)
1980	- 1,8	- 0,5	0,1	+ 0,4
1981	- 1,5	+ 0,4	- 0,4	+ 0,6
1982	- 4,4	- 0,9	- 0,5	+ 1,3
1983	- 4,7	- 1,5	- 0,6	+ 1,6
1984	- 3,8	- 2,0	+ 0,2	+ 1,9
1985	- 4,2	- 3,3	+ 0,8	+ 2,3

Source : OCDE, *Perspectives économiques*, décembre 1984.
1. Japon, RFA, France, Royaume-Uni, Italie et Canada (Etats-Unis non compris).
2. Définition comptable usuelle.
3. Corrigée de l'impact de l'écart à la croissance tendancielle.

L'attitude des Etats-Unis et la nature des conflits économiques qui ont progressivement vu le jour entre ceux-ci et les pôles européens et japonais tendent à confirmer ce clivage. Alors qu'ils reprochent avec ténacité aux Japonais la soi-disant surévaluation de leur monnaie, les Américains refusent de discuter sérieusement avec les Européens de la stabilisation du dollar.

La stratégie japonaise :
gérer les contraintes de l'ouverture

Depuis le début des années 70, l'émergence du Japon au rang de grande puissance a fait couler beaucoup d'encre. L'impressionnante croissance de la part des produits japonais dans les marchés mondiaux, la capacité d'une économie dépourvue de matières premières à surmonter deux chocs pétroliers successifs, l'originalité de ses modes d'organisation du travail ou de ses structures de pouvoir économique et politique sont autant de thèmes sur lesquels les experts américains et européens se sont penchés à de multiples reprises.

Acteur de premier plan sur la scène économique mondiale, le Japon a eu, depuis dix ans, à faire des choix cruciaux en matière de politique économique. Les dirigeants japonais ont fait preuve d'un sens aigu des rapports de force et d'un art achevé de la négociation au cours de nombreux conflits qui les ont opposés aux autres grands pays industriels et tout d'abord aux Etats-Unis. C'est avec un pragmatisme certain qu'ils ont fait face aux crises des années 70. Loin de remettre en cause le mode original de régulation qui a fait d'un Japon vaincu "le pays des 10 %"[9],

9. De 1960 à 1970, la croissance moyenne de l'économie japonaise a été de 10 % par an. Voir Christian Sautter, "Croissance et stratégie internationales du Japon", *Economie et statistiques*, février 1978.

les gouvernements successifs ont surmonté les difficultés grâce aux atouts traditionnels de la société et de l'économie japonaise. A la différence de ce qui s'est passé aux Etats-Unis ou au Royaume-Uni, aucune mode ultra-libérale n'est venue à la fin des années 70 remettre en cause l'appareil d'Etat ni son intervention économique. Les autorités ont réussi à adapter les modalités de leur politique économique à l'évolution des contraintes extérieures.

Alors que l'Europe rentre après le second choc pétrolier en 1979 dans une phase de récession généralisée, qui va durer près de quatre ans, et que la croissance américaine marque un coup d'arrêt, le Japon semble à peine touché. La croissance de son économie ralentit de 1 % en 1981, puis se stabilise à 3 % en 1982 et 1983. Bien sûr l'inflation s'accélère avec la hausse du prix du pétrole et atteint 8 % en 1980 ; mais les autres pays de l'OCDE connaissent alors une inflation proche de 13 %. En l'espace de deux années, les Japonais ont réussi non seulement à remettre leur économie sur un sentier de croissance soutenue, mais aussi à réduire remarquablement la hausse des prix.

Japon : une remarquable adaptation au deuxième choc pétrolier (indicateurs macroéconomiques, en pourcentage)

		1978	1979	1980	1981	1982	1983	1984	1985	1986(1)
PNB(2)	Japon	5,0	5,1	4,9	4,2	3,3	3,4	5,8	5,3	4,5
	OCDE(3)	4,3	3,2	1,0	2,2	-0,5	2,9	5,1	3,3	3,0
Taux de	Japon	2,2	2,1	2,0	2,2	2,4	2,6	2,7	2,5	2,5
chômage	OCDE(3)	5,0	5,1	5,6	6,5	7,9	8,2	7,5	7,5	7,5
Prix à la	Japon	3,8	3,6	8,0	4,9	2,7	1,9	2,2	2,5	2,5
consommation(4)	OCDE(3)	7,0	9,3	12,2	10,0	7,0	4,5	4,5	3,8	3,5

Source : OCDE, *Perspectives économiques,* juin 1985.
1. Prévision OCDE.
2. Taux de croissance annuel moyen.
3. Sept grands pays : Etats-Unis, Japon, RFA, France, Royaume-Uni, Italie, Canada.
4. Les chiffres 1985-1986 sont les déflateurs de la consommation privée.

Le Japon surmonte donc ce qui aurait pu être pour lui une crise autrement plus grave, en faisant l'économie d'un traitement de choc reaganien, sans pour autant s'installer dans une morne récession à l'européenne.

Une organisation du travail originale

Si le chômage croît d'à peine 1 % entre 1979 et 1984, c'est d'abord parce qu'au niveau du marché du travail sont à l'œuvre des procédures d'ajustement originales. On a beaucoup écrit sur les formes diverses que revêt la garantie de l'emploi dans les grandes entreprises japonaises. C'est là un aspect essentiel du problème. Du côté de l'offre de travail, au contraire, c'est la flexibilité qui domine et qui concourt à freiner la montée du chômage.

Les femmes japonaises, qui travaillent tout autant que celles des grands pays occidentaux mais largement dans des entreprises familiales, tendent à se retirer du marché de l'emploi en période de crise. A la fois par la faiblesse de leurs salaires, inférieurs de près de moitié à ceux des hommes, et par leur faible niveau d'instruction (en 1980 la proportion des femmes ayant fait des études supérieures est de 10 %), elles représentent une importante réserve prête à accepter des emplois peu qualifiés, à temps partiel ou conjoncturels.

Un deuxième aspect original a trait à la négociation salariale. Chaque année depuis 1954, au mois de mars, la fameuse offensive de printemps - le *shunto* - réunit, dans le cadre d'une négociation nationale, le patronat et les syndicats pour examiner les augmentations salariales de l'année en cours. Les perspectives économiques globales et les gains de productivité sont un élément essentiel des arbitrages que réalisent alors des partenaires sociaux beaucoup moins conciliants que l'on pourrait le croire. Le salaire que perçoit le travailleur japonais dépend, outre du résultat des négociations de printemps, des profits de l'entreprise qui l'emploie. En 1983, les primes représentent ainsi plus de 25 % de la rémunération. Compte tenu des médiocres profits réalisés en 1984, les primes ont largement été révisées à la baisse et n'ont crû que de 2 %, alors que le salaire normal, seul concerné par l'accord, croissait de 4 % comme convenu[10].

Les autres atouts de la gestion microéconomique du gouvernement concernent la politique industrielle élaborée qu'anime le ministère de l'Industrie (MITI), et la stratégie de moyen/long terme définie par le ministère du Plan.

La politique économique du Japon se caractérise par un pragmatisme remarquable. Dictée par le souci de gérer au mieux des relations commerciales · et financières parfois difficiles avec l'extérieur et par la considération d'objectifs internes à long terme, elle a su éviter le dogmatisme qui marque parfois celle des autres grands pays industrialisés.

Une politique économique pragmatique

Les succès du Japon sont d'abord le fruit d'extraordinaires performances à l'exportation, performances qui placent le pays en conflit direct avec le reste du monde développé. La croissance japonaise est essentiellement tirée par des exportations qui ont progressé de façon spectaculaire malgré la crise.

Ainsi, près de 2,5 % sur les 4,75 % de croissance réalisés en 1984 s'expliquent par référence aux seules ventes à l'étranger. Cette situation, certes exceptionnelle, n'est pas fondamentalement nouvelle. Le dynamisme de l'économie japonaise s'appuie structurellement sur les mar-

chés mondiaux. C'est là qu'il faut rechercher non seulement la source des multiples conflits commerciaux mettant en cause les producteurs japonais, mais aussi la multiplication des accords internationaux qu'ils ont été amenés à signer en 1983 et 1984. Citons pêle-mêle, pour les importations, les mesures de réduction ou de suppression des droits de douane et des restrictions touchant de très nombreux produits industriels et agricoles, l'aménagement des systèmes de normes et d'homologation ou l'accroissement des achats de produits à haute technologie à l'étranger. Côté exportations, les industriels japonais ont été, à de nombreuses reprises au cours de l'année 1984, amenés à revoir à la baisse leurs "prévisions" de vente (magnétoscopes, motocyclettes, montres à quartz, télévisions pour la CEE, aciers spéciaux et automobiles pour les Etats-Unis).

Dans une perspective de ralentissement durable de l'activité mondiale, les dirigeants japonais perçoivent bien les dangers et les limites d'une stratégie fondée sur les performances à l'exportation. La possibilité de susciter une accroissement de la demande interne demeure pour l'instant bien modeste. Des contraintes de taille viennent en effet limiter la marge de manœuvre des politiques macroéconomiques de relance de l'activité.

La politique monétaire japonaise est loin de relever de la pétition de principe monétariste de ses homologues britanniques ou américains. En la matière, les autorités semblent plutôt pragmatiques et ont en général essayé de privilégier la croissance et l'investissement internes. Un système financier encore très largement cloisonné et contrôlé, qui est par bien des aspects très proche du système français, permet aux autorités une véritable maîtrise du coût et de l'expansion du crédit. L'emballement qu'ont connu les taux d'intérêt mondiaux en 1980 et 1981 n'est parvenu au Japon que sous une forme très amortie. Dès 1981, le coût du crédit et le rendement des placements financiers au Japon sont au minimum inférieurs de trois à quatre points, en termes réels, aux taux américains correspondants.

---

10. Voir OCDE, *Etudes économiques,* Japon, juillet 1984, tableau 7, p. 21

**Ecarts des taux d'intérêts
par rapport au dollar**

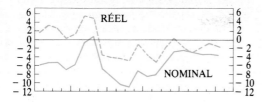

Source : OCDE, *Etudes économiques, Japon*, 1984.

Note : L'écart de taux d'intérêt nominal est la différence entre le taux Gensaki à trois mois et le taux des dépôts en eurodollars à trois mois. On se sert d'une moyenne mobile des prix à la consommation pour calculer le taux d'intérêt « réel ».

Malgré un ensemble de mesures de libéralisation prises depuis 1979, ces structures très contrôlées du système financier japonais ont été une source importante de friction avec les autorités américaines. On connaît la thèse de l'ancien secrétaire d'Etat américain au Trésor, Donald Regan : c'est, selon lui, par ce biais que les Japonais réussissent à maintenir un yen artificiellement sous-évalué, exerçant ainsi une concurrence déloyale sur les producteurs américains. Dans de telles conditions, un souci constant des autorités a été d'éviter une dépréciation excessive du yen par rapport au dollar. C'est essentiellement ce souci, bien plus que des objectifs de masse monétaire, qui explique la relative rigueur de la politique monétaire japonaise.

Ce sont en revanche des considérations internes structurelles, donc de long terme, qui guident les choix budgétaires des Japonais. La confiance aveugle en un "darwinisme" de marché n'est pas de mise pour l'administration japonaise. Les évaluations réalisées par les experts du Plan - l'*Economic Planning Agency* ou EPA - sont prises très au sérieux, surtout quand elles s'appuient sur un constat démographique évident. Dès le début du XXIe siècle, le Japon aura la population la plus âgée de toutes les économies développées[11]. Les charges qui résulteront de ce déséquilibre démographique vont peser de plus en plus lourd sur le budget de l'Etat. Sauvegarder l'avenir impose donc une grande vigilance en matière de dette publique.

Au Japon, les dépenses publiques se sont traditionnellement situées à un niveau inférieur, en pourcentage du PNB, à celui des autres grandes économies. L'évolution des dix derniè-

res années est cependant fort inquiétante et justifie la prudence actuelle. Dès la fin des années 70, la part des dépenses publiques, c'est-à-dire le poids de l'Etat dans l'utilisation du revenu national, s'élève à un rythme impressionnant. La dette publique connaît dans le même temps une évolution explosive. En 1974, elle représente à peine un mois et demi du revenu national ; dès 1979, elle atteint l'équivalent de quatre mois de revenu. Les dernières projections font espérer une stabilisation pour 1985 à près de

**Le poids de l'Etat
Part des dépenses des administrations
publiques dans le PNB
(en pourcentage)**

	1960 1967	1968 1973	1974 1981	1982
Japon	19,1	20,5	29,8	34,5
Etats-Unis	28,9	31,7	34,0	37,6
OCDE (7 grands pays)	30,2	32,8	37,7	41,4

Source : OCDE, *Perspectives économiques*, juillet 1984.

**La dette publique (1)
(en pourcentage du PIB)**

	1974	1979	1984	1985
Japon	17,9	47,6	67,7	67,7
Etat-Unis	41,3	39,8	46,0	47,8
OCDE (7 grands pays)	37,0	42,0	51,6	53,2

Source : OCDE, *Perspectives économiques*, juillet 1984.
1. Dette brute des administrations publiques au 31 décembre.

11. Voir la suite de ce chapitre.

six mois de revenu. Dans de telles conditions, il n'est pas étonnant que le gouvernement japonais, soucieux de préserver l'avenir, ait suivi depuis 1979 une politique budgétaire nettement restrictive. Cumulées, et évaluées en termes structurels, les réductions du besoin de financement public depuis cette date représentent un resserrement de plus de 3 % du PNB ce qui est loin d'être négligeable.

Il sera dans ces conditions extrêmement délicat de convaincre les autorités nippones de procéder à une relance budgétaire dans le cadre d'un projet coordonné des grands de l'OCDE. D'autant que, remède miracle des partisans du *supply side,* la réduction des taux d'imposition ne saurait impressionner l'administration d'un pays où la pression fiscale est près de 30 % inférieure à la moyenne de ses partenaires.

Le Japon de l'an 2000

On l'a noté plus haut, le Japon est largement attentif aux enjeux du futur. Les multiples travaux prospectifs réalisés par des organismes publics et privés n'ont leur équivalent dans aucun des grands pays[1]. Sur la base de scénarios et de projections de tendances longues, les experts s'efforcent de délimiter les sources éventuelles de conflits et de proposer un cadre d'action à court terme.

Deux thèmes essentiels ressortent de tous les documents publiés : le vieillissement de la population et la montée des conflits commerciaux.

La démographie ne souffre pas des aléas de l'économie. Tous les retraités de l'an 2000 sont nés depuis longtemps. Il est donc bien plus aisé de faire des prévisions pour le XXIe siècle que de dater le retournement du dollar. Un graphique comparant la part des plus de 65 ans dans la population des principaux pays se retrouve dans nombre de publications officielles. Il résume éloquemment l'histoire récente du Japon. La révolution démographique de l'après-guerre et la baisse de la mortalité vont conduire le Japon à s'adapter en un quart de siècle à une évolution qui a duré entre cinquante et cent trente ans dans les autres pays.

De 5 à 6 % en 1950, la proportion des plus de 65 ans devrait dépasser 20 % dès le début du XXIe siècle. La pyramide des âges totalement déséquilibrée qui en découlera - il s'agit en fait plutôt d'un cylindre - remet en question tout l'équilibre actuel entre actifs et inactifs, revenus du travail et transferts sociaux.

Le Japon se caractérise déjà par la très forte proportion d'actifs parmi les hommes âgés de plus de 65 ans. En 1980, plus de 45 % des hommes japonais âgés de plus de 65 ans travaillent contre 18,5 % aux Etats-Unis et 7 à 8 % en Europe. Le prévisions de l'EPA (*Economic Planning Agency*) tablent sur une participation encore accrue des couches les plus âgées à l'activité économique, seule à même de permettre l'équilibre d'une société vieillissante. D'ici à l'an 2025, la part des transferts sociaux dans le revenu national devrait passer d'environ 13 % à presque 40 %, afin de permettre le financement d'environ six foix plus de retraités et des frais médicaux multipliés par trois ! Le défi qui attend le Japon ne se limite pas bien entendu à ces données économiques. Les responsables sont conscients que toute une réforme des modes de vie devra s'instaurer, d'autant que les valeurs traditionnelles s'estompent dans les nouvelles générations qui découvrent l'individualisme occidental[2].

En trente ans la part du Japon dans le revenu mondial a été multipliée par cinq. 10 % du PNB mondial reviennent ainsi aux Japonais contre un peu plus de 20 % aux Américains et environ le même pourcentage aux Européens. Cette redistribution, qui s'est opérée pour partie au sein même des économies dominantes, explique la montée des conflits entre

---

Part des plus de 65 ans dans la population totale. Comparaison internationale

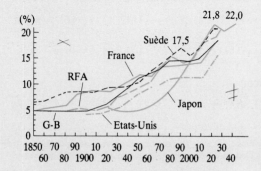

Source : Japan in the Year 2000.

1. Voir par exemple : *Scenarios 1990, Japan,* Economic Planning Agency, décembre 1981 ; *Japan Economy in 1990 in a Global Context,* Japan Economic Research Center, février 1983 ; *Japan in the Year 2000,* Economic Planning Agency, Rapport du comité sur les perspectives de long terme, janvier 1983, The Japan Times.

2. La transformation probable des systèmes de valeurs sociales est étudiée par l'EPA à travers quatre scénarios aux titres évocateurs : Continuation du Japon traditionnel, Société néo-conservatrice, Société néo-radicale, Transistion vers l'individualisme. Voir EPA, *Scenarios 1990, Japan,* décembre 1981.

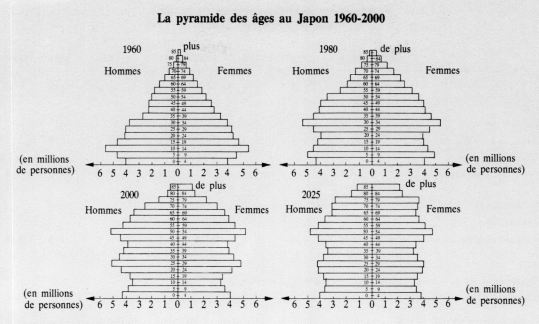

La pyramide des âges au Japon 1960-2000

1960 Hommes / Femmes (en millions de personnes)
1980 Hommes / Femmes (en millions de personnes)
2000 Hommes / Femmes (en millions de personnes)
2025 Hommes / Femmes (en millions de personnes)

Source : Japan in the Year 2000.

le Japon et ses principaux partenaires. Conscients des enjeux d'une ouverture vitale pour eux, les Japonais ont fait preuve d'une extrême prudence. A long terme, leur stratégie vise à redéployer leurs échanges, et leurs excédents commerciaux, en direction des pays de l'Asie du Sud-Est et du Tiers-Monde. A court-moyen terme les autorités japonaises entendent tout faire pour éviter la menace protectionniste[3].

Les responsables japonais semblent ainsi faire preuve d'une clairvoyance qui est bien peu présente dans le débat politique aux Etats-Unis et en Europe. Sans afficher un pessimisme excessif, le Japon prévoit qu'il est vital de définir

dès aujourd'hui des stratégies de réponse aux transformations structurelles à venir et qu'il serait bien peu réaliste de s'en remettre intégralement au libre jeu des forces du marché.

***

3. L'EPA a simulé avec son modèle multinational l'impact d'une taxe discriminatoire de 10 % sur les exportations japonaises imposée par tous les grands pays occidentaux. A court terme la croissance japonaise chuterait d'environ 1 % mais à terme l'ensemble du commerce mondial serait affecté et la croissance mondiale diminuerait de 1 %.

La RFA : gérer le chômage ou investir pour l'avenir ?

Les sources de la stratégie économique actuelle de la République fédérale d'Allemagne sont à rechercher dans le véritable traumatisme qu'a causé le deuxième choc pétrolier. Celui-ci intervient en effet au plus mauvais moment, alors même que, respectant les engagements pris lors du sommet de Bonn de l'été 1978, la RFA s'est engagée dans une politique de relance budgétaire. L'explosion inflationniste qui s'ensuit - de 2,7 % en 1978, le taux d'inflation passe à 4,2 % en 1979 et atteint 5,4 % en 1980 - s'accompagne d'un déficit du solde des opéra-

tions courantes, phénomène inconnu depuis près de quinze ans. Presque dans le même temps le deutschemark commence à fléchir vis-à-vis du dollar après plusieurs années d'appréciation ininterrompue.

L'après-1979 : un bilan de la désinflation

Globalement analysée, l'évolution de l'économie allemande depuis quatre ans ne se distingue pas de celle de ses partenaires européens. Les autorités ont engagé une politique déflationniste ferme qui a porté ses fruits mais a conduit à une forte montée du chômage. Dès 1980, la crois-

Performances macroéconomiques de la RFA
(taux de croissance annuel)

	1978	1979	1980	1981	1982	1983	1984	1985	1986
PIB	3,1	4,2	1,8	0,0	-1,0	1,0	2,6	2,3	1,9
Prix à la consommation	2,7	4,2	5,4	6,3	5,3	3,3	2,4	2,5	2,1
Taux de chômage (%)	3,5	3,2	3,0	4,4	6,1	8,0	8,0	8,0	8,0
Balance des opérations courantes/PIB (%)	1,4	-0,8	-2,0	-0,8	0,5	0,6	1,0	1,3	1,5

Source : Banques de données, estimations et prévisions, Cisi-Wharton, juillet 1985.

sance allemande est divisée par deux ; l'économie connaît une quasi-stagnation qui ira en s'aggravant jusqu'à la récession marquée de 1982. Il faut attendre 1983 pour voir enfin l'activité économique repartir à un rythme encore peu vigoureux.

Pas plus que la France ou le Royaume-Uni, la RFA n'est encore véritablement sortie de la dépression européenne, même si quelques signes encourageants apparaissent en 1985. A la fin de 1984 la production industrielle est toujours inférieure au point haut de 1979. Pour certains secteurs comme le bâtiment, l'activité est même près de 20 % plus basse qu'avant le début de la récession. Dans de telles conditions il n'est pas surprenant que le nombre de chômeurs, inférieur au million en 1979, dépasse 2,3 millions en 1983. Il s'agit là du niveau le plus élevé observé depuis la fin de la Seconde Guerre mondiale. L'emploi est dès lors revenu au cœur du débat.

Les résultats de la politique déflationniste se font attendre près de deux années. Les prix commencent à ralentir dès 1981, mais ne retrouvent qu'en 1983 leur rythme de progression d'avant le choc pétrolier. Cette désinflation passe d'abord, conformément à l'objectif annoncé des autorités, par une forte ponction sur les salaires. 1984 marque la quatrième année consécutive de baisse du pouvoir d'achat des salariés, baisse encore accentuée par la forte progression de la fiscalité et des cotisations

sociales. Après une telle purge, l'économie allemande, dont les perspectives de croissance demeurent modestes, semble durablement devoir évoluer avec un taux d'inflation proche de 2 % l'an.

Le redressement du solde extérieur suit un calendrier analogue. L'année 1980, qui voit le déficit des opérations courantes s'élever à 1,8 %

Balance des paiements de la RFA

Chiffres désaisonnalisés ; milliards de deutschemarks

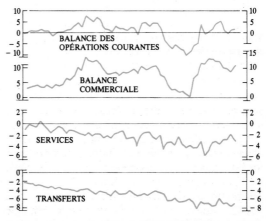

Sources : Deutsche Bundesbank, OCDE, *Etudes économiques, RFA,* 1984.

du PNB, ne peut que conforter les autorités allemandes dans leur volontarisme déflationniste. La remontée n'intervient qu'au cours de l'année 1981 qui s'achève malgré tout avec un déficit non négligeable. Depuis lors les échanges extérieurs allemands sont redevenus nettement excédentaires et devraient le rester au cours des deux prochaines années.

La stratégie économique allemande : la hantise de l'inflation

Du point de vue de sa stratégie économique, la RFA occupe sans nul doute une position originale. Les projets ambitieux de réformes à la Reagan, Thatcher ou Mitterrand, mettant en cause les structures mêmes de l'économie et de la société, n'ont pas cours à Bonn. Les choix politiques de l'Allemagne fédérale trouvent leur justification dans un a priori libéral fortement ancré dans les convictions de tous les acteurs. Mais la conviction libérale des autorités se satisfait pleinement de la configuration actuelle des rapports sociaux allemands. Il n'est question ni de remettre en cause des syndicats qui ont de longue date joué le jeu de la cogestion, ni de transformer les conditions de l'offre par une réforme de la fiscalité, ni encore de démanteler les systèmes de protection sociale.

La stratégie économique allemande se caractérise dès lors par l'absence de décisions ou d'actions spectaculaires. L'action des gouvernements sociaux-démocrates et démocrates-chrétiens qui se sont succédés se définit en fait par deux mots : continuité et opiniâtreté dans la désinflation. De fait, l'apparente insensibilité des autorités à un niveau record de chômage n'est pas sans rappeler la "Dame de fer". Cependant ni Helmut Schmidt, ni surtout Helmut Kohl n'apparaissent comme les tenants d'une stratégie farouchement antagonique à une fraction du corps social.

Dans les faits, cette stratégie s'est traduite par une politique macroéconomique restrictive tant au plan budgétaire que monétaire depuis 1980. En cinq ans, le déficit budgétaire a été drastiquement comprimé, passant de l'équivalent de 3,1 % du PIB en 1980 à 1,4 % en 1984 et, selon les prévisions de l'OCDE, à 0,5 % en 1985. En termes structurels (c'est-à-dire compte tenu du fait que le déficit budgétaire s'explique pour partie uniquement par la récession), la politique

suivie équivaut à une contraction des dépenses publiques qui, sur six années, représente 4,2 points de PIB. Compte tenu des effets multiplicateurs, la restriction budgétaire aurait ainsi coûté au moins cinq à six points de production à l'économie allemande.

Cette politique vise en fait un double objectif : conforter la désinflation, et réduire le poids économique de l'Etat. Ce deuxième objectif est loin d'être mineur pour le gouvernement allemand. Particulièrement faible au début des années 70, la part de la consommation publique dans le revenu national a largement crû depuis dix ans. Elle atteint 20 % en 1983, soit nettement plus qu'en France (16,4 %) et même qu'aux Etats-Unis (19,3 %). De 1970 à 1983, l'encours de la dette publique allemande, rapporté au PIB, est passé de 18,4 % à 41,1 %, faisant ainsi plus que doubler, alors que la situation française demeurait relativement stable et que la dette publique britannique voyait son importance relative diminuer très nettement. En 1984 et en 1985, la charge financière que cette dette imposera à l'économie allemande sera ainsi presqu'aussi lourde qu'aux Etats-Unis.

La contraction budgétaire touche en premier lieu les dépenses sociales et les salaires des fonctionnaires, quasiment bloqués depuis deux ans.

Dans le même temps, le gouvernement n'a pas hésité à alourdir l'ensemble de la fiscalité pour éliminer tout déficit des administrations publiques. De 1981 à 1984, le taux moyen d'imposition sur les salaires est passé de 16 à 17,5 % (de 31 à 33 % si l'on tient compte des cotisations sociales). En 1983, l'augmentation d'un point du taux de TVA et l'émission d'un emprunt obligatoire pour les hauts revenus ont encore contribué à la restriction budgétaire. Les incitations à l'investissement - bonifications d'intérêt, déductions fiscales, réductions de la taxe professionnelle... - ou la modeste baisse de l'imposition des fortunes décidées en 1984 sont encore loin d'indiquer un infléchissement de cette orientation générale de la politique budgétaire allemande.

La politique monétaire, dont le premier maître d'œuvre est la *Bundesbank,* est parfaitement en harmonie avec la stratégie désinflationniste. Elle fait preuve cependant d'un certain pragmatisme. Ainsi, depuis 1978, la Banque centrale

Charge du service de la dette des administrations publiques

(en pourcentage du PNB/PIB nominal)

	Encours de la dette		Versements d'intérêts						
	1970	1983	1970	1975	1980	1983	1984	1985	1989
Etats-Unis	46,2	45,8	2,2	2,5	3,3	4,6	4,9	5,5	5,7
Japon	12,0	66,8	0,6	1,2	3,2	4,4	4,6	4,7	3,8
Allemagne	18,4	41,1	1,0	1,4	1,9	3,0	3,0	3,0	2,7
France	29,4	32,6	1,1	1,3	1,6	2,6	3,0	3,2	3,7
Royaume-Uni	86,2	54,2	3,9	4,0	5,6	4,9	4,7	4,3	4,3
Italie	44,4	84,5	1,7	4,0	6,3	9,1	9,6	10,1	13,6
Canada	53,7	55,5	3,8	4,0	5,6	7,2	7,6	7,9	8,4
Total des 7 grands pays	39,6	50,8	1,9	2,3	3,4	4,6	4,9	5,2	5,4

Source : Perspectives économiques, OCDE, décembre 1984.

n'annonce plus d'objectifs intermédiaires uniques, mais des fourchettes autorisant une relative flexibilité. Fait plus important, la *Bundesbank* doit intervenir dans un contexte international nouveau. Il ne s'agit plus d'intervenir sur les marchés pour ralentir l'appréciation du deutschemark contre toutes les monnaies. Bien au contraire, la monnaie allemande est directement atteinte, plus encore on l'a vu que le yen, par l'appréciation du dollar. Les fluctuations massives qui agitent les marchés des changes presque continument depuis 1979 imposent aux autorités monétaires allemandes des interventions coûteuses en devises, et dont l'efficacité est fort peu assurée.

Depuis 1983, le gouvernement allemand est demeuré largement insensible aux appels à l'expansion lancés par les organisations internationales et par les Etats-Unis. Le coût de la désinflation, si élevé soit-il, apparaît en effet à Bonn comme une épreuve nécessaire qu'il est dangereux de vouloir repousser. La seule véritable politique de réduction du chômage porte non sur la stimulation de l'emploi mais sur le freinage de l'offre de travail. Cet ajustement négatif, qui n'a d'ailleurs qu'en partie contribué à la relative stabilisation du chômage, s'est appuyé essentiellement sur deux facteurs. D'une part, le retour des travailleurs immigrés dans leur pays a été fortement encouragé : de 1980 à 1983, on estime qu'entre 15 et 20 % d'entre eux ont accepté les diverses incitations au retour. D'autre part, le découragement aidant, on a assisté à une réduction des inscriptions des chômeurs dans les agences officielles[12].

Quel avenir pour le "modèle allemand" ?

Ni au niveau des politiques menées, ni à celui des résultats n'apparaissent encore de phénomènes vraiment marquants. Les autorités ont d'abord focalisé leur action sur des objectifs macroéconomiques - l'inflation, le solde extérieur, le déficit budgétaire, le change... - tandis que les tendances à l'érosion de la spécialisation internationale[13] de la RFA se poursuivaient.

12. En 1983, la durée moyenne du chômage dépasse dix mois en RFA, contre trois à quatre mois aux Etats-Unis, et 28,5 % des chômeurs ont perdu leur travail depuis plus d'un an.

13. Voir par exemple l'étude de Laurent de Mautort, "La désindustrialisation au coeur du modèle allemand", *Economie prospective internationale*, n° 8, 1981.

Au contraire de ce qui s'est passé aux Etats-Unis ou au Japon, les structures industrielles allemandes ont fait preuve d'une remarquable inertie qui explique la lenteur du redéploiement industriel vers les activités de pointe. Les créations d'emplois dans les secteurs à haute technologie et le recentrage des exportations vers les marchés potentiellement porteurs, qui caractérisent les industries américaine et japonaise, sont notablement insuffisants. Les explications de ce relatif vieillissement des structures sont multiples. Elles mettent en cause tant les hommes que les mécanismes de financement et les formes d'intervention de l'Etat. Quel que soit le facteur dominant, il est clair que l'investissement industriel a été très nettement insuffisant depuis de nombreuses années. Tout particulièrement au niveau de l'industrie manufacturière, la chute des investissements, qui intervient dès le début des années 70, a conduit à un ralentissement du taux de croissance potentiel de plus de 5 % l'an en 1970 à moins de 2 % en 1983. Au cours des dernières années, les forts taux d'intérêt réels, imposés par la politique américaine, et la faiblesse persistante des profits n'ont pas véritablement permis à l'accumulation de retrouver son dynamisme.

Le redressement actuel des échanges extérieurs de l'Allemagne ne peut donc être interprété comme un signe suffisant de santé de l'appareil industriel. Les différentes études disponibles montrent en fait qu'il s'agit là d'une évolution conjoncturelle mal assurée. L'OCDE évalue ainsi à près de deux points la fraction de la croissance allemande des deux dernières années qu'il faut attribuer à la dépréciation du deutschemark par rapport au dollar et au décalage conjoncturel entre l'Europe et les Etats-Unis. Il est cependant clair que cet effet stimulant ne peut durer indéfiniment.

Au total, ni le vieillissement des structures industrielles, ni la pérennité du chômage n'ont véritablement fait dévier le gouvernement allemand de son objectif central : la désinflation. Le modeste regain de croissance de 1983 est d'abord le résultat de la politique macroéconomique américaine, qui tire l'économie mondiale et conduit à l'appréciation du dollar. Il est clair cependant qu'à relativement court terme le freinage du déficit fédéral américain aura pour conséquence de renverser la conjoncture internationale actuelle. La capacité des dirigeants allemands à concevoir une nouvelle politique économique, autorisant pour le court terme une dynamique de croissance basée sur la demande interne et pour le moyen terme un recentrage des activités productives, sera alors l'une des conditions cruciales d'une sortie de crise de l'Europe tout entière.

France : l'expérience socialiste à la recherche d'une nouvelle cohérence

Depuis de nombreuses années, la France lutte contre des déséquilibres persistants vis-à-vis de ses principaux partenaires. L'inflation française est en moyenne double de celle de l'Allemagne fédérale depuis 1973. La pénétration des importations sur le marché intérieur et la faible position internationale de l'industrie française inquiètent les pouvoirs publics depuis de nombreuses années. L'industrie française a continuellement perdu des emplois depuis dix ans.

Convaincus de pouvoir apporter des réponses originales aux problèmes de l'économie française en 1981, les conseillers du gouvernement n'ont craint ni les déséquilibres d'une relance unilatérale, ni les dangers d'une politique des revenus mal maîtrisée. L'impulsion budgétaire, équivalente, en termes structurels à 1 % du PIB, intervient alors même que la RFA et le Royaume-Uni mènent des politiques restrictives et que les Etats-Unis subissent une récession d'ampleur historique. Dès lors, la France connaît en 1982 une croissance moyenne de 1,6 % alors que le PNB allemand chute de 1 % et que le reste de l'OCDE stagne. L'emploi se porte moins mal qu'ailleurs en Europe ; le taux de chômage ne s'aggrave que modérément - 8,7 % en 1982 contre 7,8 % en 1981 - alors qu'il explose littéralement en RFA.

Mais, à l'instar des expériences Reagan et Thatcher, l'expérience de Mitterrand ne voit pas ses espoirs de révolution qualitative des mécanismes économiques se réaliser à court terme. Les réformes engagées ne transforment pas structurellement le fonctionnement de l'économie. Nationalisations, droit du travail, politique industrielle, politique sociale, altèrent certes des rapports économiques fondamentaux. Mais, à court terme, s'imposent essentiellement les coûts de ces politiques. Ainsi, l'économie française n'échappe pas aux coûts traditionnels de la relance de 1981 : regain d'inflation (13,4 %

Situation comparée de l'économie française

	1973 / 1967	1980 / 1973	1981	1982	1983		1973 / 1967	1980 / 1973	1981	1982	1983
	PIB en volume						Demande intérieure totale, volume				
France	5,9	11,1	13,4	11,8	9,6		0,8	0,2	-0,7	0,2	-0,8
Allemagne	4,3	4,8	5,9	5,3	3,0		0,5	-0,5	-0,8	-1,8	-1,7
Italie	5,0	17,0	17,8	16,6	14,6		-0,2	1,0	0,5	-0,4	0,1
Royaume-Uni	7,0	16,0	11,9	8,6	4,6		0,0	-0,2	-3,6	-1,7	-0,5
CEE	5,6	10,7	11,1	9,8	7,2		0,3	0,1	-1,1	-1,2	-0,8
OCDE total	5,4	10,4	10,5	7,8	5,3		1,1	1,0	0,2	-0,5	0,4
	Capacité (+) ou besoin (-) de financement des administrations publiques						Dette publique en % du PIB				
France	0,9	0,2	-1,8	-2,6	-3,2		25,1	25,1	25,9	28,7	32,5
Allemagne	1,2	-3,1	-3,8	-3,5	-2,7		18,6	32,5	36,3	39,4	41,0
Italie	-8,5	-8,0	-11,9	-12,7	-11,8		60,6	65,3	68,4	74,3	79,7
Royaume-Uni	-2,6	-3,5	-2,8	-2,1	-3,7		70,9	55,5	55,5	54,1	55,0
	Balance courante en % du PIB Moyenne						Taux de chômage standardisé Moyenne				
	1967 / 1973	1974 / 1980	1981	1982	1983		1967 / 1973	1974 / 1980	1981	1982	1983
France	-0,1	0,0	-0,8	-2,2	-0,8		2,5	4,8	7,3	8,0	8,1
Allemagne	1,2	0,7	-0,9	0,5	0,6		1,0	3,2	4,4	6,1	7,5
Italie	1,6	-0,7	-2,3	-1,6	0,1		5,6	6,7	8,3	8,9	9,7
Royaume-Uni	0,0	-0,7	2,6	2,0	0,7		3,4	5,7	10,6	12,3	13,2
CEE	0,6	-0,1	-0,5	-0,4	0,1		2,9	5,1	7,8	9,1	10,1
OCDE total	0,3	-0,3	-0,4	-0,3	-0,3		3,1	5,1	6,7	8,2	8,7

Source : OCDE, *Etudes économiques*, France, 1984.

en 1981, 11,8 % en 1982), qui ralentit moins vite que dans les autres pays de l'OCDE ; détérioration du solde extérieur de l'économie française. Quasiment équilibrée, en moyenne, au cours des années 70, la balance des opérations courantes connaît en 1982 un déficit record de 2,9 % du PIB, soit plus que lors du premier choc pétrolier. Enfin, l'accroissement rapide de la dette publique et de la dette extérieure devient particulièrement inquiétant.

Deux dates marquent le retournement de la politique économique française. En juin 1982, est instaurée la nouvelle politique de rigueur basée sur un resserrement monétaire et budgétaire et une politique des prix et des revenus. En mars 1983, la dévaluation du taux pivot du franc au sein du Système monétaire européen s'accompagne d'un ensemble de mesures restrictives destinées tout autant à redresser la situation extérieure de la France qu'à frapper l'opinion[14].

Le premier volet de la politique de rigueur du gouvernement a été une stabilisation brutale du déficit des finances publiques, l'objectif étant de limiter sa part à 3 % du PIB. Compte tenu de l'aggravation automatique du déficit budgétaire qu'induit la récession, cette stabilisation va au-delà d'un simple arrêt des dépenses publiques. Au total pour les années 1983 à 1985, l'OCDE évalue que la restriction budgétaire structurelle

---

14. Le franc est dévalué de 2,6 % par rapport à l'ECU et de 7,6 % par rapport au deutschemark. La couverture à terme des opérations de négoce est réduite de trois mois à huit jours. Les résidents se rendant à l'étranger ne peuvent bénéficier que d'une allocation touristique de 2 000 francs par an sur carnet de change et de 1 000 francs supplémentaires par voyage.

aura représenté environ 0,5 points de PIB soit près de 1 % de croissance en tenant compte des effets multiplicateurs. L'Etat a non seulement réduit ses dépenses globales, mais il les a aussi réorientées. Tandis que se développent les aides diverses à la restructuration et à la modernisation industrielle, la part des prestations sociales dans les dépenses des administrations a baissé de 0,6 % en 1983 et 1984 - contre une progression de 0,9 % en 1982. Simultanément, le gouvernement s'est engagé à réduire le taux des prélèvements obligatoires d'un point dès 1985[15]. En prenant ainsi des mesures que même Margaret Thatcher n'a pu intégralement appliquer, le gouvernement français rend crédible son action anti-inflationniste. Il risque cependant de s'interdire un retour en arrière, comme le montrent les difficultés actuelles de l'Administration Reagan.

Au niveau monétaire, une politique relativement vigoureuse et surtout un encadrement du crédit, remplacé par un dispositif plus souple mais qui n'a pas fait encore ses preuves à la fin de 1984, viennent compléter la stratégie budgétaire. On est ainsi bien loin de l'audacieuse manipulation des politiques macroéconomiques d'outre-Atlantique. Enfin les réalignements du franc de juin 1982 et mars 1983, qui rythment la première phase de la politique de rigueur, viennent corriger les effets du différentiel d'inflation entre la France et l'Allemagne sans donner de véritable marge de manœuvre à l'économie française.

Contraintes d'adopter une politique macroéconomique qui converge rapidement vers l'austérité de l'Allemagne fédérale et du Royaume-Uni, les autorités françaises n'abandonnent pas pour autant totalement leurs objectifs en matière de chômage. A la différence du gouvernement britannique qui évacue le débat sur l'emploi en se focalisant sur des objectifs monétaires intermédiaires, les gouvernements Mauroy et Fabius tâchent d'adopter un "traitement social de l'emploi". A défaut de créer des emplois par la croissance, l'objectif est de limiter le chômage par un ensemble de politiques incitatives souvent financées par l'Etat. Départs à la retraite anticipée, plans de formation, réduction de la durée du travail, travaux d'utilité collective (TUC) pour les jeunes sont autant de mesures qui visent à freiner la détérioration de l'emploi. Elles ont cependant la caractéristique commune de ne pas proposer de traitement structurel à même de venir à bout du chômage.

Quel bilan pour la politique de rigueur ?

Après trois années de "rigueur", un certain nombre de résultats ont été acquis par le gouvernement.

L'inflation, en premier lieu, a baissé de 4,3 points entre 1982 et 1984. Avec un taux d'inflation qui dépasse 7 %, la France est encore certes dans une situation nettement défavorable vis-à-vis de ses partenaires. Un gain indéniable a cependant été acquis en deux années. D'environ 6 % en 1982, le différentiel moyen d'inflation entre l'économie française et ses principaux concurrents s'est réduit à 3 % en 1984.

Rapport d'inflation France-RFA 1973-1985

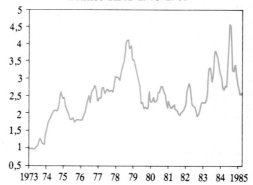

Différentiel d'inflation France-RFA 1973-1985

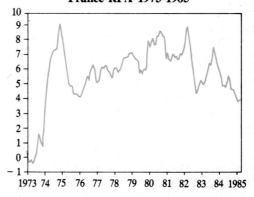

Source : Banques de données Cisi-Wharton.

15. Pour 1985, l'OCDE prévoit que cette part atteindra 3,8 %.

Autre sujet de satisfaction, le solde extérieur s'est redressé spectaculairement depuis 1982. De fait, le déficit commercial a été réduit de moitié en 1983 et de nouveau de moitié en 1984 où il n'atteint plus que 19,8 milliards de francs[16]. Plusieurs facteurs ont contribué à ce redressement : d'une part, une vive progression des exportations de produits manufacturés qui s'explique essentiellement par le décalage conjoncturel entre la France et l'étranger et est en partie renforcée par l'appréciation du dollar ; d'autre part, une très forte chute de la demande interne et tout d'abord de la consommation des ménages. Mais on peut mettre en doute le caractère durable d'une amélioration largement due à la récession.

Le coût de cette déflation, qui marque le retour à l'orthodoxie européenne de la politique économique française, est cependant loin d'être négligeable. Inférieure à 1 % en 1983, la croissance n'a pas dépassé 1,5 % en 1984 et a toutes les chances d'être de nouveau inférieure à 1 % en 1985[17], surtout si se confirme l'hypothèse d'un tassement marqué de l'économie américaine. Le taux de chômage français devrait, selon les prévisions de la CEE, atteindre 12,4 % en 1985, soit nettement plus que la moyenne

européenne. Ainsi, alors que la RFA, le Royaume-Uni et dans une moindre mesure l'Italie semblent parvenir à stabiliser le chômage, la France se situe encore sur une pente fortement ascendante.

Un calcul rapide montre qu'au total, de 1981 à 1984, la France a connu une désinflation exactement équivalente à la moyenne de la CEE. L'inflation a chuté de 12,7 % à 7,6 % en France et de 10,1 % à 5,1 % dans l'ensemble de la CEE. Le coût de cette désinflation, en terme de chômage, cumulé sur ces quatre années, se chiffre à environ 21 % tant pour la France que pour la Communauté européenne[18]. Le coût de la désinflation "à la française" n'a ainsi été ni plus ni moins élevé qu'ailleurs en Europe. Simplement, après avoir fait plus de croissance, la

---

16. Données brutes FAB-FAB, source INSEE.

17. A des fins de comparaison internationale, on a présenté dans le tableau les prévisions de la CEE pour 1985. La dernière note de conjoncture de l'INSEE (25 avril 1985) prévoit une croissance de 1 % en 1985.

18. Le calcul se fait à partir du tableau. Le cumul des 1971-1980, de 1981 à 1984, vaut 20,8 % pour la France, 22,0 % pour la CEE.

Position extérieure de la France
(en milliards de francs)

	1979	1980	1981	1982	1983
PASSIF					
Cumul des flux annuels d'emprunts autorisés	95,7	113,7	147,3	225,4	314,5
Incidence du flottement des monnaies	-1,9	9,2	40,4	70,0	136,5
Encours de la dette extérieure (1)	93,8	122,9	187,7	295,4	451,0
ACTIF					
Crédits commerciaux à l'exportation	104,7	119,7	139,7	168,7	196,2
Prêts à l'étranger du secteur public	19,1	24,3	32,7	42,5	55,9
Créances sur l'extérieur	123,8	144,0	172,4	211,2	252,1
POSITION NETTE	+30,0	+21,1	-15,3	-84,2	-198,9

Sources : Ministère de l'Economie, des Finances et du Budget, direction du Trésor ; OCDE, *Etudes économiques,* France, 1984.
1. Sont compris tous les emprunts à plus d'un an (emprunts directs et garantis par l'Etat et emprunts non garantis).

France connaît une récession plus durable. Rien n'indique malheureusement qu'à terme, c'est-à-dire au-delà de 1985, la France se retrouvera dans la même situation que ses principaux partenaires.

La récession globale que connaît l'économie française depuis trois ans pourrait en effet avoir des conséquences durables. Il sera difficile à une industrie, qui à la fin de 1984 n'a pas encore retrouvé son niveau de production de 1979, d'effectuer les redéploiements et les investissements qu'appellent les mutations technologiques en cours. Tout comme ses partenaires européens, la France n'a créé aucun emploi industriel depuis dix ans. De 1980 à 1983, l'investissement productif a baissé de 9,5 % et l'efficacité du capital est demeurée médiocre.

Face aux problèmes que posent un appareil productif aux failles inquiétantes et un chômage qui s'installe durablement, il est essentiel de dédramatiser la dette extérieure de la France. Celle-ci, d'après les chiffres officiels, atteindrait 451 milliards de francs - mais seulement 199 milliards si l'on tient compte des créances sur l'étranger - soit 11,5 % du PNB. Il est certain

Echéancier de la dette extérieure de la France (1) (en milliards de francs)

	Intérêts	Capital	Charge annuelle
1984	44,0	22,5	66,5
1985	41,5	31,0	72,5
1986	38,9	36,7	75,6
1987	35,0	41,0	76,1
1988	30,7	58,9	89,6
1989	25,1	52,7	77,8
1990	19,8	77,3	97,1
1991	12,0	49,6	61,6
1992	8,9	33,5	42,4

Sources : Ministère de l'Economie, des Finances et du Budget, direction du Trésor ; OCDE, *Etudes économiques,* France, 1984.
1. Echéancier de la dette tirée au 31 décembre 1983 établi sur la base des taux de change et des taux d'intérêt (pour ses emprunts à taux variable) en vigueur à la même date.

que cette dette a crû rapidement de 1981 à 1983, mais elle n'a pas véritablement compromis la cote de crédit des emprunteurs français sur les marchés internationaux. Plus qu'un dérapage incontrôlé des émissions, c'est la hausse du dollar qui explique, pour près de 30 %, la progression de l'encours de cette dette en 1983[19]. L'échéancier de la dette extérieure montre que les paiements annuels culmineront à près de 90 milliards de francs en 1988. Au cours des deux prochaines années, cette charge devrait représenter 1 à 1,5 % du PNB.

En tout état de cause, s'il est souhaitable de stabiliser le ratio dette/PNB qui mesure la solvabilité de l'économie française, le niveau actuel n'est en aucun cas intenable. Il impose cependant une relative contrainte sur le solde extérieur au cours des années à venir et interdit en particulier le renouvellement, à court terme, de stratégies de relance unilatérales.

Quelles perspectives pour l'économie française ?

Globalement, le bilan rapidement esquissé ci-dessus souligne les incertitudes qui pèsent sur l'économie française. Ces incertitudes se retrouvent au niveau de la politique gouvernementale qui, après trois années de rigueur, demeure ambiguë quant à la cohérence entre ses objectifs désinflationnistes de court terme et une modernisation des structures économiques et sociales promise pour le moyen terme.

Les scénarios à l'horizon 1988 réalisés par l'administration française soulignent le relatif pessimisme des responsables. La croissance prévisible n'atteindrait le taux "optimiste" de 2,7 % en 1988 qu'à condition que les partenaires de la France connaissent une croissance annuelle de 3,9 % l'an. Même dans cette hypothèse, le nombre total des chômeurs dépasserait 2,5 millions en 1988. Dans tous les autres cas de figure envisagés, les chômeurs seraient près de 3 millions au terme du scénario et la croissance stagnerait à environ 1,5 %. On mesure mieux l'ampleur des déséquilibres associés à ces divers scénarios quand on considère que l'OCDE évalue à un minimum de 2,8 % par an la croissance tout juste nécessaire à stabiliser le taux de chômage en France.

19. 58 % de la dette extérieure française est en dollars.

1.3. ETATS-UNIS, EUROPE, JAPON : COORDINATION OU CONFRONTATION ?

Explicitement ou implicitement, le gouvernement américain sera amené à modifier en profondeur ses choix actuels de politique économique. Experts et hommes politiques s'accordent à reconnaître que l'on ne saurait durablement aggraver la dette du gouvernement fédéral sans risquer de graves déficits structurels internes et menacer l'équilibre financier inter-national. *"L'économie américaine*, écrit Henry Wallich[20], *est semblable à une automobile que l'on conduirait en appuyant d'un pied sur l'accélérateur et de l'autre sur le frein. Même si l'on atteint temporairement une vitesse satisfaisante, plus on continue, plus la mécanique souffre"*.

A défaut de pouvoir annoncer un calendrier que le président Reagan lui-même et le Congrès américain seraient bien en mal de prévoir, il est légitime et souhaitable d'essayer d'évaluer les implications de la nouvelle conjoncture mondiale qui pourrait en résulter. Assistera-t-on à l'atterrissage "en douceur" promis par les partisans de l'actuelle Administration américaine ou à celui "en catastrophe" que craignent de nombreux experts économiques ? En d'autres termes, les économies occidentales, car c'est d'abord sur elles que reposera la croissance mondiale des années 80, seront-elles capables d'éviter un effondrement du système monétaire international et une récession prolongée ?

La réponse à la question se trouve pour partie seulement dans les projets de l'Administration américaine. L'aléa essentiel réside dans l'attitude que choisiront d'adopter les principaux partenaires de l'Amérique et dans leur capacité, et leur volonté, d'aboutir à une stratégie négociée entre tous les grands pays. Dans ces conditions quelles sont les perspectives des années à venir ?

20. Gouverneur du Système de réserve fédérale américain.

Sommets économiques : la fin d'une idéologie dominante

Le premier sommet des grands pays industriels, qui se tient à Rambouillet à l'automne 1975, concrétise la volonté de dialogue et de concertation des gouvernements des pays les plus riches du monde. Valéry Giscard d'Estaing et Helmut Schmidt ont déjà une longue expérience des réunions en petit comité de responsables de haut niveau. Ils considèrent que seuls des contacts personnels peuvent permettre de surmonter l'inertie des bureaucraties nationales et d'élaborer efficacement une stratégie économique coordonnée. Cette "idéologie" de la coopération est la contrepartie internationale de la conception du rôle économique des gouvernements qui s'est imposée après la Seconde Guerre mondiale. Garants du plein emploi et de la stabilité économique, les autorités nationales se doivent de gérer en commun l'économie mondiale.

Le sommet qui se tient à Bonn en mai 1978 voit l'aboutissement de cette conception du rôle de la concertation internationale. Au prix de patients efforts, entamés l'année précédente à Londres, l'Administration Carter réussit alors à faire triompher ses vues. La "théorie de la locomotive", qui fonde les propositions américaines, implique que l'économie mondiale peut être tirée sur un nouveau sentier d'expansion régulière par un ou plusieurs pays placés en position particulièrement favorable. C'est ainsi que les Allemands de l'Ouest et les Japonais acceptent - sans enthousiasme - de mettre en place une politique de stimulation budgétaire de la demande, en échange d'un ensemble de mesures d'assainissement de l'économie américaine. Cette expérience de relance concertée, dont les premiers effets se font sentir au moment même où intervient le second choc pétrolier, se solde par un emballement inflationniste et un échec cuisant pour les Etats-Unis, le Japon et la RFA. Pour ces deux derniers pays, cette mésaventure met un point final à toute velléité de soutien actif de la demande et vient conforter significativement le camp des antikeynésiens.

Sept ans après, les sommets économiques ne se sont toujours pas relevés de cette mésaventure. Les sommets de Versailles, Williamsburg et Londres, qui se tiennent pourtant dans une situation économique internationale marquée par des déséquilibres majeurs, se signalent plus par le caractère général et imprécis des communiqués publiés conjointement, que par la prise de décisions spectaculaires. Cette situation, considérée par certain des protagonistes comme un échec, en vient à être jugée normale, voire souhaitable, par les tenants d'un nouvel ordre économique international fondé sur l'autonomie des décisions de chaque pays.

A la fin du printemps 1983, Martin Feldstein, chef des conseillers économiques de Reagan, précise avec une franchise surprenante la thèse américaine en matière de coopération économique internationale. La première de ces interventions est faite à Paris, lors d'une réunion de l'OCDE au cours de laquelle le président Mitterrand prononce un discours où il appelle à un nouvel ordre monétaire international. La deuxième fois, Martin Feldstein répond dans les colonnes de *The Economist* aux prises de position en faveur de la coordination économique de Valéry Giscard d'Estaing et Helmut Schmidt dans le même journal[1]. Pour Martin Felds-

1. Voir les articles de Helmut Schmidt, Valéry Giscard d'Estaing et Martin Feldstein respectivement, dans *The Economist*, 26 février-4 mars 1983, 21-27 mai 1983 et 11-17 juin 1983. Voir aussi C. Fred Bergsten et Lawrence Klein dans le numéro du même journal, 23-30 avril 1983. Klein, prix Nobel d'économie, et Bergsten, ancien sous-secrétaire d'Etat de l'Administration Carter qui avait préparé le sommet de Bonn en 1978, défendent une stratégie de relance concertée et de baisse généralisée des taux d'intérêt.

tein, la coordination n'a pas lieu d'être, du moins à court terme. Chaque pays doit, au préalable, avoir réglé ses propres problèmes internes. Les Etats-Unis, pour leur part, n'entendent pas se laisser détourner de leurs objectifs de croissance par la crainte de déficits extérieurs. Si le cours du dollar est élevé, c'est à cause d'un déséquilibre provisoire du système fiscal américain. Il serait vain de tenter de lutter contre ce phénomène structurel par des interventions ponctuelles de la Réserve fédérale sur le marché des changes. En conséquence, l'économie mondiale devra continuer à vivre quelque temps encore avec une monnaie américaine surévaluée. Martin Feldstein invite les autres pays développés à suivre l'exemple américain. Les seules questions qui devraient faire l'objet d'une concertation internationale, selon le conseiller de Reagan, touchent au libre fonctionnement des marchés. L'Amérique s'oppose au protectionnisme, tant pour ce qui concerne les flux de marchandises que les flux de services financiers.

Ces prises de position, qui ont l'avantage de la clarté, trouvent un certain écho chez les partenaires des Etats-Unis. C'est bien évidemment le cas de Margaret Thatcher. Les Allemands et les Japonais, dorénavant farouchement opposés à la fameuse théorie de "la locomotive", puis à celle du "convoi" que tente d'imposer l'OCDE, se satisfont partiellement d'une situation où on ne leur demande pas d'initiative intempestive. Enfin Français, Italiens et Canadiens, une fois que les bienfaits conjoncturels de la politique budgétaire américaine se mettent à l'emporter sur les inconvénients de taux d'intérêt réels élevés, se satisfont du statu quo.

En terme de théorie des jeux, la convergence actuelle des politiques déflationnistes européennes s'apparente au célèbre "dilemme du prisonnier"[2]. Globalement les économies auraient intérêt à une relance concertée. Cependant elles courent le risque, si elles relancent, de voir leurs partenaires mener une politique restrictive à l'intérieur tout en bénéficiant de la relance importée. La solution logique d'une telle situation est qu'aucun pays ne relance. A ce niveau de simplification, le jeu stratégique que mènent les économies peut apparaître caricatural. Plusieurs enseignements généraux s'en dégagent cependant. Dans une situation conflictuelle de cette nature, la décentralisation a un coût collectif. Elle conduit nécessairement au choix de la plus mauvaise configuration. Dans le cas idéal où les pays (les prisonniers) accepteraient de remettre leurs intérêts entre les mains d'une instance supranationale, celle-ci déciderait une relance concertée dont tous bénéficieraient. Il existe cependant une possibilité de voir se réaliser la solution coopérative dans le cadre d'un processus où chacun des pays conserve son autonomie. Si chaque pays annonce qu'il poursuivra une stratégie de relance *tant* que l'autre en fera autant et l'abandonnera *dès* que l'autre cessera de relancer, l'économie mondiale pourra se stabiliser dans l'équilibre coopératif.

Rien n'impose cependant que cet équilibre prévaudra. Le manque de confiance ou une expérience négative rendent parfaitement possible la stabilisation dans l'équilibre non coopératif, c'est-à-dire la récession.

Il ne s'agit là que d'un paradigme qui n'épuise évidemment pas la réalité. Il a néanmoins l'avantage de souligner un aspect essentiel de la coordination entre pays. Il est concevable, à partir de la mise en place de procédures de concertation régulières ou de règles du jeu, de se rapprocher de situations coopératives sans abandon de souveraineté nationale. L'exemple typique de mise en place de telles règles est le système monétaire international. Les années 30 ont démontré le caractère nuisible des stratégies de dévaluation compétitives où chaque pays essaie vainement de déprécier sa monnaie par rapport aux autres. Les accords de Bretton Woods, en instaurant un régime de changes fixes, ont implicitement accru la coopération internationale, jusqu'à ce que, pour certains des participants, les coûts en soient devenus prohibitifs.

Les conclusions optimistes de la théorie doivent cependant être nuancées. Deux hypothèses sont essentielles pour la validité des résultats. En premier lieu, les joueurs doivent être fortement interdépendants pour qu'il vaille la peine d'entreprendre des négociations. Ensuite les deux joueurs doivent être symétriques ou à tout le moins se trouver dans une situation qualitativement analogue. Or, la position défendue par Martin Feldstein en matière de coordination économique prouve, à l'évidence, que l'Administration américaine se fait peu d'illusions quant au degré d'interdépendance directe entre les Etats-Unis et ses partenaires (européens) ou à la nature des rapports de force qui prévalent au sein des économies occidentales. Une simple matrice d'échanges met en lumière la très faible sensibilité, de court terme, de l'économie américaine à la conjoncture européenne. Si les gouvernements européens se concertaient pour accroître la croissance de leurs pays de 1 %, il n'en résulterait, à court terme, qu'une augmentation de 0,016 % du PNB américain[3]. Si seule la RFA prend des mesures de relance, un calcul analogue montre qu'initialement la hausse du PNB américain ne serait que de 0,003 % ! Soit un effet qui est très certainement inférieur à la précision avec laquelle les comptables nationaux américains peuvent escompter mesurer la production. A l'inverse, la matrice d'échanges montre qu'un accroissement de 1 % du PNB américain induit en Europe, compte non tenu de son impact favorable sur l'économie mondiale, un développement des exportations représentant 0,13 % du PNB, soit près de dix fois plus que la situation inverse.

Il est bien évident qu'il ne s'agit là que d'ordres de grandeurs évocateurs et faciles à appréhender. Les interactions entre les Etats-Unis et les autres économies développées passent par de nombreux canaux autres que les échanges commerciaux directs. La monnaie américaine domine le système monétaire international. Elle permet aux Etats-Unis de disposer d'un degré de liberté que n'ont pas les autres pays. Les pays européens et le Japon, dont les monnaies sont loin d'occuper la même position, ont eux à subir le risque d'une dépréciation potentiellement cumulative de leur monnaie quand ils cherchent à soutenir leur activité par des politiques budgétaires expansionnistes. Il ne saurait donc en aucun cas être question d'envisager que s'opère un renversement total de la conjoncture actuelle qui verrait les partenaires des Etats-Unis mener des politiques macroéconomiques reaganiennes. L'Amérique a les moyens de sa politique, ce qui n'est le cas ni de l'Europe, ni du Japon.

2. Deux hommes ont commis un crime. Ils ont été arrêtés mais sans preuve. S'ils avouent tous les deux, ils seront condamnés à quinze ans de prison. Si aucun d'eux n'avoue, ils ne seront condamnés qu'à une peine de cinq ans. Enfin, si l'un accepte de trahir son compagnon qui n'a pas avoué, il sera libéré pour prix de sa collaboration, son compagnon étant condamné à trente ans de prison. (C'est bien évidemment ici la loi américaine qui est appliquée !)

3. Toutes choses égales par ailleurs, on fait ici l'hypothèse qu'une hausse de 1 % du PNB européen induit une hausse de 1 % des importations européennes. Les exportations américaines à destination de l'Europe représentent 1,6 % du PNB des Etats-Unis et s'accroissent de 1 %.

Exportations et importations de marchandises
(en pourcentage du PIB, 1984)

	Etats-Unis	RFA	Japon	Europe (CEE)	Autres pays industrialisés	Reste du monde	Total
Etats-Unis							
Exportations	-	0,3	0,7	1,3	1,7	2,4	6,0
Importations	-	0,5	1,7	1,7	2,3	3,8	9,4
CEE							
Exportations	2,5	3,2	0,3	13,6	3,7	6,6	26,8
Importations	2,2	3,5	0,9	13,6	3,5	7,1	27,4
Japon							
Exportations	4,9	0,5	-	1,5	1,2	6,2	13,8
Importations	2,2	0,2	-	0,8	1,3	6,8	11,1
RFA							
Exportations	2,7	-	0,4	13,4	4,9	6,6	28,0
Importations	1,8	-	1,0	12,0	3,7	6,4	25,0
France							
Exportations	1,5	2,8	0,2	9,3	2,1	6,7	19,9
Importations	1,6	3,4	0,5	10,6	2,2	6,1	21,1
Grande-Bretagne							
Exportations	3,2	2,3	0,3	8,8	4,3	5,5	22,1
Importations	2,9	3,5	1,2	11,1	4,6	4,8	24,7

Sources : . FMI, Direction of Trade Statistics.
Pour la Grèce et la Belgique, les chiffres d'octobre et novembre 1984 sont des estimations de l'OCDE (Statistiques mensuelles du commerce extérieur, série A) ; ceux de décembre 1984 sont des estimations du FMI.
. Les PIB sont obtenus à partir de sources nationales (banques de données Cisi-Wharton).

Un premier constat s'impose, qui limite, dans les conditions actuelles, les espoirs que l'on peut placer sur la coopération internationale : les participants à la négociation de Bonn en mai 1985 ont montré qu'ils ont de bonnes raisons de se satisfaire du statu quo. Côté américain, la réduction du déficit budgétaire est un projet de longue haleine. La négociation est à peine entamée entre l'Administration Reagan, fortement contrainte par ses engagements électoraux, et le Congrès. La conjoncture euphorique qui persiste aux Etats-Unis n'incite pas à la prudence, d'autant qu'aux dires des experts les vrais problèmes pourraient ne commencer qu'en 1988,

quand la charge de la dette deviendra véritablement insupportable. Japonais et Européens bénéficient de cette relance importée qui ne met pas en cause leurs politiques de rigueur budgétaire. Ces derniers, après avoir très fortement protesté contre les hausses intempestives des taux d'intérêt mondiaux intervenues en 1981, ont relativement atténué leurs critiques quand il est devenu patent que la politique américaine contribuait positivement à la croissance mondiale.

La conjoncture mondiale du début des années 80 ne pourra cependant pas durer éternellement. A des niveaux divers, les problèmes structurels qui grèvent l'avenir des grandes économies occidentales ne pourront qu'être aiguisés par la pérennité de politiques de court terme. La persistance du chômage en Europe, les ambiguïtés d'une croissance essentiellement tirée par les exportations au Japon ne trouveront pas de solution dans une stratégie d'attente. A un horizon nécessairement bref, si aucun accord international n'intervient, les Etats-Unis seront amenés à réviser de manière unilatérale leur stratégie macroéconomique. Les conséquences pourraient en être fort graves pour des économies occidentales qui réagiraient en désordre, et par voie de conséquence pour l'économie mondiale.

Si les Etats-Unis cessent de fournir une impulsion essentielle à la croissance mondiale sans qu'aucun relais ne soit pris par leurs partenaires, les risques d'une déflation généralisée initiée au sein des pays en voie de développement seront potentiellement accrus. Il a été évalué qu'une baisse de 1 % de la croissance des pays de l'OCDE pourrait frapper aussi durement les pays endettés qu'une hausse de 7 à 8 % des taux d'intérêt mondiaux[21]. Ainsi, même dans la perspective d'un relâchement de la rigueur monétaire américaine, la situation des débiteurs pourrait-elle devenir rapidement intenable. Les Européens, plus encore que les Japonais, auront alors à faire face à leurs contradictions internes. Il leur faudra soit accepter une aggravation du taux de chômage qui irait bien au-delà du seuil actuel de 10 %, soit prendre des initiatives leur permettant de se rapprocher des taux de croissance plus élevés qui sont potentiellement réalisables.

Dans le même temps, se posera le problème de la maîtrise de la dépréciation du dollar que l'on a évoquée plus haut. Sans parler des risques de crise spéculative et du marasme qui pourraient en résulter sur les marchés internationaux[22], la gestion macroéconomique d'une chute de près de 40 % du dollar en un temps relativement bref peut dépasser la capacité des autorités. Là aussi, les Européens seront les plus touchés, et ce à double titre. D'une part, l'appréciation du dollar s'est effectuée, on l'a vu, par rapport aux monnaies européennes. Ce sont donc celles-ci qui seront le plus perturbées par la remise en ordre de la grille des interparités. D'autre part, au sein des monnaies européennes, c'est d'abord le deutschemark - et les actifs

libellés en la monnaie allemande - qui fait figure de contrepartie au dollar. Dans le cadre de ce qui pourrait être un véritable écartèlement des monnaies européennes, les ordres de grandeur, que suggèrent l'expérience passée ou les modèles économétriques multinationaux[23], donnent à penser que si un phénomène de cette ampleur intervenait brutalement, les coûts du maintien du Système monétaire européen pourraient bien devenir prohibitifs.

Il est donc essentiel qu'une certaine coordination s'instaure entre les dirigeants des économies dominantes. Les sommets des grands pays industrialisés auraient dû être une occasion privilégiée de mise en pratique de cette coordination. L'expérience des trois à quatre dernières années devrait cependant modérer les espoirs. La seule véritable action positive de politique macroéconomique conjointe, issue précisémment du précédent sommet de Bonn en juillet 1978, a nécessité d'intenses tractations initiées une année auparavant à Londres et menées avec constance par le vice-président américain de l'époque, Walter Mondale[24].

L'actuelle Administration américaine est loin de se trouver dans de pareilles dispositions. Les négociations menées avec les Japonais, pour obtenir une libéralisation accrue de leurs marchés financiers, ont prouvé la détermination du gouvernement Reagan à obtenir un accord quand les intérêts directs des Etats-Unis étaient en cause. A un niveau mondial, c'est-à-dire en incluant les Européens et éventuellement les pays endettés, les Américains ne voient pas d'intérêt majeur à une concertation qui les

---

21. Voir William R. Cline, *International Debt and the Stability of the World Economy, op. cit.* (voir supra, partie II, chapitre 1).

22. Voir la partie II de cet ouvrage consacrée aux flux de capitaux.

23. D'après le modèle de l'EPA (*Economic Planning Agency*) japonaise, dans le cadre d'une politique de restriction budgétaire, à une dépréciation, en termes effectifs, du dollar de 0,7 % devraient correspondre une *appréciation* de 1,6 % du deutschemark et une *dépréciation* de 0,7 % du franc par rapport au dollar. Soit un écart de plus de 2 % entre les deux monnaies européennes alors même que l'appréciation induite du yen serait inférieure de plus de moitié au mouvement du deutschemark.

24. Ces tractations sont décrites en détail par Robert Putnam et Nicolas Bayne dans *Hanging Together : The Seven Power Summits*, Harvard University Press, 1984.

priverait d'un degré de liberté essentiel et ne leur rapporterait que fort peu.

Ce diagnostic peu optimiste est malheureusement conforté par le récent sommet de Bonn. Les dirigeants des sept grands pays n'ont pu que laisser éclater au grand jour leurs divergences sur deux dossiers aussi fondamentaux que la liberté des échanges et le système monétaire international. Plus grave, peut-être, les politiques macroéconomiques ont à peine été évoquées, les Etats-Unis s'engageant timidement à réduire leur déficit budgétaire et leurs partenaires confirmant leur volonté de poursuivre leurs politiques déflationnistes.

Europe : miser sur la coopération

Europessimisme, eurosclérose... Les journalistes de la presse économique n'ont pas eu d'autre ressource que de forger des néologismes pour définir une situation à bien des égards difficile à comprendre. En l'espace de dix années, le taux de chômage aura été multiplié par quatre sans qu'aucun véritable sursaut, autre que la tentative isolée du gouvernement français en 1981, ne vienne se manifester dans la CEE. Un extraordinaire consensus déflationniste s'est progressivement imposé entre des gouvernements européens qui, par ailleurs, ne manquent pas de profonds sujets de discorde. Ce consensus est la contrepartie d'une convergence de diagnostics - les salaires réels sont trop élevés ou, ce qui revient au même, le chômage est à son taux naturel - et d'un accord total sur les remèdes - réformer les structures économiques avant d'envisager aucune politique de relance.

Le bilan de cette stratégie européenne est éloquent : de 1973 à 1983, la croissance moyenne en Europe n'a guère dépassé 2 %, tandis que le grand effort d'investissement des années 60 - celui-ci a crû de 5,6 % par an de 1960 à 1973 - faisait place à une stagnation du stock de capital. Dans le même temps, le chômage et l'inflation progressaient presque continument sans que, suivant l'arbitrage résumé par la célèbre "courbe de Phillips", la progression de l'un de ces indicateurs vînt limiter celle de l'autre.

Projection à moyen terme 1983-1988, Europe des Dix
(taux de croissance annuels moyens en pourcentage)

	Données du passé		Projection centrale
	1973/1960	1983/1973	1988/1983
PIB (volume)	4,8	2,1	2,4
Consommation privée	4,8	2,3	1,9
Consommation publique	3,7	2,2	0,8
Formation brute de capital fixe	5,6	0,6	3,1
Exportations (biens et services)	8,1	3,8	4,3
Importations (biens et services)	8,3	2,7	3,5
Déflateur du PIB	4,9	9,9	4,8
Emploi	0,2	-0,1	-0,2
Taux de chômage (en % de la population active)	2,4(1)	10,5(1)	11,4(1)
Rénumérations en termes réels par salarié	5,0	2,3	1,6

Source : Services de la Commission des Communautés européennes.
1. En fin de période.

Tous les grands pays occidentaux ont connu à la suite du premier choc pétrolier une période de stagflation. L'inquiétant, dans le cas de l'Europe, est que cette conjoncture ait pu se poursuivre, voire s'aggraver, sans qu'aucun retournement n'intervienne. De 1973 à 1983, la Communauté européenne n'a créé aucun emploi - l'emploi à décru de 0,1 % par an en moyenne -, et elle n'en créera aucun de 1983 à 1988 si ses propres prévisions s'avèrent exactes[25]. Le taux de chômage moyen atteindra alors le chiffre record de 11,4 %. Encore faut-il tenir compte du fait que ce scénario "optimiste" bénéficie du ralentissement général de la croissance démographique en Europe.

---

25. Voir le "Bilan économique annuel 1984-1985 de la CEE", *Economie européenne*, n° 22, novembre 1984.

Evolution comparée des économies de la CEE, des Etats-Unis et du Japon

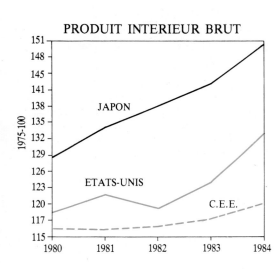

PRODUIT INTERIEUR BRUT

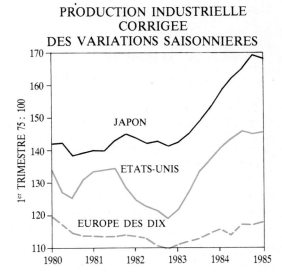

PRODUCTION INDUSTRIELLE CORRIGEE DES VARIATIONS SAISONNIERES

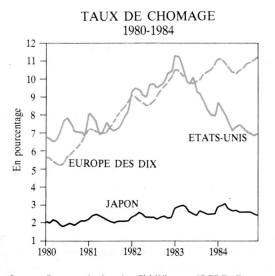

TAUX DE CHOMAGE
1980-1984

BALANCES COMMERCIALES TRIMESTRIELLES FOB - CAF

Source : Banques de données Cisi-Wharton (OCDE, Eurostat, FMI).

Bien évidemment, cette stratégie déflationniste a eu certains aspects positifs. Tout d'abord, l'inflation a très nettement fléchi dans tous les pays de la Communauté et surtout les divergences entre les Etats-membres ont reculé[26]. Dans le même temps, la croissance mondiale et la hausse du dollar ont contribué à une très nette amélioration des comptes extérieurs des pays de la CEE[27]. Selon les prévisions de la Communauté, les principaux d'entre eux - RFA, France, Royaume-Uni et Italie -devraient, en 1986, aboutir à un solde des opérations courantes très proche de l'équilibre, voire excédentaire dans le cas de la RFA. Enfin, le Système monétaire européen a fait preuve d'une remar-

quable stabilité. Après plus de deux ans sans aucun réalignement, le SME a confirmé sa crédibilité en gérant avec efficacité et sans remous excessif la crise de la lire italienne survenue le 19 juillet 1985. Cette crédibilité devrait être un atout essentiel pour affronter sans tension extrême le mouvement de baisse inévitable de la monnaie américaine.

---

26. Cette dernière affirmation des services économiques de la CEE est à relativiser. Le différentiel de taux d'inflation France-RFA qui valait 7,7 points en 1980 s'élève encore à 5,3 points en 1984.

27. A l'exclusion de la Grèce.

Solde des opérations courantes (1) des pays membres de la Communauté, 1982-1985 (en pourcentage du PIB)

	1981	1982	1983	1984	Variation 1984-1981	Dont variation : du solde des biens et services	du solde des revenus des facteurs	du solde des transferts
Belgique	-4,3	-3,4	-0,9	-0,4	+3,9	+4,3	-0,5	0,0
Danemark	-3,1	-4,1	-2,1	-2,8	+0,3	+1,2	-0,9	0,0
RFA	-1,0	+0,6	+0,7	+0,6	+1,6	+1,3	+0,2	+0,1
Grèce	+0,3	-3,9	-4,5	-4,7	-5,0	-3,3	-2,7	+1,0
France	-1,4	-3,0	-1,5	-1,2	+0,2	+1,4	-0,8	-0,4
Irlande	-14,4	-10,1	-5,9	-4,4	+10,0	+14,2	-4,0	-0,2
Italie	-2,3	-1,6	+0,1	-0,4	+1,9	+2,0	-0,1	0,0
Pays-Bas	+2,2	+2,8	+2,8	+3,8	+1,6	+1,2	+0,2	+0,2
G-B	+2,5	+1,9	+1,0	+0,2	-2,3	-2,5	-0,2	0,0
CEE	-0,6	-0,5	+0,1	0,0	+0,6	+0,8	-0,3	0,0

Source : Eurostat et estimations des services de la Commission.
1. Selon les définitions de la comptabilité nationale. Le compte courant reprend, outre les opérations sur les biens et services, les revenus des facteurs et les transferts.

La question est, dès lors, de savoir si la désinflation a assez duré, ou s'il convient encore de poursuivre dans la même voie. Tant que la croissance mondiale est tirée par les Etats-Unis, tant que l'Europe bénéficie des retombées sur son commerce extérieur de la surévaluation du dollar, il peut paraître prématuré d'interrompre l'effort d'assainissement entrepris. Cela étant, les effets structurels de cet assainissement

n'apparaissent pas encore clairement. En fait, le risque existe que les autorités européennes s'enferment dans un cercle vicieux où la déflation budgétaire s'auto-entretient. La récession aggrave le déficit budgétaire, par le simple jeu des effets cycliques de réduction des revenus de l'Etat. Ceci peut conduire à une accentuation de la rigueur, jusqu'à ce que l'économie converge vers une récession durable. Cette récession justifie enfin des objectifs de déficits budgétaires encore plus draconiens, faute de quoi le poids de la dette publique, même si celle-ci est stabilisée, dans un revenu national qui s'amenuise, ne peut que s'accentuer.

Le retournement prévisible de la conjoncture aux Etats-Unis, la résorption probable de la surévaluation du dollar, créeront un contexte très différent. La récession mondiale qui pourrait s'ensuivre, et les risques de nouvelle crise financière internationale donnent toute son actualité au débat sur la relance européenne. Mais, si les pays européens affrontent les difficultés à venir en ordre dispersé, le risque est grand que le monde s'enfonce à nouveau dans une période de crises et de stagnation.

On sait aujourd'hui que le chômage qu'a subi l'économie mondiale pendant la crise de 1929 n'était pas, comme on l'a affirmé à l'époque, un chômage "classique" c'est-à-dire le résultat d'une surévaluation des salaires réels. Le danger est grand aujourd'hui de voir les mêmes erreurs répétées, alors même que les gouvernants recourent justement aux politiques qui ont fait la crise de 1929. A la différence près que le consensus déflationniste qui s'étendait alors à l'économie mondiale se réduit aujourd'hui à une spécificité européenne.

Après cinq années de récession, l'Europe est fort loin aujourd'hui de risquer de revivre la surchauffe inflationniste de 1978-1979. Les salaires réels ont très nettement baissé depuis l'explosion de 1975. La croissance européenne, qui était demeurée soutenue jusqu'en 1979, est depuis très fortement inférieure à sa tendance de longue période. Comme on l'a vu, le retard pris en matière de production industrielle est impressionnant. Plus important encore, les diverses évaluations disponibles montrent que la marge de manœuvre pour une relance non inflationniste de l'activité pourrait permettre de ramener à près de 7 % le taux de chômage de la CEE.

Seule une véritable coordination des politiques économiques permettrait tout à la fois l'abandon de stratégies économiques qui visent vainement à exporter inflation et chômage à l'extérieur, c'est-à-dire chez d'autres pays européens, et l'atténuation des contraintes extérieures qui interdisent à la France ou à l'Italie de soutenir leur activité. Il s'agit là cependant uniquement d'une condition nécessaire à un redémarrage de la croissance de l'Europe. Encore faut-il que la hiérarchie actuelle des priorités des gouvernements européens soit renversée et qu'à la phobie anti-inflationniste actuelle succède une véritable prise de conscience des risques que ferait courir à l'Europe une persistance durable du chômage.

Les structures de la Communauté auraient bien du mal à se maintenir si, ne jouant pas leur rôle de cadre de coordination, elles n'imposaient plus que des contraintes coûteuses pour les Etats-membres les plus mal lotis.

2. Les nouveaux visages de la contrainte énergétique

Y a-t-il encore un problème de l'énergie ? Cette question, déjà posée dans le RAMSES 82, revient aujourd'hui au premier plan. L'évolution du marché de l'énergie semble à première vue confirmer que la crise de l'énergie est terminée. Le surapprovisionnement du marché pétrolier s'est accentué. Le marché des autres énergies a été également atteint par la baisse de la consommation mondiale : les renégociations actuelles des contrats gaziers, le ralentissement des programmes de développement de l'énergie nucléaire et de relance du charbon en sont la preuve. Les évolutions et transformations des rapports de force entre producteurs et consommateurs d'énergie, que nous avions soulignées les deux années précédentes[1], n'ont donc fait que se confirmer et même parfois s'amplifier en 1984 et au début de 1985. Face aux difficultés d'écoulement d'une production supérieure aux besoins effectifs de l'économie, les problèmes de sécurité ont changé de camp : ce sont maintenant les producteurs et non plus les consommateurs qui cherchent les moyens de se protéger de l'instabilité croissante des marchés.

2.1. LA VICTOIRE DU MARCHE SUR LE CARTEL

L'accroissement important de la production non OPEP, notamment depuis 1979, et la baisse de la demande mondiale de pétrole ont créé une situation de surapprovisionnement marqué sur le marché pétrolier. Un effort considérable d'exploration a été entrepris après le premier choc pétrolier et a donné ses fruits après le second choc pétrolier de 1979. L'exploitation de ces gisements a permis l'apparition de nouveaux producteurs et de nouveaux exportateurs (mer du Nord, Mexique). L'Union soviétique pour sa

part a profité de cet environnement favorable pour combler son déficit en devises en doublant ses exportations de pétrole vers les pays de la zone OCDE. La part de l'URSS dans les importations de pétrole de l'OCDE est ainsi passée de 4,2 % en 1981 à 7,5 % en 1984. Dès lors, la production non OPEP s'est accrue en moyenne de 3,8 % par an entre 1979 et 1983, alors que la demande mondiale baissait de 4 % par an en moyenne. Cette situation a intensifié la concurrence sur le marché international du pétrole.

La perte du marché par l'OPEP

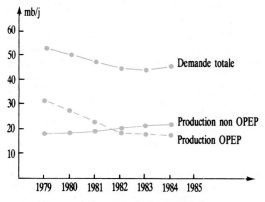

Source : *Petroleum Intelligence Weekly*, divers numéros.

Les pays membres de l'OPEP se sont vus contraints de mettre en place des quotas de production par pays afin d'éviter une remise en question trop brutale de leurs prix. En 1984, l'OPEP ne fournit plus que 17,5 millions de b/j contre 31 millions de b/j en 1979. Mais, cela n'a

---

1. Voir RAMSES 82 et 83/84.

pas permis de résorber le surapprovisionnement du marché.

C'est à une véritable guerre des prix que se sont livrés les producteurs afin d'écouler leur brut. Pour gagner ou conserver des parts de marché, ils ont dû offrir des conditions d'achat plus avantageuses. Les remises se sont multipliées sous diverses formes. De manière apparente, elles sont généralement assorties de conditions tenant soit aux quantités enlevées, soit à l'obligation de combiner différentes qualités de brut, soit à la durée des contrats, soit tout simplement à l'établissement d'un contrat. De manière déguisée, elles prennent le plus souvent la forme de relèvements de la marge des compagnies étrangères ou de diminution de la taxe d'exploitation. Des contrats de troc sont réapparus, utilisés le plus souvent par les pays membres de l'OPEP afin de contourner les lois rigides de l'organisation. De l'Arabie Saoudite (pétrole contre Boeïng), à l'Iran, le troc est redevenu un moyen d'échange illustrant bien la fragilité des pays producteurs.

En outre, face à la rigidité des contrats signés avec les pays producteurs, les compagnies se sont tournées de plus en plus vers le marché spot qui offre une plus grande flexibilité. Le rôle de ce marché dans la fixation des prix a toujours été très important. Les déséquilibres d'offre et demande et les modifications des anticipations des agents y sont immédiatement enregistrés. Les deux premiers chocs pétroliers ont de fait à chaque fois été précédés de fortes hausses des prix spot. Mais, jusqu'en 1980, les transactions sur ce marché sont restées faibles (3 à 4 % des transactions totales). Son contrôle était donc relativement aisé. Aujourd'hui, le marché spot enregistre près de 60 % des transactions[2]. Son influence est donc déterminante et difficilement contrôlable. Or, depuis 1980, les anticipations de prix du pétrole se sont toujours faites à la baisse. Les prix spot ont été le plus souvent inférieurs aux prix officiels, accentuant la concurrence à la vente.

De cette guerre commerciale, c'est pour l'instant l'OPEP qui sort perdante. L'organisation ne contrôle plus aujourd'hui qu'un tiers de la production mondiale (30,1 % en 1984 contre 53,4 % en 1973). La part des producteurs non OPEP en revanche est passée de 29,2 % à 42 %, tandis que celle des pays communistes s'est accrue de 17,4 % à 27,9 %. La perte de débou-

chés a été considérable pour les pays de l'OPEP et notamment pour les pays du Golfe, dont les exportations ont fortement chuté.

Répartition de la production mondiale (en pourcentage)

	1973	1979	1984
OPEP	53,4	47,0	30,1
Non OPEP[1]	29,2	30,1	42,0
dont			
Etats-Unis	16,0	15,4	18,0
Mer du Nord	0	3,0	5,8
Mexique	0,9	2,5	5,2
Monde communiste	17,4	22,9	27,9

Source : Petroleum Economist.
1. Pays communistes exclus.

L'OPEP a été impuissante à inverser la tendance. Des négociations avec les producteurs ne faisant pas partie de l'organisation ont été mises en œuvre, et intensifiées en 1984, mais sans beaucoup de succès. L'Egypte et le Mexique ont participé aux débats de l'OPEP en tant qu'observateurs extérieurs mais, tout en apportant un soutien à la structure de prix de l'organisation, ils n'ont pas souscrit aux accords de limitation de la production.

La commission de contrôle de l'OPEP a tout fait pour convaincre le Royaume-Uni et la Norvège d'une communauté d'intérêt mais n'a pas réussi à obtenir un accord sur une quelconque réduction de la production de ces pays. Par deux fois, le 17 octobre 1984 et le 14 janvier 1985, la Norvège est la première à décider une baisse de ses prix sans aucune limitation de sa production qui s'est accrue en 1984 de 9,4 %. L'attitude de la Grande-Bretagne est plus prudente. L'économie anglaise de plus en plus dépendante de la "manne pétrolière", se remettrait difficilement d'une guerre des prix ouverte. Partagés entre la crainte des réactions des pays

---

2. Selon *Petroleum Intelligence Weekly*. Il est toutefois très difficile d'avoir une estimation exacte du poids du marché spot. Certaines sources l'estiment à 40 %, d'autres à 60 %.

de l'OPEP et la volonté d'assainir la situation financière de la BNOC[3], les Britanniques choisissent l'attentisme. Ils seront aidés par les dissensions internes de l'OPEP, dont les membres ont de plus en plus de mal à trouver un terrain d'entente.

Entre octobre 1984 et février 1985, l'organisation s'est réunie cinq fois, mais sans réussir à retrouver l'unité. Les quotas sont régulièrement dépassés par certains (Nigeria, Venezuela, Libye surtout) ; le Nigeria a d'ailleurs demandé un relèvement de son quota pour faire face à des difficultés financières sévères. Le Venezuela quant à lui estime que les producteurs qui cherchent à développer leur économie et leur industrie sont lésés par le système actuel des

quotas de production[4]. Pourtant les quotas sont nécessaires pour maintenir un certain niveau de prix et ils le seront tant que les pays non membres de l'organisation refuseront de limiter leur production et que la demande restera faible. L'impossibilité pour l'OPEP de faire respecter par tous les quotas a sérieusement entamé sa crédibilité. Pour tenter de remédier à cela, l'OPEP, après avoir été une nouvelle fois obligée de réduire sa production - le plafond global de production est fixé le 31 octobre 1984 à 16 mb/j au lieu de 17,5 mb/j -, charge une société norvégienne de contrôler le respect des quotas individuels. Mais cette décision ne suffit pas à enrayer la baisse des prix du pétrole, ni à modifier les anticipations des opérateurs sur le marché pétrolier.

Le débat sur les différentiels de prix

La question des différentiels entre les diverses qualités de brut reste le principal point de divergence entre les pays de l'OPEP. Mais les débats eux-mêmes ne correspondent pas à la situation du marché. Certains producteurs, l'Arabie Saoudite en tête, pensent que certaines qualités de brut léger, en particulier le *Bonny light* nigerian, sont sous-évaluées. Le Nigeria, à l'inverse, demande une réduction de son différentiel afin d'être compétitif vis-à-vis de ses concurrents de la mer du Nord. En fait, si l'on se réfère à la situation du marché, ce sont les bruts lourds, de qualité inférieure mais dont la demande a été la seule à s'accroître, qui sont sous-évalués. Leur prix officiel est inférieur au prix du marché spot d'environ 50 cents

par baril. Mais le plus gros producteur de brut lourd, l'Arabie Saoudite, a longtemps obstinément refusé de modifier son prix et même simplement d'admettre d'en discuter.

L'Arabie Saoudite a déjà fait de lourds sacrifices sur sa production, puisqu'elle est le producteur marginal de l'OPEP ; son quota n'est pas fixé, sa production doit en fait varier pour que le plafond global soit respecté. Elle estimait avoir le droit de conserver un avantage sur la vente de ses bruts lourds. Elle a pourtant dû se plier au marché comme les autres pays de l'organisation, en acceptant, avec l'accord du 30 janvier 1985 une augmentation des prix des pétroles lourds.

Les acheteurs, compagnies pétrolières surtout, continuent d'anticiper des baisses de prix et adoptent face à l'instabilité du marché des positions attentistes. Les compagnies déstockent : de 426,2 millions de tonnes en 1981, soit 95 jours de consommation, les stocks des compagnies sont passés à 335,4 millions de tonnes en 1984, soit 79 jours de consommation. Les contrats d'approvisionnement arrivant en fin de terme ne sont pas renouvelés.

Les pressions à la baisse se sont accentuées à la fin de l'année 1984, alors que l'OPEP continuait désespérément d'affirmer la défense à tout prix de son prix de référence, l'*Arabian light* à 29 dollars le baril. Le 29 décembre 1984, pressée de toute part, l'OPEP tente encore de retourner la tendance en modifiant légèrement sa structure de prix sans changer son prix de

référence. Mais là encore cet accord, que l'Algérie et le Nigeria refusent de signer, n'est pas suffisant. Le 14 janvier 1985, la Norvège donne le coup de grâce à l'OPEP en décidant d'abandonner la fixation d'un prix officiel (ce qui correspond en fait à une baisse de 1 dollar par baril). Le 28 janvier 1985, l'OPEP organise de nouveau une réunion tarifaire extraordinaire, craignant une contagion aux autres pays et notamment à ses propres membres. Le 30 janvier 1985, l'organisation se plie à la loi du

3. *British National Oil Company.*

4. En effet leurs besoins énergétiques internes et principalement pétroliers s'accroissent, amenuisant ainsi leur possibilité d'exportation. Le Venezuela propose de redéfinir ces quotas en imposant des maximum d'exportation et non de production.

marché. Le prix de référence, mis en place en 1973 et symbole de la force de l'OPEP, est abandonné et remplacé par la fixation d'un prix moyen pondéré qui correspond plus au prix du marché spot.

Une nouvelle grille de prix est adoptée, reflétant également mieux l'état du marché. Le prix de l'*Arabian light* est fixé à 28 dollars (au lieu de 29) le baril ; les pétroles lourds sont augmentés. Le prix moyen pondéré baisse d'environ 0,50 dollar par baril. La crise est enrayée mais pour combien de temps ? L'Algérie, l'Iran, la Libye et le Gabon, qui avaient commencé par se désolidariser de cet accord, ne s'y sont ralliés que parce que l'état du marché ne leur offrait pas d'autres alternatives. Les producteurs non OPEP ont annoncé leur soutien à cet accord mais refusent toujours de limiter leur production. La Grande-Bretagne et la Norvège, en abandonnant la fixation d'un prix officiel, laissent leurs prix évoluer au cours du marché spot. Mais, les conditions n'ont pas changé pour éviter à l'OPEP une autre crise interne. La hausse de la demande, qu'espérait le sheikh Yamani en juillet 1984[5], ne s'est pas encore produite. La force du dollar n'a pas permis que la baisse des prix soit effectivement ressentie hors des Etats-Unis.

Si le premier trimestre 1985 a été une période de répit pour l'OPEP, c'est uniquement parce que l'hiver très rude qui a sévi en Europe a soutenu la demande et que le froid a contraint l'Union soviétique à stopper, pour un temps, ses exportations. Mais avec l'été les difficultés reprennent. Au début du mois de juin, les prix spots perdaient 30 cents le baril. Les conférences de l'OPEP, les 5 et 22 juillet 1985 à Vienne, se sont soldées par de nouveaux échecs. Le 10 juillet, le Mexique, dont les exportations ont chuté de moitié au mois de juin, décide alors d'abandonner sa politique de soutien à la structure de prix de l'OPEP. Il baisse le prix officiel de son brut léger, l'*isthmus*, de 1,24 dollar par baril et celui de son brut lourd, le *maya*, de 0,77 dollar par baril et introduit une différenciation des prix selon la destination du brut. L'*isthmus* sera ainsi vendu entre 26,25 et 27,75 dollars par baril, le *maya* entre 22,50 et 23,50 dollars par baril. L'OPEP est de plus en plus isolée.

Jusqu'où peut baisser le prix du pétrole ? Les intérêts de certains producteurs de la mer du Nord ou des Etats-Unis, dont les coûts de production se situent entre 15 et 20 dollars par baril, pourraient être menacés si le prix du brut descendait en dessous de 20 dollars. En revanche, un prix oscillant autour de 25 dollars par baril paraît être le plus vraisemblable dans un avenir immédiat. Ne voit-on pas refleurir les débats sur la nécessité de la fixation d'un prix plancher à 25 dollars le baril ? Les conséquences d'une telle baisse sont difficiles à appréhender, tant sur le plan économique que sur le plan politique. Mais affirmer que le pétrole est redevenu une matière première comme les autres et que la crise de l'énergie fait partie du passé nous semble une analyse beaucoup trop rapide. Ce serait oublier un peu vite que le pétrole est toujours une énergie stratégique et que l'importance politique des régions productrices est encore forte. Les risques ont changé, mais les problèmes subsistent.

Ce n'est qu'exprimés en dollars que les prix du pétrole ont baissé de plus de 15 % depuis 1983. Les Etats-Unis et dans une certaine mesure le Japon, grâce à la force du yen, en sont les seuls bénéficiaires. Aux Etats-Unis, la baisse des prix du brut (en termes réels) revient quasiment à annuler le second choc pétrolier. Ailleurs la hausse vertigineuse du dollar a entièrement compensé la baisse du brut. L'Europe fait partie des pays les plus touchés par le phénomène.

La baisse de 15 % d'avril 1983, qui a porté le baril à 29 dollars au lieu de 34, n'a été ressentie en Europe que pendant une très courte période.

Prix de l'Arabian Light 1979-1985

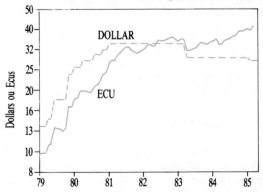

Source : *Petroleum Intelligence Weekly*, divers numéros ; *ECU newsletters*.

5. *Petroleum Intelligence Weekly*, juillet 1984

Par la suite, la courbe des prix du pétrole en ECU a repris son ascension jusqu'à des sommets jamais atteints. Le coût des importations de pétrole s'est accru, selon l'OCDE, de 34 % depuis avril 1983 pour les pays européens, entraînant, selon certains, un troisième choc provoqué par "l'effet dollar". L'évolution de la facture pétrolière de la CEE, en particulier, dépend actuellement plus de l'évolution du taux de change de l'ECU par rapport au dollar que du prix du pétrole en dollar.

Cela dit, la force du dollar est bénéfique pour la stabilité des prix du pétrole. Si la relation dollar-ECU se stabilise, une nouvelle baisse des prix pétroliers bénéficiera alors à l'Europe. Mais une chute brutale du dollar, sans parler des effets désastreux qu'elle pourrait entraîner par ailleurs, pourrait avoir sur l'équilibre énergétique des conséquences graves. Les précédents chocs pétroliers ont coïncidé tous deux avec des périodes de faiblesse du dollar[6]. On peut donc s'attendre à ce que l'évolution monétaire internationale soit un déterminant important de l'évolution des prix pétroliers.

Relation dollar-choc pétrolier

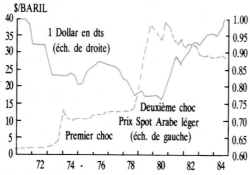

Source : Paribas, "Vers un troisième choc pétrolier ?", *Conjoncture*, n° 3, mars 1985.

Cela dit, deux thèses extrêmes polarisent la réflexion sur la nouvelle donne énergétique. Pour certains, la baisse des prix du pétrole précipitera l'économie mondiale dans une crise économique grave, entraînant à terme un troisième choc pétrolier[7]. A l'inverse, d'autres soutiennent qu'une telle affirmation est "une véritable perversion intellectuelle" et que l'effet d'une telle baisse sera, quels que soient les scénarios étudiés, "globalement positif pour la planète"[8].

Tout dépendra en premier lieu de l'intensité et de la durée de la baisse des prix pétroliers et il n'est pas un domaine où la prévision est plus hasardeuse. Les experts se sont trompés avec une constance remarquable depuis dix ans[9]. E. Sherry qualifie caricaturalement ces exercices de "pratiques du zen ou de la boule de cristal"[10]. Le niveau des prix pétroliers est lié à l'évolution de la demande et de l'offre du pétrole. Or il est très difficile de prévoir cette évolution, notamment en raison de son interdépendance complexe avec les phénomènes économiques et politiques.

Les deux thèses exposées ci-dessus paraissent également excessives. En fait, la baisse des prix du pétrole s'accompagne indéniablement d'effets positifs, mais aussi d'effets pervers. Il est important de prendre en compte l'ensemble de ces effets dans toute réflexion sur l'évolution future de la situation énergétique. Mais la distinction la plus importante a trait à l'horizon dans lequel cette réflexion se place. Les répercussions économiques à court terme de la baisse des prix du pétrole peuvent être jugées globalement positives pour les pays industrialisés et pour les pays en développement importateurs de pétrole. Elle est une source de difficulté pour les pays exportateurs, et notamment pour les pays en développement endettés comme le Mexique, qui tirent de leurs exportations de pétrole des recettes bien nécessaires au service de la dette. Une poursuite de la baisse des prix du pétrole s'accompagne donc de risques de déstabilisation financière internationale - le Mexique pourrait par exemple avoir de ce fait des difficultés à poursuivre un ajustement qui passe pour modèle - et de déstabilisation politique dans certains pays producteurs. Mais il ne faut pas non plus oublier les répercussions à plus long terme, qui portent sur les comportements de

6. Paribas, "Vers un troisième choc pétrolier ?", *Conjoncture*, n° 3, mars 1985.

7. François Fressoz, "Pétrole : les treize, la crise", *Libération*, 20 décembre 1984.

8. François Renard, "La baisse des prix du pétrole, une bonne nouvelle pour l'économie", *Le Monde*, 1er février 1985.

9. A. Andersen, "The Future of Oil Prices : The Perils of Prophecy", Cambridge Energy Research Associates, 1985.

10. E.V. Sherry, "Zen in the Art of Energy Forecasting", *Across the Board*, novembre 1984.

consommation et d'exploration, et qui justifient que l'on évite toute complaisance dans l'évaluation des bénéfices de la baisse des prix du pétrole.

2.2. LA BAISSE DES PRIX : BENEFICES ET RISQUES A COURT TERME

L'OCDE estime qu'une baisse de 15 % du prix du brut (c'est-à-dire un baril à 25 dollars, conforme aux prévisions actuelles les plus réalistes) permettrait une réduction de 2 % du taux d'inflation dans les pays industrialisés[11]. Les estimations de DRI[12] sur la France sont du même ordre ; la hausse des prix en France ne dépasserait pas 4,9 % en 1985 (au lieu de 6,6 % à prix du pétrole constants). Les balances des paiements courants s'amélioreraient de façon substantielle. Selon la *Morgan Guaranty Trust*, le déficit commercial des Etats-Unis serait réduit de 9 milliards de dollars, celui de la France, de la RFA, de l'Italie de 3 milliards de dollars, l'excédent du Japon s'accroîtrait de 6 milliards de dollars[13].

La baisse des prix du pétrole amène en théorie une réduction importante des coûts de production des entreprises (coût d'approvisionnement en énergie, et également coûts salariaux) ce qui doit avoir un effet en chaîne sur l'économie. L'épargne brute des entreprises s'accroît, ce qui crée les conditions d'une reprise de l'investissement, de la production, et une baisse du chômage.

Mais, à supposer qu'une baisse des prix se transmette à l'ensemble de l'économie mondiale, il n'est pas évident qu'elle se répercute au niveau des utilisateurs et principalement des entreprises. Les gouvernements, afin d'éviter une remise en cause de leur politique de diversification des sources d'énergie et d'économie d'énergie, pourraient accroître les taxes. D'autre part les objectifs d'amélioration des balances des paiements courants les inciteraient également à poursuivre la limitation de l'utilisation des énergies importées. Enfin, à court terme, si la baisse se répercutait effectivement sur les entreprises, l'épargne dégagée ne serait pas obligatoirement réinvestie. Plus qu'une hausse de l'épargne brute, c'est un retour de la confiance des entreprises qui permettra une relance de l'investisse-

ment. Tant que l'environnement économique ne sera pas favorable, la relance des investissements à court terme sera faible. La politique économique jouera donc un grand rôle dans les anticipations des entrepreneurs.

Dès lors, les effets de la baisse des prix du pétrole sur l'activité économique ne seront pas, à court terme, aussi accentués que ceux des hausses précédentes. Une poursuite de cette baisse amplifiera la reprise si celle-ci existe ; mais elle n'en sera pas la cause.

Sécurité des producteurs

Si l'activité économique ne se redresse pas, il est peu probable que les prix du pétrole retrouvent une tendance à la hausse. Les pays de l'OPEP ne pourront pas continuer seuls à supporter le poids du surapprovisionnement du marché. L'accroissement de leurs difficultés économiques pourrait être désastreux aussi bien au niveau politique que financier. Dès lors, pourraient se mettre en place, dans les pays du Golfe, des conditions d'instabilité politique, économique et sociale susceptibles de conduire à une déstabilisation importante : révolution à la manière iranienne, extension du conflit Iran-Irak, émergence d'autres conflits. Malgré le surplus actuel de pétrole, une déstabilisation importante dans la région pourrait créer un effet de panique sur le marché spot, voire déclencher un troisième choc pétrolier. Dans le même temps, l'avenir de l'OPEP dépendra de la volonté de coopération des pays extérieurs à l'organisation.

Deux scénarios extrêmes sont ici envisageables :

- Dans un premier cas, les principaux producteurs n'appartenant pas à l'OPEP refusent de réduire leur production et rendent ainsi possible une poursuite des pressions à la baisse des prix. Les événements de 1984 et 1985 ont alors toutes les chances de se reproduire. Les divergences

11. OCDE, "Effets des variations des prix énergétiques", *Perspectives économiques*, n° 33, juillet 1983, pp. 84-90.

12. *Data Ressource Inc.*

13. *World Financial Market*, "Lower Oil Prices", Morgan Guaranty Trust Company of New York, janvier 1985.

internes de l'OPEP seront de plus en plus fortes, les pays-membres ne parvenant pas à concilier leurs intérêts de court et de long terme. La concurrence et la guerre des prix s'intensifieront encore davantage. Toutes ces conditions pourraient conduire à un éclatement de l'OPEP. Un autre événement pourrait avoir également les mêmes effets : c'est la fin de la guerre Iran-Irak. Ces deux pays fortement touchés par cinq années de guerre essaieraient de restaurer leurs capacités de production et de récupérer la part de marché qui était la leur avant le début des hostilités. Ces quantités supplémentaires de pétrole viendraient accroître la surproduction actuelle et auraient des conséquences désastreuses sur le niveau des prix. Il n'est pas sûr que l'organisation dispose de moyens de pression suffisamment forts pour éliminer ce risque. Cela dit, l'évolution récente du conflit irano-irakien ne laisse pas présager une fin proche de cette guerre.

- Dans un deuxième cas, les difficultés accrues qu'éprouvent tous les producteurs pourraient les conduire à percevoir une communauté d'intérêts qui l'emporte sur les divergences réelles qui les séparent. On pourrait alors envisager la possibilité d'une cartélisation élargie, visant à assurer la sécurité de tous les producteurs.

Toutefois, dans la situation actuelle, un tel scénario semble peu réaliste. Certains producteurs, notamment ceux de la mer du Nord, ne disposent pas de réserves suffisamment importantes pour avoir les mêmes intérêts de long terme que d'autres pays appartenant à l'OPEP. La profitabilité immédiate de leurs gisements de pétrole est plus importante pour eux qu'un allongement, qui de toutes les façons serait court, de leur durée de production. Les producteurs de l'OPEP, quant à eux, disposant de près de 55 % des réserves mondiales, ont tout intérêt à chercher à consolider ou au moins à maintenir leur cohésion afin d'être prêts à jouer de nouveau le premier rôle sur le marché international du pétrole. Mais au sein de l'OPEP aussi les intérêts de court terme et de long terme diffèrent, en raison des différents coûts de production et des qualités différentes de pétrole.

A long terme, l'évolution prévisible des productions à venir laisse percevoir un redressement de la position des gros producteurs de l'OPEP. Ces pays sont les seuls à disposer de capacités de production suffisamment excédentaires pour reprendre le contrôle du marché lorsque la production des autres zones commencera à s'essouffler. Dans le court terme, la scénario le plus probable est que les divergences s'amplifient entre les pays producteurs, chacun s'employant à minimiser l'impact sur son économie de la situation actuelle. La fin des années 80 pourrait donc être une période de pétrole bon marché. Mais cette situation aurait, pour les pays consommateurs, des implications de long terme qu'il convient de ne pas négliger.

2.3. LA BAISSE DES PRIX DU PETROLE : IMPLICATIONS A LONG TERME POUR LES PAYS CONSOMMATEURS

A court terme, la demande de pétrole ne devrait pas être modifiée sensiblement. En revanche, dans un plus long terme, la croissance économique mondiale devra repartir, du moins faut-il l'espérer. La baisse des prix peut avoir dans ce contexte des effets pervers sur la structure de la demande et de l'offre d'énergie. Sur la demande, en modifiant de façon importante les prix relatifs des différentes énergies, elle peut remettre en question les politiques de réduction de la consommation d'énergie et de substitution au pétrole. Un retour à la dépendance vis-à-vis du pétrole est alors possible, toute demande nouvelle se dirigeant vers le pétrole. Des tensions apparaîtraient alors inévitablement. Sur l'offre, en réduisant les efforts d'exploration dans des zones d'accès difficiles (grandes profondeurs ou pétrole off-shore), elle peut accroître les risques de raréfaction du pétrole. Le spectre de la pénurie pourrait réapparaître.

La baisse de la demande de pétrole est-elle structurelle ?

La consommation d'énergie primaire, et en particulier de pétrole, a chuté de manière sensible après le second choc pétrolier jusqu'à la fin de l'année 1983. La légère reprise amorcée au premier semestre 1984 est cependant encore trop récente et trop fragile pour permettre d'en tirer des conclusions intéressantes, d'autant plus que les incertitudes concernant les causes et la persistance de cette reprise sont encore nombreuses.

C'est surtout dans les pays industrialisés que cette baisse a été la plus marquée. La consommation totale d'énergie primaire a chuté entre 1980 et 1983 de 1,9 % en moyenne, reflétant principalement une forte diminution de la consommation de pétrole (- 4,3 % par an). La récession grave qui a touché les pays industrialisés a bien sûr été la cause essentielle de cette chute. Toutefois les politiques d'économies d'énergie et de diversification des sources d'énergie utilisées ont joué également un rôle important dans la diminution de la demande. Leur but était d'atténuer la dépendance énergétique et surtout la dépendance vis-à-vis du pétrole. Ces politiques, mises en œuvre après le premier choc pétrolier, ont été intensifiées après le second choc en 1979.

Consommation d'énergie primaire des pays de l'AIE (en millions de TEP)

	1973	1980	1983
Total	3 324,4	3 562,7	3 359,0
Pétrole	1 709,5	1 666,6	1 460,6
Charbon et lignite	704,0	839,6	849,8
Gaz	683,3	717,0	655,3
Nucléaire	38,9	120,7	153,6
Hydraulique	188,6	218,9	239,8

Source : AIE, *Energy Policies and Programmes of IEA Countries, Review*, 1983.

Il est en fait très difficile de départager les effets structurels et les effets conjoncturels de la baisse de la consommation d'énergie. La plupart des études sur ce sujet ne sont en réalité que des approches partielles : les effets structurels sont déterminés "par défaut"[14]. Elles ne permettent pas en effet de juger du caractère réversible ou irréversible des résultats obtenus. Seuls certains indices peuvent nous permettre de formuler au maximum des *hypothèses* d'évolution de la demande d'énergie.

Economies d'énergie

La signification des indicateurs disponibles est délicate. L'évolution du ratio de la consommation d'énergie par rapport au PNB, couramment appelé intensité énergétique, devrait permettre de bien juger de l'efficacité des économies d'énergie. La baisse de ce ratio illustre l'amélioration des rendements énergétiques. Des progrès techniques considérables ont été faits pour améliorer ces rendements. Dans l'automobile, la consommation d'essence au kilomètre a été réduite. Dans les usages domestiques, des nouvelles chaudières ont été fabriquées qui permettent de diminuer de 30 à 40 % la consommation de fuel. Entre 1973 et 1983, l'intensité énergétique a baissé de 2 % en moyenne par an. L'AIE estime qu'elle devrait continuer de baisser d'ici l'an 2000 au rythme de 1 % par an. La consommation d'énergie s'accroîtrait alors de 1,6 % par an, dans une hypothèse de croissance moyenne, au lieu de 2,6 %.

Mais, comme le note aussi l'AIE, "*on ne peut savoir clairement dans quelle mesure l'intensité énergétique des économies de la zone OCDE a été réduite d'une façon permanente tant que l'activité économique n'amorcera pas une reprise[15]*". L'élasticité énergie/croissance qui avait baissé considérablement au-dessous de 1 (elle est en 1980 de 0,4) a tendance à revenir progressivement vers l'unité. La rupture du lien énergie/croissance est loin d'être définitive.

Diversification

Depuis 1973, c'est à une lente mais sûre diversification de la consommation d'énergie que l'on assiste. La consommation de pétrole couvrait 55 % de la consommation totale d'énergie en 1973 (51,4 % dans les pays de l'OCDE), 53 % en 1977 et 47 % en 1983 (43,5 % pour l'OCDE). Ce mouvement s'est effectué principalement en faveur de l'électricité nucléaire (1 % en 1973, 5 % en 1983) et du charbon (18 % en 1973, 22 % en 1983). Le gaz et l'hydraulique ont quant à eux stagné (18 % pour le gaz en 1973, 19 % en 1983 ; 7 % pour l'hydroélectricité en 1973, 8 % en 1983). La diversification s'est orientée principalement en direction des énergies domestiques dans le but

14. AIE, *Perspectives énergétiques mondiales*, 1982. P. Criqui, M.C. Quidoz, I. Hajjar, *Le rôle des importations d'énergie dans le jeu des contraintes internationales*, CGP, IEJE, janvier 1985.

15. AIE, *Perspectives énergétiques mondiales, op. cit.*, p. 80.

de réduire la dépendance énergétique externe et d'accroître la sécurité des approvisionnements.

Les investissements nécessaires à la substitution d'une énergie à une autre sont coûteux. Il faut en effet souvent modifier tout le circuit d'alimentation en énergie. Ces choix d'investissement sont difficiles à faire surtout en période de croissance faible. De plus, ils sont liés non seulement à la situation énergétique mais peut-être plus encore à la situation économique globale et notamment aux conditions de financement de ces investissements. Si le prix du pétrole continue de baisser, il est fort probable que ces investissements ne constitueront pas une priorité. Dans plusieurs pays, et en France particulièrement, cet obstacle constitué par le poids de l'investissement a été bien compris par les gouvernements. Plusieurs mesures destinées à favoriser la substitution au pétrole ont été prises (mesures fiscales, facilités et garanties d'emprunt...).

Consommation de combustible dans le secteur de l'électricité dans les pays de l'AIE (MTEP et pourcentage)			
	1973	1982	1985(1)
Pétrole	224,5	142,5	149,1
%	23,9	12,1	11,2
Charbon et lignite	370,9	544,0	575,2
%	39,6	46,1	43,1
Gaz	114,7	119,7	125,3
%	12,2	10,1	9,4
Nucléaire	39,0	143,9	230,8
%	4,2	12,2	17,3
Hydraulique et autres	188,5	228,2	253,7
%	20,1	19,4	19,0
Total	937,6	1 178,3	1 334,2
%	100	100	100

(1) Prévisions.

Source : AIE, Energy Policies and Programmes of IEA Countries, Review, 1983.

Ces contraintes d'investissement expliquent pour une grande part que la diversification se soit faite avant tout en direction de l'électricité, qui implique en effet le moins l'utilisateur final. Dans le cas du charbon, 45 % de l'investissement doit être pris en charge par l'utilisateur. Au contraire, la mise en place d'installation pour l'utilisation du pétrole n'est prise en charge qu'à 18 % par l'utilisateur, 14 % pour le gaz et 4 % seulement pour l'électricité. Le problème dans ce secteur était de satisfaire à la demande croissante du public sans avoir recours au pétrole. *"La demande croissante de l'électricité est due à sa dynamique propre, à l'évolution favorable des prix relatifs et à la politique des Etats qui consistait à substituer, au niveau final, le pétrole par de l'électricité qui ne devait pas être produite à partir du pétrole[16]".*

Dans les autres secteurs, les évolutions sont moins nettes. Toutefois, le recul de pétrole est partout visible. Mais celui-ci n'a rien perdu de son attrait. Si les agents économiques, industriels et ménages, ont été contraints de diversifier leur consommation vers d'autres sources d'énergie, ils ne se sont pas pour autant "déshabitués" du pétrole. Il n'est pas sûr qu'une baisse substantielle des prix de ce produit ne les entraîne pas à revenir aux habitudes passées de consommation. Peut-on conclure à partir de ces quelques résultats que la substitution est définitive ? Si l'on peut penser que les nouveaux équipements mis en place dans le secteur résidentiel et tertiaire ne changeront pas, au moins dans le court terme, il n'en est pas de même pour les secteurs de l'industrie et de l'électricité. La majorité des nouveaux équipements ont été conçus de façon à permettre une adaptation rapide à un possible retournement du marché de l'énergie, c'est-à-dire à rendre possible le retour au pétrole dans le cas d'une baisse des prix[17].

Le secteur "électricité", tout en développant de nouvelles centrales (nucléaires...), mettait en place un système d'interconnexion des réseaux permettant de faire fonctionner à chaque instant les centrales les plus économiques. L'avantage était de limiter le recours aux centrales à fuel

---

16. P. Criqui, M.C. Quidoz, I. Hajjar, *op. cit.,* p. 103.

17. Les nouvelles chaudières au charbon construites pour l'industrie par exemple, peuvent devenir sur un simple réglage des chaudières au fuel ou au gaz (l'inverse n'était pas possible).

quand le prix du pétrole était cher, en modifiant l'ordre d'appel des centrales. Si le pétrole devient plus économique que les autres énergies, on peut imaginer facilement le retour à son utilisation. Le coût relatif des diverses énergies risque d'être totalement modifié par la baisse des prix du pétrole. L'abandon de certains programmes de développement des énergies nouvelles (programme synfuel aux Etats-Unis par exemple) illustre bien ce danger.

L'objectif qui était de réduire le pétrole jusqu'à sa part incompressible (soit environ 26 % du bilan énergétique) ne sera pas atteint en l'an 2000. Selon l'IFP[18], dans l'hypothèse d'une croissance économique moyenne de 3 %, la consommation pétrolière s'accroîtra de 1,5 % par an, ce qui *"laissera subsister 20 à 25 % des consommations pétrolières dans des emplois que le charbon, le gaz naturel ou l'électricité pourraient parfaitement assurer[19]"*. Plus le prix du pétrole baisse dans le moyen terme, plus les risques de chocs pétroliers à l'horizon 1990 s'accroissent, même si la croissance économique ne dépasse pas 3 % en moyenne. Selon l'AIE, *"toute augmentation non contrôlée de la demande d'énergie se portera sur le pétrole et pourra rapidement créer des tensions sur le marché pétrolier"[20]*.

Ralentissement de l'exploration

Le ralentissement de l'exploration, lié à la baisse des prix du pétrole, a été net ces dernières années et c'est à long terme la menace la plus sérieuse pour les économies occidentales. La rentabilisation des gisements difficiles devenant de plus en plus hypothétique avec la baisse des prix du pétrole et surtout avec l'instabilité et l'incertitude du marché pétrolier, les compagnies hésitent à lancer des investissements d'exploration coûteux. Ce problème est grave car si l'exploration est trop ralentie, les risques de pénurie physique à long terme s'accroissent. En effet, si la croissance économique repart, l'accroissement de la consommation de pétrole qui en résultera risque de conduire à une baisse des réserves[21]. Le renouvellement des réserves n'est pas assuré jusqu'à l'an 2000 au rythme actuel d'investissement et au rythme prévisible de consommation. Les raisons en sont relativement simples.

La majorité des nouvelles découvertes qui pourraient être faites seront situées dans des zones difficiles (mer profonde). En effet, il est très peu probable que des gisements peu profonds *on-shore* soient encore découverts, sauf peut-être encore en Chine où l'exploration a été faible jusqu'à présent. De plus, la taille de ces gisements, s'ils existent, sera réduite. La probabilité de découvrir des gisements géants ou super-géants du type de ceux du Moyen-Orient est également très faible. L'exploration et l'exploitation de ces réserves devront faire appel de plus en plus à des techniques de récupération assistée beaucoup plus coûteuses. Si le prix du pétrole continue de baisser, la rentabilisation de ces gisements ne sera pas asurée. C'est exactement ce qui s'est passé avant 1973. Le coût de production et d'exploration des gisements super-géants "de la première génération" du Moyen-Orient était très faible - le prix de vente du pétrole était donc très bas. Pour lancer des programmes d'exploration dans des gisements de la "deuxième génération" (mer du Nord, Alaska), il a fallu attendre le premier choc pétrolier. Pour mettre en œuvre leur exploitation, il aura fallu le second choc pétrolier qui a permis de rentabiliser leur production. Faudra-t-il attendre un troisième choc pétrolier pour relancer l'exploration actuelle ?

L'évolution récente du rythme d'augmentation annuelle des réserves prouvées le laisse craindre. Il est très difficile d'avoir des évaluations exactes de ce rythme, les méthodes d'estimation employées étant très différentes. Mais quelle que soit la méthode, ce rythme d'accroissement a beaucoup diminué depuis 1970[22]. Une baisse trop forte des prix du pétrole reviendrait à condamner la recherche de nouveaux gisements. Les risques de pénurie seraient alors considérablement accrus. Car même si une nouvelle hausse venait relancer l'exploration, le délai de mise en place de nouveaux investissements (cinq

18. Institut français du pétrole.

19. Pierre Desprairies, "Faut-il ralentir les investissements d'exploration et de production pétrolières ?", 10 décembre 1984

20. AIE, *Perspectives énergétiques mondiales, op. cit.*

21. Pierre Desprairies, *op. cit.*

22. Idem

à dix ans)[23] laisse présager une période de pénurie momentanée.

Au total, il ne paraît pas très sage de s'en remettre à la myopie du marché pour décider de l'évolution des comportements et des structures dans la consommation d'énergie. Les forces du marché conduisent à des décisions de court terme. A défaut de politique énergétique cohérente et volontariste, et de poursuite des efforts entrepris, les pays industrialisés pourraient connaître une évolution de *"stop and go"* énergétique, suivant un schéma vécu déjà pour moitié : hausse des prix du pétrole, qui provoque une récession et conduit à des efforts d'écono-

mies et de diversification ; baisse de la demande de pétrole, surapprovisionnement et baisse des prix du pétrole ; abandon des efforts d'économie et de diversification ; retour de la croissance économique ; reprise de la demande de pétrole ; l'offre ne suit pas, ce qui entraîne une hausse des prix du pétrole et crée les conditions d'un nouveau choc pétrolier si les pays producteurs, après avoir subi une baisse importante de leurs revenus, décident d'exploiter la situation.

23. Thierry de Montbrial, *La revanche de l'histoire*, Julliard, Commentaire, 1984, p. 144.

Le développement des autres énergies conventionnelles

Le gaz naturel

L'usage du gaz naturel n'a pas connu le développement que l'on pouvait attendre. En Europe occidentale, sa consommation a stagné depuis 1981 alors qu'elle régressait de 8 % en Amérique du Nord. Si le gaz naturel est d'une utilisation satisfaisante, les conditions de son approvisionnement freinent son développement.

La concentration géopolitique des réserves pose aux pays consommateurs des problèmes de sécurité d'approvisionnement analogues à ceux qu'ils rencontrent pour le pétrole. 40 % des réserves mondiales sont détenues par l'URSS, 33 % par l'OPEP. Mais l'importance des investissements nécessaires à la production et à la commercialisation du gaz naturel et la concentration des exportations soviétiques dans le domaine énergétique limitent les risques de rupture des approvisionnements. Cette question de la dépendance énergétique vis-à-vis de l'URSS a profondément divisé l'Alliance atlantique. Alors que l'Europe estime que cette dépendance n'entraîne pas nécessairement la vulnérabilité, les Etats-Unis quant à eux ont vigoureusement condamné une expansion des relations économiques Est-Ouest jugée néfaste.

D'autre part, les investissements nécessaires à la construction des gazoducs par lesquels s'échange le gaz naturel sont extrêmement coûteux et techniquement difficiles. Leur réalisation impose une coopération financière entre les pays producteurs et les pays consommateurs et lie par la suite les deux parties. Cette contrainte va entraîner une grande rigidité dans le mode de commercialisation du gaz naturel qui constitue en réalité le principal obstacle à son développement. La rentabilisation des investissements nécessite la mise en place de contrats de long terme, peu flexibles, qui rendent difficile l'ajustement de la demande aux conditions économiques. Jusqu'à présent, la marge de flexibilité se situe autour de 10 %, ce qui a contraint récemment les importateurs à prendre livraison de quantités de gaz supérieures à leurs besoins réels.

Mais, en période de ralentissement économique, une plus grande flexibilité est nécessaire. Les pays acheteurs ont

réclamé des renégociations des contrats gaziers en cours. La France, par exemple, devrait obtenir, dans le contrat qui la lie à l'Union soviétique, une flexibilité accrue (de l'ordre de 20 % des quantités contractées).

Le prix du gaz fixé dans ces mêmes contrats limite également la progression de la consommation. Depuis 1973, il est en effet indexé au pétrole. Face à la faiblesse actuelle de la demande, ce prix est trop élevé. Mais, là encore, il ne peut être modifié que par une renégociation. Les méthodes de signature des contrats gaziers laissent la porte ouverte à la fixation de prix *"politiques"* peu réalistes. L'exemple le plus frappant est constitué par le contrat entre la France et l'Algérie.

Le nucléaire

Le problème du nucléaire est le plus délicat. Il se pose au niveau même de la production et de l'utilisation de cette source d'énergie.

Les réserves en uranium sont importantes et bénéficient d'une géopolitique favorable. Elles se situent pour la plupart en Amérique du Nord (48,5 % des réserves dont les coûts de production sont inférieurs à 80 dollars par kilo et 66 % des réserves plus chères). Mais de nombreux autres pays en possèdent. L'état actuel déprimé du marché de l'uranium[1], dû au ralentissement des programmes électro-nucléaires, aurait pu faire naître quelques inquiétudes sur le renouvellement de ces réserves. Mais les professionnels assurent que les stocks dont disposent les centrales devraient suffire à faire la jonction. Les coûts d'utilisation de l'énergie nucléaire ne sont pas non plus responsables de la limitation de son usage. L'énergie nucléaire est plus compétitive que le gaz et le pétrole et équivalente au charbon.

Mais le nucléaire pose des problèmes politiques et d'environnement considérables. De nombreux programmes ont été bloqués et les prévisions de développement des capacités nucléaires sont sans cesse révisées à la baisse. Selon l'AIE les causes de cette limitation sont de cinq ordres : acceptation du public, choix des sites, processus réglementaires, sensibilité de l'énergie nucléaire à l'évolution des taux d'intérêt et des délais de construction et impact du problème de la prolifération des armements nucléaires.

Toutefois, malgré ce fléchissement, l'énergie nucléaire a connu depuis 1960 un essor considérable. Le nombre des centrales nucléaires en service a été multiplié par dix. Mais ce développement n'a été concentré que sur quelques pays industriels, qui détiennent à eux seuls plus de 65 % de la puissance installée (39 % pour l'Amérique du Nord, 36 % en Europe, 10 % au Japon et 20 % dans les pays du Comecon). La part du nucléaire dans le bilan énergétique mondial reste encore faible. Cependant, dans l'avenir, l'éventail des pays utilisateurs devrait s'élargir. Mais, pour connaître un développement important, le nucléaire devra prouver sa fiabilité et sa crédibilité en tant que source d'énergie. Les conditions de sécurité accompagnant la production et la ligne de démarcation avec le nucléaire militaire devront être encore plus nettes.

Le charbon

Le charbon dispose d'atouts importants pour redevenir une énergie de premier plan. Les réserves prouvées sont importantes (évaluées à environ 1 200 milliards de tonnes équivalent charbon), elles sont suffisantes pour assurer pendant 250 ans la production de charbon à son rythme actuel. De plus, dans plusieurs régions encore, elles sont exploitables à ciel ouvert (au Canada, en Afrique du Sud, en Australie, en Inde et aux Etats-Unis). Ces réserves sont pour les deux tiers contrôlées par trois grandes puissances (Etats-Unis, Chine, URSS).

Les coûts d'approvisionnement comme de l'utilisation sont aujourd'hui les plus bas. Ils sont près de quatre fois moins élevés que ceux du pétrole importé, et près de trois fois moins que ceux du gaz naturel importé : 5,5 cents la thermie pour le charbon (prix CAF moyen), 19 cents la thermie pour le pétrole et 14 cents la thermie pour le gaz naturel. Au niveau de l'utilisation, l'avantage du charbon se retrouve également. Dans les centrales électriques, l'écart entre le coût du kilowatt/heure du charbon et du fuel varie selon les estimations et les pays de 25 à 50 %. Dans les autres usages, le coût du charbon-vapeur est en moyenne inférieur d'environ 25 % dans l'industrie à celui de la vapeur fuel et de 20 % dans les chauffages urbains. Mais, malgré ces avantages certains, le charbon ne connaît un développement important que dans la production de l'électricité. Dans les autres secteurs et notamment dans les secteurs industriel et résidentiel, son usage stagne. La consommation mondiale de charbon s'est accrue de 4 % en moyenne dans les centrales électriques entre 1973 et 1984, de 2 % seulement dans les secteurs industriel et résidentiel.

Les principaux obstacles au développement du charbon sont surtout liés au coût d'investissement de nouvelles chaudières. De plus, le charbon conserve son image d'énergie polluante. Un véritable essor du charbon ne pourra être réalisé qu'en transformant radicalement son image. Il devrait pouvoir être livré directement sous forme d'énergie et non de minerai. Les investissements nécessitant cette transformation seraient alors à la charge du vendeur et non plus de l'utilisateur. Des progrès technologiques considérables ont été effectués en ce sens avec notamment l'émergence du "charbon presse-boutons". Toutefois, ces progrès doivent encore être diffusés et pour cela la création d'un véritable marché de l'énergie charbon doit voir le jour.

---

1. Les cours de l'uranium sont tombés de 40 dollars à 16 dollars la livre (453 grammes).

3. Commerce international :
reprise, déséquilibres, incertitudes

En 1983 et surtout 1984, l'expansion du commerce international a constitué un des aspects marquants de la reprise de l'économie mondiale : la croissance des échanges a été une des plus fortes depuis quarante ans. Mais cette croissance, liée pour l'essentiel à la reprise de l'économie américaine, a eu des effets très inégaux sur les courants d'échanges, et s'est accompagnée de déséquilibres importants Elle a paru accentuer aussi les évolutions de plus longue portée dans la structure du commerce international, et dans le rôle qu'y jouent par conséquent les différents pays : les flux se déplacent, et les hiérarchies se modifient, au détriment, il faut bien le dire, de l'Europe.

Le système commercial, fondé sur les règles du GATT, qui a résisté aux chocs successifs depuis 1973, et même à la récession des premières années 80, n'a pas subi, pour autant, de changements significatifs. Mais il est soumis aux pressions contraires que créent, d'un côté les tentations protectionnistes, de l'autre les efforts entrepris pour une nouvelle libéralisation des échanges. Entre les débats internes, en particulier aux Etats-Unis, et les perspectives, encore indécises, d'une vaste négociation au GATT, c'est tout l'avenir du système qui pourrait se trouver à présent mis en jeu.

3.1. UNE REPRISE DESEQUILIBREE

Une expansion forte et rapide

Le commerce mondial, qui avait presque stagné en 1980 et 1981, régressé pour la première fois depuis la Seconde Guerre mondiale en 1982, a repris sa croissance en 1983. Ce mouvement s'est accéléré en 1984, selon un rythme qui se compare à celui des deux poussées les plus vives constatées antérieurement, en 1968 et 1976 : accroissement en volume de 9 % pour l'ensemble des produits. Exprimés en dollars, et du fait de l'appréciation de la devise américaine, les échanges n'ont pas retrouvé le niveau de 1980, et restent légèrement en dessous de la crête symbolique des 2 000 milliards. Mais il est probable que ce seuil sera franchi durant l'année en cours.

Ce sont naturellement les produits manufacturés qui ont la plus grande part, et la plus significative, à cette expansion : 4,5 % en 1983, 12 % en 1984, soit plus du double, dans ce dernier cas, de la progression concernant les autres produits.

Pour le commerce global, et plus nettement encore pour celui des produits manufacturés, on voit réapparaître le rapport de un à deux entre la production et les échanges, qui s'était établi dans les années 60. Depuis 1973, ce rapport faisait place à une relation plus erratique, et en général de plus faible ampleur. Le commerce semble ainsi pleinement retrouver, du moins pour 1984, le rôle moteur qu'il avait joué dans la croissance de l'économie mondiale. L'évolution des deux dernières années peut sembler un coup d'arrêt au déclin relatif de l'expansion des échanges, qui avait marqué la décennie suivant le choc de 1973, et qui s'était achevé par la récession de 1982. Mais cette évolution ne signifie pas que l'on revient à la situation antérieure : la poussée de 1983-1984 a le caractère exceptionnel d'une phase de reprise, et peut-être se rapproche, comme déjà dit, de celles de 1968 et 1976. Selon le GATT, la remontée des échanges serait même "un peu moins vigoureuse que les précédentes", au regard de l'augmentation du revenu mondial[1].

_____

1. *Rapport du secrétariat du GATT*, 23 mars 1985.

Croissance de la production et du commerce mondiaux, 1980-1984
(variation annuelle moyenne du volume, en pourcentage)

	1980	1981	1982	1983	1984
Production					
Tous produits confondus	1	1	-2	3	5
Agriculture	0	3,5	2	0	3,5
Industries extractives	-1,5	-3	-3,5	0,5	3
Industries manufacturières	1,5	0,5	-2	4	6
Exportations					
Total	1,5	0	-2	2	9
Produits agricoles	5	3	1	1	5
Minéraux (1)	-6	-12	-7	-1	5
Produits manufacturés	5	3,5	-1,5	4,5	12

Source : Données du GATT. "Le commerce mondial en 1984 et les perspectives actuelles", *Europolitique,* n° 1117, 23 mars 1985.
1. Y compris les combustibles et les métaux non ferreux.

Croissance du commerce mondial (1964-1984)
(variation annuelle moyenne du volume des exportations, en pourcentage)

	1968	1976	1984	1964-1973	1973-1979	1979-1984
Total	12,5	10	9	9	4,5	2
Produits agricoles	3,5	6	5	3,5	3	3,5
Minéraux (1)	12	6,5	5	7	0,5	-4
Produits manufacturés	14,5	11,5	12	10,5	5,5	4

Source : Données du GATT. "Le commerce mondial en 1984 et les perspectives actuelles", *Europolitique,* n° 1117, 23 mars 1985.
1. Y compris les combustibles et les métaux non ferreux.

Aussi bien l'accroissement des échanges semble-t-il voué à se modérer en 1985 et 1986 : globalement il passerait de 9 % à quelque 5 % pour chacune des deux années, soit sans doute un peu plus que la moyenne de la période 1973-1979, entre les deux chocs pétroliers[2]. C'est

l'expansion de l'économie américaine qui a entraîné la reprise des échanges et, par eux, de

2. Prévisions de l'OCDE (*Perspectives économiques,* juin 1985), et du FMI (*World Economic Outlook,* avril 1985), qui va lui, jusqu'à 5,4 % pour 1985 et 1986.

l'économie mondiale. Le ralentissement de cette expansion, tend maintenant à limiter la croissance des échanges et à freiner les autres économies.

La polarisation sur les Etats-Unis

Pour la plus grande part, la reprise du commerce international résulte en effet de celle de l'économie américaine, directement ou indirectement : là est la différence essentielle, par rapport aux reprises antérieures. La poussée de la demande intérieure aux Etats-Unis et la hausse du dollar ont provoqué un accroissement sans précédent des importations : de 10 % en volume en 1983, de plus de 23 % en 1984[3]. Les exportations, qui avaient reculé à partir de 1981, n'ont repris en 1984 que dans une mesure beaucoup plus faible (8,6 %). D'où le déficit qui a relancé la croissance des échanges : la montée des importations américaines intervient pour moitié dans la progression des importations mondiales, pour les deux tiers si l'on considère, dans son ensemble, le pôle nord-américain (Etats-Unis et Canada).

C'est ainsi que la reprise s'est transmise aux autres économies. Leur croissance a moins résulté de la demande interne que du rôle joué par les exportations. La politique des Etats-Unis a stimulé la demande, celle des autres pays a tendu à la modérer : ce décalage a dominé le mouvement des échanges. Une telle évolution apparaît sans exemple, ou du moins sans exemple comparable, dans l'économie internationale : on ne voit pas que le commerce, et le commerce d'un seul pays, ait jamais porté à ce point la croissance mondiale. Cet effet d'entraînement s'est exercé, inégalement sur les courants d'échanges, selon les pays ou les régions. L'effet direct, c'est-à-dire la part prise par les différents pays fournisseurs dans l'accroissement des importations américaines, n'est pas sans signification.

Les pays d'Asie, y compris l'Inde et à un moindre degré la Chine, apparaissent, dans l'ensemble, comme les principaux bénéficiaires, mais aussi le Brésil. Le Canada vient en bonne place, mais ne l'emporte que de peu sur la France, qui se situe au premier rang des pays européens, précédant l'Allemagne. La performance de la CEE, prise globalement, est moins satisfaisante, celle de l'Amérique du Sud relati-

Accroissement cumulé des importations aux Etats-Unis (1983 et 1984) (pourcentage en valeur)	
Singapour	81,2
Inde	79,8
Brésil	78,2
Corée du Sud	66,8
Taiwan	66,1
Japon	51,2
Hong-Kong	51,0
Canada	49,4
Thaïlande	49,2
France	46,4
Malaisie	44,2
RFA	42,4
Chine	35,1
CEE	34,7
Amérique du Sud	24,8
Mexique	15,8

Source : Fonds monétaire international, *Direction of Trade Statistics*, mars 1985.

vement médiocre : le résultat du Brésil affaiblit d'autant ce qui reste imputable à ses voisins.

La reprise américaine a naturellement joué aussi par ses effets indirects. Au total, si l'on considère les grands courants d'échanges, elle a favorisé l'expansion du commerce intercontinental, notamment entre les trois grands pôles industriels : Amérique du Nord, Japon, Europe occidentale. C'est le Japon qui en a tiré le meilleur profit : hausse de 8,5 % en volume de ses exportations globales en 1983, de 15 % en 1984. Il prend à l'Allemagne fédérale la première place comme exportateur mondial de produits manufacturés. La reprise américaine a favorisé également, à un moindre degré, les échanges Nord-Sud. Sauf dans le cas de l'OPEP[4], les exportations des PVD se sont à nouveau vigoureusement accrues, tout particu-

---

3. Chiffres du FMI, *World Economic Outlook*.

4. Touchée par la baisse du prix du pétrole et la diminution des quantités exportées.

**Part des échanges intracontinentaux et du commerce intercontinental
dans l'accroissement de la valeur du commerce mondial (1), 1968, 1976, 1984
(en pourcentage)**

	1968	1976	1984
Echanges à l'intérieur de l'Amérique du Nord	11,0	5,9	17,2
Echanges à l'intérieur de l'Europe occidentale	28,6	27,7	7,2
Commerce entre l'Amérique du Nord, l'Europe occidentale et le Japon	19,6	12,4	34,6
Commerce entre les régions industrielles et les régions en voie de développement	24,5	35,8	21,9
Echanges entre régions en voie de développement	2,5	5,9	3,3
Echanges entre pays de l'Est	6,8	3,1	4,7
Autres courants d'échanges	7,0	9,2	11,1
Accroissement total du commerce mondial	100	100	100

Source : Estimations du secrétariat du GATT. "Le commerce mondial en 1984 et les perspectives actuelles", *Europolitique,* n° 1117, 23 mars 1985.
1. Variation par rapport à l'année précédente, sur la base des chiffres exprimés en dollars.

lièrement celles de produits manufacturés, qui ont augmenté davantage que celles des pays industriels. Leurs importations ont également augmenté de façon sensible, mais beaucoup plus modérée[5] : les contraintes de "l'ajustement" ont pesé sur les pays endettés. Dans les deux sens, ce sont, bien entendu, les pays d'Asie dont le commerce a connu la plus forte progression.

En revanche les échanges à l'intérieur des grandes régions ont joué un moindre rôle. Si leur croissance a été néanmoins substantielle entre Etats-Unis et Canada, elle est restée faible entre pays européens : effet de la stagnation relative des économies au sein du Vieux Continent. Le commerce Sud-Sud n'a augmenté quant à lui que de façon marginale. Sauf le dernier point, cette évolution est différente de ce qui s'était passé lors des précédentes reprises. Les échanges intra-européens, et plus qu'à présent les échanges Nord-Sud, intervenaient alors au premier plan dans l'expansion du commerce mondial.

Le phénomène de polarisation sur les Etats-Unis, et les effets qu'il entraîne, semblent devoir à présent s'atténuer. Avec le ralentissement de

la croissance américaine, et selon les prévisions du FMI et de l'OCDE, il faut s'attendre, en 1985 et 1986, à une évolution moins déséquilibrée : décélération assez forte des importations des pays de l'OCDE, et particulièrement des Etats-Unis[6] ; décélération aussi de leurs exportations, qui pourraient se trouver mieux réparties[7] ; évolution parallèle, à des rythmes comparables, des échanges du Tiers-Monde. Mais ce sera la conséquence, ou l'un des aspects, d'un dynamisme plus faible du commerce international et d'une croissance diminuée de l'économie mondiale.

---

5. Sauf les importations des pays de l'OPEP, qui ont continué de régresser en 1984, mais moins qu'en 1983.

6. Augmentation en volume tombant de 24 % en 1984, à 6,2 % en 1985. Pour les pays européens de l'OCDE, cette augmentation passerait de 6,3 % à 4,75 %.

7. Augmentation passant de 7 % en 1984 à 5,5 % en 1985 pour les Etats-Unis, de 8,2 à 6,75 % pour les pays européens de l'OCDE, de 15,4 % à 8,75 % pour le Japon.

Déficits et excédents

La reprise des échanges ne pouvait rester sans effet sur les balances commerciales, et par là les balances de paiements. Dans les conditions où elle s'est réalisée, elle a naturellement aggravé certains déséquilibres en particulier les déséquilibres majeurs.

Le déficit commercial des Etats-Unis n'est certes pas nouveau : il date du début de la décennie précédente. Mais il a pris, ces dernières années, des proportions considérables. En dépit d'un excédent des services, qui va d'ailleurs s'amenuisant, il a fait passer le solde des paiements courants d'une position traditionnellement excédentaire à un déficit qui, à partir de 1982, a plus que doublé chaque année. On sait que ce déficit est lié au déficit budgétaire et à la hausse corrélative du dollar[8]. On débat pour savoir si, au-delà de ces phénomènes, il est également lié à une perte de compétitivité de l'industrie américaine.

8. Voir la deuxième partie de ce rapport.

Solde des paiements courants (1)
(en milliards de dollars)

	1980	1981	1982	1983	1984	1985(2)	1986(2)
Etats-Unis	1,9	6,3	-9,2	-41,6	-101,6	-119,8	-145,3
	(-25,5)	(-28,2)	(-36,5)	(-61,1)	(-107,8)	(-117,5)	
Japon	-10,7	4,8	6,9	20,8	35,0	39,2	48
	(2,2)	(20,0)	(18,1)	(31,5)	(44,4)	(47,7)	
Canada	-0,9	-5,0	2,1	1,4	1,5	1,5	2,5
	(8,0)	(6,6)	(14,9)	(14,9)	(16,7)	(17,2)	(18,2)
France	-4,2	-4,8	-12,1	-4,4	-0,1	0,5	2,8
	(-13,4)	(-10,0)	(-15,5)	(-8,2)	(-3,8)	(-2,2)	
RFA	-16,0	-5,7	3,4	4,1	6,2	12,2	18,5
	(9,0)	(16,6)	(26,8)	(23,3)	(23,2)	(29,7)	
Royaume-Uni	8,7	15,1	9,8	4,4	-0,1	0,5	1,8
	(3,7)	(7,8)	(4,2)	(-1,8)	(-5,7)	(-4,0)	
Italie	-9,8	-8,6	-6,6	0,6	-2,9	-4,5	-4,0
	(-16,4)	(-10,9)	(-8,9)	(-3,1)	(-6,2)	(-8,0)	
Pays de l'OPEP	111,0	50,0	-15,0	-20	-10,0	-4,0	-4,0
	(168,0)	(126,0)	(63,0)	(46,0)	(56)	(60)	(63)
URSS et	-3,4	-3,4	6,5	7,6	9,6	8,3	5,2
Pays de l'Est	(-5,2)	(-7,0)	(-6,1)	(-5,5)	(-5,1)	(-4,9)	(9,9)
PVD non producteurs	-63,0	-81,0	-64,0	-37,0	-24,0	-29	-33
de pétrole	(-60)	(-67)	(-48)	(-23)	(-3)	(-4)	(-7)

Source : OCDE, *Perspectives économiques,* juin 1985.
1. Le solde commercial, en termes de paiements, est indiqué entre parenthèses.
2. Prévisions de l'OCDE.

Au déficit américain correspond pour partie l'excédent japonais. Excédent habituel de la balance commerciale, et qui, malgré le déficit des services, accroît d'année en année l'excédent des paiements, à un rythme jusqu'à présent impressionnant. Il est dû évidemment à la capacité compétitive de l'économie japonaise, bien que le yen se soit moins déprécié que les autres monnaies par rapport au dollar. Mais il résulte aussi d'une capacité d'importation plus faible qu'ailleurs, et qui n'augmente que lentement[9].

L'excédent commercial allemand paraît en comparaison beaucoup plus modeste et relativement plus stable. Il est en grande partie compensé par le déficit des services : le solde positif des paiements va certes croissant, mais il reste très inférieur à celui du Japon[10]. Même dans le cas de l'Allemagne, les soldes extérieurs des trois pays atteignent, pour ce qui les concerne, des dimensions jusqu'à présent inégalées. Non seulement en valeur, mais aussi quant à la part qu'ils prennent dans leurs économies respectives : le déficit américain représente 2,8 % du PNB, en 1984 et sans doute 3,1 % en 1985, l'excédent du Japon 2,8 % et 3,2 %, celui de l'Allemagne 1 % et 2,1 %[11].

Les balances de la plupart des autres pays ont connu des mouvements de plus faible ampleur et de sens contrasté. Le fort excédent commercial du Canada s'est accru, mais le solde positif de ses paiements reste faible et varie peu. La France continue de réduire son déficit commercial et atteint presque, en 1984, l'équilibre des paiements. La balance du Royaume-Uni se dégrade au contraire depuis 1981 : le solde commercial est devenu négatif ; celui des paiements s'équilibre difficilement. L'Italie fluctue dans le déficit. Les autres pays européens sont dans des situations diverses : ainsi certains accroissent leur excédent (Pays-Bas), et d'autres leur déficit (Danemark, Irlande) ; plusieurs ont entrepris un redressement qui permet déjà l'équilibre des paiements (Belgique) ou même l'excédent (Espagne).

Les exigences d'un "ajustement" ont prédominé en Europe, y compris dans les pays de l'Est[12]. Elles ont joué à plus forte raison dans les pays du Tiers-Monde, qui ont amélioré dans l'ensemble leurs balances extérieures, en réduisant leurs déficits : les pays de l'OPEP par une compression sévère des importations ; les autres en agissant à la fois sur l'importation et l'expor-

tation. Le Brésil s'est distingué, en 1984, par un excédent de 12 milliards de dollars.

Les tendances semblent aller à présent vers de moindres déséquilibres, mais dans une mesure limitée. Le déficit américain, les excédents japonais et allemand devraient continuer à croître en 1985, à un rythme plus lent. Hors le cas de l'Allemagne, les balances des pays européens tendraient sans doute à se rééquilibrer davantage mais celles des PVD, pétroliers et non pétroliers, à se dégrader. Situation mouvante et incertaine, qui ne reflète qu'imparfaitement l'évolution en profondeur du commerce international.

3.2. DES CHANGEMENTS DE STRUCTURE

Les excédents et les déficits traduisent certains rapports de forces entre les économies. Mais ils ne sont qu'un aspect des changements qui interviennent, de façon parfois moins visible, et en longue durée, dans les flux commerciaux, et dans la position des acteurs, pays ou régions, qui s'y trouvent impliqués. Même si l'on s'en tient à quelques données d'ensemble, donc relativement sommaires, les évolutions qui s'en dégagent ne sont pas sans portée.

9. Les importations japonaises se sont sensiblement accrues en 1984 (plus de 10 % en volume).

10. Il faut toutefois compter avec la hausse de la devise américaine, qui tend à réduire le montant des soldes des autres pays, exprimés en dollars. C'est particulièrement vrai pour l'Allemagne, ce qui fausse quelque peu les comparaisons avec le Japon.

11. Selon les statistiques de l'OCDE. Certains petits pays européens ont des soldes positifs (Pays-Bas, Suisse, Norvège, Grèce, Portugal, Danemark, Irlande) qui atteignent ou dépassent 3 % du PIB en 1985 (et non du PNB comme pour les trois grands pays mentionnés ci-dessus). Sans parler de l'Australie et de la Nouvelle-Zélande dont les déficits représentent plus de 5 % du PIB.

12. Les échanges des pays de l'Est sont traités au chapitre 6 de cette partie.

13. Ces chiffres sont en dollars, ce qui, compte tenu des fluctuations monétaires, peut créer des difficultés d'interprétation, et oblige en tout cas à certaines précautions : on n'en retiendra ici que les résultats qui semblent évidents.

La croissance inégale

Le secrétariat du GATT[13] a calculé, pour les vingt dernières années, la part des différentes régions dans l'accroissement du commerce mondial[14].

Pour ce qui concerne la croissance des importations, certaines évolutions paraissent sans surprise : rôle joué par l'Amérique du Nord dans la dernière période ; part relativement modeste du Japon, mais qui va s'accentuant ; augmentation puis recul de celle de l'OPEP. Plus impressionnante est la progression, surtout dans les années récentes, de la part que prennent les pays du Sud-Est asiatique[15] à l'expansion de la demande mondiale : ce sont des partenaires qui, de plus en plus, comptent comme acheteurs, et pas seulement comme vendeurs. L'Europe occidentale, en revanche, ne semble guère participer à cette expansion depuis 1979, y compris dans ses échanges internes, qui sont les plus importants :

le phénomène est sans doute accentué à l'excès par les évaluations en dollars, mais il souligne la stagnation des économies européennes, depuis le second choc pétrolier.

Du côté des exportations, on retrouve un déclin européen, sans doute pour les mêmes raisons (faiblesse de la demande intra-continentale), à un degré toutefois moindre (rôle des ventes à l'extérieur). L'expansion des échanges Etats-Unis-Canada accroît naturellement, comme pour les importations, la part de croissance de l'Amérique du Nord. Celle des PVD

14. "Le commerce international en 1984 et les perspectives actuelles", *Europolitique*, 23 mars 1985, n° 1117.

15. L'expression "pays du Sud-Est asiatique" recouvre en réalité l'Asie du Sud et de l'Est : Corée du Sud, Taiwan, Hong-Kong, pays de l'ASEAN, Bangladesh, Inde, Pakistan, Sri Lanka, Birmanie.

**Parts des différentes régions
dans l'accroissement de la valeur du commerce mondial (1), (1964-1984)
(parts en pourcentage)**

	Exportations			Importations		
	1964-73	1973-79	1979-84	1964-73	1973-79	1979-84
Amérique du Nord	15,3	12,6	23,0	16,4	15,2	44,7
Japon	7,5	6,2	22,4	6,9	5,7	8,2
Europe occidentale	46,6	41,9	10,7	47,5	44,5	- 1,1
Asie du Sud-Est (2)	3,5	4,2	17,0	3,8	4,8	13,4
OPEP	8,0	16,1	-9,2	3,7	7,4	4,3
Autres régions en voie de développement	7,5	8,3	15,3	8,8	11,6	12,5
Pays de l'Est	9,2	8,9	19,0	9,1	8,5	11,9
Autres	2,4	1,8	1,8	3,8	2,3	5,1
Accroissement total du commerce mondial	100	100	100	100	100	100

Source : Données du GATT. "Le commerce mondial en 1984 et les perspectives actuelles", *Europolitique*, n° 1117, 23 mars 1985.
1. Variation entre l'année terminale et la première année de la période étudiée, sur la base du dollar.
2. Sont ainsi désignées quatre régions en voie de développement de l'Asie du Sud-Est. On suppose qu'il s'agit de la Corée du Sud, Taiwan, Hong-Kong et la zone de l'ASEAN.

(non pétroliers et hors de l'Asie du Sud-Est) augmente sensiblement du fait de l'ajustement, et sans doute de la reprise américaine. Mais ce sont le Japon et les pays du Sud-Est asiatique dont la performance est la plus spectaculaire dans la croissance des exportations mondiales : en dollars, et pris ensemble, leur part atteint presque 40 %, entre 1979 et 1984.

Dans la plupart de ces évolutions, les changements se dessinent plus fortement dans la dernière phase, après 1979. La hausse du dollar peut certes fausser en partie les évaluations. Mais il est probable que les secousses et les transformations qui sont intervenues, depuis cinq ans, dans les économies, ont accentué les phénomènes qui tendent à modifier la répartition du commerce mondial : après deux décennies, la structure des échanges apparaît passablement changée.

La "dérive des continents"

Dans le RAMSES 81, on avait désigné sous ce terme les déplacements des courants d'échanges entre les pôles principaux du commerce international : l'Europe, l'Amérique, le Japon. Pour prendre, même schématiquement, la mesure de ces déplacements, on peut examiner comment se sont répartis les échanges de chacun des trois grands ensembles en 1963, 1973 et 1983[16].

Il ne s'agit certes là que de points de repères, qui donnent une vision simplifiée, et peut-être parfois déformée, compte tenu des fluctuations annuelles du commerce international, des variations de prix et de taux de change[17]. Certaines évolutions n'en sont pas moins significatives.

L'Amérique du Nord occupe naturellement une position centrale : non seulement par sa situation géographique et son poids économique, mais aussi par la configuration, largement répartie, de ses relations commerciales. Les échanges internes, entre Etats-Unis et Canada, prennent la première place. Leur part, qui semble à peu près constante, représente environ le tiers du commerce total des deux pays[18] : l'ensemble nord-américain est à lui-même son principal partenaire.

Mais les pays du Tiers-Monde, pris globalement, se sont acquis une position à peu près

comparable : certes assez stable dans les exportations nord-américaines, mais croissante dans les importations (le tiers en 1983). Parmi ces pays, la part de l'Amérique latine tend à décliner, surtout comme marché d'exportation. Elle est dépassée, comme fournisseur, par celle de l'Asie du Sud-Est qui, en vingt ans, a plus que doublé.

Le Japon a également plus que doublé la sienne. Mais, pas davantage que l'Asie du Sud-Est, il n'absorbe une proportion plus grande dans les exportations des Etats-Unis et du Canada. Il reste que, pris ensemble, le Japon et le Sud-Est asiatique, représentent, en 1983, près de 30 % des importations nord-américaines, au lieu de quelque 13 %, voici deux décennies.

La part de l'Europe a suivi une évolution inverse : elle a chuté de près d'un tiers dans les importations de l'Amérique du Nord, essentiellement depuis 1973. Elle a chuté aussi, à peu près dans les mêmes proportions, quant aux exportations. Au début des années 60, l'Europe était, hors leurs échanges mutuels, le premier partenaire des Etats-Unis et du Canada, et leur principale zone d'exportation. Aujourd'hui, elle compte moins, au total, que le Tiers-Monde. Elle l'emporte certes toujours sur le Japon comme client des Nord-Américains, mais il tend à la rejoindre comme fournisseur. Si l'on compare les positions de l'Europe à celles de la constellation Japon et Asie du Sud-Est, l'évolution est impressionnante. Les Européens continuent de précéder le groupe asiatique dans les exportations nord-américaines, mais l'écart a fortement diminué. Ils sont largement dépassés en revanche dans les importations, autrement dit quant à leur place sur le marché d'outre-Atlantique. La "dérive des continents" prend là tout son sens.

---

16. On s'est fondé sur le dernier rapport annuel du GATT, *Le commerce international en 1983-1984,* qui présente des séries de données harmonisées sur ces échanges. Le choix de l'Amérique du Nord plutôt que les Etats-Unis, de l'Europe occidentale plutôt que la CEE, paraît se justifier par les liens entre les économies au sein des deux continents, et qui en font, à l'échelle internationale, de véritables ensembles.

17. On considère ici le commerce en valeur, exprimé en dollars courants.

18. Des problèmes d'évaluation semblent se poser quant à la différence entre les parts respectives d'exportations et d'importations. Ces variations de sens contraire paraissent toutefois s'équilibrer.

Dans les échanges du *Japon,* les déplacements sont moins spectaculaires. Aujourd'hui comme hier, ce sont les PVD, qui, pris globalement, sont à la première place : légèrement déclinante peut-être dans les exportations, fortement croissante dans les importations. Il faut compter ici avec le pétrole et la dépendance énergétique de l'empire nippon, qui valorisent la part des pays de l'OPEP comme fournisseurs (un tiers des importations), mais aussi, à un moindre degré, comme clients. L'Asie du Sud-Est joue, bien entendu, un rôle déterminant dans le commerce japonais (un quart de celui-ci dans chaque sens), mais de manière constrastée : il baisse dans les exportations, mais augmente très sensiblement dans les importations.

Hormis l'ensemble disparate du Tiers-Monde, l'Amérique reste, pour le Japon, le partenaire essentiel, dans les deux sens des échanges. La part nord-américaine a sans doute fortement baissé, au fil des années, dans les achats japonais, au profit surtout des PVD (dont

Parts dans les échanges de l'Amérique du Nord de l'Europe et du Pacifique (en pourcentage)			
	1963	1973	1983
Exportations			
Europe occidentale	32,7	26	22,7
Japon et Asie du Sud-Est	17,6	17,9	19,8
Importations			
Europe occidentale	25,3	24,4	17,4
Japon et Asie du Sud-Est	13,4	19,9	29,8

Source : GATT, *Le commerce international en 1983/1984.*

Evolution de la répartition du commerce des trois grandes zones

(Part des principaux partenaires dans les échanges de l'Amérique du Nord, du Japon, et de l'Europe occidentale ; en % des importations et des exportations pour 1963, 1973 et 1983 (1))

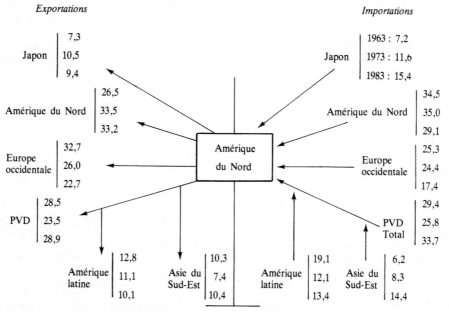

1. Pour ne pas alourdir le tableau, on a seulement mentionné les flux les plus significatifs.

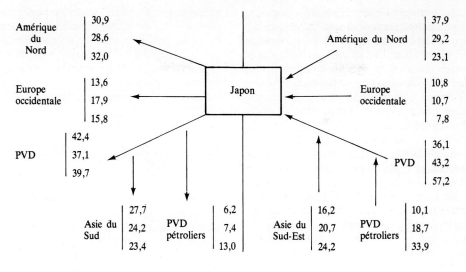

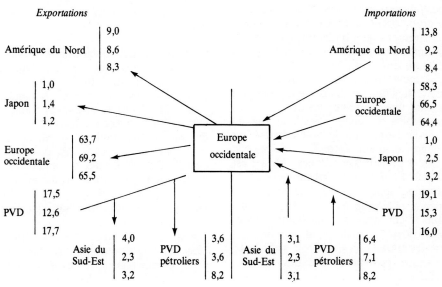

Source : GATT, *Le commerce mondial 1983/1984.*

l'OPEP après 1973). En revanche, elle tend à augmenter dans les exportations, soulignant combien le Japon dépend du marché américain. On conçoit l'irritation que provoquent aux Etats-Unis ces évolutions contraires.

L'Europe vient loin derrière. Sa part ne s'est accrue que difficilement dans les exportations

japonaises : les mesures de protection ont ici leur rôle. Elle est relativement modeste, et a diminué dans les importations.

Pour *l'Europe occidentale,* le Japon reste de fait un partenaire mineur, davantage qu'elle ne l'est elle-même dans le commerce nippon. On le dirait presque marginal, s'il n'apparaissait ponctuellement (automobile, électronique), et potentiellement, comme un concurrent dangereux. La même constatation vaut, peu ou prou, dans le cas de l'Asie du Sud-Est, dont la part est plutôt stable, mais faible, dans les échanges européens. Bien que son rôle soit plus important, l'Amérique elle-même y occupe une place relativement secondaire : constante à l'exportation, déclinante à l'importation.

Celle du Tiers-Monde, dans son ensemble, est très sensiblement plus limitée qu'elle ne l'est dans le commerce du Japon et de l'Amérique du Nord : elle change peu dans les ventes des pays européens, elle baisse même dans leurs achats. Les Etats pétroliers s'y sont assurés, dans les deux sens, une part décisive : effet de dépendance et de proximité.

Mais ce qui caractérise avant tout les échanges de l'Europe occidentale, c'est le rôle considérable, et largement prépondérant, qu'y joue le commerce intra-continental : environ les deux tiers[19]. L'établissement du Marché commun, et son élargissement, n'ont fait qu'accentuer, ou consolider, cette situation. Sans doute existe-t-il naturellement une certaine introversion des grands ensembles régionaux : c'est le cas de l'Amérique du Nord ; on le voit aussi, à un moindre degré, et d'une autre façon[20], pour le Japon et ses partenaires asiatiques. Mais c'est sans commune mesure avec le phénomène européen. L'Europe apparaît ainsi comme centrée sur elle-même, beaucoup moins impliquée dans les courants d'échanges à l'échelle mondiale. Alors que se développent les relations commerciales entre les autres zones, son rôle s'affaiblit : dans le concert planétaire, elle devient plus "provinciale".

Les données que l'on a considérées s'arrêtent à 1983. La reprise de 1984, en favorisant les échanges intercontinentaux autour du pôle américain, a certes joué contre l'introversion européenne : le commerce des pays de l'Europe s'est davantage tourné vers l'extérieur. Mais cette reprise a également accru le poids du Japon et des pays d'Asie dans les flux commerciaux. La dérive continue. Encore ne s'agit-il ici que du commerce global. Si l'on ne prenait que les seuls produits manufacturés, les évolutions seraient plus fortement accusées. Cette évolution se serait encore accentuée, n'étaient les mesures de protection qui existent en Amérique et en Europe, à l'encontre du Japon, des autres pays

asiatiques, et même généralement du Tiers-Monde. Les politiques commerciales ont, bien entendu, leur influence sur les courants d'échanges. La question est de savoir ce qui l'emportera maintenant dans le système international : libéralisme ou protectionnisme, de nouvelles ouvertures ou de nouvelles restrictions.

3.3. PROTECTIONNISME OU LIBERALISME ?

Malgré les évolutions qui sont apparues dans la structure des échanges, le système qui les régit s'est peu modifié : les règles du GATT continuent d'être appliquées - ou parfois transgressées - à peu près comme auparavant ; les politiques commerciales de la plupart des Etats, et en particulier les plus grands, n'ont dans l'ensemble guère varié.

Certes, depuis qu'a commencé, en 1973, le "temps des troubles", pour l'économie mondiale, on n'a cessé de craindre un retour du protectionnisme. Mais, sauf quelques mesures ponctuelles ici et là, et parfois d'ailleurs temporaires, il n'y a pas eu d'aggravation très sensible des régimes de protections. Même la récession du début des années 80 n'a pas apporté, à cet égard, de changements notables[21]. Quelles qu'en soient les limites, la libéralisation accomplie par les négociations successives au GATT a pu être, pour l'essentiel, sauvegardée.

On aurait pu imaginer que la reprise de 1983-1984, éloignerait davantage les risques de restrictions commerciales. Il n'en a rien été. Les déséquilibres des échanges ont au contraire avivé, avant tout aux Etats-Unis, des tentations protectionnistes qui prennent un caractère inquiétant. Les tensions persistent, ou s'aggravent, entre les grands - Etats-Unis, Japon, CEE -, ce qui n'atténue pas les tendances à un

---

19. On retrouve ici les problèmes que posent les différences entre parts d'exportations et parts d'importations, comme dans les échanges entre les deux pays du groupe nord-américain.

20. Il ne s'agit pas d'échanges entre pays à économies comparables, ni ayant la même proximité géographique.

21. Voir sur ce point les rapports RAMSES 81 et 82.

retour vers un certain bilatéralisme. Mais en même temps, sous la pression des Américains eux-mêmes, on semble s'acheminer vers une nouvelle négociation multilatérale, qui permettrait d'aller beaucoup plus loin dans la libéralisation des échanges.

Le système commercial est comme en équilibre, ou en suspens, entre ces évolutions qui s'opposent. Jusqu'à présent il était préservé par la résistance des gouvernements au protectionnisme, fût-ce au prix d'un certain immobilisme. Ce sont plutôt les forces de changement qui tendent désormais à l'emporter, dans un sens ou dans l'autre : on en est encore à une sorte de statu quo, mais il est précaire.

L'état du protectionnisme : statu quo et risques nouveaux[22]

La "montée du protectionnisme" est un thème à la mode, et d'ailleurs récurrent : il traduit les hantises des fervents du libéralisme ; il permet surtout d'accuser le protectionnisme des autres. En fait, la nouveauté est moins aujourd'hui dans les actes que dans les projets, qui portent en effet des risques sérieux d'aggravations.

Aux Etats-Unis, le déficit commercial a fortement ravivé les tendances protectionnistes, d'autant que presque toutes les branches de l'industrie souffrent, à l'importation ou à l'exportation, d'une concurrence étrangère stimulée par le niveau du dollar. Les milieux les plus avertis n'ignorent pas la responsabilité à cet égard de la politique américaine, et d'abord du déficit budgétaire. Mais, comme toujours, une bonne partie de l'opinion, les *lobbies* industriels, les membres du Congrès qui leur font écho, accusent de préférence les autres pays. De manière générale, et plus encore que par le passé, les Américains ont le sentiment d'être victimes de concurrents qui usent de pratiques déloyales (dumping et subventions) et qui limitent l'accès à leurs propres marchés.

Jusqu'à présent, peu de mesures nouvelles ont été prises par les autorités américaines en matière de restrictions commerciales, et elles touchent des secteurs déjà plus ou moins protégés. Concernant les textiles, les règles d'origine ont été rendues plus strictes en septembre 1984, au détriment des exportateurs asiatiques, en

particulier de Hong-Kong[23]. Concernant l'acier, et sous la pression de leurs sidérurgistes, les Etats-Unis ont imposé des restrictions supplémentaires à la CEE, portant cette fois sur les tubes : accord d'autolimitation conclu en janvier 1985, qui réduit à 7,6 % la part des Européens sur le marché américain pour 1985 et 1986, alors qu'elle dépassait 14 % en 1984. Cette affaire a ranimé le traditionnel contentieux sidérurgique euro-américain, que l'on avait espéré régler par l'accord de novembre 1982[24], et qui avait déjà resurgi en juillet 1983 (restrictions américaines sur les aciers spéciaux).

En revanche, Washington a mis fin, au 31 mars 1985, à l'accord d'autolimitation imposé au Japon depuis 1981, sur ses exportations d'automobiles aux Etats-Unis (1,85 million d'unités par an). Il est vrai que *General Motors* poussait à cette abrogation, en raison de sa politique d'achat de voitures de petite cylindrée à ses associés *Isuzu* et *Suzuki*. Du coup, les autres constructeurs tentent également de s'entendre avec les Japonais : *Chrysler* avec *Mitsubishi*, *Ford* avec *Nissan*. L'internationalisation de l'industrie automobile, et notamment les investissements des constructeurs japonais aux Etats-Unis (projet *Toyota/General Motors* en Californie), enlèvent beaucoup de leur sens aux traditionnelles mesures de protection[25]. Les autorités japonaises ont d'ailleurs pris soin de limiter elles-mêmes, cette fois à 2,2 millions d'unités, les ventes sur le marché américain. Mais, dans le climat qui prévaut outre-Atlantique, l'effet a été contraire au but recherché : le

22. On ne considère ici que la situation des pays de l'OCDE, les seuls qui appliquent effectivement, dans une large mesure, les règles du GATT. Les pays du Tiers-Monde, qui en sont dispensés, pratiquent des politiques de protection plus ou moins rigoureuses, parfois durcies par les nécessités de l'"ajustement". Les pays de l'Est ont leur régime propre.

23. Ainsi les vêtements produits par Hong-Kong, à partir de pièces sous-traitées à d'autres pays à plus bas salaires, comme la Chine, ne peuvent plus figurer dans le contingent d'importation alloué à Hong-Kong.

24. Accord également d'autolimitation, toujours en vigueur jusqu'à fin 1985, qui fixait à une moyenne de 4,75 % la part européenne pour diverses catégories d'acier.

25. La part étrangère sur le marché américain de l'automobile est actuellement inférieure au quart. Mais, à côté des investissements étrangers, les constructeurs américains tendent à "délocaliser", pour des raisons de coûts, une partie de leur fabrication, soit par leurs filiales, soit par accord avec des firmes locales (Mexique, Corée, Brésil).

seul fait d'annoncer un chiffre en augmentation a été reçu comme une sorte de provocation.

La loi commerciale (*Trade Act*) votée à l'improviste par le Congrès sortant, à la veille des élections, en octobre dernier, est marquée par ce climat. Qualifiée avec exagération d'"*Anti-Trade Act*"[26], elle comporte des orientations restrictives, mais reste assez floue quant à son application, et passablement disparate. Le Président reçoit des pouvoirs plus étendus pour agir en vue d'éliminer les barrières qui s'opposent, dans les autres pays, aux exportations de biens et de services, et aux investissements américains. Il reçoit aussi des pouvoirs de rétorsion accrus à l'égard de ces pays. Sont également élargis les critères permettant d'engager des procédures contre des importations jugées abusives[27] ; l'Administration est habilitée à en prendre elle-même l'initiative, avant même toute plainte déposée par les firmes lésées[28].

Malgré la poussée de protectionnisme chez les élus, l'Exécutif a pu éviter des dispositions par trop restrictives. Mais, depuis ce vote, la pression n'a cessé de monter, alimentée par les griefs à l'égard des pays concurrents, principalement du Japon. Les demandes de protection se multiplient de la part de diverses industries, y compris le raffinage du pétrole et la haute technologie (semi-conducteurs, télécommunications). Au Congrès, les projets de restrictions commerciales se font plus nombreux et plus rigoureux, et les courants protectionnistes semblent devenir majoritaires[29], ralliant des personnalités réputées "libérales" : projets sectoriels tels ceux sur les textiles[30] ou les télécommunications[31] ; projets de surtaxe générale sur les importations, et sutout de surtaxe sur celles du Japon qui reçoit, dans l'opinion, un soutien grandissant[32]. Ces dernières mesures seraient conçues comme instrument de pression sur le Japon et les autres partenaires des Etats-Unis, en vue de négociations. Mais de tels procédés de "rétorsion préalable" auraient des effets redoutables sur les rapports économiques internationaux. L'Administration perçoit le danger et tente de faire barrage. Pour elle, et pour les défenseurs du libéralisme, il n'est cependant guère d'issue que dans des mesures de libéralisation à l'échelle internationale négociées par voie bilatérale, et surtout multilatérale.

Le protectionnisme du *Japon* est l'objet principal des attaques américaines, mais aussi des

pays européens, et à présent des autres pays asiatiques[33]. L'empire nippon reste le pays le moins ouvert aux importations étrangères, du moins de produits industriels. C'est avant tout un protectionnisme de fait : opacité naturelle du marché japonais, peu d'empressement du public et des firmes à acheter des produits étrangers. Le régime officiel de protection n'est guère différent de ce qui existe dans les autres pays industrialisés. Mais ce qui reste d'obstacles touche à des points sensibles, aussi bien du côté japonais que de celui des exportateurs - voire investisseurs - étrangers : produits alimentaires et forestiers[34], pharmacie, haute technologie.

Soumis à la pression américaine, les Japonais font régulièrement des concessions ponctuelles, dont l'effet a été jusqu'à présent marginal. En avril 1984, ils ont annoncé un programme de

---

26. *Financial Times*, 1er octobre 1984, reprenant une expression du *Washington Post*.

27. On retient notamment la fermeture d'usines fabriquant aux Etats-Unis le produit considéré, et l'état des stocks de celui-ci. La notion de "préjudice" (*injury*), qui est ainsi étendue, avait été âprement discutée lors du Tokyo Round (voir RAMSES 81).

28. Une disposition spéciale de la loi autorise les producteurs de raisins de Californie à engager ces procédures contre les importations de vin. Le *Trade Act* comporte ainsi des stipulations diverses correspondant à des intérêts particuliers.

29. On doit mentionner le rôle joué par le sénateur Danforth, président de la commission du commerce du Sénat, qui s'était déjà signalé, en 1981, par un projet de loi exigeant un certain volume d'éléments fabriqués aux Etats-Unis pour les véhicules importés.

30. Les contingents d'importation de textiles des pays du Tiers-Monde seraient ramenés au niveau de 1982, soit une réduction d'un quart du total des textiles achetés à l'extérieur. Par la suite, ne serait autorisée qu'une augmentation de 1 % par an, pour les principaux fournisseurs, toujours du Tiers-Monde.

31. Projets de surtaxes sur les importations de matériel de télécommunication venant du Japon, et même projet interdisant ces importations.

32. Voir *World Financial Markets*, mars-avril 1985, publié par la Morgan Guaranty Trust Company.

33. Les pays asiatiques reprochent au Japon, son protectionnisme non seulement commercial, mais aussi technologique : les firmes japonaises sont jugées réticentes à transférer les technologies avancées, fût-ce à l'occasion d'investissements.

34. Diverses productions agricoles, dont celle du riz, et le secteur du bois demeurent protégés pour des raisons de politique intérieure : l'appui qu'apportent les producteurs au parti actuellement au pouvoir.

libéralisation commerciale et financière, qui n'a pas beaucoup dépassé le stade des intentions[35]. C'est ce programme qu'a repris, en l'élargissant quelque peu, le Premier ministre Nakasone, en avril 1985, pour tenter d'apaiser l'irritation grandissante des Américains[36]. Les mesures d'application, qui commencent d'être rendues publiques à partir de juin 1985, comportent surtout des abaissements de tarifs douaniers[37]. Elles devraient néanmoins être complétées par d'autres dispositions : atténuation des restrictions sur les produits alimentaires ; simplification des normes et procédures de certification pour les produits importés ; achats de matériels étrangers par les organismes publics, notamment pour les télécommunications ; libéralisation de certaines activités dans le domaine des services ; facilités accrues d'investissement. On peut douter que ces mesures, qui soulèvent d'ailleurs des résistances au plan intérieur, aient des résultats très probants sur les importations japonaises et puissent donner satisfaction aux Etats-Unis. L'ouverture commerciale du Japon, davantage sans doute que l'ouverture financière, est un processus lent : elle dépend des changements dans les habitudes et les mentalités plutôt que des textes législatifs ou administratifs.

La Communauté européenne n'est pas au premier rang des préoccupations que soulève le protectionnisme existant, comme au Japon, ou menaçant, comme aux Etats-Unis. Elle n'a pas, à vrai dire, les instruments d'une véritable politique commerciale : son dispositif de protection résulte d'un ensemble, hétérogène et compliqué, de mesures communautaires - toujours difficiles à adopter - et nationales. Naturellement, ce dispositif porte, au premier chef sur les secteurs traditionnellement protégés : agriculture, sidérurgie, textiles. Mais c'est surtout contre la concurrence du Japon, plus secondairement des autres pays asiatiques, que des mesures ont été prises, ces dernières années : limitation "volontaire" des exportations japonaises d'automobiles en 1981[38] ; accord d'autolimitation accepté par le Japon, en février 1983, sur une dizaine de produits relevant de l'électronique[39] ; usage des procédures anti-dumping. On cherchait à préserver le développement des industries européennes de l'électronique grand public : leur production n'en a pas moins continué de stagner. Ces industries demandent à présent des relèvements de droit de douane sur des produits nouveaux, qui commencent à être lancés[40]. Au total, 40 % des exportations japonaises vers l'Europe sont soumises à limitation. Il est improbable que l'on puisse aller beaucoup plus loin.

Plus préoccupant apparaît aujourd'hui le protectionnisme intracommunautaire, c'est-à-dire les obstacles qui subsistent dans les échanges au sein de la CEE. Non que ces obstacles aient sensiblement augmenté. Mais on prend conscience, de plus en plus, que l'établissement d'un véritable Marché commun est une des conditions, peut-être la principale, d'une renaissance économique de l'Europe, et en particulier du développement des nouvelles technologies[41]. Ce souci s'est affirmé, depuis plus de deux ans, dans les instances de Bruxelles. Le programme soumis par la Commission au Conseil européen, lors de sa session des 29-30 mars 1985, pour *"le renforcement de la base technologique et la compétitivité de l'industrie communautaire"*, propose un ensemble d'orientations, visant à réaliser *"l'unité complète du marché intérieur"*. Il s'agit de *"supprimer les frontières internes de la Communauté d'ici à 1992... par étapes et dans le cadre d'un échéancier précis"*. Sont en particulier concernés : la question des normes industrielles ; les marchés publics, qui représentent 15 à 17 % du PNB communautaire, et dont on sait l'importance pour les nouvelles technologies ; les services, au moment où leur libéralisation est envisagée à l'échelle internationale ; les aides

---

35. Sauf sur le plan monétaire et financier, où s'est porté, à ce moment-là, l'effort principal des Etats-Unis. Voir le chapitre 3 de la partie II de ce rapport.

36. Yasuhiro Nakasone a été jusqu'a exhorter, à la télévision, ses compatriotes à acheter davantage de produits étrangers.

37. Abaissements tarifaires de 20 % sur 1 800 produits ; abaissements tarifaires, élargissement de contingents, parfois libéralisation, pour 42 produits alimentaires ; abaissements voire suppression des tarifs sur 32 produits industriels ; élimination des tarifs, à négocier avec les Etats-Unis, sur les ordinateurs.

38. Voir RAMSES 82.

39. Engagements formels d'autolimitation des exportations japonaises de magnétoscopes et tubes de téléviseurs ; engagements de "modération" pour les téléviseurs, le matériel hifi, les montres à quartz, les machines-outils, auxquels s'ajoutent les automobiles (déjà protégées au plan national), les motos, les chariots élévateurs.

40. Enregistreurs de vidéo-cassettes, compact-discs, lecteurs de disques à lasers. *Philips,* qui joue le principal rôle dans ces démarches, a déjà obtenu, en 1984, le doublement du tarif douanier sur les lecteurs de disques optiques.

41. Voir le chapitre 4 de cette partie.

nationales aux industries, qui sont de nature à fausser la concurrence et à retarder les adaptations de structures[42]. Le Conseil européen a donné son approbation de principe à ces objectifs.

Il reste à passer à la mise en œuvre. Un premier pas a été accompli, en matière de normes. Au lieu de s'épuiser en vain à fixer des normes uniques pour la Communauté, comme on l'a tenté depuis vingt-cinq ans, il a été décidé, en mai 1985, de simplifier les procédures : une norme de base par produit sera définie à Bruxelles, et les normes nationales qui pourraient s'y ajouter, devront être approuvées selon la même voie. C'est encore bien peu au regard de tout ce qui demeure à faire pour que le Marché commun puisse enfin mériter son nom.

Conflits et bilatéralisme

Autant que les excès de concurrence, les régimes de protection, de droit ou de fait, sont source de conflits commerciaux entre les Etats. Conflits qui, à leur tour, risquent d'entraîner un recours accru au protectionnisme. Pour la plupart, ces oppositions de politiques et d'intérêts ne sont pas nouvelles : elles laissent une impression lassante de perpétuel *remake,* ou d'un prolongement continu, de situations antérieures. Mais les antagonismes semblent prendre aujourd'hui un tour plus aigu. Il n'est pas sûr que n'en résultent pas des évolutions plus brutales que par le passé, qui pourraient mettre à mal le fonctionnement des échanges.

Au centre de ces conflits, on trouve, bien entendu, les Etats-Unis. Les Américains attaquent "tous azimuts" ce qu'ils tiennent, chez les autres, pour des entraves à la liberté des échanges. Leur offensive, jadis plus orientée vers la CEE, se porte maintenant avant tout sur le Japon. Ils sont engagés dans un processus ininterrompu de négociations avec Tokyo, dont les résultats, on l'a vu, restent décevants. Actuellement ces négociations concernent principalement l'ouverture du marché japonais en quatre domaines, où les Etats-Unis estiment disposer d'un "avantage comparatif" : télécommunications et équipements électroniques (sans compter les logiciels), pharmacie, matériel médical, produits du bois (notamment contreplaqués et pâte à papier). Divisés entre eux, les Japonais tergiversent[43], et s'en tiennent à la politique des petits pas[44]. Mais ils risquent de provoquer aux Etats-Unis des réactions extrêmes contre leurs exportations[45], en même temps qu'une sérieuse détérioration du climat politique entre les deux pays.

Dans le cas de la CEE, il s'agit moins, avec les Etats-Unis, d'un contentieux fondamental - encore que reste posé le problème d'ensemble de la politique agricole - que d'escarmouches sur des points particuliers. Les Américains ne se contentent plus de dénoncer, en certains domaines ils ripostent : surtaxes imposées sur les pâtes alimentaires d'origine européenne (juin 1985), en rétorsion des préférences accordées de longue date par la CEE aux agrumes des pays méditerranéens ; surenchère de subventions pour les ventes de blé à l'Algérie (mai 1985), comme deux ans auparavant à l'Egypte, afin d'évincer les exportateurs européens et obtenir la suppression des subventions communautaires. La querelle persiste sur les crédits à l'exportation, concernant à présent les "crédits mixtes" : crédits privilégiés associés aux crédits habituels à l'exportation. Ils sont pratiqués par les Européens, et surtout par la France. Les Américains les condamnent comme concurrence abusive, mais les utilisent à leur tour comme représailles. Un accord de principe s'est dégagé à ce sujet lors de la dernière conférence ministérielle de l'OCDE (mai 1985), mais son application risque d'être malaisée[46].

---

42. On sait par exemple les problèmes que soulève l'application d'une discipline commune quant aux aides à la sidérurgie, et les difficultés qu'a rencontrées la France, devant les instances de la CEE, en raison de ses aides à l'industrie textile, ou à certaines entreprises comme *La Chapelle-Darblay.*

43. Entre les différents ministères responsables ; entre les partisans d'une plus grande internationalisation, et les défenseurs des positions acquises par les producteurs nationaux.

44. Dans le cas des télécommunications, les Américains espéraient que la privatisation de l'organisme national (NTT), le 1er avril 1985, leur offrirait de réelles facilités de pénétration. En fait, ces facilités semblent, pour le moment, limitées. Voir le chapitre 4 de cette partie.

45. De nombreux esprits aux Etats-Unis estiment que seul un "choc" (surtaxe ou même prohibition de certaines de ces exportations) peut provoquer une véritable ouverture du marché japonais.

46. Accord pour porter à 25 % la part de "l'élément de libéralité", crédits privilégiés dans les crédits mixtes, donc de l'effort financier à consentir par les pays exportateurs, et pour étudier, d'ici le 30 septembre, des mesures visant à fixer des règles communes quant à ces opérations.

Enfin, le problème des exportations "stratégiques", essentiellement de haute technologie, vers les pays de l'Est reste un élément de discorde entre Américains et Européens (auxquels s'ajoutent parfois Canadiens et Japonais). Les Etats-Unis ont certes obtenu, tant bien que mal, un renforcement des procédures du COCOM[47], mais leurs exigences vont au-delà. Non seulement leurs propres restrictions d'exportations[48] sont plus sévères que celles de leurs partenaires du COCOM, mais ils tendent à les imposer à ces partenaires, et aux autres pays, par le biais de l'extraterritorialité : contrôle sur les exportations, par les pays étrangers, de produits contenant des éléments d'origine américaine ; sur les exportations des filiales ou des titulaires de licences américaines à l'étranger ; sur les investissements américains en vue de fabriquer les produits "sensibles"[49]. Les pays européens acceptent difficilement cette tutelle sur leurs activités industrielles et sur leurs relations avec l'Est. Ils soupçonnent les Américains d'en profiter pour restreindre les transferts de technologie, fût-ce à leurs alliés.

En dehors de ces problèmes qui impliquent les Etats-Unis, il faut mentionner les rapports conflictuels entre la CEE et le Japon, qui ferment le triangle des relations entre les Grands. C'est la reproduction, avec moins de relief et moins de portée, des rapports américano-japonais. Les Européens négocient, ou tentent de négocier eux aussi avec Tokyo[50], mais ils ne peuvent jouer que les seconds rôles. Ils n'ont pas le poids des Etats-Unis, ils parviennent difficilement à faire front commun, ils ont déjà largement usé de l'arme de la protection. Force leur est de se contenter, la plupart du temps et à la mesure de leurs intérêts, de ce que les Japonais veulent bien concéder, en premier lieu, aux Américains.

Les négociations, épisodiques ou continues, que mènent ainsi deux à deux, les grandes puissances économiques, montrent l'importance que prennent les procédures bilatérales dans les politiques commerciales. L'aggravation des conflits, les déséquilibres des balances commerciales, le relâchement des disciplines du GATT, favorisent un retour au bilatéralisme[51]. Les pratiques bilatérales tendent, au moins en partie, à se substituer aux procédures multilatérales du GATT[52]. Les accords d'autolimitation ont ouvert la voie depuis les années 60. S'est ajouté, à partir des années 70, le développement des

échanges compensés, qui soustrait certains flux commerciaux aux mécanismes du marché mondial. Mais on va au-delà pour traiter en bilatéral les questions de toute nature, dès lors qu'elles touchent des intérêts essentiels de l'une au moins des deux parties : des échanges agricoles aux échanges de services et aux investissements. Le tête à tête nippo-américain en offre, à ce jour, le modèle le plus achevé.

De là, apparaît naturellement la tentation, qui s'exprime ouvertement aux Etats-Unis, d'organiser bilatéralement la libéralisation des échanges, sur une base de réciprocité[53] : cette tendance semble déjà s'esquisser dans certains régimes de libre-échange[54], cités d'ailleurs en exemple par les tenants du bilatéralisme : entre les Etats-Unis et Israël (consacré par le *Trade Act* d'octobre 1984) ; entre les Etats-Unis et divers pays des Caraïbes, partiellement mis en œuvre ; projets américains de libre échange avec le Canada[55] et avec le Mexique, jusqu'à présent repoussés par ceux-ci ; accord envisagé avec le

47. Voir le chapitre 6 de cette partie.

48. Rendues plus rigoureuses en janvier 1985, avec des procédures qui font participer aux décisions le département de la Défense.

49. Cas récent (juillet 1985) de l'autorisation donnée à ATT pour fabriquer en Espagne des circuits intégrés. On retrouve les problèmes posés en 1982, lors des ventes européennes d'équipement pour le gazoduc sibérien. Une loi, qui devrait être prochainement votée par le Congrès, pour remplacer l'*Export Administration Act* de 1979, est destinée à codifier ces dispositions.

50. Ils n'ont guère obtenu jusqu'à présent que l'accord d'autolimitation de 1983, indiqué plus haut.

51. Les gouvernements considèrent leurs balances commerciales en termes bilatéraux autant qu'en termes globaux, surtout lorsqu'elles sont déficitaires.

52. Sur les problèmes du bilatéralisme, voir l'étude originale de Pierre Mayer, *La métamorphose. Essai sur le multilatéralisme et le bilatéralisme,* IFRI-Economica, collection "Enjeux internationaux", Paris, 1983.

53. Réciprocité qui peut n'être qu'apparente, dans un mécanisme qui fait jouer directement la relation du fort au faible.

54. Les zones de libre-échange, comme les unions douanières (ainsi la CEE) sont autorisées par l'accord du GATT (A.24). Elles peuvent se limiter à deux pays et à certains produits. Mais si ces exceptions se généralisaient, le régime du GATT perdrait toute signification.

55. Il existe déjà un régime de libre-échange Etats-Unis, Canada, sur les automobiles, depuis 1964.

Les échanges compensés

On désigne sous ce nom les pratiques selon lesquelles une exportation d'un pays A vers un pays B est payée, en tout ou partie, par un achat du pays A au pays B. C'est généralement la même firme du pays A qui réalise à la fois la vente et l'achat. Le but est, pour le pays B, d'éviter un paiement en devises et de vendre des produits (pétrole, matières premières, produits manufacturés) qu'il a des difficultés à placer sur le marché international. Pour la firme du pays A, il s'agit de réaliser une exportation, le plus souvent d'équipements, qui serait impossible dans d'autres conditions.

Ces transactions, qui sont appelées parfois tout simplement "compensations", au sens large, prennent des formes différentes, dont la terminologie peut varier, selon les acteurs et les auteurs :
- le troc pur et simple (*barter*) : une certaine quantité de produits du pays A est échangée contre une certaine quantité de produits du pays B, en principe sans règlement monétaire. Cette formule est rarement pratiquée, du moins dans les échanges impliquant les pays occidentaux ;
- le contre-achat (*counter purchase*) : la firme exportatrice du pays A s'engage à acheter un volume donné de produits (qui peuvent être divers) du pays B. Mais l'exportation et sa contrepartie sont des opérations distinctes, sur des périodes de temps qui peuvent être différentes, et elles donnent lieu, de part et d'autre, à règlements en devises ;
- la compensation "industrielle" (*buy-back*) : l'exportateur d'équipements, surtout des installations complètes, est payé avec des produits fabriqués grâce à ces équipements, qu'il se charge ainsi de commercialiser ;
- la compensation (*offset*) par incorporation, dans le matériel exporté, d'éléments fabriqués dans le pays importateur : c'est le cas particulièrement pour les ventes de matériels d'armements.

Cette nomenclature est, bien entendu, schématique. Certaines opérations peuvent associer plusieurs types de compensation, et inclure aussi des transactions commerciales classiques, selon des modalités variables et parfois très complexes. Il existe des compensations qui ne sont pas seulement bilatérales, mais triangulaires.

Les compensations *offset* sont apparues de longue date, y compris entre pays occidentaux. Avec le temps, les pays acheteurs sont devenus de plus en plus exigeants, et, dans ces opérations, la part de leurs achats fabriqués chez eux de plus en plus considérable, jusqu'à ne laisser qu'une assez faible proportion d'éléments venant directement de l'exportateur : c'est le cas par exemple des avions militaires vendus par les Etats-Unis aux pays de l'OTAN. Il arrive aussi que certaines ventes d'armements donnent lieu à des contre-achats ordinaires : ainsi la vente par *Northtrup* à la Suisse d'avion F-16 en 1976.

Mais le développement des échanges compensés s'est surtout fait dans d'autres domaines, singulièrement à partir de la seconde moitié des années 70 : d'abord et surtout dans les rapports entre firmes occidentales et pays de l'Est, mais aussi dans les opérations de ces firmes avec divers pays du Tiers-Monde. Dans les deux cas, les pays acheteurs étaient soucieux d'économiser les devises, et n'avaient pas d'autres moyens d'accroître leurs exportations. Les exportateurs occidentaux, en quête de marchés, ont dû se résigner à accepter ces transactions.

Dans les années 80, les pays de l'Est, contraints à un sévère effort d'"ajustement"[1], ont eu recours aux compensations, pour sauvegarder des importations essentielles, en particulier les plus endettés (Pologne, Roumanie). Ce type d'opérations s'est étendu au commerce des pays en développement en difficulté de paiements. Les exportateurs de pétrole ont imposé, pour diverses fournitures, des règlements en brut, dans des conditions permettant de tourner les prix fixés par l'OPEP : Iran, Nigeria, voire Algérie. De nombreux pays du Tiers-Monde ont fait de même pour développer leurs ventes de matières premières et de produits manufacturés : ainsi l'Indonésie, qui a imposé les compensations comme règle pour une part de ses achats ; la Malaisie ; le Brésil. Les échanges compensés se sont également développés entre les PVD eux-mêmes : selon un accord récemment conclu, le Brésil vend des automobiles (*Volkswagen do Brazil*) au Nigeria contre du pétrole.

Les firmes occidentales, y compris les exportateurs de haute technologie, ont dû s'adapter à ces opérations, qui les obligent à écouler toutes sortes de produits étrangers à leurs activités. Certaines ont recours à des sociétés commerciales. Mais plusieurs ont créé à cet effet des filiales, qui deviennent parfois, à leur tour, des sociétés commerciales, offrant leurs services à d'autres entreprises[2]. Les banques interviennent également dans ces transactions et ont des services, sinon aussi des filiales, spécialisés.

Les échanges compensés sont devenus un domaine en soi du commerce international, avec ses techniques et ses spécialistes, mais qui reste enveloppé d'une certaine obscurité : les conditions des transactions, qui donnent lieu à manipulation de prix, restent discrètes ; il est difficile de les recenser, et d'en chiffrer l'importance avec précision. Selon le département américain du Commerce, ces échanges représenteraient entre 20 et 30 % du commerce mondial.

Du point de vue économique, et dans la vision libérale, ils sont un phénomène à la fois aberrant et inquiétant, par les distorsions qu'ils introduisent dans les coûts et dans les flux commerciaux. Les opinions divergent quant à savoir si ces transactions continuent de se développer, ou si leur volume est stabilisé. Il est probable en tout cas qu'elles ne régressent pas, et qu'elles ne disparaîtront pas de sitôt dans le fonctionnement des relations commerciales.

1. Voir le chapitre 6 de cette partie.

2. En France, il s'est constitué, avec l'encouragement des pouvoirs publics, une association qui groupe divers organismes professionnels, ainsi que des établissements financiers, pour faciliter les compensations : l'ACECO.

Japon sur les ordinateurs et peut-être les semi-conducteurs. On évoque l'idée d'une libéralisation bilatérale entre les Etats-Unis et le Japon, auxquels pourraient se joindre d'autres pays de la zone du Pacifique. Ces formules, qui conduiraient peut-être à des ensembles régionaux, ne sont pas purement chimériques : elles pourraient offrir des solutions de rechange - libéralisation sélective, donc protection également sélective -, en cas d'échec de la solution multilatérale, par voie de négociations au GATT[56]. Mais ce serait au prix d'une dislocation du système actuel des échanges, et par là d'un bouleversement dans les flux commerciaux.

L'offensive libérale : vers une "grande négociation"

Malgré les menaces protectionnistes, malgré les tendances au bilatéralisme, le libre-échange - dans sa version classique et multilatérale - n'a pas jusqu'à présent perdu la partie. Sans doute la moitié du commerce mondial fait-elle l'objet d'interventions étatiques. Mais, outre que ces interventions sont de portée variable, l'autre moitié, qui comprend la plus grande partie des échanges de produits manufacturés, continue de satisfaire aux règles du GATT. L'idéologie libérale reste dominante : les gouvernements s'en réclament[57], les institutions internationales (GATT, FMI, OCDE) en font leur doctrine, les milieux professionnels, plus que jamais, s'y prétendent attachés.

Depuis 1973, le libéralisme s'est néanmoins trouvé d'abord en position défensive : il fallait préserver l'acquis. Les négociations du Tokyo Round (1973-1979), conçues à l'origine comme une nouvelle percée dans la libéralisation des échanges, ont surtout consolidé le système du GATT. Chaque année, les réunions ministérielles de l'OCDE et les sommets occidentaux se sont bornés rituellement à condamner le protectionnisme.

Mais, à partir de 1980, et à l'initiative des Etats-Unis, les partisans du libéralisme ont repris l'offensive, sur un terrain nouveau : la libéralisation des services. Avec l'Administration Reagan, Washington a élargi le projet, en proposant une négociation multilatérale, qui toucherait tous les aspects du commerce international, y compris et surtout ceux qui avaient été jusqu'à présent laissés de côté dans le système du GATT : non seulement les services[58], mais aussi l'agriculture et la haute technologie. Ce sont des secteurs où les Américains jugent avoir particulièrement la capacité et le besoin d'exporter, et où ils s'estiment lésés par les mesures de protection directes (restrictions d'importation) ou indirectes (subventions) appliquées par les autres pays. L'équité se conjugue à leurs yeux avec l'intérêt : leur marché est plus ouvert que ceux de l'Europe et surtout du Japon. Le cas des télécommunications, secteur de pointe, et très sensible pour les Etats-Unis, offre, de leur point de vue, un exemple significatif : la "dérégulation" a ouvert le marché américain, sans contrepartie dans les pays concurrents[59].

D'abord isolés, les Américains ont bientôt reçu le soutien du Japon. Déjà aux prises bilatéralement avec Washington, Tokyo pouvait difficilement s'opposer aux Etats-Unis sur le principe d'une négociation qui ne serait pas, pour les Japonais, sans avantages. Sans doute ceux-ci ne souffrent-ils pas outre mesure des restrictions qui leur sont imposées : leurs excédents en témoignent, et ils ont assez largement compensé, par des prix plus élevés, certaines limitations des quantités exportées[60]. Mais, grâce à ces négociations, ils espèrent éviter de nouvelles restrictions, en particulier aux Etats-Unis, et peut-être diluer les pressions bilatérales, voire les discussions assez vaines sur le niveau du

---

56. Des voix officielles aux Etats-Unis ont évoqué cette possibilité. Voir la déclaration de L. Olmer, sous-secrétaire d'Etat au Commerce, en mai 1985.

57. Il s'agit d'abord des gouvernements occidentaux (pays de l'OCDE). Les pays du Tiers-Monde se prévalent aussi du libre-échange pour dénoncer les restrictions des pays industrialisés, mais sans appliquer nécessairement ce libéralisme à eux-mêmes.

58. A la libéralisation des services, les Etats-Unis rattachent celle des investissements. La notion de services (voir RAMSES 81 et 82) recouvre un ensemble d'activités, vaste et disparate : transports (notamment maritimes et aériens), banques, assurances, construction et travaux publics, "ingénierie", activités d'experts (comptables, fiscaux, financiers, gestion etc.), professions juridiques et médicales, services informatiques, productions culturelles (cinéma, télévision), etc.

59. Voir le chapitre 4 de cette partie.

60. En limitant la concurrence, les restrictions d'importations ont un effet sur les prix, et les firmes japonaises savent en tirer parti : automobiles aux Etats-Unis, matériel vidéo en Europe.

yen[61] dans un vaste débat multilatéral[62]. Sans parler, à plus long terme, des perspectives qu'une nouvelle libéralisation pourrait offrir à leur expansion.

Les pays de la CEE, et particulièrement la France, étaient, au départ, beaucoup plus réticents. Ils ne voyaient guère l'intérêt d'un nouveau "round" au GATT, alors que le précédent venait de s'achever, et que les accords qui s'ensuivaient entraient progressivement en application. Ils en soupçonnaient, en revanche, les dangers : pour la Politique agricole commune, à nouveau mise en question ; pour les services qui relèvent de politiques et de réglementations nationales, que les Etats européens étaient peu disposés à modifier.

Les pays du Tiers-Monde enfin étaient résolument hostiles. Ils jugent que les précédentes négociations du GATT leur ont peu profité, que le problème essentiel reste le protectionnisme des pays industriels, que la libéralisation des services ne pourrait jouer qu'à leur détriment et à l'avantage des pays plus avancés.

Devant ces réticences, ou ces oppositions, et malgré l'effort des Américains, la réunion ministérielle du GATT, en novembre 1982, n'avait rien pu décider quant aux nouvelles négociations. On s'était contenté d'un "programme de travail", couvrant certes tous les sujets proposés pour celles-ci, mais limités, pour l'essentiel, à des études et des discussions.

L'idée a cependant fait son chemin. Le Canada s'y est rallié, puis les pays européens, à commencer par l'Allemagne et la Grande-Bretagne. La France elle-même en a accepté le principe. Les institutions internationales sont venues au renfort : un groupe d'experts, réuni par le directeur général du GATT, a présenté, fin mars 1985 des propositions de réforme et d'extension[63] des règles gouvernant le commerce international. L'idéologie libérale, la détermination des Américains, et surtout la crainte des réactions protectionnistes aux Etats-Unis, ont ainsi fini par l'emporter. L'Administration de Washington, prise elle-même entre les pressions intérieures et les résistances extérieures, s'est trouvée obligée d'agir sur les deux fronts : jouant de l'argument des négociations contre les tendances protectionnistes, mais usant de celles-ci, et des menaces de solutions bilatérales, pour convaincre ses partenaires occidentaux[64].

Tout n'a pas été cependant sans quelques péripéties qui ne sont pas entièrement résolues, et qui laissent encore en suspens la décision finale. Le 20 mars 1985, le Conseil de la CEE (ministres) a accepté, dans leur principe, de nouvelles négociations mais, à la demande de la France, l'approbation a été assortie de certaines précautions quant aux objectifs et aux conditions de ces négociations[65]. Il a été proposé de tenir celles-ci à Bruxelles, mais malgré le désir des Américains de les commencer dès 1986, aucune date n'a été retenue : la préparation devrait procéder "pas à pas". La réunion ministérielle de l'OCDE (11-12 avril 1985) a donné à son tour son accord[66]. En raison de l'attitude prise par la CEE, la question de la date n'a pu être réglée : comme le souhaitait la Communauté euro-

---

61. Le yen n'apparaît nullement "sous-évalué". Voir le chapitre 3 de la partie 2 de ce rapport. Sauf à être très importante, une appréciation du yen ne modificerait pas sensiblement la compétitivité japonaise : les firmes nippones sauraient probablement s'y adapter. Le problème de l'ouverture du marché japonais ne serait pas davantage résolu.

62. Les récentes concessions japonaises mentionnées plus haut, en matière d'importations, sont présentées comme un geste de bonne volonté, anticipant sur les négociations multilatérales.

63. Les quinze propositions des sept Sages, présidées par Fritz Leutwiler, ancien président de la Banque des règlements internationaux. Le FMI, de son côté, appuie les projets de libéralisation : par fidélité à ses principes, par souci aussi d'alléger les difficultés des pays endettés grâce à une plus grande ouverture des marchés à leurs exportations.

64. Ce n'est pas la première fois que les autorités américaines agissent de la sorte : elles ont procédé de la même façon avant le Kennedy Round, au début des années 60, et avant le Tokyo Round au début des années 70. Mais la situation apparaît aujourd'hui plus inquiétante, et la marge de manœuvre de l'Administration de Washington plus limitée.

65. Renoncement à toutes nouvelles mesures protectionnistes de la part des pays participants ; amélioration du système monétaire international ; maintien des "objectifs fondamentaux" de la Politique agricole commune ; plus grande ouverture du Japon ; accord d'un nombre suffisant de pays, notamment parmi les PVD. La France s'est montrée soucieuse de tenir compte de préoccupations du pays du Tiers-Monde, et de ne pas s'engager sans qu'un "consensus" s'établisse entre pays occidentaux et PVD.

66. Pour donner satisfaction aux Européens, et principalement aux Français, le secrétaire américain au Trésor a accepté de réunir, en novembre 1985, une conférence monétaire "à haut niveau" entre pays industriels, sur la base un rapport préparé, d'ici septembre, par les hauts fonctionnaires du groupe des Dix (Etats-Unis, Japon, Canada, RFA, Grande-Bretagne, France, Pays-Bas, Belgique, Suède, auxquels se joint à présent la Suisse).

péenne, on a seulement prévu une réunion au GATT de hauts fonctionnaires, qui, d'ici septembre 1985, étudieraient les thèmes et les modalités de la future négociation. Le débat s'est poursuivi au sommet occidental de Bonn (2-4 mai 1985), qui a confirmé l'accord de l'OCDE. Malgré l'appui donné aux Etats-Unis par l'Allemagne et la Grande-Bretagne, on n'a pas avancé sur la date[67] : la France s'en est tenue à la position officiellement adoptée par la CEE.

Sans que ce point soit encore formellement réglé, l'affaire semble néanmoins évoluer vers un démarrage, au moins officieux, des travaux préparatoires. Les pays du Tiers-Monde, qui refusaient toute négociation sur les services, paraissent assouplir leur position. Lors d'une réunion officieuse à Stockholm de ministres de vingt-et-un pays (8-10 juin 1985), le Brésil, appuyé par l'Inde, a envisagé une double négociation : l'une sur les produits, l'autre sur les services. A cette même rencontre, un accord s'est apparemment dégagé pour aller de l'avant dans des discussions préliminaires, sur la base de la prochaine réunion des hauts-fonctionnaires. Les Américains continuent de menacer : ils se disent prêts à ouvrir, de leur chef, et dès 1986, des négociations avec les pays qui seraient désireux d'avancer à leurs côtés dans la libéralisation des échanges. Mais il est assez probable que le nouveau "round" multilatéral du GATT s'ouvrira effectivement dans le courant de l'année 1986.

Il ne ressemblera pas à ceux qui l'ont précédé : il sera d'une tout autre ampleur et d'une tout autre difficulté. On devra innover, non seulement sur le fond, mais dans les méthodes mêmes des négociations. Il ne s'agit pas seulement d'un "aggiornamento" des mécanismes du GATT, à savoir le régime des clauses de sauvegarde, laissé en suspens par le Tokyo Round (et avec lui toutes les formes de restrictions à l'importation), et le régime des subventions, actuellement mal défini, qui met en cause les politiques industrielles (comme les crédits à l'exportation). Il s'agit aussi de traiter des domaines qui échappent jusqu'à présent à la juridiction du système : l'agriculture, sur laquelle ont échoué les négociations antérieures ; la haute technologie où l'on retrouve les politiques industrielles, aussi bien que les restrictions "stratégiques" des Etats-Unis ; les services[68] et les investissements, où se posent les

problèmes des déréglementations que les Américains veulent étendre à l'échelle internationale.

Le projet est ambitieux, et il faudra peut-être ultérieurement revenir à des objectifs plus modestes. Mais il n'est pas sans logique. Il est en plus difficile, dans le commerce international, d'affronter la contradiction entre le discours et le réel, entre les règles et la pratique. Il est de plus en plus difficile de séparer les différents domaines, alors que les activités s'interpénètrent : l'industrie avec les services, le commerce avec l'investissement extérieur, les activités des firmes à l'intérieur et à l'extérieur des frontières. Le système du GATT est en quelque sorte acculé au changement. Faute d'une révision de vaste portée, il risque de se disloquer ou de tomber en désuétude.

Il y a peu de chances, en revanche, malgré le vœu de la France[69], que la révision du système commercial puisse être accompagnée, même de loin, par une révision, ou une reconstruction, du système monétaire et financier. Pourtant le fonctionnement du premier dépend des ressources que lui offre le second. Après 1973, ce sont les capacités d'adaptation des mécanismes financiers qui ont assuré la survie du libre-échange, en permettant de régler aisément les déficits, fût-ce au prix, finalement, d'endettements excessifs. Autant et peut-être davantage que les risques protectionnistes, c'est la vulnérabilité du système financier - ou ce qui en tient lieu - qui menace le commerce international. Telles sont les conditions dans lesquelles, à côté de ses difficultés propres, va s'engager la "grande négociation", dont nul ne peut prévoir à ce jour le déroulement, ni encore moins l'issue.

---

67. Le communiqué des ministres de l'OCDE mentionnait que "certaines délégations" s'étaient prononcées pour l'ouverture des négociations en 1986. Selon le communiqué du sommet, "la plupart" des participants ont pris position en ce sens. Ainsi vont les textes officiels...

68. L'extrême diversité des services devrait obliger à définir ceux qu'il faudrait retenir comme objet de négociation. Comme l'a dit un ministre indien au GATT, c'est un domaine qui va "de l'activité du banquier à celle du coiffeur".

69. Lors de l'ouverture du Tokyo Round, la France avait déjà tenté d'établir un lien entre les négociations commerciales et les négociations qui paraissaient souhaitables pour rebâtir un système monétaire, à la place du système de Bretton Woods qui, la même année, venait de s'effondrer (1973). Tentative sans lendemain.

4. Nouvelles technologies et stratégies économiques[1]

4.1. HAUTE TECHNOLOGIE : L'IMPACT ECONOMIQUE

La haute technologie est à la mode. Le mot évoque d'abord des images, sans cesse ressassées dans la presse : Steve Jobs inventant le premier *Apple* dans son garage, des usines propres, automatisées et non polluantes, ou encore de nombreux emplois hautement qualifiés et bien rémunérés. Lors de son récent voyage aux Etats-Unis, François Mitterrand n'a pas manqué de visiter la *Silicon Valley,* rendant ainsi hommage au mythe du temps. Electronique, robotique, biotechnologie, télécommunications... cette litanie nouvelle rythme les discours modernisateurs, convaincus qu'en dernier ressort la richesse, le pouvoir économique et militaire iront à ceux qui maîtriseront l'application des technologies d'avant-garde.

Au-delà des mythes cependant, les faits sont indéniables : les nouvelles technologies transforment radicalement l'économie mondiale. De vastes marchés existent déjà pour les produits nouveaux qu'elles ont créés. Mais, surtout, elles ne sont plus le domaine exclusif de quelques aventuriers géniaux dans la *Silicon Valley* ou sur les bords de la route 128 à Boston. Les procédés qu'elles ont rendus possibles révolutionnent en profondeur l'ensemble de l'économie. Bercé par

les modes modernisatrices, on risque souvent de perdre de vue les questions essentielles. Que sont exactement les technologies nouvelles, et que représentent ces industries ? En quoi transforment-elles l'économie du monde ? Pourquoi les dit-on stratégiques ?

High tech : puces, clones, etc.

Electronique

Les technologies électroniques sous-tendent le courant majeur de cette évolution. Ce sont les plus anciennes, les plus mûres des nouvelles technologies. Leur développement commercial est donc le plus avancé, leur diffusion dans l'économie la plus complète. Elles reposent avant tout sur deux technologies fondamentales : celle du silicone, qui a permis la miniaturisation des circuits microélectroniques, et celle du logiciel, indispensable pour utiliser les capacités gigantesques des machines électroniques. L'intégration croissante des composants et la mise au point de langages de programmation complexes ont provoqué et accompagné le développement des technologies de l'information : celles de l'informatique (traitement de l'information) et des télécommunications (transmission de l'information), qui convergent aujourd'hui dans la télématique. Elle a rajeuni les technologies mécaniques de la génération précédente, donnant naissance à la robotique.

Deux tendances dominent l'évolution actuelle des industries électroniques. La première voit l'avènement du "sur mesure" : les produits électroniques deviennent plus adaptables et plus flexibles à mesure que leur complexité augmente. Jadis très standards, ils sont aujourd'hui de plus en plus conçus délibérément pour satisfaire des besoins très spécifiques, et

---

1. Cette présentation s'appuie largement sur les vues développées par la *Berkeley Roundtable on the International Economy* (BRIE), forum pour la discussion des problèmes de politique économique internationale, créé au sein de l'Université de Californie à Berkeley en septembre 1982.

S'appuyant sur les connaissances du corps enseignant de l'Université de Berkeley, sur l'expertise de ses membres américains (dont les principaux industriels de la Silicon Valley), et de ses membres d'autres pays, la BRIE s'est donnée pour objectif de clarifier le rôle des industries de haute technologie dans la compétitivité internationale.

s'adressent à des utilisateurs particuliers. Mais c'est surtout la convergence télématique qui suscite les changements les plus profonds. Les matériels informatiques ressemblent à ceux des télécommunications, dont ils sont maintenant indissociables. La frontière qui les séparait autrefois s'estompe aujourd'hui, et personne ne peut plus dire exactement où s'arrête l'informatique, et où commencent les communications. D'un concept visionnaire, la télématique est devenue une réalité technologique, commerciale et juridique.

Biotechnologies

A côté de l'électronique, les biotechnologies apparaissent aujourd'hui comme le ferment de la prochaine révolution. Bien que leurs applications commerciales restent encore très limitées, elles portent des espoirs considérables. Il y a cinq ans, la biotechnologie offrait un moyen nouveau de fabriquer quelques substances extrêmement rares, telles que l'interféron, ouvrant des marchés nouveaux et lucratifs. Aujourd'hui, elle devient plutôt une famille de techniques, potentiellement applicable à une large gamme d'industries, que peuvent aussi fournir de nombreuses entreprises différentes. D'une science qu'elle était, la biotechnologie va devenir une technologie industrielle. Les premières applications commerciales des biotechnologies apparaissent déjà dans les secteurs de la santé (tests anticorps monoclonaux, vaccins, hormones...), de l'alimentation (fructose de synthèse) et de l'agriculture animale et végétale (pesticides sélectifs, manipulation des embryons, amélioration de la résistance des récoltes...).

Et les autres...

Si l'électronique et la biotechnologie occupent l'avant-scène, la liste des technologies nouvelles ne s'arrête pas là. Il faut y ajouter les technologies de l'énergie, et d'abord le nucléaire, celles des lasers et fibres optiques, de l'espace, ou encore celles des nouveaux matériaux. Ici encore les convergences abondent, et les classifications paraissent souvent artificielles : les fibres optiques transmettent l'information d'un ordinateur à un autre, et l'aérospatiale n'existerait pas sans les systèmes de guidage informatique et les nouveaux matériaux (fibres de carbone, alliages résistants).

High tech : un secteur important

Il n'existe en fait aucune définition claire de la "haute technologie", et il est peu probable qu'il en existe jamais une. La diversité des disciplines, les frontières floues entre producteurs et utilisateurs, produits et procédés, l'imprécision même du concept compliquent singulièrement la délimitation du secteur *"high tech"*, et l'évaluation de sa taille.

Les statisticiens placent une industrie dans cette catégorie dès que ses dépenses de recherche et développement (R&D) représentent plus de 10 % de la valeur ajoutée par produit[2]. La *"high tech"* comprend ainsi les pharmaceutiques, les équipements de bureau (calcul et gestion), les équipements électriques et électroniques, les instruments, l'aérospatiale et les missiles. En 1980, les dépenses de R&D de ces industries représentaient en moyenne aux Etats-Unis 23,2 % de leurs revenus (contre 7,2 % pour l'ensemble de l'industrie) ; les ingénieurs chercheurs et techniciens comptaient pour 15,5 % de leur personnel (contre 6,1 %)[3].

Une telle définition soulève évidemment de nombreuses questions. Elle repose sur des catégories statistiques établies avant l'avènement des nouvelles technologies, qui par exemple comptabilisent les ordinateurs dans la même catégorie que les machines à écrire. Elle n'est pas assez "fine" pour repérer les îlots de haute technologie dans les industries traditionnelles. L'industrie automobile par exemple fait partie des "basses technologies" même lorsqu'elle conçoit par ordinateur des véhicules que fabriqueront des robots : *General Motors* conduit des recherches allant de la création de langages de programmation pour robots à la conception de circuits intégrés.

Il faudrait encore pouvoir distinguer les producteurs des utilisateurs, les produits des procédés. Les fabricants de microprocesseurs, ainsi que ceux qui incorporent des microprocesseurs dans les ordinateurs qu'ils fabriquent font claire-

---

2. Il s'agit de la définition arrêtée par le *Department of Commerce* et la *National Science Foundation* aux Etats-Unis, qui caractérise ainsi les produits à "forte densité technologique".

3. *US Competitiveness in High Technology Industries*, Department of Commerce.

LES TECHNOLOGIES DE L'ELECTRONIQUE

COMPOSANTS : LES CIRCUITS INTEGRES   Sur une « puce » de silicium, on trace des lignes conductrices et on insère des impuretés qui modifient ses propriétés électriques : elle devient un circuit.

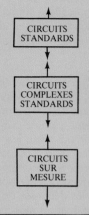

CIRCUITS STANDARDS

RAM (Random Access Memory)

ROM (Read Only Memory)

EEPROM (Electrically Erasable Programmable ROM)

On peut écrire sur les RAMs et les lire, mais elles sont « volatiles » et s'effacent dès qu'on coupe le courant. Les ROMs sont non volatiles, écrites une fois pour toutes par leur constructeur.
Non volatiles, mais l'utilisateur peut les re-programmer.

MEMOIRES : accroissement de la capacité. Aujourd'hui, les 256 K RAM contiennent 256 000 bits d'information.

CIRCUITS COMPLEXES STANDARDS

MICROPROCESSEUR : dans une seule « puce » : une unité de calcul, une mémoire de programme, des mémoires de données et circuits d'interface : c'est un minuscule ordinateur.

MICROPROCESSEURS : De plus en plus rapides, ils peuvent maintenant traiter des « mots » codés sur 32 bits.

CIRCUITS SUR MESURE

GATE ARRAYS : sur une même « puce », de très nombreux circuits logiques (arrays), qu'on peut relier (en joignant les « gates » -portes-) selon les besoins de l'utilisateur.
STANDARD CELL : le « designer » du circuit choisit dans sa bibliothèque plusieurs cellules logiques standards qu'il assemble en un circuit spécifique.

Coûts de conception d'un circuit custom :
10 000 dollars à 50 000 dollars,
25 000 dollars à 100 000 dollars

« FULL CUSTOM » : conçu sur mesure pour des besoins précis.

100 000 dollars à 300 000 dollars

INFORMATIQUE

L'intégration et la rapidité croissantes des circuits ont suscité la double évolution de l'informatique :

— SUPERCALCULATEURS : la course aux vitesses, avec des machines comme la Cray XMP capable d'exécuter 200 millions d'instructions par seconde (200 Mips) : il peut ainsi commencer une opération toutes les 9,5 nanosecondes, ce qui correspond à 105 Megaflops (105 millions d'opérations en virgule flottante par seconde).

— MINI et MICRO INFORMATIQUE : les miniordinateurs, puis les micros, ont permis de rapprocher physiquement l'informatique de ses utilisateurs, de décentraliser les capacités de traitement.

— ORDINATEURS UNIVERSELS : entre ces deux extrêmes, l'informatique traditionnelle, celle des grands systèmes universels sur lesquels règne IBM, reste la plus importante.

BUREAUTIQUE

Le traitement des informations et leur transfert à l'intérieur d'une entreprise peuvent aujourd'hui être intégrés au sein d'un même RESEAU LOCAL. Maillons de ce réseau, les ordinateurs, les téléphones ou les machines à traitement de texte de cette entreprise peuvent alors communiquer.

TELECOMMUNICATIONS

RESEAU PUBLIC

COMMUTATEURS (Centraux Téléphoniques) : Aux nœuds du réseau, ils établissent une communication en reliant deux abonnés. Manuels à l'origine (des opérateurs inséraient des fiches dans les prises correspondantes), ils sont maintenant automatiques (contrôlés par ordinateur) et numériques.

TRANSMISION : Câbles co-axiaux, fibres optiques, relais radios ou satellites. C'est la trame du réseau.

TERMINAUX : Tout ce qu'on peut brancher sur le réseau public, depuis un simple téléphone jusqu'à un terminal d'ordinateur, en passant par les télécopieurs, centraux téléphoniques privés, ou écran videotexte.

CONCEPTION ASSISTEE PAR ORDINATEUR (CAO)

La complexité des circuits intégrés est telle qu'on ne peut les concevoir sans l'assistance d'un ordinateur.

Des firmes comme Daisy ou Menthor aux USA, ou Lattice Logic en Angleterre, offrent des systèmes capables de concevoir un circuit à partir des spécifications de l'ingénieur (silicon compiler) pour 50 000 dollars à 100 000 dollars.

● SYSTEME D'EXPLOITATION (Operating System) :

Logiciel qui règle le fonctionnement d'une machine informatique, il contient par exemple les procédures permettant l'accès aux données et leur transfert. UNIX est le système d'exploitation d'ATT, MS-DOS celui du PC d'IBM. On dit qu'il est *« portable »* s'il peut faire fonctionner différents types d'ordinateurs.

● PROGRAMME D'APPLICATION : il commande l'exécution d'un travail précis : traitement de texte ou résolution d'équations.

Les *progiciels* sont standards, vendus comme des produits finis (Lotus 1-2-3, ou MacPaint par exemple) par opposition aux *logiciels sur mesure,* écrits pour un utilisateur particulier.

● Plusieurs LANGAGES existent pour écrire ces programmes, chacun plus particulièrement conçu pour des applications spécifiques ; par exemple FORTRAN pour les scientifiques, COBOL pour la gestion, ou PROLOG pour la programmation logique.

Il faut que les logiciels permettent à différents systèmes de dialoguer au sein d'un réseau local. UNIX était conçu dans ce but à l'origine ; IBM propose SNA (Systems Network Architecture), et APPLE « Appletalk » pour relier leurs machines.

Les logiciels sont partout dans les télécommunications : ils gèrent les centraux publics, contrôlent le codage des signaux numériques, permettent la tarification

LOGICIELS

« Création intellectuelle rassemblant des programmes, des procédures, des règles et de la documentation utilisée pour faire fonctionner un système informatique. Le logiciel existe indépendamment des supports utilisés pour le transporter ». Définition de l'Organisation Internationale de Normalisation.

ment partie du secteur haute technologie. Que dire cependant des usines et des banques qui utilisent ces ordinateurs ?

Si ce secteur ne se laisse pas circonscrire aisément, il occupe incontestablement une place importante dans l'économie des pays développés. A travers les statistiques, il se singularise par son dynamisme. La croissance des industries de haute technologie est spectaculaire. Aux Etats-Unis, parmi les dix industries à croissance record, neuf sont de haute technologie. De 1970 à 1980, leur croissance moyenne atteignait 7 % alors que l'ensemble de l'économie ne croissait

que de 3 %. Selon la firme de consultants *Macintosh,* les revenus mondiaux de l'industrie de l'information atteignent 300 milliards de dollars en 1984 : ils dépasseront le trillon de dollars vers le milieu des années 90. Aux Etats-Unis, l'électronique est devenue le premier employeur industriel, avec 2,6 millions d'emplois en 1984. Dépassant 100 millions de dollars, ses revenus sont maintenant du même ordre que ceux de l'industrie automobile.

La part des produits de haute technologie dans les échanges commerciaux des pays développés frappe plus encore par son importance.

Part des produits de haute technologie dans les échanges de produits industriels (en pourcentage)

	Exportations			Importations		
	1975	1980	1983	1975	1980	1983
Etats-Unis	36,0	31,6	46,3	21,4	20,3	24,6
Japon	21,2	23,0	28,5	31,0	31,0	37,7
RFA	20,3	17,6	23,3	22,8	21,5	30,6
Grande-Bretagne	25,8	22,8	33,0	24,0	21,5	32,8
France	18,2	17,0	25,8	24,6	22,0	31,0

Source : Conjoncture, bulletin économique mensuel de Paribas, n° 11, décembre 1984.

Part du marché OCDE des produits de haute technologie détenue par pays (en pourcentage)

	1970	1975	1980	1981	1982
RFA	-	16,0	15,3	14,9	14,7
Grande-Bretagne	-	9,3	10,2	8,2	8,4
France	-	7,3	7,4	7,7	7,1
Total		32,6	32,9	30,8	30,2
Etats-Unis	29,0	25,6	23,8	26,4	26,3
Japon	10,0	11,3	14,8	13,7	15,0

Source : Conjoncture, bulletin économique mensuel de Paribas, n° 11, décembre 1984.

Balance commerciale de produits de haute technologie
(en milliards de dollars)

	1980	1981	1982	1983
Etats-Unis	18,8	26,3	24,6	19,3
Japon	19,4	20,7	22,4	28,8
RFA	7,0	7,6	11,3	7,3
Grande-Bretagne	3,0	1,0	-4,3	-0,03
France	-2,6	-0,4	-1,4	0,8

Source : *Conjoncture*, bulletin économique mensuel de Paribas, n° 11, décembre 1984.

Les nations industrielles suivent de très près l'évolution des échanges internationaux de ces produits : c'est l'un des indicateurs principaux de leur compétitivité globale. Ainsi aux Etats-Unis, l'inquiétude augmente devant la diminution régulière de leur part dans le marché OCDE des produits de haute technologie. De plus de 30 % dans les années 60, celle-ci est tombée à 29 % en 1970 et à moins de 24 % en 1980 (et malgré une nette remontée en 1981-1982, les premiers chiffres disponibles pour 1983-1984 suggèrent une continuation de ce déclin). Une étude du département du Commerce montre que, parmi l'ensemble des secteurs de haute technologie, deux seulement, qui comptent pour 15 % des exportations de haute technologie américaines, ont augmenté leur part entre 1965 et 1980[4].

La spectaculaire progression japonaise, cause première de l'érosion de la position américaine, exacerbe ces inquiétudes : de moins de 5 % vers 1960, la part du Japon est passée à 10 % en 1970, et presque 15 % en 1980. Ce pays dégage désormais un excédent extérieur en produit de haute technologie supérieur à celui des Etats-Unis.

Au vu des statistiques globales, la position européenne ne semble après tout pas si mauvaise : la Grande-Bretagne, l'Allemagne fédérale et la France contrôlent ensemble presque un tiers du marché OCDE des produits de haute technologie, c'est-à-dire plus que les Etats-Unis ou le Japon ; leur balance commerciale sur ce secteur est généralement équilibrée (France, Grande-Bretagne), voire positive (Allemagne). Ces chiffres optimistes cachent une réalité autrement préoccupante. En effet, la position euro-péenne varie largement d'un secteur à l'autre. L'Europe contrôle par exemple 30 % du marché mondial des produits pharmaceutiques, c'est-à-dire plus que sa part dans le produit mondial brut. Son industrie nucléaire se porte plutôt mieux que celle des Etats-Unis et *Ariane* remporte aujourd'hui des marchés jadis réservés aux lanceurs américains.

En revanche, les faiblesses de l'électronique européenne sont alarmantes. Au cours des deux dernières années, la balance commerciale euro-péenne s'est détériorée dans tous les segments de cette industrie, malgré un dollar fort qui aurait dû l'aider à se redresser. Cette situation est doublement préoccupante. D'une part, l'électronique est déjà l'une des plus importantes industries mondiales. Mais surtout l'électronique est devenue la composante stratégique majeure des économies modernes.

High tech : l'importance stratégique

L'impact économique des industries de haute technologie dépasse de loin les limites du secteur proprement dit. Dans les économies modernes, les technologies nouvelles sont à la fois *structu-rantes* et *stratégiques*. Agissant comme moteurs de la croissance économique, ces industries développent les nouveaux produits, les nouvelles techniques de production qui transforment radi-calement la structure de l'économie. Pour rester compétitifs, donc pour survivre, les secteurs traditionnels (automobile, textile, sidérurgie,

---

4. Idem.

assurance ou banque par exemple) doivent être capables d'utiliser ces nouveaux produits et procédés.

La plupart des industries de haute technologie jouent vis-à-vis des autres secteurs le rôle de leader. Elles entraînent et façonnent le progrès économique dans son ensemble, redéfinissant les structures des activités de production et de l'échange. Ainsi l'utilisation industrielle de l'électricité, technologie nouvelle du début du siècle, permit la réorganisation des usines et entraîna des gains de productivité considérables. Les technologies électroniques révolutionnent aujourd'hui les méthodes de production et les communications et transforment en profondeur les pratiques industrielles et commerciales. Demain, les biotechnologies remettront sans doute ces structures en cause.

A chaque étape, c'est surtout la *diffusion* des avancées technologiques à l'ensemble de l'activité économique qui fait la différence. Ceux qui savent le mieux utiliser l'informatique, et non pas nécessairement ceux qui conçoivent et produisent les ordinateurs, occuperont les positions fortes. La diffusion rapide des applications électroniques importe au moins autant que la nationalité de leurs inventeurs et fabricants. L'exemple du Japon, où l'on a compris qu'il valait mieux parfois acheter la technologie des autres plutôt que de l'attendre des firmes nationales, le montre bien. Crucialement cependant, pour pouvoir diffuser l'innovation, il faut y avoir accès. En ce sens et parce qu'elles sont à la fois source et symbole de la suprématie économique, les industries de haute technologie sont également *stratégiques :* les frontières entre Etats comptent ici plus que jamais et les pays qui abritent un secteur *high tech* dynamique ont l'avantage. Deux raisons expliquent cela.

Intéraction et synergies

La capacité à appliquer l'innovation technologique est le plus souvent intimement liée à l'aptitude à concevoir les nouveaux produits. Par exemple, fabricants et utilisateurs de robots industriels doivent collaborer étroitement pour que les fabricants comprennent précisément les besoins des utilisateurs, pour que ces derniers sachent ce que les nouvelles technologies peuvent leur apporter et pour qu'ils organisent en conséquence leurs unités de fabrication. On

retrouve des situations semblables dans tous les secteurs *high tech.*

Ce genre de collaboration nécessite une interaction soutenue, elle repose sur une connaissance mutuelle, des communications efficaces et une bonne compréhension entre les acteurs, toutes choses plus difficiles a priori si l'un se trouve au Japon et l'autre en France. S'il n'existe pas de fabricant national, il faudra se contenter d'une machine mise au point avec des utilisateurs différents, répondant à d'autres besoins. Les frontières retardent inévitablement la diffusion d'une nouvelle technologie. Les industries de son pays d'origine ont donc une chance d'être les premières à l'exploiter, se créant ainsi un avantage compétitif. Dans ces secteurs où tout change très vite, cette avance peut faire toute la différence.

Dépendance et vulnérabilité

Un pays qui dépend de la technologie d'un autre pour sa propre compétitivité, donc pour sa survie économique, est évidemment vulnérable. Si la supériorité des micro-ordinateurs américains repose sur les circuits à façon (*custom chips*) qu'ils utilisent, les industriels américains risquent d'hésiter à fournir aux Japonais la technologie des *customs chips*, une arme qui se retournerait vite contre eux. Le Japon a donc tout intérêt à encourager le développement indigène de cette technologie stratégique.

A la dimension économique se mêle étroitement la dimension militaire. L'idée n'est pas nouvelle : elle avait conduit le général de Gaulle à lancer le développement d'un supercalculateur français, lorsque les Américains rechignèrent à vendre une de ces machines, nécessaire à la mise au point des armes nucléaires. Les armes d'aujourd'hui incorporent des technologies essentiellement similaires à celles utilisées par exemple dans l'électronique commerciale.

Relançant le débat, les Etats-Unis ont imposé de nouvelles règles au COCOM en février 1985, qui limitent leurs exportations de technologies "duales", c'est-à-dire celles destinées principalement à l'usage commercial, mais qui pourraient également servir des buts militaires. Le *Macintosh* d'*Apple*, ou le *PC-AT* d'*IBM* font partie de cette catégorie "duale". Intensifiant ses efforts pour empêcher l'Union soviétique de copier la technologie américaine, l'Administration Reagan a refusé de plus en plus aux étrangers l'accès de certaines conférences scientifiques (dont le sujet est "dual", mais non pas classé). Ces restrictions s'appliquent non seulement aux pays de l'Est, mais aussi, bien que sous des formes moins strictes, aux pays alliés. Les Etats-Unis craignent en effet qu'une fois hors de leur territoire, les technologies ne deviennent une proie facile ; ces craintes sont vraisemblablement justifiées d'ailleurs puisque, selon certaines sources, il s'agit là du principal accès soviétique à la technologie occidentale.

Que les motifs de ces restrictions soient purement militaires, ou que s'y mêle la volonté américaine de limiter l'accès de concurrents étrangers aux technologies commerciales essentielles (après tout, le département du Commerce administre ces restrictions conjointement avec le département de la Défense), les conséquences restent les mêmes. Elles soulignent l'importance stratégique de disposer d'un accès fiable aux technologies d'avant-garde.

Seules les technologies électroniques font l'objet d'une analyse approfondie dans la suite de ce chapitre[5]. Parmi les technologies nouvelles, elles représentent les enjeux les plus immédiats, les marchés les plus vastes, elles ont les répercussions les plus sensibles. Surtout, elles se trouvent au centre de l'évolution actuelle des hiérarchies économiques. Pour leur consacrer l'attention qu'elles exigent, on a donc choisi de ne pas revenir sur l'aéronautique (la présentation faite dans le précédent RAMSES restant

valable pour l'essentiel), et de réserver pour plus tard les technologies d'avenir mais dont l'impact commercial reste aujourd'hui limité (en particulier biotechnologies et nouveaux matériaux).

4.2. ETATS-UNIS - JAPON : L'AXE MAJEUR DE LA COMPETITION ELECTRONIQUE

La supériorité technologique et commerciale quasi absolue des Etats-Unis dans chacun des marchés de l'électronique était devenue une évidence, et acceptée comme telle. S'ils inquiétaient certains, les progrès spectaculaires des Japonais ne semblaient pas remettre en cause cette suprématie. Les perceptions changent aujourd'hui : pour la toute première fois en 1984, les Etats-Unis enregistrent un déficit commercial dans le secteur de l'électronique, qui plus est un déficit considérable et croissant. De 6,8 milliards de dollars en 1984, l'*American Electronics Association* (AEA) prévoit qu'il dépassera 12 milliards de dollars cette année. L'Amérique prend le problème très au sérieux : une récente couverture de *Business Week* qui annonçait la "*crise de la high tech américaine*"[6], l'importance centrale que prend l'électronique

---

5. Elles constituent le thème central des recherches de la BRIE, sur lesquelles ce chapitre est fondé.

6. "America's High Tech Crisis. Why Silicon Valley is Losing its Edge", *Business Week*, 11 mars 1985.

Production mondiale de matériel électronique
(en milliards de dollars)

	1983		1988		Taux annuel
	Volume	%	Volume	%	de croissance
Amérique	163	45	317	41	14,2 %
Asie	80	22	230	29	23,7 %
Europe	68	19	131	17	13,9 %
Reste du monde	49	14	104	13	16,2 %
Total	360	100	782	100	16,8 %

Source : Gnostic Concept Inc., California, dans *Electronics Week*, 1er janvier 1985.

dans les négociations commerciales en cours entre les Etats-Unis et le Japon, ou encore les pressions des firmes américaines auprès du Congrès en témoignent.

Le déséquilibre massif des échanges entre Etats-Unis et Japon se trouve bien au centre du problème. En 1983, les importations américaines de produits électroniques *"made in Japan"* dépassaient de 9 milliards de dollars leurs exportations vers ce pays. Se creusant sans cesse, ce déficit atteignait 15 milliards de dollars en 1984, c'est-à-dire plus que le déficit du secteur automobile. Selon l'AEA, il sera proche de 20 milliards de dollars en 1985.

Sur les marchés de l'électronique, les batailles majeures opposent donc les Etats-Unis au Japon. C'est dans cette confrontation que se définissent les formes que prendra la compétition internationale et les règles du jeu que les autres acteurs devront respecter.

Dynamiques : les récentes batailles technologiques

Le colosse industriel japonais dispute aux Etats-Unis la première place dans plusieurs secteurs de pointe de l'électronique. Cependant, les circonstances qui ont permi au Japon de rattraper les Etats-Unis diffèrent profondément de celles qui assurèrent jadis la suprématie américaine.

Les Etats-Unis ont fondé leur supériorité sur une solide base technologique de pointe, fruit de la recherche et développement menée par les

grandes entreprises. Les programmes financés par le gouvernement fédéral (Défense, NASA), ainsi que les recherches des universités, ont largement contribué à son développement. Les grandes firmes et surtout une multitude de petites entreprises soutenues par le *venture capital* ont exploité ce formidable réservoir technologique, disposant pour leur croissance du marché américain, vaste et homogène.

L'industrie japonaise en revanche a su transformer l'avantage que lui donnaient à l'origine ses coûts de production réduits, en une supériorité fondée sur la maîtrise des technologies de production de masse, combinée avec une puissance commerciale globale. L'accès facile aux technologies étrangères - et surtout américaines - fut déterminant dans le succès de cette stratégie. Les avancées japonaises dans l'industrie des composants, contrastées avec les problèmes qu'ils rencontrent encore en informatique, illustrent ces dynamiques et mettent l'accent sur les déterminants de la compétitivité.

La guerre des composants : grande série contre sur-mesure[7]

Depuis la fin des années 70, les fabricants japonais de semi-conducteurs ont petit à petit grignoté les marchés qui étaient jadis sous la

---

7. Cette analyse de la compétition entre les Etats-Unis et Japon dans l'industrie des composant est développée par Michael Borrus dans *Responses to the Japanese Challenge in High Technology : Innovation, Maturity and US-Japanese Competition in Microelectronics*, BRIE, 1983 ; et *Reversing Attrition : A Strategic Response to the Erosion of US Leadership in Micro-electronics*, BRIE, mars 1985.

Marché mondial des composants (en milliards de dollars)				
	1983	1984	1985	1986	1990
---	---	---	---	---	---
Circuits intégrés	13,5	21,0	22,9	25,5	47-63
Composants isolés	4,6	6,0	5,9	6,3	8-11
Total	18,1	27,0	28,8	31,8	55-75

Source : Electronics Week, 1er janvier 1985.

domination absolue des Américains. Tandis que les firmes américaines voyaient leur part du marché mondial tomber de 62 % en 1978 à près de 50 % fin 1984, la part contrôlée par les Japonais passait de 24 % à 38 %[8].

En 1978, les firmes américaines régnaient encore sur chacun des segments de l'industrie des semi-conducteurs, des mémoires (RAM et ROM) aux microprocesseurs. Leurs concurrents japonais ont aujourd'hui établi une domination écrasante sur les dernières générations de *Random Access Memories* (RAMs), dynamiques et statiques : ils ont conquis 60 % du marché mondial des 64KdRAM (*Dynamic Random Access Memories),* et contrôlent déjà 90 % de celui des 256KdRAM qui s'ouvre tout juste ; ils vendent également 50 % des 16KsRAM (*Static Random Access Memories)* et 75 % des 64KsRAM.

Ce n'est pas par hasard que les Japonais se sont attaqués d'abord à ces composants particuliers. Ce faisant, ils visaient les segments les plus importants de l'industrie des semi-conducteurs. Il s'agissait également des composants dont leur industrie électronique grand public avait le plus besoin. En même temps, ils acquéraient avec ces composants relativement simples une maîtrise profonde des technologies de production, qu'ils pourraient ensuite appliquer à d'autres types de composants, plus complexes.

Dans cette bataille pour les marchés de la microélectronique, deux tendances technologiques distinctes coexistent. La première pousse l'industrie des composants vers une phase plus "mûre", où il s'agit de produire en grande quantité - et à faible coût unitaire - des composants relativement simples et standards. La deuxième tendance au contraire met l'accent sur l'innovation, caractérisée par l'apparition de nouveaux marchés pour des circuits complexes taillés sur mesure en réponse aux besoins d'utilisateurs spécifiques. Chacune de ces tendances met en lumière les différences entre les structures industrielles américaine et japonaise, soulignant les atouts et faiblesses de chacun.

● Maturité : la banalisation d'une industrie adulte

La domination japonaise sur les mémoires illustre la première tendance : dès lors que l'industrie des RAMs atteint sa maturité,

l'expertise manufacturière, la capacité de produire à bas coût unitaire et la compétence commerciale deviennent essentielles. Le précédent RAMSES a montré comment les politiques du gouvernement japonais façonnèrent la compétitivité internationale des firmes japonaises en protégeant leur marché intérieur, en coordonnant leurs efforts de R&D (programme VLSI[9]) et en procurant les capitaux bon marché nécessaires à leur croissance. En même temps, la compétition acharnée qui les oppose l'une à l'autre sur le marché japonais poussait ces firmes à perfectionner considérablement leurs procédés de production, acquérant ainsi un avantage compétitif décisif sur les marchés mondiaux. Dans cette phase de maturation, les stratégies de production et les investissements en capital comptent en effet bien plus que l'innovation des

Marché mondial des principaux types de composants (en milliards de dollars)

	1984	Projection 1990
Mémoires MOS, total	5,8	18,0-28,0
- RAM dynamiques	3,0	10,0-13,0
- RAM statiques	1,0	3,0- 4,6
- divers ROM	1,8	4,0-10,4
Microprocesseurs, total	2,9	8,0-13,0
- 8 bit	1,2	1,0- 2,2
- 16 bit	0,4	2,0- 3,0
- 32 bit	-	0,3- 1,2
- autres	1,3	2,2- 3,3
Total (tous semi-conducteurs)	27,0	55,0-74,0

Source : Electronics Week, 1ᵉʳ janvier 1985.

---

8. Il s'agit ici des marchés non captifs, c'est-à-dire n'incluant pas l'autoconsommation des firmes.

9. *Very Large Scale Integration.*

produits qui avait caractérisé les phases initiales du développement technologique.

Les structures japonaises sont parfaitement adaptées à une telle montée en puissance, qui vise le long terme. Les *keiretsu*, grands groupes industriels diversifiés, peuvent réinvestir les bénéfices de certaines divisions (électronique grand public par exemple) dans la production de semi-conducteurs. Ce soutien financier permet aux industriels d'investir dans des chaînes de production hautement automatisées bien avant d'avoir conquis les marchés qui permettront de les amortir, alors même que cette stratégie fait croître leurs coûts bien plus vite que leurs revenus. La plupart des vendeurs de composants américains n'ont pas cette possibilité, s'étant spécialisés dans les semi-conducteurs. Les Japonais maîtrisent ainsi des procédés de production avancés qui leur permettront par la suite de produire plus et à plus faible coût unitaire que leurs concurrents américains.

C'est un coup dur pour l'industrie américaine des composants. Constituant à la fois le plus gros marché et le produit le plus simple d'une gamme de semi-conducteurs de plus en plus complexes, les RAMs ont traditionnellement procuré à la fois les revenus et l'expertise en technologies de production nécessaires aux firmes américaines pour croître, réinvestir et produire des composants plus complexes de manière compétitive. La prédominance japonaise sur le marché des RAMs menace ainsi la supériorité de l'industrie américaine des semi-conducteurs, l'obligeant à redéfinir ses stratégies.

● Innovation : le composant devient système

En réponse à la pénétration japonaise, l'industrie américaine met l'accent sur les nouveaux composants : traditionnellement, c'est dans l'innovation que réside sa force. Si les technologies VLSI permettent d'augmenter la capacité des mémoires, elles créent également des marchés nouveaux pour des composants plus sophistiqués : par exemple les microprocesseurs, autour desquels sont construits les ordinateurs personnels, ou les processeurs de signaux digitaux utilisés dans les télécommunications.

A mesure que croît l'intégration, un nombre toujours plus grand de composants d'un système peuvent être *intégrés* sur une même "puce" de silicone : le composant devient système. De nouveaux marchés émergent alors pour la conception et la construction de circuits (systèmes) complexes. L'avantage revient ici dans le camp des Américains, dont l'expertise en design et logiciel surpasse celle de leurs concurrents japonais (par exemple avec les programmes de conception assistée par ordinateur, indispensables dans ce domaine). Certains sont taillés sur mesure pour satisfaire les besoins d'utilisateurs particuliers. Face au "prêt à porter" que constituent les mémoires, il s'agit ici de haute couture : les coûts de production de ces circuits, fabriqués en petite série, sont presque négligeables face aux coûts de conception.

Les grands producteurs de systèmes (*ATT*, *IBM* en particulier) produisent pour leur propre compte la majeure partie de ces composants "sur

Croissance des marchés de circuits ¨custom¨. Marché non captif

	Ventes de semi-conducteurs total (1)	Circuits intégrés (1)	Circuits ¨custom¨	
			% du total des circuits intégrés	Ventes (2)
1979	11	7	6,9 %	590
1984	25	20	12,2 %	2 468
1989	64	55	16,3 %	9 053

Source : Dataquest, *The Economist*, 8 décembre 1984.
1. Milliards de dollars.
2. Millions de dollars.

mesure" *(custom chips)*. Cependant, les firmes américaines spécialisées dans les semi-conducteurs cherchent elles aussi à profiter du développement des marchés *custom*. On assiste alors à une nouvelle répartition des tâches : les fabricants de systèmes conçoivent les circuits et se tournent vers des firmes spécialisées pour leur production. La nature même de ces composants "sur mesure" représente un obstacle considérable à la compétitivité des Japonais. Un composant à façon contient les informations et concepts stratégiques qui déterminent la compétitivité du produit final. Les constructeurs de systèmes (américains) n'ont donc aucun intérêt à confier à des firmes japonaises (avec lesquelles ils seront en concurrence sur les marchés finaux) la réalisation de leurs circuits *custom*.

Le marché des composants les plus spécifiques *(full custom)* restera vraisemblablement limité. Cependant, en réponse aux avancées japonaises, les firmes américaines ont concentré leurs efforts sur le développement de nouveaux composants complexes standards : les microprocesseurs sont les plus connus, mais il s'agit aussi des mémoires complexes non volatiles (EEPROMs[10]) ou des circuits logiques. Aujourd'hui, ces circuits complexes tendent à jouer pour les firmes américaines le rôle que jouaient autrefois les RAMs : vendus en grandes quantités, ils engendrent les profits nécessaires au réinvestissement et au développement des générations suivantes ; fabriqués en grande série, ils permettent d'acquérir l'expertise en technologie de production nécessaire à la fabrication de circuits *custom* d'avant-garde.

● Evolution future : priorité au produit final

Ces deux tendances simultanées suggèrent deux scénarios pour l'évolution future de la compétition américano-japonaise. Suivant le premier, les firmes japonaises s'appuient sur leur supériorité en mémoires et leur expertise de production pour entrer en force sur les nouveaux marchés de circuits standards complexes. La sortie des premiers microprocesseurs japonais montre bien qu'ils cherchent à répéter avec les circuits standards complexes l'exploit qu'ils ont réussi avec les mémoires. Suivant le deuxième scénario au contraire, les Japonais se trouvent coincés : les Américains conservent le contrôle du marché des composants complexes, laissant aux Japonais une supériorité fort coûteuse en RAMs. En effet, c'est aujourd'hui de plus en

plus sur les circuits standards complexes que les firmes gagnent de l'argent. Au contraire, l'entrée en force des Japonais sur le marché des RAMs a déclenché une compétition intense et considérablement réduit les marges bénéficiaires.

L'évolution actuelle de la technologie des semi-conducteurs - et surtout l'intégration à très grande échelle (VLSI) - sous-tend ces deux tendances, sans déterminer laquelle l'emportera. Pour une large part, l'évolution future dépendra donc des politiques gouvernementales et des stratégies d'entreprises. Les points forts respectifs des Etats-Unis et du Japon, chacun s'appuyant sur l'une des tendances, ne résultent évidemment pas du hasard, ni de différences génético-culturelles qui voudraient que les Américains soient plus inventifs et les Japonais plus doués pour la fabrication en grande série. Ils reflètent d'abord et surtout la nature différente des marchés finaux qui ont entraîné le développement de chaque industrie.

Ainsi, l'avance initiale des circuits intégrés américains découlait d'abord des innovations et des achats massifs qu'exigeaient la défense et l'espace. Par la suite, la croissance fulgurante de l'industrie informatique américaine, demandant des circuits toujours plus complexes, fut à l'origine de l'accent particulier placé aux Etats-Unis sur l'innovation. Au contraire, la croissance de la micro-électronique japonaise date du milieu des années 70, dès que l'électronique grand public japonaise s'impose sur les marchés mondiaux, demandant de vastes quantités de composants relativement simples. Plus récemment, le développement de systèmes de traitement de texte en japonais, capables de stocker une énorme quantité de *kanji,* a compté pour beaucoup dans la domination japonaise sur les mémoires.

Cette disparité entre les marchés finaux s'estompe aujourd'hui et le profil de la demande des composants au Japon commence à ressembler à celle des Etats-Unis. En 1980, l'électronique grand public consommait 58 % des semi-conducteurs vendus au Japon, contre 42 % pour l'électronique industrielle. En 1984, le rapport

---

10. *Electrically Erasable and Programmable Read Only Memory.*

s'est inversé : l'électronique industrielle a acheté 55 % des composants et sa demande devrait passer à 60 % cette année.

Mais, surtout, le secteur télématique, fruit de l'union des télécommunications avec l'informatique, devient le principal demandeur de circuits sophistiqués, celui qui entraînera les développements futurs de la micro-électronique. Par exemple, la remontée actuelle de *Texas Instrument* repose surtout sur ses processeurs de signaux digitaux conçus pour les communications ; la croissance spectaculaire d'*Advanced Micro Devices* (AMD) vient d'abord de l'utilisation de ses composants dans les télécom ; enfin, la "megaRAM" (1 megabit dRAM) récemment

annoncée par *ATT* sera d'abord utilisée dans des commutateurs. Sur ce terrain, l'avantage demeure pour l'instant dans le camp américain, d'abord parce que la position japonaise reste inférieure dans les circuits complexes[11], mais surtout parce que le marché télématique se développe plus rapidement aux Etats-Unis. Cela peut changer très vite cependant : les restructurations du secteur des télécommunications, que nous examinons plus loin, remettent tout en question.

---

11. En particulier, les Japonais ont d'abord développé des composants "analogues", c'est-à-dire traitant des signaux électriques continus. Les marchés de la télématique demandent plutôt des composants "digitaux" traitant des signaux numériques discrets.

Informatique : les vingt premiers constructeurs mondiaux
(en millions de dollars)

	Pays d'origine	CA informatique 1984	Résultat net total
IBM	Etats-Unis	39 050	6 580
Digital	Etats-Unis	5 840	329
Burroughs	Etats-Unis	4 440	245
NCR	Etats-Unis	3 900	342
Control Data	Etats-Unis	3 756	32
Hewlett-Packard	Etats-Unis	3 269	655
Sperry	Etats-Unis	2 825	216
Fujitsu	Japon	2 740	189
Wang	Etats-Unis	2 086	194
Honeywell	Etats-Unis	1 820	335
Hitachi	Japon	1 800	700
Bull	France	1 550	-56
Olivetti	Italie	1 540	210
Apple	Etats-Unis	1 516	64
NEC	Japon	1 400	145
ICL	Grande-Bretagne	1 219	75
Data General	Etats-Unis	1 160	83
Siemens	RFA	1 150	375
Nixdorf	RFA	1 140	-
Commodore	Etats-Unis	1 120	144

Source : 01 Informatique.

Informatique :
en attendant les Japonais

Impressionnés par les percées spectaculaires de la micro-électronique japonaise et peut-être parce qu'aux Etats-Unis le développement de cette industrie fut étroitement lié à celui de l'informatique, les Américains s'attendaient à voir bientôt débarquer les ordinateurs japonais. Jusqu'à présent cependant, le Japon ne semble pas réaliser la percée attendue en informatique. La menace n'est peut-être pas si sérieuse puisque les Japonais demeurent avant tout des fabricants de périphériques et de composants, sans réussir à imposer leurs systèmes.

En 1983, *IBM* détenait 27,7 % du parc japonais des ordinateurs universels (*mainframes*), devant *Fujitsu* (20 %) et *NEC* (16 %). Et si les exportations informatiques japonaises augmentent (elles ont progressé de plus de 20 % entre 1982 et 1983), elles restent constituées à 80 % de périphériques, imprimantes, écrans et claviers ; par opposition, leurs exportations d'unités centrales, parties nobles des ordinateurs, croissent moins vite que l'ensemble du secteur. Les Japonais cependant semblent décidés à ne pas lâcher prise : leurs efforts s'intensifient, montrant bien l'importance qu'ils attachent à l'acquisition d'une position compétitive dans l'informatique mondiale. En formant des alliances stratégiques, ils visent une présence internationale, mais surtout ils attaquent de front les nouveaux marchés de la télématique.

Dans l'informatique, la compétitivité technologique repose sur trois points critiques : les composants, les logiciels et l'architecture. Le cas des composants a été examiné plus haut. Les Japonais ont entrepris un effort considérable pour rattraper leur retard en logiciel, qui s'articule principalement autour du programme pour la "cinquième génération". Dans ce cadre, ils engagent également des études sérieuses sur les nouvelles architectures, qui s'ajoutent aux efforts entrepris dans le domaine du supercalcul, avec le *superspeed project*.

Supercalculateurs

Dans le cadre du programme lancé en 1982 (*Superspeed Project*) par le gouvernement japonais, *Fujitsu*, *Hitachi* et *Nippon Electric Corporation* (*NEC*) décidaient de consacrer 500 millions de dollars jusqu'en 1990 au développement d'un supercalculateur capable d'effectuer dix milliards de "Flops" (*Floating Point Operations per Second*). A titre de comparaison, le Cray X-MP effectue aujourd'hui entre 200 et 800 millions d'opérations par seconde, tandis qu'un *mainframe* typique atteint à peine 1 million.

Le marché des supercalculateurs décolle aujourd'hui et semble voué à une croissance rapide. Ils ne sont plus réservés aujourd'hui à l'armée et à quelques centres de recherche. En 1984, *Ford*, *General Motors* et *Chrysler* ont chacun installé un supercalculateur pour tester de nouveaux prototypes sans même devoir les construire. D'autres machines assistent déjà *Philips Petroleum* dans la prospection pétrolière, participent à la conception des Boeing, ou même aident *Digital Production* à créer les effets spéciaux en trois dimensions des films de science fiction.

En 1980, neuf supercalculateurs seulement avaient été vendus ; il en reste aujourd'hui moins de 120 en fonctionnement dans le monde. En deux ans (1985-1986), 130 nouvelles machines viendront s'y ajouter, chacune coûtant entre 5 et 15 millions de dollars. De 300 millions de dollars par an aujourd'hui, le marché devrait atteindre 1,5 milliard de dollars en 1990[1]. A tel point qu'IBM, qui s'en désintéressait jusqu'à présent, prévoit une entrée prochaine sur ce marché et conduit actuellement des recherches dans chacune des technologies de supercalcul, de l'architecture parallèle au traitement vectoriel.

Dans ce contexte, la sortie des supercalculateurs de *NEC*, *Hitachi* et *Fujitsu* prend une signification nouvelle. C'est bien aux applications commerciales qu'ils ont décidé de s'attaquer : *Fujitsu* et *Hitachi* ont choisi de construire des machines compatibles-*IBM*, s'adressant donc directement aux entreprises, qui pourront les utiliser sans réécrire de coûteux logiciels. Les trois fabricants ont conclu des accords avec des firmes étrangères pour leur distribution, par exemple avec *ICL* et *Siemens* en Europe. *Amdhal Corp.* (Etats-Unis), contrôlée à 49 % par *Fujitsu*, prévoit de vendre entre six et douze machines aux Etats-Unis en 1985.

---

1. D'après les consultants Woodman, Kirkpatrick et Gilbraigh.

● Le logiciel domine

Le logiciel constitue encore la principale vulnérabilité des Japonais. En 1983, ils payèrent 200 millions de dollars ceux qu'ils firent venir de l'étranger, tandis que leurs exportations restaient quasiment nulles. *Fujitsu* et *Hitachi* ont appris à leurs dépens le prix de cette tendance : ayant choisi de fabriquer des ordinateurs compatibles-*IBM*, ils ne peuvent exister sans disposer à l'avance d'informations précises sur le système d'exploitation d'*IBM* (il leur faut en particulier connaître le *source code* pour que leurs produits puissent être branchés en *IBM*). Contrôlant la publication de son *source code*, *IBM* tient à sa merci tous les fabricants de compatibles. En 1983, cette firme avait précisément frappé au point sensible en attaquant *Hitachi* pour avoir copié son *software* : *Hitachi* a dû non seulement payer une amende importante, mais a surtout été forcé de réécrire une part importante de son logiciel pour qu'il n'empiète plus sur les brevets d'*IBM*.

L'importance croissante des logiciels ne fait qu'accentuer ce problème. Les firmes informatiques doivent aujourd'hui consacrer plus au développement de nouveaux programmes (*software)* qu'au développement de matériel (*hardware)*. Alors qu'en 1981 les budgets R&D des principaux fabricants privilégiaient encore le *hardware*

(*hard :* 65 % ; *soft :* 35 %), le rapport s'est inversé en 1985 : au *software*, elles consacrent désormais 55 % des dépenses de recherche[12].

Le MITI[13], qui n'a pas hésité à qualifier de "crise" la situation du logiciel japonais, avait déjà soutenu des recherches sur les systèmes d'exploitation, associant plusieurs informaticiens japonais. Mais, surtout, c'est le programme de "cinquième génération" qui devrait apporter l'expertise logiciel aux Japonais. En effet, s'il reste peu probable que les buts ambitieux fixés par ce programme soient atteints, les premiers résultats dévoilés lors d'une présentation en novembre 1984 impressionnèrent plus d'un observateur. En particulier, la réalisation de SIM, une "machine à inférence séquencielle", prouve la progression rapide des capacités japonaises en logiciel : c'est la première machine fonctionnant avec un langage machine, un langage de programmation et aussi un système d'exploitation tous écrits en "programmation logique".

---

12. Painewebber, "Computer Makers Plug into the Consumer", *Business Week,* 14 janvier 1985. Estimation basée sur les dépenses de quatre grandes firmes *mainframe* et de trois grandes firmes "mini-ordinateur".

13. Ministère japonais de l'Industrie et du Commerce international.

Cinquième génération

En 1982, lorsqu'ils lancèrent à grand renfort de publicité leur programme pour un système informatique de cinquième génération, les Japonais visaient au-delà des limites connues des technologies informatiques. Leur but : mettre au point un système capable de traiter logiquement (et non plus numériquement) d'énormes quantités de connaissances.

Si les ordinateurs pouvaient alors traiter des montagnes d'informations numériques, ils n'avaient aucune idée de ce qu'elles signifiaient. Un ordinateur de cinquième génération serait donc doué d'une certaine forme de "compréhension", capable de tirer des conclusions ou de faire des suggestions à partir de déductions basées sur son énorme mémoire.

Tous les ordinateurs modernes, quel que soit leur taille ou leur degré de sophistication, fonctionnent suivant une architecture conçue vers 1950 par le mathématicien John von Neuman : ils effectuent une opération après l'autre, séquen-

tiellement. Même s'ils travaillent de plus en plus rapidement, ils demeurent incapables de faire plus d'une chose à la fois.

La réalisation d'un ordinateur doué d'une "intelligence artificielle" exige des vitesses de calcul d'un tout autre ordre. C'est pourquoi il devient nécessaire de construire des machines suivant une architecture nouvelle, capable d'accomplir plusieurs tâches à la fois.

Même lorsque de tels "processeurs parallèles" fonctionneront, le plus difficile restera à faire : personne ne sait encore programmer des machines aussi complexes. Jusqu'à présent, la programmation logique était faite sur des ordinateurs conventionnels.

C'est ici que la stratégie des chercheurs japonais diffère sensiblement : ils envisagent de développer simultanément des ordinateurs à architecture parallèle et des langages de programmation logique qui permettront leur utilisation optimale.

● Les grandes manœuvres

Le boom des mini et micro-ordinateurs fut sans conteste l'événement marquant du secteur informatique au cours de la période précédente.

Il a largement contribué à l'avènement des réseaux, fait qui domine la période actuelle : plus les minis et micros décentralisent le traitement de l'information, plus il devient nécessaire de les relier entre eux.

IBM

IBM semble hors d'atteinte. A elle seule, la firme réalise aujourd'hui 70 % des profits de l'ensemble de l'informatique américaine. En progression de 14 % sur 1983, ses revenus 1984 atteignaient 46 milliards de dollars. Son objectif : croître au moins aussi vite que l'ensemble des industries de l'information, c'est-à-dire à plus de 10 % par an, au cours des dix prochaines années. Cela représente un quadruplement d'ici à 1995. Les moyens d'*IBM* sont à la mesure de ses ambitions. Depuis 1979, IBM a investi 15,5 milliards de dollars en R&D, et consacré 16,5 milliards de dollars à l'achat d'usines et de machines nouvelles. Au cours des cinq prochaines années, ces chiffres doubleront. Pour réussir cette expansion, *IBM* devra non seulement attirer de nouveaux clients, mais surtout s'établir sur les nouveaux marchés télématiques. L'offensive de "*Big Blue*" aura deux grands thèmes, d'ailleurs indissociablement liés : communications et logiciels. Elle vise en priorité la bureautique, mais voudrait imposer partout le fameux logo bleu, dans les maisons, les écoles ou les usines.

Communications

En septembre 1984, *IBM* achetait la totalité de *Rolm*, dont il possédait déjà 23 %. Cette décision est doublement significative. D'abord, elle confirme un changement de stratégie : après plusieurs faux départs pour entrer seul sur les marchés télécom, *IBM* réalise qu'il lui faudra des partenaires. Ces rachats (*Rolm*), joint ventures (*Satellite Business System* avec *Aetna*, ou *International Market Net* avec *Merrill Lynch*) et alliances (avec *Sears, Roebuck* et CBS pour *Trintex*, un service de vidéotexte) font écho à d'autres dans des domaines différents (en particulier prise d'impact du capital d'*Iubel* - composants - et accords avec *Microsoft* - logiciels -). Mais, surtout, *IBM* attaque au cœur de la télématique : *Rolm* fabrique des PBX (*Private Branche Exchanges*), centraux privés qui intégreront l'ensemble des communications d'une entreprise. Les marchés bureautiques appartiendront à ceux qui offriront des communications faciles et sans problèmes entre toutes les machines de traitement de l'information : le logiciel en constitue la clef.

Logiciel

La mise au point de logiciels de communication, dans le cadre de l'architecture SNA (*Systems Network Architecture*), constitue le plus grand défi technologique pour *IBM*. Rien n'est gagné d'avance : développés et améliorés petit à petit, ses systèmes logiciels constituent aujourd'hui un ensemble d'une extraordinaire complexité, que seuls une demi douzaine d'ingénieurs *IBM* domineraient. Cette tâche s'inscrit dans le cadre plus large du recentrage des activités d'*IBM*, des matériels vers les logiciels. Ces derniers comptaient pour 10 % de ses ventes en 1984 ; l'objectif est qu'elles atteignent un tiers en 1990. Le lancement d'une gamme complète de progiciels *IBM*, et la décision de vendre les systèmes d'exploitation séparément des machines reflètent cette tendance.

IBM, même si la majorité de ses ventes ont lieu aux Etats-Unis, est d'abord une multinationale. D'Europe viennent 26 % de ses revenus, d'Asie 15 %.

Europe : L'informatique européenne subit la loi d'*IBM*. Pour les télécommunications, c'est une autre affaire : la résistance des gouvernements a fait échouer deux offensives récentes qui visaient le développement de réseaux à valeur ajoutée (VANs) basés sur SNA. En Italie, d'après les négociations avec STET, un accord fut finalement conclu sur la fabrication assistée par ordinateur, et non pas sur *Itapac* (le *Transpac* italien) comme le souhaitait *IBM*. En Angleterre, la proposition conjointe *British Telecom - IBM* ("*project Jove*") fut rejetée par le gouvernement anglais comme contraire à la libre compétition.

Asie : Au Japon, *IBM* rencontre des difficultés. Sa part dans les ventes annuelles de *mainframes* est tombée de 60 % dans les années 60 à 25 % aujourd'hui ; la situation est pire encore sur le marché micro où *IBM* n'atteint pas 10 % (derrière *NEC*, 50 % et *Fujitsu*, 10 %). A juste titre, cette situation inquiète *IBM* qui vient d'envoyer 220 cadres à Tokyo pour y organiser le quartier général de la région Asie : le marché japonais constitue un test crucial. *IBM* reste certainement le plus grand succès étranger au Japon. Cependant les grands groupes japonais (*NEC, Fujitsu* et *Hitachi* en tête) demeurent les seuls qui osent encore, les seuls qui puissent encore défier *IBM* dans la "grande informatique".

Sources : "IBM : More Worlds To Conquer", *Business Week*, 18 février 1985 ; "IBM : Minding Everybody Else's Business", *The Economist*, 4 juin 1985.

La convergence des technologies de télécommunication et de traitement de données conduit à une restructuration profonde du secteur informatique. La transmission de l'information est aujourd'hui devenue inséparable de son traitement et tout aussi importante. Cette évolution provoque la vague d'alliances stratégiques à laquelle on assiste actuellement : peu de firmes sont en effet capables d'offrir des réseaux complets. Pour acquérir les technologies qui leur manquent, pour pénétrer les marchés qui leur échappent, il leur faut trouver des partenaires. Ces alliances ne peuvent se limiter aux firmes d'un même pays et doivent dépasser les frontières : les risques et les coûts de développement sont tels qu'il faut viser une position sur le marché mondial.

Remaniée par ces alliances, l'industrie informatique évolue alors vers une structure à trois niveaux :

- Seules quelques compagnies gigantesques (*ATT, IBM*, peut-être bientôt quelques Japonais) peuvent offrir une gamme complète de produits informatiques et réseaux. Il leur faut cependant trouver des alliés (par exemple *AT&T* avec *Olivetti*, ou le rachat de *ROLM* par *IBM)* mais ils restent toujours le partenaire dominant.

- La grande majorité des compagnies utilisent les produits de divers constructeurs pour créer des réseaux sur mesure, adaptés aux besoins d'usagers particuliers. Certains mêmes, comme *Sperry*, ont décidé de cesser toute production et se contentent d'assembler les produits d'autres constructeurs.

- Des producteurs plus petits, spécialisés dans des créneaux précis, offrent les produits utilisés par les précédentes.

Les firmes *mainframe* de jadis, comme le "BUNCH" des concurrents traditionnels d'*IBM* (B*urroughs, Sperry-Univac, C*ontrol *Data,* H*oneywell)* cherchent à se positionner avantageusement au deuxième niveau. Elles essaient de rester dans la course en concluant des accords qui leur permettent de compléter leur gamme. Quelques exemples montrent bien l'activité intense qui règne dans ce domaine : *Honeywell* (Etats-Unis) s'associe avec le suédois *LM Ericsson* pour les télécommunications et le japonais *NEC* pour les grands ordinateurs, *ICL* (Angleterre) avec *Mitel* (Canada) et *Fujitsu* (Japon),

Siemens (RFA) avec *Xerox* (Etats-Unis) et *Fujitsu* (Japon), *Bull* (France) avec *NEC* (Japon), ou encore *Hitachi* (Japon) avec *Olivetti* (Italie) et *Burroughs* (Etats-Unis) ; et la liste s'allonge chaque jour.

Ces mariages entre informaticiens et spécialistes télécom donneront naissance à des produits entièrement nouveaux. On trouve déjà sur le marché des centraux téléphoniques qui gèrent simultanément les communications et les transferts de données des entreprises, ou des postes de travail combinant téléphone et terminal d'ordinateur. De tels produits constitueront la base des réseaux intégrés, traitant indifféremment voix, données, textes et images, et capables de relier les ateliers aux centres de conception et de décision. De tels réseaux transformeront profondément l'ensemble des activités économiques. On comprend alors le rôle central que jouent les politiques nationales de télécommunications : elles définissent le contexte au sein duquel ces alliances stratégiques - interindustries et internationales - se noueront ou ne se noueront pas.

Les Etats-Unis ont choisi d'ouvrir et de déréglementer leur marché intérieur. L'intégration télématique y est la plus spectaculaire, résultat d'alliances innombrables stimulées par l'étendue des nouvelles occasions à saisir. Ils ont cependant accepté le risque associé à cette politique, qui offre une chance aux firmes étrangères de pénétrer sur le marché américain.

La politique japonaise vise au contraire à avantager délibérément les firmes nationales. Si certains secteurs s'ouvrent à la compétition (surtout à la compétition intense *entre* firmes japonaises), le gouvernement conserve le contrôle stratégique. Le marché japonais, qui reste en majeure partie fermé aux étrangers, est suffisamment vaste pour que les firmes y atteignent l'échelle nécessaire et suffisamment dynamique, du fait de la compétition interne, pour promouvoir le développement de nouveaux produits. Les firmes japonaises deviennent alors des partenaires très courtisés par les Américains et les Européens et peuvent ainsi conclure des alliances leur ouvrant les marchés mondiaux. Il s'agit donc au Japon d'une "re-réglementation", bien plus que d'une "dé-réglementation" à l'américaine, conçue explicitement pour adapter les structures en place au changement technologique.

*Télécommunications :
la nouvelle donne*

Production d'équipement télécom (parts de marché)		
	1978	1983
Etats-Unis	36,4	37,7
Japon	8,1	9,4
Europe	47,4	42,2
Reste du monde	8,1	10,5

Source : Center for Business Strategy, London Business School.

Jusqu'à une période récente, il n'y avait pour ainsi dire pas de commerce en télécommunications entre les pays développés. Dans chaque pays, le monopole du service des télécommunications, qu'il s'appelle *ATT, PTT* ou *NTT*, n'achetait pratiquement qu'aux constructeurs locaux. De cette juxtaposition de marchés nationaux cloisonnés, on évolue aujourd'hui vers un marché mondial des télécommunications. La déréglementation des télécommunications américaines a donné le signal de cette "mondialisation", marquant le début d'une ère nouvelle. Depuis janvier 1984, le marché américain - le plus grand marché télécom du monde - est ouvert à la compétition et *ATT* - le plus grand industriel des télécom au monde - est lâché sur le marché mondial.

La taille des marchés des télécommunications n'explique cependant qu'une partie de l'importance économique du secteur. L'industrie des communications et l'infrastructure constituée des réseaux qu'elle met en place, sont des agents stratégiques de croissance. Par exemple, on a vu comment les télécommunications entrainent le développement des composants semi-conducteurs de pointe.

Au-delà du secteur électronique, les nouveaux moyens de communication transforment profondément les méthodes de travail de toutes les entreprises, qui définissent aujourd'hui leur organisation en fonction des possibilités ouvertes par les télécommunications. *IBM* a par exemple relié ses différents laboratoires par un système de vidéo-conférence, transformant ainsi l'organisation même de ses recherches, et estime avoir depuis réduit de 30 % les délais de développement de nouveaux produits. Les firmes qui auront accès à de tels moyens de communication en dériveront un avantage compétitif considérable[14].

---

14. Sur l'importance stratégique des télécommunications et pour la présentation originale de l'opposition entre "cérégulation" et "re-régulation", voir : M. Borrus et J. Zysman, *The New Media, Telecommunications and Development : The Choices for the United States and Japon*, BRIE, 1984.

Réseaux numériques intégrés

Pour qu'elle voyage à travers les réseaux classiques, les téléphones transformaient la voix en une onde électrique *analogique*, c'est-à-dire dont l'intensité suivait celle de l'onde sonore originale. Pour transporter des données, il fallait d'abord leur donner une "voix" analogique à l'aide d'un *modem*.

Dans les réseaux numériques modernes, c'est le contraire : 8 000 fois par seconde, on mesure l'intensité de l'onde sonore que l'on code sur 8 bits. La voix devient un flot de données de 64 Kbits par seconde.

Toutes les informations, voix, données, texte ou image peuvent être codés numériquement. Elles seront transmises indifféremment par le même "réseau numérique à intégration de service" (RNIS). "Parlant" le langage binaire des ordinateurs, le RNIS sera lui-même un gigantesque ordinateur à l'intelligence décentralisée : ce sera l'aboutissement de la convergence entre informatique et télécommunications.

Le réseau téléphonique actuel évolue progressivement vers un RNIS, à mesure que l'on en "numérise" les éléments. Il intègrera l'ensemble des réseaux parallèles existants tels que le réseau télex, ou ceux de transmission par paquets (comme *Transpac* en France). On en augmentera également la capacité : pour transformer un canal vidéo, il faudra l'équivalent de mille lignes téléphoniques, capacité que permettront les fibres optiques.

Le RNIS permettra d'offrir une vaste gamme de services : services de base, comme la téléphonie, la télécopie, ou la transmission de données ; et surtout les services "à valeur ajoutée" (VANs *ou Value Added Network Services),* comme le traitement de données sur le réseau ou le télétexte interactif.

● Etats-Unis : dé-réglementation[15]

La déréglementation des télécommunications américaines, le 1er janvier 1984, résultait de deux tendances convergentes. D'une part, les grands consommateurs de télécom et les principaux producteurs d'équipement voulaient voir disparaître les contraintes que juges et régulateurs imposaient sur la structure, l'évolution et l'utilisation des télécommunications. D'autre part, le gouvernement souhaitait déléguer au marché (c'est-à-dire aux grands usagers et producteurs) sa responsabilité sur le développement du réseau national de télécommunications.

Tous voulaient exploiter au plus vite les bénéfices que promettaient les avances technologiques. Ce désir fournissait à la fois l'occasion à *ATT,* à ses compétiteurs et aux principaux usagers de pousser la politique de déréglementation ; et la justification nécessaire au gouvernement pour se tourner vers le marché, sortie facile des dilemmes où l'auraient placé ses responsabilité de régulateur dans un domaine en bouleversement rapide. Au lieu de la réglementation, c'est donc la compétition qui déterminera l'évolution des télécommunications ; une compétition d'autant plus vive que les Etats-Unis décidaient unilatéralement d'ouvrir leur marché, tandis que les principaux marchés étrangers restaient fermés. Enjeu d'une bataille effrénée, le marché télécom américain montre alors un dynamisme extraordinaire.

Le risque existe cependant que ces attaques sur leur marché national, sans qu'ils puissent riposter sur les marchés étrangers, n'affaiblissent les industriels américains. La détérioration rapide de la balance commerciale des télécom américains, accélérée par la déréglementation, représente un mauvais signe à cet égard. D'un surplus d'un milliard de dollars en 1981, elle tombait à zéro en 1983 et enregistrait un déficit proche de 700 millions de dollars en 1984[16]. On aurait cependant tort de s'arrêter à cette image pessimiste. Les producteurs américains, stimulés par le dynamisme de leur marché, ont acquis une position excellente dans les produits les plus sophistiqués, comme les centraux digitaux publics et privés. Des firmes expérimentées comme *NEC* et *Fujitsu* (commutation publique) et *LM Ericsson* (PBXs) n'ont pas encore pénétré aux Etats-Unis.

- Le nouvel ATT

Libérée des contraintes passées et pour compenser la perte de ses monopoles traditionnels, *ATT* attaque sur deux fronts : d'une part les marchés étrangers, d'autre part les marchés informatiques.

- L'offensive internationale

ATT doit d'abord reconquérir les marchés étrangers qu'elle avait dû céder à *ITT* dans les années 30. Ce retour en force est essentiel dès lors que les marchés des télécommunications tendent à s'internationaliser. *ATT* poursuit donc une stratégie tous azimuts de *joint ventures*, accords technologiques et commerciaux, acquisitions, implantations à l'étranger, etc. Il s'agit d'abord d'accéder aux marchés des pays dans lesquels ATT s'implante ; c'est la motivation principale. Ces accords visent aussi les pays tiers : d'Italie, de Hollande et d'Espagne, *ATT* encercle l'Europe ; depuis la Corée, Taiwan et surtout du Japon, elle visera l'Asie tout entière. Cette stratégie souligne de plus un fait crucial dans les nouveaux marchés des télécom : l'importance croissance des systèmes et équipements sur mesure exige que les centres de production et de support (service, entretien...) soient situés à proximité des marchés finaux.

- L'offensive informatique

Les marchés du traitement de données (*data equipment*) issus de la convergence télématique sont les plus prometteurs pour l'avenir d'*ATT* : ils croissent de 30 %-35 % par an, alors que les marchés traditionnels des télécom n'augmentent que de 10 % par an. Ils constituent la cible des accords d'*ATT* avec des partenaires américains et étrangers. La méthode ici s'inspire de celle d'*IBM* : plutôt que d'entreprendre des investissements substantiels - et risqués -, *ATT* s'appuie sur des partenaires établis auxquels elle fait partager les risques. C'est ainsi qu'*IBM* avait pénétré le marché des PC. *ATT* peut ainsi combler les vides de sa gamme à peu de frais. D'autant plus que ces nouveaux marchés sont

---

15. Voir M. Borrus, F. Bar et I. Warde, *The Impact of Divestiture and Deregulation : Infrastructural Changes, Manufacturing Transition and Competition in the US Telecommunications Industries,* BRIE, 1984.

16. D'après l'*American Electronics Association.*

Quelques-uns des accords récemment conclus par ATT

	Partenaire	Pays	Type d'accord, objectif
EUROPE			
1983	Telectron	Irlande	**ATT acquiert le fabricant de matériel de transmission** (*digital microwave*)
1983	Philips	Hollande	*Joint venture* à 50 % pour la production et la vente de commutateurs : 70 % de la production sera vendue en Europe
1983	Olivetti	Italie	Acquisition de 25 % du capital, pour une position sur le marché informatique. Olivetti fabrique le PC d'ATT.
1984	CTNE	Espagne	Construction d'une usine de semiconducteurs (200 millions de dollars)
1984	Aregon Int'l	G.-B.	Coopération pour le développement de logiciel vidéotexte
ASIE			
1980	Gold Star/ Lucky	Corée	*Joint venture* à 44 % : production de commutateurs digitaux et SC pour Corée et Asie
1983		Chine	Déclaration d'intention qui pourrait conduire à un accord
1984	DGT/Bank of Com- munication/minis- tère Economie	Taiwan	*Joint venture* (**70%**) pour la production de commutateurs digitaux
1984	Mitsui	Japon	Commercialisation de PBXs
ETATS-UNIS			
1983	Coleco		Fabrication de modems et développement de jeux vidéo accessibles par téléphone
1983	Wang		Accord pour le développement de liens entre les PBX d'ATT et les matériels Wang et HP
1983	Convergent Technologies		Accord (OEM) pour la conception et fabrication d'une gamme de micros utilisant UNIX et MS-DOS
1984	Digital Research		Développement et vente d'applications UNIX
1984	Intel Motorola National SC Zilog		**Accords de développement technologique pour adapter les microprocesseurs 32 bits des quatre grands constructeurs au système UNIX**
1984	United Technologies		*Joint venture* **pour offrir des services de communication multi-usager**

Source : BRIE, *The Impact of Divestiture and Deregulation, op. cit.,* pp. 47-48.

très dynamiques et instables, offrant des produits à durée de vie très courte ; *ATT* répondra au changement en passant de nouveaux accords.

La stratégie est simple et puissante : elle s'appuie sur l'expertise considérable d'*ATT* en matière de réseaux, centrée autour du système opératoire UNIX, développé par les *Bell Laboratories* et l'Université de Californie à Berkeley. *ATT* propose une ligne complète d'ordinateurs, du PC au supermini (il n'est encore pas question d'attaquer *IBM* de front sur son terrain : les *mainframes*) ainsi que des liaisons (*networking products*), tous basés sur UNIX.

UNIX

UNIX est le système d'exploitation (*operating system*) développé par *ATT,* qui lui permet d'offrir une compatibilité totale entre ses différents produits. UNIX est en effet conçu pour l'exploitation de réseaux à utilisateurs multiples. Contrairement à la plupart des systèmes existants, UNIX est "portable", c'est-à-dire que l'on peut l'adapter à n'importe quel ordinateur, du plus petit des micros au plus puissant des supercalculateurs. Ainsi, ces machines aux architectures radicalement différentes peuvent partager leurs logiciels. Si UNIX devient, comme certains le pensent, le nouveau standard - offrant ainsi une alternative au standard *IBM* -, les utilisateurs pourraient utiliser le même logiciel sur toute la gamme des machines opérant sous UNIX, quelle que soit leur marque.

C'est dire l'importance et l'enjeu d'une telle évolution : dans un marché sous standard UNIX, la compétition porterait sur les caractéristiques prix/performance et les capacités de connection (point fort d'*ATT),* éliminant de fait l'avantage énorme qu'*IBM* dérive d'un contrôle exclusif sur les spécifications de son système d'exploitation. Alors qu'*IBM* mise sur l'"emprisonnement" de ses clients à l'intérieur d'un système gardé secret, *ATT* cherche au contraire la diffusion d'UNIX, système ouvert qui favorise les communications, ramenant ainsi la bataille sur son propre terrain.

A partir de licences vendues par *ATT* à de nombreux producteurs américains et étrangers, les applications d'UNIX fleurissent : fin 1984, 85 fabricants d'ordinateurs exploitaient déjà 150 modèles d'ordinateurs sous UNIX, depuis des ordinateurs de bureau jusqu'au nouveau supercalculateur Cray II. Plus de 300 logiciels fonctionnant sous UNIX étaient disponibles. Même *IBM* s'y est mis : l'IBM PC-XT, et le nouveau PC-AT utilisent Xenix, un dérivé d'UNIX développé pour *IBM* par Microsoft et *IBM* travaille actuellement sur plusieurs produits basés sur UNIX, dont un *mainframe.*

Depuis, la liste ne cesse de s'allonger. En Europe d'abord, ou en février 1985, *Bull, ICL, Siemens, Nixdorf* et *Philips* annoncèrent le développement de "minis" utilisant UNIX ; et au Japon, où *ATT* vient de conclure des accords portant sur UNIX avec *NTT, Fujitsu, NEC, Hitachi, Toshiba* et *Oki.* *ATT* estime que le marché d'équipement UNIX dépassait le milliard de dollars en 1984 ; il n'était que de 150 millions de dollars en 1980.

ATT a distribué largement la licence d'UNIX, pour ouvrir un nouveau créneau sur les marchés informatiques. Les universités peuvent acquérir une version d'UNIX pour seulement 800 dollars et *ATT* vend la licence UNIX 43 000 dollars aux industriels[17]. *ATT* espère se tailler la part du lion sur ce marché, s'appuyant sur la maîtrise des réseaux et son importante demande interne. Son mini-ordinateur 3B20 par exemple sert déjà de cerveau au commutateur digital 5 ESS : il y a donc plus de 1 200 3B20 déjà en service à travers le réseau américain. *ATT* a récemment vendu 60 minis 3B20 à *NTT,* dans le cadre d'un contrat de 49 millions de dollars. On estimait à 400 millions de dollars en 1984 les ventes d'ordinateurs d'*ATT* aux *Bell Operating Companies* (BOCs), avant même leur sortie sur le marché. Le PC d'*ATT* (ATT 6300, fabriqué par *Olivetti*) constitue la seule exception à la "stratégie UNIX". Il opère sous MS-DOS, le système d'*IBM. ATT* veut ici profiter de la masse de programmes écrits pour l'IBM PC. Une fois entré sur le marché, *ATT* pourra offrir des produits reliant son PC au réseau UNIX. En mars de cette année, *ATT* a présenté un nouveau PC, fonctionnant cette fois sous UNIX.

La déréglementation américaine se veut contagieuse. Ouvrant leur marché, les Etats-Unis réclament la réciprocité : c'est l'objectif de nombreux projets de lois récemment soumis au congrès, comme par exemple la *Danforth Legislation,* demandant que l'on interdise aux firmes étrangères l'accès au marché américain si leur marché national est fermé aux firmes américaines. Les autres pays, s'ils veulent participer au nouveau jeu des télécommunications, devront progressivement relâcher un peu leur

---

17. *Datamation,* 14 novembre 1984.

emprise sur leurs télécom nationales. Les pressions américaines sont d'abord dirigées vers le Japon, concurrent principal.

● Japon : re-réglementation

Entreprise publique, *Nippon Telegraph & Telephone (NTT)* avait jusqu'à présent le monopole des télécommunications japonaises, sous le contrôle administratif du ministère des Postes et Télécommunications (MPT). Son influence s'étendait cependant bien au delà de l'administration du réseau téléphonique. Depuis sa création en 1952, *NTT* a joué un rôle primordial dans la politique industrielle japonaise, en poussant la recherche (*NTT* contrôle quatre laboratoires d'électronique très avancés) et en offrant à ses quatre firmes "favorites" (*NEC, Fujitsu, Hitachi, Oki*) le marché vaste, stable et protégé qui leur servit de tremplin vers l'exportation. *NTT* a par exemple développé la première 256KdRAM en 1979, puis transféré sa technologie aux fabricants de microélectronique japonais. Six firmes japonaises (*Hitachi, NEC, Fujitsu, Toshiba, Oki* et *Mitsubishi*) purent ainsi offrir leurs premières 256KdRAMs avec six à neuf mois d'avance sur leurs concurrents américains. *NTT* figure systématiquement aux places d'honneur parmi les participants aux programmes du MITI, des VLSI à la cinquième génération.

Les nouvelles lois réglementant les télécommunications japonaises (la "loi sur NTT" et la "loi sur les communications d'entreprise"), adoptées par la Diète en décembre 1984, entraient en vigueur le 1er avril. Elles conduisent à la privatisation de *NTT* et mettent fin à son monopole sur les communications nationales. Bien sûr, conformément aux usages japonais, les changements réels n'interviendront que (très) progressivement.

- La "privatisation" de NTT

Le 1er avril 1985, *NTT* devenait une compagnie privée. A cela près que, jusqu'à mi-1986, le gouvernement japonais restera seul actionnaire. Il devrait ensuite petit à petit (entre 1986 et 1990) vendre jusqu'à 49 % de ses parts à des Japonais (aucun étranger n'aura le droit d'acheter ces actions). Avec 40 millions de dollars de capital, 20 millions de dollars de revenus annuels (c'est-à-dire environ la moitié de la taille du nouvel *ATT*), *NTT* devient l'une des plus

grandes entreprises japonaises. Contrairement à *ATT*, *NTT* ne sera pas divisée. Leurs situations initiales différaient d'ailleurs sensiblement : *NTT*, semblable en cela aux PTT français mais à l'inverse d'*ATT*, ne produit pas d'équipement ; et *KDD*, une firme privée, a le monopole des communications internationales depuis 1953.

- Vers une ouverture du marché télécom japonais ?

Avant 1981, *NTT* achetait moins de 0,5 % de ses équipements à des compagnies étrangères. Depuis et surtout à cause des pressions américaines, ses achats à l'étranger ont progressivement augmenté : de 15 millions de dollars en 1980, ils passèrent à environ 180 millions de dollars en 1984 (soit environ 8 % du total de ses achats, 2,2 miliards de dollars). Autant dire qu'en réalité, la part du marché des télécommunications qui reste sous le contrôle de *NTT* demeure bien fermée aux étrangers. Il reste à voir si l'évolution des structures, en particulier la privatisation progressive de *NTT*, y changera quelque chose. Certains signes suggèrent que des ouvertures pourraient se présenter pour les étrangers. Par exemple, Les quatre "favorites" ne fournissaient plus en 1983 que 32 % des équipements de *NTT*, contre 60 % en 1978. Cette volonté de *NTT* de diversifier ses sources d'approvisionnement offrira peut-être aux étrangers une chance de pénétrer les marchés japonais.

Les brèches dans l'armure japonaise pourraient bien se trouver en fait en dehors de *NTT* : les compagnies japonaises privées achètent aujourd'hui plus d'équipement télécom que *NTT*. En 1984, celle-ci ne comptait en effet que pour 46 % de l'ensemble du marché d'équipement télécom japonais (990 milliards de yens). En ce qui concerne les terminaux (un marché de 600 milliards de yens allant des téléphones aux télécopieurs), sa part tombe à environ un quart. A partir d'avril, plusieurs compagnies privées installeront des réseaux concurrents à celui de *NTT*, ce qui devrait encore augmenter la part du marché échappant au contrôle de *NTT*.

- Compétition

Depuis 1971 et d'une façon qui rappelle assez l'évolution américaine, le ministère des Postes et Télécommunications avait graduellement relâché son contrôle sur les télécommunications, réduisant à chaque fois un peu le monopole de

NTT. En 1972, on pouvait connecter un télécopieur au réseau ; en 1982, les contrôles sur le traitement informatique à travers le réseau étaient supprimés. La "loi sur les communications d'entreprise" va plus loin en déréglementant tout à fait le marché des réseaux à valeur ajoutée (*Value Added Networks* ou VANs), l'ouvrant même à la compétition étrangère. Bien qu'il faille cependant obtenir l'autorisation préalable du MPT, il s'agit là d'un changement important.

● Dé-régulation ou re-régulation : quelle importance ?

Le choix fait aux Etats-Unis de laisser le marché guider l'évolution future des télécommunications entraîne certaines conséquences. Abandonnant l'idée même de service universel, le réseau américain sera façonné par les besoins d'un petit nombre de grandes entreprises. En effet, 50 % des recettes proviennent de 4 % seulement des usagers : ce sont eux qui ont maintenant le pouvoir de décision. Le marché déterminera également les standards : on risque l'incompatibilité entre matériels concurrents, d'autant plus problématique qu'il s'agit ici de communication. Eventuellement, des standards de fait apparaîtront (comme l'a fait le "standard IBM" en informatique) ; au passage, bon nombre d'usagers et de compétiteurs auront souffert. Il se peut en revanche que cette situation conduise les entreprises américaines à mettre au point des interfaces[18] qui les aideront ensuite sur le marché mondial à vendre dans des pays sous standards différents. Il est encore trop tôt pour discerner l'évolution.

Au Japon au contraire, le réseau qui émerge reflètera la combinaison des deux forces : d'une part la compétition entre *NTT,* les principales firmes japonaises, privées et publiques, et des firmes étrangères comme *ATT* et *IBM ;* d'autre part la politique du gouvernement, déterminé à ce que la nouvelle infrastructure serve l'ensemble des intérêts japonais. Le plan INS (*Integrated Network Services*) récemment lancé par *NTT* montre comment ces deux forces s'additionneront, dans l'intérêt de toutes les entreprises japonaises. Les achats et les recherches de *NTT* demeurent un instrument puissant de politique industrielle. La compétition des firmes privées, japonaises et étrangères, garantit que l'on ne laissera passer aucune occasion.

Déterminants de la compétitivité : recherche et financement

La compétitivité d'une nation, dans les hautes technologies peut-être plus encore qu'ailleurs, reflète le jeu complexe des politiques, des structures industrielles ou encore des choix technologiques. Alors que les dynamiques de l'affrontement américano-japonais évoluent, remettant en cause les hiérarchies passées, deux domaines en particulier, la recherche et le financement, méritent un examen attentif. Dans le premier, la recherche, de récentes décisions augurent de profonds changements : il s'agit aux Etats-Unis du "départ" des *Bell Laboratories* qui deviennent privés et de la concentration accrue des ressources fédérales autour d'objectifs militaires ; et de l'effort nouveau consenti au Japon pour la recherche fondamentale. Dans le deuxième, le financement, c'est au contraire le contexte qui change : tandis que les stratégies doivent viser le long terme, les structures qui ont supporté l'ascension des Etats-Unis (marché boursier vaste et fluide, *venture capital)* montrent leurs limites face à la puissance du financement japonais, peut-être moins spectaculaire, mais plus fiable dans les récessions.

Recherche

● Défense : quelles retombées ?

Sous la première Administration Reagan, le budget fédéral de R&D a augmenté de 11,7 milliards de dollars (en dollars courants). La totalité de cette augmentation finançait des programmes du département de la Défense (*Department of Defense,* DoD). En termes réels, le soutien fédéral à la recherche non militaire a donc baissé.

On connaît le rôle que joue le DoD, à la fois par ses recherches et ses approvisionnements[19]. Certains en sont ainsi venus à considérer le

---

18. Des équipements fonctionnant sous standard différents ne peuvent pas communiquer sans un "traducteur" : c'est l'*interface,* qui permettra de les brancher.

19. RAMSES 83/84 présentait la participation du DoD dans la création des industries électroniques et aéronautiques américaines.

Etats-Unis : dépenses fédérales de R&D (en milliards de dollars courants)			
	Années budgétaires		
	1981	1984	1985
Total	35,0	46,7	53,1
Défense	16,5	28,1	34,1
Autre	18,5	18,6	18,9
Défense en %	47 %	60,2 %	64,4 %

Source : US Budget, cité dans *High Technology.*

Pentagone comme l'orchestrateur d'une politique industrielle qui, si elle a certains côtés occultes, n'en est pas moins efficace. Cependant, un examen plus serré montre les limitations de cette approche. Si le DoD apporte l'impulsion essentielle aux premiers stades du développement technologique, sa participation devient moins efficace, voire même "contre-productive" pour les technologies plus mûres. En électronique, les buts des recherches militaires et les exigences des stratégies commerciales divergent souvent, quand ils ne sont pas fondamentalement incompatibles. Pour la défense en effet, il ne s'agit pas d'atteindre le meilleur rapport performances/prix, mais de maximiser à tout prix les performances.

Les objectifs militaires du programme VHSIC[20] ont ainsi conduit les firmes qui y participaient à opter pour des compromis technologiques qui s'avèrent irrationnels d'un point de vue commercial. Il s'agissait de développer des circuits très spécialisés orientés vers les besoins spécifiques de systèmes militaires. Pour tenir les délais imposés, il fallut sacrifier certaines caractéristiques importantes, comme l'utilisation optimale des matériaux semiconducteurs ; pour atteindre les performances que réclamaient les militaires, les participants au programme VHSIC ont développé des méthodes de production diamétralement opposées aux besoins du marché[21]. Plus grave encore, la diffusion des résultats du programme est sérieusement menacée par les militaires qui s'opposent à la dissémination des technologies VHSIC

ayant des applications militaires stratégiques. Bien sûr, le programme VHSIC ne manquera pas d'avoir des retombées commerciales. Cependant, le contraste avec les programmes japonais (le programme VLSI par exemple) est frappant. Au Japon, le but des recherches, menées conjointement pas les firmes et coordonnées par MITI, est explicitement commercial.

Le programme VHSIC n'est pas un exemple isolé. L'industrie robotique américaine fut développée d'abord pour la Défense (et aussi pour la NASA), qui voulait des robots extrêmement sophistiqués, capables de fabriquer avec une précision extrême des ailes aux formes complexes. Au Japon par contre, l'objectif était d'abord de vendre ces robots à un grand nombre d'industriels. Résultat, les robots américains, bien qu'à la pointe technologique, sont trop chers, trop délicats et trop difficiles à mettre au point pour être vendus hors des industries aérospatiales. Les robots japonais sont standards, donc bon marché, robustes et faciles à utiliser.

• L'adieu des Bell Laboratories

Jusqu'en janvier 1984, les *Bell Laboratories* d'*ATT* constituaient l'un des piliers de la *high tech* américaine. Dans une large mesure les industries de l'information, microélectronique, communications, informatique et logiciel furent bâties à partir des recherches et du personnel des "*Bell Labs*". La réglementation des télécommunications en avait fait une sorte de service public, les obligeant à divulguer les résultats de toutes leurs recherches.

La déréglementation met fin à cet état de fait. Désormais, les *Bell Labs* sont placés sous la seule autorité du nouvel *ATT* (et leurs recherches seront maintenant orientées exclusivement vers ses besoins). Déjà, ils effectuent moins de recherche fondamentale et leur budget risque de diminuer alors qu'*ATT* recherche la compétitivité. Mais, surtout, *ATT* ne peut plus se permettre de les laisser demeurer une source gratuite de technologie pour ceux qui sont aujourd'hui devenus ses concurrents. La "perte" des *Bell Labs* pour l'ensemble de l'industrie électronique américaine risque ainsi d'être l'un des aspects les

---

20. *Very High Speed Integrated Circuits.*

21. Voir l'analyse de Leslie Brueckner dans : *Assessing the Commercial Impact of the VHSIC program,* BRIE, 1984.

plus négatifs de la déréglementation. D'autant plus qu'au Japon, les laboratoires de recherche de *NTT* restent sous contrôle public et que le gouvernement entend les utiliser à plein pour promouvoir l'électronique japonaise.

● Recherche fondamentale au Japon

Le Japon entre aujourd'hui dans une phase critique de son développement : il s'agit de passer d'une position de "suiveur" technologique à celle d'innovateur, voire de leader. La réussite de cette transformation passe par un effort important de recherche fondamentale. Les Japonais ont bien compris les enjeux, alors qu'ils lancent des programmes nouveaux, au milieu du vaste effort publicitaire que représente l'exposition des technologies de l'an 2000 à Tsukuba[22]. Le programme de "cinquième génération" est significatif à cet égard : il représente le premier effort concerté lancé par le Japon dans le domaine de la recherche fondamentale.

Investissements à court terme et planification technologique

La structure du marché financier américain a compté pour beaucoup dans le développement de la haute technologie américaine. On a par exemple assez souligné le rôle du *venture capital* dans les réussites de la Silicon Valley. Aujourd'hui, alors que le succès dans les hautes technologies repose de plus en plus sur la capacité des compagnies à prévoir le long terme, cette structure montre ses limites. Il faut parfois plus de dix ans pour développer un commutateur digital et jusqu'à un milliard de dollars d'investissements en R&D ; le temps nécessaire à la

commercialisation des produits de biotechnologie nécessite des réserves suffisantes pour pouvoir attendre. Le temps qui sépare les investissements initiaux du moment de la commercialisation où l'on en récolte les fruits s'allonge sans cesse. Au contraire, les investisseurs souhaitent qu'il soit toujours plus court : ils n'ont que faire de projets à long terme et réclament des profits immédiats.

Les entreprises japonaises peuvent traditionnellement compter sur d'autres formes de financement, par exemple de prêts à long terme accordés aux entreprises des secteurs à promouvoir, ainsi que le financement interne des groupes diversifiés, qui les protègent bien mieux des humeurs de la bourse et des cycles économiques courts. Ces structures financières furent par exemple essentielles aux succès de la micro-électronique japonaise.

L'industrie des composants traverse régulièrement des récessions (le fameux "cycle des *chips"*). C'est précisément pendant ces récessions que les industriels japonais investissent lourdement dans les équipements qui leur permettront, dès que viendra la reprise, d'être prêts à produire en quantité. Une telle stratégie reste bien sûr hors de portée des Américains : quand l'industrie des composants est en récession, aucun *money manager* sensé n'y risquera ses investissements. Cette capacité japonaise à

---

22. A ce propos, on est frappé par le peu d'écho que suscite *Tsukuba* aux Etats-Unis (alors que la "technopole" envahit la presse française). Les Américains n'y voient que de la "poudre aux yeux" ; le véritable effort japonais serait ailleurs.

ITT et les "money managers"

Parmi les investisseurs de Wall Street, les plus puissants sont les *money managers,* analystes financiers qui gèrent les réserves financières des associations. Derrière la scène, ils sont les véritables maîtres des compagnies américaines : les caisses de retraite (*pension funds*) possèdent à elles seules plus d'un trillion de dollars, soit 60 % des actions échangées sur les marchés américains. Ils réalisent chaque jour 80 % à 90 % des transactions boursières (selon *Business Week*). Ils forcent les directeurs des firmes à maintenir les dividendes de leurs actions, même si cela risque de conduire à la faillite de leurs plans à long terme.

Le 11 juillet 1984, *ITT* annonce la réduction de ses dividendes d'environ deux tiers, afin de pouvoir réaliser les investissements nécessaires à son retour sur le marché américain des télécommunications. Il s'agit là de la meilleure stratégie pour *ITT*, qui veut renforcer son secteur télécommunications. En quelques minutes cependant, les *money managers* se débarrassent de leurs actions *ITT*. A la fin de la journée celles-ci avaient baissé d'environ un tiers. Pourtant, *ITT* n'avait pas fondamentalement changé. Cette décision laissait même la firme en bien meilleure position pour l'avenir. Exemple frappant de l'opposition entre les objectifs à long terme de l'industrie et les préoccupations à court terme des financiers.

maintenir le niveau d'investissement au cours des récessions, parce que le long terme justifie ces décisions financières, explique une large part de leur réussite. Parce qu'ils construisaient des usines de composants en 1974-1976, les Japonais ont pu pénétrer le marché américain dès le début de la reprise économique, à la fin des années 70. Sortant de la récession, les fabricants américains n'étaient pas prêts à fournir la demande de circuits intégrés qui s'accélérait soudainement. Les investissements japonais en 1980-1983 leur permirent ensuite d'établir et d'élargir leur supériorité sur les marchés de mémoires.

4.3. QUELLE PLACE POUR L'EUROPE ?[23]

Le retour de l'europessimisme

On voit aujourd'hui ressurgir le pessimisme européen. Bien sûr, les thèmes ont changé : jadis, c'étaient les multinationales américaines qui faisaient peur, avec leur puissance financière, leurs techniques modernes et leurs *managers* tout droit sortis des *Business Schools*. Le "défi américain" a maintenant fait place au "challenge du Pacifique". Ce sont aujourd'hui les petites entreprises de la *Silicon Valley* qui inquiètent et les méthodes de gestion japonaises que les Américains essaient de copier. L'Europe, la plus vieille région industrialisée du monde, voit faiblir les secteurs traditionnels qui assuraient autrefois sa prospérité ; elle a peur de ne pouvoir suivre les Etats-Unis et le Japon dans l'essor des industries de haute technologie.

Résumant bien l'évolution de ces perceptions, l'*Economist* parlait récemment d'un "fossé technologique"[24] : du mauvais côté de ce fossé, l'Europe serait condamnée à n'être plus qu'un vaste marché, enjeu des batailles qui, de l'autre côté, opposent Japonais et Américains. Certains vont plus loin encore et soulignent les nombreux accords unissant aujourd'hui des firmes américaines et japonaises, parlent d'un *condominium*, d'une entente entre ces deux pays visant la conquête des marchés mondiaux[25]. Les firmes européennes seraient exclues de ce mouvement, réduites aux seconds rôles et à la sous-traitance.

Cependant l'image du "fossé technologique" est trompeuse. On oublie trop facilement que

l'Europe figure aux premiers rangs dans une vaste gamme de technologies avancées. Elle excelle dans le secteur de l'énergie nucléaire, ainsi que toutes les technologies liées au cycle du combustible nucléaire. Les machines-outil à commande numérique et robots européens occupent une très bonne place, en particulier là où il faut combiner flexibilité et précision. *Airbus* remporte des contrats jadis réservés à l'aéronautique américaine et *Ariane* offre maintenant une alternative face aux lanceurs américains. La liste des points forts européens comprend aussi les trains à grande vitesse, l'instrumentation, de nombreux systèmes militaires sophistiqués, la chimie et les produits pharmaceutiques, ou encore certaines biotechnologies liées à l'alimentation ou à l'agriculture. Il faut donc se garder des pessimismes excessifs.

Pourtant, malgré ces points forts indéniables, il reste de sérieuses raisons d'inquiétude, parmi lesquelles la faiblesse de l'électronique européenne. Sur l'ensemble de ce secteur, l'Europe est à la traîne et ses retards sont substantiels.

Electronique : source du pessimisme

En 1978, l'Europe produisait 32,3 % de l'électronique mondiale ; ce chiffre était tombé à 26,3 % en 1983. Le déficit commercial de l'électronique européenne atteignait 9 milliards de dollars l'année dernière. Ce déficit se creuse, dans chacun des sous-secteurs de l'électronique. Sur dix ordinateurs personnels vendus en Europe, huit sont fabriqués aux Etats-Unis ; neuf magnétoscopes sur dix viennent du Japon. Cette situation ne serait pas dramatique si elle ne freinait pas la diffusion de l'électronique : l'Europe se contenterait d'acheter ailleurs les

23. Voir *European Electronics in an Era of US-Japanese Competition* : Ian McKenzie et Linda Hesselman (London Business School) et Gary Pisano (BRIE) ; "Europe in International Competition in Electronics and Telecommunications", M. Borrus, S. Cohen et J. Zysman, avec G. Pisano et autres. Il s'agit des documents de travail de deux conférences sur l'avenir de l'électronique européenne, organisées par la BRIE à Londres en novembre 1984 et à Berkeley en avril 1985.

24. "Europe's Technology Gap", *The Economist*, 24 novembre 1984.

25. Voir par exemple : "De la concurrence aux ententes", *Le Monde diplomatique*, février 1985.

Electronique : production et consommation
(parts du marché mondial en pourcentage)

	Production		Consommation	
	1978	1983	1978	1983
Etats-Unis	43,4	45,2	45,5	44,1
Japon	15,9	18,9	11,4	12,3
Europe	32,3	26,3	33,6	32,9
Reste du monde	8,5	9,6	9,5	10,7

Source : Center for Business Strategy, London Business School.

meilleurs ordinateurs et circuits intégrés, pour les incorporer à ces produits et procédés, qui deviendraient ainsi compétitifs. Malheureusement, c'est bien la faible diffusion des applications électroniques en Europe qui suscite le plus d'inquiétudes. La consommation de composants, qui sont à la base de toutes les applications, constitue à cet égard le meilleur indicateur. L'Europe achète aujourd'hui moins de 20 % des semi-conducteurs vendus dans le monde : chaque Européen en consomme en moyenne trois fois moins qu'un Américain et quatre fois moins qu'un Japonais.

Consommation de semi-conducteurs
(en dollars, par habitant)

	1978	1984
Japon	22	61
Etats-Unis	16	52
Europe (total)	7	14
dont :		
RFA	-	22
Grande-Bretagne	-	20
France	-	15
Italie	-	8

Source : Dataquest.

Production et diffusion des applications électroniques sont indissociablement liées. La faiblesse relative de la demande européenne freine certainement le développement de l'industrie des composants ; l'insuffisant dynamisme de cette industrie ralentit à son tour la diffusion des avancées technologiques.

En dépendant de producteurs étrangers pour son approvisionnement, l'Europe prendrait des risques évidents. D'abord, les utilisateurs européens n'auraient accès aux nouvelles technologies qu'après leurs concurrents américains ou japonais. Dans le cas particulier des composants, l'intégration croissante a conduit à la remontée de l'expertise système, auprès de ceux qui conçoivent les circuits. Il devient donc très difficile, voire impossible, de rester compétitif dans les applications finales (des ordinateurs à l'électronique grand public) sans maîtriser la conception des composants. Enfin, les usagers européens devraient alors se contenter de produits conçus pour des utilisateurs japonais ou américains, dont les besoins diffèrent des leurs. Ce décalage est particulièrement sensible pour les semi-conducteurs, comme on le verra plus loin.

Il y a certes longtemps que les pays européens ont reconnu le caractère stratégique de l'électronique. Au cours des vingt dernières années, leurs politiques ont mis en jeu des ressources considérables pour susciter le développement d'industries nationales.

L'héritage du passé

En 1968, le gouvernement britannique constituait *ICL* à partir des diverses firmes informatiques existantes, regroupant leurs forces pour créer un puissant champion de l'électronique anglaise. C'est la même logique qui, deux ans plus tôt, avait poussé le gouvernement français à unir les divisions informatiques de *Thomson* et de la *CGE* aux restes de l'association *GE-Bull* qui venait d'échouer, pour former la *Compagnie internationale pour l'informatique* (CII). Entre 1966 et 1971, dans le cadre du premier "plan calcul", l'Etat français allouait 200 millions de dollars de subventions à *CII*. Au début des années 70, le gouvernement anglais investissait 200 millions de dollars dans *ICL*. De 1967 à 1971, le premier programme allemand de support à l'informatique accordait environ 250 millions de dollars de prêts et subventions, dont la plupart allaient à *Siemens* et *AEG*[26].

Depuis lors, les politiques européennes n'ont pas fondamentalement changé[27]. En France par exemple, le premier plan calcul fut suivi d'un second (250 millions de dollars de 1971 à 1975), puis d'un troisième (1 milliard de dollars de 1976 à 1980) lancé conjointement avec un "plan des composants" (150 millions de dollars de R&D entre 1977 et 1979), puis plus récemment du "plan pour la filière électronique" (auquel l'Etat prévoyait de contribuer pour environ 6 milliards de dollars entre 1982 et 1987). L'accroissement régulier des sommes dépensées n'a rendu que plus sensible l'échec relatif de ces plans successifs.

Car ces politiques ont en grande partie échoué, en France comme dans les autres pays européens, du moins si l'on compare leurs résultats aux objectifs qu'elles se fixaient. Le troisième "plan calcul" devait faire de *CII-HB* l'un des leaders de l'informatique, des minis aux périphériques. Malgré les achats préférentiels de l'Etat, *Bull* ne contrôlait en 1984 que 18 % du marché informatique français[28]. Combinés, les trois "champions" de l'informatique européenne (*ICL, CII-HB* et *Siemens)* ne détenaient en 1983 que 16 % du marché européen des ordinateurs universels[29].

Pour expliquer ces faiblesses, on distingue deux ordres de causes : les premières sont liées à certains caractères européens, tandis que les deuxièmes tiennent à la nature même des politiques menées.

L'environnement européen ne serait pas propice à l'innovation. Trop attachées à la sécurité, à la stabilité des emplois, les entreprises européennes ne prendraient pas les risques nécessaires. De plus, les banques hésiteraient à financer les entreprises risquées et les lois sociales et fiscales freineraient le dynamisme des secteurs de haute technologie. Ces explications se fondent assurément sur des problèmes réels, dont les conséquences dépassent d'ailleurs de beaucoup le cadre des industries d'avant-garde. Il serait dangereux cependant de s'en tenir là. D'abord, parce qu'elles peuvent porter au découragement, en évoquant des causes (l'absence d'esprit d'aventure) qui échappent aux remèdes, en tout cas à moyen terme. Mais surtout parce qu'elles tendent à trop retenir l'attention et dispensent par là d'une analyse plus sérieuse des politiques gouvernementales.

D'un plan à l'autre, d'un pays à l'autre, certains traits de ces politiques apparaissent constamment. Chaque fois, on a soutenu *un seul "champion"* national (ou plus rarement deux ou trois) : dans l'informatique, *ICL, Bull* (sous divers noms) et *Siemens*[30] ; les récentes restructurations de l'électronique française paraissent relever de la même logique : la *CGE* contrôle maintenant la majorité des télécommunications et *Thomson* garde l'essentiel du secteur composants. Par contraste, la politique japonaise a

26. Ces chiffres, ainsi que ceux qui suivent, sont cités dans *National Policies in Information Technology : Challenge and Responses*, M. English et A. Watson Brown (CEE), dans *Oxford Surveys in Information Technology*, Vol. 1, pp. 55-128. Ils indiquent surtout des ordres de grandeur ; les aides des Etats prennent en effet des formes très diverses : subventions, achats garantis ou encore prise en charge de la R&D.

27. Depuis 1980, l'Allemagne se distingue cependant de la France et de la Grande-Bretagne : le "IVe plan pour l'informatique" allemand n'a pas vu le jour et les financements d'Etat ont légèrement baissé en 1982 et 1983 par rapport à 1981.

28. Ensemble, les cinq premiers constructeurs français (*Bull, Cimsa, Logabax, Intertechnique, Sfena*) ne contrôlent que 22,7 % du marché intérieur. (Selon *01 Informatique*, 1984).

29. D'après IDC, cité dans *Le Monde diplomatique* (17 septembre 1984), les livraisons de *Bull, ICL* et *Siemens* atteignaient 1,2 milliard de dollars en 1983, soit 16 % du total des livraisons en Europe (7,4 milliards de dollars).

30. Ici encore, l'Allemagne se singularise depuis 1980, en ramenant à 15-20 % la part des aides accordée à ses "champions".

cherché à promouvoir systématiquement la compétition entre les firmes nationales. Aujourd'hui, il y a par exemple quinze fabricants de composants et six producteurs de grands ordinateurs (*mainframes*) au Japon. Cette compétition sur le marché intérieur, sur les marchés extérieurs et pour l'obtention des aides de l'Etat, demeure l'un des moteurs du succès japonais.

Rien de semblable en Europe. Au contraire, le champion national reçoit les crédits ou au moins les commandes de l'Etat. Cette *absence de compétition* n'est pas faite pour stimuler la compétitivité. On ne peut s'empêcher de remarquer que les firmes électroniques européennes qui se distinguent au niveau mondial n'ont reçu que peu d'aide de leur gouvernement (*Nixdorf* ou *Olivetti*), ou ont d'entrée été forcées de viser les marchés mondiaux puisque leur base nationale était trop réduite (*LM Ericsson* en Suède, ou *Philips* en Hollande). Ces politiques ont entretenu la *fragmentation* du marché européen. Pour protéger le marché de son champion, chaque Etat a imposé des règles et standards, différents de ceux des pays voisins, et tenu ainsi à l'écart les fabricants étrangers (c'est surtout le cas des télécommunications). Il s'agit là d'une arme à double tranchant : produisant aux spécifications de leur pays d'origine, les firmes auront du mal à vendre sur les marchés extérieurs. Elles sont ainsi privées des économies d'échelle qui firent la force de leurs concurrents américains et japonais.

C'est dans les télécommunications que cette fragmentation va le plus loin et que ces méfaits apparaissent le plus clairement. Les principaux industriels de ce secteur ont développé un commutateur digital (la dernière génération de centraux téléphoniques publics), à un coût estimé pour chacun entre 0,5 et 1 milliard de dollars. Pour amortir un tel investissement, il leur faut capturer entre 6 % et 10 % du marché mondial. Aucun marché national n'offre un tel volume en Europe ; l'ensemble du marché européen ne suffirait d'ailleurs que pour trois ou quatre systèmes. Or neuf systèmes se le disputent actuellement (six sont européens, trois viennent d'Amérique du Nord).

D'autre part, les stratégies nationales ont été le plus souvent *solitaires*, excluant jusqu'à une période récente les coopérations internationales.

Chaque pays voulait être présent sur l'ensemble de la "filière" pour profiter des "synergies" qui lient les différents sous-secteurs de l'électronique. La duplication que nécessitèrent ces efforts simultanés entraîna un gaspillage considérable des ressources. Arthur D. Little estime par exemple qu'entre 1970 et 1980, le développement de commutateurs digitaux aurait mobilisé un quart des experts européens en logiciel. Autant d'ingénieurs qui ne purent participer à d'autres secteurs de l'électronique, alors même que le logiciel devenait plus critique.

Enfin, les politiques européennes ont généralement aidé les producteurs de l'électronique plutôt que ses utilisateurs. Plutôt que d'encourager le développement d'une demande finale dynamique, avec des acheteurs exigeants capables d'orienter et d'encourager le développement technologique, on a préféré une approche plus dirigiste : pousser le développement technologique par les producteurs. Cette approche n'est pas la plus efficace pour la diffusion des technologies. On a vu le rôle joué par les utilisateurs américains et japonais dans la croissance des industries électroniques. Dans d'autres secteurs, une telle approche peut ne pas être sans efficacité ; ainsi, l'aéronautique, où l'action de l'Etat fut certainement l'une des clefs du succès. Il en va tout autrement dans l'électronique, en évolution rapide sous l'impulsion du marché : ici, c'est d'abord l'interaction continuelle entre producteurs et utilisateurs qui guide le développement technologique.

Une reconquête ?

Pour remédier à cette situation, il faut envisager deux types de questions :
- De quelle industrie électronique l'Europe a-t-elle besoin ? Quels sous-secteurs faut-il développer en priorité ? Les stratégies tous azimuts (qui saupoudrent les ressources sur une trop vaste "filière") semblent vouées à l'échec. De plus, si l'objectif ultime est l'accès aux technologies, pour assurer leur diffusion, tous les secteurs n'ont pas la même importance.
- Quelles stratégies d'entreprises, quelles politiques d'Etat permettront d'atteindre ces objectifs ? Faut-il chercher à développer une technologie originale, ou au contraire acheter celle des autres ? Quelles sont les alliances les plus profitables ?

Composants : un passage obligé

L'industrie européenne des composants est extrêmement faible et cette situation va en se dégradant. En 1984, les firmes européennes comptaient pour moins de 9 % de la production mondiale, contre 14 % en 1978. Pire encore, leur part du marché mondial des circuits intégrés, les plus avancés des composants, dépasse à peine 6 %.

Parts du marché des composants contrôlées par des firmes européennes (en pourcentage des ventes)

Marché	Produit	1978	1984(1)	Changement (en %)
Mondial	Tous composants	13,9	8,6	-38,1
	Circuits intégrés	8,1	6,4	-20,9
Européen	Tous composants	44,6	39,4	-11,6

Source : Dataquest.
1. Estimations.

L'Europe dépend donc de l'étranger (surtout des Etats-Unis, mais de plus en plus du Japon) pour son approvisionnement en composants. Les firmes étrangères exportent vers l'Europe mais également, pour contourner les droits de douane de 17 % que l'Europe impose sur les importations de semi-conducteurs, elles ont installé leurs usines de fabrication en Europe.

Composants électroniques : les usines européennes des principales firmes étrangères

	RFA	France	G.-B.	Italie	Autres
Etats-Unis					
Texas Instrument	x	x	x	x	x (Hollande)
Motorola	x	x	x		x (Suisse)
National Semiconducteur			x		
Intel		x			
AMD					x (Suède)
ATT					x (Espagne)
ITT	x	x	x		x (Belgique, Portugal)
Japon					
NEC			x		x (Irlande)
Fujitsu			x		x (Irlande)
Hitachi	x				
Toshiba	x				

Sources : The *Semi-Conductor Industry*, Universiteit van Amsterdam.

Cette position d'infériorité a rendu l'Europe particulièrement vulnérable aux stratégies des firmes américaines. Typiquement, celles-ci montent en puissance sur le marché américain, où elles perfectionnent leurs technologies de production. Lorsqu'ensuite elles introduisent ces innovations sur le marché européen, leurs faibles coûts unitaires et leur expérience représentent un avantage décisif face aux firmes européennes. C'est parce que les composants ne sont que des produits intermédiaires, servant à la fabrication de systèmes électroniques, que cette dépendance a des répercussions bien plus importantes.

D'abord, ce retard est directement transmis au produit final, qui incorpore les composants de la génération précédente. Mais, surtout, les composants disponibles en Europe ont été conçus pour satisfaire les besoins du marché américain (ou, plus récemment, japonais) dont la structure diffère notoirement de celle du marché européen : aux Etats-Unis, le secteur informatique est de loin le premier consommateur de composants alors qu'en Europe, il vient après les télécommunications, l'électronique grand public et les applications industrielles.

Structure de la demande de semi-conducteurs (part du marché total, en pourcentage, 1983)

Utilisation finale	Europe	Etats-Unis	Japon
Télécommunications	23	20	9
Grand public	22	10	51
Applications industrielles	22	17	17
Informatique	20	37	21
Défense	9	11	-
Automobile	4	5	2
Total	100	100	100

Sources : EACEM, EIAJ, BRIE.

A mesure que les composants deviennent plus spécifiques, plus spécialement adaptés à des utilisations finales particulières, la faiblesse de l'industrie européenne des composants devient plus critique et se répercute à l'ensemble de l'électronique.

De plus en plus au cours des dernières années, les firmes européennes se sont tournées vers les Japonais, qui ont gagné du terrain sur le marché européen des semi-conducteurs où leur part est passée de 2 % en 1977 à 10 % en 1983[31]. Plus encore, on assiste à une recrudescence d'accords entre firmes européennes et firmes japonaises. Par exemple, *ICL* dépend de *Fujitsu* pour les composants de ses *mainframes* et *Thomson* de *Oki* pour les technologies de fabrication des mémoires RAMs, *Philips*

contrôle 35 % d'une *joint venture* avec *Matsushita* et *Siemens* collabore avec *Fuji*.

Dépendre des Japonais pour les semi-conducteurs pourrait bien se révéler plus dangereux que de dépendre des Américains. Contrairement aux producteurs de semi-conducteurs américains, les firmes japonaises, intégrées verticalement, sont des concurrents *directs* des firmes européennes sur les marchés finaux. Ainsi, lorsque les ordinateurs d'*ICL* menaceront sérieusement ceux de *Fujitsu*, on peut craindre des restrictions sur les transferts de technologie composant. De même, *Oki* n'a pour l'instant transféré à *Thomson* que

31. D'après *Dataquest*.

les technologies des mémoires 16KdRAMs et 64KdRAMs. L'accord s'étendra ultérieurement aux 256K. On peut cependant craindre qu'*Oki* n'attende pour cela d'être bien installé sur ce marché et surtout d'être sûr que ses 256K-dRAMs ne feront pas de *Thomson* un concurrent bien plus sérieux sur certains marchés finaux.

En revanche, la montée japonaise et l'inquiétude qu'elle suscite aux Etats-Unis pourrait fournir aux firmes européennes l'occasion de former des alliances plus étroites et plus fructueuses avec les fabricants de semi-conducteurs américains. En effet, leurs intérêts semblent ici converger. Pour les fabricants américains, la faible consommation européenne de composants pose problème également : leur bonne position sur le marché européen ne leur suffit plus à compenser les pertes que les Japonais leur font subir aux Etats-Unis. Ils auront besoin d'un vaste marché, donc de consommateurs européens, pour leurs composants complexes standards (voir partie précédente). Ils auraient donc intérêt à ce que la diffusion des applications électroniques s'accélère sur notre continent. Ils pourraient être d'autant plus disposés à aider ce développement que les fabricants de systèmes européens (en électronique grand public ou industrielle par exemple) ne deviendraient pas pour eux des concurrents directs, mais surtout des concurrents pour les Japonais.

Composants : les douze premiers constructeurs sur le marché européen en 1984

	Pays d'origine	Chiffre d'affaires(1) 1983	1984	Taux de croissance	Rang 1983
1. Texas Instrument	Etats-Unis	330	533	61,52	2
2. Philips (2)	Pays-Bas	403	456	13,15	1
3. Motorola	Etats-Unis	280	402	43,57	3
4. Siemens (3)	RFA	252	280	11,11	4
5. National Semiconductor	Etats-Unis	159	250	57,23	5
6. Intel	Etats-Unis	140	235	67,86	7
7. NEC	Japon	109	220	101,83	1
8. Hitachi	Japon	114	215	88,60	0
9. Thomson Semiconductors	France	157	206	31,21	6
10. SGS-Ates	Italie	122	180	47,54	9
11. AMD	Etats-Unis	83	176	112,05	2
12. ITT	Etats-Unis	126	171	35,71	8

Source : Dataquest.
1. En millions de dollars.
2. Non compris Signetics.
3. Litronix inclus.

● La voie *"custom"*

La tendance vers l'émergence de circuits intégrés "sur mesure" (*custom chips)* pourrait offrir une autre voie aux Européens. Ici, la conception des circuits revient à leur utilisateur final, fabricant de systèmes ; il peut la confier à un consultant extérieur ou bien l'effectuer directement à l'aide de logiciels de conception assistée spécialisés. Une fois le dessin du composant mis au point, sa réalisation proprement dite est confiée à une "fonderie" de silicone. En remettant l'accent sur le savoir faire de l'utilisateur final, fabricant de systèmes, cette tendance pourrait permettre aux Européens de s'appuyer sur leurs points forts dans certaines applications finales (télécommunications ou électronique professionnelle par exemple) et de contourner ainsi l'obstacle que constitue leur faiblesse en micro-électronique.

Deux ingrédients sont indispensables à une telle stratégie. D'abord, il faut disposer d'outils logiciels de conception très sophistiquée (système CAO, conception assistée par ordinateur), capables de tracer le plan d'un sées par son utilisateur. De tels logiciels apparaissent à peine sur le marché, mais les meilleurs ne sont encore écrits et utilisés que par les grandes firmes de l'électronique (*ATT, Fujitsu, IBM* par exemple), pour leur propre compte. Il serait donc nécessaire de développer les capacités européennes, comme l'ont d'ailleurs compris les responsables du programme ESPRIT[32] qui financent des recherches dans ce domaine.

Enfin, il faut pouvoir fabriquer le circuit ainsi conçu, c'est-à-dire avoir accès à une "fonderie" qui maîtrise des technologies de production sophistiquées. (Il s'agit par exemple de pouvoir tracer des "lignes" épaisses d'un micron seulement sur des morceaux de silicone). Certains croient que seule la production à grande échelle de circuits standards (mémoires par exemple ou circuits plus complexes tels que les microprocesseurs), permet de maîtriser ces technologies de fabrication. C'est en grande partie pour acquérir cette maîtrise que *Thomson* s'engage aujourd'hui dans la production de 16K et 64K-dRAMs. Si tel est le cas, le *custom* n'offre pas vraiment d'issue de secours pour les Européens, puisqu'il faut de toutes façons maîtriser les composants classiques. Mais si, comme d'autres le pensent, une expérience minimale en circuits standards suffit (bien moins que ce qui serait nécessaire pour se mesurer aux mémoires japonaises par exemple)[33], il devient alors possible à l'Europe de sauter une étape et de rester compétitive sans passer d'abord par la maîtrise des composants standards.

Informatique : des systèmes pour l'Europe

Une analyse de l'informatique européenne ne peut commencer que d'une seule façon : en reconnaissant l'hégémonie d'*IBM*. Deux tiers des ordinateurs universels (*mainframes*) vendus en Europe (exactement 62 % en valeur, selon *IDC*[34] portent le sigle *IBM*. Aucun de ses concurrents ne dépasse 7 %. Cette supériorité écrasante a institué un standard de fait, qui contribue à perpétuer la supériorité d'*IBM*. Les clients d'*IBM* ont investi des sommes importantes dans la mise au point de programmes qui ne fonctionnent que sur des machines construites selon ce standard ; ils ne peuvent accroître la capacité de leurs installations qu'en y ajoutant des machines compatibles avec celles qu'ils ont déjà. Ainsi "enfermés" dans le standard *IBM*, comment pourraient-ils alors changer de fournisseur ?

Face aux standards de "*Big Blue*", il n'y avait guère que deux stratégies possibles : résister, comme l'on fait les fabricants du BUNCH aux Etats-Unis, *NEC* au Japon et les constructeurs européens, en choisissant d'abord la non-compatibilité ; ou se soumettre, comme *Amdhal, Memorex, Fujitsu, Hitachi* et bien d'autres qui produisent des "compatibles-*IBM*".

Dans les deux cas, on s'expose à des difficultés. Les "non-compatibles" s'interdisent l'accès à la majeure partie du marché et doivent se rabattre sur des créneaux spécialisés. Quant à eux, les "compatibles" s'exposent aux sautes d'humeur du géant, qui les tient à sa merci en contrôlant la publication des détails de ses interfaces, nécessaires pour pouvoir se brancher sur un IBM. Les fabricants de compatibles ont bien essayé à plusieurs reprises de forcer *IBM* à divulguer ces spécifications, lui intentant des procès *antitrust* aux Etats-Unis ainsi qu'en Europe. Sans succès, puisqu'en 1982, le département de la Justice américain donnait raison à *IBM*, estimant qu'il s'agissait là de pratiques concurrentielles justifiées. Le 1er août 1984, la CEE suivait la même route, bien que pour des raisons un peu différentes, en négociant un compromis avec *IBM*.

32. *European Strategic Program for Research in Information Technology.*

33. Les ingénieurs d'*Advanced Micro Devices* (AMD) aux Etats-Unis sont de ceux-là : la firme n'a qu'une chaîne expérimentale pour la production de circuits standards - qu'elle ne vend même pas - où elle teste les procédés qu'elle appliquera à son activité principale : les circuits sur mesure.

34. *Le Monde informatique*, 17 septembre 1984.

Informatique : les dix premiers constructeurs sur le marché français

Rang 1984	Constructeur	Pays d'origine	CA informatique 1984 (1)	1984-1983 (2)	Rang 1983
1	IBM	Etats-Unis	18 672	22,4	1
2	Bull	France	8 622	19,4	2
3	Burroughs (+ Memorex)	Etats-Unis	2 260	26,3	3
4	Digital Equipment	Etats-Unis	2 179	60,0	4
5	Hewlett Packard	Etats-Unis	2 080	44,7	9
6	NCR	Etats-Unis	1 220	10,0	5
7	Olivetti	Italie	1 036	20,0	8
8	Control Data	Etats-Unis	1 000	13,8	7
9	Apple	Etats-Unis	940	151,0	6
10	Nixdorf	RFA	806	13,5	10

Source : 01 Informatique.

1. En millions de francs.
2. En pourcentage.

● **Des systèmes fermés aux systèmes ouverts**

Si les moyens légaux ont échoué, l'évolution technologique qui accompagne aujourd'hui la montée des réseaux pourrait bien remettre en cause les dynamiques passées. Le succès du système opératoire UNIX et l'accord conclu le 15 mars 1984 entre les douze grandes firmes informatiques européennes qui soutiennent les normes de communication "ouvertes" OSI *(Open System Interconnection)*, tendent à unifier l'informatique derrière des standards communs qui échappent au contrôle - et aux manipulations - d'IBM. Les logiciels développés sous UNIX sont "portables" et ceux que l'on écrit pour une machine sont aisément transportés sur une autre. L'effet d'enfermement dont profitait *IBM* serait ainsi aboli. OSI définit les caractéristiques des branchements entre différentes parties d'un système informatique ; les ordinateurs et périphériques de constructeurs différents peuvent alors communiquer au travers de réseaux normalisés.

Les problèmes de l'informatique européenne ne sont pas réglés pour autant. Si l'ouverture des systèmes rétablit la concurrence, *IBM* conserve des atouts considérables : sa taille, son expé-

rience, sa puissance industrielle et commerciale. Le cadre nouveau défini par cette transformation conditionne les choix stratégiques des firmes européennes. Elles n'ont ni l'échelle, ni l'expérience nécessaire pour confronter directement les géants *(IBM* et *ATT)* sur l'ensemble des secteurs informatique et télécommunication. Elles auraient également du mal à s'affirmer comme fabricants d'éléments (périphériques par exemple) face aux Japonais. Leurs points forts semblent en revanche les prédisposer à devenir des fournisseurs de systèmes informatiques (se positionnant ainsi au deuxième tiers de l'industrie décrite à la section précédente). Deux choses sont ici nécessaires : d'abord, une bonne connaissance des besoins des usagers finaux ; ensuite la compétence "système", qui repose en grande partie sur les aptitudes en logiciel[35] et

---

35. On cite souvent le logiciel comme un point fort de l'Europe. La grande diversité de ce secteur oblige à nuancer. En France, par exemple, les progiciels viennent surtout de l'étranger ; cependant, l'industrie française du service informatique se trouve au deuxième rang mondial, derrière les Etats-Unis mais devant le Japon. C'est également en France qu'on a créé le langage PROLOG utilisé par le programme japonais de cinquième génération et le langage ADA utilisé par l'armée américaine.

Normes : luttes d'influence

Certaines normes résultent d'abord de batailles commerciales ; c'est le cas du standard VHS pour les magnétoscopes, ou de MS-DOS, le système d'exploitation du PC d'IBM. Dès que la majorité des machines vendues suivent cette norme, elle devient un standard *de facto* : la majorité des progiciels fonctionnent "sous MS-DOS" et les fabricants d'ordinateurs ont intérêt à ce que leur matériel puisse les utiliser.

Traditionnellement, le cas des télécommunications est différent : dans chaque pays, c'est l'administration (les PTTs) qui définit les normes. On estime que 30 % seulement des spécifications sont les mêmes d'un pays d'Europe à l'autre. Pour adapter un commutateur numérique aux normes d'un autre pays, il faudrait un an de travail à une centaine d'ingénieurs en logiciel[1]. Les obstacles à l'uniformisation des standards téléphoniques européens sont donc considérables. Cependant, il est relativement plus simple de les harmoniser pour les réseaux qui ne sont pas encore construits. C'est pourquoi les efforts européens, avec le programme RACE, portent dès maintenant sur le réseau numérique intégré de demain.

OSI

Bénéficiant d'un standard de fait sur les ordinateurs, *IBM* voudrait bien l'étendre aux *communications* entre ordinateurs : si *SNA* (*Systems Network Architecture :* la norme qui régit les connections entre deux machines *IBM*) s'imposait, il faudrait acheter un matériel *IBM* (ou compatible) pour se brancher sur un autre *IBM*. L'intérêt des concurrents d'*IBM* diverge évidemment : ils veulent un standard "ouvert" où tous puissent entrer sans la "clef" *IBM*. C'est pourquoi douze firmes européennes se sont entendues sur OSI (*Open Systems Interconnection)* encourageant ainsi l'émergence d'un standard universel qui échappe au contrôle (et aux manipulations) d'*IBM*.

CEE contre IBM

L'accord intervenu entre *IBM* et la CEE, le 1er août 1984, mettait fin à un conflit vieux de onze ans. L'Europe accusait *IBM* d'abuser de sa position dominante, ne publiant pas assez tôt l'information nécessaire à ses concurrents pour développer des produits compatibles.

La CEE espérait forcer ainsi *IBM* à révéler ses secrets. Récemment cependant, elle réalise que, comme *IBM,* elle a tout intérêt à trouver un compromis. En effet, forcer *IBM* à dévoiler ses spécifications aurait surtout pour effet d'aider les Japonais à produire des compatibles *IBM*, sans aider beaucoup les informaticiens européens. Et puis, il faut bien reconnaître qu'*IBM* pèse lourd dans l'économie européenne : ses quinze usines et neuf laboratoires de recherche installés en Europe emploient 100 000 personnes ; *IBM* y a investi 1,2 milliard de dollars en 1983 et c'est le premier contribuable français ; *IBM* est enfin une source d'exportations et de technologie non négligeable.

Selon le compromis, *IBM* accepte de publier ses spécifications quatre mois avant la sortie de ses produits (c'est-à-dire à peine deux mois plus tôt qu'il ne le faisait d'habitude) et accepte de soutenir le standard OSI. En échange, la Commission abandonne le procès intenté à *IBM* en 1980, s'épargnant d'ailleurs ainsi de longues batailles légales. *IBM* ne semble pas avoir compromis sa position sur les marchés européens. Cependant, c'est la première fois qu'*IBM* s'engage auprès d'une organisation gouvernementale à publier régulièrement ses spécifications. De plus, la Commission se réserve le droit de reprendre ses poursuites si *IBM* met trop de mauvaise volonté à coopérer. *IBM* est en quelque sorte en "liberté surveillée".

---

1. D'après Gemit Jeelof, de Philips.

demande une expertise certaine en communications.

Pour réussir, cette stratégie nécessite l'accès à des matériels informatiques performants. Les collaborations entre firmes européennes et japonaises semblent ici les plus naturelles, leurs atouts respectifs - l'expérience système, les logiciels des Européens et la supériorité des matériels japonais - se combinant harmonieusement. De telles alliances existent déjà, comme en témoignent les accords entre *ICL* et *Fujitsu,* *Siemens* et *Fujitsu,* ou *Bull* et *NEC*[36]. Mais ces alliances comportent des risques. Il est fort peu probable en effet que les ambitions japonaises s'arrêtent aux matériels informatiques, d'abord parce que les autres pays d'Asie commencent déjà à disputer ces marchés aux Japonais, mais

surtout parce que les logiciels représentent de plus en plus de valeur ajoutée. Ces alliances s'inscrivent bien sûr dans l'effort entrepris par les Japonais pour renforcer leur informatique. A l'aide des firmes européennes, ils espèrent en particulier rattraper leur retard en logiciel. Il faudra donc veiller à n'entrer que dans des accords équilibrés où les Européens n'abandonnent pas leurs points forts sans contrepartie.

---

36. Ces trois accords portent surtout sur les grands ordinateurs : *ICL* et *Siemens* vendent ceux de *Fujitsu,* *Bull* ceux de *NEC ;* les accords de *Bull* et *ICL* incluent le développement technologique. De plus, *ICL* utilise les composants et les périphériques de *Fujitsu* dans ses produits (*OEM agreement).*

Télécommunications : la chance de l'Europe ?

Les transformations qui affectent aujourd'hui le secteur des télécommunications pourraient bien offrir à l'Europe sa meilleure chance de rétablir une position forte dans l'électronique mondiale. C'est en effet autour des télécommunications que s'articulent les évolutions majeures de l'électronique : les réseaux digitaux intégrés redéfinissent l'informatique et les télécommunications stimulent les innovations majeures de la micro-électronique. Or, parmi l'ensemble des secteurs électroniques, c'est dans les télécommunications que l'Europe conserve ses meilleures positions. L'Europe peut utiliser ce point fort comme tremplin vers la reconquête des autres secteurs.

Télécommunications : commerce international
(en milliards de dollars)

	Exportations					Importations				
	1979	1980	1981	1982	1983	1979	1980	1981	1982	1983
Etats-Unis	2,4	2,7	3,0	3,2	3,3	2,8	3,2	4,1	4,4	5,5
Japon	3,1	3,8	4,9	4,4	5,2	0,3	0,3	0,4	0,4	0,4
CEE	6,6	7,5	6,8	6,7	6,4	4,2	5,1	4,8	4,5	4,4

Source : GATT, *International Trade, 1983-84.*

Note : Ces chiffres du GATT diffèrent sensiblement de ceux cités plus haut pour les Etats-Unis, qui provenaient de l'*American Electronics Association.* Ils montrent cependant la même tendance : le creusement du déficit américain.

Lorsque l'on compare avec le reste de l'électronique, les télécommunications européennes se portent très bien. En 1983, l'Europe comptait pour 42 % de la production mondiale d'équipements télécom, contre 38 % pour les Etats-Unis et moins de 10 % pour le Japon. Récemment, elle enregistrait chaque année un excédent commercial d'environ 2 milliards de dollars sur ce secteur. Les firmes européennes ont été parmi les premières à mettre au point la dernière génération de centraux téléphoniques électroniques. *CIT-Alcatel* détient encore aujourd'hui le record des ventes de commutateurs temporels. C'est en Europe qu'apparurent les premiers systèmes de radiotéléphonie cellulaire (en Scandinavie), ainsi que le vidéotexte.

Cette position de force, les firmes européennes la doivent d'abord aux relations privilégiées qu'elles ont entretenues avec les administrations nationales des télécommunications (que pour simplifier on appellera ici "PTTs"). La structure réglementaire traditionnelle leur assurait un marché captif, sur lequel elles pouvaient développer leurs produits, puis acquérir l'expérience qui assurerait ensuite leurs succès à l'extérieur. Les PTTs finançaient et coordonnaient les recherches et le développement des nouveaux produits et garantissaient des achats qui permettraient l'amortissement des investissements initiaux. Les pays en voie de développement et les nouveaux pays industriels offraient ensuite l'essentiel des marchés "ouverts" à l'exportation[37] (avant l'ouverture du marché américain, les autres marchés étaient "fermés", c'est-à-dire réservés aux constructeurs nationaux).

Au cours des dix dernières années, ces positions se sont régulièrement affaiblies. Selon les consultants d'Arthur D. Little (ADL), les producteurs européens ont perdu chaque année 1 % de leur part des marchés d'exportation.

---

37. Selon la *CGE* (*Le Monde*, 20 mars 1985), ces pays comptaient pour presque 70 % des exportations françaises en 1983.

Dans l'ensemble, toujours selon ADL, les produits et services de télécommunications les plus avancés se diffusent en Europe bien plus lentement qu'aux Etats-Unis et dans une moindre mesure, qu'au Japon. La faible pénétration jusqu'à présent des firmes européennes sur le marché américain depuis sa déréglementation renforce ces inquiétudes[38]. En particulier, l'avènement des technologies nouvelles fait apparaître les limites des structures de réglementations traditionnelles. La digitalisation des télécommunications a conduit à l'escalade des coûts de R&D, à un moment où la compétition plus intense réduit la durée de vie commerciale des produits nouveaux. Dès lors, les marchés nationaux deviennent trop petits pour former un tremplin suffisant vers les marchés extérieurs et la fragmentation du marché européen, divisé par les standards, se fait cruellement sentir.

Avec la convergence des technologies, le marché des terminaux obéit de plus en plus aux dynamiques qui régissent les marchés informatiques : l'interaction continuelle entre producteurs et utilisateurs s'avère ici primordiale pour l'innovation technologique. Les PTTs ne favorisent pas cette interaction. Les producteurs tendent à développer les produits dont les PTTs pensent que les utilisateurs ont besoin (on songe à l'exemple de Télétel) plutôt que ceux que les utilisateurs désirent réellement. C'est ce qui a poussé les industriels européens à développer en priorité les centraux publics et certaines technologies de transmission (pour les PTTs et leur réseau).

La faiblesse relative des terminaux et des services européens résulte directement de l'accent porté sur les produits de réseau. Cette faiblesse est cumulative : n'ayant que peu accès à des terminaux et des services avancés, les usagers européens - et en particulier les entreprises - ont moins conscience des possibilités offertes par les technologies digitales et l'intégration qu'elles permettent. Ils exercent donc moins de pressions sur les PTTs pour qu'ils les leur fournissent[39]. C'est dans ce cadre que la déréglementation américaine menace directement l'industrie européenne des télécommunications et la suprématie des PTTs. Aux Etats-Unis, la déréglementation et la compétition intense qu'elle suscite entraîne la prolifération des réseaux, des équipements et des services. Les besoins des usagers et d'abord ceux des grandes entreprises, y seront satisfaits plus vite qu'en

Europe. L'industrie des télécommunications américaine développe ainsi des produits plus compétitifs et mieux adaptés aux besoins des entreprises.

Pour les pays d'Europe, il semble que le dilemme soit le suivant. S'ils choisissent de gérer le changement technologique à l'intérieur des structures traditionnelles, ils peuvent espérer freiner la pénétration des firmes étrangères, préservant leur marché intérieur pour les producteurs nationaux. Ces derniers risquent en revanche de perdre leur compétitivité internationale en restant à la traîne de l'innovation technologique, ce qui conduirait à pénaliser l'ensemble de l'économie nationale.

Si au contraire ils choisissent de s'ouvrir à la compétition internationale, ils risquent de voir les firmes étrangères envahir leur marché national. En revanche, ils assurent à l'ensemble de leur économie l'accès aux technologies de télécommunication les plus évoluées. L'Angleterre, en choisissant de privatiser *British Telecom* et de libéraliser ses marchés de télécommunications, penche pour la deuxième solution, tandis que les politiques suivies jusqu'à présent en France et en Allemagne se rattachent plutôt à la première.

Les anciennes structures européennes pourront-elles résister aux pressions qu'exercent les firmes de télécommunications étrangères, *ATT* en tête, et aux demandes nouvelles des usagers, qui maintenant s'organisent au sein d'organisations de plus en plus puissantes[40] ? Le changement semble inévitable. Pour qu'il soit bénéfique et permette à l'Europe de saisir les occasions créées aujourd'hui par les nouvelles technologies, il importe que la transformation soit voulue plutôt que subie : une réforme bien conçue des structures réglementaires existantes vaudrait mieux qu'une guerre défensive et perdue

---

38. L'ouverture du marché télécom américain a des conséquences diverses selon les segments : l'essentiel de leur déficit commercial provient des terminaux et ils ont un excédent en commutation publique, le secteur des transmissions étant en gros équilibré. Ainsi, les pays d'Asie (avec leurs terminaux) en ont plus profité que les pays d'Europe (où l'on a favorisé la commutation).

39. C'est l'une des conclusions d'un récent rapport d'Arthur D. Little à la CEE.

40. Comme aux Etats-Unis, les grands usagers ont joué un rôle décisif dans la libéralisation anglaise.

d'avance, contre de puissantes firmes étrangères (*ATT, IBM, NEC* ou *Fujitsu*). Plutôt que l'américain, c'est peut-être le modèle japonais qui pourrait apporter ici les meilleurs enseignements et ceci de deux façons.

En premier lieu, l'Etat conserve le contrôle du réseau de base : il s'agit en effet d'un service public. C'est le meilleur moyen d'assurer le développement optimal d'un réseau au service de tous et il s'agit là d'un instrument majeur des politiques industrielles. C'est aussi le seul espoir d'arriver à des standards européens pour le réseau digital intégré (RNIS, ou Réseau numérique à intégration de service) qui émerge aujourd'hui. De tels réseaux, à l'échelle européenne, peuvent créer une gamme de possibilités, pour des équipements comme des services, avec des marchés d'une taille suffisante pour développer une industrie des télécommunications européennes compétitive au niveau mondial.

D'autre part, les administrations nationales des télécommunications renoncent au rôle d'intermédiaire omniprésent entre producteurs et usagers. Elles peuvent même profiter de leur position initiale pour provoquer les contacts : au Japon par exemple, *NTT* a suscité la création de centres de recherches où producteurs et usagers travaillent conjointement à la mise au point d'équipements et de services (VANs) mieux adaptés aux besoins réels des usagers, au moment où ses marchés sont déréglementés. Cette orientation correspond à la tendance qui conduit actuellement l'ensemble des pays d'Europe à libéraliser de plus en plus les marchés des terminaux. Sur ces marchés cependant, les firmes européennes partent en position d'infériorité, encore aggravée par la faiblesse dans les secteurs connexes de la micro-électronique et de l'informatique. Ce qui oblige à conclure des alliances avec les constructeurs américains et japonais qui contrôlent ces technologies.

Evidemment, ces alliances sont celles qui ont été évoquées à propos de l'informatique, vues de l'autre côté : *Philips* avec *ATT, Control Data* et *Rockwell* ; *CIT-Alcatel* avec *Honeywell* et *Xerox* ; *Plessey* avec *Burroughs* ; *Olivetti* avec *Hitachi* et *ATT* ; *Siemens* avec *Fujitsu Xerox* ; *GEC* avec *Mitsubishi* et *NEC* ; ou encore *Ericsson* avec *Honeywell* et *Sperry*. Pour les firmes européennes, le problème est d'utiliser ces

alliances pour accéder à des marchés hors d'Europe. Il serait dangereux en effet qu'elles se limitent à échanger des parts de leur marché contre les technologies étrangères. Les instances nationales et communautaires peuvent ici jouer un rôle crucial en usant de leur autorité pour aider les firmes européennes à conclure des accords plus équilibrés.

Un vent d'espoir

Jusqu'à présent, malgré les appels répétés en faveur d'alliances entre firmes européennes, c'était surtout aux Etats-Unis et au Japon que nos électroniciens allaient chercher leurs partenaires. Entre 1982 et 1983, ils ont signé quelques 200 accords de coopération : 50 % avec des firmes américaines, 20 % avec des japonaises et seulement 18 % avec d'autres firmes européennes[41].

Dans chaque pays, on l'a vu, les efforts sont loin d'être négligeables : au cours des cinq années à venir par exemple, l'Angleterre dépensera 200 millions de livres pour "Alvey" (ordinateurs de cinquième génération) et l'Allemagne 3 milliards de deutschemarks pour l'ensemble de l'électronique. Ainsi lorsqu'on les additionne, les dépenses de recherches européennes dépassent celles du Japon[42]. Seulement, il n'est pas sûr que l'on puisse les additionner : l'absence de coordination entraîne des duplications, engendre des gaspillages. La Commission européenne a donné le signal du changement en créant la *Task Force* pour les technologies de l'information, qui a préparé et fait adopter en février 1984 le programme ESPRIT : il vise le développement de recherches précompétitives à travers des collaborations européennes, et finance pour moitié des projets précis, présentés conjointement par des firmes d'au moins deux pays d'Europe, dans cinq domaines principaux : trois technologies génériques (micro-électronique, logiciel et traitement informatique avancé) et deux domaines d'application (bureautique et production intégrée par ordinateur).

---

41. *Datamation*, 1er septembre 1984.

42. En 1982, les dépenses de R&D combinées de la France, l'Allemagne et l'Angleterre étaient d'environ 43 milliards de dollars contre 31 milliards de dollars pour le Japon. (d'après l'OCDE, dépenses R&D publiques et privées).

Le succès d'ESPRIT (270 entreprises et universités européennes ont proposé quelque 600 projets de recherche en 1984) a conduit à envisager de nouveaux programmes communautaires, bâtis suivant un modèle similaire[43] : par exemple un programme pour la biotechnologie, approuvé le 19 décembre 1984, BRITE[44] pour la recherche technologique fondamentale et surtout RACE. La phase pilote du programme RACE[45] définira en un an, à partir de juillet 1985, les détails des phases ultérieures, à travers onze projets. RACE vise à favoriser la mise en place d'un réseau numérique intégré à large bande à travers la Communauté, avant 1995.

S'il s'agit de premiers pas encourageants, il ne faut pas se faire d'illusions : seuls, ESPRIT ou RACE ne résoudront évidemment pas les problèmes de l'électronique européenne. A titre de comparaison, les 750 millions d'ECU que dépensera la Communauté au cours des cinq premières années d'ESPRIT représentent à peine 7 % du budget R&D d'*IBM* pour la même période[46]. La phase pilote de RACE représente 42,9 millions d'ECU. Il est encore trop tôt pour évaluer les résultats des recherches d'ESPRIT. On peut cependant constater ce qui restera sans doute son principal succès : en forçant les firmes européennes à s'entendre pour obtenir des crédits de recherche, ESPRIT a favorisé une série d'accords entre les firmes européennes. De plus en plus, celles-ci ressentent la fragmentation de l'Europe comme un handicap majeur.

Par exemple, *Bull, ICL* et *Siemens* ont créé un laboratoire commun en Allemagne pour l'étude des nouvelles technologies de traitement informatique. Il s'agit du plus important effort de collaboration européenne en informatique depuis l'échec d'*Unidata. Philips* et *Siemens* s'unissent pour le développement de mémoires à grande capacité (1 et 4 mégabits). Mais ce sont surtout les accords tendant à l'établissement de standards européens qui semblent les plus prometteurs. L'accord des douze grandes firmes européennes, parmi lesquelles *ICL, Bull, Sie-*

mens, Nixdorf, Thomson, Olivetti et *Philips* pour la promotion du standard OSI (*Open Systems Interconnection*) demeure la plus spectaculaire. D'autres, comme celui conclu entre *Siemens, CIT-Alcatel, Italtel* et *Plessey* pour le développement commun de commutateurs numériques à large bande, constituent un pas important vers l'unification du marché des télécommunications européennes.

Sans de telles alliances entre firmes, les accords qui seront négociés au sein de la Communauté ou entre gouvernements ne pourraient aboutir à l'établissement d'un marché européen de l'électronique, condition nécessaire au retour en force de l'Europe dans ce domaine. Une telle volonté semble aujourd'hui exister, comme en témoigne par exemple l'accent mis sur l'uniformisation des normes de télécommunications. L'impulsion est donc donnée. Elle n'atteindra cependant son plein effet que si, comme l'a prévu le traité de Rome, on met un terme à ce marché peu commun (*the "uncommon market"*) en permettant la libre concurrence nécessaire à l'intérieur de l'Europe. C'est dans ce sens que vont les recommandations soumises par la Commission européenne aux chefs de gouvernement le 26 mars 1985. Elle propose en particulier l'ouverture des marchés publics à l'intérieur de l'Europe ; l'allocation de 10 % des commandes nationales d'équipements de télécommunications à des entreprises d'autres pays de la Communauté pourrait en constituer une première étape.

---

43. En avril, la France a proposé le projet Eurêka, qui englobe certains programmes existants et tend à les prolonger (voir, pour plus de détails, le chapitre 6 de cette partie).

44. *Basic Research on Industrial Technologies in Europe.*

45. *Research on Advanced Communication Technologies in Europe.*

46. Et la moitié des subventions communautaires *annuelles* à l'industrie de la betterave à sucre. (La comparaison est de Maurice English, *op. cit.*).

5. La construction européenne : l'accouchement douloureux et inachevé de la Communauté à Douze (décembre 1983-juin 1985)

Le 6 décembre 1983, le Conseil européen, réuni à Athènes, se sépare sur un échec : le contentieux budgétaire de la Communauté reste sans solution. Le 1er janvier 1986, l'Espagne et le Portugal deviendront les onzième et douzième Etats membres de la Communauté. Entre ces deux dates, l'Europe des Dix traverse l'une de ses plus intenses périodes de débat, de réexamen de ses buts. A la suite de l'initiative germano-italienne Genscher-Colombo (6 novembre 1981), l'idée d'union européenne, de confédération supranationale s'impose comme un développement possible de l'unification. En outre, ces années 1984-1985 sont dominées par les négociations d'élargissement avec les pays ibériques, amorcées en 1977, et qu'il faut enfin conclure. Avant d'accueillir deux nouveaux Etats-membres, la maison doit être en ordre.

Le 26 juin 1984, à Fontainebleau, le Conseil européen parvient enfin à mettre sur pied un compromis sur les problèmes budgétaires. Parallèlement, la réforme de la Politique agricole commune est mise en chantier (Conseil agricole, 15-17 mars 1984). Le 29 mars 1985, l'accord d'élargissement est conclu. En juin, à Milan, le Conseil européen définit un programme de travail pour le projet d'union européenne (tenue éventuelle d'une conférence intergouvernementale pour l'élaboration d'un traité). Ainsi le décor est-il planté pour l'élargissement "méditerranéen", l'adhésion de la Grèce, le 1er janvier 1981, constituant le premier acte de ce processus.

Or chaque élargissement crée une nouvelle Communauté. La Communauté à Six (1951-1972) est française, jusque dans sa contradiction entre l'idéal supranational et la prise en considération des intérêts vitaux de chaque souveraineté. Cette première construction devait s'épanouir en une personnalité économique et politique européenne, s'affirmant entre les Etats-Unis et l'Union soviétique. La Communauté à Neuf (1973-1980) tend à s'organiser en fonction d'une vision anglaise : elle paraît être appelée à devenir une zone de libre-échange, un club, les droits et les obligations de chaque Etat-membre étant strictement équilibrés ; dans le domaine politique, ses participants développeront une concertation pragmatique...

A Douze, tirée vers le sud par son flanc méditerranéen, la Communauté se change en carrefour des grandes cultures européennes. Elle n'a plus de cohérence économique, associant le cœur industriel et commercial de l'Europe occidentale, ses zones manufacturières en déclin, des régions agricoles demeurées à la frontière de la croissance, enfin des pays pauvres. L'unité de cette Communauté se définit essentiellement autour de quelques principes : l'attachement aux valeurs démocratiques ; la conviction que le salut de l'Europe exige une organisation dépassant les Etats. Tel est le noyau dur de l'unification européenne, à l'issue des érosions qu'elle a subies du fait des élargissements successifs, des négociations multiples avec toutes les parties du monde.

Avec les adhésions de l'Espagne et du Portugal, qui rejoignent la Communauté le 1er janvier 1986, le cycle des élargissements est clos - au moins pour quelques années... La Communauté pourrait enfin donner la priorité à sa tâche d'édification interne. Mais déjà, sur l'insistance des Etats-Unis, se dessine la perspective d'une troisième grande négociation commerciale multilatérale, un "Reagan Round", après le "Kennedy Round" et le "Nixon-Tokyo Round". Ainsi l'identité commerciale et économique de la Communauté, déjà très réduite, sera-t-elle à nouveau mise en question...

La Communauté du milieu des années 80 se caractérise par ses interrogations, par son inquiétude. Le chômage, l'apparition d'une nouvelle pauvreté réintroduisent l'insécurité dans l'insécurité dans des sociétés où l'Etat-providence semblait avoir vaincu la fatalité. Amollie par le succès des Trente Glorieuses, l'Europe a le sentiment de n'avoir pas relevé le défi de la révolution de l'électronique et de l'informatique. Face à un XXIe siècle qui serait celui du Pacifique, l'Europe se découvre à l'écart de l'Histoire.

L'unification européenne, dans cette période qui va de juin 1984 à juin 1985, semble plus que jamais irréversible et inachevée : le dossier des finances communautaires, partiellement et provisoirement réglé en 1984, est appelé à être à nouveau ouvert, peut-être dès 1986 ; de même, l'amorce de réforme de la Politique agricole commune et l'accord d'élargissement du 29 mars 1985 ne constituent que les points de départ de la recherche de nouveaux équilibres au sein de la Communauté. Le débat sur les formes et les possibilités de développement de la Communauté s'amplifie donc autour de deux préoccupations : le renforcement institutionnel et surtout le défi technologique.

5.1. LE LANCINANT DOSSIER FINANCIER

L'ampleur des problèmes ne doit pas faire oublier que la Communauté est un ensemble avec des obligations et des échéances à satisfaire. Une troisième convention de Lomé - Lomé III (1986-1990) - est conclue le 8 décembre 1984 : associant 64 pays d'Afrique, des Caraïbes et du Pacifique, elle symbolise l'attraction qu'exerce, malgré tout, la Communauté sur les pays du Tiers-Monde. De même, en mars 1984, le Système monétaire européen fête son cinquième anniversaire ; l'ECU est utilisé de façon croissante dans les transactions privées, tandis que, par une succession d'aménagements techniques, son rôle officiel se consolide.

La Communauté vit, évolue, accomplit des progrès concrets. Mais elle bute toujours sur ce qui la condamne à un développement par à-coups : la question de son financement. Cette dernière provoque la crise d'Athènes, en décembre 1983, puis, à nouveau, l'échec de la réunion de Bruxelles (19-20 mars 1984). Enfin intervient le règlement de Fontainebleau, en juin 1984. Au cours des six mois de la présidence française

Le problème britannique : du dossier de la contribution anglaise au problème global des charges communautaires

En 1985, la Grande-Bretagne appartient de manière irréversible à l'Europe des Dix, et elle le sait. Dans le cas où le Parti travailliste reviendrait au pouvoir, le Royaume-Uni demeurerait en tout état de cause dans la Communauté.

Pour la Grande-Bretagne, l'adhésion *"ne constituait pas une renonciation aux liens du passé, mais un nouveau contexte pour leur expression. Le Commonwealth reste au centre de notre diplomatie, tout comme nos relations avec nos partenaires occidentaux - Japon inclus - qui se trouvent hors de la Communauté. Mais une Europe forte et unie est préférable à une Europe faible et divisée[1]"*.

Aussi, l'Angleterre, depuis son adhésion en 1973, poursuit-elle avec persévérance le même dessein : la promotion d'une Europe combinant une zone de libre-échange, et la concertation des politique étrangères, dans le cadre des liens atlantiques. Depuis 1974, cette démarche fondamentalement politique choisit pour point d'appui la question budgétaire. Le budget, tant par le poids considérable des dépenses agricoles que par le régime des ressources propres, définit, symbolise la Communauté intégrée, mise sur pied *avant* l'adhésion. En outre, pour les Britanniques, ce système budgétaire est source à la fois de gaspillages et d'injustices.

Un budget injuste ?

"L'injustice" du budget communautaire n'est pas une notion simple :
- ce budget provoque tout de même une croissance spectaculaire des productions britanniques de céréales, de lait et de sucre (en 1982, 10,4 % des dépenses de soutien bénéficient à l'agriculture anglaise) ;
- le budget paraît "inéquitable" d'abord du fait de l'écart entre l'importance du produit intérieur brut britannique dans le produit communautaire provenant du territoire britannique (21,2 % en 1984). Mais cet écart vient de ce que le commerce britannique continue d'être tourné vers l'extérieur de manière plus marquée que celui des autres Etats-membres ; la solidarité communautaire impose donc à l'Angleterre de verser au budget européen une part proportionnelle plus lourde droits de douane et surtout de prélèvements agricoles ;
- cette vison d'un budget "inéquitable" se cristallise en fait autour *des soldes nets*, c'est-à-dire des écarts existants entre la part des recettes provenant de chacun des Etats-membres et la

_____

1. Geoffrey Howe, secrétaire au *Foreign Office* du gouvernement de Margaret Thatcher, 4 novembre 1983.

part des crédits communautaires que chacun d'eux reçoit (voir dans le tableau les chiffres de 1982).

	Part des recettes versées par l'Etat	Part des crédits allant à l'Etat
Belgique	5,56 %	6,97 %
Danemark	1,89 %	3,52 %
RFA	26,88 %	15,28 %
Grèce	1,82 %	5,52 %
France	19,63 %	19,62 %
Irlande	1,01 %	4,97 %
Italie	11,64 %	20,82 %
Luxembourg	0,14 %	1,59 %
Pays-Bas	7,07 %	8,78 %
G.-B.	24,36 %	12,93 %

Enfin, les soldes nets expliquent la convergence qui, sur le dossier budgétaire, tend à se faire entre les deux gros "contributeurs nets" : l'Allemagne fédérale et la Grande-Bretagne.

Un problème résolu

"Nous nous attendons à apporter à la Communauté une contribution nette modeste... Nous ne préconisons pas le juste retour, mais nous n'accepterons pas non plus le fardeau injuste[2]".
Dès 1974, au lendemain de l'adhésion britannique, le gouvernement travailliste demande une "renégociation", dont la revendication essentielle porte sur l'aménagement des règles budgétaires. Un "mécanisme correcteur" (règlement du 17 mai 1976) est défini, mais ses conditions de déclenchement sont si strictes qu'il ne sera jamais mis en œuvre.

En 1976, à la suite du retour des conservateurs au pouvoir, le dossier est à nouveau ouvert (*"I want my money back"*, ainsi Margaret Thatcher résume-t-elle la position britannique).

Toujours après de laborieuses discussions, des solutions temporaires ("mandat" du 30 mai 1980) sont dégagées :
- 1980 : "contribution" ramenée de 1 784 à 690 millions d'ECU,
- 1981 : "contribution" réduite de 2 140 à 730 millions d'ECU,
- 1982 : "contribution" ramenée de 1 530 à 630 millions d'ECU (accords du 25 mai et 26 octobre 1982) (parallèlement une compensation de 150 millions d'ECU est prévue pour l'Allemagne fédérale),
- 1983 : accord de principe pour une réduction de 750 millions d'ECU (Conseil européen, Stuttgart, 17-19 juin), mais le dossier se trouve bloqué à la suite de l'impasse d'Athènes (4-6 décembre),
- 1984 : dans le cadre d'un compromis global (en particulier, relèvement du plafond TVA de 1 à 1,4 %...), le Conseil européen, réuni à Fontainebleau (25-26 juin), règle définitivement, semble-t-il, l'affaire de la contribution britannique : pour 1984, compensation forfaitaire d'1 milliard d'ECU (Margaret Thatcher réclamait 1,25 milliard d'ECU) ; à partir de 1985, est instaurée une formule permanente, dont pourra bénéficier tout Etat-membre : tout écart se produisant entre la quote-part des versements TVA et la quote-part des dépenses reçues par l'Etat fera l'objet d'une correction automatique des deux tiers. Ce n'est donc pas seulement le cas britannique qui est envisagé, mais celui de tout Etat-membre.

Le Parlement européen, furieux d'être mis devant le fait accompli, menace quelque temps de ne pas voter la compensation de 750 millions d'ECU pour 1983, puis finalement se rallie le 10 octobre 1984.

Le dossier de la contribution britannique ou plus exactement, du fait, notamment, des demandes allemandes, celui du partage des charges communautaires sont clos... jusqu'à l'entrée de l'Espagne et du Portugal dans les Communautés. L'hétérogénéité économique de l'Europe des Douze, les écarts de développement rendront sans doute inévitable une nouvelle négociation sur le fardeau communautaire.

2. Geoffrey Howe, 20 février 1984.

(premier semestre 1984), François Mitterrand a mobilisé l'essentiel de son énergie sur ce dossier (trente entretiens bilatéraux avec ses homologues européens).

Tout d'abord, l'accord de Fontainebleau consacre la conception anglo-allemande du système financier communautaire. En 1970, le régime des ressources propres, symbole et moteur d'un ensemble intégré, fonde l'autonomie du budget européen : il n'y a plus, au moins en droit, de contributions nationales, mais l'affectation à ce budget des droits de douane, des prélèvements agricoles et d'une part des recettes de la TVA (au maximum 1 % de ces recettes). Or pour la Grande-Bretagne, puis pour l'Allemagne fédérale, seule importe la réalité des Etats-membres : *"Nous nous attendons à ce que les Etats-membres qui sont bien en dessous de la moyenne communautaire sur le plan de la prospérité soient des bénéficiaires nets. Il ne s'agit pas là de juste retour mais du principe d'impartialité et d'équité[1]".* L'accord

1. Sir Geoffrey Howe, secrétaire au *Foreign Office*, 20 février 1984.

de Fontainebleau stipule que *"tout Etat-membre supportant une charge budgétaire excessive au regard de sa prospérité relative est susceptible de bénéficier, le moment venu, d'une correction"*. Ainsi s'esquisse une nouvelle conception de la solidarité communautaire : cette dernière est initialement conçue comme un instrument au service des politiques communes (FEOGA pour la politique agricole) ; désormais les charges de certains Etats-membres (Royaume-Uni, Allemagne fédérale, dans le texte de Fontainebleau) sont soumises à un plafond, tandis que les pays les plus pauvres (en particulier Irlande, Grèce et, demain, Portugal) revendiquent une aide pour leur "mise à niveau" (par exemple, programmes intégrés méditerranéens principalement destinés à la Grèce). Entre ces deux groupes d'Etats, figure d'abord la France.

Parallèlement à cette ébauche d'un nouvel équilibre entre les Etats-membres, l'accord de Fontainebleau prévoit un accroissement des ressources communautaires (relèvement du taux de la TVA de 1 à 1,4 %). Ce relèvement est calculé pour faire face aux besoins du budget européen jusqu'à l'entrée de l'Espagne et du Portugal. Enfin, le traité concernant la TVA et ceux d'élargissement seront approuvés ensemble par les Parlements nationaux.

En définitive, l'accord de Fontainebleau apparaît double et déséquilibré. D'un côté, il arrête une solution définitive pour le problème britannique (ainsi que pour l'exigence de l'Allemagne fédérale d'un plafonnement de sa charge). De l'autre côté, l'accord ne fournit qu'une réponse temporaire en ce qui concerne les ressources de la Communauté.

Les 10 octobre et 12 novembre 1984, le Conseil parvient à l'établissement de "conclusions" fixant les principes de son autodiscipline : modalités d'évaluation des dépenses ; limitation de leur croissance... Bien sûr demeure le problème du Parlement. Même si les "conclusions" du Conseil prévoient une coopération entre les deux institutions, elles tendent à imposer des bornes mettant en question les pouvoirs de l'Assemblée. Les escarmouches ou même les crises, auxquelles donne lieu, chaque automne, le vote du budget, ne sont pas près de disparaître ! Les discussions pour le budget de 1985 sont aussi laborieuses que celles des budgets précédents, l'Allemagne fédérale évaluant de manière tâtillonne les engagements pris. En outre, le troisième élargissement à peine réalisé, une négociation sur les ressources devra s'ouvrir très rapidement.

Les paradoxes du budget européen

D'abord lors de la crise de "la chaise vide" (1965-1966) puis surtout depuis l'entrée du Royaume-Uni dans les Communautés (1973), le budget européen ne cesse d'être au centre des controverses, financières et en définitive politiques entre Etats-membres.

● *Une croissance très rapide, mais un instrument modeste*

- 1973 : 4,6 milliards d'unités de compte,
- 1980 : 16,2 milliards d'ECU,
- 1984 : 25,7 milliards d'ECU.
(1 ECU = 6,8 FF)

En 1984, le montant du budget communautaire représente un peu moins de 1 % du produit intérieur brut de la Communauté, un peu moins de 3 % de l'ensemble des budgets nationaux.

● *Une répartition contestée des dépenses*

Pour 1984, les dépenses budgétisées (c'est-à-dire ne prenant pas en considération essentiellement le Fonds européen de développement - FED) :
- FEOGA-garantie : 65 %,

- politique structurelles (FEOGA-orientation, Fonds social, Fonds régional) : 17,6 %,
- recherche-développement, énergie : 4,6 %,
- coopération au développement (à l'exclusion, donc, du FED non budgétisé) : 3,6 %,
- remboursements aux Etats-membres : 4,4 %,
- dépenses administratives : 4,8 %.

Les dépenses obligatoires, c'est-à-dire *"celles découlant obligatoirement du traité ou des actes arrêtés en vertu de celui-ci"* (article 203, alinéa 9), pour lesquelles l'Assemblée de Strasbourg ne dispose pas du dernier mot, comprennent presque exclusivement les dépenses de soutien agricole (86 % en 1973 ; 68-69 % dans les années 1974-1980 ; 65 % en 1984).

● *Un financement autonome en droit, mais donnant lieu, en fait, à une appréciation de son impact sur chacun des Etats-membres*

Les "ressources propres" se répartissent en 1984 :
- prélèvements agricoles : 11,6 %,
- droits de douane : 30 %,
- taxe à la valeur ajoutée : 57,4 %,
- divers : 1 %.

En 1980, droits de douane et prélèvements agricoles fournissent 52,5 % des recettes (41,6 % en 1984) et la TVA 46,5 % (57,4 % en 1984).

En droit (décision du 21 avril 1970), les ressources propres sont des recettes autonomes, échappant aux Etats-membres. En fait, il est toujours procédé à l'évaluation des recettes provenant de chacun des Etats-membres. D'où la comparaison entre le pourcentage de recettes apportées par chacun d'eux et l'importance relative de son produit intérieur brut (1984).

	Part des ressources versées par l'Etat	Part de son PIB
Belgique	5,3 %	3,5 %
Danemark	2,0 %	2,4 %
RFA	27,6 %	28,7 %
Grèce	1,9 %	1,5 %
France	20,0 %	22,3 %
Irlande	1,0 %	0,8 %
Italie	14,2 %	15,5 %
Luxembourg	0,2 %	0,1 %
Pays-Bas	6,6 %	5,6 %
G.-B.	21,2 %	19,6 %

● *L'insuffisance des ressources*

A partir du budget 1984 (outre le lancinant problème de la contribution britannique et du partage des charges - voir l'encart sur "le problème britannique", qui évoque la question du partage du fardeau communautaire -), les ressources de la Communauté - droits de douane, prélèvements et surtout recettes provenant de la TVA, dans la limite de 1 % des sommes obtenues à ce titre dans les Etats-membres - ne sont plus en mesure de financer la totalité des besoins du budget. Dans le cadre d'un compromis d'ensemble (Conseil européen, Fontainebleau, 26 juin 1984), la décision de principe est prise de relever le plafond TVA de 1 à 1,4 % (à la date du 1er janvier 1986), puis éventuellement à 1,6 % (à la date du 1er janvier 1988) :
- ces relèvements modestes permettront de faire face aux dépenses communautaires jusqu'à l'entrée de l'Espagne et du Portugal dans les Communautés (en principe le 1er janvier 1986). L'élargissement réalisé, une nouvelle négociation financière devra s'engager ;
- l'accord de Fontainebleau doit être soumis à l'approbation des dix Parlements nationaux.

● *Des remèdes discutés*

Les divergences de fond entre les Etats-membres (souci notamment de la France, de l'Italie et des pays "les moins riches" de préserver la solidarité communautaire ; volontés convergentes de l'Allemagne fédérale, de la Grande-Bretagne et des Pays-Bas de freiner nettement la croissance des dépenses communautaires) s'atténuent.

Le 4 décembre 1984, un accord de discipline budgétaire est adopté par le Conseil : les dépenses agicoles ne devront plus désormais progresser plus vite que les ressources versées aux Communautés ; un dispositif de surveillance et d'arbitrage, encadrant la procédure annuelle, est mis sur pied. Ces "conclusions" appellent trois observations :
- des efforts (en particulier par la déclaration du 30 juin 1982, liant le Parlement, le Conseil et la Commission) ont déjà été entrepris en vain dans ce sens. Cependant l'accord du 4 décembre s'inscrit dans un compromis politique, réglant notamment le problème britannique ;
- cet accord fixe aux attributions budgétaires du Parlement européen des limites, non prévues par les règles des traités. Les seuls pouvoirs réels de l'Assemblée de Strasbourg (augmentation des dépenses non obligatoires à l'intérieur d'une "marge de manœuvre") appartiennent justement à ce domaine budgétaire ;
- enfin l'application de cet accord signifie le plafonnement des dépenses agricoles (ou au moins de leur croissance), c'est-à-dire l'introduction de limites et de quotas pour les productions excédentaires (lait, céréales...).

5.2. UN SERPENT DE MER : LA REFORME DE LA POLITIQUE AGRICOLE COMMUNE

L'agriculture continue d'absorber les deux tiers des crédits communautaires. Toute réforme dans le domaine budgétaire implique donc celle de la Politique agricole commune.

La stratégie du Royaume-Uni vis-à-vis de la Communauté, depuis que ce pays l'a rejointe, a d'emblée lié révision des charges budgétaires et réforme de la Politique agricole commune, expression, pour les Anglais, d'une Europe protectionniste et gaspilleuse. Plus largement, depuis une dizaine d'années, un procès plus ou moins avoué s'est développé contre la PAC : récriminations d'une Allemagne fédérale qui se considère comme "la vache à lait" de la Communauté (même si l'agriculture ouest-allemande - tout comme celle du Royaume-Uni - a connu un développement spectaculaire grâce à cette politique et notamment aux montants compensatoires monétaires) ; offensives répétées des Etats-Unis au sein du GATT... Quant à la France, qui demeure la première bénéficiaire de la politique agricole (23,2 % des paiements, 20,2 % pour l'Italie, 16,4 % pour l'Allemagne fédérale et

Problèmes et perspectives de la Politique agricole commune

● Des problèmes d'ensemble

Le point de départ des débats sur la Politique agricole commune est son coût : 16,5 milliards d'ECU en 1983, 19 milliards d'ECU en 1984 (près de 130 milliards de francs français) - soit deux tiers du budget communautaire. Ces crédits se répartissent ainsi :
- par produits (1984) : produits laitiers 30,3 % ; céréales 15,7 % ; viande 10,6 % ; sucre 8,5 % ; fruits et légumes 6,3 % ; vin 3,5 % ; autres 25,1 % ;
- par pays (1982) : France 23,0 % ; Italie 21,2 % ; Allemagne fédérale 16,4 % ; Pays-Bas 11,4 % ; Grande-Bretagne 10,3 % ; Grèce 5,5 % ; Danemark 4,5 % ; Belgique, Luxembourg 4,32 %.

Au-delà du coût, se heurtent deux conceptions de cette politique (et donc de l'agriculture européenne). Pour la France, ainsi que pour les pays moins développés et/ou méditerranéens (Italie, Irlande, Grèce), le système d'organisation des marchés et de soutien des prix a eu le double avantage d'encourager la production et d'aider l'exportation. Pour la Grande-Bretagne et l'Allemagne fédérale (dont les productions se sont pourtant vigoureusement accrues) - ainsi que pour les pays d'agriculture industrielle, Pays-Bas, Danemark -, cette politique est trop coûteuse : "*L'essentiel des dépenses agricoles assure la prise en charge de l'écart entre les prix des produits à l'intérieur de la Communauté et les prix mondiaux. Si les prix mondiaux chutent, les charges de la Communauté s'alourdissent dans des proportions équivalentes. Que les Etats-Unis abandonnent leurs programmes de soutien, et les prix mondiaux s'effondreront dramatiquement - et le coût de la PAC s'accroîtra de manière exorbitante, poussant à bout la patience du contribuable européen. Ceci devrait conduire à réformer la gestion actuelle de l'agriculture européenne - probablement, pour passer, de l'avis général, d'un système absurde à un autre du même type. Déjà la surproduction a contraint la CEE à imposer un système de quotas pour le lait ; elle sera amenée à procéder de la même manière pour les céréales[1]. "*

Enfin le contentieux s'approfondit entre les Etats-Unis et la Communauté européenne. Le but de la PAC était l'autosuffisance ; en fait, les productions de sucre, de blé et de lait, excédant largement les besoins des Etats-membres, doivent être partiellement exportées. Aussi, entre les Etats-Unis (en 1970, 25 % du commerce alimentaire mondial ; en 1980, 40 %) et la CEE (en 1980, 45 % des échanges mondiaux de *produits transformés*, contre 10 % pour les Etats-Unis), se sont établies des relations contradictoires :
- Les deux rives de l'Atlantique apparaissent comme des partenaires étroitement liés l'un à l'autre (pour la CEE, un peu plus de 8 milliards d'ECU d'importations des Etats-Unis, contre un peu moins de 4 milliards d'exportations vers ces derniers).
- Etats-Unis et CEE ont tous deux considérablement accru leurs ventes de blé sur le marché mondial, la part des premiers reculant mais demeurant écrasante, celle de la seconde augmentant quelque peu : en 1976, les exportations des Etats-Unis représentaient 48 % des exportations mondiales de blé et celles de la CEE 13 % ; en 1983, ces pourcentages étaient respectivement de 41 % et 17 %.
- La confrontation se cristallise sur la question de l'importance des aides octroyées aux agriculteurs (3,5 millions aux Etats-

Unis, 8 millions dans l'Europe des Dix) et donne lieu à d'interminables comparaisons de chiffres (les revenus tant américains qu'européens se trouvant gravement menacés). Depuis 1984, le débat s'est développé au sein du GATT. En novembre 1984, un schéma d'accord, visant à l'élimination des subventions (sous réserve d'exceptions strictement définies), bénéficie du consensus de 60 pays. Le débat sera relancé par l'éventuel "Reagan Round".

● Des problèmes de production

Jusqu'à présent, le système et la hiérarchie des prix ont eu pour effets de favoriser les producteurs de céréales (c'est-à-dire les "barons" du nord de l'Europe) et d'encourager la production laitière. L'accueil de l'Espagne et du Portugal amplifiera certaines difficultés actuelles. Trois catégories de produits illustrent les contradictions du débat européen à la veille du troisième élargissement : le lait, le vin et la pêche.

Le lait

Les faits

- La production annuelle de lait et de beurre de la Communauté représente environ 120 % de la consommation. En 1984, les produits laitiers absorbent 30,3 % des dépenses agricoles européennes (céréales : 15,7 %) ;
- La France réalise 25 % de la production européenne en 1983. Les principaux producteurs sont ensuite l'Allemagne fédérale (24 %), le Royaume-Uni (16 %), les Pays-Bas (12 %), l'Irlande (5 %), le Danemark (5 %) ;
- Les structures sont très différentes d'un pays à l'autre, modernes (Pays-Bas, Royaume-Uni, Danemark), familiales (Allemagne fédérale, France), en pleine adaptation (Irlande), diverses (Italie).

Les mesures et leur application

- L'accord des dix ministres de l'Agriculture (13 mars 1984) stipule :
   - une diminution de la production : 1983 (production réalisée) : 103 millions de tonnes ; 1984-1985 : 98,8 millions de tonnes ; 1985-1986 : 97,8 millions de tonnes ;
   - en 1985-1986, la production devra avoir retrouvé le niveau de 1981 et donner lieu à une répartition entre les Etats-membres (quotas nationaux) identique à celle de l'année de référence (1981).
- Au cours de 1984, trois pays - Grande-Bretagne, Danemark, Belgique - ont dépassé les objectifs assignés. A l'inverse, la France, l'Allemagne fédérale et les Pays-Bas semblent avoir des difficultés à se soumettre aux quotas.

Le vin

L'Europe des Dix souffre également d'une production très excédentaire de vin (en 1984 près de 150 millions d'hectolitres, dont 107 millions de vins de table). En 1983, 4,1 % des crédits du FEOGA-garantie servent au financement de cette production. Et surtout les adhésions de l'Espagne (37 millions d'hectolitres) et du Portugal (près de 10 millions d'hectolitres) compliqueront gravement le problème communautaire.

---

1. *The Economist*, 5 janvier 1985.

Le 3 décembre 1984, les ministres de l'Agriculture des Dix parviennent à un accord sur la réforme de l'organisation commune du vin. La démarche s'apparente à celle retenue pour le lait : plafonnement de la production (108 millions d'hectolitres de vins de table) ; fixation par régions agricoles de limites quantitatives, devant pénaliser les hauts rendements. Seuls ces principes ont été pour le moment arrêtés. *" Le drame communautaire, c'est que pour accepter et pour gérer correctement une politique de quotas, il faut tout de même un cadastre viticole, une connaissance mutuelle, une habitude des transactions officielles et pas au noir. Imposer à la Grèce ou même à l'Italie des quotas viticoles sera difficile[2]. "* Les importations de vins espagnols devraient être contrôlées pendant une période transitoire de dix ans.

La pêche

La pêche, qu'elle soit mondiale ou européenne, se heurte de manière de plus en plus aiguë au problème de la raréfaction des ressources. Toute forme de discipline internationale étant exclue, les Etats ont affirmé leur souveraineté (création de zones économiques exclusives s'étendant jusqu'à 200 milles des côtes). Au sein de l'Europe des Neuf puis des Dix, l'application des règles communautaires (liberté et égalité d'accès, notamment) se heurte aux revendications de jouissance "exclusive" ou "préférentielle". Le 25 janvier 1983, après des difficiles négociations (du fait de l'opposition danoise), "l'Europe bleue" est mise sur pied. Il s'agit d'un dispositif très complet : quotas, protection des ressources, modernisation des structures, accords avec les pays tiers.

L'entrée de l'Espagne dans l'Europe communautaire risque de bouleverser un équilibre laborieusement acquis. Déjà les contentieux se répètent, en 1981 et 1982, entre l'Espagne et la France à propos de la pêche dans le golfe de Gascogne. Les Espagnols consomment 41 kg de poissons par habitant (contre 12 au sein de l'Europe communautaire). La flotte espagnole (17 000 bateaux) représente à elle seule 70 % de la totalité des flottes des Dix. L'affaire de la pêche constitue bien sûr l'un des points cruciaux de la négociation d'adhésion entre la CEE et l'Espagne. Pour le moment, la première a arrêté une position extrêmement dure : les pêcheurs espagnols n'auraient pleinement accès aux eaux communautaires que dans une quinzaine d'années.

2. Michel Rocard, *Libération*, 9 avril 1984.

10,3 % pour le Royaume-Uni en 1982, dernière année ayant fait l'objet d'une évaluation globale), elle choisit d'être l'initiatrice d'une maîtrise des dépenses.

Le Conseil agricole des 15-17 mars 1984, présidé par Michel Rocard, freine fortement la hausse des prix des produits agricoles. Et surtout un coupable est tout désigné : le lait (30,3 % des dépenses de soutien en 1984, contre seulement 15,7 % pour les céréales), la France étant le premier producteur communautaire, réalisant un quart de la production (24 % pour la RFA, 16 % pour le Royaume-Uni, 12 % pour les Pays-Bas, 5 % pour l'Irlande, 5 % pour le Danemark). L'accord de Bruxelles prévoit que la production diminuera de 103 millions de tonnes en 1983 à 97,8 millions de tonnes en 1985-1986 (niveau de 1981). Chacun des Etats-membres reçoit un quota de production et il lui revient d'assurer le respect de ce plafond. Ne s'agit-il pas de distribuer, entre les producteurs, la punition le moins inéquitablement possible ?

Parallèlement, dans la perspective de l'élargissement, trois grands marchés agricoles font l'objet de réformes : les fruits et légumes et l'huile d'olive, en octobre 1983 ; et surtout le plafonnement de la production de vin (Conseil européen de Dublin, 3-4 décembre 1984). Enfin l'accord d'élargissement du 29 mars 1985 organise, en matière agricole, une transition détaillée. Bref, des éléments de réforme sont mis en place. Mais, ici aussi, le débat commence. En outre, ce débat est appelé à dépasser les frontières de la Communauté, car la politique agricole sera au centre des futures négociations commerciales du GATT.

5.3. LA COMMUNAUTE III

De même, l'accord du 29 mars 1985, ouvrant à l'Espagne et au Portugal les portes de la Communauté le 1er janvier 1986, amorce une nouvelle et longue métamorphose. Les négociations durent sept ans. Pourtant la Communauté a promis aux deux Etats ibériques de les accueillir dès qu'ils seront redevenus des démocraties. Le Portugal a retrouvé la liberté en avril 1974, et l'Espagne en décembre 1976. L'obstacle majeur vient de la France, inquiète des implications de l'élargissement dans les domaines de l'agriculture et de la pêche ; et c'est un mécanisme de contacts bilatéraux franco-espagnols qui prépare les conditions de l'accord.

Les enjeux du troisième élargissement

Tout comme l'entrée de la Grèce (1981), celles de l'Espagne et du Portugal dans le Marché commun le 1er janvier 1986 concrétisent la promesse politique de l'Europe communautaire, qui s'est engagée à accueillir en son sein ces deux pays une fois redevenus des démocraties.

Avec les deuxième (Grèce) et troisième (Espagne, Portugal) élargissements, la Communauté accomplit une nouvelle métamorphose. Composée de six Etats (1959-1972), elle a vocation à se constituer en ensemble intégré. Associant neuf Etats, elle n'est plus qu'un espace commercial se prolongeant par un mécanisme de concertation diplomatique. Avec la présence de trois pays d'économie et de culture méditerranéennes (auxquels s'ajoute le Mezzogiorno), la Communauté à Douze devra assurer une cohabitation plus ou moins équilibrée entre des zones très inégales dans leur degré de développement et radicalement éloignées par leurs traditions. A cet égard, les difficultés des négociations d'adhésion ne font qu'annoncer les véritables débats, qui se dérouleront *après* cette adhésion.

Les problèmes agricoles

Le passage d'une Europe à Dix à un ensemble à Douze ajoutera aux 8,3 millions d'agriculteurs de la Communauté 2,5 millions d'Espagnols et 1,2 million de Portugais. Les capacités productives de l'Europe verte seront augmentées de près d'un tiers. L'agriculture espagnole entrera dans le Marché commun en pleine phase de modernisation. Plusieurs secteurs sont fragiles : céréales et riz, lait, viande bovine et porcine. Les problèmes de surproduction, que soulèvent notamment le lait ou les céréales, seront amplifiés. Quant à l'agriculture portugaise très déficitaire pour le lait et la viande, elle sera profondément perturbée notamment du fait de l'archaïsme de ses structures. Les difficultés viendront surtout de quatre catégories de produits : les fruits et légumes, l'huile d'olive, le vin et la pêche.

Les fruits et légumes

La Communauté à Douze deviendra autosuffisante pour tous ces produits. Actuellement, donc avant l'adhésion, les exportations espagnoles se dirigent déjà très largement vers l'Europe des Dix. Néanmoins deux problèmes se posent : l'organisation commune de marché reste rudimentaire, inadaptée aux turbulences ; en outre la saturation de la consommation européenne frappera lourdement les économies de pays méditerranéens (Maroc, Israël...). Le principe d'une période transitoire de dix ans semble être plus ou moins acquis.

L'huile d'olive

L'évolution du degré d'autoapprovisionnement de la CEE fait d'emblée saisir l'impact du troisième élargissement : dans la Communauté à Neuf, le taux était de 86 ; avec la venue de la Grèce, il s'élève à 96 ; et dans l'Europe à Douze il passera à 106 - soit un excédent de 230 000 tonnes. Le coût de l'aide dans la Communauté à Dix est déjà de 670 millions d'ECU ; après les adhésions espagnole et portugaise il devrait atteindre 1,6 milliard d'ECU. Jusqu'à présent, persiste un vif désaccord au sein même de la Communauté entre les deux Etats producteurs (Italie, Grèce) et les autres, les premiers refusant tout plafonnement de la production.

Le vin

Face au recul de la consommation, la production de vin ne cesse de s'accroître en raison de l'augmentation des rendements. Les dépenses communautaires tant de soutien (634 millions d'ECU en 1983) que de structures (140 millions d'ECU de 1978 à 1982) pèsent de plus en plus lourd dans le budget européen (4,1 % des crédits de soutien en 1983). Les axes d'une réforme du marché communautaire ont été arrêtés le 3 décembre 1984. Elle devrait conduire à un plafonnement de la production ; elle implique un contrôle des importations de vins espagnols, les Dix posant le principe d'une période transitoire de dix ans.

La pêche

L'adhésion de l'Espagne bouleversera la situation de la pêche dans l'Europe communautaire : la production sera accrue de 50 % en valeur ; le nombre des pêcheurs s'élèvera à 1,3 million. En outre la flotte espagnole traverse une crise grave et se heurte de plus en plus aux mesures nationales de protection (en particulier, zones économiques exclusives de 200 milles). D'où la virulence du contentieux CEE/Espagne, les pêcheurs espagnols considérant qu'ils ont un droit d'accès aux eaux communautaires. Une transition d'une quinzaine d'années serait souhaitée du côté européen. Au stade actuel, l'impasse est totale.

Les problèmes industriels

Depuis l'accord de 1970, le marché européen est totalement ouvert aux exportateurs espagnols, alors que l'industrie espagnole demeure protégée par des tarifs très élevés sur plus de 120 produits. La productivité espagnole est inférieure d'environ 40 % à celle de la Communauté. Si l'industrie de cette dernière a déjà subi le choc de l'adhésion, à l'inverse de nombreux secteurs de la péninsule apparaissent très vulnérables. D'où la formule d'une période transitoire de sept ans. Les négociations d'adhésion n'ont définitivement réglé que les questions liées à l'union douanière, à l'agriculture et aux institutions (l'Espagne aura, comme les quatre autres "grands" Etats, deux commissaires, et le Portugal un).

L'adhésion une fois accomplie, au moins deux débats sont appelés à s'ouvrir :
- *Le financement de la Communauté :* Pendant la période transitoire de sept ans, l'Espagne est comme mise entre parenthèses : elle ne sera ni contributrice nette, ni bénéficiaire nette ; quant au Portugal, il recevra une aide d'1 milliard d'ECU auquel s'ajoutera un prêt d'1 milliard d'ECU. En tout état de cause, le régime des ressources propres (c'est-à-dire le relèvement du plafond de la TVA au-delà de la limite de 1,4 % retenue à Fontainebleau, en juin 1984) devra être réexaminé afin de procurer les recettes nécessaires à une Europe à Douze. En outre, ainsi que le préfigure l'affaire des programmes intégrés méditerranéens, la part méditerranéenne de la Communauté, qui comprendra quatre Etats (Italie - Mezzogiorno -, Grèce, Espagne, Portugal), réclamera des transferts financiers substantiels en vue de son adaptation au Marché commun.
- *La renégociation des liens avec les pays méditerranéens* (du Maroc à Israël, de la Tunisie à la Turquie), qui, n'étant pas admis dans la Communauté, demanderont des compensations pour les pertes de débouchés qu'ils auront subies. Le Conseil européen, le 29 mars 1985, s'est engagé à ce que la Communauté recherche "des solutions mutuellement satisfaisantes" et s'efforce d'"assurer le maintien de ces courants traditionnels" d'échanges.

Plus encore que le premier élargissement de 1973 (Grande-Bretagne, Irlande et Danemark), l'élargissement "méditerranéen" (Grèce, Espagne, Portugal) représente une mutation pour la Communauté. Le nombre de ses habitants passe de 260 à 315 millions. La part de sa population travaillant dans l'agriculture s'élève de 8 % à 11 %. Le nombre de chômeurs passe de près de 13 millions à près de 16 millions. L'idée de grand marché est pleinement réalisée. Mais les problèmes de la Communauté se trouvent amplifiés : inégalités plus ouvertes des richesses nationales, coexistence de structures archaïques et modernes, cumul des difficultés... Ainsi, au moment où la Communauté est désemparée devant la révolution de l'électronique et de l'informatique, elle sera également confrontée aux immenses besoins d'adaptation et même de développement de tout son flanc Sud.

L'accord du 29 mars 1985 vise à retarder et à amortir le choc, par une période de transition de sept ans. L'industrie espagnole, considérablement favorisée par l'accord CEE-Espagne de 1970 - libre accès des produits espagnols au marché européen, maintien de la protection à la frontière espagnole -, devra procéder à des rationalisations sévères. Pendant ces sept ans, l'Espagne ne sera ni contributrice nette ni débitrice nette du budget commun, tandis que le Portugal recevra une aide d'un peu plus d'1 milliard d'ECU (à laquelle s'ajoutera un prêt d'un montant équivalent).

Tout comme le premier élargissement de 1973, celui de 1981-1986 provoquera une cascade de débats, de remises en question :
- débat à l'intérieur de la Communauté sur la solidarité communautaire : déjà la Grèce a monnayé son accord à l'élargissement (2 milliards d'ECU - 13,8 milliards de francs - au titre des programmes intégrés méditerranéens). Les Etats adhérents ne seront-ils pas, à leur tour, tentés de revendiquer des dérogations, des aides pour l'adaptation de leurs économies ?...
- débat avec les pays méditerranéens hors de la Communauté : *"La Communauté s'efforcera d'assurer le maintien des courants traditionnels et prendra les initiatives propres à soutenir l'effort déployé par ces pays (...) vers l'autosuffisance alimentaire et la diversification de leurs productions"*. Tel est l'engagement pris par la Communauté, le jour même de la conclusion de l'accord d'élargissement à l'Espagne et au Portugal. Déjà le Maroc inquiet a posé sa candidature

aux Communautés !... La Communauté devra donc concevoir une nouvelle approche globale, prenant en considération l'huile d'olive de Tunisie, les agrumes du Maroc et d'Israël...
- débat au sein du GATT, où tant les Etats-Unis que nombre de pays en développement réclameront des compensations.

L'accord de Fontainebleau a en principe mis un point final aux renégociations liées à l'adhésion britannique - soit onze ans pour adapter la Communauté à l'obstination anglaise. Autant d'années seront-elles nécessaires pour "digérer" l'élargissement "méditerranéen" ?

5.4. L'UNION EUROPEENNE OU LES EQUIVOQUES DE LA RELANCE INSTITUTIONNELLE

Parmi les constantes de l'entreprise européenne, figure le rêve d'une transcendance institutionnelle. En 1952 (projet de communauté politique) ou 1972-1975 (lancement du thème de l'union européenne, rapport Tindemans), la "relance institutionnelle" doit surmonter l'inertie, le conformisme des Etats-membres. Après la mise à mort du copieux rapport Tindemans, au tout début de 1976, le thème de l'union européenne reprend de la vigueur au cours de l'automne 1981. L'Allemagne et l'Italie accomplissent une démarche commune (proposition Colombo-Genscher). Après des mois de tractations entre experts gouvernementaux, le résultat est limité. A Stuttgart (17-19 juin 1983), le Conseil européen adopte une "déclaration solennelle sur l'Union européenne", récapitulatif dans un document des pratiques institutionnelles.

Parallèlement, le Parlement européen, en quête d'une vocation constituante au-delà de la chicane budgétaire, échafaude un projet de traité d'union européenne (projet Spinelli, voté par l'Assemblée le 14 février 1984). Le texte apparaît ambitieux - charte de l'Europe - et est en fait plutôt prudent, *"dénominateur le plus large sur lequel a pu se former une majorité provenant du plus large éventail politique possible au-delà du clivage entre droite et gauche[2]"*.

---

2. Professeur Jean-Paul Jacqué, membre de l'équipe Spinelli.

Le texte paraît devoir demeurer un projet mort-né (même dans l'esprit de ses auteurs). Mais intervient, le 24 mai 1984, le discours du président Mitterrand devant le Parlement de Strasbourg : *"... A situation nouvelle doit correspondre un traité nouveau, qui ne saurait, bien entendu, se substituer aux traités existants, mais les prolongerait dans les domaines qui leur échappent. Tel est le cas de l'Europe politique..."*

Le Conseil européen de Fontainebleau définit une procédure : création d'un comité ad hoc, le comité Dooge, composé de représentants personnels des dix chefs d'Etat et de gouvernement... En fait, à l'exception du représentant français, Maurice Faure (l'un des négociateurs et signataires du traité de Rome, en 1956-1957), les autres membres du Comité sont munis d'instructions gouvernementales strictes. Le Comité, qui commence ses travaux en septembre 1984, reçoit une très vaste mission : procéder à un réexamen d'ensemble du système européocommunautaire, passer en revue les innovations possibles (et en particulier les formules à géométrie variable...).

Volonté de sortir la réflexion européenne de la routine ? Fuite en avant "institutionnaliste" ? Le Comité n'échappe pas à la logique des travaux de Bruxelles. Deux points dominent les discussions : l'accroissement des pouvoirs de l'Assemblée, et surtout la généralisation de l'adoption à la majorité de la quasi-totalité des décisions (sauf pour le lancement de politiques nouvelles et l'accueil de nouveaux Etats-membres).

Le Comité se partage entre une majorité de sept pays (les six Etats-membres originaires plus l'Irlande), favorables à la règle de la majorité, et une minorité de trois pays, attachés au "compromis de Luxembourg" : Royaume-Uni, Danemark et Grèce. L'Espagne et le Portugal ont fait savoir qu'ils rejoindraient la majorité. Le Conseil européen de Milan (29-30 juin 1985) décide la tenue d'une conférence intergouvernementale, qui sera chargée de rédiger le traité d'union. Si une procédure est donc arrêtée, les divergences de fond ne sont pas levées. Le moment d'affronter les obstacles se trouve seulement déplacé. Et surtout le débat sur le projet d'union européenne, qui, dans les premiers mois de 1985, s'impose comme le débat central de l'unification européenne, a perdu de son importance avec le développement des controverses autour de l'Initiative de défense stratégique du président Reagan. Ce n'est pas sur le terrain institutionnel, mais bien sur celui de la technologie et de la sécurité que se jugera le degré d'unité de la Communauté.

5.5. LE REVELATEUR : LE DEFI TECHNOLOGIQUE ET MILITAIRE

Depuis le début des années 80, les travaux communautaires apparaissent de plus en plus dominés par la question du défi technologique : l'Europe est-elle ou non en train de manquer la troisième révolution industrielle ? Les faiblesses de l'Europe communautaire dans le domaine technologique sont bien identifiées : un marché inachevé, encombré d'obstacles et de plus en plus menacé par les pénétrations américaine et japonaise (comme l'illustrent tant le cas des industries de consommation de masse - automobile... - que celui des branches de pointe - ordinateurs...) ; la dépendance technologique, notamment mise en lumière dans le litige euro-américain, un dynamisme trop faible dans la modernisation... Ces insuffisances, longtemps dissimulées ou sous-estimées, sont maintenant analysées, disséquées. Par exemple, au cours de l'automne 1983, l'Allemagne fédérale, la Grande-Bretagne et la France déposent chacune un memorandum sur les remèdes possibles.

Tout au long de l'année 1984, l'enjeu technologique se concentre sur l'électronique et les télécommunications. Une guerre industrielle s'engage pour le contrôle des marchés nationaux. La concurrence entre les géants américains (IBM, ATT) s'étend désormais à l'ensemble de l'Europe occidentale. En Italie, ATT conclut un accord avec le groupe privé Olivetti (décembre 1983) et IBM avec le groupe nationalisé STET (26 septembre 1984). En Grande-Bretagne, IBM a pris pied (accord IBM-British Telecom pour la construction d'un réseau bancaire de transfert électronique), mais la création d'un réseau télématique par une filiale commune de ces deux firmes se heurte, en octobre 1984, au veto du gouvernement britannique, au nom du respect de la libre concurrence : *"Une filiale commune, dans l'état actuel de développement de ce marché, constituée par deux sociétés aussi puissantes, serait particulièrement dissuasive pour les autres sociétés désireuses d'entrer sur ce marché[3]. "*

Ces péripéties suggèrent, illustrent les interrogations de fond auxquelles fera face l'éventuelle constitution d'une Europe technologique : la formation de groupes industriels européens, qui ne s'est jamais concrétisée dans les années 60 et 70, n'est-elle pas irrémédiablement condamnée à l'échec ? Le défi de la troisième révolution industrielle n'impose-t-il pas des alliances avec les géants américains ou japonais ? Face à la discipline nippone ou à l'expérience américaine de "déréglementation", la Communauté et surtout les Etats qui la composent peuvent-ils inventer un modèle adapté à leurs caractères ? Selon quels mécanismes la Communauté réussira-t-elle à disposer d'instruments comparables aux commandes publiques de l'Etat fédéral américain ?

La prise de conscience s'accomplit lentement, laborieusement. Après l'adoption de ces cadres d'incitation à la coopération entre entreprises que sont les programmes ESPRIT (informatique) et RACE (télécommunications), les dix ministres européens de l'Industrie apportent, le 15 octobre 1984, quelques nouvelles touches à l'esquisse d'Europe technologique par des recommandations : concertation des administrations des télécommunications pour la définition des normes futures ; ouverture aux entreprises étrangères des appels d'offre pour les terminaux (soit environ 10 % des marchés dans ce domaine des télécommunications).

Dans ce domaine de la technologie, les données du débat paraissent évoluer plus vite que les réactions des pays européens. Alors que la réflexion de ces pays sur la "déréglementation" et ses implications est à peine engagée, déjà l'Initiative de défense stratégique du président Reagan (23 mars 1983) contraint les Européens à prouver leur capacité d'action commune. Ce défi de l'espace apparaît, en 1985, comme le cristallisateur privilégié du problème européen : imbrication des enjeux scientifiques, industriels et militaires ; proposition des Etats-Unis d'une coopération et volonté de ces derniers de réaffirmer l'unité occidentale. A nouveau, l'évolution du débat paraît dériver selon une logique trop connue. Le 26 mars 1985, le secrétaire américain à la Défense offre aux alliés de l'Amérique de les associer au projet IDS ; il s'agirait d'opérations bilatérales liant le Pentagone et tel ou tel pays ou

laboratoire européen. L'entité européenne semble ignorée ou même rejetée !

La France propose à ses partenaires d'élaborer une approche commune, de "mettre en place sans délai l'Europe de la technologie", en retenant pour des recherches communes six secteurs de pointe (optronique, matériaux nouveaux, grands ordinateurs, lasers de puissance, intelligence artificielle, microélectronique), soit en fait les domaines intéressant l'IDS (projet Eurêka). Au cours du premier semestre 1985, le débat, tout en demeurant ouvert, se décante. L'IDS concerne la recherche fondamentale et implique d'abord, selon la célèbre expression du général Eisenhower, le "complexe militaro-industriel" américain. Eurêka se définit comme un ensemble de programmes civils, aussi proches que possible des produits finaux et se traduisant par des prolongements commerciaux : composants de base des systèmes automatiques (Euromatique), outils en milieu industriel (Eurobot), réseaux de communication (Eurocom), ressources vivantes (Eurobio), matériaux nouveaux (Euromat).

Une dynamique prend forme. Des accords de coopération entre entreprises s'ébauchent : en juin, les quatre "grands" de l'électronique européenne Philips, Siemens, Thomson et GEC, adoptent une déclaration commune en faveur de la mobilisation du potentiel de recherche européen pour Eurêka ; et surtout des perspectives se précisent avec des firmes d'Etats non-membres de la Communauté (Autriche, Suisse, Norvège, Suède). Au Conseil européen de Milan, s'enclenche le processus intergouvernemental (création d'un comité interministériel ad hoc, dont la première réunion se déroule à Paris, le 17 juillet).

Le cadre existe donc. Il reste à le remplir par des engagements financiers et des opérations entre firmes. Dans le projet Eurêka, l'essentiel réside sans doute moins dans l'avènement d'une Communauté technologique - ambition quelque peu bureaucratique - que dans la participation spontanée des industriels. Pour la première fois, dans l'histoire de l'unification de l'Europe, des entreprises, de leur propre initiative, veulent s'engager dans un effort commun. Il y a là une novation. Est-elle superficielle ou réelle ? S'agit-

---

3. Extrait du communiqué du gouvernement britannique.

il d'une velléité ou d'une mutation des esprits ?
L'importance concrète d'Eurêka ne saurait
encore être évaluée. Mais, dès 1986, ce que les
Européens sont prêts à faire ensemble pourra
être mesuré !

Ces années 1983-1985 expriment au moins un
incontestable réveil du débat européen. Budget,
agriculture, élargissement, union européenne,
technologie et sécurité, constituent les termes-
clefs des interrogations et des discussions. La
Communauté et les Etats-membres acceptent de
se poser des questions. Pour le moment, ils ne
sont guère prêts à aller plus loin, peut-être parce
qu'au-delà se profilent des interrogations plus
graves sur les sociétés européennes. Heureuses,
elles n'avaient plus d'histoire. Or l'histoire - à
travers, en particulier, les sentiments nationaux... et la démographie - envahit à nouveau le
Vieux Continent...

6. Economies de l'Est, échanges Est-Ouest : un profil bas

Les relations économiques avec l'Est ont joué un rôle important dans les préoccupations des pays d'Occident, au début des années 80. Elles subissaient les effets des tensions politiques : sanctions à propos de l'Afghanistan et de la Pologne ; nouvelles interdictions des ventes à l'Est de produits stratégiques. Elles soulevaient aussi des difficultés financières, en raison de l'endettement des pays socialistes. Elles provoquaient enfin des oppositions entre Américains et Européens, qu'illustrait l'affaire des contrats gaz et du gazoduc sibérien.

L'effervescence est retombée, et le problème des échanges Est-Ouest est passé au second plan. Le recul des ces échanges en diminuait la portée et ôtait de sa substance au débat transatlantique. En même temps, l'affaire des euromissiles accaparait l'attention.

La question mérite aujourd'hui un plus grand intérêt. Le "dialogue" qui reprend, tant bien que mal, entre pays occidentaux et pays socialistes, l'arrivée au pouvoir de Mikhail Gorbatchev, une certaine reprise dans plusieurs économies de l'Est, conduisent à s'interroger de nouveau sur les rapports économiques entre ces deux parties du monde.

Ces rapports sont déterminés, pour une bonne part, par l'évolution des économies socialistes. Celle-ci vaut aussi d'être envisagée pour des raisons plus larges : elle a son importance dans le comportement, en tous domaines, de nos partenaires de l'Est.

Il n'est pas question de faire de ces économies une étude exhaustive, d'autant que chacune a ses particularités. Mais sans doute peut-on considérer au moins certains aspects qui, d'une manière ou d'une autre, touchent aux relations avec l'Occident : d'abord dans le cas de l'URSS, ensuite pour l'ensemble des six autres pays d'Europe orientale. Ce qui conduit à examiner, dans un troisième temps, la signification et les perspectives des échanges entre les deux "blocs", ou plus exactement entre les deux groupes de pays "à système économiques et sociaux différents"[1].

6.1. L'URSS : LES DILEMMES DE LA CROISSANCE

Les performances économiques de l'URSS apparaissent peu brillantes au regard de sa puissance militaire et de son rôle en politique internationale. Cette situation, qui semble paradoxale, prête à des interprétations contradictoires. Pour certains, l'Union soviétique est une sorte de colosse aux pieds d'argile, entre un secteur militaire hypertrophié et une économie qui dépérit. Pour d'autres, grâce à ses ressources physiques et humaines, elle garde des réserves appréciables de croissance.

Il ne s'agit pas ici de trancher le débat. On se bornera à évoquer certaines contraintes qui pèsent sur le développement de l'économie soviétique. Les dirigeants de l'URSS doivent faire face à une décélération de la croissance, en même temps qu'aux exigences d'un renouvellement technologique. Ils n'entendent évidemment pas renoncer à la puissance militaire, ni sans doute accroître sensiblement la dépendance à l'égard de l'extérieur. Il s'ensuit des choix difficiles, et comme un dilemme triangulaire entre :
- l'effort de défense jugé nécessaire pour soutenir la compétition avec les Etats-Unis,

---

1. Selon le langage adopté parfois par les institutions internationales.

La croissance en URSS

	1976-1980	1981	1982	1983	1984	1985 plan
PNB utilisé	3,8	3,2	3,6	3,6	2,6	3,5
PNB affecté à la consommation intérieure	4,5	4,0	1,2	2,9	3,0	-
Productivité du travail dans l'industrie	2,8	2,5	1,9	3,6	3,8	-
Production industrielle brute	4,5	3,4	2,9	4,2	4,2	3,9
Production agricole brute	1,7	-1,0	5,5	6,1	0	5,8
Investissement brut	3,4	3,8	3,5	5,8	2,0	3,4
Revenu réel par habitant	3,4	3,3	0,1	2,0	3,0	3,3
Importations totales	10,8	18,4	7,2	5,6	9,6	-
Exportations totales	15,6	15,0	10,6	7,5	9,6	-

Sources: Economic Survey of Europe in 1984-85, Economic Commission for Europe ; Wharton Econometric Forecasting Associates, Centrally Planned Economies Service ; *CMEA Statistical Yearbook 1984.*

- l'effort d'investissement indispensable pour assurer et, si possible, augmenter la croissance de l'économie,
- le recours au commerce extérieur, pour pallier les carences, structurelles ou conjoncturelles, de l'appareil productif.

Le poids de la défense

Dans le budget annuel de l'Etat soviétique, les dépenses militaires représentent près de 4 % (4,8 % en 1983, 4,7 % en 1984) des dépenses publiques soit 17,04 milliards de roubles en 1984. D'après les experts occidentaux, ces chiffres ne correspondent qu'à des coûts de maintenance, et ne reflètent pas le développement des capacités, ni l'ensemble des ressources affectées à l'appareil militaire soviétique. Des études de la comptabilité nationale de l'URSS suggèrent que les dépenses en matériel militaire sont traitées comme un accroissement des réserves d'Etat, tandis que les dépenses militaires en personnel se trouvent incluses dans la consommation des ménages, et qu'enfin les dépenses militaires de

fonctionnement figurent dans la consommation des administrations centrales[2].

Selon la CIA[3], les coûts imputables à la défense représenteraient 12 à 14 % du PNB soviétique ; par d'autres méthodes d'évaluation, on obtient des chiffres qui oscillent entre 10 et 20 %[4] du PNB soviétique. Selon ces mêmes sources, le taux de croissance estimé à l'Ouest des dépenses militaires soviétiques aurait décru depuis 1975, passant de 4 % en termes réels entre 1960 et 1975 à 2 % depuis 1976 ; toutefois,

---

2. Rapporté par Georges Sokoloff dans *L'économie de la détente : l'URSS et le capital occidental,* Presses de la Fondation nationale des sciences politiques, Paris, 1983.

3. *Estimate of Soviet Defence Expenditure,* CIA Report to Select Committee on Intelligence, House of Representatives, Washington, DC, septembre 1980.

4. Toutes ces estimations sont fondées sur la définition adoptée par l'OTAN des composantes de la défense militaire. Si l'on ajoute d'autres activités manifestement orientées vers la défense, telles que le programme soviétique de défense civile et le programme spatial, cela augmente de 1 % la part des dépenses militaires dans le PNB.

Le diagnostic porté par les Soviétiques

Le débat sur les atouts et les carences de l'économie soviétique n'est pas nouveau en URSS. La presse soviétique lui consacre un espace important sous forme d'articles de réflexion, de reportages ou dans le courrier des lecteurs. Les thèmes sont repris lors des congrès de PCUS et on les a relancés chaque fois que le pouvoir suprême a changé de titulaire[1].

Dans l'analyse soviétique, les difficultés auxquelles doit faire face l'économie peuvent être regroupées en cinq rubriques :
- *une pénurie de main-d'oeuvre* à laquelle il n'est pas possible de remédier par un apport suffisant de machines ;
- *un accroissement des dépenses :* le déplacement vers l'Est et vers le Nord des ressources énergétiques et minières est un véritable tonneau des Danaïdes pour les investissements en infrastructures. En outre, l'appauvrissement des gisements européens exige une quantité croissante d'investissements : 50 % à 90 %, dans certains cas, du total des investissements sont affectés au maintien du niveau de production utile ;
- un retard considérable en matière d'innovations technologiques ;
- des difficultés dans la planification de l'économie :
- malgré sa taille, le *Gosplan* ne parvient plus à maîtriser la conduite d'une activité économique de plus en plus complexe : les 6 000 *positions* contrôlées au niveau central sont insuffisantes au regard des 24 millions de positions connues dans l'activité économique réelle. Les indications du plan sont imprécises par rapport aux besoins, ce qui constitue une source

permanente d'erreurs et de gaspillages. Enfin, l'ajustement des plans annuels, quinquennaux et à plus long terme, la liaison entre planification sectorielle et planification régionale, sont rendus difficiles par la masse d'informations à traiter ;
- les "à coups" à la fois dans les prévisions et dans les réalisations du plan. Les versements de "primes" qui s'y trouvent liés alimentent le déséquilibre entre masse monétaire et masse marchande, et favorise ainsi le développement d'une "économie de l'ombre".

La réforme de 1979, et surtout les décisions adoptées après le *plenum du Comité central de novembre 1982,* qui ont été étendues au début de 1985, tentent d'apporter des éléments de solution par l'application de mesures que l'on se contentait jusqu'alors d'envisager[2].

Dans un premier temps - ces mesures ont caractérisé l'"année Andropov" -, on a prôné l'utilisation des "réserves" de productivité, par une amélioration de la discipline au travail et un meilleur usage des ressources : il a été mis fin à un certain laxisme dans l'exécution des plans, et les abandons de postes de travail ont été châtiés.

1. Une analyse sans complaisance a été faite en particulier par les membres de l'Institut d'économie et de gestion de l'Académie des sciences de Novosilink.

2. Voir encart sur "le nouveau mécanisme économique".

selon le département de la Défense des Etats-Unis, le ministère de la Défense britannique et la DIA[5], l'accroissement des dépenses militaires soviétiques est remonté à 3-4 % en 1982 et 1983.

La plupart des experts s'accordent pour écarter la thèse selon laquelle on assisterait à un ajustement des dépenses militaires à l'évolution du revenu national. La production d'armement semble, en effet, obéir à un rythme cyclique autonome, dû à la nécessité d'introduire de nouvelles technologies[6]. On devrait ainsi assister prochainement à l'amorce d'un nouveau cycle de croissance dans les dépenses militaires soviétiques. Toute une série de nouveaux systèmes d'armements conçus durant les années 70 auraient, dans cette perspective, achevé la phase de développement et seraient parvenus au stade de la production industrielle. Ainsi l'accroissement des dépenses de défense depuis 1983 serait dû à un coût plus élevé d'armes plus complexes, et non à une production plus importante.

Quoi qu'il en soit, les dépenses militaires représentent un fardeau considérable pour

l'économie. Ce n'est pas sans préoccuper les militaires soviétiques[7], qui sont conscients de la nécessité d'appuyer une armée moderne sur une économie civile robuste, à fort potentiel technologique.

Aux prélèvements directs que représentent les dépenses de défense, en absorbant une part de la production, s'ajoutent d'autres effets : les besoins d'investissement du secteur militaire, et la mobilisation à son usage d'une bonne part des efforts de recherche-développement. La défense absorberait 30 % des capacités de production des machines-outils, 20 % dans la métallurgie,

5. *Defense Intelligence Agency.*

6. Dans la revue *Kommunist* d'octobre 1981, le maréchal Ogarkov a en effet déclaré : "*le progrès technique conduit à un changement virtuel du système d'armement tous les dix à douze ans*".

7. Voir l'article du général Gurov dans *Krasnaya Zvezda* (L'Etoile rouge), 9 décembre 1982.

Evaluations des dépenses soviétiques de défense

Source	Prix de base	1970	1979	1981	1982	1983	1970-1980	1982-1983
Milliards de roubles								
URSS	courants	17,90	17,20	17,05	17,05	-	-0,4%	-
CIA	1970	44-53	59-75	70-75	-	-	3,7%	-
Ministère de la Défense de Grande-Bretagne	courants	-	76-81	84-92	-	-	4,0%	2,0%
Rosefielde	1970	43,5	91	-	-	-	8,5%	-
Département de la Défense des Etats-Unis	-	-	-	-	-	-	-	3-4%
Milliards de dollars								
URSS	courants	-	-	-	23	-	-	-
Comité des chefs d'état-major (Etats-Unis)	1983	188	241	267	-	-	2,8%	-
Rosefielde	1978	104,5	160,9	-	-	-	4,9%	-
SIPRI	1980	-	129,6	133,7	135,5	137,6	-	2%

Sources : Military Balance 1984-85 et SIPRI Yearbook 1984.

15 % de la production chimique et de l'énergie[8]. Le fait qu'elle soit prioritaire pour les matières premières et pour les pièces détachées provoque une aggravation des goulets d'étranglement, et des ruptures d'approvisionnement dans le secteur civil. D'autre part, le secret qui entoure le domaine militaire fait que les recherches qui s'y trouvent entreprises restent isolées du secteur civil : leur résultat se diffuse malaisément dans le reste de l'économie.

Le secteur militaire apparaît comme une enclave privilégiée, qui semble relativement à l'abri des vicissitudes du système. Il bénéficie d'un privilège sans équivalent dans l'économie soviétique : il définit ses projets, et exerce un contrôle de qualité tout au long des processus de fabrication. Mais c'est au prix d'un gaspillage probablement important, et pour aboutir à des coûts qui sont très onéreux. Les impératifs politiques, et les conditions de production dans le secteur militaire, rendent apparemment difficile toute réduction des charges de défense.

C'est leur rythme de croissance qui reste à apprécier. Au cours de la présentation du budget pour 1985, le ministre des Finances, V. Garbouzov, a annoncé un accroissement des dépenses militaires de 12 %, soit deux fois plus que l'ensemble du budget. On peut s'interroger sur le sens de cette augmentation. Est-ce le signe que s'amorce un nouveau cycle de dépenses militaires, et dans ce cas, au dépens de quel autre secteur cet accroissement se fait-il ? Est-ce un "coup de semonce" à l'attention des pays de l'OTAN, et en particulier des Etats Unis, à la veille des nouvelles négociations sur le contrôle des armements ?

Les difficultés de l'investissement

L'Union soviétique connaît, depuis les années 70, un ralentissement de sa croissance

8. David Fewtrell, *The Soviet Economic Crisis. Prospects for the Military and the Consumer*, Adelphi Papers, n° 181.

PNB : répartition des emplois
(en pourcentage)

	1960	1970	1976	1980	1981	1982	1983
Consommation	58,6	55,1	53,9	54,9	55,7	54,0	53,8
Investissement	26,9	28,5	28,9	27,7	28,1	28,3	28,9
Autres dépenses	14,5	16,4	17,2	17,8	17,0	17,1	17,2

Source : Byron Doenges, Soviet Ressource Allocation : Military Versus Civilian, *L'économie soviétique après Brejnev*, Colloque OTAN, Bruxelles, 1984.

économique. Cette évolution rend de plus en plus difficile l'affectation des ressources entre l'investissement et la consommation, pour ce qui n'est pas absorbé par le secteur militaire[9].

Depuis des années, les dirigeants soviétiques ne cessent de répéter que " *le mode de croissance extensif doit laisser la place à un mode de croissance intensif* "[10]. Autrement dit, augmenter la production, moins par l'apport de capital et de main-d'œuvre, et davantage en améliorant la productivité de l'un et l'autre de ces facteurs. Il reste à faire passer les intentions dans la réalité.

En fait, et selon les chiffres officiels, on observe au contraire un accroissement continu du capital investi, et une baisse, non moins continue de sa productivité. De longue date, l'effort d'investissement de l'URSS a été considérable, et il a doté le pays d'un puissant appareil de production. Si l'on en croit les publications soviétiques, de 1960 à 1980, le capital fixe a été multiplié par 4,4 en volume, par 3 en termes de capital par tête (3,5 par l'industrie, 5 par l'agriculture). Sans doute, la décélération de la croissance s'est-elle accompagnée d'une décélération plus ou moins parallèle du rythme des investissements. Mais le poids qu'ils représentent dans l'économie reste lourd, et il aurait même augmenté depuis 1980 : jusqu'au tiers du revenu national[11], selon certaines sources soviétiques. D'autres estimations, de source occidentale, et sur des bases différentes, semblent aller dans le même sens. Les Soviétiques jugent eux-mêmes un tel poids excessif, surtout dans une économie de faible croissance : il ne laisse qu'une marge

très limitée pour élever la consommation, civile ou militaire, et cette marge risque de s'amenuiser.

Certains économistes soviétiques et des observateurs occidentaux estiment cependant que " *les investissements auraient subi une baisse absolue en volume* "[12], compte tenu de la hausse des prix industriels, c'est-à-dire de l'inflation. Les chiffres officiels auraient pour effet de masquer cette réalité. Ce serait une façon de diminuer la charge des investissements, et d'infléchir le partage des ressources. Mais restait à savoir qui aurait pu en profiter : la défense ou la consommation civile, ou les deux à la fois ?

Nul ne paraît en revanche contester la baisse de la productivité du capital : de - 3,2 % en moyenne annuelle de 1950 à 1973, de - 4,5 % entre 1974 et 1978, selon selon les calculs soviéti-

---

9. On ne peut toutefois distinguer, dans les statistiques de l'URSS, l'investissement et la consommation civils de l'investissement et de la consommation militaires. Faute, à ce sujet, d'évaluations qui soient assez solides dans la recherche occidentale, c'est donc l'investissement global que l'on doit ici considérer.

10. Selon les propos du premier ministre Tikhonov au XXXVIe congrès du PCUS, en 1981.

11. Le revenu national est en principe équivalent au produit matériel net : il est utilisé pour définir les emplois de ce produit. Voir note 40 dans la partie de ce chapitre intitulée "L'Est sort-il de la crise ?".

12. Georges Sokoloff, "Ne pas se tromper de crise soviétique", *Politique internationale*, n° 21.

ques[13]. On manque de données pour les années suivantes, mais il est peu probable que l'évolution se soit beaucoup modifiée : les dirigeants s'en préoccupent ouvertement, et la presse ne manque pas d'en faire état[14]. On l'explique, en partie, par le vieillissement du matériel, qui reste en activité deux fois plus longtemps que dans les économies occidentales. Seule une faible part de l'investissement irait au remplacement du capital "obsolète" : 20 % au lieu de 50 % aux Etats-Unis[15]. Il est aussi d'autres raisons, qui sont d'ailleurs bien connues : le choix parfois peu judicieux des investissements, et en particulier la dispersion des projets, les délais et les coûts de réalisation ; la mauvaise utilisation des équipements, à commencer par le matériel importé. Les Soviétiques invoquent enfin volontiers les

difficultés des "industries extractives" : les conditions d'exploitation exigent des investissements de plus en plus importants.

---

13. Stanley H. Cohn, "Sources of Low Productivity in Soviet Capital Investment", *Soviet Economy in the 1980's. Problems and Prospects*, Ière partie, p. 173, cité par Byron Doenges, Colloque OTAN, *Soviet Economy after Brezhnev*, Bruxelles, 1984.

14. Dans la *Pravda* du 6 juin 1984, l'économiste Trapeznikov note qu'entre 1960 et 1980, la productivité marginale du capital est passée de 0,52 kopeks à 0,17 kopeks, ce qui suppose une multiplication par trois du capital nécessaire à la fabrication d'une unité de produit.

15. Voir Peter S. Elek, "Soviet Capital Strategy and Performance", Colloque OTAN, Bruxelles, 1984, *op. cit.*

Le nouveau mécanisme économique

Cette expérience, commencée à l'échelle de cinq ministères en 1983, et portée à vingt-sept ministères en 1985 (parmi lesquels les ministères des Industries alimentaires, des Industries légères et des Services), concerne exclusivement la production industrielle. Elle touche dès cette année six mille entreprises et trois millions de travailleurs (soit 18 % de l'industrie soviétique). Elle a pour objet d'assurer une plus grande autonomie de gestion. La production en valeur, principal indicateur de succès des entreprises, est désormais associée au *respect des obligations contractuelles* vis-à-vis des clients. Les primes augmentent de 15 % si les contrats sont exécutés ; elles diminuent, à l'inverse, de 3 % pour chaque point de non-exécution de l'indicateur.

Cette expérience se déroule actuellement dans des conditions privilégiées, puisque les entreprises concernées disposent d'une priorité d'approvisionnement auprès des organismes de répartition. Lorsque toutes les entreprises seront dans le même cas, cet avantage disparaîtra. Il deviendra difficile de

sanctionner celles qui n'auront pu exécuter leur contrat faute des approvisionnements nécessaires.

Parallèlement, *l'initiative des entreprises* est développée. Celles-ci ont toujours un fonds d'intéressement, un fonds social et un fonds de développement. L'utilisation autonome du fonds de développement est considérée comme essentielle dans le cas des entreprises pilotes, et le plan prévoit les biens d'équipement destinés à servir de contrepartie réelle à ces fonds. Les entreprises pilotes peuvent d'ores et déjà déterminer un certain nombre d'indices économiques, qui auparavant étaient fixés par le plan : ainsi le volume des effectifs, ou la réduction du prix de revient. Mais le principe de centralisation demeure : il s'agit seulement, pour les autorités centrales, de renoncer à une "tutelle mesquine" afin de se consacrer à la stratégie macro-économique.

Ces mesures sont récentes, surtout dans leur extension. Il est peu probable qu'elles aient joué un grand rôle dans les augmentations de production, et de productivité du travail, depuis 1983.

La diminution de croissance résulte, pour une bonne part, de ce rendement, constamment plus faible, du capital investi, surtout s'il se conjugue avec une baisse de son volume. Dans ces conditions, il est difficile de relancer la croissance, ou même de la maintenir, sans accroître de plus en plus le rythme des investissements. Mais il est difficile aussi d'accroître, sinon de maintenir, la consommation, civile ou militaire, sans réduire ce rythme, pour alléger leur poids. C'est le dilemme que doivent affronter les dirigeants soviétiques. Il ne semble pas qu'ils l'aient résolu. La véritable issue, et chacun le

sait, est d'améliorer la productivité du capital, comme celle du travail, donc de passer pour de bon à la croissance "intensive".

Les réformes qui ont été décidées et celles dont on débat en URSS visent à aller dans ce sens. Mais elles ont été jusqu'à présent lentes, limitées, et les résultats sont encore à venir. On a tenté également de mener une politique de planification plus rationnelle, en mettant fin au "cycle" traditionnel des investissements : le succès n'est pas évident.

Les cycles d'investissements

Selon l'économiste hongrois Bauer, dans les économies à planification centralisées, chaque cycle d'investissement se compose de quatre phases :
- *amorce de l'expansion* : de nombreux projets d'investissement sont lancés, cependant le volume d'investissement augmente assez peu car, au début, les nouvelles constructions n'exigent pas de dépenses importantes ;
- *boom* : les investissements ainsi commencés croissent rapidement. C'est la phase où leur taux de croissance est le plus élevé. Mais la réalisation se heurte à la pénurie de biens d'équipements et de services. Le nombre de nouveaux chantiers croît excessivement, on observe un phénomène de dispersion des ressources et un allongement des délais de construction. La croissance de la consommation diminue et/ou la balance commerciale se détériore ;
- *pause* : le nombre de nouveaux projets est réduit, mais le coût total des constructions en cours augmente. La mise en exploitation de divers projets est retardée, le stock des investissements non terminés augmente. Le taux de croissance baisse par rapport à la phase précédente ;
- *récession* : le taux de croissance des investissements planifiés et réalisés continue de diminuer. Les nouveaux projets sont difficilement acceptés, et certaines constructions sont arrêtées, pour que d'autres puissent être achevées. Les tensions sont allégées, un certain équilibre macro-économique est retrouvé. Les planificateurs acceptent plus facilement de nouveaux projets. Le cycle recommence.

Source : Irena Gosfeld, "Fluctuations du taux de croissance de l'investissement dans les économies à planification centralisée", *Revues d'études comparatives Est-Ouest,* septembre 1984.

Faute de changements décisifs, il semble que les orientations aient fluctué, peut-être selon les personnalités des dirigeants successifs ; dans le XIe plan (1980-1985), les investissements ne devaient augmenter en moyenne annuelle que de 1,6 %. En fait, l'accroissement effectif aurait été de 3,8 % en 1981, 3,5 % en 1982. Pour 1983, sous l'autorité de Youri Andropov, il a été porté à 5 %, pour retomber à 2 % en 1984, avec Constantin Tchernenko[16].

Depuis son arrivée au pouvoir, Mikhail Gorbatchev semble vouloir donner une impulsion nouvelle à l'économie soviétique, afin de parvenir à une croissance qui soit "*au minimum de 4 %*"[17]. Il insiste, une fois de plus, sur le problème des investissements, et veut renverser la tendance à multiplier les nouveaux projets, en négligeant la modernisation des unités existantes : à celles-ci devrait être consacrée désormais la moitié du capital investi. On peut se demander jusqu'à quel point, et par quelle mesure, ces propos seront suivis d'effets. S'agit-il seulement d'une nouvelle oscillation, vers un effort surtout quantitatif d'investissement, et qui serait sans lendemain ? Ou s'agit-il cette fois d'une percée enfin décisive, pour sortir de l'impasse où s'est enfermée, sur ce point, l'économie soviétique ?

La part de l'extérieur

Le recours à l'importation offre un moyen d'alléger le poids de la défense et les difficultés de l'investissement, pour autant que les ressources ainsi obtenues soient judicieusement utilisées. Mais, en desserrant les contraintes intérieures, il accentue la dépendance à l'égard de l'extérieur.

Dans ses relations avec le reste du monde, l'URSS a toujours été guidée par une préoccupation autarcique, que peuvent justifier ses dimensions et l'étendue de ses ressources physiques. Face à un environnement jugé plus ou moins hostile, et au risque de devoir l'affronter militairement, le souci de sécurité reste prédominant : il explique, pour une grande part, l'industrialisation stalinienne, et plus généralement le "modèle soviétique" de développement. Pour l'essentiel, ce modèle n'a pas changé, ni avec lui l'impératif de sécurité, même si celui-ci englobe à présent "la communauté des pays socialistes".

Le commerce extérieur ne peut avoir dès lors qu'une fonction résiduelle : combler les lacunes, en quantité ou qualité, d'une production qui tend à couvrir tous les besoins, ou ce qui est jugé tel ; se procurer les moyens, équipement et technologie, de développer mieux et plus vite cette production, donc de réduire, ou de ne pas augmenter, la dépendance vis-à-vis de l'étranger[18]. Il existe certes des marges de variation,

16. Marie-Agnès Crosnier, "La méthode Andropov : objectifs et résultats du plan 1983", *Le courrier des pays de l'Est,* n° 282, mars 1984.

17. Cité dans *Le Monde,* 19 juin 1985.

18. Il s'agit surtout de l'étranger hors du camp socialiste. Mais, même avec les "pays frères", l'URSS ne semble pas vouloir étendre trop loin sa dépendance.

Répartition géographique du commerce extérieur soviétique
(en pourcentage)

	1970	1975	1980	1981	1982	1983
Pays socialistes						
Importations	65,1	52,4	53,1	50,8	55,0	57,0
Exportations	65,4	61,0	54,2	54,6	54,0	52,0
OCDE						
Importations	24,0	36,4	35,3	34,4	33,0	31,0
Exportations	18,7	25,5	31,9	30,2	30,0	29,0
Pays en développement						
Importations	10,9	11,2	11,4	14,7	12,0	12,0
Exportations	15,9	13,5	13,8	15,1	16,0	16,0

Source : Annuaire statistique du Commerce extérieur soviétique (publications de 1981 et 1984).

selon les contraintes de l'économie interne et les conditions politiques extérieures, mais sans que les Soviétiques s'écartent de cette conception des échanges, ni dans son esprit, ni dans son application.

Dans les années 70, cette marge a été portée assez loin, pour un temps, dans le sens de l'ouverture : les importations d'Occident (pays de l'OCDE) ont été multipliées environ par huit entre 1970 et 1981[19]. Bien qu'à un moindre degré, les achats aux autres pays du CAEM[20] et au Tiers-Monde se sont aussi fortement accrus. Il est probable que ces apports de l'extérieur ont permis tout à la fois d'améliorer le niveau de vie, de maintenir ou d'augmenter le rythme des investissements et l'effort de défense, au moment où se modérait la croisance de l'économie.

Cette phase est à présent révolue. Ralentis dès la fin de la décennie, les importations en provenance de l'Ouest ont plafonné, et peut-être diminué en termes réels, à partir de 1980. La montée de l'endettement, les tensions réapparues avec l'Occident, les mesures d'embargo (affaires d'Afghanistan et de Pologne) et les risques d'extension ultérieure, ont contribué à ce coup d'arrêt. Mais sans doute avant tout pour confirmer le souci, déjà présent, de ne plus accroître la dépendance envers le monde occidental.

La politique de l'URSS ne semble pas avoir beaucoup varié depuis. Sans vraiment revenir sur l'ouverture antérieure, elle paraît s'être,

dans l'ensemble, relativement stabilisée. Aussi bien, l'évolution peu favorable des ressources en devises rend-elle plus difficile d'augmenter très sensiblement la pàrt de l'extérieur - au moins "non socialiste" - dans l'économie soviétique[21]. Cette part est pourtant loin d'être négligeable. Elle semble assez constante dans sa nature, sinon dans son ampleur : les achats à l'extérieur concernent toujours à peu près les mêmes secteurs ; dans chacun d'eux, les besoins à couvrir ainsi restent tendanciellement les mêmes, malgré des fluctuations annuelles.

Sur le *plan industriel*[22], des importations sont d'abord nécessaires pour suppléer les insuffisan-

19. Voir la 3ᵉ partie de ce chapitre, intitulée "Commerce Est-Ouest : mécomptes et désenchantements". La mesure en dollars constants, et pour un ensemble de pays fournisseurs, est évidemment imparfaite.

20. Conseil économique d'assistance mutuelle, appelé aussi Comecon. Il regroupe, autour de l'URSS, les autres pays de l'Est européen, et quelques pays de la "communauté socialiste". Voir note 40 dans la 2ᵉ partie de ce chapitre.

21. Les statistiques d'origine officielle soviétique (voir le tableau sur la croissance de l'URSS) font apparaître une croissance du commerce extérieur qui reste bien supérieure à celle du produit matériel net, donc une augmentation de la part extérieure. Ceci est en contradiction avec les chiffres de l'OCDE, pour ce qui concerne les échanges des pays membres avec l'URSS. Cette contradiction pourrait s'expliquer par un accroissement du commerce avec les autres pays, à commencer par ceux du CAEM. Reste à savoir s'il atteint des proportions suffisantes pour justifier les chiffres du tableau.

22. Voir l'étude de C. Beaucourt, "L'équilibre commercial de l'URSS en devises", dans *Economie prospective internationale*, 4ᵉ trimestre 1983, dont on utilise ici les données.

Répartition par produits du commerce extérieur soviétique
(en pourcentage)

	Exportations		Importations	
	1983	1984	1983	1984
Ensemble du monde (1)				
Machines et équipements	12,5	12,5	38,2	36,6
Combustibles	53,7	54,4	5,6	6,1
Matières premières non alimentaires	16,4	16,3	20,2	19,2
Produits alimentaires	1,5	1,2	20,5	22,5
Biens de consommation	1,8	1,8	11,5	11,7
Armes	13,7	13,4	3,6	3,5
Autres	0,4	0,4	0,4	0,4
Total	100	100	100	100
Pays socialistes (1)				
Machines et équipements	16,2	16,1	47,0	46,7
Combustibles	50,1	50,9	2,2	2,1
Matières premières non alimentaires	20,7	20,7	11,8	11,4
Produits alimentaires	1,7	1,4	16,4	17,6
Biens de consommation	2,2	2,2	15,7	15,7
Armes	8,6	8,2	6,5	6,1
Autres	0,5	0,5	0,4	0,4
Total	100	100	100	100
Reste du monde (2)				
Machines et équipements	7,8	7,8	26,7	22,3
Combustibles	58,2	59,0	10,0	11,8
Matières premières non alimentaires	11,2	10,5	31,1	30,1
Produits alimentaires	1,2	0,9	25,8	29,4
Biens de consommation	1,3	0,3	6,1	6,1
Armes	20,0	20,1	0,0	0,0
Autres	0,3	0,4	0,3	0,3
Total	100	100	100	100

Source : Wharton Econometric Forecasting Associates.
1. Calculs effectués à partir de données en roubles.
2. Calculs effectués à partir de données en dollars.

ces de certaines productions de base : ainsi pour les produits chimiques, et notamment les engrais ; pour les produits sidérurgiques, dont les tubes destinés aux gazoducs, mais plus régulièrement aussi des produits de caractère banal. Ces importations, qui ne semblent pas devoir sensiblement baisser, représentent, en 1983 et 1984, quelque 18 % des achats à l'Ouest[23].

Mais c'est surtout pour des biens d'équipements que les Soviétiques ont traditionnellement recours à l'étranger : environ 36 % du total de leurs importations en 1984, 46 % des achats aux "pays frères", 22 % des achats au reste du monde, essentiellement à l'Occident. Parmi les fournitures occidentales, le matériel destiné aux industries chimiques (dont la production d'engrais) et l'équipement énergétique paraissent venir au premier rang. On touche ici à des points de dépendance particulièrement sensibles, et probablement durables, de l'économie socialiste : déficience, déjà mentionnée, du secteur chimique, retard technique, et sans doute aussi carences de production, pour les matériels concernant le forage, le raffinage du pétrole, l'équipement des gazoducs. Pris globalement, les achats d'équipement à l'Ouest tendent néanmoins à diminuer, et à être remplacés, dans une certaine mesure, par des importations venant des autres pays du CAEM.

Le ralentissement des importations de matériels venant de l'Ouest peut s'expliquer par plusieurs raisons. D'abord, et particulièrement dans la période actuelle, par l'ampleur des importations alimentaires, qui réduisent les devises disponibles pour d'autres achats. Mais semble jouer aussi, et plus fondamentalement, la décélération des investissements, dont le rythme entraîne celui des commandes d'équipements à l'extérieur. Il s'est ajouté la difficulté de choisir et d'utiliser efficacement ces équipements, dans le cadre du système de planification et de gestion. Comme les autres pays de l'Est, l'URSS a pu compter sur des investissements accrus, à l'aide de matériel importé, comme substitut à des réformes, pour remédier aux déficiences de l'économie. L'expérience a été financièrement coûteuse, et les résultats, souvent décevants, ont sans doute incité à plus de modération.

Les restrictions occidentales à l'exportation vers l'Union soviétique ne paraissent pas avoir été déterminantes, du moins pour les équipements "classiques" : les mesures américaines d'embargo n'ont pas eu beaucoup d'effets[24], et le régime du COCOM[25] les touche assez peu. Le problème se pose davantage quant aux technologies "avancées", principalement celles qui relèvent de l'électronique : informatique, télécommunications, composants. Les restrictions COCOM, qui visent les technologies d'usage proprement militaire ou les technologies "duales" (à la fois civiles et militaires), font certes l'objet de débats entre les Américains et leurs alliés. Mais elles se sont étendues depuis 1982, et elles paraissent, dans l'ensemble, assez bien appliquées.

Sans doute les Soviétiques ne cherchent-ils pas, en ce domaine, à acheter beaucoup de matériel occidental, sauf pour l'imiter et en assimiler les techniques[26]. Ils visent à produire eux-mêmes, et semblent déjà disposer de productions et d'installation appréciables, pour la défense et les secteurs civils : ce sont des points trop sensibles pour que l'URSS se résigne à dépendre d'équipements importés. En outre, les capacités soviétiques d'absorption, et de diffusion, de ces technologies, apparaissent plus limitées encore que lorsqu'il s'agit d'importations traditionnelles. Le recours à l'étranger porte sur les procédés, plus que sur les produits, afin de combler ainsi les retards technogiques : les restrictions COCOM peuvent, à cet égard, n'être pas sans efficacité, et on conçoit l'effort

---

23. Ou plus exactement hors des pays socialistes. Ces importations sont comptabilisées, dans le tableau ci-après, à l'intérieur de la rubrique "matières premières non alimentaires".

24. On sait que les pays européens ont refusé, en 1982, d'appliquer l'embargo que voulaient leur imposer les Etats-Unis, sur les matériels destinés au gazoduc d'Urengoï. Les Américains ont dû céder, et ils ont, eux-mêmes, l'année suivante, levé les restrictions sur les équipements de forage.

25. *Coordinating Comittee for Multilateral Exports Control,* qui réunit les pays de l'OTAN et le Japon, pour déterminer les produits "stratégiques" faisant l'objet d'interdiction à l'exportation vers l'URSS.

26. Avant même le durcissement du régime COCOM, l'URSS semble avoir importé assez peu d'équipements de haute technologie. Sur cette question, évidemment sujette à débat, des nouvelles technologies en Union soviétique, et des rapport qui s'ensuivent avec l'Ouest, on peut se référer aux communications du colloque de l'OTAN sur "Les capacités d'adaptation de l'URSS et des pays de l'Est aux technologies nouvelles", Bruxelles, avril 1985.

que déploient les Soviétiques, par diverses voies, pour les enfreindre ou les tourner[27].

L'URSS est sans doute capable de surmonter ses retards par ses propres moyens : elle l'a montré, à plusieurs reprises, ne fût-ce que sur le plan militaire. Mais c'est au prix de coûts élevés : diversion de ressources, distorsions dans l'économie, sacrifices pour le niveau de vie, que le rendement décroissant des investissements tend à aggraver. En dehors d'un remède à des difficultés ponctuelles (approvisionnement insuffisants, goulets d'étranglements), l'apport extérieur sert à gagner du temps et à éviter ces coûts. C'est là que se situe principalement la dépendance industrielle de l'URSS[28].

La *dépendance alimentaire* est plus évidente, et dès maintenant plus inquiétante. Elle se lie aux problèmes d'importations industrielles pour les engrais, les usines d'engrais, les installations agro-alimentaires, qui attestent les efforts entrepris par les Soviétiques, sans succès notable, pour pallier les défaillances de leur agriculture : en ce secteur aussi, la productivité des inputs ne paraît pas s'améliorer. Les conditions climatiques peuvent faire varier annuellement les importations céréalières entre 10 et 50 millions de tonnes : avec les mauvaises récoltes successives, on tend vers le chiffre le plus haut, soit plus de 22 % des importations totales de 1984, près de 30 % des achats de l'Ouest[29]. Un embargo occidental serait une arme redoutable, s'il était réellement appliqué. L'expérience montre que ce n'est guère concevable, hors sans doute le temps de guerre[30].

Mais le déficit alimentaire, par la ponction qu'il exerce à leur endroit, soulève la question des *ressources en devises,* autrement dit de la capacité d'achat de l'URSS, hors du camp socialiste. Cette capacité peut être accrue, et l'a été, par l'endettement. Mais les Soviétiques tiennent à limiter leur dépendance financière : leur dette nette en devises, réduite depuis 1981, se situerait actuellement autour de 15 milliards de dollars, et le service de celle-ci à 16 % des exportations[31].

Pour assurer ce service, et pour importer, l'URSS ne peut compter que sur des ressources d'exportation aujourd'hui limitées : matières premières, et surtout pétrole et produits pétroliers (59 % des ventes en devises en 1984), gaz à un moindre degré. Mais la production pétrolière plafonne, et ne peut être accrue qu'au prix d'investissements considérables dans les gisements sibériens, et avec des équipements d'origine occidentale. Les besoins d'exportation vers l'Ouest entrent en concurrence avec les ventes aux pays du CAEM, et avec la demande interne. C'est toute la politique énergétique - nouveaux investissements de production, économies d'énergie, substitution du gaz et du charbon au pétrole - qui se trouve mise en cause. Les ventes d'or et surtout d'armes (20 % des exportations hors CAEM en 1984) semblent offrir, il est vrai, un supplément de ressources de première importance. Mais les premières, assez faibles, dépendent d'un marché étroit et fluctuant, les secondes des évolutions politiques et paraissent atteindre aujourd'hui le plein des possibilités.

Un plus grand recours aux importations du CAEM peut libérer des devises, et en même temps réduire la dépendance envers certaines fournitures d'équipement venant de l'Ouest. Les Soviétiques ont toujours tenté d'agir en ce sens, par une intégration des économies, et cette politique s'est accentuée dans les années 80 : les pays de l'Est représentent plus de la moitié du commerce extérieur de l'URSS. Mais cet effort peut difficilement aller plus loin dans le cadre actuel, et avec les capacités des divers partenaires. Il a aussi son coût : engagements d'exporta-

27. En matière d'informatique, le retard de l'URSS serait, selon les domaines, de trois à quinze ans. Voir le colloque de l'OTAN, déjà cité.

28. Ce problème peut être plus difficile que par le passé avec les nouvelles technologies. L'accélération des innovations, la convergence des technologies, les transformations qu'elles entraînent, dans les économies, risquent d'accumuler et de généraliser les écarts entre les pays "leaders" et les autres. Voir le chapitre 4 de cette partie, intitulé "Industries et technologies".

29. Voir le tableau sur la répartition géographique du commerce extérieur soviétique (chiffres d'origine soviétique).

30. L'embargo sur les céréales, décidé par le président Carter en 1980, et en fait peu efficace, a été levé par le président Reagan en 1982. De nouveaux accords de fournitures céréalières ont été conclus entre les Etats-Unis et l'URSS, dès 1983, et le président américain s'est engagé, pour des raisons de politique interne, à ne plus recourir à l'embargo.

31. Recettes d'exportation en devises. Selon *Financial Markets Trend*, OCDE, mars 1985. L'URSS a continué ces dernières années d'emprunter, de façon prudente, sur les euromarchés, mais elle s'efforce aussi de profiter des crédits à l'exportation de pays européens.

tions soviétiques envers les pays "frères", notamment de pétrole, crédits en faveur de ces pays, parfois en devises[32]. Plus généralement, se pose la question, au-delà même du bloc de l'Est, de la "charge de l'empire" (Cuba, Vietnam, etc.), qui pèse sur l'économie soviétique. Elle rejoint la charge de défense, et constitue avec celle-ci le prix de la puissance[33]. On ne voit pas comment elle pourrait s'alléger.

Si l'on s'en tient aux échanges commerciaux - et particulièrement aux échanges avec l'Ouest -, la part de l'extérieur, dans l'économie soviétique, apparaît étroitement déterminée par les déficiences mêmes du système : aussi bien les besoins d'importation que les capacités d'exportation. Cette part est aujourd'hui difficile à réduire, sous peine d'entraîner des pénuries excessives, et d'affaiblir l'appareil de production. Elle est difficile aussi à augmenter, faute de moyens de paiement, à moins de s'endetter, et faute de capacités d'absorption. L'apport extérieur ne laisse donc guère de marge de flexibilité pour la gestion de l'économie, et il ne contribue pas davantage à résoudre le problème fondamental de cette économie : celui de la productivité.

Il s'établit ainsi entre l'apport extérieur et l'économie interne une relation qui prend l'allure d'un cercle vicieux, ou du moins tend vers l'immobilisme. Rompre celui-ci impliquerait probablement un double processus, de réforme à l'intérieur et d'ouverture à l'extérieur : un meilleur emploi des "forces productives", un effort rationnel de modernisation, devraient augmenter les besoins d'importations, mais développer aussi les capacités d'exportation. Il faudrait accepter une plus grande dépendance, et réviser la conception que les Soviétiques ont jusqu'à présent du commerce extérieur. C'est dans cette voie qu'est entrée la Chine, non sans quelque succès, mais non sans conséquences, pour une part imprévisibles, sur l'économie et sur la société[34].

Mikhail Gorbatchev : le temps des réformes ?

Lors de la succession qui s'est produite au Kremlin, en mars 1985, on a pu se demander si le nouveau titulaire du pouvoir n'allait pas s'inspirer de l'expérience chinoise[35]. Entre l'héritage de Staline, aménagé par Brejnev, et l'exemple de Deng Xiaoping, est-ce le second que choisirait Mikhail Gorbatchev[36] ? Il semble en fait que ce ne soit ni l'un ni l'autre. Ce choix paraît tendre plutôt vers un conservatisme rajeuni, que vers des novations profondes. Mikhail Gorbatchev se pose en réformateur, et fait entendre un ton nouveau. Il dénonce sans complaisance les tares de l'économie soviétique. Il sanctionne et remplace plusieurs responsables du Parti et de l'Etat. Il critique les insuffisances du *Gosplan* et, geste inusité, fait remanier le plan quinquennal (1986-1990).

Mais, si le style est différent, le langage n'est pas neuf, et les mesures prévues semblent reprendre les orientations esquissées par Youri Andropov. L'accent est d'autorité : combattre les relâchements, améliorer l'organisation, restaurer avant tout "la discipline du travail". Il n'est pas question d'assouplir la centralisation de l'économie, mais plutôt de la renforcer. On n'envisage apparement pas de changer le système, "le meilleur du monde", mais de le faire mieux fonctionner.

Il n'est pas impossible que ces impulsions se traduisent, pour un temps, par une plus grande efficacité des mécanismes économiques, et une certaine reprise de la croissance, comme probablement durant le règne éphémère de Youri Andropov. Le gaspillage de ressources, le faible rendement du système, laissent des marges suffisantes pour que plus de vigilance et d'autorité, et ça et là des mesures ponctuelles, permettent d'améliorer la productivité du capital et du travail. Avec peut-être un nouvel effort d'investissement, il pourrait en résulter un sursaut de

---

32. Le débat reste ouvert quant aux coûts et avantages, pour l'Union soviétique, des relations économiques avec les autres pays du CAEM.

33. Selon certaines estimations, "la charge de l'empire" atteindrait entre 6 et 7 % du PNB (recalculé en termes occidentaux), en 1980. Voir Byron Doenges, *op. cit.*

34. Voir le chapitre sur la Chine dans la 4e partie. Il s'agit cependant d'un pays moins développé que l'URSS, qui n'a pas la charge d'un empire, et beaucoup plus faiblement celle de la défense.

35. Au moment où les rapports entre les deux pays tendent à se normaliser, l'expérience chinoise n'a pas été sans susciter l'intérêt des responsables et experts soviétiques : effet certes d'attraction, mais aussi d'inquiétude.

36. Voir "Can he do a Deng ?", *The Economist*, 16 mars 1985.

l'économie. Mais reste à savoir si ce peut être davantage qu'un sursaut, voué à retomber aussitôt de par les inerties et les contradictions du système. Faute d'une réforme, depuis vingt ans presque mythique, l'économie soviétique risque de s'enliser dans une croissance vacillante, un processus de *"stop and go"*, et d'aggraver ses retards par rapport aux économies occidentales.

6.2. L'EST SORT-IL DE LA CRISE[37] ?

Fin d'une illusion autarcique

Les pays socialistes d'Europe orientale prétendent que leur système économique les protège des bourrasques qui secouent périodiquement le monde capitaliste. Ils échapperaient ainsi aux cycles économiques et maintiendraient un taux de croissance continu. Les événements récents infirment cette thèse. Un fléchissement de la croissance économique s'est manifesté dans les pays de l'Est, au cours de la deuxième moitié de la décennie 70. Ce phénomène, particulièrement net pour les six plus petits pays d'Europe centrale, n'a pas épargné l'URSS.

On doit certes mettre au crédit de ces pays le maintien d'un taux de croissance positif (sauf dans le cas de la Pologne et de la Hongrie), supérieur au taux enregistré par les pays de l'OCDE depuis 1979. S'agit-il d'un réajustement interne justifié par une transition entre une croissance "extensive" et une croissance "intensive" ? C'est l'explication qui prévaut dans le discours officiel. Mais l'évocation des facteurs internes est pourtant insuffisante pour éclairer l'évolution économique récente des petits pays de l'Est. La détérioration des équilibres externes a eu un effet majeur sur cette évolution.

Le mode de croissance intensif

Pour expliquer le ralentissement de la croissance, les dirigeants mettent volontiers l'accent sur les ajustements qui doivent accompagner la transition d'une phase de développement extensif à un mode de croissance intensif, dont les résultats chiffrés seront nécessairement moins impressionnants. L'accroissement de l'efficacité exige non seulement des adaptations de la gestion économique - c'est le problème des "réformes" -, mais aussi des ajustements structurels d'envergure. Le développement extensif a en effet créé une structure de production peu économe des inputs matériels, d'énergie en particulier, et qui fait un usage abondant de main-d'œuvre. Or c'est précisément dans ces deux domaines que les pays de l'Est doivent faire face à des ressources limitées et il est prévisible que la situation s'aggravera dans les années à venir.

L'obsolescence et l'inadaptation croissante de leur appareil de production exigeraient des investissements importants, alors que les ressources correspondantes deviennent de plus en plus difficiles à mobiliser, du fait du ralentissement de la croissance et de la réticence à sacrifier la consommation privée. L'appel aux capitaux étrangers est pour l'instant limité pour des raisons doctrinales.

La contrainte extérieure

C'est essentiellement la coïncidence de deux contraintes extérieures qui a rendu la situation des pays de l'Est particulièrement critique, ces dernières années. D'une part, la détérioration continue de leurs termes de l'échange avec l'URSS[38] les a contraints à augmenter le volume d'exportations vers un partenaire qui représente de 30 % à 60 % de leurs échanges extérieurs. D'autre part, la diminution des crédits occidentaux, principal moteur des échanges Est-Ouest durant les années 70, est survenue en même temps que la récession mondiale qui a contracté la demande en dehors de la zone du CAEM. Les pays de l'Est ont dû réajuster rapidement, et dans des conditions difficiles, leurs comptes-courants en devises convertibles.

L'ampleur de cet ajustement peut être approximativement mesurée par l'écart entre le

---

37. Il s'agit ici des pays de l'Europe de l'Est autres que l'URSS, à savoir : Bulgarie, Tchécoslovaquie, Hongrie, RDA, Pologne et Roumanie. L'ensemble de ces pays est également désigné dans le texte par le terme de Six.

38. En 1983, le prix des exportations soviétiques vers les pays du CAEM se situait à 216 % au-dessus des prix enregistrés en 1970. Par contre, le prix des importations soviétiques en provenance des pays membres du CAEM n'avait augmenté que de 123 % durant la même période. Voir A. Tiraspolski, "Interrogations sur l'avenir du CAEM", *Le courrier des pays de l'Est*, n° 291, janvier 1985, p. 14.

Performances économiques des six pays de l'Est en 1984 (Taux de croissance annuel en pourcentage par rapport à 1983)						
	Bulgarie	Tchécoslovaquie	RDA	Hongrie	Pologne	Roumanie
Produit matériel net créé	4,6	2,8	5,5	2,9	5,1	7,7
Productivité du travail dans l'industrie	4,3	3,3	3,8	3,0	5,8	7,1
Production industrielle brute	4,5	3,9	4,2	3,0	5,3	7,0
Production agricole brute	6,8	3,6	10,3	2,5	5,7	13,3
Investissements bruts	1,0	4,4	-0,2	-1,0	8,0	6,1
Revenu réel par habitant	2,7	1,3	4,0	1,0	-	6,0(1)

Source : Commission économique pour l'Europe.
1. Par rapport à 1980.

taux de croissance du PMN[39] produit et celui du PMN utilisé : il représente la ponction extérieure. Dès 1981 et surtout en 1982, le PMN produit dans ces six pays a progressé plus rapidement que le PMN utilisé. Afin d'éviter une baisse du niveau de vie, le niveau de la consommation a été plus ou moins maintenu. Mais la progression de l'investissement s'est considérablement ralentie.

Ce tassement des investissements n'aurait pas été néfaste si leur efficacité s'était accrue[40]. Mais le rationnement des investissements a provoqué avant tout des effets négatifs sur le développement de l'appareil productif, du fait surtout de l'inertie d'un système économique géré administrativement, et aussi en raison de la diminution des importations d'équipements occidentaux, qui servaient à résoudre des goulets d'étranglement et à accélérer la mise en place de nouvelles productions.

Les conditions de l'ajustement

C'est en réduisant la demande intérieure que les pays de l'Est sont parvenus à dégager un surplus dans leurs échanges extérieurs. Cet ajus-

tement a été opéré rapidement dans la plupart des pays, surtout si on le compare à celui qu'ont accompli les PVD. Les Six, dont le déficit avec l'OCDE s'élevait à près de 3 millions de dollars en 1981, ont dégagé un excédent de près de 1 milliard de dollars en 1983, et de près de 3 milliards de dollars en 1984. Ce surplus résulte en grande partie de la compression des achats auprès de l'OCDE, tombés de plus de 20 milliards de dollars (1980) à 12 milliards (1984). La dette extérieure nette des Six a diminué de 60,2 milliards de dollars en 1981 à 50,1 milliards fin 1984, et les réserves des Six dans les banques occidentales ont été reconstituées[41].

---

39. Contrairement au concept occidental du PNB, le PMN (produit matériel net), agrégat utilisé dans la comptabilité nationale des économies planifiées, ne comptabilise ni les services "non productifs" (santé, éducation, défense, logement, transport des passagers, services gouvernementaux) ni l'amortissement. Le PMN *utilisé* correspond à la somme de la consommation (privée et collective), des investissements et du solde de la balance commerciale qui est additionné (surplus) ou soustrait (déficit).

40. Un ralentissement des investissements avait d'ailleurs été prévu dès le plan 1981-1985, correspondant à une stratégie de la croissance intensive.

41. Les réserves des Six auprès des banques de la BRI sont passées de 6 milliards de dollars fin 1981 à près de 10 milliards fin 1984.

Produit matériel net des Sept

(taux de croissance annuel en %)

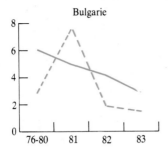

Bulgarie

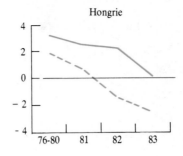

Hongrie

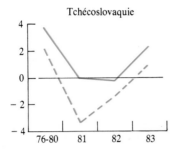

Tchécoslovaquie

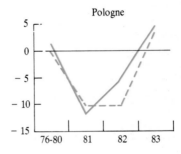

Pologne

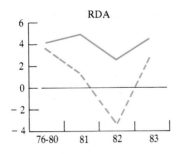

RDA

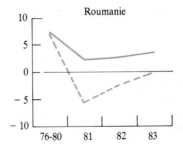

Roumanie

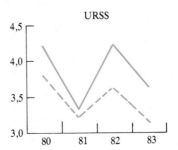

URSS

——— Produit

- - - distribué.

Source : Wharton Econometric, Forecasting associates.

Evolution du PMN (Europe de l'Est)
et du PNB (OCDE)

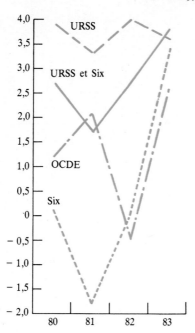

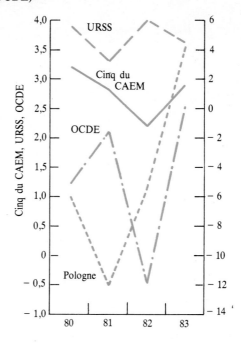

Source : Commission économique pour l'Europe et OCDE.

La dette des pays de l'Est

La dette hongroise

La dette nette de la Hongrie a été estimée à 7,1 milliards de dollars et son service à 2 milliards, en 1984. La nécessité de nouveaux crédits est évidente, en raison de la faiblesse persistante du compte-courant de ce pays (surplus entre 300 et 400 millions de dollards en 1983 et 1984). D'autre part, une portion importante de cette dette devra être remboursée entre 1985 et 1986. En 1984, la Hongrie a pu lever 1,2 milliard de dollars d'argent frais, sur les marchés financiers. Avant d'adhérer en 1982 au FMI et à la Banque mondiale, la Hongrie a bénéficié de deux crédits-relais de 510 millions de dollars, fournis par l'intermédiaire de la BRI. Le FMI lui a accordé un crédit *stand-by*, et un financement compensatoire d'un montant de 600 millions de dollars pour 1983. Le programme du FMI a été renouvelé en 1984 pour une somme de 439 millions de dollars. La Banque mondiale a directement financé en 1983 un crédit de 240 millions de dollars, d'une durée de quinze ans, et participé à deux crédits syndiqués de 250 millions de dollars. En 1984, grâce au même genre d'opération effectué sous l'égide de la Banque mondiale, la Hongrie a obtenu 600 millions de dollars de crédits au total. Dès 1984, la Hongrie a pu faire de nouveau appel directement aux marchés financiers occidentaux et obtenir son premier crédit libellé en ECU.

La dette polonaise

La Pologne a le privilège douteux de supporter la dette extérieure la plus élevée de tous les pays du CAEM : près de 27 milliards de dollars, en comptant ce qu'elle doit à ses partenaires du CAEM. Elle a été contrainte d'en solliciter le rééchelonnement dès 1981. On estime que le montant des seuls intérêts atteint annuellement entre 2,5 et 3 milliards de dollars, somme d'ailleurs tout à fait théorique puisque la Pologne a déclaré un moratoire unilatéral sur la partie publique de sa dette à partir de 1981. Le rééchelonnement accordé par les banques a porté chaque année depuis 1981 sur 95 % du principal dû, à moyen et long terme. Depuis 1982, une partie des paiements d'intérêts a été recyclée sous forme de crédits à court terme. En 1984, les banques ont accepté le rééchelonnement du total du principal venant à échéance jusqu'à 1987. Un accord sur le rééchelonnement de la dette vis-à-vis des créditeurs officiels est intervenu en 1981, mais les négociations entre la Pologne et les gouvernements occidentaux dans le cadre du club de Paris ont été interrompues à la fin de 1981 (proclamation de l'état d'urgence). Les parties concernées ont repris contact fin 1983, mais l'accord de principe sur le rééchelonnement de la dette garantie n'a été conclu qu'en 1985. Les termes du rééchelonnement, qui porte sur 10 milliards de dollars de principal et 2 milliards de dollars d'arriérés d'intérêts, paraissent généreux (paiements rééchelonnés sur onze ans avec une période de grâce de six ans). Il semble que les obstacles à la demande d'adhésion de la Pologne au FMI aient été également levés.

Dette des pays de l'Est en devises convertibles
(en millions de dollars, fin de la période)

	1981	1982	1983	1984 (1)
Dette brute				
Bulgarie	2 900	2 799	2 367	2 200
Tchécoslovaquie	4 100	3 559	3 383	3 300
RDA	14 540	12 228	11 875	12 000
Hongrie	8 699	7 952	8 820	8 300
Pologne	26 068	26 011	26 704	25 835
Roumanie	10 160	9 766	8 830	8 250
Total des Six	66 467	62 315	61 979	59 884
URSS	25 100	24 919	23 071	24 000
Total des Sept	91 567	87 234	85 050	83 885
Dette nette (2)				
Bulgarie	2 094	1 842	1 258	960
Tchécoslovaquie	3 035	2 831	2 447	1 900
RDA	12 386	10 350	8 494	7 500
Hongrie	7 796	7 222	7 513	7 100
Pologne	25 103	25 046	25 458	24 885
Roumanie	9 860	9 469	8 331	7 750
Total des Six	60 274	56 760	53 501	50 095
URSS	16 649	14 892	12 407	15 000
Total des Sept	76 923	71 652	65 908	65 095

Source : BRI, OCDE.
1. Préliminaire.
2. Dette brute moins les dépôts dans les banques de la zone déclarante de la BRI.

Traits communs et divergences entre les Six

Sur le plan interne, les dirigeants de ces six pays d'Europe de l'Est doivent tenir compte de la rigidité du modèle hérité de l'URSS et de l'inertie d'une gestion bureaucratique. Sur le plan externe, ils peuvent tirer quelques avantages de la flexibilité et de l'efficacité des économies de marché. Les situations varient selon le dosage entre ces éléments contradictoires.

Sur le plan externe, la marge de manœuvre des différents pays est déterminée par *le niveau de leur endettement* et par la répartition de leurs échanges entre le monde extérieur et la zone du CAEM. Peu endettées, très liées économiquement et politiquement à l'URSS, la Bulgarie et la Tchécoslovaquie ont été relativement protégés du choc extérieur. D'autres pays de l'Est, la Pologne et la Roumanie en particulier, restent plus dépendants de la conjoncture internationale : les taux d'intérêt, de change agissent sur leurs charges d'endettement. Dans d'autres pays, la Hongrie et la RDA notamment, les relations avec l'Ouest sont considérées indispensables pour assurer le service de leur dette et la modernisation de leurs économies.

Le processus de réforme dans les pays de l'Est

Après l'échec de la tentative réformatrice de la Tchécoslovaquie en 1968, la Hongrie avait fait cavalier seul pour adapter le système rigide de l'économie planifiée aux nouvelles conditions économiques internes et externes. Le processus de réforme en Hongrie s'est ralenti à la fin des années 70 en raison, principalement, des difficultés extérieures du pays. Mais les mesures entrées en vigueur en 1985 prouvent que la Hongrie souhaite poursuivre la réforme. La réforme polonaise, inspirée des expériences hongroise et yougoslave (l'accent est mis sur l'autogestion), n'a pas été mise en œuvre. Plus récemment, la RDA, depuis 1980, et la Bulgarie, depuis 1982, se sont également efforcées d'aménager les relations entre les agents économiques et d'améliorer la gestion des entreprises. L'objectif visé est identique : inciter les entreprises à utiliser d'une façon plus efficace les inputs, à produire des biens de qualité et de caractéristiques techniques correspondant aux exigences des marchés intérieur et extérieur. Les mesures adoptées diffèrent cependant d'un pays à l'autre.

Précurseur en la matière, la *Hongrie* conserve sa position d'innovateur, du moins parmi les pays de l'Europe de l'Est, car la Chine, qui s'inspire beaucoup de son exemple, est plus audacieuse dans certains domaines, comme celui des investissements étrangers. Le rôle prépondérant de la planification centrale a été progressivement réduit en Hongrie, et la politique économique fait appel dans une mesure croissante à des instruments "économiques", tels que la taxation des profits et des salaires, la politique du crédit et une relative vérité des prix. Le récent train de mesures de 1985 concerne l'élection des dirigeants d'entreprises par les conseils d'administration, et la suppression progressive des aides de l'Etat. Ces mesures, qui dépassent le cadre strictement économique, sont susceptibles d'entraîner, à terme, des transformations dans la vie sociale et politique du pays.

Les mesures adoptées par la *RDA* n'ont en revanche pas réduit le rôle de la planification, ni affaibli les prérogatives des autorités centrales. Celles-ci préservent d'autant plus aisément leur pouvoir de contrôle que la réorganisation de l'appareil industriel en *kombinats* a réduit le nombre d'unités de production. Bien qu'ayant été révisé afin de mieux mesurer les performances des entreprises en matière d'utilisation des inputs, le système des indicateurs fixés centralement demeure le principal instrument d'orientation et de contrôle des entreprises. Enfin, dans le domaine des prix, qui constitue traditionnellement la pierre de touche des intentions réformatrices, les aménagements se sont arrêtés à mi-chemin : les prix agricoles à la production ont été relevés en 1984, mais les prix à la consommation demeurent lourdement subventionnés. En 1985, les subventions budgétaires destinées à cette fin vont augmenter de 21 %, et atteindront 15 % des dépenses budgétaires. Les performances économiques jusqu'à présent satisfaisantes de l'économie est-allemande sembleraient prouver le bien-fondé du nouveau dispositif économique, que son conformisme idéologique peut rendre attrayant pour d'autres pays de l'Est. Il n'est cependant pas certain que, dans un contexte économique et social différent, la solution est-allemande donnerait des résultats aussi convaincants.

Les effets concrets du "nouveau mécanisme économique" progressivement mis en place en *Bulgarie* depuis trois ans seulement ne peuvent pas encore être jugés. Si l'on se réfère aux textes et commentaires publiés dans la presse bulgare, ce dispositif semble s'appuyer sur l'expérience hongroise et s'inspirer de certains principes du modèle est-allemand. Comme les autorités hongroises, les économistes bulgares admettent que la planification centralisée ne correspond plus au stade atteint par les économies socialistes, caractérisé par la complexité croissante des relations entre les producteurs et les consommateurs et par l'impact déterminant des variables extérieures. Dans ces conditions, il convient d'accroître le pouvoir de décision des entreprises, aussi bien sur le plan des rémunérations, que dans le domaine des investissements. On peut également reconnaître l'inspiration hongroise dans le principe de l'ajustement des prix, qui doit intervenir chaque fois que l'écart entre les prix domestiques et les prix mondiaux des produits faisant l'objet de transactions internationales dépasse 5 %.

Les trois pays qui se sont engagés le plus résolument dans le processus de réformes sont précisément ceux pour lesquels les relations extérieures sont vitales pour le développement de leur économie. Les mesures dans le domaine du commerce extérieur ont une valeur de test pour évaluer la portée réelle des nouvelles dispositions. Dans ce domaine, la Hongrie semble être allée le plus loin dans l'effort de confrontation entre les producteurs nationaux et la concurrence internationale. En 1981, ce pays a unifié les différents taux de change (commercial et touristique) du forint et, depuis 1985, il publie quotidiennement le cours de la monnaie nationale vis-à-vis des devises convertibles. La Hongrie utilise également activement la politique du taux de change pour orienter le commerce extérieur en ayant recours notamment à des dévaluations successives du forint. La législation hongroise concernant les sociétés mixtes a été complétée en 1982 par la création de zones libres, qui offrent aux sociétés étrangères des avantages fiscaux et douaniers supplémentaires.

Mise à part une législation bulgare de 1980, relativement libérale, concernant les sociétés mixtes (permettant une participation étrangère dépassant 49 % du capital de la société), les innovations des autorités bulgares et est-allemandes dans le commerce extérieur sont jusqu'à présent limitées : introduction d'un nouvel indicateur permettant d'évaluer les performances des entreprises sur les marchés extérieurs ; octroi à quelques grandes entreprises du droit de négocier directement avec les clients étrangers.

Si l'on considère *les tentatives de réformes* de la gestion économique interne, c'est à un regroupement différent que l'on parvient. Trois pays, la Hongrie, la RDA et la Bulgarie, se détachent parmi les Six. Les trois autres, pour des raisons essentiellement politiques, n'ont guère entrepris de révisions significatives.

Quant aux performances économiques, la Pologne se classe en queue de peloton : après deux ans de croissance positive, le niveau du PMN polonais demeure, en 1984, sensiblement inférieur à celui de 1979. Dans les autres pays de l'Est, la reprise, amorcée en 1983, s'est confirmée en 1984. Si l'on met à part les chiffres publiés par la Roumanie, parfois mis en doute par les observateurs occidentaux, la progression du PMN s'est située en 1984 entre 3 % et 5,5 %. Tous les pays ont dépassé les objectifs du plan annuel, et la moitié d'entre eux (Bulgarie, Tchécoslovaquie et RDA) rempliront probablement ceux de l'actuel plan quinquennal. Le secteur agricole a largement contribué aux bonnes performances de 1984, particulièrement en Bulgarie et en RDA. Des progrès ont été réalisés dans le domaine des économies d'énergie et dans l'utilisation plus efficace des inputs.

Un équilibre précaire entre l'Est et l'Ouest

Au cours des années 70, les Occidentaux avaient nourri l'espoir de voir les six pays

Le processus d'intégration au sein du CAEM

Fondé en 1949, le Conseil d'aide économique mutuelle (CAEM), qui réunit actuellement dix pays (l'URSS, les Six, la Mongolie depuis 1962, Cuba depuis 1972 et le Vietnam depuis 1978), a pour but de consolider les relations économiques entre les pays-membres. Du fait de son potentiel économique et de son poids politique, l'URSS y a toujours détenu une position largement dominante, renforcée encore ces dernières années par son rôle de fournisseur de produits énergétiques.

Le processus d'intégration économique a été relancé par l'adoption en juillet 1971 du "Programme complexe tendant à approfondir et à perfectionner la coopération et à développer l'intégration économique socialiste des pays membres du CAEM". La mise en place en 1980 des programmes de coopération à long terme a représenté une nouvelle tentative des pays de l'Est pour revigorer la coopération et la coordination des plans. Cinq secteurs au total, à savoir l'énergie, la construction mécanique, les denrées agricoles, les biens de consommation industriels et les transports ont fait l'objet de ces programmes finalisés. En fin de compte, seul le programme portant sur les produits énergétiques a connu un développement satisfaisant. Ce programme qui s'est surtout traduit par la réalisation de projets d'investissement communs, d'une valeur globale de 9 milliards de roubles transférables, dont le plus important fut celui du gazoduc Orenbourg, montre clairement que c'est dans le domaine énergétique que se concentrent les intérêts vitaux de tous les pays-membres.

Le récent sommet du CAEM qui s'est tenu en juin 1984 à Moscou, a confirmé que les problèmes énergétiques demeurent une préoccupation majeure. Dans le communiqué final, on note l'exigence soviétique de voir ses partenaires lui fournir des biens manufacturés correspondant quantitativement et surtout qualitativement à ses besoins. La 39ᵉ session du Conseil du CAEM, qui a eu lieu à La Havane en octobre 1984, a entériné des projets d'investissements communs pour la période 1986-1990 d'une valeur globale de 45 à 55 milliards de roubles transférables dont un nouveau gazoduc d'une capacité de 20 milliards de m3 de gaz par an.

Malgré les tentatives des pays de l'Est de mettre en œuvre un véritable système de spécialisation dans la production et de coordination des plans, l'essentiel de leurs relations économiques se fait toujours dans le cadre des échanges commerciaux, comptabilisés en roubles transférables et déterminés annuellement dans le cadre des accords bilatéraux.

Les prix intra-CAEM sont depuis 1976 fixés annuellement sur la base de la moyenne des prix mondiaux des cinq années précédentes. Toutefois, ce système, conçu à l'origine pour amortir le choc des flambées de prix mondiaux, a eu récemment des effets pervers : au moment où les cours mondiaux baissaient, les Six ont vu augmenter le prix d'achat du pétrole soviétique. Une partie des échanges intra-CAEM est réglée en devises convertibles ; ces échanges portent sur les produits "durs", c'est-à-dire ceux dont la demande au sein du CAEM est supérieure à l'offre et pour lesquels il existe des débouchés sur le marché occidental. Ce type d'échange est important pour certains pays de l'Est, la Hongrie en particulier (plus de 10 % de ses exportations vers le CAEM), mais il n'est pas certain qu'un système aussi peu orthodoxe puisse continuer de croître.

Les obstacles qui freinent aussi bien le processus d'intégration que le développement des échanges au sein du CAEM se situent essentiellement sur trois niveaux. En premier lieu, l'*inconvertibilité* des monnaies des pays-membres, et en particulier celle du rouble transférable, qui demeure une simple unité de compte, ne permettent pas la compensation multilatérale des soldes commerciaux entre les pays-membres. Cette absence de convertibilité est donc à l'origine de *rapports bilatéraux* qui réduisent à terme le volume des échanges entre les partenaires au niveau acceptable pour les pays à tendance déficitaire. Enfin le système actuel de *fixation des prix* assure la corrélation des prix intra-CAEM avec les prix mondiaux surtout pour les matières premières, mais il est plus difficile à appliquer pour d'autres catégories de produits, en particulier les biens manufacturés. Les producteurs et exportateurs de denrées alimentaires se sentent également lésés par le système actuel des prix intra-CAEM.

Le travail des instances du CAEM se concentre actuellement sur la coordination des prochains plans quinquennaux des pays-membres pour la période 1986-1990, objectif modeste qui ne suffira probablement pas à dégager le consensus nécessaire pour fonder un système d'intégration et d'échanges sur de nouvelles bases.

d'Europe centrale combiner des réformes internes et des relations économiques plus étroites avec l'Ouest, pour parvenir à une position intermédiaire entre l'URSS et l'Occident. Cet objectif politique a en partie justifié l'octroi de crédits importants à ces pays.

Pour les pays de l'Est, le recours aux crédits occidentaux et aux importations d'équipements avaient pour objet d'accroître l'efficacité des investissements et de pallier les insuffisances du système économique. Le levier financier a eu cependant des effets pervers. Dans la majorité des cas, les investissements ainsi financés sont apparus peu ou pas productifs : ils n'ont pas permis de développer les exportations vers les pays à devises fortes et ont suscité, au contraire, une dépendance continue à l'égard des importations de produits intermédiaires ou de pièces de rechange. En bref, comme dans certains pays du Tiers-Monde, ces investissements n'ont pas eu d'effet multiplicateur parce que le système économique n'était pas capable de les absorber, ni de les valoriser efficacement. Bien plus que le choc de la récession mondiale, ce constat soustend la crise financière que traversent les pays de l'Est.

Leurs dirigeants sont conscients que la greffe de la technologie occidentale sur un tissu économique non préparé s'est soldée par un taux d'échec trop important. Ils ne renouvelleront donc pas les erreurs passées. Il est donc illusoire de penser que les six pays d'Europe centrale puissent s'engager à nouveau dans la même voie. Cette démarche ne serait rationnelle que si elle était précédée *de réformes de gestion économique* garantissant une utilisation suffisamment productive du capital emprunté ou, mieux, visant à substituer *des investissements étrangers directs* aux emprunts extérieurs.

Le désengagement relatif à l'égard de l'Ouest a accru le repli des Six sur leur région économique. L'expérience polonaise a pourtant montré *les limites du soutien* que peuvent apporter en cas de difficultés les partenaires de la zone socialiste. Le CAEM n'est pas un véritable marché commun. Une répartition des productions selon l'avantage comparatif se heurte à *l'absence d'un système de prix cohérent* et à *l'extrême difficulté de procéder à des restructurations industrielles dans des systèmes étatisés*, nationalistes et qui répugnent à écorner le principal acquis des populations, la garantie d'emploi. Les investissements communs ont été jusqu'à présent peu importants. Le récent sommet du CAEM à Moscou n'a produit aucune décision significative autorisant à envisager une relance de la coopération économique à l'intérieur de cette zone.

BULGARIE

La Bulgarie a traversé les turbulences des dernières années dans des conditions plus favorables que les autres pays de l'Est : elle a très tôt assaini sa situation financière et bénéficie de relations privilégiées avec l'URSS. Si les performances de 1983 ont été relativement médiocres, comparées aux résultats antérieurs, l'année 1984 marque le retour à une croissance dynamique. Selon le communiqué officiel, le PMN produit s'est accru en 1984 de 4,6 % contre 3 % en 1983, surtout grâce au redressement de la production agricole (6,8 %). La croissance de la production industrielle s'est également accélérée en 1984 (4,5 %). Il semble que la Bulgarie ait maintenu un taux de croissance suffisamment élevé pour conserver un taux positif du PMN distribué[1]. Le pays a cependant comprimé sa demande interne, surtout quant aux investissements : leur part dans le revenu national, traditionnellement forte par rapport à ses voisins, représente aujourd'hui moins de 25 %.

La dette nette bulgare en devises convertibles diminue régulièrement depuis 1979 et son niveau actuel est relativement modeste (1 milliard de dollars en 1984). Son service constitue une charge modérée au regard des excédents en devises. L'URSS (57 % du commerce bulgare) fournit un débouché sûr aux produits agricoles et aux produits manufacturés qui sont développés dans quelques îlots de modernité (chariots élévateurs, électronique). L'URSS a jusqu'à présent toléré l'accumulation de soldes créditeurs en sa faveur, et permis à la Bulgarie de réexporter des produits raffinés à partir de pétrole importé à des conditions relativement avantageuses.

Le "nouveau mécanisme économique" introduit progressivement certains éléments de la réforme hongroise dans la getion des entreprises et dans le domaine du commerce extérieur.

TCHECOSLOVAQUIE

Après un début de reprise en 1983, la croissance tchécoslovaque s'est accélérée en 1984. Le PMN produit a augmenté,

---

1. Comme dans le cas d'autres pays de l'Est, la RDA et la Roumanie notamment, les statistiques bulgares disponibles sont souvent incomplètes et ne prennent pas en considération le phénomène d'inflation.

selon les estimations officielles préliminaires, de 3,2 % par rapport à l'année précédente, taux le plus élevé atteint au cours de l'actuel plan quinquennal. La croissance est restée soutenue dans l'agriculture (3,6 %), elle est satisfaisante pour l'industrie (3,9 %). En 1983, la reprise a surtout favorisé la consommation ; en 1984, elle a permis d'accroître également les investissements.

Dans son commerce extérieur, la Tchécoslovaquie a effectué un repli sur le camp socialiste (78 % de ses échanges). Les importations des pays non socialistes (PVD comme OCDE) ont été constamment réduites depuis 1981.

En termes comptables, la situation de la Tchécoslovaquie paraît satisfaisante et reflète une politique prudente. Mais on peut se demander pourquoi ce pays fait tant d'efforts pour améliorer sa balance en devises convertibles, compte tenu du faible niveau de sa dette (1,9 milliard de dollars en 1984, en termes nets) et des implications d'une politique de restriction sur son appareil productif. La Tchécoslovaquie, naguère pays d'Europe centrale le plus industrialisé, possède actuellement *le capital productif le plus obsolète de la région.*

HONGRIE

Bien qu'en nette progression par rapport à 1983, l'économie hongroise a connu à nouveau en 1984 le taux de croissance le plus faible de la région : moins de 3 % pour le PMN produit. Cette évolution a cependant permis de comprimer les investissements moins que les années précédentes (- 1 %) et d'augmenter la consommation (1 %) après plusieurs années de stagnation. Le redressement de la position extérieure constitue un objectif prioritaire des autorités hongroises. Contrairement à la plupart de ses partenaires du CAEM, la Hongrie a essayé de maintenir les importations de machines venant des pays occidentaux. Mais son déficit persistant l'a contrainte à réduire ses importations à partir de 1983. Faute de développer ses exportations vers l'Occident, en raison de la sécheresse qui a affecté sa production agricole et des restrictions du Marché commun, la Hongrie a dû exporter des produits pétroliers, comme ses partenaires du CAEM.

Ce pays a su gérer avec habileté une situation financière précaire. Les Hongrois ont su cultiver leur différence et jouer de la compétence de leurs économistes et de leurs banquiers. Le pays a ainsi bénéficié d'un soutien financier des Occidentaux, qui l'a aidé à surmonter sa crise de liquidités. Malgré quelques initiatives récentes (encouragement des investissements étrangers, créations de zones franches industrielles, licenciements dans des entreprises déficitaires) la réforme économique paraît se heurter à des *obstacles dûs au système.*

Les campagnes d'explication menées par les autorités lors des hausses des prix et des restructurations industrielles ont jusqu'à présent permis de préserver un relatif consensus social. Mais celui-ci risque de se dégrader si la politique d'austérité se prolonge. La Hongrie court également le danger de voir le clivage de son économie s'accentuer. Une concurrence à l'occidentale laisserait le champ libre à l'initiative privée dans le cadre de l'économie "parallèle" ; en même temps, subsisterait une économie selon les normes "socialistes", astreinte à exporter sans souci de rentabilité vers l'URSS afin de compenser la dégradation des termes de l'échange avec celle-ci.

POLOGNE

La reprise de la croissance de l'économie polonaise en 1983 et en 1984 (+ 5 % pour le PMN) a fait renaître un espoir mais elle suit quatre années de récession. L'inflation demeure forte (les prix de détail ont augmenté de 100 % en 1982 et de 25 % en 1983) et la *détérioration du niveau de vie de la population* est certainement supérieure à ce qu'annoncent les indicateurs officiels.

L'investissement a repris depuis 1983 mais cette reprise est *loin de compenser le recul subi depuis 1979 :* le niveau des investissements était alors supérieur de près de moitié à celui de 1983. Dans le domaine industriel, l'accent a été mis sur la remise en route de la production d'énergie (dont le charbon, pilier des exportations polonaises à l'Ouest), la métallurgie et le secteur agro-alimentaire. Globalement, la situation du pays demeure critique.

En développant fortement ses exportations vers les pays non socialistes, et en particulier les PVD, la Pologne est parvenue à un important surplus commercial en devises pour 1983 et 1984 (environ 1,5 milliard de dollars). Ces performances ont été obtenues essentiellement grâce à la progression des ventes de produits primaires, ou peu élaborés. La Pologne ne parvient pas à développer des exportations de produits manufacturés à la mesure de son potentiel industriel théorique. On constate également une réorientation des échanges de la Pologne vers le CAEM, qui représentent actuellement près de 60 % de son commerce global.

Sur le plan de la politique économique interne, la mise en œuvre de la réforme projetée - dont la portée serait considérable - est bloquée. Avec une gestion au jour le jour, les autorités ont renforcé la centralisation.

Bien qu'une certaine "normalisation" de ses relations économiques avec l'Ouest se soit produite en 1984 (annulation, en particulier, d'une grande partie des sanctions économiques américaines), il est douteux que la Pologne soit en mesure de dégager les excédents considérables nécessaires au remboursement du principal de sa dette à partir de 1986.

ROUMANIE

Selon les communiqués officiels, la Roumanie a enregistré en 1984 la croissance la plus dynamique parmi les pays de l'Est. Le PMN s'est accru de 7,7 %, la production industrielle de 7,0 % et la production agricole de 13,3 %. Bien que ces statistiques aient peut-être un caractère "politique", il faut admettre que, sur le plan des échanges, le pays a effectivement réalisé des performances impressionnantes. En 1983 et probablement en 1984, la Roumanie a enregistré, vis-à-vis de l'OCDE, un surplus commercial (de 2,1 milliards de dollars en 1984), le plus élevé de tout le bloc socialiste. Ce résultat a été obtenu principalement grâce à une compression draconienne des importations.

Contrainte de demander le rééchelonnement de sa dette en 1982 et 1983, la Roumanie a pu réduire progressivement un endettement qui s'élevait à la fin de 1984, en termes nets, à 7,8 milliards de dollars. L'objectif visé est de réduire de moitié la dette dès 1985 et de l'éliminer en 1988. Cet ajustement extérieur impose des sacrifices considérables à la population, et se traduit par une sous-utilisation croissante des capacités de production, faute d'énergie, de matières premières et de produits importés.

La crise économique traversée par la Roumanie s'est accompagnée d'un recentrage de son commerce sur la zone socialiste qui représente actuellement 53 % de ses échanges contre 39 % en 1980. La Roumanie reste néanmoins excédentaire envers l'URSS et acquiert une part importante de son pétrole sur le marché mondial. Elle n'a pas jusqu'à présent bénéficié, pour ses achats de pétrole soviétique, des mêmes conditions que ses voisins du CAEM.

L'économie roumaine demeure une des plus centralisées de la zone socialiste. On ne perçoit *aucun signe d'une réforme de la gestion économique.* Au contraire, les récentes mesures renforcent le caractère coercitif du système en place. Ainsi, selon le décret adopté en 1984, les entreprises qui ne rempliront pas les objectifs du plan seront-elles assujetties à une amende dont la moitié sera payée directement par le personnel de l'entreprise.

L'exemple de la RDA démontre les limites d'une intégration au sein du CAEM. Dans les faits, celle-ci prend moins l'aspect d'une combinaison des points forts de chaque pays que celui d'un renforcement des relations radiales qui relient les petits pays à l'URSS. Ce géant tutélaire d'un groupe déséquilibré et désenchanté ne parvient pas à jouer le rôle d'un pôle naturel d'attraction. Pays le plus avancé industriellement de la région, la RDA doit maintenir une avance technologique lui permettant d'exporter des produits "durs", qu'elle pourra monnayer au meilleur prix. Mais cette primauté n'est garantie ni par la mise en valeur de ses ressources nationales, ni par des transferts de technologie intra-CAEM. La clef en est *le maintien d'un canal avec l'Ouest,* dont la condition est un degré satisfaisant d'équilibre réciproque, c'est-à-dire en dernier ressort la capacité d'écouler des produits industriels est-allemands sur les marchés occidentaux. L'accélération des mutations technologiques occidentales rend ce pari difficile à tenir.

La RDA et les relations économiques interallemandes

L'appréciation des performances de la RDA est compliquée par l'insuffisance des statistiques officielles. Si l'on prête foi aux indicateurs économiques publiés, on constate que, durant ces dernières années, les performances ont été supérieures à celles de la plupart des pays voisins. Les résultats confirment que ce dynamisme s'est poursuivi en 1984 : le PMN produit a progressé de 5,5 %.

Comme ses partenaires du CAEM, la RDA s'est trouvée confrontée à la récession sur les marchés occidentaux, à une grave crise de liquidités en raison du niveau atteint par le service de la dette, et à la détérioration des termes de l'échange avec l'URSS. Ayant réussi à maintenir une croissance relativement stable et un niveau élevé du PMN, elle a pu opérer son ajustement dans des conditions moins sévères pour les consommateurs, et plus saines pour son développement, que dans les autres pays de l'Est. L'accent a été mis sur l'amélioration de la productivité, les économies d'énergie et de matières premières.

Comme la Bulgarie et la Hongrie, la RDA est fortement dépendante du commerce extérieur. En développant ses exportations davantage que ses importations, elle a enregistré, à partir de 1982, une balance globale excédentaire. Ce pays a deux partenaires dominants : l'URSS et la RFA. Principal producteur et exportateur d'équipements au sein du CAEM, elle échange avec l'URSS des produits manufacturés, de niveau technologique souvent inférieur aux standards occidentaux, contre des matières premières et des produits énergétiques à des prix avantageux, malgré l'accroissement des prix en roubles. Pour satisfaire les besoins industriels soviétiques, la RDA a dû sacrifier d'autres secteurs, comme l'agriculture, et négliger l'adaptation de son industrie à la demande occidentale. La part des équipements, dans les exportations vers la RFA et les autres pays de l'OCDE, est faible pour un pays ayant ce niveau de développement. Comme d'autres pays de la zone, la RDA a développé ses exportations de produits pétroliers vers l'Ouest au détriment des autres catégories de produits.

Bien que les indicateurs économiques portent aujourd'hui à l'optimisme, on peut s'interroger sur les perspectives à plus long terme. Les mesures de réorganisation de l'économie, introduites progressivement depuis quelques années, s'éloignent des mécanismes de marché, en renforçant souvent la centralisation. Il y a une limite aux gains de productivité qui peuvent être obtenus ainsi. On peut donc se demander si le dynamisme relatif qui a caractérisé jusqu'à présent l'économie est-allemande se poursuivra dans les prochaines années.

Les relations économiques interallemandes

Le commerce entre la République fédérale d'Allemagne et la République démocratique allemande fonctionne selon un régime institutionnel et financier particulier : la RFA désire maintenir le principe que les deux Etats font partie d'un seul territoire allemand. En vertu de l'accord de Berlin de 1951[1], les échanges commerciaux entre la RFA et la RDA ne sont pas traités comme des importations ou des exportations, mais comme un commerce interne[2]. Du point de vue de la RFA, ce commerce n'est pas soumis aux droits de douane et prélèvements qui sont normalement appliqués par les membres de la Communauté aux pays tiers. Cette exception a été reconnue par un protocole annexé au traité de Rome. La RDA, quant à elle, considère ses échanges avec la RFA comme faisant partie de son commerce extérieur, mais en dissimule l'importance en ne publiant que des statistiques incomplètes de ses échanges avec les pays autres que ceux du CAEM. Les statistiques du commerce interallemand font l'objet d'une publication spéciale en République fédérale et ne sont pas comptabilisées dans son commerce extérieur.

Les échanges avec la RFA représentent près de 60 % du commerce de la RDA avec les pays de l'OCDE (calcul effectué à partir des données occidentales). Mais il ne représente pour la RFA que 2 % de son commerce extérieur, et 25 % de ses échanges avec les pays de l'Est. Les livraisons de la RDA à la RFA bénéficient d'un taux allégé de taxe sur la valeur ajoutée (11 % de ristourne en moyenne). Par contre, les livraisons de la RFA à la RDA supportent une TVA au taux de 6 %, ce qui n'est pas le cas pour les exportations vers d'autres marchés. Un certain contrôle est exercé par les autorités fédérales sur le volume des livraisons de la RDA : elles sont soumises à un régime de licences, mais avec approbation automatique pour un grand nombre de produits.

Sur le plan financier, ces échanges mutuels sont réglés dans le cadre d'un *clearing* et doivent donc théoriquement s'équilibrer sur une base annuelle. En réalité, un crédit *swing* sans intérêt est accordé par la RFA à la RDA. Son montant était de 690 millions d'unités de compte[3] en 1983 et sera fixé à 600 millions en 1986.

La RDA tire par surcroît d'importants avantages financiers de ses relations avec la RFA. On peut estimer que l'addition des règlements de la RFA imputés sur des fonds publics (droits de transit, financement du réseau de transport de Berlin, différents services rendus par la RDA à Berlin, droits postaux et ferroviaires), à ceux effectués par des particuliers, donnerait un montant de transferts financiers annuel à la RDA de plus de 2 milliards de deutschemarks.

La préférence dont bénéficient les échanges intra-allemands ne semble pourtant pas leur avoir conféré un dynamisme exceptionnel. On observe que, durant la décennie 70, ce commerce a progressé à un rythme moins soutenu que les échanges de la RDA avec les autres pays de l'OCDE. Ce commerce fluctue en fonction des intérêts à court terme de la RDA : de 1980 à 1983, celle-ci a réorienté ses échanges vers la RFA, ceux avec les autres pays de l'OCDE subissant le contrecoup de ses difficultés financières. Durant cette période, les achats de la RDA à la RFA ont augmenté de 31 % (- 23 % avec le reste de l'OCDE), ses ventes de 23 % (+ 14 % avec l'OCDE). Ce mouvement paraît s'être partiellement inversé en 1984. Les achats de la RDA ont baissé de 8 %.

Les avantages sont-ils équilibrés au sein de cette mini-zone préférentielle ? Il est difficile de fournir une réponse précise car les motivations des partenaires sont différentes, les aspects commerciaux et financiers de ces relations étroitement imbriqués. L'objectif principal de la RFA est politique. C'est le maintien de liens entre les deux Allemagnes et l'utilisation du levier économique pour obtenir de la RDA des concessions à caractère humanitaire.

Du point de vue de la RDA, l'intérêt principal réside certainement dans le volet financier de ces relations : financement avantageux du commerce par le biais du *swing*, paiement des droits de transit et des services fournis à Berlin-Ouest et possibilité d'obtenir des crédits à moyen et long terme (1,9 milliard de deutschemarks en deux prêts en 1983 et 1984[4]).

---

1. Cet accord a été actualisé en 1960.

2. Les statistiques utilisent les mots *Lieferungen und Bezüge.*

3. Les montants du commerce intra-allemand sont libellés en *Verrechnungseinheiten* dont la valeur est égale à celle du deutschemark.

4. Prêts garantis par la République fédérale.

6.3. COMMERCE EST-OUEST : MECOMPTES ET DESENCHANTEMENT

Le recul, de 1981 à 1983, des échanges Est-Ouest semble d'autant plus frappant que leur forte expansion durant la décennie précédente avait suscité un optimisme que l'on juge aujourd'hui excessif. Au cours de la première moitié des années 70, les échanges Est-Ouest ont connu une progression impressionnante. Cette expansion a certes résulté de la volonté des pays socialistes de recourir aux équipements occidentaux pour moderniser leurs industries, mais elle a également été stimulée par le climat de détente et la conjoncture économique à l'Ouest : voyant se contracter leurs débouchés traditionnels, les entreprises occidentales ont recherché de nouveaux marchés. Grâce à des liquidités abondantes (eurodollars), les banques étaient disposées à prêter à des conditions avantageuses aux pays de l'Est, car ceux-ci étaient peu endettés et avaient une réputation de fiabilité.

Le développement des importations est-européennes ne s'est pas accompagné d'un accroisse-

Le commerce interallemand **(en millions de deutschemarks)**		
	1983	1984
Exportations de la RFA		
Produits chimiques	1 212,0	1 279,6
Machines et électricité	1 021,9	906,0
Produits agricoles	960,3	820,3
Fonte, acier, produits laminés	1 037,7	741,8
Pétrole brut	675,8	660,5
Métaux non ferreux	518,6	539,3
Textile, habillement	386,8	362,1
Services	1 208,7	1 299,6
Total	7 021,8	6 609,2
Importations de la RFA		
Pétrole et produits pétroliers	1 573,3	1 755,4
Textile et habillement	878,3	1 008,4
Produits chimiques	829,3	962,5
Produits agricoles	702,9	692,5
Produits mécaniques et électiques	545,5	644,8
Bois et meubles	326,7	367,4
Métaux non ferreux	247,8	354,8
Produits sidérurgiques	322,7	335,4
Services	866,6	752,3
Total	6 293,1	6 873,5
Solde des échanges	728,7	264,3

Source : Bulletin du Gouvernement fédéral, 1er mars 1985.

ment proportionnel des exportations : l'Est a accumulé des déficits commerciaux, qui ont atteint leur point culminant en 1975 (9,2 milliards de dollars dont 4,9 pour les Six et 4,3 pour l'URSS). Ces déficits ont commencé de préoccuper les gouvernements est-européens qui se sont efforcés de freiner la croissance de leurs importations. C'était faire le choix d'une stratégie purement défensive, faute de pouvoir développer suffisamment les exportations. Les résultats ont été médiocres : le déficit des Six[42] à l'égard de l'OCDE ne s'est réduit que modéré-

ment (- 3,9 milliards de dollars en 1980). L'Union soviétique est certes devenue excédentaire à partir de 1980 (1,4 milliard de dollars), mais c'est surtout grâce à l'évolution favorable du prix des produits énergétiques.

---

42. Il s'agit bien entendu, une fois encore, des six pays de l'Est européen, en dehors de l'URSS. Lorsqu'il est question de l'ensemble de l'Est, soit des Six plus l'URSS, on les désigne comme les "Sept", ou "les pays du CAEM" (bien que des pays non européens, tels que la Mongolie, le Vietnam ou Cuba, fassent aussi partie du CAEM).

Transfers financiers du gouvernement de la RFA à la RDA en 1983 (en millions de deutschemarks, chiffres arrondis)	
Montant forfaitaire pour frais de transit entre la RFA et Berlin-Ouest	525
Montant forfaitaire pour services postaux	200
Amélioration du réseau de transport sur les voies de transit	60
Montant forfaitaire pour usage des routes de transit	50
Amélioration des voies navigables	37
Mesures de protection de l'environnement	36
Amélioration du transit par chemins de fer	24
Restitution à la RDA des frais des services des postes entre la RFA et Berlin-Ouest	11
Divers	environ 30
TOTAL	environ 970

Source : Bulletin du Gouvernement fédéral, 1er mars 1985.

Les déficits commerciaux persistants ont entraîné, au début des années 80, une sérieuse détérioration de la situation financière extérieure des Six. En 1981, leur dette nette s'élevait à plus de 60 milliards de dollars, et son service

Echanges de l'OCDE avec l'URSS

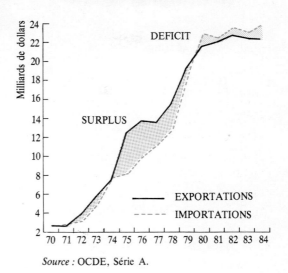

Source : OCDE, Série A.

Echanges de l'OCDE avec les Six

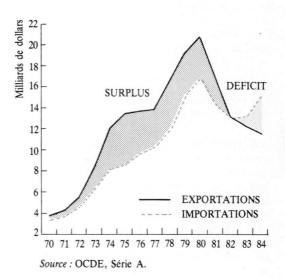

Source : OCDE, Série A.

représentait entre 20 % (Tchécoslovaquie, Bulgarie) et 100 % (Pologne) du montant des exportations en devises convertibles. Alarmés par la crise financière de la Pologne et de la Roumanie, qui ont d'ailleurs été contraintes de négocier le rééchelonnement de leurs dettes, les milieux bancaires internationaux ont révisé leur politique de prêt à l'ensemble de la zone.

**Importations de l'OCDE
venant des Six**

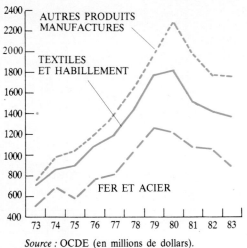

Source : OCDE (en millions de dollars).

**Importations de l'OCDE
venant des PVD**

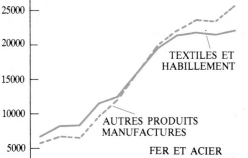

Source : OCDE (en millions de dollars).

Les Six ont eu de plus en plus de mal à renouveler les crédits à court terme, ils ont dû également affronter le retrait des fonds déposés auprès de leurs banques. Le redressement de leurs balances commerciales est alors devenu, pour ces pays, un objectif prioritaire.

La politique d'ajustement commercial des Six : un effort draconien

A partir des années 80, les Six ont mis en œuvre une double stratégie qui a consisté à réduire leurs déficits à l'égard de l'Ouest en limitant strictement leurs importations et à accroître leurs excédents vis-à-vis du Tiers-Monde. Cette politique s'est révélée très efficace. Globalement, leur balance commerciale en devises convertibles est passée d'un déficit de 3,6 milliards de dollars en 1980, à un excédent de 3,8 milliards dès 1982, qui a persisté en 1983-1984.

Réduction du déficit avec l'Ouest

Dès 1982, les Six sont presque parvenus à équilibrer leurs échanges avec les pays de l'OCDE (- 135 millions de dollars contre - 3,9 milliards en 1980). La RDA, la Tchécoslovaquie et la Roumanie deviennent même excé-

dentaires. Cette amélioration s'est poursuivie et fin 1984 l'excédent des Six s'élevait à 2,9 milliards de dollars, la Hongrie et la Bulgarie demeurant les deux seuls pays déficitaires.

Dans une situation comparable, les pays de l'Est ont appliqué une politique analogue à celle des pays en développement : faute de pouvoir développer les exportations vers un Occident en récession, il ne restait qu'à comprimer les importations. En 1983, le montant des importations est-européennes venant de l'Ouest était inférieur de 40 % à celui de 1980, reflétant une baisse en valeur nominale de 8,5 milliards de dollars. On observe cependant des différences sensibles dans le rationnement des importations selon chacun des Six. Les deux pays les plus endettés, la Pologne et la Roumanie, sont allés le plus loin dans cette voie en réduisant le niveau de leurs achats de plus de 50 %. La Tchécoslovaquie a réduit ses importations d'un tiers, la Bulgarie, la RDA et la Hongrie ont diminué les leurs de 20 % en moyenne. Les importations est-européennes ont probablement atteint à présent un plancher irréductible.

Toutefois, les Six ne paraissent pas avoir été en mesure de pratiquer une politique d'importation sélective. En comparant la structure de leurs importations en 1980 et en 1983, on constate que tous les postes ont été affectés. Les plus touchés

Commerce des Sept avec les pays de l'OCDE (1)
(en millions de dollars)

	1970			1975			1980		
	I	E	B	I	E	B	I	E	B
Bulgarie	329	223	-106	1.098	370	-728	1.608	909	-699
Tchécoslovaquie	786	675	-111	1.879	1.521	-358	2.964	2.974	+10
RDA	439	381	-58	1.129	960	-169	2.496	1.947	-549
Hongrie	628	497	-131	1.835	1.157	-678	3.276	2.607	-699
Pologne	893	990	+98	5.487	2.954	-2.533	6.504	5.214	-1.290
Roumanie	706	514	-192	2.003	1.541	-462	3.912	3.221	-691
URSS	2.652	2.610	-42	12.529	8.282	-4.247	21.600	22.975	+1.375
Total des Six	3.780	3.280	-500	13.431	8.503	-4.928	20.760	16.872	-3.888
Total des Sept	6.432	5.890	-542	25.960	16.785	-9.175	42.360	39.847	-2.513

	1981			1982			1983		
	I	E	B	I	E	B	I	E	B
Bulgarie	1.848	787	-1.061	1.553	745	-808	1.566	682	-884
Tchécoslovaquie	2.340	2.528	+188	2.151	2.477	326	1.948	2.433	485
RDA	2.460	2.023	-437	1.715	2.206	491	1.984	2.246	262
Hongrie	3.204	2.314	-890	2.868	2.103	-765	2.590	2.165	-425
Pologne	4.284	3.367	-917	3.236	3.111	-125	2.897	3.073	176
Roumanie	3.048	3.316	+268	1.671	2.417	746	1.296	2.611	1.315
URSS	22.080	22.513	+433	22.790	23.608	818	22.447	23.105	658
Total des Six	17.184	14.355	-2.849	13.194	13.059	-135	12.281	13.210	929
Total des Sept	39.264	36.848	-2.416	35.984	36.667	683	34.728	36.315	1.587

Source : OCDE, *Statistiques du commerce extérieur,* Séries A.
1. A l'exception de la Nouvelle-Zélande.
I : Importations des Sept, FOB.
E : Exportations des Sept, FOB (les valeurs CAF ont été ajustées à FOB avec un coefficient de 0,925).
B : Balance.

ont été les produits alimentaires, les produits sidérurgiques, les métaux non ferreux, les matières premières agricoles pour lesquels on constate des réductions de plus de 40 %. En 1983, les Six sont parvenus à un quasi-équilibre dans le domaine des échanges alimentaires, après plusieurs années de lourds déficits. Les produits alimentaires ne représentaient plus que 15 % des achats des Six à l'Ouest, contre 24 % en 1981. Les importations d'équipement, qui représentaient 35 à 38 % des achats des Six à l'Ouest durant la période 1975-1978, ont vu leur part tomber à 31 %.

Ces pays ont agi avec une telle rigueur sur leurs importations, parce qu'ils n'ont pas réussi à augmenter leurs ventes à l'OCDE. En 1981-1982, leurs exportations globales vers cette zone ont diminué de 23 %, et, en 1983, elles ont stagné. Seule la RDA a fait des progrès. A l'opposé, les exportations polonaises ont chuté de 41 %. Sous l'effet de la reprise économique à l'Ouest, en particulier sur le marché des Etats-Unis, on perçoit en 1984 une très nette amélioration, avec une remontée très marquée des ventes des Six (+ 14 %) à laquelle ont surtout participé la Roumanie (+ 34 %), la Pologne (+ 21 %), la Hongrie (+ 11 %).

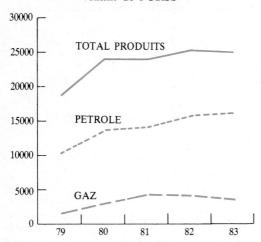

**Importations de l'OCDE
venant de l'URSS**

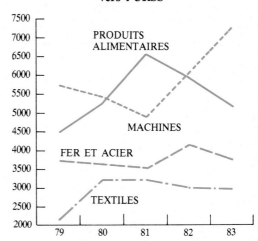

**Exportations de l'OCDE
vers l'URSS**

Source : OCDE (en millions de dollars)

La structure des exportations des Six, telle qu'elle s'est développée tout au long des années 70, plaçait ces pays dans une position très défavorable sur des marchés en récession. En 1981, plus de la moitié de leurs ventes de *produits manufacturés* consistait en produits sidérurgiques, textiles et produits divers relevant de techniques simples. En raison de leur faible compétitivité, ces exportations sont très vulnérables à la concurrence des pays du Tiers-Monde : sur les marchés occidentaux, les PVD élargissent leurs parts au détriment de l'Est.

Parmi les *produits primaires* (environ la moitié des ventes des Six à l'Ouest), les deux postes les plus importants traditionnellement, les produits alimentaires et le charbon, ont également subi une sérieuse régression en 1980-1983. Les ventes de *produits pétroliers,* en revanche, figurent maintenant en bonne place dans les exportations est-européennes.

En 1984, on a constaté un léger développement des exportations de *produits intermédiaires,* stimulé par la reprise de la demande occidentale. Dans le domaine des biens de consommation, qui demeurent le poste le plus important, comme dans celui des machines, le manque de compétitivité est évident et hypothèque les possibilités d'une véritable reprise dans les exportations des Six sur les marchés occidentaux.

*Excédents accrus
avec le Tiers-Monde*[43]

Il est certain que les PVD ont contribué, pour une bonne part, à l'amélioration de la situation

---

43. Ne sont pris ici en compte que les échanges entre les Six et les PVD qui sont réglés en devises convertibles. Ceux-ci constituent environ les trois quarts du commerce total PVD-Europe de l'Est.

Les exportations de produits pétroliers des Six

A l'exception de la Roumanie, les Six ne sont que des producteurs marginaux de produits pétroliers. Ils ont pourtant réalisé, ces dernières années, d'importantes *réexportations*, vers les marchés occidentaux, de pétrole en provenance d'URSS ou de l'OPEP. C'est surtout le cas de la Bulgarie, de la RDA et de la Roumanie. La croissance des exportations de la *RDA* vers l'OCDE est imputable aux exportations pétrolières, qui ont doublé en volume entre 1980 et 1983, et dont la part dans les ventes globales est-allemandes a atteint un tiers en 1983, contre seulement 8 % en 1979. La *Bulgarie*, en revanche, a réduit ses ventes de produits pétroliers depuis 1981. Après une diminution en 1982, les exportations de pétrole de la Roumanie ont de nouveau augmenté en 1983 (+ 29 %) et en 1984 (+ 79 % de janvier à juin) : elles ont été à l'origine de la sensible reprise des exportations roumaines sur les marchés de l'OCDE et leur part s'est élevée à 45 %.

Pour les autres pays, Tchécoslovaquie, Hongrie et Pologne, les opérations de réexportation ont joué un rôle d'appoint, puisque leur part dans les exportations totales n'excède généralement pas 10 %. Au total, les Six ont exporté en 1983 15,3 millions de tonnes de produits pétroliers et 1,4 million de tonnes de pétrole brut vers l'OCDE. Ces chiffres, de sources occidentales, sous-estiment certainement le poids réel des produits pétroliers dans les exportations des Six, car ils ne tiennent pas compte des réexportations.

L'ampleur prise par ces transactions entre les Six et l'OCDE ne peut être négligée. Initialement, on a pu croire qu'il s'agissait d'un expédient pour améliorer rapidement les balances commerciales des Six. La persistance de ces exportations de produits pétroliers prouve que ce n'est pas nécessairement le cas. Elle souligne l'incapacité des Six à améliorer la structure de leurs exportations. Ces pays ne pourront indéfiniment développer leurs exportations pétrolières, et on voit mal quels produits prendront le relais.

commerciale et financière de ces six pays d'Europe de l'Est. De 1981 à 1984, on estime que ceux-ci ont obtenu quelque 13 milliards de dollars d'excédent avec le Tiers-Monde. A l'exception de la Roumanie qui a continué d'enregistrer un déficit, les pays est-européens ont tous bénéficié de cet apport en devises convertibles : Bulgarie (4 milliards environ), RDA, Tchécoslovaquie, Pologne (2 à 3 milliards) et Hongrie (1,4 milliard). De tels résultats peuvent paraître surprenants : la plupart des PVD traversaient, durant cette période, une grave crise économique et financière.

En 1980-1981, les Six ont concentré leurs exportations sur un petit nombre de pays pétroliers, principalement la Libye et l'Irak. En 1981, les ventes à ces deux pays ont doublé. Mais les pays de l'OPEP ont souffert, à partir de 1982, de la mévente du pétrole, et leurs importations ont baissé. L'élan des exportations est-européennes vers le Tiers-monde a été brisé.

Les Six ont également procédé en 1981-1982 à une importante contraction (de l'ordre de 40 %) de leurs achats en devises aux pays en développement. Une certaine reprise s'est cependant produite en 1983, liée aux importations du pétrole destiné à la réexportation vers l'Ouest. Au total, l'excédent est-européen vis-à-vis des PVD s'est réduit, mais il reste substantiel : 2,4 milliards de dollars en 1983. Les capacités limitées de compétition des Six, et leur besoin d'importation, rendent problématique le maintien de tels excédents.

Les limites du redressement

Le réajustement très remarquable des balances commerciales a permis d'accroître la marge de manœuvre des gouvernements et, surtout, de rassurer les milieux financiers occidentaux ; ceux-ci sont à nouveau disposés à offrir des crédits à l'Europe de l'Est, excepté la Pologne et la Roumanie. Cette politique, réaliste à court terme, n'apporte pas pour autant de solution au problème fondamental : les Six n'ont pas amélioré leur compétitivité, et continuent à perdre du terrain sur les marchés des produits manufacturés. Conscients, dans leur ensemble, de leur difficulté à s'imposer sur les marchés occidentaux, ces pays agiront sans doute selon leurs possibilités et leurs intérêts. Les différences déjà perceptibles entre les Six, dans leur conception des échanges en dehors du CAEM, vont donc probablement s'accentuer.

En raison des charges de leur dette, la Pologne et la Roumanie[44] ne peuvent que continuer à rechercher des excédents commerciaux : toujours en maintenant leurs importations au strict nécessaire et en usant des pratiques de compensation. Fortement orientées vers le commerce intra-CAEM, la Bulgarie et la Tchécoslovaquie paraissent n'attribuer aux échanges avec les autres pays qu'un rôle assez secondaire. Seules la RDA et la Hongrie visent à maintenir un

---

44. La Roumanie se fixe l'objectif ambitieux de résorber sa dette d'ici 1990.

certain degré d'ouverture à l'égard de l'Ouest. Pour la RDA, il est vital de conserver la position de principal fournisseur de produits de haute technologie au sein du CAEM[45]. Le maintien des échanges avec l'Ouest constitue pour la Hongrie un élément-clef de sa politique de réforme économique : il doit favoriser l'adaptation des entreprises hongroises à de meilleures conditions d'efficacité.

Le cas de l'URSS : des conditions moins favorables

Contrairement à ses partenaires du CAEM, l'URSS a réussi, durant la période difficile de la fin des années 70 et du début des années 80, à préserver sa liberté de manœuvre sur le plan commercial et financier. Pendant un temps, elle a été avantagée par la hausse continue des prix de son principal article à l'exportation : le pétrole. La baisse des cours mondiaux à partir de 1982, et plus encore la stagnation de la production domestique ont à présent réduit cette marge de manœuvre.

Exportations vers l'Ouest : le pétrole

Au cours des années 1980-1983, l'Union soviétique est parvenue à maintenir, en valeur nominale, tant ses ventes à l'OCDE que ses importations. Comme il se produisait une baisse sensible du commerce des Six, le poids de l'URSS dans les échanges Est-Ouest s'est fortement accru. Elle assure actuellement 63 % de ces échanges, contre 54 % en 1980 et 43 % en 1970. La bonne tenue du commerce soviétique apparaît encore plus clairement si on le compare avec d'autres courants d'échange : au cours de la même période, les échanges de l'OCDE avec le monde se sont réduits de 10 %, et avec l'OPEP de 30 %.

La forte concentration des exportations soviétiques sur une seule catégorie de produits - pétrole et produits pétroliers - constitue, à terme, un élément de vulnérabilité. La récente évolution des exportations soviétiques de pétrole en fournit l'illustration. Pour compenser la baisse des prix, l'URSS s'est d'abord efforcée d'augmenter ses ventes. En 1982-1983, ses livraisons de pétrole aux pays de l'OCDE se sont accrues de près de 50 % en volume, atteignant 78 millions de tonnes, mais les recettes n'ont

augmenté que de 14 %. La part du pétrole dans les ventes totales de l'URSS à l'OCDE s'est élevée à 64 % en 1983.

Bien que ces exportations se soient encore accrues de 4,5 % en volume en 1984, cette politique atteint ses limites. L'accroissement de l'offre sur un marché en récession risque d'accentuer les pressions à la baisse des prix, en contradiction avec la politique officielle de l'OPEP[46]. Mais, surtout, l'URSS se heurte à une stagnation de sa propre production pétrolière et doit faire face à ses engagements de livraison aux autres pays du CAEM. Ce qui la conduit à réexporter du pétrole venant du Moyen-Orient : 8,5 millions de tonnes en 1982, 12,5 millions de tonnes en 1983 (soit 15 % des ventes pétrolières soviétiques à l'OCDE). Au total, la part de l'Union soviétique en Europe dépasse les 12 % en 1983 contre 7,8 % en 1981, alors que les ventes des pays de l'OPEP y ont fortement baissé : les exportations de certains de ces pays (Libye, Iran, Irak) sont concurrencées par les réexportations soviétiques.

Les ventes de gaz, dont les problèmes d'exploitation sont moindres, peuvent-elles prendre le relais des exportations de pétrole ? Ce n'est pas assuré. Les ventes de gaz représentent actuellement moins de 20 %, en valeur, des exportations énergétiques de l'URSS. En raison de la diminution de la demande, les exportations de gaz ont baissé (23,5 millions de m3 en 1983 contre 25,8 en 1981). Elles se sont légèrement redressées en 1984. Les livraisons supplémentaires provenant du gazoduc d'Urengoï se situeront d'ici 1990 à l'intérieur d'une fourchette allant de 17 à 26 millions de m3 au lieu des 50 initialement projetés. Dans le meilleur des cas, les recettes tirées du gaz doubleraient. L'Union soviétique cherche à étendre ses ventes à un plus grand nombre de pays (voir l'accord passé en septembre 1984 avec la Turquie, les négociations en cours avec la Grèce). Mais les livraisons de gaz nécessitent des investissements très lourds, et ne peuvent être ajustées aux variations de la demande d'une façon aussi souple que les ventes de pétrole.

---

45. Un récent contrat de coopération avec l'URSS a confirmé cette position.

46. Ainsi, en automne 1984, le brut de l'Oural a été abaissé à 27,5 dollars le baril, le prix officiel OPEP restant à 28 dollars.

L'avenir des exportations soviétiques d'énergie dépend, bien entendu, de la demande extérieure et des possibilités de réexportations, mais surtout de la capacité du pays à résoudre divers problèmes : augmentation de la production pétrolière, économie d'énergie, substitution du gaz au pétrole, en URSS et dans les autres pays du CAEM.

Importations en provenance de l'Ouest : stagnation et contrainte alimentaire

Depuis 1980, l'Union soviétique ajuste le développement de ses importations sur celui de ses exportations. Comme ses recettes à l'exportation ont à peu près stagné, elle a dû établir des priorités variables selon les circonstances. L'arbitrage s'est fait principalement entre les produits alimentaires d'une part, les machines et produits sidérurgiques d'autre part. Ces trois groupes constituent 70 % des achats actuels de l'URSS à l'Ouest. En 1982-1983, l'accent a été mis sur les importations de machines et de tubes pour achever le gazoduc d'Urengoï. En 1984, ces importations ont été fortement réduites et la priorité est allée aux importations alimentaires, en raison d'une mauvaise récolte céréalière (estimée à 170 millions de tonnes contre 195 en 1983). Les importations soviétiques de céréales, pour la campagne 1984-1985, pourraient dépasser les 50 millions de tonnes soit plus que le record de 1981-1982 (46 millions de tonnes).

Les commandes soviétiques de *biens d'équipement* passées en 1984 ont été en très forte baisse, ce qui se répercutera sur les chiffres du commerce durant les deux ou trois prochaines années. Leur montant a été estimé à 1,3 milliard de dollars contre plus de 2 milliards en 1982-1983. Le démarrage en 1986 d'un nouveau plan quinquennal pourrait relancer les commandes d'équipement à l'Ouest, compte tenu de l'intérêt actuel des Soviétiques pour une modernisation de leur équipement industriel et pour les technologies de pointe.

Les considérations politiques, y compris les craintes d'une dépendance excessive dans le domaine technologique pour l'URSS, et énergétique pour les pays occidentaux, vont continuer de jouer un rôle important. Toutefois, l'analyse des seuls facteurs économiques fait douter d'une reprise substantielle des échanges, comparable à l'expansion des années 70.

Les échanges avec l'Est des pays non européens de l'OCDE

Les exportations des pays non européens de l'OCDE vers ceux du CAEM ont évolué de façon irrégulière, selon les années, et selon les vendeurs.

En 1982, les exportations du Canada et du Japon continuaient à progresser. En 1983, il se produit au contraire une forte diminution des ventes non européennes (- 20 %), qui contraste avec la reprise de celles de l'Europe (+ 3,5 %). En 1984, le mouvement s'inverse avec une forte progression des ventes non européennes, excepté pour le Japon : Etats-Unis (+ 45 %), Australie (+ 23 %) et Canada (+ 11 %). Ces fluctuations sont essentiellement le fait de l'URSS, car les importations des Six en provenance des pays non européens ont constamment baissé de 1980 à 1984. Plus des trois quarts des ventes à l'Est des pays non européens sont dirigées à présent vers l'URSS, contre 64 % en 1980. Leur participation dans le total des importations soviétiques atteignent 36 % fin 1984. Les Etats-Unis ont retrouvé leur place de second fournisseur occidental de l'URSS.

Ce mouvement de balancier est lié à la reprise des ventes de produits alimentaires (surtout des céréales) par l'Australie, le Canada, et les Etats-Unis. L'Union soviétique est un débouché appréciable, de ce point de vue, pour les trois pays. Les exportations du Japon, en revanche, ont continué de s'affaisser : ce qui s'explique, en partie, par un contentieux entre les deux pays sur la question des crédits. On peut également penser qu'il est plus avantageux, pour l'Union soviétique, de s'approvisionner en équipements dans les pays européens, dont les monnaies se sont dépréciées par rapport au dollar.

Les pays non européens continuent de n'absorber qu'un très faible pourcentage des exportations soviétiques vers l'Occident : 8 % en 1984, soit moins de 1,5 % de leurs achats mondiaux. Il en résulte pour eux des excédents très élevés, qui s'accumulent au fil des années vis-à-vis de l'URSS (entre 5 et 7 milliards de dollars par an en 1981-1984).

Echanges entre les deux Europes

Les pays de l'Europe de l'Ouest, qui couvrent à eux seuls plus de 80 % des échanges Est-Ouest, ont été les premiers à subir le contrecoup de la politique d'ajustement des pays de l'Est. Leurs ventes vers les Six n'ont cessé de diminuer depuis 1981, et leur niveau en 1983 était inférieur de 40 % en valeur à celui de 1980. Avec l'Union soviétique, on constate aussi une tendance à la baisse, mais beaucoup moins prononcée, et qui a été interrompue en 1983 par la reprise des exportations de machines et de produits sidérurgiques. En 1983, le niveau des exportations des pays européens vers les Sept a, dans tous les cas, exceptée la Finlande, été inférieur à celui de 1980.

Les importations totales de l'Europe en provenance des Sept ont globalement diminué de 8 % entre 1980 et 1983, seules celles en provenance de l'URSS se sont maintenues. Quelques rares pays de l'OCDE ont augmenté leurs achats (Pays-Bas, Espagne, Norvège, Suède, Turquie). Il s'est produit un renversement de tendance en

1984 : les Sept ont réalisé de bonnes performances sur plusieurs marchés importants (Autriche, Belgique, Italie, Royaume-Uni). La part de l'Est dans les exportations totales de l'Europe occidentale était inférieure, en 1983 (3,7 %), à son niveau de 1970. Dans les importations de l'Europe, en revanche, elle a sensiblement progressé, jusqu'à 4,9 % en 1983.

Les pays européens ont été depuis 1980 largement déficitaires avec les Sept (- 7,2 milliards de dollars en 1983). Ces déficits se sont creusés en 1984 (- 10,2 milliards) du fait de la reprise des importations (+ 5,7 %) conjuguée à une nouvelle baisse des exportations (- 4,5 %). L'Italie, depuis 1980, et les Pays-Bas, depuis 1982, enregistrent des déficits de l'ordre de 2 milliards de dollars. La France et la Belgique, après une brève amélioration en 1983, ont à nouveau des déficits de près de 500 millions de dollars en 1984. La RFA et la Finlande, qui étaient les deux seuls pays européens à maintenir des excédents à l'égard des pays du CAEM, ont vu elles aussi leur balance commerciale accuser un déficit en 1984.

Echanges des Sept avec l'OCDE en 1983-1984
(en millions de dollars)

	1983			1984			1984/1983 (1)	
	I	E	B	I	E	B	I	E
Bulgarie	1.566	682	-884	1.485	711	-774	-5,2	4,3
Tchécoslovaquie	1.948	2.433	485	1.936	2.544	608	-0,6	4,6
RDA (2)	1.984	2.246	262	1.877	2.223	346	-5,4	-1,0
Hongrie	2.590	2.165	-425	2.574	2.393	-181	-0,6	10,5
Pologne	2.897	3.073	176	2.978	3.731	753	2,8	21,4
Roumanie	1.296	2.611	1.315	1.404	3.505	2.101	8,3	34,2
Total des Six	12.281	13.210	929	12.254	15.107	2.853	-0,2	14,4
URSS	22.447	23.105	658	22.374	23.965	1.591	-0,3	3,7
Total des Sept	34.728	36.315	1.587	34.628	39.072	4.444	-0,3	7,6

Source : OCDE, *Statistiques du commerce extérieur*, Séries A.
1. En pourcentage.
2. Commerce intra-allemand exclu.
I : Importations des Sept, FOB.
E : Exportations des Sept, FOB.
B : Balance.

Le déficit commercial de l'Europe occidentale à l'égard de ces pays acquiert maintenant un caractère structurel. Aux déficits traditionnels vis-à-vis de l'URSS, sont venus s'ajouter les déficits vis-à-vis des Six : ceux-ci correspondent à des excédents, qu'il est naturel de chercher à obtenir pour des pays endettés. Dans le cas de l'URSS, qui contribue pour la majeure partie au déficit, le problème vient de ce que les Européens ne parviennent pas à compenser leurs

Commerce des pays membres de l'OCDE avec les Sept de 1982 à 1984
(en millions de dollars)

	1982			1983			1984		
	I	E	B	I	E	B	I	E	B
Canada	176	2.036	1.860	179	1.680	1.500	206	1.862	1.655
Etats-Unis	1.064	3.593	2.529	1.355	2.887	1.532	2.151	4.178	2.027
Japon	1.711	4.461	2.750	1.613	3.561	1.948	1.666	2.996	1.330
Australie	95	849	754	89	684	596	85	840	755
Autriche	2.003	1.737	-266	1.879	1.867	-12	2.106	1.907	-199
Belgique/Luxemb.	1.712	908	-804	1.413	1.087	-326	2.119	1.630	-489
Danemark	668	245	-423	623	242	-380	762	296	-466
Finlande	3.449	3.762	313	3.385	3.474	89	3.008	2.788	-220
France	3.981	2.809	-1.171	3.744	3.328	-416	3.526	2.953	-572
RFA	7.138	7.526	387	7.001	7.719	718	7.504	7.105	-399
Grèce	488	332	-156	447	321	-126	751	275	-476
Islande	90	58	-32	87	60	-27	131	90	-41
Irlande	120	63	-57	125	82	-44	136	49	-86
Italie	4.803	2.443	-2.360	4.873	2.714	-2.160	5.621	2.478	-3.143
Pays-Bas	3.027	992	-2.035	3.066	1.074	-1.992	2.678	837	-1.841
Norvège	530	210	-320	448	219	-229	463	162	-301
Portugal	129	86	-43	113	79	-34	92	85	-7
Espagne	796	439	-356	801	517	-283	829	584	-245
Suède	1.437	812	-625	1.593	698	-895	1.382	749	-633
Suisse	1.046	808	-238	910	774	-136	838	761	-77
Turquie	375	308	-68	747	226	-521	848	261	-587
Royaume-Uni	1.829	1.508	-321	1.824	1.435	-389	2.171	1.742	-429
Amérique du Nord	1.241	5.629	4.388	1.534	4.566	3.032	2.358	6.040	3.682
CEE	23.766	16.826	-6.940	23.116	18.001	-5.115	25.267	17.365	-7.903
OCDE Europe	33.621	25.047	-8.574	33.079	25.915	-7.163	34.964	24.752	-10.212
Total OCDE	36.667	35.985	-682	36.315	34.727	-1.588	39.073	34.628	-4.445

Source : OCDE, *Statistiques du commerce extérieur,* Séries A.
I : Importations de l'OCDE.
E : Exportations de l'OCDE.
B : Balance.

importations d'énergie par des exportations. La France fait pression sur l'URSS pour qu'elle lui accorde divers contrats d'équipements dont la négociation traîne depuis de longs mois et l'Italie s'est récemment alarmée devant la nouvelle augmentation de son déficit vis-à-vis de l'URSS qui s'élève à 25 % de son déficit extérieur total.

Le commerce de l'Europe de l'Ouest avec le CAEM représente moins de 5 % de ses échanges mondiaux. Mais ce chiffre global ne traduit qu'imparfaitement la réalité. L'Union soviétique est ainsi le principal partenaire de la Finlande, qui réalise avec l'URSS environ 20 % de ses échanges. Pour l'Autriche, les Sept arrivent en seconde position, après la RFA, avec une part de l'ordre de 10 %. Si l'on considère le commerce de l'Europe avec ses partenaires hors-OCDE, la place des Sept devient beaucoup plus importante (17 % en 1984). Cette même année, l'Union soviétique a été le principal client de l'Europe, devant l'Arabie Saoudite.

Le commerce Est-Ouest tend à se concentrer sur une gamme étroite de produits : les pays de l'Est peuvent ainsi représenter des débouchés importants pour diverses branches industrielles. En 1983, l'Union soviétique a absorbé à elle seule environ 30 % des exportations de tubes de la RFA, de l'Italie et de l'Autriche, et 10 % des exportations européennes de machines-outils pour le travail des métaux. Le cas extrême est celui des bateaux vendus à l'URSS par la Finlande qui ont représenté 84 % des exportations finlandaises de navires.

Côté importations, l'Europe occidentale a reçu, en 1983, quelque 46 millions de tonnes de pétrole brut, et autant de produits pétroliers, en provenance des Sept : soit respectivement 11 % et 24 % de ses importations mondiales. Les Sept fournissent plus de pétrole brut que la Libye ou l'Iran. Parmi les pays ouest-européens, la Finlande, l'Autriche et la Norvège sont les plus dépendants des livraisons de pétrole est-européen (88 %, 36 % et 33 % de leurs importations en 1983).

Les ventes soviétiques de gaz sont actuellement concentrées sur quatre pays : la RFA, l'Italie, la France et l'Autriche. Les livraisons soviétiques s'élevaient en 1983 respectivement à 21 %, 28 %, 13 % et 55 % de la consommation de gaz de ces quatre pays. Les livraisons supplémentaires liées au gazoduc d'Urengoï vont évidemment accroître ces pourcentages. De nouveaux accords viennent d'être passés avec la Turquie et sont en cours de négociations avec la Grèce.

Les échanges de l'URSS avec le Tiers-Monde

Les relations commerciales entre l'URSS et les PVD sont influencées, dans une large mesure, par des considérations politiques, un des objectifs de l'URSS étant d'élargir sa zone d'influence dans différentes régions stratégiques du monde, tout spécialement au Moyen-Orient. Les intérêts économiques ne sont pas pour autant absents : l'URSS cherche à dégager des excédents en devises convertibles avec le Tiers-Monde qu'elle peut utiliser pour équilibrer sa balance à l'égard de l'OCDE.

En 1981-1983, les excédents en devises que l'Union soviétique a tirés de son commerce avec les PVD sont estimés globalement à plus de 5 milliards de dollars. Ces excédents résultent des exportations de matériels militaires, spécialement vers le Moyen-Orient, car, dans son commerce traditionnel, l'URSS enregistre depuis plusieurs années d'importants déficits (- 3,3 milliards de dollars en 1983). Les ventes d'armes ont été estimées à 8 milliards en 1982-1983, mais elles ne sont pas toutes payées en devises convertibles. Selon certains observateurs occidentaux, elles auraient baissé de 20 % au cours des neuf premiers mois de 1984. Ce recul s'expliquerait par les difficultés financières des pays partenaires, et par une certaine accalmie dans les conflits au Moyen-Orient. Si ce mouvement se poursuivait, la situation excédentaire de l'URSS pourrait s'en trouver compromise, d'autant qu'il intervient à une période où ses autres exportations sont en diminution.

Les importations de pétrole se sont fortement accrues en 1982-1983, et leur part dans les importations totales en provenance du Tiers-Monde a atteint 28 % en 1983. Compte tenu de la faible progression des importations totales, ces achats de pétrole n'ont pu se faire qu'au détriment des autres importations.

La relative détérioration, constatée ces dernières années, de la position commerciale de l'URSS à l'égard des PVD pourrait n'être pas sans effet sur les échanges Est-Ouest : elle peut inciter les Soviétiques à une plus grande prudence dans la gestion de leurs avoirs en devises.

Un avenir incertain

Les pays d'Europe occidentale sont déficitaires vis-à-vis de l'Est. Les pays non européens de l'OCDE, au contraire, enregistrent régulièrement, malgré les oscillations de leurs exportations, des excédents substantiels dans leurs échanges avec les pays du CAEM.

La structure par produits du commerce Est-Ouest montre également des différences significatives. Les pays européens exportent surtout des machines, et importent des produits énergétiques, ce qui favorise une relative stabilité des courants d'échange. Les achats d'équipement créent, pour les pays de l'Est, une relative dépendance, ne fût-ce que pour les pièces de rechange et divers produits intermédiaires. En sens inverse, le développement des exportations soviétiques de gaz est aussi un facteur de stabilité : ces livraisons, fondées sur des contrats à long terme, sont moins sujettes à fluctuation que les ventes de pétrole, réalisées aujourd'hui sur le marché spot. Aussi bien dans ses exportations que dans ses importations, la position du Japon se rapproche, vis-à-vis de l'Est, de celle des pays européens. Les autres pays non européens de l'OCDE, en revanche, vendent surtout à l'Est des produits agricoles : la "coopération" se limite à des accords de livraison à plus ou moins long terme. A la différence de celle de l'Europe, leur position fortement excédentaire rend moins pressant pour eux le besoin de développer d'autres exportations.

Cette diversité de situation et d'intérêt explique en partie les divergences d'attitude, entre pays occidentaux, à propos des relations économiques avec l'Est. Il s'y ajoute des conceptions différentes, d'ordre politique, sur la signification même de ces échanges. Il est difficile d'envisager, en ce domaine, un véritable consensus. La concurrence entre les exportateurs de l'Ouest sur des marchés est-européens en faible expansion n'est guère propre à favoriser des positions communes : elle risque plutôt d'engendrer des tensions.

Les prochains plans quinquennaux (1986-1990) des pays du CAEM devraient indiquer la nature et la part des équipements qui seraient achetés à l'Ouest. Peut-être entrera-t-on dans une phase plus stable, avec des perpectives plus clairement définies pour le commerce et la coopération entre les deux zones : sans les illusions des années 70, ni les désillusions des premières années 80.

4

Quatrième partie :

L'Inde et la Chine

L'Inde et la Chine sont les deux plus grands pays de l'Asie et, au-delà, du Tiers-Monde : par leur masse, géographique et démographique, ils se distinguent de tous les autres. Tous deux, héritiers d'anciennes civilisations, se sont engagés dans la modernisation de leurs économies et de leurs sociétés, se sont industrialisés, et aspirent à la puissance, ou du moins à jouer un plus grand rôle dans le concert international. Mais leur place reste à définir dans les équilibres régionaux et mondiaux, et l'on s'interroge sur le sens des changements qui s'opèrent en chacun d'eux : de manière lente ou brutale, évidente ou invisible.

Du long règne d'Indira Gandhi, l'Inde a hérité d'un système politique affaibli, marqué par les conflits entre le pouvoir central et les particularismes régionaux, la décomposition du parti dominant, l'affairisme et les éruptions de violence. Mais la démocratie a survécu et s'est enracinée. Sans bouleversements sociaux, sans rupture culturelle, la modernité s'est diffusée. La "révolution verte" transforme l'agriculture et assure l'autosuffisance alimentaire. L'économie, bien que prisonnière d'un modèle introverti et socialisant, et malgré le point noir de la balance des paiements, semble en état d'accélérer sa croissance ; mais il faudrait en desserrer les contraintes et davantage l'ouvrir sur l'extérieur. L'Inde a les ambitions et les capacités d'une puissance régionale, mais sa politique est polarisée par l'antagonisme avec le Pakistan et hypothéquée par l'alliance soviétique.

A la différence de l'Inde, où les évolutions sont lentes, la Chine est entrée, depuis 1978, dans un processus de transformation rapide, qui répudie chaque jour la tradition stalinienne et maoïste et que l'on a pu qualifier de "deuxième révolution chinoise". Menées par Deng Xiaoping et les siens, les réformes successives s'enchaînent et s'accumulent : malgré les coups d'arrêts et les ajustements inévitables, elles ont acquis leur dynamique propre et un cours difficilement réversible. Elles donnent un nouveau visage au système politique, à l'économie, à la société. Il n'est pas question de démocratie, à l'occidentale ou à l'indienne. Mais le Parti se renouvelle et relâche son emprise, la société civile acquiert son autonomie, un système de droit s'élabore, l'économie se décentralise : à commencer par la décollectivisation agraire, qui permet, là aussi, l'autosuffisance. La croissance a fait un bond, non sans déséquilibres. Mais la réforme à l'intérieur est inséparable de l'ouverture à l'extérieur : échanges, investissements, circulation des personnes. En même temps, la Chine rééquilibre sa politique étrangère, au mieux de son indépendance et de ses intérêts : malgré les méfiances (ASEAN), ou les blocages (Vietnam), elle s'affirme, de plus en plus, comme puissance régionale.

1. L'Inde

L'Inde se présente rarement à nous dans sa dimension historique : nous la voyons tantôt comme un "trésor de merveilles" (Hegel dixit), tantôt comme le pays type de l'immuable pauvreté, rarement comme un ensemble politique en devenir. Lorsque l'événement éclate sur un fond obscur, comme la mort du Mahatma le 30 janvier 1948 ou l'assaut du Temple d'or à Amritsar le 4 juin 1984, nous sommes pris au dépourvu, sans référence ni perspective. Le bilan de l'Inde moderne n'exige pas la connaissance approfondie des siècles obscurs de l'Hindoustan, mais au moins de savoir comment s'est façonné le système politique qui donne au pays son visage et sa place dans le monde : le règne d'Indira Gandhi, "l'*Indira Raj*".

1.1. ESQUISSE D'UN REGNE : 1966-1984

Le 30 octobre 1984, un trait sanglant a été tiré sur un règne chargé d'événements, qui avait commencé dix-huit ans plus tôt, en 1966, mais avait été interrompu de mars 1977 à janvier 1980 par la parenthèse du *Janata*.

Les premières années d'Indira Gandhi comme chef du gouvernement ont été pour elle une période d'apprentissage dans des circonstances peu propices : une succession de mauvaises moussons, la guerre indo-pakistanaise de 1965 et ses conséquences sur l'économie, la défaite du parti gouvernemental, le Congrès, aux élections de 1967.

Cependant le gouvernement agit peu. Certes les éléments jeunes et progressistes se regroupent autour d'Indira, une polarisation croissante s'opère au sein du Congrès et tend à se

formuler en termes de gauche et droite. Mais tout se passe comme si, par instinct ou par calcul, Indira adoptait une attitude de passivité, soit qu'elle attende son heure, soit qu'elle ait besoin d'un stimulant pour agir. Plusieurs de ses biographes ont noté qu'elle ne donnait le meilleur d'elle-même que lorsqu'elle y était contrainte par le défi des circonstances ou par un choc extérieur[1]. C'est la mort subite du président de l'Union, le 3 mai 1969, qui va la mettre en mouvement.

La crise de 1969 et la scission du Congress Party

Des deux candidats à la succession, l'un était soutenu par Indira Gandhi, l'autre par la "vieille garde" du Congrès[2].

Consciente d'être en minorité dans les instances dirigeantes du parti, Indira s'engagea sur ce qui allait devenir son terrain d'élection : la défense des pauvres contre les intérêts établis (les *vested interests*), c'est-à-dire contre les puissants, les riches et les capitalistes. Sur ce thème, elle était sûre de pouvoir compter sur l'aile gauche du Congrès qui préconisait l'extension du secteur public et notamment la nationalisation des grandes banques. Mais ce projet se heurtait à l'opposition irréductible du ministre des Finances, Morarji Desai, qui était aussi vice-Premier ministre.

---

1. Mary Carras, *Indira Gandhi : In the Crucible of Leadership. A Political Biography,* Beagon Press, 1977, p. 44.

2. Le président de l'Union est élu par un collège composé des membres du Parlement national et des assemblées des Etats (voir encart sur les organes du pouvoir).

4

Le parti du Congrès de 1885 à 1985

The *Indian National Congress* a été fondé à l'initiative d'un Anglais, ancien ICS, Allan Octavian Hume. La première réunion eut lieu le 28 décembre 1885 à Bombay et rassembla 73 personnes.

Le Congrès se réunit tous les ans en *session plénière* (*plenary session*) qui élit le Président. Celui-ci jouit en principe de pouvoirs considérables, mais, depuis l'ère Indira, les présidents sont en fait des porte-parole du Premier ministre.

Le Congrès est dirigé par son état-major (*High Command*) qui se compose du Président et de trois comités :
- le *Comité directeur* (*Working Committee*), composé du Président et de 20 membres dont 10 sont désignés par le Président et 10 par l'AICC (*All-India Congress Committee*) ;

- le *Comité parlementaire* (*Congress Parliamentary Board*), formé de membres qui supervisent l'activité des groupes parlementaires du parti dans les Etats ;
- le *Comité central des élections* (*Central Elections Committee*), de 15 membres, qui désigne en dernier ressort les candidats du parti aux élections législatives.

Les organes décentralisés sont :
- dans chaque district : les *District Congress Committees* ;
- dans chaque Etat : les *Pradesh Congress Committees*, dont le président est souvent, avec le *Chief Minister*, le personnage le plus important d'un Etat congressiste.

Les délégués des organes de district et d'Etat constituent l'AICC, que l'on appelle aussi le Parlement du parti ; il ratifie les décisions prises par le *High Command*.

Devant son refus, Indira Gandhi lui enleva le portefeuille des Finances qu'elle s'attribua à elle-même (le 16 juillet) et fit prendre aussitôt par le Président une ordonnance de nationalisation (le 19 juillet). Morarji Desai dut démissionner.

Après diverses manœuvres, Indira Gandhi réussit à faire élire son candidat à la présidence de l'Union, V.V. Giri, à une faible majorité (le 20 août). Le résultat du conflit entre les deux factions fut la rupture du Congrès en deux organisations rivales, le Congrès (R) et le Congrès (O)[3]. La fraction qui avait suivi Indira l'emportait sur celle de Morarji Desai, mais ne pouvait gouverner sans l'appoint des députés socialistes et communistes et des deux partis régionaux - le DMK et l'*Akali Dal*[4] -, tandis que le Congrès (O) était amené à faire alliance avec la droite (*Swatantra* et *Jan Sangh*[5]). La politique indienne - au plan parlementaire - prenait le visage classique d'une confrontation gauche-droite entre deux coalitions forcément instables, alors qu'elle se fondait jusqu'alors sur un art subtil du compromis et sur la recherche du consensus au sein du parti dominant.

La scission de 1969 a été un événement majeur dans l'évolution politique de l'Inde. On y observe en raccourci tous les traits qui ont caractérisé l'*Indira Raj* :

- l'habileté tactique d'Indira et son aisance à épouser l'idéologie qui lui confère le plus grand avantage sur ses adversaires ;

- le recours sans vergogne aux slogans "populistes" et l'utilisation des mouvements de foule pour intimider l'adversaire et soutenir la manœuvre politicienne ;
- le mépris des principes du droit, dès qu'ils risquent de mettre un obstacle sur la voie du pouvoir.

Le temps des victoires (1971-1972)

Toute l'année 1970 est jalonnée par les difficultés que rencontre Indira Gandhi à mettre en œuvre une politique radicale qui heurte beaucoup d'intérêts et quelques principes. Le scrutin de mars 1971 est néanmoins un succès pour le Congrès (R) et pour Indira, qui va se trouver confrontée presque aussitôt à un nouveau défi : la révolte du Bengale oriental, qui conduit à la guerre avec le Pakistan, et la formation du Bangladesh[6].

---

3. Le R provient de *requisition* et en est venu à signifier *ruling*. O signifie *organisation*.

4. Le DMK est un parti tamoul, l'*Akali Dal* le parti sikh.

5. Le *Jan Sangh*, fondé en 1951, est un parti nationaliste pro-hindou. Le *Swatantra*, fondé en 1959, est un parti laïc et favorable à l'économie de marché. Il a pratiquement disparu de la scène politique après 1971.

6. Le Bengale oriental faisait alors partie du Pakistan. C'est à la suite de cette révolte qu'il s'en est séparé, avec l'appui de l'Inde, pour constituer le Bangladesh.

Le gouvernement de New Delhi, qui n'a pas reculé devant l'intervention militaire, a mené l'affaire du Bangladesh avec brio et manifesté un sens aigu de la manœuvre stratégique[7]. Certes, l'Inde avait abordé l'affaire en position de force, avec un gouvernement soutenu par toute l'opinion, des forces armées équipées et bien commandées, une situation économique saine. Le leadership d'Indira Gandhi n'en avait pas moins été remarquable : elle avait su évaluer la situation et le rapport des forces, présenter l'attitude indienne sous son meilleur jour, brillamment combiner le jeu diplomatique avec celui des forces militaires, pour enlever la décision.

En même temps, l'alliance du 9 août 1971 avec l'Union soviétique était devenue un atout essentiel du jeu indien. Sa conclusion n'avait pas été le fruit d'une décision soudaine, mais la convergence de deux démarches mûrement réfléchies de part et d'autre. L'URSS, après avoir mené de longue date une politique prudente vis-à-vis des deux puissances du sous-continent, avait choisi son camp et jeté tout son poids en faveur du plus fort. La collusion des Etats-Unis avec le Pakistan avait constitué, pour Richard Nixon, un handicap d'autant plus redoutable qu'il ne voulait à aucun prix mettre en péril les pourparlers secrets d'Henry Kissinger avec la Chine, via Islamabad. Le principal geste militaire des Etats-Unis - l'envoi de la *Task Force 74* dans la baie du Bengale - a peut-être évité l'effondrement du Pakistan, mais il est considéré par les Indiens, aujourd'hui encore, comme un grief impardonnable[8].

Le piège, l'impasse et l'évasion (1972-1977)

La période qui va du lendemain de la guerre des douze jours à la fin de l'état d'exception présente à l'observateur plusieurs énigmes troublantes :

- Pourquoi un Premier ministre qui avait triomphé de tous ses adversaires, intérieurs et extérieurs, est-il acculé, au bout de trois ans, soit à se soumettre, c'est-à-dire à quitter le pouvoir, soit à s'y maintenir par la force ?
- Inversement, pour quelles raisons Indira Gandhi a-t-elle renoncé, en janvier 1977, aux avantages de l'état d'exception et est-elle retournée devant les électeurs ?

Pour répondre à ces questions, il faut examiner deux aspects : les phénomènes politiques et sociaux d'une part, la gestion économique et financière d'autre part. Mais on ne peut formuler ici que des hypothèses, non des certitudes.

En 1972, les élections organisées dans seize Etats sur les vingt-et-un de l'Union ont été un triomphe pour les candidats du Congrès d'Indira et une déroute pour l'ancien Congrès (O). A la fin de juin, le nouveau Premier ministre du Pakistan, Zulfiqar Ali Bhutto, et Indira Gandhi, réunis à Simla, se sont mis d'accord pour renoncer à l'usage de la force entre les deux pays et pour normaliser les relations indo-pakistanaises. Avec le Bangladesh, dirigé par Mujibour Rahman, les relations étaient évidemment excellentes et l'Inde paraissait devoir excercer une sorte de tutelle sur le nouvel Etat.

Les premiers nuages sont apparus sur le plan agricole. Pourtant, durant l'été 1972, le ministre de l'Agriculture et de l'Alimentation avait fait savoir *urbi et orbi* que l'Inde n'aurait plus besoin, désormais, d'importer de céréales. Mais la sécheresse de 1972 entraîna une chute de 15 % de la récolte de grains alimentaires. L'agriculture allait connaître les années de vaches maigres : pendant les quatre campagnes 1971-1974, la production de grains alimentaires a oscillé autour de 100 millions de tonnes, pour une population qui a continué d'augmenter de 12 à 15 millions d'individus par an. Les besoins immédiats étaient estimés à 5 ou 6 millions de tonnes de céréales.

Or, cette même année 1972, le prix mondial des céréales monta en flèche[9]. Cette hausse, conjuguée à celle des prix intérieurs, favorisa la spéculation et l'accaparement. La famine fit sa réapparition. Le gouvernement central prit alors une décision conforme à sa philosophie politique : en février 1973, il nationalisa le commerce des grains au stade du gros. Le résultat en fut la disparition des grains du marché sans baisse des

---

7. Voir Jean-Alphonse Bernard, *L'Inde : le pouvoir et la puissance*, Fayard, Paris, 1985, pp. 255-264.

8. La revue *Foreign Affairs*, en publiant en octobre 1972 un article signé Indira Gandhi, donnait à celle-ci l'occasion de stigmatiser, en termes choisis, la prétention des Etats-Unis à exercer leur hégémonie sur l'Asie du Sud.

9. Notamment en raison des achats de l'Union soviétique.

prix. Au mécontentement des consommateurs urbains s'ajouta celui des milieux du négoce et des notables ruraux. La mesure devint bientôt si impopulaire que le gouvernement central dut la rapporter en février 1974, un an après l'avoir promulguée.

Ce premier facteur d'inflation était relayé, l'année suivante, par le premier choc pétrolier. La facture pétrolière s'éleva jusqu'à représenter huit à dix mois d'exportation. La hausse du brut entraîna celle du prix des engrais chimiques, alors que l'agriculture indienne, qui se modernisait, exigeait davantage d'engrais et d'énergie.

A l'inflation provenant de l'offre s'ajoutait bientôt l'inflation par la demande et par la monnaie. La guerre et ses conséquences (réfugiés, indemnités, dommages, etc.) avaient provoqué un important déficit budgétaire. Le gouvernement fit preuve cependant d'un laxisme surprenant : fortes augmentations de salaires aux fonctionnaires et salariés du secteur public, sans compter les indemnités aux victimes des calamités agricoles. Le déficit accru étant financé par création monétaire, la hausse des prix passait de 5,6 % en 1971-1972 à 25,2 % en 1974-1975. La "stagflation" atteignait peu à peu toutes les catégories de la population. L'agitation sociale culmina, en mai 1974, dans une grève des chemins de fer, que le gouvernement brisa en emprisonnant des milliers de cheminots.

Obligé de faire face au déficit extérieur, soumis à la pression du FMI et de la Banque mondiale, le gouvernement prit enfin les mesures financières indispensables : en juillet, il présenta un plan de rigueur qui frappait toutes les catégories de revenu. Le prix à payer était d'autant plus élevé que l'on avait davantage tardé à l'imposer.

D'autre part, le système politique avait subi une mutation profonde, entre 1969 et 1972 : au lieu de présider à l'équilibre complexe d'un parti dominant, le Premier ministre était devenu le chef d'une coalition étroite et instable. Au lieu de donner la priorité à la croissance économique, il s'était attaché à une politique de redistribution. Le slogan électorale d'Indira Gandhi - chasser la pauvreté (*garibi hatao*) - s'était traduit en fait par une étatisation accélérée, qui avait alourdi les charges de l'Etat, réduit les investissements publics et bridé les entreprises privées.

Le Congrès lui-même avait changé : des militants provenant du parti socialiste et du CPI[10] avaient rejoint ses rangs et s'étaient regroupés au sein du *Congress Forum for Socialist Action* (CFSA)[11]. Du côté communiste, le cerveau de l'opération était un avocat de Madras, Kumaramangalam, qui avait exposé sa thèse à une session du CPI en décembre 1964 : ayant échoué à faire triompher leurs idées sous leur propre drapeau, les communistes devraient entrer dans les organisations du Congrès ; ils y militeraient pour faire appliquer par celui-ci le programme socialiste qu'il avait lui-même adopté en 1955. Ils seraient en mesure, soit de participer à la mise en oeuvre du programme et arriver ainsi progressivement au socialisme, soit de dénoncer aux masses la trahison du Congrès si celui-ci se dérobait[12].

Bon nombre de communistes vinrent en effet renforcer le courant de gauche sur lequel Indira Gandhi avait choisi de s'appuyer. La scission de 1969 fut, en partie, leur oeuvre. Peu à peu le CFSA avait acquis une position prépondérante au Congrès (R) et au gouvernement. En 1972-1973, ce groupe comptait deux ministres du Cabinet, dont Kumaramangalam lui-même[13], huit secrétaires d'Etat et quelques-uns des conseillers intimes du Premier ministre[14]. Le cheval de Troie du CPI était désormais dans la place : "*Indira Gandhi de son côté était définitivement piégée. Le Forum dépendait entièrement d'elle mais elle était prisonnière des positions radicales qu'elle avait fait prendre au Parti et personnellement endossées[15]*".

L'influence des hommes du Forum s'est fait sentir de plusieurs façons : d'une part, ils ont poussé aux mesures de nationalisation, en même

---

10. Il s'agit du parti communiste orthodoxe, proche de l'URSS : le *Communist Party of India* (CPI), fondé dans les années 20.

11. Le CFSA avait été créé par un congressiste de vieille obédience, G.-L. Nouda, pour regrouper les militants de l'aile gauche du Congrès. En 1963, de nombreux socialistes adhérèrent au CFSA.

12. Francine Frankel, *India's Political Economy 1947-1977. The Gradual Revolution*, Princeton University Press, 1979, p. 405 et suivantes.

13. Il disparut dans un accident d'avion le 31 mai 1973.

14. On considère que des hommes comme P.N. Haksar et D.P. Dhar, dont le rôle fut déterminant à cette époque, appartenaient à la tendance pro-CPI du Forum.

15. F. Frankel, *op. cit.*, p. 490.

temps qu'ils soutenaient les revendications des fonctionnaires et des salariés du secteur public ; d'autre part, ils ont retardé les décisions impopulaires qu'appelait la situation budgétaire et monétaire. Mais ils ont agi également au plan local, notamment lors des crises politiques au Gujerat et au Bihar. Dans ces deux Etats, la crise économique, en particulier la hausse des prix, avait provoqué en 1974 des mouvements populaires soutenus par les partis d'opposition.

Le 12 juin 1975, un juge d'Allahabad condamnait Indira Gandhi pour usage frauduleux de fonds publics aux élections de 1971, ce qui lui retirait le droit de voter au Parlement. La Cour suprême devait se prononcer le 24 juin sur l'appel qu'elle avait formé, cependant qu'était annoncée pour le 25 juin une journée de protestation dans toute l'Inde. Le 25 juin à minuit, sans avoir réuni le cabinet, Indira Gandhi soumettait au président de la République le texte proclamant l'état d'exception. A l'aube, on arrêtait tous les dirigeants politiques et syndicaux d'opposition. La censure était imposée à la presse, les libertés étaient suspendues, les juges muselés.

Les porte-parole du gouvernement justifièrent ces mesures par la nécessité de défendre l'ordre et les institutions, menacées par une coalition des éléments réactionnaires et de l'extrême-gauche, soutenue par des intrigues étrangères (la CIA...). Le CPI, qui approuvait l'action d'Indira Gandhi, fut encore plus net : le gouvernement avait dû se défendre contre une conspiration générale des forces réactionnaires, appuyée par les impérialistes américains.

La proclamation de l'état d'urgence a été, semble-t-il, le sursaut ultime d'Indira Gandhi pour échapper au piège dans lequel elle était tombée et qui allait se refermer sur elle. Certes, elle ne partageait d'aucune manière les buts révolutionnaires du CFSA ou du CPI. Son alliance avec eux avait été purement tactique. Mais elle s'était trop engagée dans la voie qu'ils avaient tracée pour faire machine arrière. A ceux qui craignaient que cette politique en vienne à menacer les libertés démocratiques, Indira Gandhi répondait que, tant qu'elle serait Premier ministre, la démocratie ne courrait aucun risque. Cette réponse, pour cynique qu'elle fût, comportait une part de vérité : de fait, elle a rendu le pouvoir aux électeurs, un an et demi plus tard.

Il se peut qu'en assumant une sorte de dictature personnelle, elle ait voulu sauvegarder l'essentiel : la liberté de décision du Premier ministre. Non seulement, elle gardait le pouvoir qu'elle avait eu tant de mal à acquérir, mais en même temps elle le préservait contre ses propres alliés. Si, comme bien des chefs d'Etat avant elle, elle s'est identifiée au pays qu'elle gouvernait, elle a pu se dire que tant qu'elle serait au pouvoir, l'Inde serait libre. Et il est vrai qu'en proclamant l'état d'exception, elle reprenait barre sur des événements qu'elle ne contrôlait plus[16].

Les mesures prises un an plus tôt au plan budgétaire et monétaire, ainsi qu'une mousson très favorable apportèrent à tout le pays une prospérité soudaine. L'économie indienne émergea de la crise et entama une phase d'essor à laquelle allaient contribuer l'aide internationale, ainsi que l'épargne des Indiens qui, depuis quelques années, avaient émigré dans les émirats du Golfe.

Néanmoins, la suspension des libertés devenait de plus en plus pesante. Les brigades de jeunes recrutées par Sanjay, devenu président du *Youth Congress,* excerçaient leurs violences sur les syndicalistes, les membres de l'opposition, les paysans que l'on voulait stériliser. Dans les villages, des groupes d'activistes pratiquaient une sorte de révolution "culturelle" et agraire qui faisait beaucoup de mécontents. La censure, le règne des gros bras, la détention arbitraire de près de cent mille personnes étaient ressentis comme autant d'atteintes au bon ordre des choses. Les élections législatives auraient dû avoir lieu en mars 1976. En janvier 1977, Indira Gandhi annonça qu'elles se dérouleraient début mars.

L'alternance qui fait long feu (avril 1977-juillet 1979)

Les élections de mars 1977 donnaient la majorité au *Janata*[17]. Ce gouvernement allait épuiser en deux ans (de mars 1977 à juillet 1979) les espoirs d'une alternance qui n'avait pas de

---

16. Il est très probable que son second fils Sanjay (1946-1980), devenu son confident le plus écouté, opina dans ce sens.

17. Coalition de la plupart des partis d'opposition.

précédent. De cet échec[18], on retiendra seulement quelques points significatifs.

D'abord, le souci de continuité : le cabinet
Janata n'a renoncé ni à la planification, ni aux
principes socialistes, ni au non-alignement.
Même à propos des institutions, il s'est gardé de
prendre le contrepied de la politique du
Congrès (R)[19].

La continuité avec la période 1969-1975 fut
particulièrement évidente quant à l'équilibre des
pouvoirs entre le Centre et les Etats. Indira
Gandhi avait fait usage des prérogatives du
Centre pour aligner la politique des Etats sur
celle du Centre. Le *Janata* fit de même :
confronté à neuf Etats à majorité Congrès (R),
il décida, le 30 août 1977, de dissoudre leurs
assemblées législatives et de procéder à de
nouvelles élections. Le retour à la démocratie
valait au plan de l'Union, mais non au plan local.

Le cabinet *Janata* a tenté, il est vrai, une
certaine inflexion de la politique étrangère. Sous
l'impulsion du ministre des Affaires étrangères,
A.B. Vajpayee, président du parti nationaliste
Jan Sangh, New Delhi déclara que l'Inde prati-
querait désormais un non-alignement authentique. Le changement fut de ton et de style, plus
que de substance ; il fut néanmoins sensible, en
particulier dans les relations de l'Inde avec ses
voisins d'Asie du Sud (Pakistan, Népal, Bangladesh et Sri Lanka) ainsi qu'en matière de
contrats d'armements.

L'échec du gouvernement du *Janata* a été la
conséquence des luttes internes de la coalition,
cependant qu'Indira Gandhi remontait progressivement à la surface. En novembre 1978, elle
fut réélue au *Lok Sabha* à la faveur d'une
élection partielle. Arrêtée et emprisonnée le
19 décembre en vertu d'une décision de justice
antérieure, elle fut presque aussitôt remise en
liberté et tira de cet épisode un grand prestige.
La discorde entre les trois principaux chefs de la
majorité (Morarji Desai, Charan Singh, Jagjivan
Ram) offrit à Indira une occasion inespérée de
marchander son concours à l'un ou à l'autre et
d'imposer de nouveau son image à un électorat
déçu.

L'économie donnait des signes d'essoufflement. La croissance industrielle butait sur les
défaillances de l'infrastructure. Une très mauvaise mousson en 1979-1980 et le deuxième choc

pétrolier la firent à nouveau basculer dans la
crise.

A certains égards, l'échec du *Janata* a eu de
plus graves conséquences que la suspension des
libertés pendant les dix-huit mois précédents.
L'alternance a échoué, certes par suite de ses
dissensions internes mais, plus profondément,
parce qu'elle n'a pas offert aux peuples indiens
un autre modèle de gouvernement. La corruption des hommes politiques, la démagogie du
discours et la centralisation du pouvoir qui
avaient caractérisé l'*Indira Raj,* ont affecté au
même degré le *Janata.* C'est le *rajadharma*[20] des
dirigeants qui se trouve mis en cause.

Les moissons de la violence (1980-1984)

La continuité se confirme évidemment par le
retour d'Indira. L'alternance, au moins pour
elle, a fonctionné. Les règles de la démocratie
parlementaire ont tenu bon et restauré une
capacité de décision *au Centre* en donnant la
majorité au Congrès (I) et à son chef. En réalité,
le peuple a voté Indira d'abord, Congrès (I)
ensuite. Il en ira de même en décembre 1984
lorsqu'il votera pour Rajiv. Mais l'expérience a
enseigné à Indira Gandhi une certaine dose de
réalisme : certes, Indira se juge plus que jamais
investie du destin de l'Inde, mais elle ne promet
plus de chasser la pauvreté en l'espace d'un plan.
Elle s'est contentée de promettre un gouvernement qui fonctionne ("*a government that
works*"), c'est-à-dire une machine à gérer le
quotidien plutôt qu'un conte de fées. De fait, les
ministres et les hauts fonctionnaires se sont mis
au travail pour résoudre les problèmes réels, de
façon pragmatique. Les gens du Forum ne sont
plus là pour brouiller les cartes au nom de
l'idéologie.

---

18. Voir Ved Mahta, *A Family Affair : India under three
PM,* Oxford University Press, New York, 1982.

19. Il n'a pas rétabli le droit de propriété parmi les droits
fondamentaux dont le 42e amendement l'avait retiré. Il a laissé
subsister, à peine modifiée, la clause qui avait réduit la marge
de liberté accordée au Président.

20. Notion traditionnelle que l'on peut traduire par
"devoir d'Etat des rois".

Les nehruides

La famille Nehru est une famille brahmine originaire du Cachemire dont le nom était Kaul. Au début du XVIIIe siècle, un brahmine, Raj Kaul, vint à Delhi, peut-être à l'instigation de la cour Moghol. Après la Mutinerie (1857), la famille Kaul, désormais appelée Kaul-Nehru, vint s'établir à Agra puis à Allahabad.

Motilal (souvent surnommé Pandit) Nehru (1861-1931) reçut une excellente éducation en anglais et en droit et devint un des grands avocats d'Allahabad. Riche, généreux, affable et sûr de lui, il eut un seul fils, Jawaharlal (le joyau), et plusieurs filles.

Jawaharlal (1889-1964), souvent surnommé Panditji, né à Allahabad, fit ses études à Harrow (1905-1907) et à Cambridge, Trinity College (1907-1911). Il rentra en Inde en 1912 et épousa la fiancée cachemire que son père lui avait choisie, Kamala Kaul. De santé fragile, Kamala n'eut qu'une fille, Indira.

Indira (1917-1984) fit ses études à Genève, en Inde et à Cambridge, et milita dans la jeunesse congressiste. Elle épousa en 1942 un étudiant parsi, Ferore Gandhi, qui mourut en 1960. En 1959-1960, elle fut présidente du Congrès. En 1964, elle fut nommée ministre de l'Information et de la Radio dans le cabinet L.B. Shastri. Elle fut Premier ministre de janvier 1966 à mars 1977, puis de janvier 1980 au 31 octobre 1984. Elle eut deux fils, Rajiv et Sanjay.

Sanjay Gandhi (1946-1980) devint président du *Youth Congress* et membre du Parlement. Il mourut dans un accident d'avion.

Rajiv Gandhi (1944), le fils aîné, fit ses étude à l'école de Dehra-Doon (Inde). Il fut pilote d'*Indian Airlines*. Marié, il a deux enfants. En 1981, il fut membre du Parlement et secrétaire général du Congrès. Depuis novembre 1984, il est Premier ministre.

Le souci de continuité se montre aussi par l'abandon ou l'oubli des innovations juridiques et constitutionnelles qui avaient si fâcheusement compliqué la marche des institutions pendant les années 70. On ne reparle plus guère d'adopter le modèle gaullien - c'est-à-dire d'élire le Président au suffrage universel - comme en 1976 ou de rallumer la controverse sur les pouvoirs du Parlement en matière constitutionnelle. La machine judiciaire a été assez violemment secouée par les orages de 1972-1977 pour qu'on la laisse désormais moudre en paix.

Ce qui apparaît comme le symbole de la continuité, c'est l'aspiration d'Indira à se continuer dans ses fils, Sanjay d'abord puis Rajiv. C'est Sanjay, et non pas le *Central Elections Committee*, qui a désigné la moitié des candidats du Congrès (I) aux élections de janvier 1980. Il est le second personnage du régime. Sa mort accidentelle, aux commandes de son avion personnel (en juin 1980) pourrait briser le cœur de sa mère et son rêve dynastique. Mais Indira reprend le dessus et réussit à persuader son fils aîné Rajiv (né en 1944) de prendre la place de Sanjay au Congrès, puis au gouvernement.

En ce qui concerne le *Congress Party*, le trait marquant est la continuité d'un déclin : le *Congress Party* de Gandhi et de Nehru est mort ; le Congrès (I) ne le continue qu'en apparence. Les manipulations qu'il a subies de la part du Premier ministre ou des groupes de pression ont

fait disparaître tous les anciens caciques et réduit à presque rien l'autorité de ses organes directeurs. Surtout, la politique est devenue une des plus grandes affaires du pays, ce qui fait de la corruption une institution dominante. L'affaire Antulay[21] au Maharashtra symbolise l'affairisme crapuleux qui, dans la dernière partie du règne, s'étale partout avec impudence, en particulier dans les Etats où le Congrès (I) est au pouvoir. C'est la corruption et l'affairisme qui entraînent d'ailleurs l'échec du Congrès chaque fois qu'il rencontre en face de lui un mouvement ou un leader capable d'incarner les aspirations régionales, comme au Karnataka, en Andhra Pradesh et au Cachemire.

Cependant la nouveauté se manifeste avec vigueur au plan économique. D'abord, le gouvernement central peut se targuer d'avoir résolu brillamment la crise dont il a hérité. En apparence, tout rapproche cette crise de l'épisode précédent : en 1979-1980, la défaillance de la mousson fait chuter la production agricole de 15 %. La récolte de grains alimentaires retombe au palier de 1970-1971 pour une population qui a augmenté de 150 millions d'âmes. Le second choc pétrolier, en 1979, coïncide avec la révolte des Assamais qui boycottent le raffinage et l'expédition du brut local. Les prix, à nouveau, s'emballent, le déficit budgétaire s'alourdit, la

---

21. Antulay, *Chief Minister* du Maharashtra, fut accusé d'escroquerie et de contrebande.

masse monétaire galope. Mais on applique sans retard les remèdes appropriés. L'Inde gère prudemment ses achats et ses stocks de céréales et négocie un accord de prêt avec le FMI, qui lui assure un filet de sécurité efficace. Après deux années difficiles, l'économie repart avec une vigueur accrue. Les contraintes administratives, que l'on avait renforcées au début des années 70, se desserrent chaque jour un peu plus. La tendance du gouvernement est à la "dérégulation" de l'économie, même vis-à-vis du sujet tabou, les investissements étrangers.

Mais, à partir du début de 1983, le gouvernement va rencontrer une série d'échecs au plan local, dont deux vont déboucher sur des tragédies qui sont les plus sanglantes que l'Inde ait connues depuis la partition. Aux élections partielles de janvier 1983, le Congrès (I) subit au Karnataka et en Andhra Pradesh des échecs électoraux, qui tournent à la déconfiture du gouvernement central, lorsque celui-ci tente, sans y parvenir, de déloger des gouvernements populaires.

En Assam, la révolte couve depuis quatre ans car la population autochtone tolère de plus en plus mal la présence d'émigrants, venus à différentes époques de l'Inde et du Bangladesh, mais toujours bengalis. New Delhi a attisé les dissensions en soutenant, à des fins politiciennes, tantôt l'une, tantôt l'autre des ethnies ou des tribus. En février 1983, prétextant d'une exigence de la Constitution, le gouvernement central décide de tenir des élections que les militants assamais ont appelé à boycotter. Le scrutin entraîne des vagues de tueries réciproques qui laisseront quatre mille morts, dont une majorité de femmes et d'enfants. Au Cachemire les intrigues du Congrès (I) parviennent à chasser du pouvoir le Dr Farook Abdullah, fils du Seikh Abdullah, le grand leader cachemiri qui a contribué à rallier en 1947 son pays à l'Union indienne. Car Farook Abdullah, comme son père avant lui, a refusé de faire de son parti, la *National Conference,* un instrument docile du Congrès (I). Si diverses que soient ces crises, toutes témoignent de la même crise du système politique, qui se retrouve dans la plus grave d'entre elles[22], celle du Panjab.

Le Panjab constitue une très ancienne entité géopolitique du sous-continent. Il a subi une première partition en 1947, entre l'Inde et le Pakistan, suivie de deux autres, en 1966 et en 1970, qui ont amputé le Panjab de ce qui allait devenir l'Haryana et l'Himachal Pradesh. Le gouvernement central avait cru répondre ainsi aux aspirations des dirigeants sikhs désireux d'être enfin majoritaires dans leur Etat (le Panjabi Subha) et aux revendications des hindous qui allaient dans le même sens.

C'est le sikhisme qui a fait les sikhs. A la fin du XVe siècle, en réaction à l'islam et au brahmanisme orthodoxe, cette religion a engendré un peuple qui se distingue de tous ceux de l'Hindustan. Son identité se définit par sa religion et non pas par un territoire, un Etat ou une langue.

Même si les sikhs étaient désormais majoritaires au Panjab, ils n'étaient pas pour autant monolithiques : selon leur caste ou leur idéologie, ils votaient *Akali Dal* (le parti nationaliste sikh), Congrès ou communiste, cependant que le parti nationaliste *Jan Sangh* recrutait parmi les hindous. Les luttes politiques de la période 1967-1977 ont entraîné ainsi au Panjab un processus de fractionnement politique, que New Delhi a tout fait pour aggraver. Les coalitions instables formées par l'*Akali Dal* pour gouverner l'Etat ont été sans cesse renversées par le jeu des factions ou des défections. Deux fois, New Delhi appliqua la *President's rule.* La vague Indira de 1972 et celle de 1980 comme celle du *Janata* en 1977 ont entraîné chaque fois le retournement de la politique locale. Les facteurs de division ont détruit toute possibilité de consensus communautaire ou intercommunautaire. La prospérité matérielle a constitué un ferment supplémentaire de discorde en aiguisant les appétits.

L'impuissance politique de l'*Akali Dal* et les manipulations d'Indira Gandhi ont ainsi conduit à une impasse, qui finit par déboucher sur une revendication suicidaire : le Khalistan, c'est-à-dire la création d'une "nation" sikh sur un territoire d'ailleurs non défini, mais indépendant.

La séquence décisive s'amorce vers 1979 lorsque le Congrès (I), et plus précisément son leader au Panjab, Giani Zail Singh, prend la responsabilité d'aider et de financer un jeune fanatique, Jarnal Singh Bhindranwale, pour

---

22. Voir l'article d'Edward Behr, "L'Inde et le problème sikh", dans *Politique étrangère,* n° 4, 1984. On en trouvera un exposé lucide et détaillé dans M.J. Akbar, *India : The Siege Within,* Penguin Books, New York, 1985, pp. 103-209.

faire pièce aux dirigeants de l'*Akali Dal* et leur faire perdre le contrôle de l'Etat. Lorsqu'Indira Gandhi fait ce calcul fatal, elle est encore dans l'opposition. Une fois revenue au pouvoir, avec Giani Zail Singh comme ministre de l'Intérieur, elle continue de soutenir en sous-main Bhindranwale qui est devenu en fait un partisan du Khalistan.

Au début de 1980, les partisans de Bhindranwale s'installent dans le Temple d'or d'Amritsar dont ils font leur PC. Les hommes de main de Bhindranwale et de la *All-India Sikh Students Federation* entament alors une campagne de terreur destinée à intimider tous ceux - hindous ou sikhs - qui pourraient faire obstacle à leurs desseins. Divisé et manoeuvré, l'*Akali Dal* est acculé à une surenchère qui empêche tout accord avec New Delhi. Lorsque l'assaut sera donné au Temple, les modérés auront perdu la partie. L'*Indira Raj* s'achève sur un échec politique majeur, dont les conséquences n'ont pas fini de peser sur le devenir de l'Inde.

1.2. LE POUVOIR ET LA SOCIETE

L'une des thèses les plus souvent défendues - au moins en France - est la dualité de l'Inde : il n'y aurait pas une culture politique mais deux cultures opposées : la culture occidentalisée, qui se manifeste au plan politique par le modèle de Westminster, et une culture traditionnelle, fondée sur le *dharma* et les castes. De même, il n'y aurait pas une, mais deux économies, celle des villes et du secteur organisé d'une part, celle des cinq cent mille villages de l'autre. Dans un ouvrage publié en 1960, l'économiste Alvin Hansen avait exposé cette idée pour la première fois[23]. Mais ce qui pouvait être, à l'époque, un schéma d'explication utile, a perdu toute pertinence aujourd'hui. L'économie moderne a étendu ses frontières très rapidement au point d'englober désormais l'économie rurale tout entière. Ce n'est pas à dire que la modernisation touche l'Inde dans toutes ses parties, tant s'en faut, mais seulement que la sphère des transactions marchandes s'est étendue à toute l'économie.

On peut illustrer cette idée par deux exemples relatifs au secteur rural :

- Le *Community Development Program,* conçu par l'urbaniste américain Albert Mayer en 1946, visait à apporter aux villages les conditions de vie qui nous paraissent indispensables : voierie, meilleur habitat, hygiène, etc. Soutenu personnellement par Nehru et par des crédits considérables, le CDP a rencontré très peu d'écho chez ceux-là mêmes qui auraient dû en être les bénéficiaires.
- En revanche, la diffusion très rapide de cette innovation génétique que l'on a appelée la révolution verte a prouvé que ce paysan que l'on disait illettré, superstitieux et routinier, était parfaitement capable de saisir l'occasion qui lui était donnée d'accroître les rendements de la terre et par suite, la rémunération de sa peine.

Il en a été de même, toutes proportions gardées, pour le suffrage universel et pour la démocratie politique. Les premières élections générales de 1951-1952 ont mis en route un processus qui n'a cessé de s'approfondir au cours des sept élections suivantes. L'apprentissage de la démocratie parlementaire et la pratique de la compétition politique ont ainsi précédé et, dans une large mesure, encadré le processus du développement économique.

Dans le laps de temps remarquablement court d'une génération, l'Inde est devenue et restée une démocratie. On peut en donner des raisons multiples : la rapidité avec laquelle les idées occidentales ont été adoptées par l'élite indienne à partir de la première moitié du XIXe siècle ; la capacité de l'hindouisme à assimiler et absorber les apports étrangers ; le rôle capital du Congrès, ou celui de M.K. Gandhi dans la formation de la "politie"[24] moderne. Cependant, il faut insister sur deux facteurs dont le rôle a été d'autant plus important qu'ils paraissaient, de prime abord, jouer en sens contraire : la caste et la diversité des nations indiennes.

La caste en Inde est aussi naturelle que la vie et la mort. On appartient à sa caste comme on appartient à sa famille et peut-être même avant d'appartenir à celle-ci. La mort même ne nous

23. A. Hansen, *Economic Issues of the 60',* Mac Graw Hill, New York, 1960, pp. 151-166.

24. Nous francisons ainsi le terme anglais d'usage courant, *polity,* qui désigne l'ordre civil, la société organisée, le régime politique.

en délivre que pour faire réincarner l'âme indivi-duelle dans un autre corps, d'homme ou d'animal, selon les mérites ou les démérites précédemment accumulés. Pendant l'existence terrestre, remplir son devoir de caste est la première loi morale et religieuse de l'hindou. C'est la forme primaire du *dharma* qui est la loi du monde et celle-ci est conçue à la fois comme loi physique et comme loi morale. La caste est donc l'institution de base d'une société, qui est construite selon un principe hiérarchique.

Néanmoins, cette hiérarchie ne se ramène pas à la superposition des quatre *varna*[25] des textes classiques. Le schéma simple des *varna* sert à conceptualiser la structure mouvante et complexe de sous-castes, que l'on appelle aussi *jati* et qui sont la donnée première du système. La *jati* est localisée et particularisée au point qu'il en existe des milliers en Inde mais qu'aucune *jati* n'a une extension panindienne.

La *jati* est vécue comme la première modalité de l'existence sociale. Elle est à chaque Indien le vêtement de son identité, plus large mais de même nature que sa famille. Elle est donc structure d'appui autant que de contrainte, un tuteur autant qu'une barrière, une sorte de club héréditaire ou d'association d'entraide à laquelle on a recours dans les circonstances importantes de la vie. L'Indien est enveloppé par et dans sa famille - qui est dans bien des cas la famille indivise -, par et dans sa *jati*, une fois pour toutes.

De ce fait, les *jati* deviennent l'une des données implicites de la vie politique. Elles sont à la fois sujet et objet de la politique locale. Au plan "micro-politique", le citoyen se définit par

---

25. En principe les prêtres, les guerriers, les marchands, les agriculteurs et artisans.

Les organes du pouvoir

La Constitution, élaborée par l'Assemblée constituante (1947-1949), est entrée en vigueur le 26 janvier 1950. Le texte comporte 395 articles et a fait l'objet d'une série d'amende-ments.

Les organes centraux

Le siège du pouvoir est le *Parlement,* qui est composé du Président et des deux chambres.

Le *Président* de l'Union est élu pour cinq ans par un collège présidentiel, composé de tous les membres du Parle-ment (MP) et des délégués des assemblées législatives des Etats (MLA). Il détient le pouvoir exécutif et certains pouvoirs législatifs mais ne peut agir que sur l'avis du Conseil des ministres (art. 74). Il a le droit de dissoudre le *Lok Sabha* et de procéder à de nouvelles élections.

Le *Vice-Président* devient président par intérim en cas de vacance, décès ou démission de celui-ci.

Le *Conseil des ministres,* dirigé par le *Premier ministre,* "guide et conseille le Président".

Les chambres sont au nombre de deux :
- le *Lok Sabha* (chambre du Peuple), élu pour cinq ans au suffrage universel par tous les Indiens adultes au scrutin uninominal à un tour, compte actuellement 544 MP. Il a l'initiative des lois (*bills*), concurremment avec la seconde chambre ;
- le *Rajya Sabha* (chambre des Etats), élu pour six ans et renouvelable par tiers tous les deux ans, compte 232 membres élus et 12 membres désignés par le Président.

Les pouvoirs du Parlement en matière constitutionnelle : tout amendement à la Constitution doit être voté par chaque Chambre à la majorité des deux tiers, ce qui donne en pratique un certain pouvoir à la seconde chambre.

Le pouvoir dans les Etats

L'Inde comprend actuellement 22 Etats et 9 territoires fédéraux.

Dans chaque Etat, on trouve :
- le *Gouverneur,* nommé par le Président, représente celui-ci et possède plusieurs prérogatives importantes : désigner le *Chief Minister,* dissoudre l'Assemblée, ratifier les lois locales, faire rapport au Président du fonctionnement du mécanisme constitutionnel ;
- l'*Assemblée législative* est composée d'un nombre variable de MLA, élus au suffrage universel pour cinq ans, lors d'élections qui se tiennent maintenant à des dates différentes de celles des élections législatives. L'Assemblée législative a l'initiative des lois d'Etat dans les domaines de la compétence des Etats.

Certains Etats ont en outre une seconde chambre appelée *Conseil législatif.*

Le *Chief Minister* est désigné par le Gouverneur pour former un Conseil des ministres pris parmi la majorité de l'Assemblée.

Les compétences respectives du Centre et des Etats ont été définis par l'annexe VII de la Constitution dans trois listes :
- sujets réservés au Parlement de l'Union (liste I),
- sujets réservés aux Etats (liste II),
- sujets communs aux deux compétences (liste III).

la caste ou la sous-caste à laquelle il appartient. Même s'il ne vote pas pour un candidat de sa *jati,* il tient le plus grand compte des considérations de cet ordre. Il semble que plus l'électeur est actif politiquement, plus il est conscient des valeurs traditionnelles[26].

L'Inde apparaît ainsi comme un cas singulier : son développement politique en direction des valeurs démocratiques a transcendé les déterminations du passé sans les nier ni les ignorer ; si agnostique et antireligieux qu'ait été Nehru, il n'a pas cru pouvoir attaquer la caste ni les croyances qui la soutiennent, autrement qu'en paroles. Ainsi les affres du kémalisme ont été épargnées à l'Inde. La "politie" moderne s'est d'autant mieux implantée qu'elle n'a pratiqué aucun terrorisme idéologique. Même en prêchant le socialisme, les brahmines du CPI ou du *Congress Forum* sont restés des brahmines. Le seul révolutionnaire, à cet égard, fut le Mahatma, qui l'a payé de sa vie.

Au plan "macro-politique", c'est l'Etat qui constitue le cadre normal de gestion. L'Inde compte aujourd'hui vingt-deux Etats et neuf territoires fédéraux (Delhi, Pondicherry, etc.). Chaque Etat est doté d'une ou deux assemblées législatives élues et d'un gouverneur nommé par New Delhi qui désigne le chef de la majorité parlementaire *locale* comme *chief minister.* Néanmoins, la liberté du gouverneur dans la désignation du *chief minister* et la latitude qu'il a d'apprécier si les institutions politiques de l'Etat fonctionnent ou non, lui donnent beaucoup plus de poids que n'en a le Président au plan de l'Union. Or l'Etat d'aujourd'hui, si on le replace dans la perspective historique du sous-continent, apparaît comme l'héritier du royaume, c'est-à-dire de ce qui a constitué l'unité politique normale du monde indien. C'est le royaume qui a réalisé l'intégration politique des communautés, autant qu'elle était possible, dans un ensemble aussi complexe que l'Inde.

L'empire, c'est-à-dire l'unité panindienne, est "l'état d'exception". Sur vingt-cinq siècles d'histoire, les empires (maurya, gupta, moghol, anglais) n'ont pas représenté plus de cinq siècles. Aucun d'entre eux n'a duré plus de deux siècles. La réorganisation linguistique - entre 1953 et 1966 - a eu le mérite de reconstituer des entités régionales qui pouvaient prétendre à l'héritage des royaumes. Elle a effectué la synthèse de la modernité et de la tradition au plan de l'espace politique. Le loyalisme des Indiens à l'égard de leur souverain traditionnel s'est transféré à l'Etat en même temps qu'à l'Union. Si les troubles de l'Assam et du Panjab, ces dernières années, ont présenté une telle gravité, c'est que, dans le cas de ces Etats, le processus de découpage a été poussé jusqu'à détruire l'unité ancienne.

Mais il y a d'autres raisons aux troubles qui touchent plusieurs régions de l'Inde : non seulement au Panjab et en Assam, mais aussi au Karnataka, en Andhra Pradesh, au Cachemire.

Malgré la diversité des situations locales, le nœud de la question est partout le même : New Delhi n'admet pas l'autonomie politique des Etats et se sert du Congrès comme d'un instrument de centralisation. La révolte des forces locales contre le Centre n'est pas un phénomène nouveau. Les mouvements qui ont conduit à la création de l'Andhra Pradesh en 1953, à la séparation du Gujerat et du Maharashtra en 1960, ont montré la force des particularismes régionaux. Il avait également démontré la capacité du Congrès à résoudre les conflits entre ses différents composants et celle du gouvernement Nehru à prendre une vue large de l'unité indienne.

Aujourd'hui, la situation est radicalement différente : le Congrès est dans un état de décomposition beaucoup trop avancé pour jouer un rôle fédérateur. Les pouvoirs subordonnés : administration, universités, police, magistrature, ont perdu une grande partie du prestige qu'ils tiraient de leur intégrité et de leur autonomie. Diminués de maintes façons, manipulés, atteints par l'affairisme, ces corps et ces institutions se trouvent réduits par le pouvoir central à l'état d'instruments passifs. Ils obligent celui-ci à intervenir de tout son poids dans les conflits qu'ils devraient résoudre par eux-mêmes. Le vrai problème dont a hérité le nouveau Premier ministre est moins le sous-développement de l'économie que la redéfinition du rôle du Centre, la reconstruction du parti du Congrès et la réhabilitation des pouvoirs subordonnés. Ce ne sont pas des tâches qui soient aisées à accomplir.

26. S. Eldersveld and B. Ahmed, *Citizens and Polities,* University of Chicago Press, Chicago, 1978, pp. 208 et 244.

1.3. FORCES ET FAIBLESSES DE L'ECONOMIE

L'économie indienne a atteint aujourd'hui un degré de maturité qui justifierait que l'on l'étudie avec les mêmes concepts et les mêmes instruments d'analyse que n'importe quel pays développé. On se bornera à présenter sommairement les principaux facteurs de croissance et ceux qui freinent son développement, avant de caractériser la situation de l'économie au début de l'année budgétaire 1985-1986[27].

Les facteurs de croissance

En dépit de crises récurrentes, le produit intérieur brut a augmenté, en moyenne à un taux de 3,5 % par an, qui correspond à une croissance de revenu par tête de 1 ou 1,5 % par an, sur la période 1950-1980. Au cours des cinq dernières années, qui ont coïncidé avec celles du VIe plan (1980-1985), le rythme de croissance a atteint 5 % par an, ce qui constitue une très bonne performance pour l'Inde. Toutefois, ce résultat a été dû, pour une part, à la conjonction de plusieurs événements favorables, notamment :

- le bas niveau de l'année 1979 au cours de laquelle la PIB a baissé de 4,8 % par rapport à l'année précédente ;
- une succession de quatre moussons favorables sur cinq ;
- une expansion exceptionnellement rapide de la production pétrolière à partir des gisements antérieurement découverts (Bombay High)[28].

L'expansion continue du marché intérieur

La population de l'Inde, qui dépasse actuellement 750 000 millions d'habitants, s'accroît d'environ 2 % par an, c'est-à-dire d'environ 15 millions d'individus. Les données par décennie sont les suivantes :

- 1960-1970 : 2,3 % ;
- 1970-1980 : 2,1 % ;
- 1980-2000 : 2,0 % (estimation).

C'est donc la demande potentielle qui croît à ce rythme. Or le marché intérieur est très

efficacement protégé par un tarif douanier protecteur et par un édifice de restrictions quantitatives qui n'a laissé entrer, jusqu'à maintenant, que les marchandises jugées nécessaires par les pouvoirs publics. Malgré protection et dirigisme, la demande finale des particuliers vote à chaque instant en faveur de produits qui vont des wage goods aux produits modernes de consommation : bicyclettes, ventilateurs, réfrigérateurs, récepteurs de radio et de télévision, objets de ménage en plastique, pompes d'irrigation, outillage électrique, etc.

Cette croissance continue de la demande finale est évidemment limitée par l'immense pauvreté. Encore faut-il voir que même les journaliers sans terre, ces "pauvres entre les pauvres", lorsqu'ils travaillent au Panjab, touchent maintenant jusqu'à 10 roupies par jour alors qu'ils gagnaient 1 ou 2 roupies avant ce que l'on appelle la révolution verte. L'Inde rurale, fort peu imposée, consomme de plus en plus de produits industriels : la consommation d'engrais a augmenté de 50 % en quatre ans.

La deuxième limitation est d'ordre idéologique. Chaque plan, depuis 1956-1957 a formulé ses objectifs en termes de redistribution de la richesse par le détour de l'Etat, c'est-à-dire d'une socialisation accrue des services. Pour y parvenir, le gouvernement a été conduit à minimiser la demande de biens de consommation jugés les moins utiles, afin de maximiser le développement des secteurs situés en amont. Le langage du Plan est fort clair sur ce point : "La stratégie de développement envisagée dans le VIe plan appelle une modification dans la structure de la demande en faveur de l'investissement et de la consommation publique, ce qui implique nécessairement une modification correspondante de la masse de la consommation privée[29]."

---

27. L'année budgétaire commence le 1er avril et s'achève le 31 mars. Le projet de budget (Finance Bill) est présenté à la session de printemps du Lok Sabha en même temps que l'Economic Survey portant sur l'année écoulée.

28. La production de pétrole brut est passée de 10,5 millions de tonnes en 1980-1981 à 29,6 millions de tonnes en 1984-1985. De ce dernier chiffre, Bombay High avait fourni les trois quart.

29. Sixth FYP (Five Years Plan), chapitre 2.2, p. 22.

Néanmoins, l'Inde offre le spectacle d'une économie jeune et vigoureuse qui a pour contrepartie une démographie galopante.

La hausse des rendements agricoles

Sur le long terme, le taux de croissance a été d'environ 2,5 % par an. Cette augmentation correspond au premier chef à la dynamique très forte de certaines productions dans un petit nombre de régions, mais le mouvement tend à se communiquer de proche en proche à d'autres productions et à d'autres zones. Alors qu'il y a dix ans encore on pouvait résumer la révolution verte par la formule : "blé au Panjab", celle-ci ne suffit pas à décrire les changements qui touchent maintenant la partie orientale des Uttar Pradesh et même le Bihar, s'étend aux zones rizicoles (Tamil Nadu) et à certains oléagineux. C'est peu à peu toute la paysannerie indienne qui est concernée par les différents aspects d'une mutation gigantesque. Les chiffres du premier tableau comparent l'évolution des surfaces, des rendements et de la production pour deux périodes successives.

Agriculture : Surfaces, rendements, production
(en pourcentage par an)

	Surfaces I	Surfaces II	Rendements I	Rendements II	Production I	Production II
Tous produits	0,51	0,30	1,30	2,29	2,26	2,96
Grains alimentaires	0,40	0,30	1,50	2,71	1,91	3,01
- Céréales	0,31	0,36	1,90	2,86	2,22	3,23
- Légumineuses	0,77	0,02	-1,27	0,87	-0,51	0,90
- Oléagineux	0,58	1,55	2,30	2,91	2,90	4,51

Source : Economic Survey 1984-1985, p. 12.
Période I : de 1967-1968 à 1975-1976.
Période II : de 1976-1977 à 1983-1984.

La clef de cette progression est la trinité des *inputs* : l'eau, les engrais, les semences sélectionnées. Le développement de l'irrigation, que les Anglais n'avaient largement introduit qu'au Panjab, a été l'une des réalisations majeures de la planification indienne. Elle progresse aujourd'hui au rythme d'environ 2 millions d'hectares[30] qui s'ajoutent, chaque année, au "potentiel irrigué", c'est-à-dire une surface égale à celle de la Grande-Bretagne.

Les travaux de petite irrigation se développent plus vite que ceux de plus grande échelle. La décision de les entreprendre est prise par les exploitants eux-mêmes ou par les *panchayats*, avec l'aide de crédits bancaires. Par contre les grands ouvrages sont le fait des Etats. Au fur et à mesure que l'aménagement des ressources en eau se poursuit, les coûts s'élèvent et les rendements économiques diminuent. Non seulement la gestion des systèmes d'irrigation suscite beaucoup de critiques mais surtout elle entraîne des charges croissantes pour les finances publiques car les utilisateurs ne payent pas l'eau à son coût réel.

Les sols de l'Inde, très appauvris, exigent des apports d'éléments fertilisants, organiques ou chimiques. Les particularités de la campagne indienne (absence d'engrais vert, utilisation de la bouse de vache comme carburant domestique) rendent les engrais chimiques indispensables. En 1984, la consommation globale d'engrais s'est élevée au chiffre record de 8,4 millions de tonnes, en augmentation de 52 % par rapport à 1980. Depuis le début des plans quinquennaux,

---

30. Ce chiffre est brut et ne tient pas compte des surfaces perdues pour différentes raisons : salinité, *water-logging*, etc.

Développement et utilisation du potentiel d'irrigation
(en millions d'hectares, chiffres cumulés)

	Grands travaux		Petits ouvrages		Tous ouvrages	
	Potentiel	Utilisation	Potentiel	Utilisation	Potentiel	Utilisation
1979-1980	26,5	22,2	30,0	30,0	56,5	52,2
1980-1981	27,3	22,7	31,4	31,4	58,7	54,1
1981-1982	28,2	23,2	32,8	32,8	61,0	56,0
1982-1983	29,1	24,0	34,2	34,2	63,3	58,2
1983-1984	30,0	24,9	35,6	35,6	65,6	60,5
1984-1985 (1)	30,9	25,8	37,1	37,1	68,0	62,9
Potentiel ultime	58,5		55,0		113,5	

Source : Economic Survey 1984-1985, p. 11.
1. Objectif.

le gouvernement s'est assigné l'objectif d'auto-suffisance en engrais azotés et y a consacré des sommes très importantes. L'objectif n'a été atteint que très partiellement, avec des coûts de production trop élevés, qui sont compensés par des subventions budgétaires, elles-mêmes croissantes.

L'introduction des variétés à haut rendement (VHR) a été le facteur critique de la révolution verte. Entre 1979-1980 et 1983-1984, les surfaces plantées en VHR ont augmenté de 37,4 %. Depuis 1970-1971, elles ont été multipliées par 3,5. Aujourd'hui la surface semée en VHR tend à rejoindre la surface irriguée totale.

Progrès des techniques nouvelles en agriculture

Programmes	1970-1971	1975-1976	1980-1981	1983-1984
Variétiés à haut rendement (1)				
Paddy (riz)	5,59	12,44	18,23	22,18
Blé	6,48	13,46	16,10	18,55
Maïs	0,46	1,13	1,58	1,81
Toutes VHR	15,38	31,89	43,05	52,49
Surfaces irriguées	38,00	45,30	54,10	60,50
Consommation d'engrais chimiques (2)				
Azotés	1,49	2,15	3,68	5,22
Phosphatés	0,46	0,46	1,21	1,73
Potassiques	0,23	0,28	0,62	0,77
Total NPK	2,18	2,89	5,52	7,72

Source : Economic Survey 1984-1985, p. 104.
1. En millions d'hectares.
2. En millions de tonnes.

Jusqu'à maintenant, les VHR concernent principalement les deux céréales "nobles" : le blé et le *paddy,* c'est-à-dire le riz. En revanche, les recherches en cours n'ont pas encore abouti à des résultats décisifs en ce qui concerne les oléagineux (arachides, graines de moutarde, etc.) ni les légumineuses (*pulses),* dont le rôle diététique a été souvent souligné et qui se contentent des sols plus pauvres et non irrigués. Au fur et à mesure que l'irrigation s'étend dans une région donnée, les cultivateurs sèment de préférence les nouvelles variétés, dont au surplus l'Etat soutient le prix par ses achats, et cantonnent les autres cultures dans les terres les plus arides ou les moins fertiles.

Le succès même de la révolution verte a donc suscité de nouveaux problèmes en modifiant l'équilibre des cultures en agriculture traditionnelle. Néanmoins, le bilan est très nettement positif en termes de production, de revenus et d'emploi. La dépendance climatique n'a pas disparu comme l'épisode de 1979-1980 l'a prouvé, mais, d'un creux à l'autre, la base de production n'a cessé de s'élargir. Les moyens mis en œuvre par l'Etat en matière de prix, de crédits, d'achats et de stockage des produits, sont tels que l'Inde peut désormais faire face, sans angoisse majeure, à une succession "normale" de mauvaises années. La percée technologique, une fois adoptée par la paysannerie, est devenue une mutation sociale et économique qui fait tâche d'huile à partir des zones où elle s'est d'abord produite.

Toutefois, l'introduction des techniques modernes en agriculture a donné une acuité croissante à deux phénomènes :

- l'extension des pratiques culturales par une population rurale en augmentation régulière de 2 % par an va bientôt se heurter au mur des surfaces cultivables. Le bilan d'occupation des sols, tel que l'on peut l'établir aujourd'hui, laisse apercevoir des syndromes écologiques graves. Les forêts qui couvraient l'Inde vedique ou médiévale ont disparu depuis longtemps sauf dans les hautes vallées des Himalayas. Même là, elles sont menacées par l'homme et l'appât du gain. Partout en plaine le couvert végétal s'est appauvri au point de disparaître. La dégradation des sols et du couvert naturel peut entraîner de véritables catastrophes ;
- l'Inde rurale, si pauvre qu'elle soit globalement, risque de miner les finances publiques,

notamment au niveau des Etats. Le fait que l'eau d'irrigation ne soit pas payée à son prix, les subventions pour réduire le coût des engrais, le soutien des prix des grands produits par l'Etat, tous ces éléments se conjuguent pour drainer vers le secteur agricole une portion croissante des fonds publics, qui n'a pour contrepoids aucun prélèvement fiscal.

Epargne et investissement

Malgré ses lacunes et ses erreurs, le modèle de développement indien (voir ci-après) a eu un grand mérite : il a privilégié le taux d'épargne, c'est-à-dire l'effort propre de l'Inde pour résoudre ses problèmes de développement. La principale vertu de la planification centralisée a été de favoriser la continuité dans l'effort, que la stabilité gouvernementale a rendue possible. En conséquence le taux d'épargne intérieure brute a augmenté régulièrement de 1950 à la seconde moitié des années 70 où il atteint un palier de 22,5 % du PIB, qui n'a été dépassé qu'exceptionnellement depuis.

En préconisant de le porter à 24,5 % en 1984-1985 et à 27,4 % en 1994-1995, la commission du Plan faisait l'hypothèse, chaque fois démentie par les faits, que le secteur public, en même temps qu'il emploierait de plus en plus de ressources, engendrerait une épargne croissante.

Alors que, durant la décennie 70, l'équilibre de l'épargne et de l'investissement a été obtenu sans recours à la "capacité de financement" de l'extérieur, la période du VIe plan marque un retour au déséquilibre financier financé par l'extérieur. L'importance du financement par l'épargne étrangère apparaît clairement dans le tableau ci-après.

Les données relatives aux années 1983 et 1984 manquent pour faire le point de l'équilibre épargne-investissement pendant le VIe plan. Néanmoins, on sait déjà que, si le secteur public n'a pas réalisé tous ses objectifs d'épargne et d'investissement, le secteur privé (entreprise et ménages) a comblé l'écart, dans une certaine mesure. En fait, la croissance de la PIB a pratiquement atteint la prévision initiale de 5,2 % par an, bien que la formation brute de capital fixe ait augmenté moins fortement que prévu. Des cinq sources possibles d'épargne, trois (entreprises, ménages, extérieur) ont atteint ou dépassé les prévisions. En revanche,

Inde : Epargne nationale brute/PIB aux prix du marché

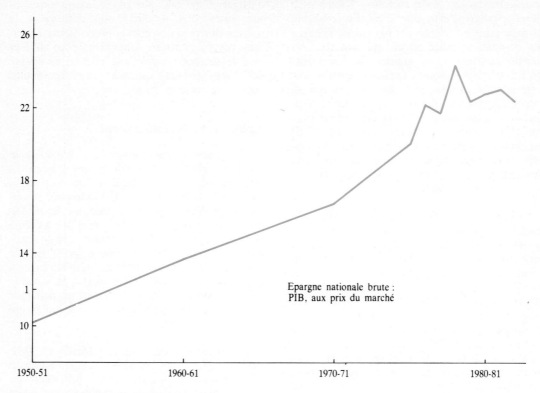

Source : CSO, National Accounts Statistics.

Revenu, consommation, épargne, 1979-1980 et 1984-1985 (en pourcentage du PNB)

	1979-1980	1984-1985 (1)
Epargne secteur public	3,7	6,0
Epargne des entreprises du secteur privé	1,5	2,0
Epargne des ménages	15,8	16,4
Revenu disponible	100	100
Consommation	79,0	75,6
Epargne	21,0	24,4

Source : Sixth FYP, p. 35.
1. Prévisions.

Structures d'épargne et d'investissement, 1970-1985
(en pourcentage de la PIB aux prix du marché)

Moyennes quinquennales

	1970-1975	1975-1980	1980-1985 (1)	1980-1982 (1)
Investissement	18,3	22,1	25,7	24,6
- privé	7,5	9,9	12,0	10,5
- public	10,8	12,2	13,7	14,1
Epargne intérieure	17,6	22,1	23,4	22,3
- privée	3,2	4,6	4,8	3,8
- publique	14,4	17,5	18,6	18,5
Epargne étrangère	0,7	-0,03	2,3	2,3
Ecart entre épargne intérieure et investissement	-0,7	0,03	-2,3	-2,3
- privé	-4,3	-5,3	-7,2	-6,7
- public	3,6	5,3	4,9	4,4

Source : *The Financing of Investment in India 1975-1985*, World Bank Working Papers, n° 543.
1. Estimations.

l'Etat et le secteur public accusent un certain retard. Que la croissance ait cependant atteint le rythme prévu implique une légère diminution du coefficient global de capital.

Les freins à la croissance

La croissance à l'indienne - on parle quelquefois du *Hindoo rate of growth* - est lente, même si on la mesure autrement qu'à l'aune du *per capita*. La croissance du produit intérieur brut, calculée par décennie sur les trente dernières années, a évolué comme suit :

- de 1950-1951 à 1960-1961 : 3,8 % par an,
- de 1960-1961 à 1970-1971 : 3,6 % par an,
- de 1970-1971 à 1980-1981 : 3,2 % par an.

La tendance à la décélération est plus nette encore si l'on ne considère que la production industrielle, comme l'a fait Mme Isher Ahluwa-

lia[31]. Les résultats de ses travaux sur la croissance industrielle ont été, au centre du débat qui s'est institué ces dernières années[32]. Brièvement résumée, la thèse d'Isher Ahluwalia ressort des données contenues dans le tableau sur la croissance industrielle.

Le découpage par périodes a été critiqué, notamment par K.N. Raj qui, en se fondant sur les données les plus récentes, estime que la décélération n'est nullement prouvée et même qu'une légère accélération de la croissance est décelable sur la période 1976-1977 à 1983-1984, à la fois en termes de PIB et de production

31. Isher Ahluwalia, *Industrial Stagnation in India since the Mid-Sixties,* Indian Council of Research in International Economic Relations, New Delhi, 1983.

32. Le principal forum a été une conférence qui s'est tenue en octobre 1983 au Center for International Studies, MIT, Harvard.

Croissance industrielle en Inde
(en pourcentage par an)

	Période I	Période II
Classement par utilisation		
Total	8,0	5,7
Produit de base	11,0	6,0
Biens intermédiaires	5,7	4,4
Biens d'équipement	15,4	6,8
Biens de consommation	4,7	5,6
- durables	11,5	11,5
- non durables	4,2	4,9
Classement par input		
Agro-alimentaire	3,7	4,1
Produits à base de métaux	14,1	6,6
Produits chimiques	8,2	8,4

Source : Isher Ahluwalia, *Industrial Stagnation in India since the Mid-Sixties,* Indian Council of Research in International Economic Relations, New Delhi, 1983.
Groupes de produits classés par utilisation et par input.
Période I : de 1959-1960 à 1965-1966.
Période II : de 1966-1967 à 1978-1979.

industrielle[33]. Quel que soit le parti que l'on adopte dans ce débat, il existe aujourd'hui un consensus parmi les économistes pour penser que la croissance aurait pu être plus forte, même s'ils divergent sur les causes du phénomène. Les partisans de l'économie planifiée, qui ont tenu les rênes du pouvoir pendant toutes ces années, ne conviennent pas aisément que leurs méthodes aient eu une part de responsabilité dans cet état de choses. Il semble bien qu'en tout cas le gouvernement central, déjà sous Indira, plus nettement sous Rajiv, penche en faveur d'une approche nouvelle, moins directive et moins doctrinaire de la gestion économique.

Pour examiner les principaux freins à la croissance, on ira des plus généraux aux plus spécifiques, de ceux qui portent sur la structure à ceux qui concernent les développements les plus récents.

Le modèle indien de développement

Du IIe plan (1956-1960) au VIe (1980-1984), le même modèle a inspiré les planificateurs, même si les praticiens et les gouvernements s'en sont parfois écartés pour tenir compte d'événements imprévisibles (chocs pétroliers, séries de mauvaises moussons) ou intégrer des développements favorables (découvertes pétrolières). Il s'agit d'un schéma à dominante marxiste, fondé sur le primat de l'investissement dans l'industrie lourde, c'est-à-dire dans les branches d'activité produisant les biens d'équipement nécessaires à l'expansion des autres branches : acier, construction de machines, mécanique lourde, industrie chimique de base.

En outre, on pose les deux conditions suivantes :
- ces unités nouvelles doivent être établies par et dans le secteur public dont elles constituent le coeur,
- le commerce extérieur est considéré comme une variable marginale, largement dépendante des priorités internes d'allocation.

33. K.N. Raj, "Some Observations on Economic Growth in India", dans *Economic and Political Weekly,* volume XIX, n° 41, octobre 1984.

Ce schéma - fort peu adapté aux circonstances de l'Inde - a été élaboré par le professeur Mahalanobis au milieu des années 50[34]. Le modèle Mahalanobis comporte deux paradoxes : il n'est cohérent que pour une économie de guerre, condamnée à l'autarcie, alors que l'Inde pouvait s'appuyer dans son effort d'industrialisation sur un large accès aux ressources du marché mondial. En second lieu, il traite l'immense secteur rural - 80 % de la population et les deux tiers du revenu national - comme un simple appendice d'une industrie qui n'existe pas encore.

Devenu partie intégrante de l'idéologie nehruiste, le modèle indien de développement a survécu à toutes les crises et à toutes les contradictions, même s'il a, chemin faisant, perdu de sa vigueur initiale. Car, derrière une façade doctrinaire presque immuable, une pratique s'est fait jour, qui s'écarte de plus en plus des principes. A côté de la commission du Plan, il existe en effet une techno-structure très compétente, constituée par les directeurs des grands ministères, les comités interministériels désignés par le cabinet, la Reserve Bank of India, les grands services publics, etc. qui exercent les fonctions de gestion et d'arbitrage du Centre. Après les soubresauts politiques des années 1974-1979, ce sont les hauts fonctionnaires qui ont effectivement piloté l'économie indienne depuis 1980 et inspiré les mesures prises pour assouplir les contraintes administratives.

L'infrastructure, victime du "modèle"

Le concept d'infrastructure, tel qu'il est désormais employé dans les documents officiels, regroupe les branches suivantes : charbonnages, énergie électrique, extraction et raffinage du pétrole, transports ferroviaires et ports. Malgré son importance pour la gestion économique, ce secteur n'a pris sa vraie place, après l'agriculture et avant l'industrie, qu'au début des années 80, lorsque la crise de 1979-1981 a mis en lumière son rôle central : l'infrastructure fournit en effet les biens et services indispensables à tous les autres secteurs, cependant que ses principaux *inputs* sont étroitement interdépendants : les chemins de fer sont indispensables aux charbonnages et réciproquement. Mais surtout son activité et ses investissements dépendent presque entièrement de l'Etat qui est l'actionnaire, le gérant et le banquier de presque tous les secteurs de base.

Concernant, par exemple, les transports ferroviaires, l'Inde avait hérité des Britanniques de l'un des plus grands réseaux du monde (50 000 km) et le premier en Asie. Les chemins de fer avaient reçu, au titre des deux premiers plans quinquennaux, de substantielles allocations de fonds et de devises pour procéder à leur entretien et à leur modernisation. Mais, dès le IIIe plan (1961-1965), leur part dans la formation brute de capital diminue et leurs crédits d'investissements sont réduits en valeur réelle. La décrépitude du réseau sera l'une des principales causes de la crise des infrastructures de 1979-1981.

Plus généralement, Isher Ahluwalia a montré que la baisse des investissements publics, du milieu des années 60 au milieu des années 70, avait atteint toutes les branches de l'infrastructure et entraîné deux conséquences également sérieuses :

- une série de pénuries dans tous les secteurs aval (coupures de courant, délestages du réseau électrique, manque de wagons) ;
- une réduction de la demande des branches amont (aciéries notamment, usines de wagons, mécaniques lourdes, etc.) dont le secteur infrastructure est grand consommateur.

D'où le paradoxe suivant : avec un modèle de développement fondé sur les secteurs de base et le rôle prépondérant des investissements publics, l'infrastructure est privée des moyens indispensables à l'entretien et à l'extension de ses activités. Le modèle de planification conduit à construire des unités de production, qui vont rester largement inemployées, et simultanément à sevrer de capitaux les branches d'activité les plus indispensables à *toutes* les autres branches. De fait, le cercle vicieux des goulots d'étranglement a commencé dès le début du IIe plan (1957-1958), s'est aggravé à partir de 1963 pour n'être maîtrisé qu'au début des années 80. Pour peu qu'une ou plusieurs mauvaises moussons ou qu'un choc exogène (hausses de prix de l'OPEP) surviennent dans cette situation, il est aisé de concevoir qu'une crise grave en résulte comme ce fut le cas en 1973-1975 ou en 1979-1981.

---

34. Jean-Alphonse Bernard, *L'Inde, le pouvoir et la puissance, op. cit.,* p. 160 et suivantes.

Même si les efforts du gouvernement central ont permis de redresser la situation de certains grands services publics, les handicaps tenant à l'infrastructure sont loin d'avoir été éliminés. Le coefficient d'exploitation des centrales thermiques reste aujourd'hui inférieur à 50 %, contre 55 % en 1976-1977. La modernisation du réseau ferroviaire exigera un effort prolongé, cependant que les utilisateurs s'en détournent au profit du transport routier, que les planificateurs avaient eu tendance à ignorer.

Le talon d'Achille des paiements extérieurs

Le chapitre du VIe plan consacré aux échanges extérieurs débute sur une note désabusée : "*L'économie indienne a, de tout temps, été confrontée à des difficultés de balance des paiements - dès le Ier plan. A de rares exceptions près, l'Inde a enregistré une balance commerciale déficitaire pendant les trente dernières années. Bien que les difficultés rencontrées sur le front des paiements extérieurs n'aient rien de neuf pour l'Inde, les problèmes auxquels le pays devra faire face à cet égard au cours du VIe plan seront vraisemblablement aigus et exigeront une approche novatrice[35]*".

La première observation à faire est que le marché mondial n'intéresse l'Inde que de façon très marginale et que sa part du marché a nettement décliné : les exportations de l'Inde représentaient 1,05 % des exportations mondiales en 1960-1961, elles n'en représentent aujourd'hui que 0,47 %[36]. Plus significatif et plus frappant encore, le fait que la part de l'Inde dans les exportations de l'Asie du Sud et de l'Est - Chine exclue - soit passée de 20 % en 1968 à 5 % en 1983. Malgré un progrès relatif au cours des années 70, les exportations indiennes ont augmenté, sur l'ensemble de cette période, à un rythme deux à trois fois moins rapide que celles de la Corée du Sud, Hong-Kong, Taiwan ou Singapour. A l'heure actuelle, l'Inde ne fait que la moitié du commerce extérieur de la Chine.

Aujourd'hui, comme il y a vingt ans, la balance des paiements constitue l'une des contraintes majeures de la politique économique. Néanmoins, les problèmes que pose l'équilibre des paiements extérieurs ont changé, et la structure de ceux-ci a évolué. Les chiffres du tableau ci-après donnent un aperçu de la balance des paiements et de son financement à dix ans d'intervalle.

Il apparaît que :

- la balance commerciale, traditionnellement déficitaire, continue d'être un des facteurs déterminants de l'équilibre, d'une décennie à l'autre ;
- les postes d'"invisibles" (tourisme, remises des émigrants) ont acquis une grande importance et dégagent un solde positif, qui tend cependant à diminuer depuis deux ou trois ans ;
- le compte des transactions en capital est passé du stade "primaire" typique d'un pays sous-développé (aide étrangère pour l'essentiel) à une structure proche de celle d'un pays emprunteur classique, avec le recours à toute la gamme des flux : aide proprement dite, facilités du FMI, prêts bancaires et investissements privés. Le dernier poste est particulièrement significatif et s'est beaucoup développé depuis trois ans sous forme de dépôts en devises effectués par des Indiens non résidents ;
- la situation nette de l'Inde est celle d'un équilibre précaire, en dépit du fait que son endettement reste très modéré : la dette extérieure, exprimée en dollars, a doublé en dix ans, passant de 11,6 millions de dollars en 1974 à 21,4 millions de dollars en 1983. Son poids dans l'économie s'est réduit puisqu'elle représente 11,4 % de la PIB contre 13 à 14 % il y a dix ans. Avec 9 % des exportations, le ratio du service de la dette est très supportable car celle-ci se compose principalement de prêts à taux bonifié et à long terme.

En revanche, les réserves de change ont baissé fortement depuis cinq ans. Si l'on tient compte des engagements vis-à-vis du FMI pour évaluer les réserves nettes, celles-ci ne représentent qu'un mois et demi d'importations contre sept ou huit mois en 1979-1980.

Cette situation résulte d'un pari délibéré fait par l'Inde au début de 1981, lorsqu'elle s'est trouvée devant une situation de crise caractérisée par la pénurie alimentaire, une série de goulots d'étranglement en chaine et les phénomènes liés au second choc pétrolier. Elle a choisi

---

35. *Sixth FYP*, p. 70.

36. D'après les statistiques du GATT dans le *Rapport 1983-1984*.

Balance des paiements résumée : 1971-1972 et 1981-1982
(en millions de dollars)

	1971-1972	1981-1982
Importations	2 680	15 484
Exportations	2 090	8 658
Balance commerciale	-590	-6 825
Invisibles	-185	3 683
Solde des paiements courants	-772	-3 142,1
Mouvements de capitaux		
Privés	-10,6	91,3
Officiels	179	-262
Remboursements des emprunts	-336	-729
Capital net	-146,7	-952,2
Erreurs et omissions	-86,4	-441
Solde global	-1 005,3	-4 535,3
financé par		
- Aide étrangère	1 038	2 020,8
- FMI	102,6	710
- Variations des réserves	-135,2	1 804,5
Total	1 005,3	4 535,3
Solde paiements courants/PIB	1,5 %	2,0 %

Source : Economic Survey 1984-1985.

Evaluation des réserves de change de l'Inde
(en milliards)

	Montants		Net des engagements vis-à-vis du FMI	
	Roupies	Dollars	Roupies	Dollars
Fin mars 1980	59,2	7,6	59,2	7,6
Fin mars 1983	47,6	4,8	20,0	2,0
Fin mars 1984	59,45	5,5	18,0	1,7

Source : Economic Survey 1984-1985.

une fuite en avant modérée, avec l'appui du FMI qui lui a consenti un crédit de 5 milliards de DTS, dont 3,9 milliards ont été utilisés. L'amélioration de la balance des paiements exige un développement continu des exportations de biens et de services qui lui-même implique une plus grande ouverture sur l'économie mondiale et un assouplissement des règles et restrictions imposées aux entreprises.

Quelques observations pour conclure

En observant l'économie indienne au cours de ces dernières années, on ne peut se défendre de l'impression qu'à force de changements faibles et qui pourtant se cumulent, elle est peut-être sur le point d'amorcer un tournant important. L'accélération de la croissance économique depuis 1981, coïncidant avec un allègement indéniable des contraintes administratives qui pèsent sur les entreprises, signifie-t-elle que l'économie est à la veille de son décollage, au sens rostowien du terme ? Il est certain, en tout cas, qu'il existe un potentiel de ressources qui pourraient être employées par le secteur privé. La reprise des investissements industriels et l'envol des valeurs industrielles à la bourse de Bombay sont, à cet égard, des signes caractéristiques.

Mais, les contraintes les plus sévères ne seront pas aisément levées. Accélérer d'un *demi-point* le taux d'accroissement de la production agricole paraît à de bons observateurs un objectif très ambitieux, malgré son apparente modestie. Réduire la croissance démographique devrait retrouver une priorité élevée, à condition d'éviter les excès de l'"état d'exception". Moderniser l'infrastructure est une tâche essentielle mais qui immobilisera des ressources importantes au détriment d'un secteur public avide de capitaux. La nécessité d'exporter implique une profonde et coûteuse mutation des structures industrielles et une ouverture du marché intérieur qui ne sera pas sans conséquences politiques.

Dans les conditions de l'Inde actuelle, c'est à l'Etat qu'il incombera de surmonter ces contraintes, et non pas au marché, dont les mécanismes et les incitations seraient inefficaces ou mal acceptés. Les moyens dont l'Etat s'est doté lui en font, d'ailleurs, une obligation : il détient aujourd'hui 60 % du capital productif total et emploie les deux tiers des salariés du secteur organisé. Par la fixation des prix administrés, les contrôles qu'il exerce encore sur les investissements, les procédures d'achat et de commercialisation, par son rôle de banquier et d'assureur, il demeure un acteur économique tout à fait prépondérant. Même dans son rôle d'administration, son poids n'a cessé d'augmenter. C'est le secteur "administration publique et défense" qui accuse, dans la PIB, la croissance la plus forte : son produit a été multiplié par huit en trente ans, alors que celui de l'industrie l'a été par quatre, celui de l'agriculture par deux.

A ce point, l'analyse économique devient politique et sociale : l'énorme appareil de l'Etat moderne s'est greffé sur un corps social particulièrement complexe et fragmenté. A l'heure actuelle, l'Etat constitue le centre d'un vaste appareil de compromis et de marchandages entre de très nombreux acteurs, urbains et ruraux, traditionnels et modernes[37].

L'expansion des dépenses publiques apparaît comme la résultante de ces marchandages : alors qu'il y a dix ans, elles représentaient 20 % de la PIB, elles en constituent aujourd'hui 36 %. Le besoin de financement des administrations, mesuré comme la différence entre les recettes ordinaires et la totalité des dépenses, est passé de 6,5 % à 10 % de la PIB. La situation budgétaire des Etats est souvent proche de la banqueroute, mais elle permet au Centre d'exercer sur eux le contrôle politique qu'il juge opportun.

S'interroger sur les perspectives économiques de l'Inde conduit à poser la question de la nature de l'Etat dans une entité, qui présente un double clivage :

- le clivage "socio-politique" entre groupes socio-professionnels (*jati*, classes sociales) inégalement touchés par le développement économique mais tous capables de s'affirmer dans la compétition électorale,
- le clivage "géopolitique" entre des subdivisions territoriales qui ont un caractère de quasi-nations et visent à s'affirmer en tant que telles.

37. Pranab Bardhan, *The Political Economy of Development in India*, Basil Blackwell, 1984, pp. 65-66.

1.4. L'INDE COMME ACTEUR DANS LE SYSTEME INTERNATIONAL

Les données de la géopolitique

La géopolitique du sous-continent a été clairement dessinée par le relief et par le climat qui donne une forte assise naturelle à la spécificité du monde indien.

Si le relief et le climat délimitent nettement l'Asie du Sud comme une zone qui se distingue physiquement du Moyen-Orient et du Sud-Est asiatique, les critères linguistiques et culturels la définissent comme un monde indien qui tranche à la fois avec le monde arabo-islamique et avec le monde "indochinois". L'unité apportée de l'extérieur à cette région du monde par l'impérialisme britannique pouvait, en effet, se prévaloir de fortes raisons géopolitiques[38].

Le sous-continent (Inde, Pakistan) a produit une "diaspora" de 12 à 15 millions de personnes, mais qui ne représente qu'1 % d'une population totale qui dépasse le milliard d'hommes. Les traits spécifiques du monde indien, dans ses particularités ethniques, sociales et culturelles, se retrouvent aisément dans toutes les parties du sous-continent, pour ne s'atténuer qu'au fur et à mesure, lorsque l'on se déplace vers l'ouest (Afghanistan), vers le nord (Ladakh, Népal, Bhutan) ou vers l'est (Birmanie).

Dans cet ensemble nettement défini, la "dominance" de l'Inde ressort comme une évidence : elle rassemble les trois quarts de la population totale, contient la plupart des ressources minières et possède des capacités industrielles, technologiques et militaires supérieures à celles de tous ses voisins réunis. Que l'Inde soit, d'ores et déjà, une puissance régionale est un fait acquis. Néanmoins, l'hégémonie qu'elle excerce, au moins depuis 1971, n'est pas sans susciter des tensions aiguës avec les pays voisins, qui constituent la première donnée de sa politique étrangère.

Le fait majeur demeure la partition de 1947, qui a déterminé la ligne de fracture principale entre l'Inde et le Pakistan. De part et d'autre, la polarisation reste aussi forte qu'au premier jour. Que l'Inde soit aujourd'hui, et de beaucoup, la puissance la plus forte, ne l'a pas rassuré : le Pakistan amputé du Bengale oriental ne s'est pas aligné sur les positions diplomatiques de l'Inde. La même obscure paranoïa persiste, qui entretient une course récurrente aux armements conventionnels et n'exclut pas, de part et d'autre, une option nucléaire, indécise, mais menaçante. L'affaire de l'Afghanistan a servi de prétexte à la dernière relance au lieu d'être l'occasion d'une réconciliation possible.

Avec ses autres voisins, les relations de New Delhi, à la fin du règne d'Indira, n'étaient pas meilleures qu'avec le Pakistan, même si les risques du conflit - vu la disposition des forces - étaient moindres. Le problème tamoul avec Colombo, des disputes sur le partage des eaux du Gange avec Dacca, la volonté de neutralité de Katmandu constituaient autant de contentieux actifs, que l'on s'empressait de réanimer de part et d'autre, lorsque le besoin s'en faisait sentir. Après la disparition d'Indira, Rajiv Gandhi n'a pas hésité à agiter devant la foule indienne l'épouvantail des intrigues étrangères, dont les porte-parole officiels laissaient entendre qu'elles étaient soutenues par l'Amérique. Depuis, la tension a diminué. Le nouveau *Foreign Secretary* - Romesh Bhandari - a pris son bâton de pélerin, en avril 1985, pour tenir aux capitales de la région un langage modéré et apaisant.

Les thèmes-écrans

Il n'est pas inutile de dissiper les apparences entretenues par quelques "thèmes-écrans" comme le non-alignement ou le tiers-mondisme. A l'époque où le pandit Nehru a posé le principe du non-alignement, c'est-à-dire dans les années 1948-1950, l'Inde avait été sommée par Moscou et par Pékin comme par Washington, de choisir son camp. En s'y refusant et en développant les raisons de son refus, Nehru n'avait fait qu'affirmer d'une manière particulièrement nette la volonté d'indépendance nationale. En ce sens il est vrai de dire que l'Inde n'a plus dévié de ce principe, auquel ont adhéré tous les gouvernements indiens successifs.

---

38. Notons cependant que Ceylan n'avait jamais été rattaché à l'Empire des Indes et que la Birmanie en avait été détachée dès 1938.

En août 1971, l'Inde a signé avec l'URSS un traité d'amitié et de coopération qu'elle n'a pas jugé contraire au principe du non-alignement. Ce traité n'a pas fait de l'Inde un satellite soviétique, mais il a établi entre Moscou et New Delhi un axe de coopération politique, économique et militaire, qui entraîne d'importantes conséquences pour l'une et l'autre partie. Etant donné le rapport des forces, la relation d'alliance est naturellement dissymétrique : l'Inde a plus de contraintes que l'URSS.

En revanche, l'adhésion au mouvement des non-alignés n'est pas plus déterminante que l'adhésion au Commonwealth. L'un et l'autre sont des clubs, différemment composés mais aussi peu contraignants l'un que l'autre. D'ailleurs, la phraséologie moralisante et anti-impérialiste qui avait caractérisé la diplomatie indienne dans les années 50 et 60 n'est plus guère employée.

Dans les organisations internationales, l'Inde joue un rôle actif par elle-même et indirectement par la présence de très nombreux de ses nationaux. Elle y pratique une politique généralement prudente et modérément tiers-mondiste, qui est inspirée par la défense de ses intérêts propres et par le souci de ne pas heurter, voire de favoriser, les thèses de l'allié soviétique. Cette tendance pragmatique paraît se confirmer avec le cabinet de Rajiv Gandhi.

Les intérêts vitaux

L'Inde a deux impératifs essentiels : le développement économique et la sécurité. Chacun d'eux implique des conditions particulières et entraîne des effets spécifiques.

Nehru avait posé en principe, que le non-alignement correspondait à un intérêt vital pour l'Inde puisqu'il lui permettait de recourir à toute forme d'aide extérieure. En réalité, cette idée reposait sur de grandes illusions quant au volume d'aide susceptible d'être fourni par les pays du bloc soviétique[39]. En outre, la situation de l'Inde à l'égard de l'aide économique a beaucoup évolué.

En 1985, le recours à l'épargne extérieure est le résultat d'un choix et non plus l'effet d'une nécessité absolue, comme en 1965. Mais l'Inde

ne pourrait poursuivre sa politique d'expansion par l'ouverture progressive du marché intérieur, si elle n'était assurée de compter sur des financements à taux privilégiés, notamment sur ceux de l'AID et de la Banque mondiale. De même, l'intention qu'elle affiche d'acquérir des technologies avancées - qui ne se trouvent qu'à l'Ouest - implique d'accueillir les investissements directs des entreprises américaines, japonaises ou européennes.

Si l'Inde veut s'émanciper de la tutelle des organismes d'aide, elle devra développer ses exportations et, pour cela, entreprendre une promotion intense de ses produits sur les marchés étrangers qui pourrait exiger une réorientation de sa diplomatie. Elle devra non seulement élargir ses parts de marché chez ses clients traditionnels : Etats-Unis, URSS, CEE, mais chercher à s'ouvrir des débouchés sur des marchés qu'elle a jusqu'ici négligés : ses voisins tout d'abord, avec lesquels ses échanges sont très faibles[40], l'Asie du Sud-Est, la Chine, le Japon, l'Afrique, etc. De ce point de vue, la coopération régionale pourrait devenir l'un des axes de la politique indienne. Mais les difficultés sont telles, de part et d'autre, que cette évolution ne pourrait se faire, au mieux, que très lentement.

Si l'on adopte le point de vue officiel, une double menace pèse sur la sécurité de l'Inde et commande toute sa politique de défense : la menace du Pakistan et celle de la Chine. Le Pakistan est considéré comme un Etat instable, irrémédiablement hostile à l'Inde et dont le comportement est irrationnel : non seulement en raison des deux conflits indo-pakistanais de 1965 et 1971, mais aussi du fait même de sa naissance. Conçu comme la patrie des musulmans du sous-continent, il est l'antithèse de l'Etat laïc, démocratique et socialiste que veut être l'Inde.

La rhétorique anti-américaine, dont Indira Gandhi a fait si grand usage, a toujours été liée à l'obsession du Pakistan : les Etats-Unis auraient constamment cherché à abaisser le rôle de

---

39. Il n'a pas dépassé 3 % de l'aide étrangère totale. Voir Jean-Alphonse Bernard, *op. cit.*, p. 292.

40. La part de ses échanges avec les pays de l'océan Indien est très minime : 6,2 % de ses exportations, 7,6 % de ses importations en 1961. Voir Jean-Alphonse Bernard, *op. cit.*, p. 319.

l'Inde, or ils sont les alliés du Pakistan, donc ils sont ennemis de l'Inde au même titre que ce dernier. Le discours indien, même s'il ne coïncide pas exactement à la politique indienne, permet de projeter sur le Pakistan d'aujourd'hui les images exécrées de John Foster Dulles et d'Ayub Khan, de Richard Nixon et de Yayia Khan. Le dispositif militaire, à son tour, traduit concrètement ce discours puisqu'il concentre sur le secteur nord-ouest la majeure partie des forces armées.

La "menace" chinoise est d'une autre nature. La Chine est une grande puissance dotée de forces militaires considérables, bien que peu modernisées et d'un arsenal nucléaire relativement opérationnel. Toutefois, la menace qu'elle représente aujourd'hui est toute théorique depuis que l'Inde a très sérieusement renforcé son potentiel militaire, en particulier sur sa frontière du nord et du nord-est.

Les relations diplomatiques ont repris depuis 1976 mais le contentieux frontalier demeure, sur l'Aksaï-Chin et le Nord-Est. Les bases existent d'un marchandage qui laisserait à la Chine le contrôle de la partie du Ladakh[41] qui fait saillie sur le plateau thibétain - l'Aksaï-Chin, saisi par la Chine en 1962 - en contrepartie de la reconnaissance formulée par la Chine de la "ligne Mac-Mahon" sur la frontière entre le Sikkim et la chaîne birmane.

Si le règlement n'est pas intervenu, c'est qu'aucune urgence ne l'impose, mais surtout que la volonté politique est absente de part et d'autre. Il se peut, également, que New Delhi compte sur le soutien de l'Union soviétique : celle-ci a tout intérêt à maintenir une pomme de discorde entre Chinois et Indiens.

Avec le Bangladesh et Sri Lanka, les relations de l'Inde sont aujourd'hui fort médiocres. Entre New Delhi et Dacca, la lune de miel n'a duré que quatre ans, jusqu'à l'assassinat de Mujibur Rahman en août 1975. Depuis, des dictatures militaires se sont succédées sans parvenir à légitimer leurs pouvoirs sur une société décapitée de ses élites et sur un pays démuni de ressources. A l'heure actuelle le général Ershad regarde vers les Etats-Unis, la Chine et le Pakistan pour consolider un pouvoir toujours contesté.

L'affaire tamoul fait peser depuis deux ans une très lourde hypothèque sur l'avenir de Sri Lanka. La position de New Delhi à cet égard n'a pas été sans équivoque : tout en offrant ses bons offices au président Jayewardène, l'Inde a étendu sa protection aux tamouls de l'île, et elle a laissé les divers groupes terroristes se servir du Tamil Nadu comme base de leurs opérations. La situation pourrait devenir explosive, pour peu que le gouvernement de Sri Lanka obtienne un concours diplomatique et militaire des Etats-Unis, de la Chine ou du Pakistan. En 1983 et 1984, l'Inde avait clairement laissé entendre qu'elle ne tolèrerait pas l'immixtion à Sri Lanka d'une puissance autre que la sienne[42].

Bien qu'aucun document officiel ne définisse explicitement ce que l'Inde considère comme ses intérêts vitaux, il ressort de son comportement qu'elle cherche à faire reconnaître la notion d'un périmètre de sécurité, soustrait aux influences des puissances étrangères à la région. Y sont inclus non seulement le Népal et le Bhutan avec lesquels elle entretient des relations spéciales, mais aussi tous les pays voisins. Mais la position dominante que l'Inde occupe naturellement, loin d'apaiser les antagonismes entre les nations du sous-continent, a surtout pour effet d'amener les petits Etats à rechercher, auprès des puissances extérieures, des contrepoids à cette hégémonie.

Les contraintes de politique extérieure

L'opinion publique indienne a toujours été relativement indifférente aux questions internationales et très disposée à faire là-dessus confiance au gouvernement central. C'est un domaine où règne à la fois un large consensus et une orthodoxie de plus en plus établie, soulignée par le conformisme de la presse. Le débat sur ces questions se fait de plus en plus rare, même au Parlement, où l'on notera qu'il n'existe pas de commission des Affaires étrangères.

---

41. Au nord de la partie du Cachemire rattachée à l'Inde.

42. Au début de juin 1985, lors d'une visite à New Delhi du Premier ministre de Sri Lanka, les deux chefs de gouvernement ont déclaré s'être entendus sur les conditions d'un règlement du problème tamoul.

Le gouvernement ne se prive pas en revanche d'imputer à l'étranger, et notamment à l'impérialisme américain, la responsabilité de ses échecs intérieurs. Le terrorisme sikh a pu se prêter à ce genre d'insinuations, les communautés sikhs à l'étranger - notamment en Grande-Bretagne et aux Etats-Unis - étant riches et actives. La question tamoule à Sri Lanka a éveillé les passions dans l'Etat de Tamil Nadu. Il est difficile de faire la part, dans les mouvements d'opinion, entre l'irruption spontanée et la tactique délibérée du gouvernement.

L'Inde n'a qu'un seul allié : l'Union soviétique. Celle-ci, à son tour, attache certainement une grande importance à une relation qui présente dans son système de sécurité un caractère exceptionnel. Le principal ciment de l'alliance n'est pas d'ordre économique, encore que les relations commerciales indo-soviétiques soient significatives pour l'une et l'autre partie, mais d'ordre militaire : depuis 1965 et plus encore depuis 1980-1981, l'Union soviétique est le principal fournisseur de matériel militaire à l'Inde. Il est probable que celle-ci a obtenu, ces dernières années, d'être placée à parité avec les pays du pacte de Varsovie pour la qualité des équipements et de l'assistance soviétiques. Dès lors que l'Inde a choisi d'assurer sa sécurité par une entente étroite avec Moscou, elle s'interdit toute politique qui serait contraire aux intérêts essentiels de l'URSS.

L'Inde affirme vouloir "découpler" les relations entre pays d'Asie méridionale des rapports entre les deux Grands et de la rivalité Est-Ouest. Comment le pourrait-elle sans desserrer ses liens avec Moscou ?

Conclusion

Puissance régionale, l'Inde commence à peser dans le concert des nations d'un poids qui correspond davantage à ses ressources potentielles. Elle a donné l'exemple d'un développement politique remarquable, compte tenu des forces centrifuges qui agissent à l'intérieur d'elle-même. Son évolution économique - que l'Occident a eu le mérite de soutenir dans les termes fixés par l'Inde elle-même - lui a fait franchir, sans rupture majeure, une série d'étapes importantes. Alors qu'il y a vingt ans on la considérait comme un cas presque désespéré, elle est passée aujourd'hui dans la catégorie des "bons risques" bancaires.

Le poids de la pauvreté constitue certes un handicap, ce n'est plus une fatalité irrémédiable. Sa plus grande faiblesse tient à la manière dont le pouvoir central s'est exercé depuis vingt ans : une centralisation excessive a miné ou corrompu les institutions sur lesquelles reposait l'équilibre politique et social. "*L'héritage laissé par l'attentat du 31 octobre 1984 ... peut être résumé comme l'érosion des entités qui forment le corps politique (eroson of corporate cohesions)*[43]". Si l'Union indienne, sous la conduite de son nouveau Premier ministre, parvient à reconstituer ces institutions, c'est-à-dire à devenir une véritable fédération, elle aura fait un pas décisif vers plus d'autonomie et plus de prospérité.

---

43. W.H. Morris-Jones, "India after Indira, a Tale of two Legacies", dans *Third World Quarterly*, avril 1985, p. 246.

2. La Chine

La Chine populaire s'éloigne de plus en plus rapidement de son héritage maoïste. Ce tournant est à la fois révélé et dénié par les dirigeants actuels du pays. Révélé, car il leur faut susciter parmi les cadres du Parti communiste un transfert d'allégeance, en décourageant la formation d'une coalition conservatrice ; nié, car la légitimité du régime passe par sa fondation révolutionnaire. Détruire celle-ci serait fort risqué : les mécanismes dictatoriaux restent l'ultime recours contre les tendances centrifuges du pays.

Les signes, fondamentaux ou anecdotiques, d'un changement profond s'accumulent depuis la tenue, en décembre 1978, du 3e plenum du XIe Comité central. L'événement a été moins voyant, mais aussi porteur de conséquences intérieures, que le célèbre XXe Congrès soviétique de 1956. L'aspect le plus souvent cité réside dans la disparition du culte de Mao Zedong. Il n'en reste plus que des fragments archéologiques, antérieurs à la prise du pouvoir en 1949, et des lambeaux sauvés parmi les discours les plus modérés du Grand Timonier. Trois millions de citoyens chinois persécutés entre 1957 et 1977 ont été réhabilités, et le lent mais indéniable retour des exclus et des déportés à la société chinoise en change aujourd'hui la face : nous sommes là en plein parallèle avec la déstalinisation.

Mais d'autres signes sont inédits. Ils suggèrent que la pléiade réformatrice qui a succédé, sous la direction de Den Xiaoping, à la phalange de la Révolution culturelle, a entamé la transition vers une société non pas socialiste, mais post-communiste[1].

Les laves d'une révolution encore chaude côtoient les résurgences de l'occidentalisation, et l'histoire chinoise prend un malin plaisir, depuis 1949, à démentir les prévisions fondées sur la répétition du passé.

En cela, la trajectoire actuelle diffère profondément de celle des anciens "pays frères" communistes. Cette situation de "joker" idéologique, diplomatique et économique suffit-elle à lui assurer sur la scène internationale le statut de "très grande puissance", auquel elle aspire très officiellement depuis 1975[2] ? C'est la question qui reste posée, près de quarante ans après l'accession d'un gouvernement chinois au statut de membre permanent du Conseil de Sécurité des Nations-Unies.

Répondre à cette question, c'est d'abord évaluer les chances de succès de l'économie chinoise. Dans ce domaine, il faut aller au-delà des fluctuations à court terme, et du rebond suscité par la soudaine libéralisation, pour examiner la solidité d'une greffe réformatrice sur l'économie collective, et le sentier d'équilibre entre l'économie centralisée, héritage des trois premières décennies du régime, et l'initiative décentralisée, régionale ou individuelle.

Encore faut-il disposer des moyens de l'enquête. Fort heureusement, la "recherche de la vérité dans les faits" prônée par Deng Xiaoping depuis 1977 a abouti. Auto-intoxication et

---

1. Cette évolution suscite des interrogations diverses. Citons, parmi des préoccupations elles aussi fort variables : Donald S. Zagoria, "China's Quiet Revolution", *Foreign Affairs,* printemps 1984 ; Louis Kraar, "China after Marx. Open for Business ?", *Fortune,* 18 février 1985 ; Jean-Luc Domenach, "Le totalitarisme n'arrête pas l'histoire. Communisme et société en Chine", *Esprit,* septembre 1984.

2. Discours de Zhou Enlai à la IVe Assemblée nationale populaire, janvier 1975.

La population chinoise

Le ralentissement de la croissance démographique conditionne la plupart des autres aspects de la modernisation de la Chine. Longtemps, l'évolution est restée beaucoup trop rapide pour permettre une élévation du niveau de vie. D'environ 580 millions de personnes lors du recensement de 1953 (aux méthodes imparfaites), la population est passée à environ 1 milliard d'habitants en 1982, lors du premier recensement moderne. Malgré la catastrophe du Grand Bond (en 1959 et 1960, la Chine connaît des soldes démographiques négatifs...), le taux de croissance démographique moyen était supérieur à 2 % par an jusqu'à la fin des années 70.

A partir du printemps 1978, une très vigoureuse politique de limitation des naissances visait à réduire cette croissance. Associant la contrainte (pénalisations financières, avortement forcés, stérilisation) à des stimulants matériels (primes, avantages au logement et à l'éducation), la campagne vise à créer une génération de familles à enfant unique. L'objectif final serait de limiter la population en l'an 2000 à moins de 1,2 milliard d'habitants, après quoi la Chine entrerait dans une ère de décroissance démographique.

Jusqu'ici, l'aspect volontariste de cette campagne interdit d'en juger les résultats à long terme. La natalité, qui avait semblé fortement décliner en 1980-1981 - sous l'effet de mesures de coercition qui entraînent aussi une forte dissimulation des naissances, il est vrai - est remontée ensuite aux environs de 18 à 20 ‰, entraînant une croissance démographique annuelle d'environ 1,2-1,4 %. En 1984, la tendance irait vers une réduction des naissances. Avec un taux de natalité de 17,5 ‰, et un taux de mortalité de 6,69 ‰, la population de la Chine, qui s'élève en décembre 1984 à 1 036 040 000 habitants, croîtrait à un rythme d'environ 1,1 % par an[1].

----

1. *Beijing Information,* 25 mars 1985.

----

trucage statistique reculent[3]. Au moins l'approximation a-t-elle succédé à l'ignorance[4]. La fin de l'obscurité statistique est inséparable de l'autorisation de la discussion et de la critique. Le langage codé de l'appareil est en régression.

L'appréciation de plus en plus réaliste de l'économie, et le dégel de la vie intellectuelle et politique sont allés de pair. Les revues spécialisées paraissent par centaines, les ouvrages et notamment les traductions, bien moins sélectives qu'en Union soviétique, fleurissent. Les sociétés d'études se sont multipliées, du management à la sociologie[5].

Chacun dispose de points de repère différents pour mesurer cette évolution. Pour un Wei Jingsheng[6], pour un condamné à mort de droit commun[7], le progrès est inexistant. Pour le grand public chinois, il est patent : le relâchement de l'emprise des cadres politiques et locaux, la libéralisation des déplacements, l'essor des entreprises individuelles, l'explosion de la consommation privée rapprochent certaines régions de la Chine de ses voisins d'Asie du Sud-Est. Ce rapprochement est aussi concrétisé par la réouverture du pays aux apports étrangers, au premier rang desquels figure l'influente Chine d'outre-mer.

Pour un Occidental, ce sont ces derniers aspects qui priment. La plus grande partie du pays est ouverte au voyage et la sollicitude se fait moins pesante : ces deux faits situent déjà la Chine populaire au-delà de tous les pays communistes, exceptée la Yougoslavie. En 1984, ce sont par exemple 12,85 millions de visiteurs qui sont venus en Chine - dont 11,72 millions, il est rai, provenaient de la communauté chinoise hors de Chine. Les rentrées en devises du tourisme - 1,13 milliard de dollars - représentent un revenu aussi important que celui des investissements étrangers[8]...

----

3. L'aggiornamento interne, les conditions d'adhésion de la Chine aux organismes financiers internationaux en 1979-1980 et la construction partielle d'un système statistique autorisent l'optimisme. Ainsi l'assistance de l'ONU (recouvrant celle du Bureau of Census des Etats-Unis) a conduit au premier recensement démographique réellement fiable en 1982.

4. Les études de la Banque mondiale, à partir de 1981, ont présenté une synthèse de l'économie chinoise. Annuaires statistiques et revues chinoises prennent aujourd'hui le relai.

5. Il n'est pas jusqu'à la psychanalyse, pourtant peu acclimatée au confucianisme comme au maoïsme, qui ne conquière droit de cité.

6. Dissident du printemps de Pékin, condamné à quinze ans de prison et encore incarcéré.

7. Le gouvernement a lancé depuis l'été 1983 une campagne contre la criminalité qui met en évidence l'usage permanent de la peine capitale en Chine populaire.

8. Bureau d'Etat des statistiques, 25 mars 1985.

Pourtant, la rapidité des mutations engagées et l'accélération que leur imprime l'approbation populaire ont souvent été sous-estimées jusqu'ici hors de Chine. Sans doute faut-il y voir l'effet de l'expérience. A l'ère maoïste[9], en effet, le régime avait su, par un mélange de censure et de mobilisation populaire, accréditer la réalité de ses objectifs, souvent utopiques, étouffant au moins partiellement l'écho des tragédies de 1957, la grande famine qui suivit le Grand Bond, les persécutions de la Révolution culturelle. Ce jeu d'illusions est pour beaucoup dans le scepticisme d'aujourd'hui, que viennent raviver les mésaventures de nombreux hommes d'affaires attirés par le mirage économique chinois en 1978-1979, et les raidissements idéologiques ou répressifs des dirigeants chinois[10].

Certaines évolutions, il est vrai, donnent le vertige, entraînant le soupçon qu'il s'agirait d'un ravalement clinquant mais superficiel. Parmi les innombrables visiteurs chinois du Great Wall Hotel de Pékin, palace climatisé de 1 200 chambres (et reproduit en une dizaine d'exemplaires à travers la Chine), on a pu relever la venue de Hu Yaobang, secrétaire général du Parti communiste, entouré d'une cohorte de collaborateurs du Comité central[11] : leur présence, à côté de celles de milliers de familles endimanchées, avait valeur de label idéologique. Le jaillissement de la mode, de la musique pop et du disco (ce dernier également cautionné par Hu Yaobang), les importations de luxe (Shenzhen voit désormais transiter plus de cognac français que Hong-Kong, septième consommateur mondial) : tout cela constitue-t-il, selon le point de vue où l'on se place, un vernis décorateur ou une moisissure corruptrice ; ou bien est-ce le signe le plus visible d'une nouvelle révolution ?

Certes, ce n'est pas d'aujourd'hui que l'on voit se manifester en Chine l'opposition entre une tradition bureaucratique et agricole, et une périphérie maritime qui n'est pas une tradition mineure[12]. La greffe occidentale, japonaise ou *huaqiao* (le terme désigne les Chinois d'outre-mer), est à la fois vitale pour le développement de la Chine, et susceptible de réactions de rejet. Révolution il y a pourtant, qui engage l'avenir dans plusieurs domaines.

Commençons par le terrain le plus fragile, celui du politique. Derrière Deng Xiaoping, les instances dirigeantes du PCC ont été en grande partie rénovées[13]. Vétérans conservateurs ou maoïstes sont aujourd'hui écartés dans des retraites dorées. La Constitution de 1982, le code pénal et la montée du système légal assurent, en conjonction avec la léthargie des organes policiers, une liberté sans commune mesure avec le passé. Retours en arrière et abus d'autorité sont bien moins profonds et généralement moins durables. Souvent, ils font aussi ricochet. Ainsi, des années de polémique publique sur la place de la liberté dans la création intellectuelle et artistique ont abouti à sa reconnaissance officielle par le *Quotidien du Peuple* en janvier 1985[14] : que de chemin parcouru depuis la polémique radicale contre le "droit bourgeois" de 1975, ou même la tolérance passagère du printemps de Pékin en 1978.

L'appareil du Parti et ses 40 millions de membres n'ont pas disparu ; mais ils ont été fréquemment mobilisés d'en haut vers le pragmatisme. C'est en particulier vrai du domaine économique, où des années (depuis 1978) de réformes produisent des effets décisifs. Ainsi, le 20 octobre 1984, une décision du Comité central sur la réforme du système économique proclame que la Chine *"a eu l'audace de briser le carcan des idées "de gauche"*, dénonce *"la structure économique sclérosée"* et *"l'égalitarisme"*, la *"centralistion excessive"*, prône *"la concurrence"*, et conclut que *"la politique visant à encourager une partie des gens à s'enrichir avant les autres est conforme aux lois de développement du socialisme et constitue la voie sine qua non qui mène à la prospérité de toute la société"*.

On aurait tort de voir dans ces propos une conversion soudaine aux vertus de la concurrence parfaite. Mais ce discours vient cautionner un mouvement, assurément moins étincelant,

9. Voir le tableau chronologique.

10. Voir Harry Harding, "From China, with Disdain : New Trends in the Study of China", *Asian Survey,* octobre 1982, pp. 934-958.

11. Orville Schell, "The New Open Door", *The New Yorker,* novembre 1984, p. 106.

12. John K. Fairbank, "Maritime and Continental in China's History", *Cambridge History of China*, vol. 12, pp. 1-27, Cambridge, 1983.

13. Voir les encarts sur la nouvelle direction du Parti communiste chinois et sur la structure du gouvernement.

14. à la suite d'une intervention de Hu Yaobang du 20 décembre 1984.

mais qui fait boule de neige. Les campagnes économiques pragmatiques, précédées, favorisées et relayées par l'approbation populaire, ont entraîné la décollectivisation agraire, la renaissance des activités privées les plus diverses, la décentralisation partielle et le bouleversement des équilibres et des mécanismes financiers qui avaient prévalu sans interruption de 1950 à 1978.

Les résultats sont aussi éloquents que la surprise à leur annonce. En 1978, Hua Guofeng, alors Premier ministre, avait annoncé des objectifs fort élevés pour 1985 : le plus utopique semblait l'élévation de la production céréalière de 300 à 400 millions de tonnes. Par des moyens bien différents de ceux qu'il avait prévus, la production céréalière s'est élevée à 407 millions de tonnes en 1984. La hausse considérable des revenus individuels, l'essor indéniable d'une consommation de masse (près de 10 millions de téléviseurs en 1984...) marquent une transformation de l'assise de l'économie. En témoigne aussi l'essor du commerce extérieur : en six ans, il est passé de 5,6 % à 9,6 % du PNB. Quant à l'importance des réserves en devises et en or, dont la Chine est devenue le septième détenteur mondial, elle constitue plutôt un contrepoids qui freine la modernisation technologique, mais assure la stabilité de l'édifice.

Cette expansion accompagnée de réformes ne pouvait s'accomplir sans la rentrée de la Chine sur la scène internationale. On en connaît les étapes[15]. Ce retour accompagné de liens économiques étroits avec le Japon, premier fournisseur et premier client, et d'une relation malaisée, mais décisive, avec les Etats-Unis, indique-t-il que la Chine, qui reste en voie de développement, va néanmoins s'amarrer durablement au vaisseau des économies développées et des pays à croissance rapide ? Sur le plan des échanges économiques, la tendance dominante est en effet celle-là. Et il est indéniable que l'Occident, et avant tout les Etats-Unis, exercent une grande fascination sur la population urbaine chinoise.

Mais cette révolution extérieure, beaucoup plus souvent reconnue en Occident que l'évolution interne, doit être évaluée à l'aune des intérêts nationaux chinois. La question nationale elle-même reste posée : en voie de règlement à Hong-Kong, mais encore insoluble à Taiwan. La Chine reste impliquée dans des conflits de frontières (Union soviétique, Inde, Vietnam, et même Asie du Sud-Est pour le domaine maritime), dans des querelles de suzeraineté avec des pays autrefois tributaires (Indochine) ou éclatés par trois décennies de "rideau de bambou" (Corée du Nord). Il se produit aussi des évolutions sensibles dans la querelle qui subsiste avec l'Union soviétique. Tout ceci contribue à faire de la politique extérieure chinoise un ensemble complexe, et mouvant.

Depuis 1949, l'ouverture chinoise s'est faite d'abord par impulsion volontaire vers l'Union soviétique, voie alternative de modernisation (1949-1959), puis par évolution instable, et remise en cause fréquemment, vers l'Ouest (1964-1979). Au cours des cinq dernières années, l'ampleur des oscillations et des polémiques s'est affaiblie, tandis que la Chine rééquilibrait ses relations extérieures.

Peut-on par conséquent faire l'hypothèse de la maturité ? Celle-ci va-t-elle perpétuer les institutions et les compromis légués par le Parti communiste ? Ou bien entraînera-t-elle également une rétraction de ses tentacules, le dépérissement de la dictature survenant en lieu et place du dépérissement de l'Etat prédit par les classiques du marxisme ?

Ces questions, pour hypothétiques qu'elles soient, doivent être posées. Car elles conditionnent la réussite du second souffle chinois, au-delà de la reprise actuelle, et constituent également une figure nouvelle dans la problématique du communisme.

2.1. LE COURS POLITIQUE : DEMAOISATION ET LIBERALISATION

Libéralisation n'est pas libération, comme l'ont appris les peuples à l'est de l'Elbe.

De prime abord, le cas chinois semble plus difficile encore : l'ampleur des crises politiques et des purges survenues avant la mort de Mao Zedong suggèrent une instabilité chronique. La personnalisation renouvelée autour de Deng Xiaoping, né en 1904, implique même une

---

15. Voir l'encart sur les étapes de la reconnaissance internationale de la Chine.

Flux et reflux de la révolution chinoise (1949-1984)

1er octobre 1949 : Proclamation de la République populaire de Chine.

14 février 1950 : Signature d'un traité de paix et d'amitié pour trente ans avec l'Union soviétique.

1949-1952 : Grandes campagnes de masse (réforme agraire, loi sur le mariage, mouvements politiques).

27 juin 1950 : Truman envoie la flotte américaine dans le détroit de Taiwan.

1953-1957 : Premier plan quinquennal, mis en place progressivement.

Juin 1953 : Premier recensement démographique (583 millions d'habitants).

Novembre 1953 : Etatisation du commerce des céréales.

Septembre 1954 : Adoption de la première Constitution.

18 avril 1955 : Zhou Enlai à la conférence afroasiatique de Bandoung.

31 juillet 1955 : Mao Zedong lance l'accélération de la collectivisation agraire.

Janvier 1956 : Collectivisation rapide de l'industrie et du commerce urbains.

25 avril 1956 : Mao Zedong critique le modèle économique stalinien et lance une libéralisation.

23 octobre 1956 : La Chine populaire approuve l'intervention armée soviétique à Budapest.

27 avril-8 juin 1957 : Grande campagne des Cent Fleurs ; la critique est autorisée et s'amplifie.

8 juin 1957 : Lancement de la campagne antidroitière contre les éléments critiques.

2-7 novembre 1957 : Mao en visite à Moscou réclame sans succès une aide nucléaire accrue.

Hiver 1957-1958 : Mobilisations massives des travailleurs.

Mai 1958 : Lancement officiel du Grand Bond en avant.

1959-1961 : Les "trois années noires" de recul économique et de famine.

2-16 août 1959 : Mao sort victorieux d'une violente remise en cause au plenum de Lushan.

16 juillet 1960 : L'Union soviétique suspend toute assistance à la Chine.

Novembre 1960 : Remise en cause progressive des méthodes du Grand Bond.

Janvier 1962 : Autocritique de Mao Zedong, diffusée parmi les cadres.

20 octobre-21 novembre 1962 : Guerre sino-indienne.

1962-1965 : Retour à la voie classique dans l'économie ; affrontements feutrés entre dirigeants.

27 janvier 1964 : La France rétablit ses relations avec la Chine populaire.

30 août 1964 : La Chine refuse de participer à une conférence mondiale des partis communistes.

16 octobre 1964 : Premier essai nucléaire chinois.

16 mai 1966 : Lancement de la Révolution culturelle.

1966-1968 : L'ère des Gardes rouges ; épuration des milieux urbains et des cadres communistes.

1969-septembre 1971 : L'armée renforce son influence.

Septembre 1971 : Disparition du maréchal Lin Biao, dauphin de Mao.

Mars 1969 : Graves incidents sino-soviétiques sur l'Oussouri.

25 octobre 1971 : Admission de la Chine populaire à l'ONU.

1972-1976 : Retour progressif des cadres classiques et luttes de factions autour de la succession de Mao.

Février 1972 : Visite de Richard Nixon et communiqué de Shanghaï.

Septembre 1972 : Le Japon reconnaît la Chine populaire.

1972-1973 : Achats importants au Japon et en Occident.

Janvier 1974 : Zhou Enlai présente les "quatre modernisations" à l'Assemblée nationale.

Avril 1975 : Mort de Chiang Kai-shek à Taiwan.

Janvier 1976 : Mort de Zhou Enlai.

Avril 1976 : Manifestations contre le maoïsme à Pékin et dans d'autres grandes villes.

9 septembre 1976 : Mort de Mao Zedong.

7 octobre 1976 : Arrestation de Jiang Qing (Mme Mao) et de dirigeants ultramaoïstes.

1976-1978 : Epuration des activistes de la Révolution culturelle et retour au régime économique classique.

Juillet 1977 : Deng Xiaoping revient au pouvoir.

Juillet 1978 : Publication de l'autocritique faite par Mao en juillet 1962.

Décembre 1978 : Lancement de la libéralisation de l'agriculture et critique des dirigeants conservateurs.

Janvier 1979 : Reconnaissance par les Etats-Unis ; Deng Xiaoping en visite à Washington.

Janvier 1979 : Chute du régime khmer rouge au Cambodge.

Février 1979 : La Chine attaque le Vietnam.

A partir de 1979 : Démaoïsation officieuse et nombreuses réformes politiques et économiques.

Septembre 1979 : Premières négociations sino-soviétiques.

Août 1980 : Chute de Hua Guofeng, Premier ministre jusque-là.

Novembre 1980 : Ouverture du procès de la bande des Quatre.

Juin 1981 : Deng Xiaoping effectue une semi-retraite, qui lui permet de valoriser ses partisans à la direction.

Novembre 1981 : Début de la polémique avec l'Administration Reagan sur Taiwan.

Août 1982 : Communiqué sino-américain sur le problème de Taiwan.

Septembre 1982 : Au XIIe Congrès du PCC, le renouvellement des deux tiers du Comité central marque la victoire des réformateurs.

Novembre 1982 : Huang Hua, ministre des Affaires étrangères, assiste aux funérailles de Leonid Brejnev.

Août 1983 : Lancement d'une campagne nationale contre la criminalité.

Août 1983 : Hu Yaobang, secrétaire général du PCC, affirme l'intention chinoise de récupérer Hong-Kong en 1997.

Octobre 1983 : Lancement de la campagne contre la "pollution spirituelle venue d'Occident".

Avril 1984 : Ouverture de quatorze villes au régime des zones économiques spéciales.

20 octobre 1984 : Une directive du Comité central accentue la réforme et la décentralisation de l'économie.

Septembre 1984 : Accord sino-anglais sur le statut de Hong-Kong après 1997.

Décembre 1984 : Visite en Chine d'I. Arkhipov, vice-premier ministre d'Union soviétique.

fragilité biologique du cours nouveau : Deng lui-même s'efforce de rassurer les "amis étrangers" quant à la continuité de son héritage[16]. Si le culte de Mao et l'essentiel de sa politique, sinon de son style de gouvernement, ont disparu moins de trente mois après sa mort, qu'en sera-t-il de l'actuelle ère des réformes ?

Mais la démaoïsation repose sur un personnage aux titres historiques beaucoup plus forts que ceux d'un Khrouchtchev. Deng est un acteur de la révolution depuis ses débuts, proche de Mao qui l'a promu jusqu'en 1959, victime lui-même des purges ultérieures et non pas complice de l'appareil répressif. Il a par conséquent focalisé autour de lui une allégeance double : celle du compagnonnage révolutionnaire - militaire, partisan puis gouvernemental -, mais celle aussi de la population désillusionnée par les divagations et les outrances d'un pouvoir autocratique. Tout comme Mao lui-même détenait à la fois le contrôle de l'appareil et le monopole de la dénonciation de celui-ci, Deng Xiaoping règne de façon multiple.

Constamment plus effacé que son ancien parrain, il prépare la relève des générations plus efficacement que celui-ci.

La victoire des réformateurs

La stratégie politique de Deng a peu varié depuis douze ans : elle s'est simplement abritée au départ derrière l'autorité de Zhou Enlai, l'éternel modérateur du maoïsme, avant de cheminer patiemment jusqu'en décembre 1978 : depuis lors, elle éclate au grand jour.

Il s'agit d'abord de réhabiliter progressivement l'ensemble des victimes du maoïsme, à l'intérieur comme à l'extérieur de l'appareil. Des hommes aussi différents que Peng Zhen, ex-maire de Pékin et cible de la Révolution culturelle, mais aussi persécuteur des contestataires de 1957, et Wang Meng, écrivain talentueux purgé précisément dès 1957, aujourd'hui membre du Comité central, se trouvent réunis. Entre 1973 et 1984, ceux qui n'avaient pas succombé aux persécutions sont presque tous retournés à leur poste de direction ou de travail : cela représentait des millions de personnes.

Ce reflux a été accompagné d'une colonisation des postes-clefs de l'appareil : la direction des cadres du Parti, les services de police et de sécurité, les commandements de régions militaires. Hua Guofeng, le terne successeur désigné par Mao, s'est trouvé ainsi isolé au sommet d'un appareil dont les rouages, puis les thèmes politiques, lui échappèrent.

16. Discours au plenum du Comité central des 17-20 octobre 1984.

17. Il est remarquable que ces deux occasions lui aient values des difficultés intérieures.

La nouvelle direction du Parti communiste chinois

Sous la conduite de Deng Xiaoping, qui oriente la politique depuis sa semi-retraite, le PCC s'est beaucoup renouvelé. On y trouve notamment :

- Hu Yaobang, secrétaire général (depuis février 1980) et président du Comité central (depuis juin 1981) ;
- le comité permanent du Bureau politique, composé de Hu Yaobang (février 1980), Ye Jianying (août 1969), Deng Xiaoping (juillet 1977), Zhao Ziyang (février 1980), Li Xiannian (août 1977) et Chen Yun (décembre 1978) ;
- le secrétariat du Comité central, organe de travail administratif recréé en février 1980, qui tend à éclipser le rôle du Bureau politique. Il comprend 9 titulaires et 2 suppléants ;
- le Bureau politique, composé de 24 titulaires et 3 suppléants ;

- la Commission militaire du Parti, traditionnellement présidée par le détenteur du pouvoir politique : c'est Deng Xiaoping (juin 1981), assisté de Yang Shangkun, 3 autres vice-présidents et 4 membres pleins ;
- la Commission des conseillers du Comité central, créée en septembre 1982, a permis de mettre en semi-retraite de nombreux vétérans sans épuration. Elle est présidée par Deng Xiaoping et comprend 172 conseillers ;
- la Commission de contrôle de la discipline, créée en décembre 1978, présidée depuis lors par Chen Yun, comprend 132 membres ;
- l'Ecole centrale du Parti, au rôle de formation important, est dirigée par Wang Zhen (février 1980) ;
- le Comité central, issu du XIIe Congrès de septembre 1982, comprend 210 membres titulaires et 138 suppléants. 211 d'entre eux y siègent pour la première fois.

A partir de 1978, le dessein de Deng allait être servi par le mouvement de la société. Le dégel entraînait révélations et dénonciations accablantes pour des adversaires contraints tout à la fois de se démarquer des crimes passés et de s'appuyer sur l'héritage maoïste ; les difficultés d'application des premières mesures économiques devenaient l'occasion d'approfondir les tares du système, et par conséquent d'accélérer les relèves de personnel et les mutations.

En même temps, Deng respectait deux impératifs tactiques : ne jamais apparaître lui-même à la pointe d'une réorientation ou d'une réforme, mais y déléguer un lieutenant susceptible d'être désavoué en cas d'échec ou de réaction hostile. Deng ne déroge à cette règle que pour des occasions bien précises : pour asseoir la crédibilité d'un rapprochement avec les Etats-Unis (décembre 1978) et pour annoncer à l'étranger la "punition" qui allait être infligée au Vietnam (janvier 1979), pour légitimer les zones économiques spéciales (mars 1984), pour lancer le dénouement des négociations sur le statut de Hong-Kong (1984) et enfin, comme il l'a lui-même reconnu, pour la campagne contre la criminalité (été 1983). Sur cinq cas, quatre concernent les relations de la Chine avec l'étranger et sa crédibilité.

Sa demi-retraite fictive en septembre 1982, mimétisant une tactique analogue de Mao à partir de décembre 1958, ne l'empêche pas de bénéficier du titre de "président Deng", et d'être le premier en toutes circonstances.

Maintenant une véritable "tactique du mikado" - souverain prestigieux dans l'ombre, son pouvoir est exercé par des féaux -, il a mené l'épuration de façon à la fois persistante et prudente. C'est sous la houlette de Hua Guofeng, ancien ministre de la Sécurité publique de Mao, qu'ont eu lieu en 1976-1977 l'essentiel des éliminations sanglantes (surtout au niveau de l'appareil provincial ou local) des partisans de la bande des Quatre[18]. Depuis lors, l'épuration se fait surtout par déplacement, mise à la retraite ou rétrogradation obscure, mais sûre. L'Assemblée nationale, la Commission des conseillers sont remplies de ces vétérans, qui, tout comme les anciens vice-Premiers ministres, ont généralement gardé leur rang après 1982.

Isoler ainsi les responsables politiques hostiles, mais préserver la sécurité physique et le bien-être matériel de la quasi-totalité des cadres élevés issus de la direction maoïste, tout en les menaçant constamment de rétrogradation ou de mutation : cette méthode a permis d'assurer une relève partielle, sans susciter une réaction collective de l'ordre de celle qui a destitué Khrouchtchev. Au surplus, la nouvelle politique économique fournit des bénéfices tangibles, auxquels les cadres, depuis les chefs d'équipe ruraux jusqu'aux officiers de l'armée, ne sont pas les derniers à puiser.

Appuyée sur ces éléments tactiques, la stratégie politique de Deng Xiaoping a ainsi périmé la fameuse "lutte entre les deux lignes" qui durait depuis 1956, et le cadre de références maoïste qui l'alimentait. Cette immense querelle, dont on oublie fréquemment qu'elle fut avant tout un levier politique plutôt qu'une vraie réflexion politique, se perd aujourd'hui dans les sables, cependant que les colonnes doctrinales de la presse s'étiolent[20].

Ce que nous savons, à ciel ouvert, des polémiques nouvelles qui les remplacent paraît souvent beaucoup plus technique et parfois non dénué d'un parfum familier. Ainsi, à la fin de l'année 1984, une polémique larvée a opposé partisans et adversaires de l'achat de technologies étrangères en puisant dans les réserves de devises accumulées[21]. L'affaire s'est conclue - provisoirement - par un remaniement ministériel donnant raison aux partisans de la prudence. Il en a été de même, depuis 1979, pour les controverses portant sur le taux d'investissement, sur la répartition des investissements, et sur l'ensemble des sujets économiques.

---

18. Wojtek Zafanolli, *Le Président clairvoyant contre la veuve du Timonier,* Payot, Paris, 1981.

19. Le Bureau politique lui-même, où stationne toujours le maréchal Ye Jianying, grand vieillard dont la tentative de coalition centriste a échoué au printemps 1983, paraît une instance éclipsée par le Secrétariat, peuplé de dirigeants nouveaux, et le Comité central, renouvelé à 60 % en septembre 1982.

20. Voir l'ouvrage classique de F. Schurmann, *Ideology and Organization in Communist China,* Berkeley, 1968, pour les fondements de ce débat avant la Révolution culturelle.

21. Voir *China Daily,* 24 novembre 1984, pour ce qui a été présenté comme l'annonce de cette décision, et la présentation du débat.

La structure du gouvernement

Le gouvernement central de la Chine populaire est à la fois marqué par la continuité, depuis l'établissement en 1949 du Conseil des affaires d'Etat coiffant les ministères spécialisés, à la soviétique ; et par des restructurations successives, la plus importante étant survenue en février-avril 1982. A cette dernière date, le nombre de ministres et vice-ministres, qui avait connu une inflation majeure, fut réduit, et de nombreux ministères ou commissions supprimés ou fusionnés. De 52 ministères et commissions, on est revenu à 41 - mais la pression inflationniste a repris depuis. Surtout, le nombre des ministres et vice-ministres a été réduit de 505 à 167, leur âge moyen tombant de 64 à 58 ans.

De 1977 à 1982, de nombreux ministères - en particulier ceux qui avaient trait à des fonctions économiques - avaient connu une valse des titulaires. Les aléas des réformes, les oppositions de clans, les accusations de corruption, la volonté de promouvoir et tester des responsables nouveaux, contribuaient à cette instabilité. Depuis 1982, les mouvements sont moins fréquents, tandis que la restructuration interne à chaque ministère progresse plus rapidement. Toutefois, deux ministères importants changent de titulaires en mars 1985 et six autres en juin 1985.

Une mention spéciale doit être faite de l'Assemblée nationale populaire. Détentrice théorique de la légitimité gouvernementale, elle ne se réunit en session plénière qu'une fois par an. Mais son Comité permanent, et les présidents de commissions spécialisées qui le constituent, jouent aujourd'hui un rôle plus important que dans le passé. La personnalité de certains de ses membres, vétérans conservateurs, fait de ce "parlement" un contre-poids autoritaire à un gouvernement plus réformateur.

Composition du gouvernement[1]

Président de la République : Li Xiannian (juin 1983)

Vice-président : Ulanhu (juin 1983)

Comité permanent de l'Assemblée nationale (133 membres) : président : Peng Zhen (juin 1983)

Conseil des affaires d'Etat

- Premier ministre : Zhao Ziyang (septembre 1980)[2]
- vice-Premiers ministres : Wan Li (avril 1980)
Yao Yilin (avril 1982)
Li Peng (juin 1983)
Tian Jiyun (juin 1983), qui est également secrétaire général du gouvernement
- conseillers d'Etat[3] (rang théorique de vice-Premiers ministres)(10) : Yu Qiuli, Geng Biao, Fang Yi, Gu Mu, Kang Shien, Chen Muhua, Bo Yibo, Ji Pengfei, Huang Hua, Zhang Jingfu
- ministères ou commissions ayant rang de ministère (45) :
. Affaires étrangères : Wu Xueqian (novembre 1982)[2]
. Défense nationale : Zhang Aiping (novembre 1982)[2]
. Commission du plan d'Etat : Song Ping (juin 1983)[2]
. Commission économique d'Etat[3] : Zhang Jingfu (avril 1982)[2]
. Commission d'Etat pour la réforme du système économique[3] : Zhao Ziyang (avril 1982)[2]
. Commission d'Etat pour les sciences et les techniques : Fang Yi (mars 1978)
. Commission scientifique, technique et industrielle pour la défense nationale : Ding Henggao (juin 1985)
. Commission d'Etat pour les affaires des nationalités : Yang Jinren (mars 1978)
. Commission d'Etat pour l'éducation : Li Peng (juin 1985)
. Sécurité publique : Liu Fuzhi (juin 1983)
. Sécurité d'Etat[3] : Ling Yun (juin 1983)
. Affaires civiles : Cui Nafu (avril 1982)
. Justice[3] : Zou Yu (juin 1983)
. Finances : Wang Bingqian (avril 1982)[2]
. Commission des comptes[3] : Yu Mingtao (juin 1983)
. Banque populaire de Chine[3] : Chen Muhua (avril 1985)[2]

Commission militaire centrale (avril 1982) : président : Deng Xiaoping (avril 1982)

---

1. La date d'élection ou de nomination figure entre parenthèses.

2. Cumul de responsabilités ministérielles.

3. Ministère ou commission créé depuis avril 1982.

Le dynamisme des réformes et la révolution culturelle qu'elles entraînent ont pour ainsi dire dédoublé le débat politique : d'un côté, partisans et adversaires de la manière forte en politique ou en criminalité et de la continuité idéologique s'affrontent toujours à mots couverts : mais les vraies incertitudes portent sur le rythme des transformations sociales et économiques. En introduisant et en légitimant la technicité du débat, Deng a mis hors jeu nombre de ses adversaires.

Cette avancée des réformes peut paraître excessivement rapide, eu égard aux contraintes politiques. Bien des gestionnaires, rescapés du socialisme classique des années 50, ou responsables de l'intendance lors de la Révolution culturelle, n'avaient jamais cautionné, en se ralliant à Hua Guofeng ou même Deng Xiaoping, qu'un ordre rassurant, assis à nouveau sur la trinité du Parti, de l'industrie lourde et de l'armée.

Ceux-là mêmes qui partageaient avec Deng Xiaoping une aversion profonde pour les cadres maoïstes ont dû souvent être irrités par l'ampleur des changements, et inquiets des répercussions sur le pouvoir politique. Le vent des réformes a successivement désarçonné ou mécontenté bon nombre de ces grands commis : mais jamais en même temps, et rarement sur des lignes politiques.

Aucune coalition régressive n'a donc pu voir le jour. La légitimité du système politique est aujourd'hui largement investie dans le redressement des erreurs et des excès passés. Deng Xiaoping n'a laissé publier de lui, en définitive, que des *Œuvres* et des *Discours choisis* aseptisés et prudents. Bien plus importante est la vogue des écrits et mémoires d'autres dirigeants, y compris parmi les victimes ou les minoritaires célèbres : les mémoires de Peng Dehuai, vieux soldat qui résista isolément au lancement du Grand Bond, tout comme les écrits de Chen Yun depuis 1956 : à lire les positions de ce prophète des réformes, défenseur courageux de l'intérêt paysan, que Mao marginalisa, on comprend que ce type de dirigeant peut s'opposer résolument sur des décisions sectorielles à ses collègues, mais ne rompra pas sa fidélité à Deng Xiaoping[22].

On ne saurait passer sous silence le dernier élément de la victoire des réformateurs : le consensus populaire. L'argument est délicat dans un régime qui a usé et abusé de la "ligne de masse". Il prône aujourd'hui une pratique électorale dont les effets sont réels sur le plan local, permettant le remplacement d'innombrables cadres. L'application à des niveaux plus élevés n'est évidemment possible qu'à l'intérieur du Parti et de ses candidats. Pour la première fois en 1984, les communistes du Shaanxi auraient sélectionné, puis élu leur secrétaire provincial parmi une douzaine de candidats[23].

Il existe en fait pour l'avenir deux voies possibles pour la démocratisation. L'une, éminemment classique et superficielle, passe par la réhabilitation des vieilles institutions de Front uni : c'est chose faite en 1980 pour la Conférence politique consultative du peuple chinois (CPCPC), rassemblant des représentants des ex-partis "démocratiques" ralliés, des minorités religieuses ou ethniques, et des élites "bourgeoises". Le glissement parallèle du recrutement du PCC vers le potentiel éduqué et les experts pourrait renforcer cette tendance.

L'autre consisterait en l'adoption, pour des niveaux d'élection progressifs, de la possibilité

de candidats hors parti - *dangwai* - comme on les appelle littéralement à Taiwan. Sur cette île qui reste dirigée par le Kuomintang, en effet, celui-ci dispose d'une majorité automatique, mais doit réserver une part croissante des élus à d'autres candidats, en fonction des suffrages électoraux. Ce compromis aménageant la dictature paraît une des meilleures chances pratiques pour la Chine de demain.

Mais ces limitations évidentes n'empêchent pas le régime actuel, tel qu'il est, d'être soutenu. D'abord par la peur du retour au passé maoïste ; ensuite par l'ampleur des concessions faites à la consommation individuelle, et par l'ouverture de chances appréciables pour une fraction de la population : études à l'étranger, promotion des experts, entreprises individuelles et enrichissement paysan, qui s'accompagne d'une mobilité sectorielle et géographique nouvelle, sont quelques-uns des maillons d'une chaîne qui laisse en définitive peu d'exclus ; enfin, l'ampleur des résultats atteints depuis 1978 sous-tend une fierté nationaliste retrouvée.

Les inévitables tensions inhérentes à ces bouleversements et à une croissance dynamique, l'impression de voir un nouveau règne des *carpetbaggers* succéder aux dogmes austères du maoïsme, ont parfois été interprétés comme l'amorce d'une coalition antiréformatrice, non pas politique mais sociale[25].

Soldats privés de leurs privilèges dans la société, paysans pauvres dépassés par leurs voisins et privés de la solidarité des structures collectives, ouvriers soudain asservis aux cadences et à la mobilité de l'emploi, fonctionnaires et étudiants aux revenus fixes : ce cocktail, décrit souvent avec une joie secrète par les adversaires

---

22. Les discours de Chen Yun sont aujourd'hui traduits : N. Lardy et K. Lieberthal, *Chen Yun's Strategy for China's Development : A Non-Maoist Alternative*, New York, 1983.

23. On relève toutefois que l'heureux élu se trouve avoir été un compagnon proche de Hu Yaobang dans la Ligue de la Jeunesse communiste des années 50.

24. L'équipe chinoise aux Jeux olympiques de Los Angeles remplace aisément la galerie des hommes de marbre maoïstes.

25. On trouvera une analyse pénétrante du rôle d'un tel blocage, associant les conservateurs politiques aux mécontentements populaires, à la fin de l'Empire chinois dans Joseph W. Esherick, *Reforme and Revolution in China : The 1911 Revolution*, Berkeley, 1976.

de l'évolution, pouvait, une fois pimenté du désarroi de cadres et d'activistes politiques, devenir explosif et interrompre l'expérience.

Jusqu'ici, le contrôle au sommet du jeu factionnel, la gestion prudente mais sans indécision des malaises sociaux, le dynamisme même de la réforme ont contenu cette éventualité.

Cette dialectique entre la réforme et le contrôle n'est pas nouvelle, elle marque même toute l'histoire classique. En l'absence d'une démocratie politique, le pouvoir étatique, avec ses privilèges mais aussi ses courants rénovateurs et conservateurs, et le magma en fusion d'une société éternellement sous-administrée s'interpénètrent. Sun Yat-sen parlait au début du siècle d'une société faite de "sables mouvants", Mao a fait l'éloge du chaos à chaque fois que celui-ci lui convenait, avant de le réprimer. Nous assistons aujourd'hui à un nouvel avatar de cette problématique.

L'institution du droit

Au cœur du débat sur l'avenir de la libéralisation et de l'ouverture se trouve le problème de la réversibilité des mesures adoptées. Toute l'histoire du communisme chinois est imprégnée de ces phases de concession ou de modération tactique, où Mao excella jusqu'en 1957. La politique extérieure de la Chine incite elle aussi à la prudence : n'a-t-elle pas réactivé un conflit frontalier avec chacun de ses voisins ? Enfin, la Chine, longtemps exclue des institutions internationales, est restée très soucieuse de préserver avant tout sa souveraineté.

A défaut de ce que le pouvoir secrète une vie politique authentique, passant par des contrepoids institutionels et des garanties dont il ne serait pas le seul gardien, l'intangibilité des mesures adoptées ne peut être présumée. La Chine possède une pléthore d'organismes et d'assemblées diverses : ils illustrent parfois des tendances divergentes, mais sont tous dans la main du Parti et ne peuvent fondamentalement s'y opposer.

Faut-il en déduire que les libertés juridiques, l'immunité pratique à la persécution, l'autonomie économique croissante des régions, des entreprises et des personnes physiques, l'édifice des contrats régissant les investissements étran-

gers et le commerce extérieur, ne constituent qu'un fragile château de cartes ?

Ce serait négliger le succès même qu'ont entraîné ces mesures, et la synergie qui existe avec la modernisation de l'économie. A la différence des compromis tactiques du communisme traditionnel - et que pratique encore aujourd'hui le gouvernement vietnamien, par exemple - les réformes de Pékin créent des mécanismes et des forces nouvelles. Début 1985, il est encore possible de revenir sur certains points avancés des réformes : réunifier les compagnies d'aviation régionales qui apparaissent ou réinstaurer la pratique générale des visas d'entrée, recentraliser le contrôle étatique du crédit en devises, freiner aussi la corruption liée au commerce extérieur. Et bien sûr, de nombreux articles de la Constitution de 1982, précédée du Code pénal de 1980, laissent aux autorités entière latitude en cas d'activité "contre-révolutionnaire" visant le "système socialiste"[26].

Le climat politique d'ensemble peut lui aussi s'assombrir, au gré des problèmes de succession et de la compétition interne aux dirigeants chinois. L'institutionnalisation du pays a toutefois immensément progressé, dans un sens qui restreint considérablement la portée des initiatives unilatérales du Parti : ses fonctions de contrôle parallèle, de recrutement d'activistes locaux et de mobilisation de masse sont aujourd'hui désuètes[27]. Non seulement le Parti n'est plus la seule voie pour l'ambition individuelle (sauf au sommet), mais il n'est sans doute plus le meilleur chemin.

Textes juridiques, professions légales, argumentations tirées du droit sont en pleine expansion quantitative : d'abord pour les différends entre parties privées, puis pour les délits de droit commun et le droit administratif, enfin pour une partie des délits politiques. Le principe même de la responsabilité judiciaire du Parti et de l'Etat - donc de leur faillibilité de circonstance, sinon de principe - a été reconnu par les tribunaux, même si aucune séparation judiciaire réelle ne vient étayer cette avancée.

26. Voir le rapport équilibré d'Amnesty International, *Chine : les prisonniers d'opinion et la peine de mort en RPC*, Paris, 1984.

27. Voir notamment Brantly Womack, "Modernization and Democratic Reform in China", *Journal of Asian Studies*, vol. XIIII, n° 3, mai 1984.

D'une part, l'extension d'un droit privé, couvrant aussi les relations contractuelles avec l'administration, est visible. D'autre part, la naissance d'un droit public étend les droits individuels des citoyens : il s'agit en l'occurence plutôt d'une zone d'indifférence, où les citoyen est protégé contre l'arbitraire sans cause des pouvoirs politiques, que d'une zone d'immunité véritable. Les droits de la personne n'avancent pas tant que l'intervention de l'Etat ne recule pas.

Qui plus est, cette évolution est en Chine à la fois jurisprudentielle et pragmatique, ce qui en explique la solidité. Historiquement, l'évolution est sans doute venue des profondeurs de la campagne chinoise. Là où la confrontation entre le paysan individuel et les collectifs étatiques de divers niveaux suscitait à la fois abus d'autorité et déclin de la productivité, une grande part de la libéralisation est passée par l'élargissement du domaine des contrats commerciaux à valeur juridique : entre les collectifs et l'Etat, entre les premiers et les paysans qui en sont membres, d'une entreprise à une autre et au travers des secteurs de production. Dans le domaine essentiel de la production céréalière, cette contractualisation a servi de transition avant la libération complète de la production et du marché à l'échelle nationale en janvier 1985 : ainsi, progressivement, ont été démantelés les bureaux d'achat et de vente unifiés de l'Etat. De même, hors l'édifice abstrait du Plan, les rapports commerciaux, de sous-traitance ou de distribution, ont pu se nouer d'une province à une autre, sans la tutelle lourde des administrations centrales.

Jamais la contradiction entre l'intérêt privé et la gestion collective, entre l'anarchie individuelle et l'économie de commandement, n'aurait pu être surmontée sans l'apparition de ce droit commercial. Il est actuellement renforcé par la formation, reprise dans les universités, de juristes : environ 2 000 diplômés par an, formés selon les principes anglo-saxons du *case study*, et de la jurisprudence. Officiellement, les besoins ont été évalués à 400 000 juristes.

Mais, dans certains domaines, le vide juridique, qui était avec les arrangements mutuels fondés sur la confiance une tradition chinoise immémoriale, fait place à un hyperjuridisme retors : ainsi en va-t-il du domaine des investissements et de celui du commerce avec l'étranger.

Ici, bien imprudent est l'homme d'affaires étranger (notamment issu d'un pays de droit romain...) qui s'imagine voir les points obscurs ou les omissions d'un contrat résolus selon les principes d'équité et d'arbitrage mutuel. En vérité, c'est la lettre stricte des contrats et la juridiction d'attribution[29] qui règlent les querelles. L'héritage historique des interminables querelles entre tribunaux chinois et juridictions des anciennes concessions internationales reste vivace. Ceux qui ne balisent pas l'ensemble des possibles avec des clauses de sauvegarde, ou qui croient à la réalité d'une vente avant la conclusion formelle d'un accord, risquent d'amères déconvenues : telle a été l'expérience des sidérurgistes japonais, des avionneurs de tout l'Occident[30], et d'espoirs trop nombreux en matière de centrales nucléaires.

Droit commercial et réglementation des investissements doivent satisfaire à des exigences souvent contradictoires : d'une souveraineté chinoise pointilleuse et d'une compatibilité avec le droit des affaires international - et surtout avec les exigences des investisseurs ou des prêteurs. Cet édifice juridique, qui assure une circulation financière entre deux systèmes opposés, a lui aussi encouragé la décentralisation et la montée des pouvoirs régionaux ou locaux. Dans beaucoup de cas, le contrôle a posteriori s'est substitué à la décision administrative.

Zones économiques spéciales, zones prioritaires : cette ingénieuse combinaison d'extraterritorialité inavouée, de franchises sélectives et de prélèvements étatiques entraîne une reconversion des habitudes officielles et des schémas mentaux, une sécrétion juridique et gestionnaire intégrant la libre entreprise et l'Etat socialiste.

---

28. Un observateur français est fondé à mettre en parallèle cette évolution avec la maturation du droit administratif dans son pays : depuis la création bonapartiste du Conseil d'Etat jusqu'à l'arrêt Blanco de 1873, instituant les règles de responsabilité de l'Etat, jusqu'à l'indépendance très récente du Conseil d'Etat, il a fallu près de deux siècles. Voir Prosper Weil, *Le droit administratif*, Paris, 1983, p. 4.

29. Généralement chinoise jusqu'au passage en 1985 d'une loi reconnaissant dans certains cas des tribunaux étrangers.

30. Voir par exemple Martin Weil, "The Baoshan Steel Mill : A Symbol of Change in Chinese Industrial Strategy", dans *China under the Four Modernizations*, US Congress Joint Economic Committee, 1982.

Elle s'avère surtout fort contagieuse, malgré les barrières, parfois véritables barbelés électrifiés, mises en place autour de certaines zones économiques spéciales. Bien des municipalités ont obtenu leurs propres franchises sans grande base légale. En avril 1984, le système était étendu à quatorze cités côtières, et bientôt à des zones prioritaires qui recouvrent en pratique la plus grande partie de la Chine utile.

Après avoir voulu concentrer à l'extrême les virus importés, les confinant à quelques enclaves désignées qui retrouvaient le système de Canton du XIXe siècle, les autorités semblent au contraire vouloir l'étendre pour en diluer la nocivité. Tout comme Hong Kong a servi de sas avec le monde extérieur pendant l'autarcie maoïste, les zones spéciales auraient connu leur apogée pendant la transition vers l'économie ouverte, que Shanghaï et les villes industrielles du Nord seraient mieux qualifiées pour gérer[31].

Quoi qu'il en soit, il paraît évident que les nouvelles pratiques juridiques sont amenées à avoir un retentissement profond sur l'économie centralisée : les injections de technologies ou de capitaux sont à ce prix. Ces innovations juridiques, associant deux systèmes de gestion (et même trois, avec Hong-Kong...) au sein d'un même Etat, n'annulent pas les oppositions entre une façade maritime, en voie d'ouverture et d'industrialisation, et des régions enclavées, pauvres et archaïques. Mais elles font de la libéralisation un processus aux ramifications nombreuses, plutôt qu'une concession susceptible d'être confisquée. Et elles viennent ajouter leur poids à celui des secteurs où le système collectif a relâché son emprise.

31. Ce point de vue, qui reflète aussi les intérêts concurrentiels des divers appareils administratifs chinois, est résumé par la *Far Eastern Economic Review* du 9 mai 1985, pp. 70-71.

La question de Hong-Kong

La colonie britannique, qui deviendra une région administrative spéciale dénommée "Hong-Kong, Chine" en 1997, sera, de l'avis de tous les observateurs, un test essentiel de l'évolution juridique et politique de la Chine populaire. Avec ses 6 millions d'habitants au produit par tête d'environ 6 000 dollars, un des dix premiers commerces extérieurs du monde, représentant en 1984 179 % du produit domestique (grâce aux réexportations), un taux de croissance généralement voisin de 10 % (9,6 % en 1984), une place financière parmi les premières du monde, Hong-Kong représente une acquisition énorme pour la Chine populaire : près de 10 % de son PNB, bien plus en terme de dynamisme. Le fourmillement d'entreprises aux tailles les plus diverses, et qui sont loin de se résumer au célèbre "modèle de Hong-Kong" des économistes, la rapidité foudroyante d'adaptation aux contraintes et aux innovations, une inextinguible soif de consommation - et une liberté individuelle et politique sans équivalent asiatique (à l'exception bien sûr du Japon) mais aussi sans élections - : tout cela fait de Hong-Kong un cas à part.

L'accord conjoint sino-britannique du 19 décembre 1897 garantit une autonomie importante à Hong-Kong. La répétition du passé, de l'entrée à Shanghaï ou à Saïgon, semblent exclues : l'enjeu financier est d'ailleurs tel, et la part des institutions de Chine populaire si grande, que l'on ne voit pas bien comment le gouvernement chinois pourrait tuer la poule aux œufs d'or.

Pourtant, en dépit des assurances chinoises et britanniques, les omissions et les détails révélateurs abondent, qui indiquent pour les habitants de ce hâvre (dont 2,6 millions sont citoyens du Commonwealth, mais de seconde classe) un avenir plus restrictif. Problèmes de citoyenneté, élection à l'assemblée représentative de transition, sélection du futur gouverneur, attribution des droits d'atterrissage (sujet capital pour cette enclave...), indépendance des tribunaux, pour ne citer que ces rubriques délicates, sont en suspens après la signature des accords, ou sont tranchés avec imprécision. Il est évident dans ce contexte que seule la volonté de la Chine populaire prévaudra, en définitive. Elle ne rencontrera comme obstacles réels que la double nationalité ou les permis de séjour étrangers acquis par une fraction de la population aisée, et le déclin possible du rôle de Hong-Kong dans les transactions commerciales et financières. Le très faible délai de rentabilisation des capitaux investis sur place ne permet pas encore de mesurer à cet égard la confiance en l'avenir.

Il est certain que le rattachement de Hong-Kong à la Chine constituera une perte pour les habitants locaux. Mais les influences resteront-elles à sens unique ? La proposition de Deng Xiaoping "une Chine, deux systèmes" n'est-elle pas réversible ? Déjà, Hong-Kong vient renforcer, considérablement, la part du potentiel chinois ouverte sur l'extérieur, et son influence est grande, du domaine culturel et politique à la constitution d'un nouveau bloc de pratiques juridiques. La richesse, mais aussi la sensibilité internationale de la Chine s'en accroissent d'autant. Pour éviter une débâcle à Hong-Kong, la Chine devra conformer et affiner son respect et sa pratique des normes juridiques et de gestion. Suivant en cela le paradoxe formulé par A. Hirschman[1], selon lequel un pays en développement acquiert une meilleure formation à créer une ligne aérienne (qui ne tolère pas erreurs et négligences) plutôt qu'un chemin de fer (où l'à-peu-près règne sans grand dommage...), la Chine populaire apprendra peut-être à Hong-Kong le "pilotage" d'une économie avancée : cet apprentissage ne pourra que profiter aux expériences engagées en Chine même.

1. Voir A. Hirschman, *The Strategy of Economic Development,* Yale, 1958, p. 142.

2.2. L'ECONOMIE : LES BASES DE LA MODERNISATION

Historiquement parlant, la croissance de la Chine populaire est bien loin d'être négligeable. Il est très hasardeux d'avancer dans ce domaine des comparaisons internationales, tant les étalons, les systèmes de prix et les procédés d'évaluation diffèrent. La Chine populaire revendique, entre 1952 et 1978, une multiplication par sept de la valeur globale de sa production, soit un rythme annuel supérieur à 9 %[32].

A l'évidence, cette évaluation n'est pas faite pour être prise au sérieux, et reflète une nostalgie regrettable pour les prétentions abusives. Mais, en affectant les statistiques de base des correctifs nécessaires, la Banque mondiale est arrivée à des conclusions respectables : plus de 5 % de croissance annuelle du PNB entre 1957 et 1979, chiffre qui doit certainement être majoré si on élargit la période considérée pour y inclure les années de redressement 1949-1957, et le rebond de la croissance après 1982[33]. Même en opérant la réduction maximale due aux différences de prix, la croissance chinoise, globale ou par habitant, reste supérieure à celle de l'Inde, ainsi que de la moyenne des pays à bas revenus[34].

L'évolution s'est ralentie à deux reprises : de 1959 à 1965, en raison de la catastrophe du Grand Bond, et dans la dernière décennie. Cette dernière langueur est beaucoup plus complexe. D'une part, la base industrielle, une fois élargie, a buté sur la mauvaise planification, sur les déséquilibres sectoriels et la stagnation progressive de l'agriculture collective. La passivité de paysans privés de stimulants individuels, le sous-investissement chronique dans les campagnes et les carences du système commercial suggéraient en particulier un blocage agricole croissant. D'autre part, la restructuration économique qui a accompagné l'introduction des réformes, de 1979 à 1982, a ralenti la croissance industrielle.

Il est possible de juger le coût humain de ces résultats terrifiant, puisque le Grand Bond représente à lui seul l'accident démographique le plus notable de l'histoire chinoise. Mais il est impossible de présenter l'évolution globale depuis 1949 comme un échec. Les performances évoquées ci-dessus dépassent largement les taux de croissance antérieurs à 1949[35]. Elles s'expliquent aussi par la mobilisation des ressources permises par l'encadrement politique, par l'importante transfusion soviétique de 1950 à 1959, et aussi par la formation, sauf pendant la Révolution culturelle, d'une génération ouvrière et technicienne.

Ce jugement d'ensemble doit d'autant plus être rappelé qu'au mirage de la "voie chinoise" a trop souvent succédé une condamnation qui néglige la situation comparée des pays en voie de développement.

Mais cet aspect quantitatif doit lui-même être corrigé de l'important retard qualitatif de la Chine populaire à la fin des années 70 : processus industriels le plus souvent gelés à leur niveau d'innovation des années 50, faible productivité du travail, gâchis d'investissements volontaristes, carence totale de la sous-traitance et de la maintenance dans le domaine industriel ; archaïsme de la production agricole (qui mobilisait toujours près de 80 % de la population active...), sous-développement des secteurs non céréaliers, destruction fréquente de l'écosystème.

La stabilité des prix officiels - facteur d'adhésion passive des classes urbaines - était amplement compensée par le rationnement et les pénuries universelles, le sous-emploi de moins en moins déguisé, et l'atrophie des activités caractérisant tout autre pays en voie d'industrialisation : l'emploi dans les services, en particulier, avait été littéralement écrasé par le dogme maoïste du travail productif.

Le système monétaire et fiscal, enfin, recyclait essentiellement les ressources disponibles entre l'administration centrale et l'industrie lourde ou les grands équipements de base : un taux de formation brute du capital fixe (correspondant approximativement à la notion socialiste de taux d'accumulation) généralement supérieur à 30 % du PNB reconduisait, avec

---

32. *La Chine aujourd'hui*, présentation chiffrée des Editions en langues étrangères de Pékin, 1984.

33. *China, Socialist Economy Development*, vol. I (The Economy, Statistical System, and Basic Data), World Bank, 1983.

34. *Op. cit.*, p. 10.

35. Dwight H. Perkins (ed), *China's Economy in Historical Perspective*, Stanford, 1975.

La production industrielle

	1952	1957	1965	1977	1978	1979	1980	1981	1982	1983	1984
Energie :											
Charbon(1)	66	131	232	550	618	635	620	622	666	715	772
Pétrole(1)	0,436	1,458	11,310	77,060	93,640	104,500	106,1	101,2	102,1	106,1	114,5
Gaz naturel(2)	8	70	1.100	12.100	13.700	14.500	14.270	12.740	11.920	11.933	12.400
Electricité(3)	7	19	68	223	257	282	300	309	328	349	375
Engrais											
chimiques(1)	39	151	1.726	7.238	8.693	10.654	12.320	12.390	12.922	14.030	14.820
Acier(1)	1,3	5,4	12,2	23,7	31,8	34,5	37,1	35,6	37,1	40	43,4
Plastiques(1)	2	13	97	524	679	793	899	916	-	1 124	1 160
Tracteurs(4)	-	-	9.600	99.300	113.500	125.620	98.000	53.000	39.700	37.000	39.700
Tracteurs à main(4)	-	-	3.800	320.500	324.200	317.500	218.000	199.000	298.000	477.600	670.000
Véhicules à moteur(4)	-	7.900	40.500	125.400	149.100	185.700	222.000	176.000	-	239.000	-
Radio(5)	0,017	0,352	0,815	10,494	11,677	13,807	30,040	40,570	-	19,517	21,800
Télévisions(5)	-	-	0,004	0,285	0,517	1,328	2,492	5,394	-	6,820	9,960
Bicyclettes(5)	0,080	0,806	1,838	7,430	8,540	10,090	13,020	17,540	-	27,580	28,570
Ciment(1)	2,860	6,800	16,340	55,650	65,240	73,900	79,800	82,900	-	108,25	21,000

Sources : Banque mondiale ; Bureau des statistiques de l'Etat ; *Annuaire économique de la Chine.*
1. Millions de tonnes.
2. Millions de m3.
3. Milliards de kw/h.
4. Unités.
5. Millions.

La production agricole
(en millions de tonnes)

	1952	1957	1965	1977	1978	1979	1985	1981	1982	1983	1984
Céréales	164	195	195	283	305	332	318	325	353	387	407
Coton	1,30	1,64	2,10	2,05	2,17	2,21	2,70	3,00	3,00	4,64	6,08
Oléagineux	4,19	4,18	3,62	4,01	5,21	6,43	7,69	10,2	11,8	10,55	11,85

Sources : Bureau des statistiques de l'Etat ; *Annuaire économique de la Chine.*

La formation brute de capital fixe (FBCF) (en pourcentage du revenu national brut)	
Années	Pourcentage
1952	21,4
1957	24,9
1962	10,4
1965	27
1966	30,6
1967	21,3
1968	21,1
1969	23,2
1970	32,9
1971	34,1
1972	31,6
1973	32,9
1974	32,3
1975	33,9
1976	30,9
1977	36,5
1978	36,6
1979	33,6
1980	30,4
1981	28,5
1982	28,3
1983	29,3

Sources : Bureau des statistiques de l'Etat ; *Beijing Information.*

déperdition, une base industrielle digne d'un modèle stalinien caricaturé[36].

L'isolement du marché mondial, menaçait la reconduction de la croissance industrielle, faute d'apports et d'adaptation technologique adéquats. Largement autarcique, en effet, la Chine avait contenu son commerce extérieur en-dessous de 5 % du PNB, contre environ 10 % pour l'Inde, qui n'est pas elle-même un exemple d'économie ouverte[37]. A côté de spécimens isolés de progrès scientifique et technique qui étaient le fruit d'une intense mobilisation centralisée, l'industrie chinoise présentait souvent l'aspect muséologique que même un visiteur en Corée du Nord ne peut rencontrer à un tel point.

Ralentissement de la croissance ou second souffle ?

Vers la seconde moitié des années 70, les entraves d'une collectivisation pesante semblaient avoir rattrapé le développement chinois. Comme l'Union soviétique - mais infiniment plus tôt dans l'échelle de la croissance -, la Chine semblait entrée dans l'ère des rendements décroissants, de la productivité stagnante et des goulots d'étranglement de la production. Si l'égalitarisme assez poussé des zones développées et des villes[38] témoignait d'un contrôle social supérieur à celui des pays en voie de développement, un quart de la population chinoise vivait toujours dans un état de pauvreté isolée du monde extérieur, tandis que plus de 100 millions de personnes, de source gouvernementale, souffraient de disette chronique : pour ce dernier quart de la population, la situation était comparable à celle de l'Inde pauvre.

Dans les années qui ont suivi la mort de Mao Zedong, la presse chinoise, alimentée par le retour aux faits et par la volonté politique des réformateurs, a soudain fourmillé des révélations les plus précises, et parfois les plus accablantes, sur les carences de l'économie. Corruption, fraudes statistiques, incompétence, gâchis, absence de stimulants, prélèvements abusifs, prix artificiels, ignorance : il n'est pas un seul de ces défauts qui n'ait été inventorié.

La critique dépassait la remise en question des expériences les plus radicales du régime (Grand Bond ou Révolution culturelle) pour diagnostiquer une maladie structurelle. Mais, après vingt ans d'oscillation entre une gestion stalinienne classique sans en posséder tous les instruments, et un apport mobilisateur du maoïsme.

La répétition des mobilisations vaines du passé (comme ce fut dans une certaine mesure le cas avec l'annonce d'objectifs économiques trop

---

36. Voir le tableau sur la formation brute du capital fixe, ainsi que François Godement, "Financer le développement ou l'accumulation", *Tiers-Monde,* avril-juin 1981, et Claude Aubert, "L'économie chinoise et le modèle soviétique", *Politique étrangère,* n° 1, 1983.

37. La Banque mondiale retient une dépendance moyenne d'environ 11 % pour le groupe des pays en voie de développement à bas revenu, et de 18 % pour les pays industrialisés.

38. World Bank, *op. cit.,* pp. 88-89.

ambitieux au printemps 1978) ou une tentative de "routinisation" au profit de la stabilité politique semblaient devoir l'emporter.

Les mesures qui ont été adoptées depuis 1978 constituent au contraire une rupture avec l'une et l'autre. De portée inégale, elles représentent l'ambition, sur trois plans successifs, de réformer l'économie chinoise.

Ces trois plans peuvent être résumés ainsi :

- l'adoption de mesures stimulant la productivité individuelle : leur généralisation est acquise dès décembre 1978, mais elles continuent à s'étendre aujourd'hui. Primes, salaires liés à la productivité, ou revenus des ventes individualisés, retour à la hiérarchie des compétences et mesures de mobilité, répondent à cette préoccupation ;
- la restructuration des entreprises et de secteurs entiers de l'économie : répartition nouvelle de leurs investissements ; recours aux importations pour débloquer certains secteurs-clefs (énergie, engrais, métaux, pétrochimie, transports..) et exploiter les ressources naturelles (mines, pétrole et gaz) ; constitution de secteurs exporta-

Le système monétaire et bancaire chinois

Jusqu'en 1979 tout était - relativement - simple dans le système monétaire et financier chinois. Celui-ci était contrôlé par le ministère des Finances : il ordonnait les budgets nationaux et locaux, supervisant la Banque populaire de construction, qui allouait aux entreprises les fonds d'investissement. La Banque populaire de Chine, placée directement sous l'autorité du Conseil des affaires de l'Etat, gérait la masse monétaire, comme une banque centrale, mais assurait aussi les fonctions d'épargne, d'investissement et de prêts d'une banque d'affaires ou de dépôts.

Un ministère maître des allocations de ressources d'une part, une "monobanque" d'autre part : on reconnaît là les traits essentiels d'une économie collective planifiée, telle que l'URSS. Tout au plus peut-on remarquer que depuis le Grand Bond (1958) et la Révolution culturelle (1966), la fonction de contrôle des entreprises qu'exerce le système bancaire avait largement dépéri : larxisme financier et influences politiques avaient multiplié les projets dispendieux on non rentables.

Quant au *renminbi,* monnaie non convertible mais au cours fixé en fonction d'un panier de quinze devises, il jouait beaucoup plus un rôle passif, avec leur système de prix administrés. Une inflation officiellement quasi inexistante (mais un marché parallèle en dents de scie et des distorsions de prix considérables) palliait les faiblesses de l'appareil de planification.

Depuis l'introduction de réformes et l'ouverture de la Chine au monde extérieur, le système monétaire et financier s'est considérablement diversifié, au point d'échapper fréquemment au contrôle central. D'instrument d'allocation et de surveillance, il est devenu un assemblage hybride, où ces premières fonctions coïncident avec des aspects beaucoup plus proches d'un marché financier décentralisé, et parfois libre. L'introduction simultanée des capitaux étrangers, leur liberté d'emploi croissante en Chine, la présence d'innombrables organismes autorisés à détenir des devises, l'augmentation rapide des ressources financières disponibles accélèrent cette évolution.

Un rôle accru des banques

A partir de 1979, le système bancaire a été considérablement développé. Des organismes nouveaux sont créés pour traiter le commerce extérieur et les entreprises mixtes, ainsi

que les emprunts en devises ; la "bancarisation" de l'économie, en principe déjà obligatoire pour les transactions entre entreprises, s'est étendue : procédures de prêts financiers se substituant aux allocations de fonds d'investissement, drainage de l'épargne attirée par des taux d'intérêt accrus, emprunts effectués par le budget chinois pour couvrir son déficit et financés largement par le système bancaire.

La nouvelle structure bancaire est d'autant plus complexe qu'elle s'accompagne d'un renforcement très important des réseaux d'agences locales. Nul doute que le contrôle centralisé ne soit équilibré aujourd'hui par les influences et les choix locaux - quand ce n'est pas par l'autonomie bancaire pure et simple. L'"accident de parcours" du quatrième trimestre 1984 le démontre : les autorités ayant indiqué à l'avance que le niveau des prêts en devises atteint en 1984 servirait de point de référence pour 1985, les banques ont soudain accru leurs prêts - provoquant une baisse des réserves de devises de 2,84 milliards de dollars (près de 20 % du total) en moins de trois mois. Un resserrement du crédit en devises et le limogeage du président de la Banque populaire de Chine en mars 1985 sont venus également démontrer que ces dérapages et ces surchauffes passagères sont surveillés d'en haut.

Le système bancaire

Conseil des affaires de l'Etat (autorité gouvernementale de tutelle)

Définitions :

Rang 1 : Organisations à statut ministériel ou rattachées directement au Conseil des affaires de l'Etat ;
Rang 2 : Institutions placées sous la tutelle d'une organisation de rang 1 ;
Rang 3 : Filiales et agences provinciales, étrangères ou locales.

Rang 1 : Ministère des Finances qui supervise :
Rang 2 : Banque populaire de la construction, créée en 1954, à gestion autonome depuis mars 1979, attribue les fonds d'investissement et (depuis 1979) des crédits à court et moyen terme aux entreprises ;
Rang 3 : Plus de 2 700 agences et 45 000 employés en Chine.

Rang 1 : Banque populaire de Chine (PBC), élevée au rang de ministère en 1979, a vu son rôle de banque centrale confirmé et élargi par une réforme du 29 septembre 1983. Elle élabore la politique monétaire, assure les fonctions d'un institut d'émission, fixe la politique des réserves de change, assure l'encadrement du crédit (directement pour une moitié, indirectement pour le reste). Supervise d'autres organismes bancaires :

Rang 2 : Banque de l'agriculture (ABC), créée en février 1979, gère les comptes, l'épargne et les prêts des coopératives et des particuliers dans les campagnes ;

Rang 3 : Possède près de 400 000 agences et 900 000 employés (dont une partie à temps partiel).

Rang 2 : Administration générale du contrôle des changes extérieurs, créée en mars 1979, délivre les autorisations de change.

Rang 2 : Banque industrielle et commerciale, créée en septembre 1983 à partir du réseau d'agences de la Banque populaire de Chine, exerce les fonctions de banque commerciale et de dépôt à l'intérieur du pays ;

Rang 3 : Possède près de 15 000 agences et 330 000 employés.

Rang 1 : Banque de Chine (BoC), placée sous l'autorité directe du Conseil des affaires de l'Etat en 1979, conserve les réserves de change, gère les transactions de change ;

Rang 3 : 77 agences en Chine, 12 filiales à Hong-Kong, nombreuses agences à l'étranger (206 en ajoutant les organismes financiers n'ayant pas le statut de filiale ou dans lesquels le gouvernement chinois a une position dominante).

Rang 1 : Banque d'investissement de Chine (CIB), créée en décembre 1981 afin de recueillir les prêts à moyen et long terme des institutions de financement étrangères à destination des entreprises chinoises ;

Rang 3 : 13 agences en Chine, ouvertures prochaines dans toutes les zones économiques spéciales.

Rang 1 : Corporation internationale fiduciaire et d'investissement de Chine (CITIC), créée en juillet 1979, prospecte les investisseurs étrangers pour des apports de fonds ou des prêts en Chine ; fonds propres très limités.

Note complémentaire : A ce tableau, il faut ajouter la présence bancaire étrangère en Chine. Début 1985, 63 banques étrangères ont ouvert des bureaux de représentation à Pékin. Dans certains cas, leurs activités tendent à concurrencer les activités du réseau chinois. Ainsi, 23 organisations financières ont été autorisées en février 1985 à garantir les prêts en devises : parmi ces banques chinoises, on trouve des banques de Hong-Kong (6), dont la Hong-Kong and Shanghaï Banking Corporation et la Standard Chartered Bank (*Jingji Ribao,* 12 février 1985). Enfin, en février 1985, les banques étrangères sont autorisées à ouvrir des agences dans les zones économiques spéciales, et à y effectuer des prêts directs, sans plafond indiqué mais sous le contrôle de la Banque de Chine.

Les transactions monétaires

Ici aussi, la Chine populaire s'écarte de plus en plus d'un régime orthodoxe. L'augmentation considérable de la masse monétaire depuis 1978, l'apparition d'une inflation officielle-ment comptabilisée, la rémunération plus attractive de l'épar-gne, et surtout le régime très complexe des changes monétaires y contribuent.

Le *renminbi* était depuis janvier 1981 soumis à une *double parité :* l'une, appliquée uniquement aux transactions de la Banque de Chine avec l'étranger, était fixée quotidiennement par la Banque populaire de Chine en fonction d'un panier de quinze devises ; l'autre, baptisée *taux de conversion intérieur,* et fixée à 2,8 renminbi par dollar, était applicable aux transactions effectuées par les entreprises chinoises avec les organismes de supervision bancaire. Le taux interne étant généralement supérieur de 50 % environ au taux externe, la Banque de Chine épongeait ainsi les gains des entreprises chinoises exportatrices, tout en élevant le coût des emprunts extérieurs pour les firmes chinoises, et en prélevant au passage des ressources importantes.

En 1984, ce système a pris fin : la Banque populaire de Chine a laissé le renminbi extérieur descendre jusqu'au niveau du renminbi intérieur (de 1,79 à 2,79 renminbi entre décembre 1983 et décembre 1984). Deux raisons sont souvent citées : les plaintes des industriels du textile américain concernant le "dumping" que représentait ce taux de change double, et l'apparition d'un surplus agricole chinois important : sans cette dévaluation de fait, les exportations agricoles (notamment céréalières) auraient dû être subventionnées pour ne pas dépasser les cours mondiaux.

Dans la pratique, le renminbi extérieur n'était vraiment appliqué qu'aux résidents étrangers ; à l'inverse, la quasi-totalité des contrats et des prêts extérieurs sont libellés en devises, ce qui limite d'autant les répercussions des fluctuations monétaires chinoises.

D'autres monnaies spécialisées compliquent encore la situation : il s'agit des *certificats de change étranger* (créés en avril 1980), qui sont l'unique moyen de règlement légal pour les transactions personnelles effectuées par les étrangers en Chine. Conçus à l'origine pour dissuader le trafic des devises, ces certificats ont en fait donné naissance à un marché parallèle animé. De plus, en avril 1985, la création de *monnaies spécifiques aux zones économiques spéciales,* à commencer par Shenzhen, a été évoquée officiellement et repoussée à 1987 par le vice-premier ministre Yao Yilin). Il est vrai que le *dollar de Hong-Kong* est devenu, au moins dans les zones économiques du Guangdong, une monnaie plus répandue que le renminbi.

Cette multiplication des monnaies ajoute ses effets à ceux de la décentralisation et de la création d'institutions bancaires nouvelles. Avec les hausses de prix agricoles décrétées depuis 1978, et les hausses de salaires auxquelles les entreprises rajoutent souvent d'importantes primes, un système rigide, mais stable, se trouve soumis à des tiraillements de plus en plus importants - et d'abord à une inflation sans précédent de la masse monétaire.

Si les autorités centrales n'avaient, contre vents et marées, poursuivi une politique de réserves de change et de limitation de l'endettement extérieur, la réforme financière, et avec elle l'ensemble de la nouvelle politique économique, se seraient achevées en un de ces dérapages incontrôlés dont le volontarisme maoïste avait le secret. Mais l'étendue des réserves centrales et le véritable ballast que fournissent les lignes de crédit inutilisées par la Chine viennent lester un navire dont les gréements sont fortement éprouvés...

teurs (industries légères et en particulier branche textile) ;
- la réforme proprement dite des institutions et des mécanismes économiques, et l'institution d'un marché libéré à côté des entreprises collectives : cet aspect, le plus ambitieux, inséparable de l'ouverture à l'extérieur, est discuté depuis la fin de l'année 1978. Mais il a été généralisé à l'automne 1984, après plusieurs années d'introduction graduelle dans certains secteurs, et de libération de l'agriculture.

Il était difficile pour chaque volet de ce programme de discerner s'il s'agissait d'un cataplasme superficiel, ou d'une mutation irréversible. Dans le premier cas, on restait à l'intérieur des variations cycliques de la politique chinoise ; dans l'autre, on évolue vers un autre système,

qui porte aussi une société différente. Il importe par conséquent de distinguer l'éphémère de la structure.

A cet égard, certaines difficultés ou déséquilibres ont pu faire crier trop tôt à l'échec : ainsi en a-t-il été de la politique démographique, où l'extrême volontarisme d'une réduction de la croissance à 1 % par an est vite apparu ; de l'ouverture commerciale, où des vagues d'achat mal contrôlées (1978, automne 1984) alternent avec des reprises en main ; de la décentralisation ou des transferts d'investissements sectoriels, où des mouvements de balanciers importants ont pu être observés. Le cortège de l'inflation, d'une corruption aujourd'hui plus voyante, et des pressions salariales ont pu sembler fatales à l'expérience de réforme.

Statistiques monétaires et financières

	1979	1980	1981	1982	1983	1984
Billets en circulation (1)	26,7	34,6	39,6	43,9	53	
(hausse annuelle en %)		+16,5	+14,5	+10,8	+20,7	
Total des prêts à l'économie (1)204	241	276	305	343	442	
(hausse annuelle en %)		+18,1	+14,5	+10,4	+12,4	+29,8
Hausse annuelle des ventes au détail en %		+15,1	+11,7	+ 9,2	+13,5	+ 10,9 +17,8
Réserves en devises (2)	1,33	2,2	4,77	11,13	14,34	12,3 (3)
Réserves en or (2)	0,78	5,12	5,16	4,91	4,64	4,25 (4)

Sources : Banque mondiale ; W. Byrd, *China's Financial System,* Westview, Boulder, 1983 ; FMI ; Zhao Ziyang, Rapport du 27 mars 1985 sur les activités du gouvernement ; FEER, 27 juin 1985.
1. En milliards de renminbi courants.
2. En milliards de dollars courants.
3. Au 1er février 1985.
4. Au 31 septembre 1984.

C'était traiter l'économie chinoise comme si elle pouvait être soumise aux critères d'un pays développé. En réalité, les dérèglements et les corrections de trajectoire restent inévitables, pour une très longue période. D'une part, l'économie chinoise est soumise à des variations cycliques d'origines diverses : celles des récoltes et de l'épargne rurale ; celle de la surchauffe

industrielle et des maladies de langueur, propres à une économie planifiée mais ici encore accentuées par les problèmes d'approvisionnement ; enfin, les effets d'un véritable cycle politique, fait d'alternances entre le volontarisme et sa correction. Sous Mao, ce dernier cycle dominait. Depuis 1977, on peut observer le déclin régulier de ce phénomène.

Sans doute les observateurs ont-ils été trop absorbés par une bien superficielle comparaison avec les économies d'Europe de l'Est : la Chine, en effet, est indépendante, n'assume pas le fardeau d'un empire et possède une économie moins développée, donc moins centralisée que ces pays.

Libéralisation et dynamisme économique ont par conséquent pu s'épauler mutuellement, expliquant la reprise économique chinoise, au terme de trois années de tâtonnements que l'on a baptisées officiellement "réajustement". La croissance industrielle, tombée à 4,1 % en 1981 - année qui se situe au milieu du gué - est remontée à 7,7 %, en 1982, 10,5 % en 1983 et 13,6 % en 1984, performance qui est nettement dépassée dans certains secteurs décisifs pour l'avenir. Mieux, cette croissance n'est pas une reconduction de l'économie sur une base élargie, mais comporte des aménagements structurels prometteurs.

Ces résultats redonnent à la Chine une courbe de croissance industrielle comparable à celle de l'âge d'or du premier plan quinquennal, et proche des performances des pays en voie d'industrialisation rapide. Ils s'accompagnent d'une amélioration parallèle des autres indicateurs économiques - emploi, subventions étatiques - sans endettement extérieur incontrôlé, et déclenchent, depuis octobre 1984, une série

quasi ininterrompue de mesures réformatrices dans l'économie.

A l'interrogation familière des experts sur les pays de l'Est - une amélioration est-elle un rebond temporaire, et les achats à l'Ouest sont-ils de circonstance, ou sont-ils structurels ? -, il est possible aujourd'hui de répondre à propos de la Chine : la croissance n'est plus une retombée faiblissante des mécanismes d'accumulation staliniens, et n'est pas liée au mieux-être passager provoqué par quelques injections stimulantes ; elle repose à la fois sur les réformes et sur l'"ouverture de l'économie"[39].

Cette croissance est évidemment dépendante de la poursuite de la politique de l'ouverture. Mais elle est en même temps très indépendante des Occidentaux et du Japon, la Chine exerçant le plus souvent une liberté absolue en matière de choix du fournisseur et du banquier. Seul un mauvais vouloir américain, resserrant les critères du COCOM et tentant d'interrompre le financement concédé par les organismes internationaux, pourrait limiter cette indépendance : encore faudrait-il que les Etats-Unis réussissent à en convaincre leurs principaux alliés.

---

39. Celle-ci se distingue ainsi des cycles d'importations de produits-clefs de l'URSS, analysés par Georges Sokoloff dans *L'économie de la détente. L'URSS et le capital occidental*, Presse de la Fondation nationale des sciences politiques, Paris, 1983.

Investissements étrangers et dette extérieure

Comment chiffrer avec certitude le montant des investissements étrangers en Chine, et surtout celui de l'endettement extérieur du pays ? Les statistiques, que la Chine est, depuis son adhésion aux organismes financiers internationaux, tenue de fournir à ces derniers, ne sont pas publiées. La balance des paiements courants n'est par conséquent connue qu'à travers certains de ses paramètres, tels que le gouvernement les livre.

Surtout, il subsiste dans ce domaine un brouillard statistique entretenu au plus haut niveau, qui rappelle encore l'indifférence de naguère aux chiffres objectifs. A quelques mois d'intervalle, des voix officielles donnent des chiffres différents pour évaluer l'endettement contracté : 12 milliards de dollars selon Wang Bingquian, ministre des Finances, le 12 novembre 1984[1] ; "plus de 10 milliards de dollars" selon Li Peng, vice-Premier ministre, le 11 février 1985[2]. Quant à l'endettement effectif, évalué officiellement à environ 4 milliards de dollars à la fin de l'année 1984[3], il est estimé par des sources occidentales optimistes à près de 6 milliards[4], et par beaucoup d'experts au-dessus de 8 milliards de dollars.

Ces discordances sont à la fois révélatrices et de peu d'importance. Révélatrices, parce qu'elles indiquent les importantes marges de manœuvre chinoises : outre un endettement très discret, à des taux sans équivalent, auprès du fournisseur japonais, qui y consolide ainsi son rôle en Chine, il existe aussi des emprunts contractés directement par les entreprises chinoises - qui détiennent d'ailleurs souvent des comptes en devises à l'étranger. Il existe aussi des mouvements effectués par les filiales bancaires chinoises à l'étranger.

Mais l'importance de ces recettes quasi clandestines, qui doublent sans doute le montant de la dette officielle, est

---

1. *Agence Chine nouvelle*, 12 novembre 1984.

2. *Beijing Information*, 12 février 1985.

3. Selon les deux sources précédentes.

4. Estimation de la National Westminster Bank, *Le Monde*, 11 mai 1985.

pourtant très limitée : quel qu'en soit le montant réel, il est largement compatible avec les réserves disponibles, et surtout avec les recettes, commerciales ou indivisibles de la Chine : entre deux et quatre mois de ventes à l'étranger, suivant l'estimation adoptée.

Ce conservatisme financier surprendra ceux qui ont crû après 1978 à la modernisation accélérée du pays au moyen d'achats à crédit. Il rend aussi peu compréhensible l'ampleur de la ruée des banques occidentales à Pékin : périodiquement, celles-ci font des comptes amers, constatant en particulier que la Banque de Chine ne les laisse qu'amorcer une transaction, pour entrer en scène elle-même, lors du financement effectif[5].

Les dirigeants chinois ont deux hantises : celle de la dépendance exclusive envers un prêteur, comme ce fut le cas lors de la coopération sino-soviétique avant 1960 : au cours des quatre années ultérieures, la Chine remboursa intégralement les 7,6 milliards de roubles empruntés. Et celle du contre-exemple polonais : le programme d'achats accéléré cautionné par Hua Guofeng en 1978 contenait en germe une dérive de la dette, et fut rapidement annulé.

La rupture avec l'époque maoïste n'est donc pas totale : avant 1977, la Chine n'avait-elle pas effectué pour 3 milliards de dollars d'achats à l'étranger (220 contrats d'équipement), dont 1,2 milliard en "paiement différé à cinq ans", comme le tolérait le dogme de l'autarcie[6] ?

Cette prudence explique l'excellent statut dont jouit Pékin sur les places financières mondiales. Il est vrai aussi que d'importantes recettes invisibles épaulent les résultats à l'exportation : tourisme, transferts des travailleurs à l'étranger ou virements des Chinois d'outre-mer à leurs familles, résultats des banques chinoises à l'étranger et notamment à Hong-Kong. Cer dernières en particulier participent avec succès de la politique d'accueil des plus libérales, et fort confidentielle, du réseau bancaire de Hong-Kong.

Récemment, la Chine a donné des signes de rupture avec ce conservatisme. D'une part, un débat animé a indiqué que nombreux étaient ceux qui estimaient que la capacité d'endettement de leur pays pouvait être agrandie considérablement. D'autre part, et pour la première fois, les banques chinoises ont lancé des emprunts officiels sur les marchés internationaux : destinés en particulier à financer la construction de chemins de fer nouveaux, ils retrouvent ainsi miraculeusement la pratique... impériale et républicaine du début du siècle. Et ils négligent superbement la non-reconnaissance antérieure de ces dettes par la Chine populaire après 1949[7].

Quand à l'investissement direct, il est très souvent infé-rieur aux apparences qu'indiquent bien des contrats signés ou des annonces par la presse occidentale. Selon l'évaluation de Wang Bingqian, l'ensemble des investissements directs aurait atteint "3 à 4 milliards de dollars" à la date de juin 1984[8], tandis que Gu Mu indiquait en janvier 1985 que les quatre zones économiques spéciales avaient recueilli 840 millions de dollars[9].

Il est vrai que les sommes investies en Chine en 1984 représentent un montant en hausse considérable : 1,34 milliard de dollars[10], contre 911 millions en 1983. Une très large part de ces investissements reste consacrée à l'exploration pétrolière off-shore (520 millions de dollars).

Ces chiffres indiquent que la Chine est loin d'avoir attiré des investissements étrangers réellement substantiels. Le régime spécial consenti à ces capitaux est pourtant attractif : mais les exemptions et facilités spéciales accordées après 1979 sont plus que compensées par les prélèvements nouveaux - impôts sur le revenu et sur le bénéfice, rapatriement des profits différé à l'exportation des productions, charges salariales utilisées par les négociateurs comme une forme d'imposition indirecte[11].

Il est frappant d'observer que nombre des entreprises mixtes nées à ce jour concernent surtout des secteurs où des firmes asiatiques recherchent une main-d'œuvre moins chère que dans leur propre pays : c'est notamment le cas des industriels de Hong-Kong. D'autre part, la réexportation, qui était la vocation des zones économiques, n'a jamais atteint le niveau de la vente en Chine même : si cette dérive vers l'intérieur frustre les espoirs officiels de profits en devises, elle fait néanmoins de ces investissements et zones étrangères un agent influent du changement économique et social en Chine.

5. Leo Goodstadt, "Banking on China's terms", *Export-import Finance Review*, décembre 1984.

6. Long Chucai, *Intertrade*, septembre 1984.

7. "Railroaded Euromarket in Peking", *Far Eastern Economic Review*, 23 mai 1985.

8. *Agence Chine nouvelle*, 12 novembre 1985.

9. *Far Eastern Economic Review*, 9 mai 1985.

10. Voir *Beijing Information*, communiqué du Bureau des statistiques de l'Etat sur l'exécution du plan pour 1984.

11. Sur ces questions très fluctuantes, la Chine populaire diffuse à l'étranger un guide annuel officiel : China International Economic Consultants, Inc., *The China Investment Guide, 1984/1985*, Longman.

Le programme des réformateurs et son application

La combinaison actuelle de réformes représente un dosage complexe entre un pragmatisme revendiqué à certains égards par le maoïsme, un catalogue de mesures qui remontent, quant à leur justification, à l'école soviétique poststalinienne de 1956, et une ouverture sans précédent réel aux capitaux et surtout aux méthodes de gestions japonaise et occidentale. Enfin, l'addi-tion de concessions ou de réformes différentes entraîne une dérive supplémentaire de l'économie - celle-là même qui provoque régulièrement des dérapages spectaculaires (de l'endettement et des importations en 1978, de la masse monétaire en 1984[40]) mais renforce aussi l'influence des mécanismes spontanés au détriment des décisions étatiques.

40. Voir l'encart sur le système monétaire et bancaire.

Les Chinois ouvrent ainsi un chemin inédit, qui vient d'être reconnu, bon gré mal gré, par les tenants du communisme le plus figé : Kim Il-sung a ainsi été invité en 1983 à visiter le Sichuan, berceau des réformes actuelles, tandis qu'I. Arkhipov, vice-Premier ministre soviétique, parcourait la zone économique spéciale de Shenzhen en décembre 1984.

Malgré le paradoxe apparent, la filiation maoïste ne peut être négligée. Avant de se lancer dans l'utopie collective, Mao s'est illustré par des programmes agraires empreints d'une relative modération, en particulier à l'époque de la guérilla. En 1956, il cautionnait la gestation, dans le sillage de la déstalinisation, de réformes économiques : bien que ce thème fut confiné dans les revues idéologiques et spécialisées, Mao encouragea sans doute Chen Yun à aller de l'avant, contre la plupart des cadres de l'appareil centralisé.

L'épisode est d'importance : il permet en effet de comprendre la parenté parfois ambiguë des bouleversements actuels, et le rôle qu'y ont joué certains dirigeants. Le plus important est en effet sans contexte Chen Yun, initiateur des réformes en 1956, critique sévère du Grand Bond et défenseur courageux de l'intérêt paysan, disgracié dès lors jusqu'à la mort de Mao, mais sans être éliminé. Chen Yun a été l'architecte des réformes centrales depuis 1978, mais conserve sur certains points - la décentralisation et l'ouverture - des vues plus conservatrices, que son expérience passée des excès et des désordres lui inspire.

La filiation soviétique est également intéressante, car elle illustre aussi une certaine continuité. C'est en avril 1956, dans son texte "Sur les dix grandes relations", que Mao préconise une baisse des dépenses militaires conventionnelles au profit de l'économie et de l'essor futur du nucléaire[41]. L'époque correspond exactement à une répartition similaire des priorités décrétée par le maréchal Oustinov, au nom de Khrouchtchev, et à la primauté accordée aux forces stratégiques. Depuis lors, la Chine est restée fidèle à cette limitation du budget militaire au sens strict - et l'a même accentuée depuis 1979. Au terme d'années de baisse relative, celui-ci ne représente plus que 11,9 % des dépenses gouvernementales pour 1985[42]. Sur ce terrain politiquement sensible, Deng Xiaoping peut se prévaloir d'un certain héritage contre les revendications militaires.

Mais, plus généralement, le catalogue des réformes discutées correspond aux préoccupations des économistes des pays communistes depuis 1956. C'est plutôt leur application, en un pays sous-développé et dépourvu d'encadrement solide, qui accentue leurs effets et souligne le retour au marché.

On a ainsi pu observer un retour aux stimulants matériels et à la cotation individuelle du travail ; une rationalisation des sous-traitances et la tentative d'harmoniser les complémentarités des économies provinciales ; le ralentissement de la politique des grands travaux d'investissement massifs ; le retour aux hiérarchies de qualification et à la direction unique (d'un terme dérivé directement du russe...) des cadres techniques ; une première expérience très limitée (6 000 entreprises) de rétention d'une part des profits (5 %) à l'échelle locale pour stimuler la rentabilité : expérience élargie en 1981, et généralisée en 1984.

Ces réformes, pour apparemment limitées qu'elles fussent, constituaient déjà une petite révolution, car elles préparaient le terrain idéologique à l'inversion des thèmes maoïstes, et réhabilitaient des notions proscrites depuis plus de vingt ans : c'est sur cette base, en particulier, que sont rentrés à leur poste des dizaines de milliers de spécialistes qui renforcent la dynamique du changement.

Surtout, elles impliquent rapidement un bouleversement des grands équilibres financiers du régime. En décembre 1978, les prix d'achat des denrées agricoles aux paysans sont considérablement relevés, tandis que les obligations de livraison sont assouplies : cette ébauche de mieux-être, coïncidant avec la réouverture de dizaines de milliers de marchés ruraux privés (auparavant hors-la-loi ou tolérés localement), est le moment de la mise à feu du moteur principal de la réforme : la hausse du pouvoir d'achat paysan.

41. *Œuvres choisies*, tome V, p. 311.

42. *Agence Chine nouvelle*, 12 avril 1985.

La décollectivisation qui s'ensuivra, en partie spontanément, en partie sous l'effet d'une politique réfléchie[43], ne peut être considérée comme un simple expédient, à la façon des concessions faites en Pologne en 1956 ou par Andropov en 1983. D'une part, ce sont 80 % de la population qui sont impliqués, ainsi que la plus grande partie des dépenses des citadins ; d'autre part, la réforme s'accompagne d'une politique de transfert de ressources vers le secteur agricole, par le biais d'un soutien officiel des prix (qui représente près de 25 % des dépenses de l'Etat en 1981). Ce n'est pas un secteur archaïque qui est abandonné à la petite paysannerie ; au contraire, l'Etat et le secteur industriel renversent un temps les lois de l'accumulation stalinienne en subventionnant largement la production agricole.

L'autre composante essentielle du programme réformateur réside dans l'ouverture à l'extérieur. Ses principes remontent entièrement aux années 1978-1979, même si les conséquences, ou parfois les débordements, au sein de la société chinoise, ne se sont vraiment généralisés que plus tardivement. Il est frappant que ce programme d'ouverture a été pris au sérieux et exploité d'abord par les hommes d'affaires japonais et de Hong-Kong. Ceux-ci restent mieux armés culturellement pour faire face au marathon des négociations et des difficultés juridiques.

Sans ces grandes données, qui transforment le paysage économique chinois à la rizière et à la ville, l'entrelacs des réformes de gestion et des relèves de l'encadrement avait assez peu de chances de réussir. Disparates, appliquées avec des ardeurs diverses, rencontrant bien sûr des écueils communs aux expériences de libéralisation économique, elles avaient de surcroît été accompagnées d'ambitions exagérées : le repli de celles-ci, et la lenteur du changement, ont souvent suscité le scepticisme à l'étranger[44].

C'était négliger trois facteurs favorables, qui ne se démentiront pas. La libéralisation suscite des énergies enfouies dans la force de travail, qui, notamment à la campagne, élargissent d'elles-mêmes la portée des réformes. Le "réajustement" de la production, de 1979 à 1981, époque de croissance ralentie et de remise en ordre, passe par une critique de plus en plus sévère du conservatisme économique : en définitive, il nuit bien plus aux héritiers de l'économie stalinienne qu'à leurs critiques.

Enfin, les barrières apparemment infranchissables pour les réformateurs sont sans cesse

43. Voir les articles de Claude Aubert.

44. Voir, pour un pronostic argumenté de l'échec des réformes, Yves Chevrier et Claude Aubert, "Réformer ou ne pas réformer ? Le dilemme de l'expérience chinoise (1979-1981)", Revue française de gestion, hiver 1982-1983.

Emploi et chômage en Chine

Comment évaluer le chômage dans un pays où la comptabilité démographique est si hasardeuse, le sous-emploi universel et l'émigration vers les villes souvent clandestine ?

On peut relever pourtant les variations considérables des préoccupations officielles à ce sujet. Jusqu'aux années 1977-1978, le sujet n'a pas d'existence officielle ; l'interdiction de séjourner en ville et l'emploi collectif à la campagne masquent d'ailleurs l'étendue du problème. En 1978, le changement politique, l'arrivée sur le marché des générations nombreuses du début des années 60, le retour des jeunes instruits des campagnes, provoquent une explosion urbaine : on parle alors de 20 millions de chômeurs dans les zones urbaines chinoises...

Depuis lors, la crise aurait été largement enrayée par des créations massives : alors que l'économie ne créait qu'environ 2 millions d'emploi par an depuis les années 50, 32 millions de postes sont pourvus de 1979 à 1982[1], ce qui aurait réduit le nombre des chômeurs à 3 millions environ.

Spectaculaire succès, qui pose beaucoup d'interrogations.

L'embauche très importante dans les unités collectives est aujourd'hui en baisse ; par contre, l'emploi individuel, ou dans le secteur privé, absorbe toujours un nombre croissant de candidats : de 700 000 travailleurs individuels en 1978, on est passé à 2,96 millions en 1984[2]. Il est certain que l'expansion des services et du commerce individuel depuis 1978 a servi la conjoncture.

Mais, dès 1984, le chiffre officiel des créations d'emplois (3,35 millions "dans les villes et les bourgs") est à nouveau très inférieur à la masse annuelle des 5 à 6 millions de diplômés de l'enseignement secondaire. Comme il est invraisemblable que le secteur agricole, même privatisé, dégage des emplois excédentaires à l'avenir, il faut en conclure que le problème du chômage urbain, habilement résolu entre 1979 et 1983 par les réformes de l'économie, réapparaîtra à brève échéance.

1. Beijing Information, 6 juin 1983.

2. Résultats économiques pour 1984, Beijing Information, 25 mars 1985.

reculées. Libération de la production agricole, renoncement au financement des investissements par la paysannerie, décentralisation des rapports économiques avec l'étranger, encouragement d'activités privées dans tous les secteurs, et, enfin, réforme du sacro-saint système des prix : ces vaches sacrées du socialisme au pouvoir, que trente ans de péripéties en Europe de l'Est ont habitué à considérer comme intouchables, sont mises à mal.

Les transformations économiques, 1979-1985

On aura quelque idée de ces mutations en comparant certains aspects des résultats économiques de 1984 avec les chiffres de 1979[45]. Le revenu paysan individuel était de 85 yuans cette année-là ; la consommation individuelle rurale est aujourd'hui de 273 yuans (le revenu familial moyen étant passé de 179 à 355 yuans). Compte tenu de la hausse de l'emploi urbain, le revenu distribué par personne au sein de chaque foyer urbain est passé de 250 à 608 yuans[46]. On explique mieux que les dépôts d'épargne individuelle soient passés dans la même période de 28 à 121 milliards de yuans, et que la vélocité monétaire inquiète les responsables[47].

Mais il est d'autres manières d'apprécier à l'avenir les changements. On peut par exemple évaluer sommairement le pourcentage de l'activité économique qui échappe désormais au pouvoir étatique centralisé, ou qui n'en provient pas. Aux 10 % du revenu national engendrés par le commerce extérieur, il faut sans doute ajouter les entreprises privées, qui assurent en 1984 8,6 % du total des ventes en Chine et emploient 13 millions de personnes (11 % de la main-d'œuvre non agricole) ; ainsi que les industries villageoises, qui représentent aujourd'hui près de 8 % de la production industrielle. Quant à l'ensemble de la production agricole, qui représente encore aujourd'hui près de 30 % de la production nationale, elle est presque entièrement assurée par des moyens familiaux ou individuels : le déclin de la production des grands tracteurs et l'essor foudroyant des motoculteurs à la japonaise en témoignent. Ce seul bilan ne fait pas mention des industries dont la gestion est décentralisée, mais bien des domaines où l'activité économique est soumise à des contraintes analogues, ni plus ni moins, à celles d'un autre pays.

Il faut enfin considérer que ces évolutions ne portent pas sur les parents pauvres de l'économie, mais concernent des secteurs actuellement porteurs de la croissance, absorbant d'ailleurs une part notable des importations si l'on y inclut les zones ouvertes. Tout comme l'opposition d'ensemble des cadres ou des militaires devient un mythe politique, étant donné la généralisation des bénéfices de la réforme, l'image d'une masse immobile de l'industrie urbaine ou lourde résistant aux changements doit être tempérée : au deuxième trimestre 1985, ce sont au contraire ses porte-paroles qui réclament leur part de la manne importée.

L'ensemble de ces résultats témoignent en premier lieu d'un second souffle pour l'économie chinoise. Ils suggèrent aussi une évolution vers une économie plus libérée, où les facteurs spontanés et l'influence d'agents économiques de plus en plus nombreux à côté du pouvoir central, jouent un grand rôle. L'opposition très typée entre une économie de commandement centralisée et l'inertie d'une société dépossédée de ses intérêts privés et de son libre-arbitre s'estompe rapidement.

En témoigne aussi une déplanification *de facto,* même si celle-ci reste implicite. Après trois années (1979-1981) où les objectifs quantitatifs macroéconomiques avaient été abandonnés, le VIe plan quinquennal (1980-1985) est resté lettre morte : aucun des taux de croissance qu'il fixait n'a été respecté, la plupart étant au contraire dépassés. Il apparaît au demeurant, au terme de quelques années de croissance dans un environnement apaisé, que le retour à l'ordre et la résurrection de la connaissance statistique ne mènent pas à une planification accentuée. En 1985, le plan ne fixe plus la production que pour soixante produits industriels et dix produits agricoles, libérant la plupart des prix au-delà des quota exigés. Quant à l'esquisse du VIIe plan (1986-1991), elle constitue surtout l'énoncé des principes économiques et l'annonce de quelques grands projets : le parallèle avec la façon dont Taiwan annonce ses objectifs est frappant...

---

45. Voir également l'encart sur le système monétaire et bancaire, ainsi que le tableau sur le commerce extérieur.

46. Voir Banque mondiale pour 1979, *Beijing Information* pour 1984.

47. Sources pour 1979 : W. Byrd, *op. cit.,* p. 158 ; pour 1984 : *Beijing Information.*

Signe des temps, des institutions nouvelles ou rénovées jouent un rôle sans cesse croissant : c'est en particulier le cas du réseau bancaire et du crédit[48]. Collecte de l'épargne à de meilleurs taux, bancarisation des transactions, prêts bancaires au budget de l'Etat : ces mesures, qui constituent l'amorce de l'organisation d'un marché financier interne au pays, sont suivies en 1984 par des expériences nouvelles : autorisation à Shanghaï de comptes-chèques individuels, émission de bons du Trésor souscrits par les particuliers à des conditions plus souples[49], et même expérience isolée de création de sociétés par actions dont le capital est entièrement acheté par des particuliers.

L'évolution s'est accompagnée de l'annonce spectaculaire, le 20 octobre 1984, d'une refonte généralisée du système des prix. Le mouvement avait été amorcé par la hausse des prix d'achat des produits agricoles depuis 1978, imparfaitement compensée par des subventions étatiques aux consommateurs ; et par l'élargissement de la production de biens de consommation et d'industrie légère, qui portait avec lui l'apparition d'une concurrence. Mais la lettre comme l'esprit de la décision du 20 octobre 1984 touchent aux principes mêmes des économies socialistes. En Chine comme en Europe de l'Est, celles-ci sont marquées par d'intenses distorsions de prix, permettant la survie d'innombrables entreprises produisant à perte : c'est en particulier, en Chine, le cas du secteur énergétique et minier. La libération des prix annoncée en octobre 1984 - et dont les consommateurs commencent à faire l'expérience douloureuse - c'est choisir entre la fermeture de pans entiers de l'édifice industriel ou l'augmentation du niveau des subventions ou des prix dans l'économie.

L'expérience récente incite pourtant à nuancer ce dilemme. Si libération et passage à la régulation par le marché sont l'objectif, ceux-ci n'ont pas nécessairement à être brutaux et anarchiques. Le cloisonnement interne à l'économie chinoise, pour archaïque qu'il soit, permet d'appliquer ce programme par étapes régionales et sectorielles : l'absence d'unification de l'économie chinoise, qui reste par ailleurs un handicap, permet d'appliquer la libération des prix par étapes contrôlées, en en surveillant les répercussions sociales.

Dans un premier domaine, l'expérience a été positive : le fardeau des subventions aux prix

agricoles, immense de 1979 à 1982, a tendance à décliner aujourd'hui en valeur relative ; les succès de la production ont renforcé des marchés autonomes, permis même un gain net en devises du secteur agroalimentaire à l'exportation. Grâce à son autoritarisme, l'Etat a temporairement soutenu l'agriculture, le temps pour elle d'évoluer vers un système individualisé et ouvert à tous les marchés, sans crise sociale majeure. L'abondance de l'épargne chinoise permet aujourd'hui une opération analogue, au moins pour certains secteurs industriels.

La rigidité de la force de travail sera-t-elle un obstacle à ces mesures ? En Chine plus qu'en Union soviétique, en effet, l'emploi garanti et la dépendance des travailleurs vis-à-vis de leur unité créent un système corporatiste et figé : au moins à Moscou la pénurie de main-d'œuvre donne-t-elle aux salariés, privés du droit de revendiquer, celui de changer d'entreprise... La levée pratique des restrictions à la mobilité géographique en Chine, la fin du rationnement dans de nombreux domaines (car ce dernier liait aussi les travailleurs à leurs unités) et l'expansion de secteurs nouveaux permettent une mobilité croissante de la population.

Dans ce contexte, l'évolution des rapports sociaux est possible. Une première mesure, adoptée à l'automne 1981, autorisait fermetures d'entreprises et licenciements. A la fin de 1984, on annonce officieusement une législation nouvelle sur le droit des faillites.

L'ouverture de l'économie

L'ouverture est en Chine un terme chargé de résonances. Il renvoie aux grandes polémiques du XIXe siècle sur l'introduction des techniques et du savoir occidentaux au sein de l'Empire, et il est désigné par un idéogramme utilisé également pour la libéralisation et le progrès des Lumières[50].

L'ouverture chinoise est au demeurant double, puisqu'elle coïncide aussi avec un éclate-

---

48. Voir l'encart sur le système monétaire et bancaire.

49. *China Daily,* 19 décembre 1984.

50. C'est d'ailleurs à ce contexte que se référaient des attaques voilées contre Deng Xiaoping en 1981, l'accusant de "vendre la Chine" à l'instar des mandarins occidentalistes.

ment partiel des centres de décision à l'intérieur du pays. Le dynamisme et la concurrence des autorités régionales, la revanche économique d'une paysannerie qui, par exemple, a multiplié par huit la construction de logements à la campagne entre 1979 et 1983 et restaure les cultes ancestraux sans négliger la télévision ; la frénésie d'éducation qui pousse des dizaines de milliers de jeunes Chinois vers les universités du monde entier, souvent grâce à des ressources nouvelles en devises : ces aspects font aussi partie de l'ouverture, et lui donnent une substance plus solide que celle d'une politique de circonstance de la porte entrouverte sur l'extérieur.

L'élite - politique, administrative et économique - du pays y participe activement, trop même parfois. Ce sont souvent les cadres ruraux - mieux instruits et plus habiles qu'on ne le croit en Occident - qui fondent les premières entreprises, assurés qu'ils sont de leurs contacts et protections pour tenter l'aventure. En ville, l'élite du Parti place ses enfants dans les secteurs modernes, et notamment dans les études à l'étranger. Le changement est autorisé d'en haut, et symbolisé par le changement de la politique de recrutement du Parti sous l'égide de Hu Yaobang et Hu Qili.

Ces bases expliquent la durée et le degré de l'ouverture à l'extérieur, qui reste le phénomène le plus marquant de l'après-maoïsme. Même si le gouvernement central en assure l'équilibre commercial et financier, il existe désormais une gestion décentralisée de ces échanges : cela complique d'autant la tâche des hommes d'affaires étrangers, mais augmente l'envergure des résultats.

L'extension des investissements étrangers et la multiplication des interlocuteurs locaux, ainsi que les franchises concédées aux firmes étrangères, le prouvent, malgré la tentation récurrente et contradictoire de tuer la poule aux oeufs d'or[51].

Les fluctuations de cette ouverture et de son contrôle sont incessantes depuis 1978. Ce qui est certain, c'est que les résultats progressent, et qu'en même temps le gouvernement oblige les acteurs à résister aux excès de la "ruée vers l'Ouest". Le contrôle des devises est en principe assuré par la banque centrale, même s'il comporte des failles[52]. Les investissments étrangers sont en principe librement décidés avec les

autorités locales jusqu'à un plafond variable, suivant les zones économiques ou prioritaires. Les apports de capitaux étrangers évitent le recours à l'endettement.

L'administration, en négociant les niveaux des salaires, en facturant les services et les charges, détermine largement l'environnement, donc la profitabilité, des capitaux étrangers en Chine. Le gouvernement annonce au début de 1985 l'adoption d'une loi soumettant les obligations contractuelles exécutées hors de Chine à l'arbitrage possible de tribunaux étrangers : cette normalisation apporte une correction à la pratique appliquée jusqu'ici.

Plus généralement, la pratique chinoise naissante du droit des affaires, beaucoup plus proche de la jurisprudence anglo-saxonne que de notre droit commercial, ménage un certain nombre de filtres précieux pour les autorités centrales. De la lettre d'intention à l'exécution effective, le chemin est ardu, permettant de corriger les concessions apparentes des premiers négociateurs, de soulever des objections nouvelles, ou tout simplement d'annuler la transaction à partir d'une clause technique. Le problème n'est pas tant que la parole donnée serait sans valeur : les cas d'annulation du fait du prince, tels que la rupture des grands projets industriels de 1979, semblent actuellement exclus. Mais la partie chinoise négocie les contrats à la lettre, obligeant ses partenaires à couvrir toutes les éventualités.

Nulle part cette prudence n'est plus évidente que dans le recours à l'endettement extérieur. En définitive, le montant très élevé des réserves, le bas niveau de l'endettement montrent que la Chine n'entend pas céder aux tentations qu'ont connues certains pays de l'Est et, plus encore, de l'Amérique latine.

Cette solidité dans l'ouverture s'accompagne d'un épanouissement du commerce extérieur dans diverses directions[53].

La prédominance du Japon, dont le poids visible est d'ailleurs augmenté *via* Hong-Kong, est aujourd'hui écrasante : l'antériorité de sa présence, son habileté, l'adaptation de ses pro-

51. Voir les encarts sur les investissements étrangers et la dette extérieure.

52. Idem.

53. Voir l'encart sur le commerce extérieur.

Le commerce extérieur (en millions de dollars pour 1984)				
	Echanges	Exportations	Importations	Solde
Japon	13 906	5 264	8 642	- 3 378
Hong-Kong/Macao	10 105	7 244	2 861	+4 383
Etats-Unis	6 182	2 349	3 833	- 1 484
CEE	5 601	2 271	3 330	- 1 059
dont France	623	380	243	+137
Pays communistes (1)	3 860	1 689	2 171	-482
dont URSS	1 322	635	687	-52
ASEAN	2 877	2 027	850	+1 177
Canada	1 407	279	1 128	-849
Australie	1 183	229	954	-725
TOTAL (2)	53 630	25 960	27 670	- 1 710

Source : Le Monde, 30 avril 1985.
1. Y compris Yougoslavie, Cuba et Corée du Nord.
2. Montant total du commerce extérieur de la Chine.

Le commerce extérieur de la Chine

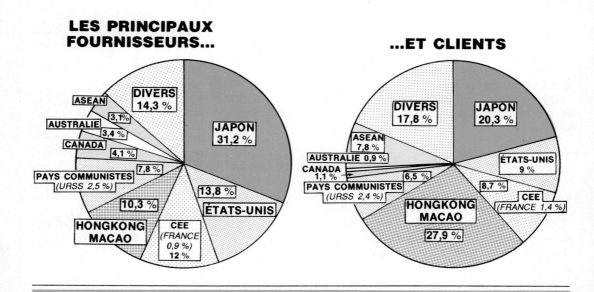

duits aux marchés asiatiques, le fait qu'il soit politiquement moins compromettant que d'autres, ont engendré des résultats impressionnants. Dans ces conditions, le rôle de Hong-Kong, qui fut le poumon des échanges, est aujourd'hui beaucoup moins déterminant. Les partenaires occidentaux, Etats-Unis d'abord, CEE, Australie et Canada, pèsent ensemble autant que le Japon : comme lui, ils réalisent de substantiels excédents dans leurs échanges avec la Chine.

Ce déficit, la Chine le comble dans ses échanges avec les pays asiatiques. L'essor de ce commerce de proximité, marqué d'abord par d'imposantes ventes à travers Hong-Kong, est un fait politique et économique majeur. Comme à un moindre degré l'Inde, la Chine est loin de s'enfermer dans une caricature des échanges entre un pays du Sud et l'Occident développé : elle corrige sa dépendance par des bénéfices dans les transactions Sud-Sud, comme exportatrice de produits agricoles, de biens intermédiaires ou de consommation. Elle supplante ainsi peu à peu d'autres producteurs asiatiques, qu'elle refoule vers des productions à niveau technologique plus élevé. D'où des craintes thaïlandaises ou indonésiennes, les plaintes des fabricants américains de textiles, et l'intérêt de faire participer la Chine aux négociations du GATT[54].

---

54. Voir l'encart sur les étapes de la reconnaissance internationale de la Chine.

Les étapes de la reconnaissance internationale de la Chine populaire

L'établissement de relations diplomatiques

1949-1950 : Avec tous les pays communistes, sauf la Yougoslavie. En outre, la Chine populaire est reconnue dès 1950 par la Birmanie, l'Inde, le Danemark, la Finlande, la Suède, la Suisse.

1951-1963 : Reconnaissances isolées :

1954 : Norvège, Grande-Bretagne ;
1955 : Afghanistan, Népal, Yougoslavie ;
1956 : Egypte, Yémen du Nord, Syrie ;
1957 : Sri Lanka ;
1958 : Irak, Maroc, Cambodge ;
1959 : Guinée, Soudan ;
1960 : Cuba, Ghana, Mali, Soudan ;
1961 : Zaïre, Laos ;
1962 : Ouganda ;
1963 : Burundi, Kenya.

1964 : La reconnaissance par la France reste isolée en Occident. Le Benin, la République centrafricaine, la Tanzanie, la Tunisie et la Zambie suivent, ainsi que la Mauritanie en 1965, le Yémen du Sud en 1968.

1970-1978 : La Chine populaire établit des relations avec la majorité des gouvernements du monde. Le Canada, le Chili et l'Italie (1970) précèdent *l'admission à l'ONU (octobre 1971)*. Cette dernière entraîne une vague de reconnaissance (15 en 1971) et des progrès constants depuis. *Le Japon établit des liens en septembre 1972, les Etats-Unis en décembre 1978.*

1984 : Taiwan ne conserve des liens diplomatiques qu'avec 23 Etats, pour la plupart très petits.

L'entrée de la Chine populaire dans les organisations internationales

Depuis un vote initial le 19 novembre 1950, l'Assemblée générale des Nations-Unies avait conservé le siège de la Chine au gouvernement de Taiwan. L'admission de la Chine populaire, qui a finalement eu lieu le *25 octobre 1971*, a entraîné une participation à beaucoup d'autres organisations :
- Organisation internationale du travail (novembre 1971),
- Organisation internationale de l'aviation civile (novembre 1971),
- CNUCED (avril 1972),
- Organisation mondiale de la santé (mai 1972),
- Union internationale des télécommunications (octobre 1972),
- Organisation internationale maritime (mars 1973),
- FAO (avril 1973)

En outre, la Chine populaire a établi des *liens diplomatiques avec la CEE en juin 1975.*

La reconnaissance de la Chine populaire par les Etats-Unis en décembre 1978 a permis à celle-ci d'adhérer à de nouvelles organisations, parmi lesquelles les principales institutions financières mondiales :
- UNICEF, Programme alimentaire mondial, Organisation mondiale de la météorologie, Union postale universelle, Commission économique et sociale pour l'Asie et le Pacifique (ESCAP), Comité olympique international en 1979 ;
- *Fonds monétaire international (avril 1980)* ;
- Banque internationale pour la reconstruction et le développement (BIRD), Agence internationale pour le développement (AID) et Corporation internationale pour le financement (CIF) en mai 1980 ;
- Organisation mondiale pour la propriété intellectuelle (juin 1980) ;
- Organisation du tourisme mondial (octobre 1983) ;
- Bureau international du travail (octobre 1983)
- Agence internationale pour l'énergie atomique (novembre 1983) ;
- *Participation aux négociations du comité textile du GATT* (décembre 1983), statut d'observateur en 1984 ;
- Banque asiatique pour le développement (BAD) : négociations en cours en 1985.

4

Pékin fait également valoir avec grand soin les droits séparés de Hong-Kong dans les accords douaniers internationaux ménageant l'avenir. La qualité des produits chinois paraissant supérieure à celle des productions indiennes ou soviétiques, cet avenir semble assuré : tout l'effort du gouvernement chinois tend actuellement à assurer des exportations croissantes des biens des entreprises mixtes en Chine.

Simultanément, la Chine s'engage dans des directions nouvelles, compte tenu de la situation politique. Le commerce sino-soviétique, autrefois presque exclu, en est un bon exemple : aucune péripétie diplomatique n'en a freiné la progression, accompagnée d'une réouverture notable de la frontière. Souvent adapté aux besoins et aux normes de l'industrie chinoise intérieure, ce commerce est assuré par des accords de compensation et de troc, et il est comptabilisé en francs suisses plutôt qu'en dollars. Les échanges avec les autres pays communistes sont également en augmentation constante.

Les implications idéologiques de ce commerce ne doivent pas être exagérées. En effet, la Chine développe aussi ses relations commerciales avec d'autres pays considérés comme adversaires régionaux. C'est le cas avec Taiwan, où le commerce indirect est même complété par des échanges directs à travers le détroit de Formose, et par des investissements effectués par des groupes financiers taiwanais *via* Hong-Kong. Les relations commerciales avec la Corée du Sud, et notamment les exportations alimentaires, sont en plein essor (400 millions de dollars en 1984), en dépit de leur caractère politiquement déplaisant pour la Corée du Nord.

D'autres rubriques complètent ce tableau ; des ventes d'armes importantes, des contrats florissants d'exportation de main-d'œuvre ou de prestation de services (550 millions de dollars de chiffre d'affaires effectif en 1984), les recettes du tourisme viennent alimenter les réserves en devises. 47 000 salariés chinois à l'étranger procurent 390 millions de dollars à leur pays, des chantiers du Moyen-Orient aux restaurants new-yorkais.

Enfin, le bilan des zones spéciales, des quatorze cités côtières ouvertes en avril 1984 et des zones prioritaires semble important, même s'il faut distinguer ce qui est investi de ce qui n'est que prévu dans les accords. Les zones voisines de Hong-Kong sont en tête (1,8 milliard de dollars prévus, 840 millions déjà investis), suivies de la capitale voisine de Guangzhou (1,2 milliard prévus, 182 millions de dollars déjà investis). Ce développement n'est pas sans influencer tout le Guangdong, et il ressemble à celui de Taiwan dans les années 60 ou des "nouveaux territoires" à la même époque. Shanghaï, longtemps plus fermé aux entreprises, a absorbé 220 millions de dollars en 1984. Les quatorze cités côtières ouvertes en avril 1984 ont conclu dans les cinq mois suivants des accords pour une valeur de 880 millions de dollars.

Nul doute que ces chiffres officiels ne soient sujets à des révisions. Mais qui peut dire l'effet réel de ces nouveaux "eldorados" sur la vie de millions de personnes ? Qui peut dire l'effet de l'apparition sur des étagères officielles de produits *"made in Taiwan"* ? Certes, Gu Mu, membre du secrétariat du PCC et responsable économique conservateur, déclare en décembre 1984 que *"l'absorption de quelques dizaines de milliards de dollars américains, voire de quelques centaines de milliards ne saurait affecter la nature socialiste de notre économie[55]."* Ce démenti ressemble à tous ceux qui ont été formulés depuis 1978 concernant les réformes et leurs conséquences. Mieux, Gu Mu réclame quelques mois plus tard l'attribution des crédits et des investissements étrangers à l'industrialisation des grandes villes chinoises du Nord et du Centre.

On ne peut plus tracer avec précision la frontière des secteurs qui resteront socialistes et ceux qui passeront au régime mixte du marché sous contrôle étatique. Il est certain que les grandes entreprises d'Etat n'ont plus actuellement le poids et l'effet d'entraînement qui était le leur sur le reste de l'économie. Nul doute qu'elles ne préservent encore longtemps des dizaines de millions d'emplois d'ouvriers et de cadres, qui sont la vraie conquête populaire des trente premières années de la Chine populaire. Mais les revenus salariaux correspondant apparaissent aujourd'hui modestes en comparaison des nouveaux paysans "à 10 000 yuans", des entrepreneurs et de tous ceux qui, peu ou prou,

_____

55. Interview dans *Beijing Information*, 10 décembre 1984.

sont en contact avec l'étranger. La double ouverture, sur le marché et vers l'Occident, ressuscite les pôles de croissance naturels de la façade maritime chinoise, tout en libérant une croissance capillaire de l'artisanat, de l'industrie et des services au ras des campagnes.

La dualité de ce processus évoque quelques comparaisons historiques. On les trouvera dans la plupart des révolutions industrielles qui n'ont pas, à la différence de l'Angleterre, préalablement vidé les campagnes de leurs habitants.

2.3. L'émergence de la Chine comme grande puissance ?

L'entrée de la Chine parmi les grandes puissances a été trop souvent prédite pour être prise au sérieux. Et il est vrai qu'avec un commerce extérieur six fois inférieur à celui de la France, dépassé même par celui de la Corée du Sud, la Chine fait encore pâle figure sur l'arène du commerce international, où se mesure aujourd'hui l'influence : sa part des échanges mondiaux a pourtant progressé d'un demi-point depuis 1979. Les autres critères de la puissance sont également absents : l'armée chinoise reste limitée par la tradition des guerres de libération et par son rôle passé de milice politique ; la population, rurale à près de 80 %, analphabète pour 30 %, retardée dans son essor éducatif par la Révolution culturelle, demeure un obstacle à la modernisation profonde.

Une telle analyse néglige pourtant d'autres composantes de la puissance : une grande culture nationale, dont l'unification a progressé, et en même temps des régions assez autonomes, dont les progrès différentiels ne suscitent pas nécessairement des revendications jalouses. Le dualisme économique de la Chine, qui n'est pas une nouveauté, y est à tout prendre moins profond que dans de nombreux pays du monde sous-développés : on ne meurt plus de faim aux portes de Pékin ou Shanghaï (c'était encore parfois vrai jusqu'en 1978) comme cela peut être le cas dans le Bihar, à 100 kilomètres de Calcutta. La détresse humaine est aujourd'hui largement confinée à des zones périphériques du pays, même si elle est reconnue s'étendre à 25 millions de personnes (plus de 100 millions en 1977).

Rien ne dit que cette guerre contre la pauvreté atteindra intégralement de son objectif. Encore la Chine n'a-t-elle pas encore affronté le fardeau d'une population vieillissante, que son ralentissement démographique doit entraîner. Rien ne dit non plus que l'essor actuel du niveau de vie peut continuer à un tel rythme. L'expansion se nourrit d'abord des progrès de la production agricole, largement autoconsommée jusque-là : quand bien même celle-ci continuerait de croître, sa valeur monétaire se trouverait limitée. Signe annonciateur de temps futurs, la Chine a connu au printemps 1984 sa première crise de surproduction de fruits et légumes dans le Sud du pays : c'est bien sûr faute d'une redistribution géographique efficace. Les citadins de Pékin ont pourtant à nouveau été soumis au rationnement de la viande au printemps 1985 : signe d'une demande en hausse verticale, et de déséquilibres régionaux.

C'est une raison d'être sceptique : mais quelle révolution économique s'est forgée sans déséquilibres et gâchis ? La Chine est certainement le plus grand pays qui se soit présenté aux portes du monde moderne.

Ce n'est pas tant le poids des structures centralisées et bureaucratiques, l'inertie au travail d'une population habituée au cadre collectif ou la résistance aigre des privilégiés de l'ère révolutionnaire qui font obstacle à cette modernité. Ces arguments, valables dans le temps relativement court du pouvoir depuis 1949, négligent le temps long d'une culture et de structures familiales et laborieuses qui ont démontré, outre-mer, leur vitalité.

Les limites de la modernisation se trouvent plutôt à l'extérieur du cadre politique. L'incohérence entre des strates industrielles de génération et d'origine différentes ; le sous-développement des compétences (1,4 million d'étudiants, cela reste quinze fois moins qu'en France et dix-huit fois moins qu'à Taiwan) ; l'extraordinaire prolifération d'une économie qui n'est pas ici "parallèle" comme en Union soviétique, mais bien informelle, et plus apte à amortir les excès d'autorité qu'à forger les fragiles systèmes interconnectés de notre ère postindustrielle : voilà quelques-unes des pesanteurs à vaincre, et le volontarisme réformiste, succédant fort heureusement au volontarisme utopique, n'y suffira néanmoins pas à lui seul.

Appréciée au regard du passé, la performance chinoise est donc remarquable. En regard des objectifs, elle reste incertaine : la coupe est à moitié pleine ou à moitié vide suivant que l'on adopte l'une ou l'autre perspective. Pour un pays de cette taille, l'essor est néanmoins sans équivalent.

L'avenir de la Chine doit être envisagé en deux temps. A court terme, le succès paraît à peu près inévitable : atouts et contraintes sont connus, tout comme les marges de manœuvre de dirigeants. La transition autour de l'effacement de Deng semble également assurée.

Mais le succès lui-même peut engendrer à l'étranger des réactions de défense, économiques et stratégiques ; il sapera les rentes de situation et l'autorité héritée du maoïsme ; il accroîtra aussi les espérances.

A plus long terme, c'est l'Etat chinois lui-même qui doit être reconstruit. L'appel actuel à la main invisible du marché permet à la fois un rattrapage rural et l'entrée en force de capitaux et de technologies exogènes. Mais ces forces ne suffisent pas pour conduire le pays à la modernité. Il y faut aussi des infrastructures rénovées, un potentiel humain (éducation et recherche), un arbitrage géographique et social, la couverture sociale aussi d'une population qui en reste largement dépourvue. Ces créations nécessitent en Etat aux mécanismes rénovés, mais non dépourvu d'autorité et d'assise.

On peut donc s'interroger sur le rôle que joue et peut jouer la Chine dans les rapports internationaux.

L'environnement extérieur

Il est possible aujourd'hui de rationaliser un comportement extérieur qui a inclu de bruyantes remises en cause. A l'épreuve du temps, quelques constantes apparaissent dans la politique extérieure chinoise[56].

C'est tout d'abord la recherche de l'indépendance : revendication nationale lors de l'ère semicoloniale, elle est un élément constitutif des divergences du Parti communiste chinois avec Moscou depuis sa création. Les hésitations et le refus d'une alliance stratégique avec les Etats-Unis à partir de 1978 procèdent de cette volonté.

Le sentiment d'une faiblesse fondamentale de la Chine est également une constante, qui provoque le recours à des expédients ou des appuis de circonstance. Dans ce domaine, l'orgueil ombrageux de surface cède la place à un pragmatisme à toute épreuve. La Chine avait, à la fin de l'ère maoïste, étiré de façon irréaliste ses prétentions et son action.

Dans sa rivalité avec l'URSS au sein du Tiers-Monde, elle engageait parfois autant de moyens que les Soviétiques, en Afrique par exemple. Mais, dès avant la mort de Mao, la Chine rétrécissait le champ de son action. L'interruption de l'aide financière au Vietnam en 1978, à l'Albanie en 1980, l'introduction d'une politique commerciale en Afrique, l'entrée parmi les demandeurs d'aide internationale, ont représenté des tournants rapidement négociés.

La politique extérieure chinoise depuis lors peut être résumée par deux grands axes : le retrait des ambitions globales s'accompagne de la recherche d'un équilibre entre les deux grandes puissances. D'autre part, la Chine s'oriente plus fortement vers une *Realpolitik* nationaliste aux portes mêmes du pays : ainsi, en ce qui concerne Hong-Kong, Taiwan, les deux Corées, le Vietnam, la Birmanie.

Le premier des deux axes est lourd de significations stratégiques, mais la Chine cherche à les minimiser. Les relations sino-américaines ont pu se développer largement sans que la Chine procède aux achats d'armes et à la modernisation militaire attendues par le Pentagone. L'alliance stratégique rêvée par les secrétaires américains à la Défense depuis Harold Brown (qui la proposa au printemps 1979) est restée limitée à l'exploitation conjointe de moyens de reconnaissance spatiaux, à quelques ventes classées sous la rubrique des technologies duales, et au principe symbolique de la visite de navires de la VIIe Flotte. Cependant, en mai 1985, cette visite dans les ports chinois était, une fois de plus, différée.

Par l'aspect spectaculaire de ce rapprochement sino-américain, par un "lèche-vitrine"

---

56. Voir François Joyaux, *La politique extérieure de la Chine populaire*, Paris, PUF, 1983.

57. Encore cette dernière concession est-elle sans doute liée à la difficulté de fermer à l'avenir la rade de Hong-Kong aux flottes occidentales qui y font relâche.

technologique assidu, la Chine a néanmoins généralisé sa présence à tous les forums internationaux, et obtenu une place à part parmi les pays communistes[58]. En témoignent l'intensité des relations économiques avec le Japon, l'obtention de clauses douanières plus favorables, et l'accès aux hautes technologies (90 % des autorisations spéciales du COCOM en 1984 concernaient la Chine) de la part des Etats-Unis.

Mais elle a rééquilibré ces nouvelles relations à partir de 1981 par une action de sa diplomatie en direction des pays communistes et un engagement plus marqué, bien que surtout verbal, pour certaines causes du Tiers-Monde.

Dans quelle mesure les maladresses de l'Administration Reagan ont-elles contribué à cette évolution ? Dans quelle mesure s'agit-il d'un tournant effectif ? La souplesse de l'Administration américaine sur la question de Taiwan, et du gouvernement de Margaret Thatcher sur celle de Hong-Kong, ont probablement rassuré la Chine : l'intransigeance actuelle des Soviétiques et du Vietnam posent au contraire des une limites au rapprochement.

La politique chinoise est aujourd'hui très nuancée. Avec les Etats-Unis, on peut parler d'un étroit sentier de croissance, menacé par les divergences et les polémiques, très peu susceptible de culminer en une alliance stratégique. Au demeurant, la Chine prône les mérites d'une diplomatie multipolaire qui donne sa place au Japon, et même à la CEE.

Avec les pays de l'Est, il s'agit avant tout d'une entente non cordiale sur les sujets d'intérêt mutuel, en particulier les échanges économiques. La Chine développe parallèlement ses liens politiques avec les partis communistes du monde entier. Mais, comme cette attitude s'étend aussi à d'autres partis, sociaux-démocrates ou simplement "amis", elle en perd toute signification exclusive.

Sauf évolution majeure de la politique soviétique, qui reste divisée et contradictoire à l'égard de la Chine, la politique extérieure de Pékin paraît vouée, pour les années à venir, à une trajectoire sans grandes variations.

Sur le second axe en revanche, qui concerne des voisins appartenant au monde chinois ou d'anciennes zones tributaires, et où la diplomatie chinoise se montre très active, des incertitudes subsistent.

La principale zone d'ombres porte sur les relations avec les trois pays d'Indochine. La Chine n'y a jamais surmonté ses défaites : invasion du Cambodge et mauvais résultat de la "leçon chinoise" au Vietnam en 1979. Elle n'a pu parvenir à une solution diplomatique acceptable, en raison de sa fidélité aux Khmers rouges. Mais elle représente un adversaire "incontournable" pour le Vietnam, sans que cela exige beaucoup de moyens : par son intervention au Cambodge, le Vietnam s'est aliéné ses voisins de l'ASEAN, sans échapper au piège de l'enlisement. Ce piège devient plus dangereux dès lors que Soviétiques et Chinois, en amorçant une normalisation, rendent moins crédible une escalade du conflit.

Mais ce n'est pas ici que la Chine est le plus à son avantage. Elle agit aussi par une présence à la fois officielle et clandestine en Birmanie, et par de vastes revendications maritimes en Asie du Sud-Est[59] : peut-être est-ce en ce domaine que la continuité avec le passé est la plus forte.

Le succès est ailleurs beaucoup plus évident. En Corée, la Chine entreprend un rapprochement, de plus en plus marqué, avec le gouvernement de Séoul, sans rompre le fragile équilibre entre les influences soviétique et chinoise en Corée du Nord. Comme le Vietnam, la Corée du Nord a réussi à préserver son indépendance à l'égard de la Chine. Le régime de Pyong Yang, qui tente parfois des actions violentes contre son voisin sud-coréen, ne peut cependant ignorer les préoccupations de Pékin.

Tout dans la politique de Deng Xiaoping montre que l'effort chinois se concentre avant tout sur les situations qui lui sont le plus accessibles, plutôt que sur la projection plus large d'une puissance encore à construire. Sa politique a réussi à Hong-Kong[60], bien que le test de la réunification effective doive attendre 1997. Avec Taiwan, elle reste encore à trouver : malgré l'évident réchauffement des relations économi-

---

58. Voir l'encart sur les étapes de la reconnaissance internationale de la Chine.

59. Voir David G. Muller, *China as a Maritime Power*, Westview, Boulder, 1983.

60. Voir l'encart sur la question de Hong-Kong.

ques et humaines, il est vrai, indirectes, la volonté du gouvernement de Taiwan, et sa capacité de résistance rendent le problème autrement plus difficile.

La nature de l'environnement extérieur rejoint ainsi les perspectives intérieures de la Chine. C'est en renonçant, dans les deux cas, à des ambitions démesurées, qu'ont pu se réaliser, avec de nombreuses corrections de trajectoire, un compromis économico-social et une ouverture profitable, qui se renforcent mutuellement. Dans les deux cas, la Chine innove complètement à l'intérieur du monde communiste, mais indique peut-être le cours que pourraient suivre d'autres pays libérés de la domination soviétique.

Quel avenir ?

La politique maoïste inscrivait ses tournants successifs dans un carcan social, garantissant et liant chacun à un statut social immuable : les réformes de Deng Xiaoping au contraire introduisent une instabilité sociale dans la population, remettent en cause bien des hiérarchies acquises. Ce bouleversement - qui est la marque du développement - peut-il se poursuivre sans que l'ordre politique en soit affecté ?

Deux réponses semblent devoir être écartées : celle qui implique une conversion soudaine au libéralisme et au libre-échangisme, et celle qui confine les réformes dans un cercle vicieux. Pour ne prendre qu'un exemple, mais essentiel, le monde agricole chinois a infligé depuis 1978 un démenti aux partisans des structures collectives[61], mais il ne communique pas plus avec le marché international. Les paysans chinois vivent dans un univers où l'Etat détermine largement les règles du jeu, et où lui seul pourra construire les infrastructures nécessaires pour commercialiser la production.

Il faut aussi écarter les réponses qui accordent trop d'importance aux pesanteurs de l'appareil économique. Le modèle soviétique, même s'il s'est implanté, est d'envergure plus limitée : industrie centralisée et classe ouvrière sont moins importantes.

Deng Xiaoping a pu déclarer que la politique actuelle était immuable *"que ce soit par les dirigeants de notre génération, y compris Hu*

Yaobang et Zhao Ziyang, ou ceux des troisième, quatrième et cinquième générations". Il évoque en particulier l'appui de la paysannerie, dont tout changement du cours actuel pourrait provoquer le mécontentement.

L'évolution actuelle est pourtant disparate et dépourvue d'une légitimité. L'addition des réformes, des abandons, des intérêts mis en jeu peut-elle créer une société nouvelle, ou bien constituera-t-elle un agrégat instable entre un appareil autoritaire mais sans dynamisme, et des courants d'influence privés d'expression institutionnelle légitime ? Le Tiers-Monde abonde en dictatures refroidies et parfois dissoutes, en partis uniques de la révolution nationale assoupis sur leurs chasses gardées, en coexistences indéchiffrables entre autoritarisme et embryons démocratiques. La quasi-totalité des pays asiatiques (sauf bien sûr le Japon) sont dans cette situation.

Il n'est par conséquent pas besoin de l'utopie d'une démocratie formelle, inconnue à ce jour en Chine, pour envisager le déclin du Parti communiste chinois. Trois hypothèses se présentent : celle du cercle vertueux de la réforme, menant à une mutation contrôlée du communisme ; celle du retour en arrière après une phase de dégel - comme dans l'Union soviétique brejnévienne - ; et celle, plus justifiée par l'expérience du Tiers-Monde d'une montée assez anarchique de l'économie industrielle ouverte, accompagnée du déclin des appareils répressifs, qui ne seraient pas pour autant supprimés.

Il faut retenir surtout la troisième de ces hypothèses. Le dépérissement de l'usage pratique de la dictature, sans que pour autant les principes communs du droit ne s'étendent entièrement à la sphère du pouvoir politique et idéologique, rapprocherait la Chine de nombreux pays en voie de développement qui connaissent une modernisation tronquée. La dimension politique n'est pas une constante de la société chinoise, ou, plutôt, elle n'en a souvent été qu'une composante mineure. Idéologies enflammées et engagement politique individuel ont voisiné avec une tradition d'abstention paysanne et d'apolitisme marchand : de partis et de programmes, point. Quand Wei Jingsheng et ses camarades du printemps de Pékin revendiquent

---

61. Le droit d'héritage des moyens de production est aujourd'hui reconnu.

la démocratie, c'est à l'occidentale : leur mouvement rejoint une autre tradition historique, qui cherche hors de la Chine ses modèles.

La tradition politique chinoise repose plutôt sur les débats polémiques et les groupements d'intérêts ou les cliques : il n'est donc pas sûr que le régime ait à affronter rapidement une opposition politique enhardie par la libéralisation, ni surtout que celle-ci se constitue comme un mouvement moderne. Le régime communiste a longtemps constitué le seul horizon possible. Elargi aujourd'hui pour y inclure les perspectives traditionnelles de la richesse et de la puissance nationale (*fujiang*), il n'a pas de concurrent.

En revanche, le maintien d'une élite politique issue de la Révolution, au-dessus des élites professionnelles et économiques qui apparaissent aujourd'hui, est peu probable. La plus réaliste des hypothèses - en dehors de l'enrichissement des cadres politiques et administratifs, qui est lui-même très réel - consiste aujourd'hui à intégrer ces élites concurrentes. L'évolution du parti communiste, mouvement d'intellectuels attirés par le peuple au départ, vers un assemblage de notables de différents horizons, est une ironie assez probable. La jeunesse de la population, la rapidité du développement, l'appétit d'éducation, l'enthousiasme perceptible pour la modernité devraient faire de ce compromis un résultat dynamique, et non pas une restauration.

BIBLIOTHEQUE
Université du Québec à Rimouski

CARTES ET GRAPHIQUES

Rapport des forces classiques

(Source : OTAN - 1984)

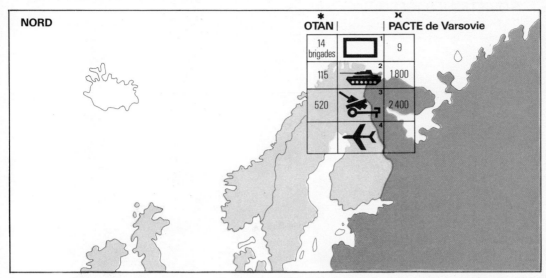

NORD

	OTAN *		PACTE de Varsovie ✕
1	14 brigades		9
2	115		1800
3	520		2400
4			

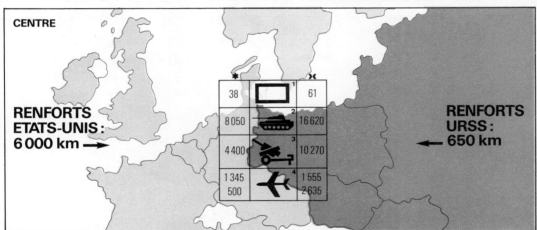

CENTRE

RENFORTS ETATS-UNIS : 6 000 km →

RENFORTS URSS : ← 650 km

	*		✕
1	38		61
2	8 050		16 620
3	4 400		10 270
4	1 345 / 500		1 555 / 2 635

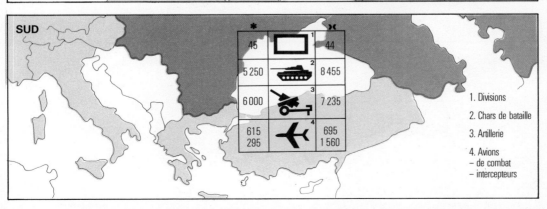

SUD

	*		✕
1	45		44
2	5 250		8 455
3	6 000		7 235
4	615 / 295		695 / 1 560

1. Divisions

2. Chars de bataille

3. Artillerie

4. Avions
 – de combat
 – intercepteurs

CENTRE-EUROPE

RÉPARTITION DES CORPS D'ARMÉE (CA) ALLIÉS (AFCENT) ET DES FORCES SOVIÉTIQUES (GFSG)

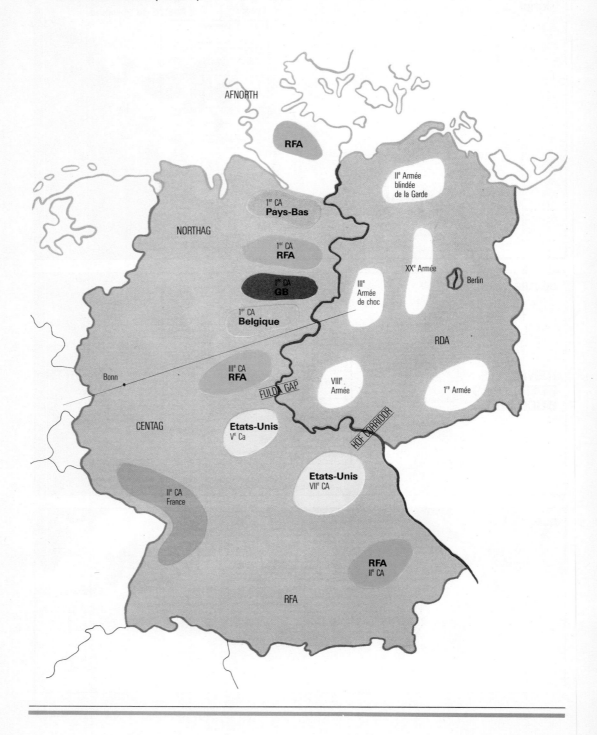

AFNORTH

RFA

IIe Armée
blindée
de la Garde

1er CA
Pays-Bas

NORTHAG

1er CA
RFA

XXe Armée

Berlin

Ire CA
GB

IIIe
Armée
de choc

1er CA
Belgique

RDA

Bonn

IIIe CA
RFA

FULDA GAP

VIIIe
Armée

1re Armée

CENTAG

Etats-Unis
V^e Ca

HOF CORRIDOR

Etats-Unis
VIIe CA

IIe CA
France

RFA
IIe CA

RFA

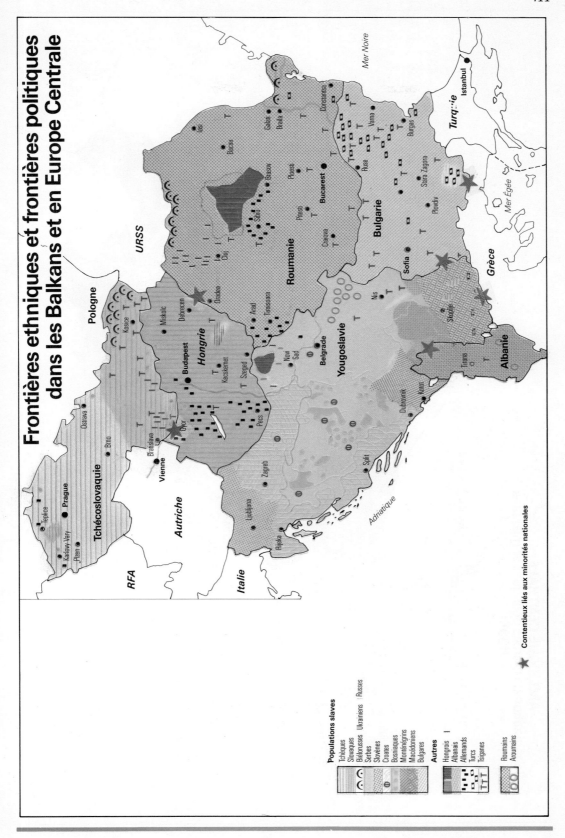

Frontières ethniques et frontières politiques dans les Balkans et en Europe Centrale

Populations slaves

Tchèques
Slovaques
Biélorusses
Ukrainiens
Russes
Serbes
Slovènes
Croates
Bosniaques
Monténégrins
Macédoniens
Bulgares

Autres

Hongrois
Albanais
Allemands
Turcs
Tsiganes

Roumains
Aroumains

★ Contentieux liés aux minorités nationales

URSS

Pologne

Tchécoslovaquie

RFA

Autriche

Italie

Hongrie

Roumanie

Yougoslavie

Bulgarie

Grèce

Albanie

Turquie

Mer Noire

Mer Égée

Adriatique

Istanbul
Bucarest
Sofia
Skopje
Tirana
Budapest
Vienne
Bratislava
Prague
Brno
Ostrava
Pilzen
Karlovy-Vary
Teplice
Kosice
Miskolc
Debrecen
Oradea
Kecskemet
Szeged
Pecs
Gyor
Zagreb
Ljubljana
Rijeka
Split
Dubrovnik
Kotor
Belgrade
Novi Sad
Nis
Timisoara
Arad
Cluj
Iasi
Bacau
Galati
Braila
Constantza
Brasov
Ploiesti
Pitesti
Craiova
Sibiu
Ruse
Varna
Burgas
Stara Zagora
Plovdiv

412

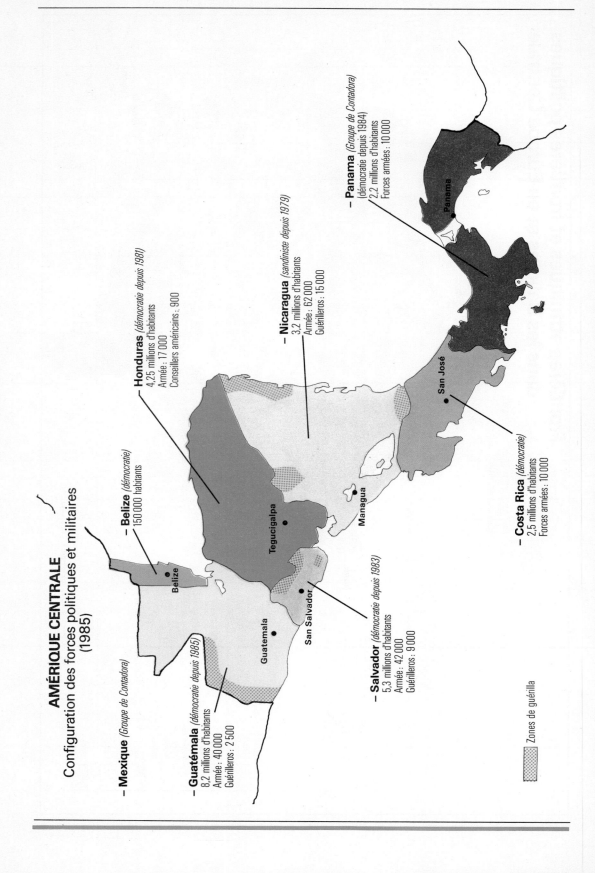

AMÉRIQUE CENTRALE
Configuration des forces politiques et militaires
(1985)

– **Mexique** *(Groupe de Contadora)*

– **Belize** *(démocratie)*
150 000 habitants

– **Guatémala** *(démocratie depuis 1985)*
8,2 millions d'habitants
Armée. 40 000
Guérilleros: 2 500

– **Honduras** *(démocratie depuis 1981)*
4,25 millions d'habitants
Armée: 17 000
Conseillers américains : 900

– **Nicaragua** *(sandiniste depuis 1979)*
3,2 millions d'habitants
Armée: 62 000
Guérilleros: 15 000

– **Panama** *(Groupe de Contadora)*
(démocratie depuis 1984)
2,2 millions d'habitants
Forces armées: 10 000

– **Costa Rica** *(démocratie)*
2,5 millions d'habitants
Forces armées: 10 000

– **Salvador** *(démocratie depuis 1983)*
5,3 millions d'habitants
Armée: 42 000
Guérilleros: 9 000

Zones de guérilla

Répartition des combattants de l'OLP depuis leur évacuation du Liban en 1982

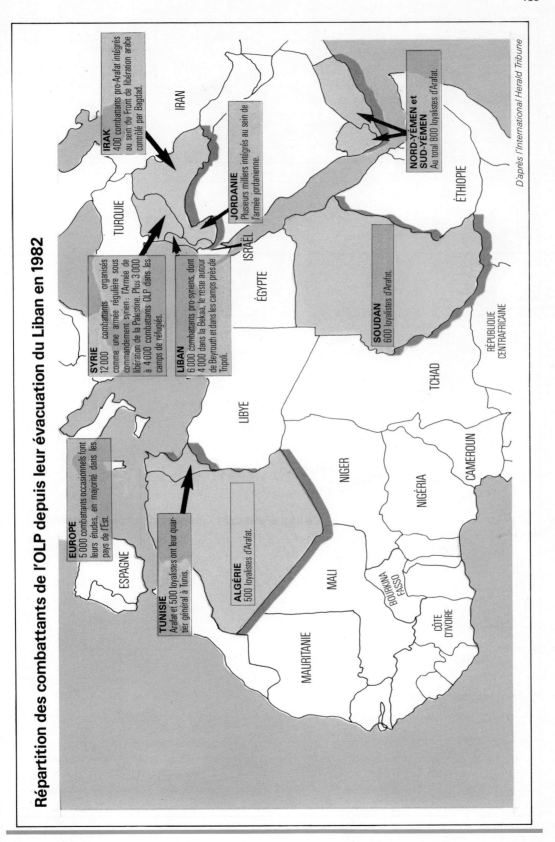

IRAK
400 combattants pro-Arafat intégrés au sein du Front de libération arabe contrôlé par Bagdad.

JORDANIE
Plusieurs milliers au sein de l'armée jordanienne.

NORD-YÉMEN et SUD-YÉMEN
Au total 800 loyalistes d'Arafat.

SYRIE
12 000 combattants organisés comme une armée régulière sous commandement syrien : l'Armée de libération de la Palestine. Plus 3 000 à 4 000 combattants OLP dans les camps de réfugiés.

LIBAN
6 000 combattants pro-syriens, dont 4 000 dans la Bekaa, le reste autour de Beyrouth et dans les camps près de Tripoli.

SOUDAN
600 loyalistes d'Arafat.

EUROPE
5 000 combattants occasionnels font leurs études, en majorité dans les pays de l'Est.

TUNISIE
Arafat et 500 loyalistes ont leur quartier général à Tunis.

ALGÉRIE
500 loyalistes d'Arafat.

TURQUIE

IRAN

ISRAËL

ÉGYPTE

ÉTHIOPIE

RÉPUBLIQUE CENTRAFRICAINE

LIBYE

TCHAD

CAMEROUN

NIGER

NIGÉRIA

ESPAGNE

MALI

BOURKINA FASSO

CÔTE D'IVOIRE

MAURITANIE

D'après l'International Herald Tribune

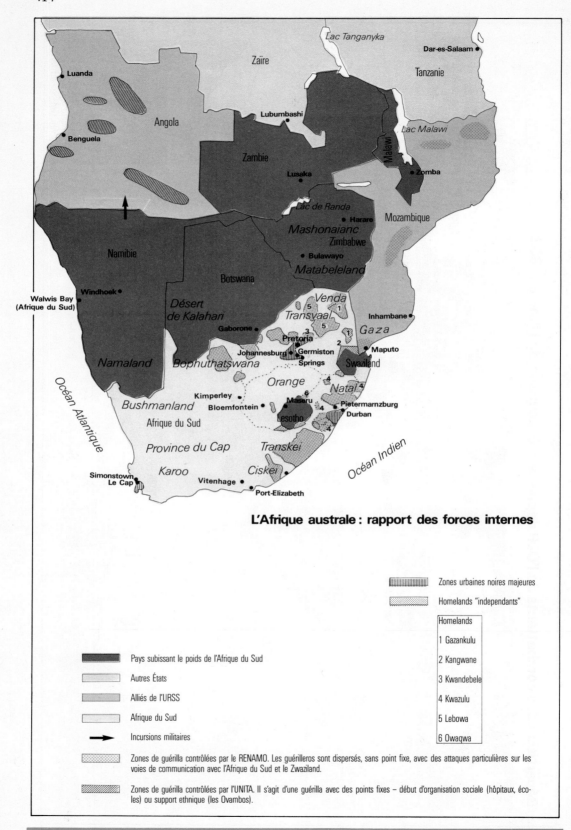

L'Afrique australe : rapport des forces internes

| | Zones urbaines noires majeures |
| | Homelands "independants" |

| Homelands |
| 1 Gazankulu |
| 2 Kangwane |
| 3 Kwandebele |
| 4 Kwazulu |
| 5 Lebowa |
| 6 Owaqwa |

Pays subissant le poids de l'Afrique du Sud

Autres États

Alliés de l'URSS

Afrique du Sud

→ Incursions militaires

Zones de guérilla contrôlées par le RENAMO. Les guérilleros sont dispersés, sans point fixe, avec des attaques particulières sur les voies de communication avec l'Afrique du Sud et le Zwaziland.

Zones de guérilla contrôlées par l'UNITA. Il s'agit d'une guérilla avec des points fixes – début d'organisation sociale (hôpitaux, écoles) ou support ethnique (les Ovambos).

AFRIQUE : les régimes politiques

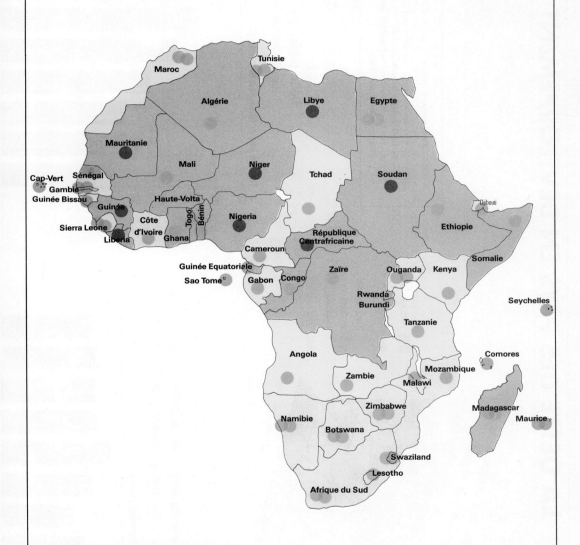

1. Zimbabwe: Il s'agit actuellement d'un multipartisme, mais la décision de mettre en place un parti unique a été prise en août 1984.

2. Madagascar: Les partis sont regroupés au sein d'un front.

3. Namibie: Il s'agit d'un territoire sous tutelle de l'Afrique du Sud, mais des élections ouvertes à plusieurs partis sont prévues (proposition récente de l'Afrique du Sud).

4. Ouganda: Après le coup d'Etat militaire du 27 juillet 1985, le général Tito Okello est nommé chef de l'Etat. Des élections générales doivent être organisées dans les douze mois à venir. Le multipartisme subsiste.

Chef d'Etat militaire

Chef d'Etat civil

Multipartisme légal

Parti unique

Pas de parti

LA DETTE DES PAYS EN DEVELOPPEMENT

SOURCE : *World Economic Outlook, F.M.I., Avril 1985.*

NOTA : *(1) Tous les pays en développement sauf les pays exportateurs de pétrole du Golfe persique (Classification FMI).*
(2) Pays du Moyen-Orient non pétroliers plus pays en développement d'Europe (Classification FMI).

Amérique Latine

Afrique

Total des pays en développement endettés (1)

Asie

Dette totale, par région
En milliards de dollars

Total des pays en développement endettés (1)

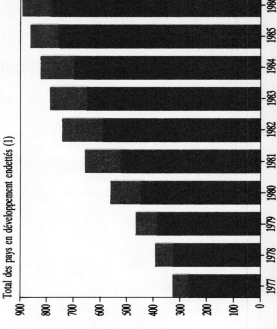

Ratio de la dette aux exportations de biens et services par région

% des exportations de biens et service

Ratio du service de la dette
En % des recettes d'exportations

Total des pays en développement endettés (1)

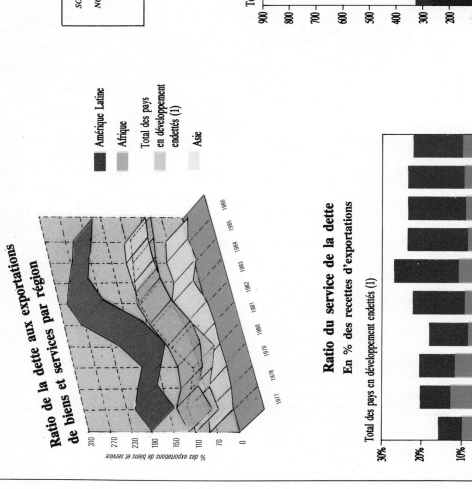

417

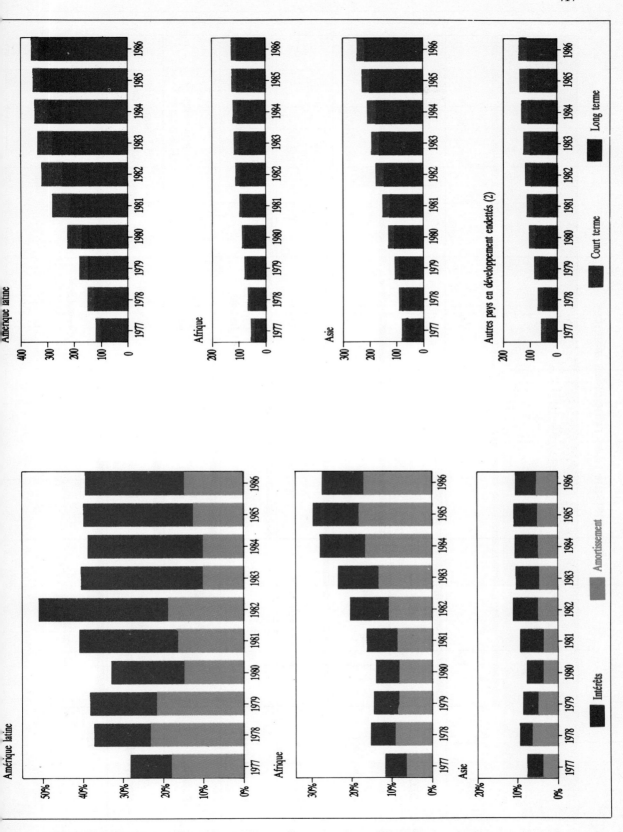

418

Informatique : Les principales alliances

	COMPOSANTS et PÉRIPHÉRIQUES	ORDINATEURS	LOGICIELS	COMMUNICATIONS
IBM	Intel (1)		Microsoft (3)	Rolm (1), SBS (1)
DEC	Trilogy (1,4)		Accord avec des tiers	Northern Telecom (4) Xerox
Burroughs	Memorex (1), Intel (6) Canon (3)	Convergent Technology	Accord avec des tiers	Systems Research (1)
NCR	Magnetic Peripherals (1)	Convergent Technology (3)	Accord avec des tiers	Comten (1) Ztel (1) Intel (5)
Control Data	Centronics (2) Trilogy (1,4)	Columbia Data Products (3), MCT (4)	Chrysler Corp. (4) Northrop (4)	The Source (1) United Telecom (1)
Sperry	Magnetic Peripherals (1) Trilogy (1,4)	Mitsubishi (4) MCT (4)	Accord avec des tiers	Northern Telecom (4) L.M. Ericsson (4)
Honeywell	Mag. Peripherals (1) Synertek (1)	MCT BULL NEC (4) (1,4) (4,5,6)	Accord avec des tiers	L.M. Ericsson (2,4,5) Action Communication System (1)
ATT	Telectron (1)	Convergent Tech. (3) Olivetti (1,5)	Zilog, Motorola, National Semi-conductor, Intel (4)	Philips (2,5) Gold Star (2)

Firme				
BULL France	Trilogy (1,4) Philips (6) Mag. Periph. (1)	Siemens (4) ICL (4) Fortune System (3) Convergent Tech. (3) Ridge (4,5) Honeywell (4) NEC (4,5)		
OLIVETTI Italie		Toshiba (1,5) ATT (5) IPL (1,5) Hitachi (5)	Digital Research (1,5)	ATT (5) Northern Telecom (5,6) CIT-Alcatel (6) Plessey (4) Intecom (4)
ICL G-B	Fujitsu (3)	Bull (4) Siemens (4) Fujitsu (4,5)	Accord avec des tiers	ATT (4,5) Mitel (5)
Siemens RFA	Philips (4) IBM (3) Intel (3) AMD (1) Furukawa (2)	Bull (4) ICL (4) Fujitsu (5)		Xerox (4) Corning Glass (2)
Nixdorf RFA	LSI Logic (3) Ferranti (4)	Spartacus Comp. (4)		
Fujitsu		ICL (5) Siemens (5) Amdahl (1)		Telefonica (5,6)
Hitachi	Olivetti (3) BASF (3)	Olivetti (5) National Advanced Systems (3)		
NEC		Bull (4,5) Honeywell (4,5,6)		GEC-Marconi (6)

- Nature de l'alliance :
  (1) acquisition ou prise de participation
  (2) "joint venture"
  (3) accord d'approvisionnement ("OEM agreement")
  (4) accord de développement technologique/produit
  (5) accord de commercialisation
  (6) accord de production.

- interne :

- Pays d'origine des firmes :
  États-Unis et Canada
  Japon (Asie)
  Europe

Sources : Tiré de Business Week (16 juillet 1984) – et mis à jour à l'aide de diverses sources.

Note : On a noté les alliances les plus significatives. Ce tableau n'est pas exhaustif.

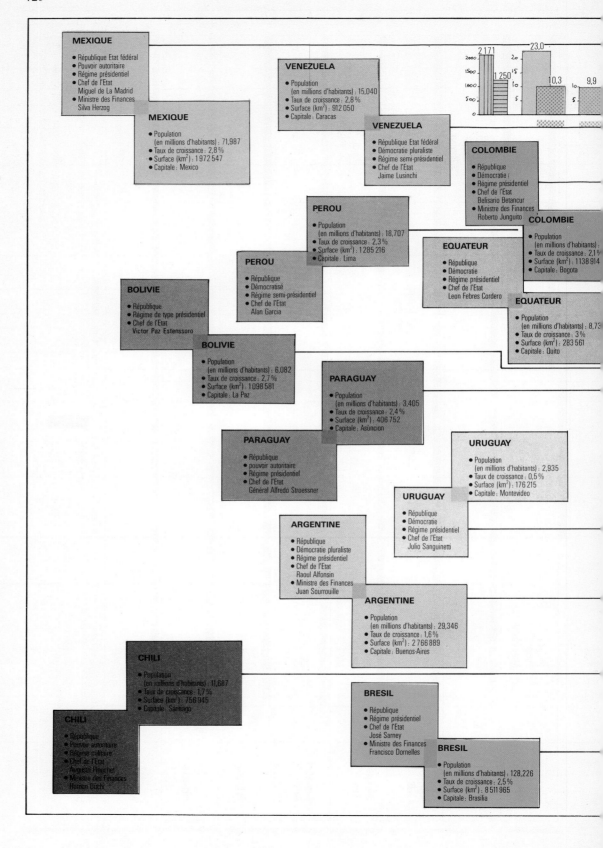

420

MEXIQUE
- République Etat fédéral
- Pouvoir autoritaire
- Régime présidentiel
- Chef de l'Etat
  Miguel de La Madrid
- Ministre des Finances
  Silva Herzog

MEXIQUE
- Population
  (en millions d'habitants) : 71,987
- Taux de croissance : 2,8 %
- Surface (km²) : 1 972 547
- Capitale : Mexico

VENEZUELA
- Population
  (en millions d'habitants) : 15,040
- Taux de croissance : 2,8 %
- Surface (km²) : 912 050
- Capitale : Caracas

VENEZUELA
- République Etat fédéral
- Démocratie pluraliste
- Régime semi-présidentiel
- Chef de l'Etat
  Jaime Lusinchi

COLOMBIE
- République
- Démocratie
- Régime présidentiel
- Chef de l'Etat
  Belisario Betancur
- Ministre des Finances
  Roberto Junguito

COLOMBIE
- Population
  (en millions d'habitants)
- Taux de croissance : 2,1 %
- Surface (km²) : 1 138 914
- Capitale : Bogota

PEROU
- Population
  (en millions d'habitants) : 18,707
- Taux de croissance : 2,3 %
- Surface (km²) : 1 285 216
- Capitale : Lima

PEROU
- République
- Démocratisé
- Régime semi-présidentiel
- Chef de l'Etat
  Alan Garcia

EQUATEUR
- République
- Démocratie
- Régime présidentiel
- Chef de l'Etat
  Leon Febres Cordero

EQUATEUR
- Population
  (en millions d'habitants) : 8,73
- Taux de croissance : 3 %
- Surface (km²) : 283 561
- Capitale : Quito

BOLIVIE
- République
- Régime de type présidentiel
- Chef de l'Etat
  Victor Paz Estenssoro

BOLIVIE
- Population
  (en millions d'habitants) : 6,082
- Taux de croissance : 2,7 %
- Surface (km²) : 1 098 581
- Capitale : La Paz

PARAGUAY
- Population
  (en millions d'habitants) : 3,405
- Taux de croissance : 2,4 %
- Surface (km²) : 406 752
- Capitale : Asùncion

PARAGUAY
- République
- pouvoir autoritaire
- Régime présidentiel
- Chef de l'Etat
  Général Alfredo Stroessner

URUGUAY
- Population
  (en millions d'habitants) : 2,935
- Taux de croissance : 0,5 %
- Surface (km²) : 176 215
- Capitale : Montevideo

URUGUAY
- République
- Démocratie
- Régime présidentiel
- Chef de l'Etat
  Julio Sanguinetti

ARGENTINE
- République
- Démocratie pluraliste
- Régime présidentiel
- Chef de l'Etat
  Raoul Alfonsin
- Ministre des Finances
  Juan Sourrouille

ARGENTINE
- Population
  (en millions d'habitants) : 29,346
- Taux de croissance : 1,6 %
- Surface (km²) : 2 766 889
- Capitale : Buenos-Aires

CHILI
- Population
  (en millions d'habitants) : 11,687
- Taux de croissance : 1,7 %
- Surface (km²) : 756 945
- Capitale : Santiago

CHILI
- République
- Pouvoir autoritaire
- Régime militaire
- Chef de l'Etat
  Auguste Pinochet
- Ministre des Finances
  Hernan Buchi

BRESIL
- République
- Régime présidentiel
- Chef de l'Etat
  José Sarney
- Ministre des Finances
  Francisco Dornelles

BRESIL
- Population
  (en millions d'habitants) : 128,226
- Taux de croissance : 2,5 %
- Surface (km²) : 8 511 965
- Capitale : Brasilia

2 171
1 250
23,0
10,3
9,9

Amérique latine : données politiques et économiques

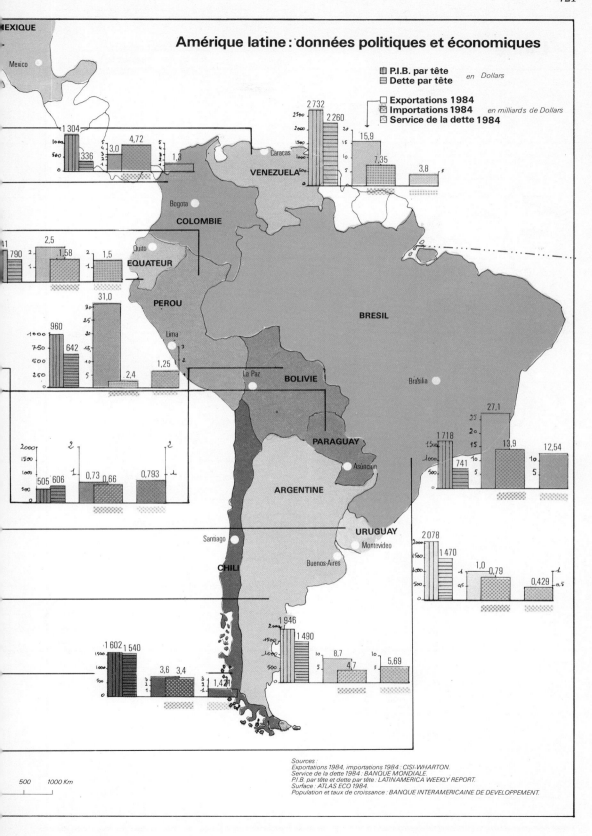

P.I.B. par tête
Dette par tête *en Dollars*

☐ **Exportations 1984**
▦ **Importations 1984** *en milliards de Dollars*
☐ **Service de la dette 1984**

MEXIQUE
Mexico

VENEZUELA — Caracas
2 732 · 2 260 · 3,0 · 4,72 · 1,3 · 15,9 · 7,35 · 3,8
1 304 · 336

COLOMBIE — Bogota

EQUATEUR — Quito
790 · 2,5 · 1,58 · 1,5 · 41

PEROU — Lima
960 · 642 · 31,0 · 2,4 · 1,25

BOLIVIE — La Paz
505 · 606 · 0,73 · 0,66 · 0,793

BRESIL — Brasilia
1 718 · 741 · 27,1 · 13,9 · 12,54

PARAGUAY — Asuncion

ARGENTINE — Buenos-Aires
2 078 · 1 470 · 1,0 · 0,79 · 0,429

URUGUAY — Montevideo
1 946 · 1 490 · 8,7 · 4,7 · 5,69

CHILI — Santiago
1 602 · 1 540 · 3,6 · 3,4 · 1,42

500   1000 Km

Sources :
Exportations 1984, importations 1984 : CISI-WHARTON.
Service de la dette 1984 : BANQUE MONDIALE.
P.I.B. par tête et dette par tête : LATINAMERICA WEEKLY REPORT.
Surface : ATLAS ECO 1984.
Population et taux de croissance : BANQUE INTERAMERICAINE DE DEVELOPPEMENT.

L'Inde

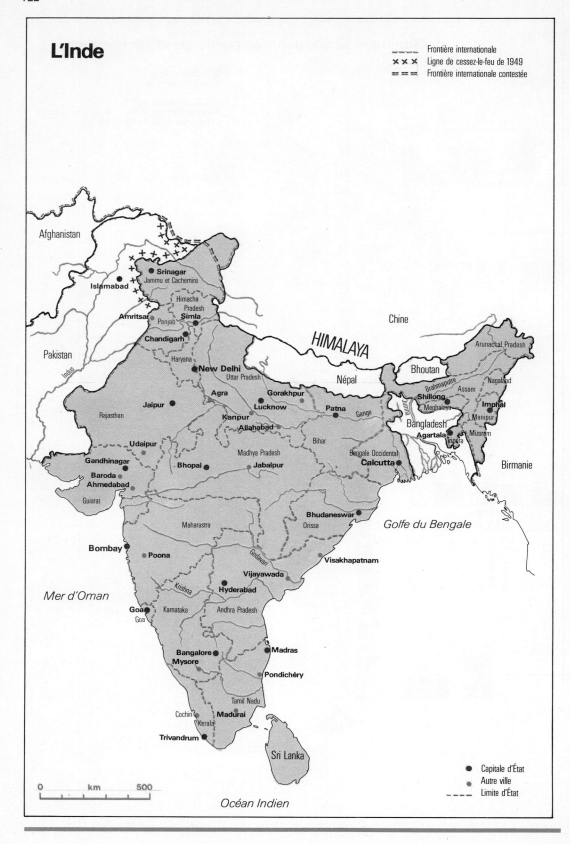

Frontière internationale
Ligne de cessez-le-feu de 1949
Frontière internationale contestée

Afghanistan

Srinagar
Jammu et Cachemire
Islamabad

Himacha
Pradesh
Simla

Amritsar
Panjab

Chandigarh
Haryana

Pakistan

Indus

New Delhi
Uttar Pradesh

Agra
Gorakhpur
Lucknow
Patna
Gange

Kanpur
Allahabad

Jaipur
Rajasthan

Udaipur

Bihar

Gandhinagar
Baroda
Ahmedabad
Guiarat

Bhopal
Jabalpur
Madhya Pradesh

Bengale Occidental
Calcutta

Chine

HIMALAYA

Népal

Bhoutan

Brahmaputre
Assam

Shillong
Meghalaya

Arunachal Pradesh

Nagaland

Imphal
Manipur

Jumna

Bangladesh

Agartala
Tripura

Mizoram

Birmanie

Bhudaneswar
Orissa

Golfe du Bengale

Mer d'Oman

Bombay
Poona

Godavari

Visakhapatnam

Vijayawada
Hyderabad

Krishna

Goa
Goa

Karnataka

Andhra Pradesh

Bangalore
Mysore

Madras

Pondichéry

Tamil Nadu

Cochin
Kerala

Madurai

Trivandrum

Sri Lanka

0   km   500

Océan Indien

Capitale d'État
Autre ville
Limite d'État

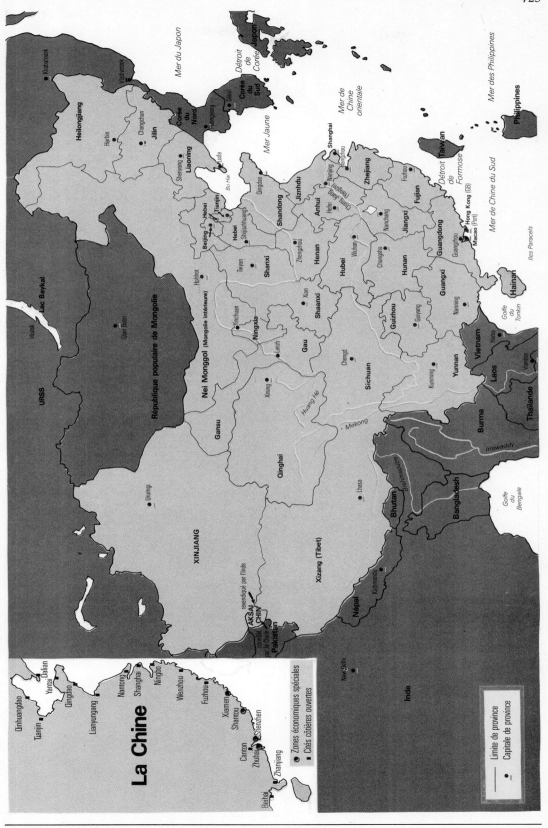

La Chine

Zones économiques spéciales

■ **Cités côtières ouvertes**

— Limite de province

• Capitale de province

ANNEXE STATISTIQUE

Annexe statistique

L'annexe statistique de RAMSES a été conçue cette année comme un outil de référence macroéconomique élaboré et homogène, fondé sur des séries rétrospectives de longue durée.

Elle comprend trois parties. La première, reprenant la coutume établie par les rapports précédents, présente les "tableaux de bord" des sept principaux pays industrialisés. Leur composition a été modifiée, de façon à améliorer la vision structurelle qu'ils donnent des économies de ces pays. Outre les principaux indicateurs économiques auxquels on peut être amené à se référer, on y trouvera une ventilation par emplois du produit intérieur brut (PIB) de chaque pays, ainsi que sa répartition. On y trouvera aussi une analyse des échanges extérieurs, et une réconciliation des comptes extérieurs et des comptes nationaux.

La seconde et la troisième partie de l'annexe permettront de suivre, pour les pays industriali-sés et pour un certain nombre de pays en développement, l'évolution de quelques variables macroéconomiques fondamentales : production, croissance, inflation, chômage, balance commerciale, balance des paiements courants.

Cette annexe ne prétend pas être exhaustive. Son objectif est de présenter une synthèse utile des données statistiques disponibles sur les économies nationales. Nous avons utilisé à cette fin les banques de données rassemblées et harmoni-sées par Cisi-Wharton pour son modèle économique mondial, dont nous reprenons, dans les tableaux de bord, les prévisions pour 1985 et 1986. Ces banques de données sont constituées à partir des données brutes provenant notamment du Fonds monétaire international, de l'OCDE, de la CEE, ou encore des administrations nationales (comme l'INSEE en France, l'*Economic Planning Agency* au Japon...). Cette annexe en utilise la mise à jour de juillet 1985.

Note : Par convention, un tiret (-) dans une des case des tableaux de l'annexe représente un chiffre inférieur à 0,05 unité. Lorsqu'une donnée n'est pas disponible, elle est remplacée par l'abréviation "nd".

SOMMAIRE

TABLEAUX DE BORD

Origine des données

Les données brutes sous-jacentes aux séries que nous avons utilisées à partir des banques de données de Cisi-Wharton proviennent de trois sources :

1. Les sources nationales : banques de données de la *Citibank* aux Etats-Unis, statistiques canadiennes du NIEA, chiffres de *l'Economic Planning Agency* au Japon, du *Statistische Bundesamt* en République fédérale d'Allemagne, de l'INSEE en France, du *Government Statistical Service* au Royaume-Uni, et de *l'ISTAT* en Italie.

Ces sources, utilisées pour l'ensemble des séries relatives aux comptes nationaux et aux finances publiques, permettent donc d'alimenter :
- les chiffres relatifs au PIB, à ses emplois, à sa répartition et, par voie de conséquence, le déflateur du PIB, son taux de croissance réel, les exportations et importations de biens et de services ainsi que leur part dans le PIB, le taux de croissance des salaires ;
- les chiffres relatifs à la pression fiscale et sociale : taux de pression fiscale, taux de contributions sociales ;
- les chiffres des dépenses publiques et du déficit des administrations publiques ;
- la réconciliation des comptes extérieurs et nationaux.

2. Les *statistiques financières internationales* (SFI) du Fonds monétaire international. Outre le chiffre de la population totale (ligne 99z de SFI) et celui de la balance des paiements courants (lignes 77ad à agd), elles permettent d'obtenir les données monétaires et financières des tableaux, à savoir :
- le taux d'inflation des prix à la consommation (ligne 64) ;
- le taux de croissance des masses monétaires (lignes 34 et 35) ;
- les taux d'intérêt à court et long terme (lignes 60b et 61) ;
- les taux de change nominal et effectif (ligne rf et amx). Le taux de change effectif réel est calculé à partir des taux de change nominaux ajustés pour tenir compte des différentiels d'inflation (calculés à partir des déflateurs du PIB) et pondérés par les coefficients du modèle multilatéral des taux de change (MERM) du FMI (calcul Cisi-Wharton).

3. Enfin, nous avons pris dans les statistiques de l'OCDE la population active, le taux de chômage, le taux de croissance de l'emploi, ainsi que les balances commerciales présentées dans la rubrique "échanges avec l'extérieur".

Quelques remarques méthodologiques

1. Les tableaux de bord mettent en évidence deux décompositions importantes du produit intérieur brut :
PIB aux prix du marché = consommation privée + consommation publique + formation brute de capital fixe + variation des stocks + exportations de biens et services - importations de biens et services ;
ou :
PIB aux prix du marché = rémunération des employés + rémunérations des autres facteurs de production + dépréciation du capital + taxes indirectes nettes.

2. La réconciliation des comptes extérieurs et nationaux permet de retrouver le montant de la balance des paiements courants comme l'excédent de l'épargne brute nationale par rapport aux besoins d'investissement internes (formation brute de capital fixe et investissements de stockage).

Les différences qui existent parfois entre les chiffres résultant de ce calcul et ceux qui sont issus des statistiques des balances des paiements proviennent soit d'erreurs non localisées, soit du retard de la mise à jour des comptes nationaux.

TABLEAU DE BORD : ETATS-UNIS

Croissance réelle du PIB / Balance des paiements courants (en % du PIB) — En pourcentage

Taux de change effectif réel (1980 = 100) / Balance des paiements courants (en milliards de dollars) — 1980 = 100 ou milliards de dollars

	Moyenne 60-73	Moyenne 74-80	1981	1982	1983	1984	1985	1986
PRINCIPAUX INDICATEURS ECONOMIQUES								
Taux de croissance réel du PIB (%)	4,0	2,3	2,6	-2,0	3,8	7,1	2,8	2,7
Exportations de biens et services (% PIB)	5,1	8,7	9,7	8,7	7,7	7,5	7,3	7,5
Importations de biens et services (% PIB)	5,0	9,4	10,5	9,6	9,5	10,5	10,4	10,6
Balance des paiements courants (% PIB)	0,4	—	0,2	-0,3	-1,3	-2,8	-2,8	-2,9
Déflateur du PIB (%)	3,2	7,8	9,6	6,0	3,8	3,8	4,1	4,3
Taux d'inflation (prix consommation, %)	3,1	9,2	10,3	6,2	3,2	4,3	3,6	4,1
Taux de croissance des salaires (%)	5,8	8,1	9,2	6,5	5,1	5,2	4,9	4,9
Population totale (millions)	197,2	220,5	230,1	232,4	234,5	236,7	240,6	243,1
Population active (millions)	80,5	101,4	110,8	112,4	113,7	115,7	117,8	118,8
Croissance de l'emploi (%)	1,9	2,1	1,1	-0,8	1,3	4,1	1,8	0,8
Taux de chômage (définition OCDE)	4,9	6,8	7,6	9,7	9,6	7,5	7,4	7,5
Taux de pression fiscale et sociale (% PIB)	29,3	31,9	32,9	32,3	31,7	31,4	31,7	31,6
Dont : Pression fiscale (% PIB)	24,0	24,3	24,8	23,9	23,3	22,9	23,0	22,9
Contributions sociales (% PIB)	5,3	7,5	8,1	8,3	8,4	8,5	8,7	8,7
Dépenses publiques (% PIB)	29,6	33,0	33,8	36,1	35,9	34,8	34,9	34,7
Solde administrations publiques (% PIB)	-0,4	-1,2	-0,9	-3,8	-4,1	-3,4	-3,2	-3,1
Croissance de l'agrégat monétaire M1 (%)	4,6	6,7	5,2	8,7	10,4	5,2	8,5	6,6
Croissance de l'agrégat monétaire M2 (%)	7,8	9,6	9,3	9,5	12,2	7,7	9,1	7,5
Taux d'intérêt à court terme (%)	5,1	8,3	14,8	11,9	8,9	10,2	7,6	6,5
Taux d'intérêt à long terme (%)	6,0	9,7	15,1	14,9	12,8	13,5	12,4	11,6
Taux de change nominal effectif (1980=100)	123,5	105,5	112,4	125,6	132,9	143,3	152,8	146,4
Taux de change effectif réel (1980=100)	152,5	107,4	113,6	124,5	129,4	139,0	147,8	141,4
PRODUIT INTERIEUR BRUT : EMPLOIS *(Prix courants, milliards de dollars)*								
Consommation privée			1.849,1	1.984,9	2.155,9	2.341,8	2.508,4	2.676,0
Consommation publique			596,5	650,5	685,5	747,4	806,4	865,4
Formation brute de capital fixe			458,1	441,0	485,1	579,6	632,7	691,5
Variation des stocks			26,0	-26,1	-13,5	58,2	42,3	42,8
Exportations de biens et services			283,4	261,9	252,1	272,5	284,1	310,4
Importations de biens et services			305,7	290,8	308,6	380,4	402,3	439,3
Produit intérieur brut			2.907,5	3.021,3	3.256,5	3.619,2	3.871,7	4.146,6

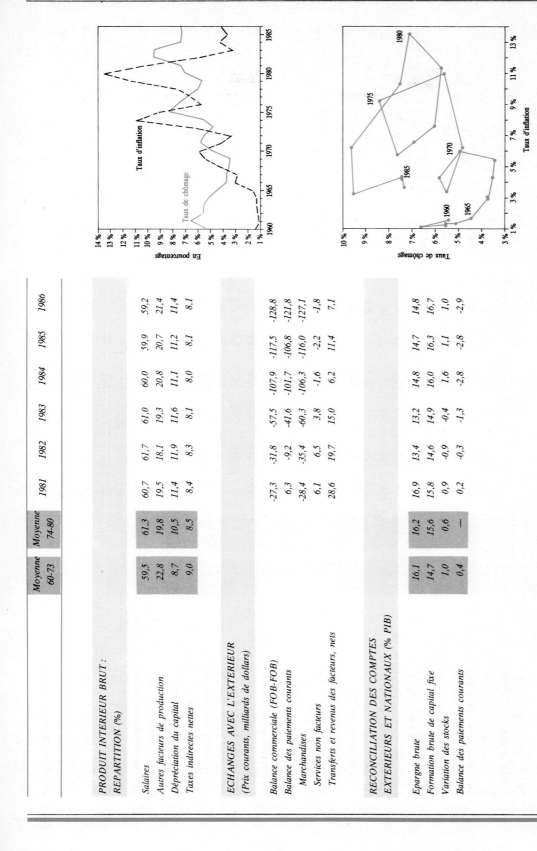

	Moyenne 60-73	Moyenne 74-80	1981	1982	1983	1984	1985	1986
PRODUIT INTERIEUR BRUT : REPARTITION (%)								
Salaires	59,5	61,3	60,7	61,7	61,0	60,0	59,9	59,2
Autres facteurs de production	22,8	19,8	19,5	18,1	19,3	20,8	20,7	21,4
Dépréciation du capital	8,7	10,5	11,4	11,9	11,6	11,1	11,2	11,4
Taxes indirectes nettes	9,0	8,5	8,4	8,3	8,1	8,0	8,1	8,1
ECHANGES AVEC L'EXTERIEUR (Prix courants, milliards de dollars)								
Balance commerciale (FOB-FOB)			-27,3	-31,8	-57,5	-107,9	-117,5	-128,8
Balance des paiements courants			6,3	-9,2	-41,6	-101,7	-106,8	-121,8
Marchandises			-28,4	-35,4	-60,3	-106,3	-116,0	-127,1
Services non facteurs			6,1	6,5	3,8	-1,6	-2,2	-1,8
Transferts et revenus des facteurs, nets			28,6	19,7	15,0	6,2	11,4	7,1
RECONCILIATION DES COMPTES EXTERIEURS ET NATIONAUX (% PIB)								
Epargne brute	16,1	16,2	16,9	13,4	13,2	14,8	14,7	14,8
Formation brute de capital fixe	14,7	15,6	15,8	14,6	14,9	16,0	16,3	16,7
Variation des stocks	1,0	0,6	0,9	-0,9	-0,4	1,6	1,1	1,0
Balance des paiements courants	0,4	—	0,2	-0,3	-1,3	-2,8	-2,8	-2,9

Source : Banques de données, estimations et prévisions, Cisi-Wharton, juillet 1985.

TABLEAU DE BORD : CANADA

Croissance réelle du PIB — Balance des paiements courants (% du PIB) — En pourcentage

Taux de change effectif réel (1980 = 100) — Balance des paiements courants (milliards de dollars canadiens) — 1980 = 100 ou milliards de dollars canadiens

	Moyenne 60-73	Moyenne 74-80	1981	1982	1983	1984	1985	1986
PRINCIPAUX INDICATEURS ECONOMIQUES								
Taux de croissance réel du PIB (%)	5,6	3,0	3,9	-4,3	2,8	4,7	3,5	3,1
Exportations de biens et services (% PIB)	20,5	25,2	27,6	26,0	25,6	28,7	29,7	30,4
Importations de biens et services (% PIB)	19,9	25,0	26,4	22,2	22,3	25,0	26,2	26,5
Balance des paiements courants (% PIB)	-1,0	-1,7	-1,7	0,7	0,4	0,4	0,2	0,7
Déflateur du PIB (%)	3,6	10,2	10,6	10,3	5,5	3,5	3,3	4,9
Taux d'inflation (prix consommation, %)	3,1	9,3	12,4	10,9	5,8	4,3	4,7	5,1
Taux de croissance des salaires (%)	6,7	10,9	11,8	10,6	4,6	3,6	5,3	5,5
Population totale (millions)	20,1	23,2	24,3	24,6	24,9	25,1	25,4	25,6
Population active (millions)	7,8	10,6	12,0	12,0	12,3	12,5	12,6	12,8
Croissance de l'emploi (% PIB)	2,9	2,8	3,3	-3,2	0,8	2,5	1,8	1,8
Taux de chômage (définition OCDE)	5,2	7,3	7,5	10,9	11,8	11,2	10,8	10,6
Taux de pression fiscale et sociale (% PIB)	27,8	30,9	32,1	32,4	31,7	31,9	32,4	32,6
Dépenses publiques (% PIB)	28,3	36,5	38,9	42,9	43,7	44,1	44,4	43,6
Solde administrations publiques (% PIB)	2,6	—	-0,4	-3,5	-5,0	-5,1	-4,5	-3,6
Croissance de l'agrégat monétaire M1 (%)	9,9	7,1	6,2	5,3	10,5	19,5	7,1	7,7
Croissance de l'agrégat monétaire M2 (%)	10,6	15,9	22,5	5,0	-0,9	7,5	6,7	7,7
Taux d'intérêt à court terme (%)	4,5	9,2	17,7	13,6	9,3	11,1	9,3	8,0
Taux d'intérêt à long terme (%)	6,2	9,7	15,2	14,3	11,8	12,8	13,0	12,2
Taux de change nominal (pour 1 $ US)			1,20	1,23	1,23	1,30	1,35	1,37
Taux de change nominal effectif (1980=100)	122,5	112,0	102,8	104,9	108,1	106,2	104,7	101,3
Taux de change effectif réel (1980=100)	111,9	108,0	104,1	109,7	113,6	110,7	108,0	104,9
PRODUIT INTERIEUR BRUT : EMPLOIS (Prix courants, milliards de dollars canadiens)								
Consommation privée			193,3	210,0	232,2	246,9	265,7	285,7
Consommation publique			69,2	77,8	84,1	90,8	95,6	101,3
Formation brute de capital fixe			82,1	79,3	77,6	79,7	88,1	97,0
Variation des stocks			2,0	-9,1	-1,2	1,7	0,1	—
Exportations de biens et services			96,9	96,5	103,1	126,4	138,4	153,1
Importations de biens et services			92,8	82,3	89,9	110,0	122,3	133,6
Produit intérieur brut			351,5	371,2	402,6	440,1	466,3	504,2

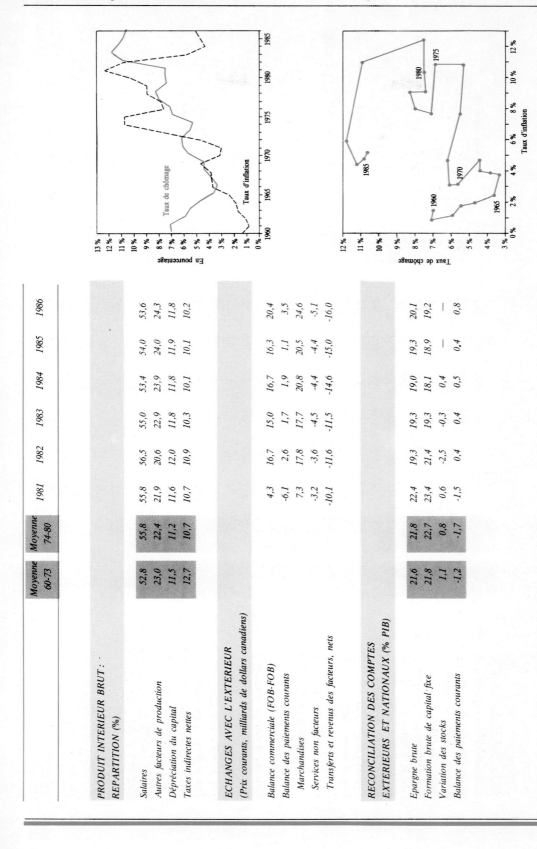

	Moyenne 60-73	Moyenne 74-80	1981	1982	1983	1984	1985	1986
PRODUIT INTERIEUR BRUT : REPARTITION (%)								
Salaires	52,8	55,8	55,8	56,5	55,0	53,4	54,0	53,6
Autres facteurs de production	23,0	22,4	21,9	20,6	22,9	23,9	24,0	24,3
Dépréciation du capital	11,5	11,2	11,6	12,0	11,8	11,8	11,9	11,8
Taxes indirectes nettes	12,7	10,7	10,7	10,9	10,3	10,1	10,1	10,2
ECHANGES AVEC L'EXTERIEUR (Prix courants, milliards de dollars canadiens)								
Balance commerciale (FOB-FOB)			4,3	16,7	15,0	16,7	16,3	20,4
Balance des paiements courants			-6,1	2,6	1,7	1,9	1,1	3,5
Marchandises			7,3	17,8	17,7	20,8	20,5	24,6
Services non facteurs			-3,2	-3,6	-4,5	-4,4	-4,4	-5,1
Transferts et revenus des facteurs, nets			-10,1	-11,6	-11,5	-14,6	-15,0	-16,0
RECONCILIATION DES COMPTES EXTERIEURS ET NATIONAUX (% PIB)								
Epargne brute	21,6	21,8	22,4	19,3	19,3	19,0	19,3	20,1
Formation brute de capital fixe	21,8	22,7	23,4	21,4	19,3	18,1	18,9	19,2
Variation des stocks	1,1	0,8	0,6	-2,5	-0,3	0,4	—	—
Balance des paiements courants	-1,2	-1,7	-1,5	0,4	0,4	0,5	0,4	0,8

Source : Banques de données, estimations et prévisions, Cisi-Wharton, juillet 1985.

TABLEAU DE BORD : JAPON

Croissance réelle du PIB — Balance des paiements courants (% du PIB) — En pourcentage

Taux de change effectif réel (1980 = 100) — Balance des paiements courants (mille milliards de Yens) — 1980 = 100 ou mille milliards de Yens

	Moyenne 60-73	Moyenne 74-80	1981	1982	1983	1984	1985	1986
PRINCIPAUX INDICATEURS ECONOMIQUES								
Taux de croissance réel du PIB (%)	9,9	3,8	4,2	3,0	3,0	5,7	4,0	3,1
Exportations de biens et services (% PIB)	10,2	12,9	15,0	14,9	14,0	16,1	16,8	16,2
Importations de biens et services (% PIB)	9,4	12,6	14,2	14,1	12,1	13,0	13,3	12,8
Balance des paiements courants (% PIB)	0,5	0,1	0,4	0,6	1,8	2,8	3,4	3,4
Déflateur du PIB (%)	5,8	7,1	2,7	1,7	0,9	0,7	2,1	2,0
Taux d'inflation (prix consommation, %)	6,0	9,7	4,9	2,7	1,8	2,3	2,7	2,7
Taux de croissance des salaires (%)	16,3	12,3	7,3	5,0	3,6	4,9	5,1	4,8
Population totale (millions)	100,7	113,7	117,7	118,5	119,3	120,0	120,7	121,4
Population active (millions)	49,1	54,6	57,1	57,7	58,9	59,3	60,0	60,5
Croissance de l'emploi (%)	1,3	0,8	0,8	1,0	1,8	0,6	1,2	0,6
Taux de chômage (définition OCDE)	1,3	1,9	2,2	2,4	2,6	2,7	2,7	2,8
Taux de pression fiscale et sociale (% PIB)	19,2	23,5	27,0	27,6	28,4	28,6	28,9	28,8
Dont : Pression fiscale (% PIB)	15,3	16,8	19,0	19,3	19,8	19,9	20,0	19,8
Contributions sociales (% PIB)	3,9	6,6	8,0	8,2	8,6	8,7	8,8	9,0
Dépenses publiques (% PIB)	14,0	22,3	26,5	27,3	27,8	27,9	28,0	28,5
Solde administrations publiques (% PIB)	6,2	2,9	3,0	2,9	3,0	3,1	3,2	2,7
Croissance de l'agrégat monétaire M1 (%)	20,3	8,1	10,0	5,7	-0,1	6,9	2,0	1,4
Croissance de l'agrégat monétaire M2 (%)	20,9	11,2	10,7	7,6	6,9	6,9	7,7	7,0
Taux d'intérêt à court terme (%)	7,8	8,1	7,4	6,9	6,4	6,1	6,2	6,0
Taux d'intérêt à long terme (%)	7,6	8,2	8,7	8,1	7,4	6,8	7,0	7,0
Taux de change nominal (pour 1 $ US)			220,02	248,26	237,42	237,25	244,76	228,97
Taux de change nominal effectif (1980=100)	74,5	92,2	113,0	106,6	117,4	124,1	125,0	129,7
Taux de change effectif réel (1980=100)	76,1	104,5	106,0	94,6	99,8	101,7	100,1	101,2
PRODUIT INTERIEUR BRUT : EMPLOIS								
(Prix courants, mille milliards de yens)								
Consommation privée			145,1	155,4	163,3	171,2	181,2	192,5
Consommation publique			25,6	26,9	27,9	29,1	30,3	31,9
Formation brute de capital fixe			78,4	79,1	78,4	82,1	87,6	91,0
Variation des stocks			1,4	1,2	0,3	1,6	1,2	0,8
Exportations de biens et services			38,0	39,4	38,5	47,1	52,2	52,9
Importations de biens et services			35,9	37,3	33,2	38,2	41,3	41,9
Produit intérieur brut			252,5	264,7	275,2	292,9	311,2	327,2

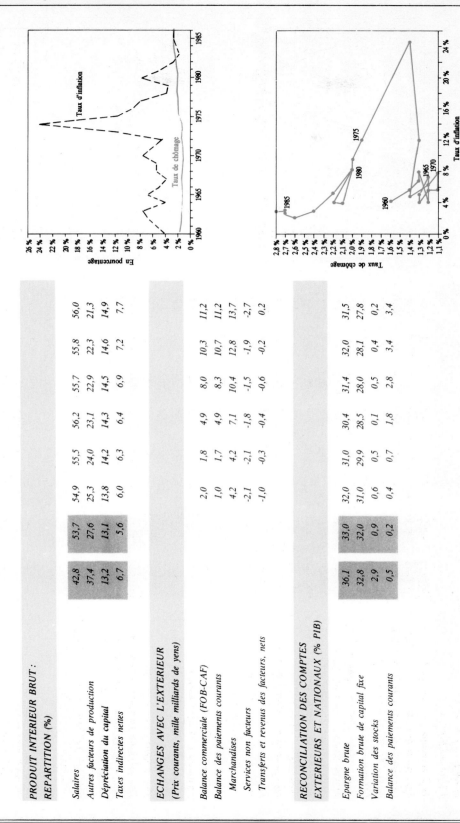

	Moyenne 60-73	Moyenne 74-80	1981	1982	1983	1984	1985	1986
PRODUIT INTERIEUR BRUT : REPARTITION (%)								
Salaires	42,8	53,7	54,9	55,5	56,2	55,7	55,8	56,0
Autres facteurs de production	37,4	27,6	25,3	24,0	23,1	22,9	22,3	21,3
Dépréciation du capital	13,2	13,1	13,8	14,2	14,3	14,5	14,6	14,9
Taxes indirectes nettes	6,7	5,6	6,0	6,3	6,4	6,9	7,2	7,7
ECHANGES AVEC L'EXTERIEUR **(Prix courants, mille milliards de yens)**								
Balance commerciale (FOB-CAF)			2,0	1,8	4,9	8,0	10,3	11,2
Balance des paiements courants			1,0	1,7	4,9	8,3	10,7	11,2
Marchandises			4,2	4,2	7,1	10,4	12,8	13,7
Services non facteurs			-2,1	-2,1	-1,8	-1,5	-1,9	-2,7
Transferts et revenus des facteurs, nets			-1,0	-0,3	-0,4	-0,6	-0,2	0,2
RECONCILIATION DES COMPTES EXTERIEURS ET NATIONAUX (% PIB)								
Epargne brute	36,1	33,0	32,0	31,0	30,4	31,4	32,0	31,5
Formation brute de capital fixe	32,8	32,0	31,0	29,9	28,5	28,0	28,1	27,8
Variation des stocks	2,9	0,9	0,6	0,5	0,1	0,5	0,4	0,2
Balance des paiements courants	0,5	0,2	0,4	0,7	1,8	2,8	3,4	3,4

Source : Banques de données, estimations et prévisions, Cisi-Wharton, juillet 1985.

TABLEAU DE BORD : REPUBLIQUE FEDERALE D'ALLEMAGNE

	Moyenne 60-73	Moyenne 74-80	1981	1982	1983	1984	1985	1986
PRINCIPAUX INDICATEURS ECONOMIQUES								
Taux de croissance réel du PIB (%)	4,4	2,3	—	-1,0	1,0	2,6	2,3	1,9
Exportations de biens et services (% PIB)	19,7	26,1	29,9	31,1	30,0	32,0	33,9	32,9
Importations de biens et services (% PIB)	17,6	24,0	29,0	28,6	27,9	29,5	31,1	30,0
Balance des paiements courants (% PIB)	0,6	0,6	-0,8	0,5	0,6	1,0	1,3	1,5
Déflateur du PIB (%)	4,3	4,7	4,2	4,7	3,2	1,9	2,5	2,8
Taux d'inflation (prix consommation, %)	3,2	4,7	6,3	5,3	3,3	2,4	2,5	2,1
Taux de croissance des salaires (%)	10,0	7,8	5,4	3,7	4,1	3,2	4,2	4,1
Population totale (millions)	59,2	61,6	61,7	61,6	61,4	61,3	61,2	61,1
Population active (millions)	26,8	26,9	27,4	27,5	27,5	27,4	27,5	27,5
Croissance de l'emploi (%)	0,2	-0,4	-0,8	-1,4	-1,9	-0,2	0,2	0,1
Taux de chômage (définition OCDE)	0,8	3,2	4,4	6,1	8,0	8,0	8,0	8,0
Taux de pression fiscale et sociale (% PIB)	35,9	42,1	42,4	42,5	42,2	42,5	42,4	41,6
Dont : Pression fiscale (% PIB)	24,3	25,7	25,0	24,7	24,8	25,2	25,1	24,4
Contributions sociales (% PIB)	11,6	16,4	17,4	17,8	17,4	17,4	17,3	17,2
Dépenses publiques (% PIB)	32,0	42,3	44,3	44,9	44,5	44,3	43,6	43,0
Solde administrations publiques (% PIB)	5,7	1,8	0,5	0,4	0,7	1,2	1,8	1,6
Croissance de l'agrégat monétaire M1 (%)	8,3	8,7	-1,6	7,1	8,4	6,0	4,7	4,4
Croissance de l'agrégat monétaire M2 (%)	11,4	8,1	3,7	6,9	5,7	5,6	5,0	4,8
Taux d'intérêt à court terme (%)	4,7	5,7	11,3	8,7	5,4	5,6	5,0	4,2
Taux d'intérêt à long terme (%)	7,1	7,8	10,4	9,0	7,9	7,8	7,4	7,0
Taux de change nominal (pour 1 $ US)			2,25	2,42	2,55	2,84	3,02	2,71
Taux de change nominal effectif (1980=100)	56,9	87,4	92,6	96,4	98,8	96,1	95,4	101,4
Taux de change effectif réel (1980=100)	84,1	100,8	87,9	88,2	87,6	82,5	79,8	83,2
PRODUIT INTERIEUR BRUT : EMPLOIS (Prix courants, milliards de deutschemarks)								
Consommation privée			879,2	910,3	947,3	978,1	1.019,6	1.068,4
Consommation publique			317,8	325,3	335,7	349,8	361,6	371,7
Formation brute de capital fixe			338,2	330,7	346,5	357,4	375,3	397,2
Variation des stocks			-4,9	-5,3	5,6	16,1	21,5	25,0
Exportations de biens et services			461,9	496,9	500,9	558,7	620,7	630,1
Importations de biens et services			448,2	457,5	466,2	515,2	568,5	575,4
Produit intérieur brut			1.544,1	1.600,3	1.669,6	1.745,0	1.830,4	1.917,1

Graphique 1 — En pourcentage (8 % à -2 %), années 1960-1985 :
Croissance réelle du PIB ; Balance des paiements courants (% PIB)

Graphique 2 — 1980 = 100 ou milliards de deutschemarks (110 à -30), années 1960-1985 :
Taux de change effectif réel (1980 = 100) ; Balance des paiements courants (milliards de Marks)

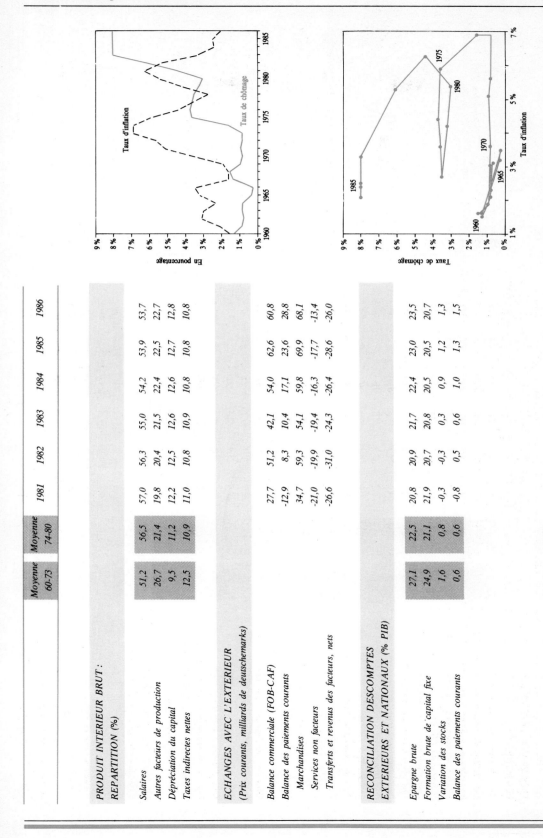

	Moyenne 60-73	Moyenne 74-80	1981	1982	1983	1984	1985	1986
PRODUIT INTERIEUR BRUT : REPARTITION (%)								
Salaires	51,2	56,5	57,0	56,3	55,0	54,2	53,9	53,7
Autres facteurs de production	26,7	21,4	19,8	20,4	21,5	22,4	22,5	22,7
Dépréciation du capital	9,5	11,2	12,2	12,5	12,6	12,6	12,7	12,8
Taxes indirectes nettes	12,5	10,9	11,0	10,8	10,9	10,8	10,8	10,8
ECHANGES AVEC L'EXTERIEUR *(Prix courants, milliards de deutschemarks)*								
Balance commerciale (FOB-CAF)			27,7	51,2	42,1	54,0	62,6	60,8
Balance des paiements courants			-12,9	8,3	10,4	17,1	23,6	28,8
Marchandises			34,7	59,3	54,1	59,8	69,9	68,1
Services non facteurs			-21,0	-19,9	-19,4	-16,3	-17,7	-13,4
Transferts et revenus des facteurs, nets			-26,6	-31,0	-24,3	-26,4	-28,6	-26,0
RECONCILIATION DESCOMPTES EXTERIEURS ET NATIONAUX (% PIB)								
Epargne brute	27,1	22,5	20,8	20,9	21,7	22,4	23,0	23,5
Formation brute de capital fixe	24,9	21,1	21,9	20,7	20,8	20,5	20,5	20,7
Variation des stocks	1,6	0,8	-0,3	-0,3	0,3	0,9	1,2	1,3
Balance des paiements courants	0,6	0,6	-0,8	0,5	0,6	1,0	1,3	1,5

Source : Banques de données, estimations et prévisions, Cisi-Wharton, juillet 1985.

TABLEAU DE BORD : FRANCE

	Moyenne 60-73	Moyenne 74-80	1981	1982	1983	1984	1985	1986
PRINCIPAUX INDICATEURS ECONOMIQUES								
Taux de croissance réel du PIB (%)	5,6	2,8	0,2	2,0	0,7	1,3	1,4	1,6
Exportations de biens et services (% PIB)	14,0	20,0	22,3	21,7	22,2	23,8	24,6	23,7
Importations de biens et services (% PIB)	13,0	20,5	24,1	24,4	23,5	24,2	24,5	23,3
Balance des paiements courants (% PIB)	0,1	—	-0,8	-2,2	-0,9	—	0,3	0,6
Déflateur du PIB (%)	4,9	10,8	12,1	12,5	9,5	7,4	5,8	5,3
Taux d'inflation (prix consommation, %)	4,5	11,1	13,4	11,8	9,6	7,3	5,6	5,1
Taux de croissance des salaires (R)	11,1	15,2	14,5	14,1	11,1	8,0	6,5	6,7
Population totale (millions)	49,2	53,1	54,0	54,2	54,7	54,9	55,1	55,3
Population active (millions)	20,7	22,7	23,2	23,4	23,4	23,4	23,5	23,5
Croissance de l'emploi (%)	0,7	0,2	-0,8	0,1	-0,5	-1,3	-0,4	-0,3
Taux de chômage (définition OCDE)	1,7	4,8	7,3	8,0	8,4	9,8	10,5	10,8
Taux de pression fiscale et sociale (% PIB)	36,1	40,4	43,5	44,5	45,6	45,9	44,8	44,5
Dont : Pression fiscale (% PIB)	22,5	22,2	23,4	23,7	24,3	24,5	24,1	24,0
Contributions sociales (% PIB)	13,6	18,2	20,1	20,8	21,3	21,5	20,6	20,5
Dépenses publiques (% PIB)	33,7	40,4	45,8	47,4	48,6	49,5	48,5	48,3
Solde administrations publiques (% PIB)	4,1	1,9	0,3	-0,3	-1,3	-2,0	2,0	2,1
Croissance de l'agrégat monétaire M1 (%)	10,3	10,8	15,9	10,9	12,5	8,1	7,2	7,0
Croissance de l'agrégat monétaire M2 (%)	13,8	13,5	11,1	11,3	11,4	7,5	7,2	7,0
Taux d'intérêt à court terme (%)	5,5	9,6	15,3	14,9	12,5	11,7	10,4	8,8
Taux d'intérêt à long terme (%)	6,2	10,0	15,7	15,6	13,6	12,4	11,1	9,4
Taux de change nominal (pour 1 $ US)			5,40	6,54	7,59	8,71	9,22	8,47
Taux de change nominal effectif (1980=100)	105,4	99,3	89,5	81,4	74,3	69,8	69,8	72,9
Taux de change effectif réel (1980=100)	96,0	93,9	92,1	87,3	82,6	79,7	80,5	84,7
PRODUIT INTERIEUR BRUT : EMPLOIS (Prix courants, milliards de francs)								
Consommation privée			2.005,6	2.307,7	2.551,1	2.757,3	2.941,0	3.122,9
Consommation publique			500,1	586,3	654,9	714,0	756,1	800,8
Formation brute de capital fixe			665,5	732,6	778,7	808,5	864,3	938,3
Variation des stocks			-5,4	38,8	-1,3	13,5	23,3	27,8
Exportations de biens et services			694,4	775,6	874,6	1.019,4	1.127,1	1.165,4
Importations de biens et services			748,9	871,7	922,9	1.035,5	1.122,7	1.145,7
Produit intérieur brut			3.111,4	3.569,3	3.935,0	4.277,2	4.589,0	4.909,5

Croissance réelle du PIB — Balance des paiements courants (% du PIB)
En pourcentage

Taux de change effectif réel (1980 = 100) — Balance des paiements courants (milliards de francs)
1980 = 100 ou milliards de francs

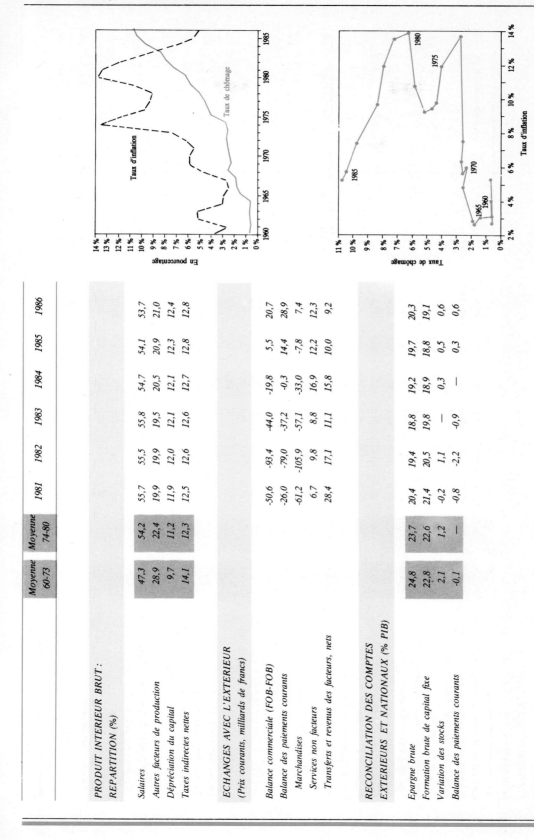

	Moyenne 60-73	Moyenne 74-80	1981	1982	1983	1984	1985	1986
PRODUIT INTERIEUR BRUT : REPARTITION (%)								
Salaires	47,3	54,2	55,7	55,5	55,8	54,7	54,1	53,7
Autres facteurs de production	28,9	22,4	19,9	19,9	19,5	20,5	20,9	21,0
Dépréciation du capital	9,7	11,2	11,9	12,0	12,1	12,1	12,3	12,4
Taxes indirectes nettes	14,1	12,3	12,5	12,6	12,6	12,7	12,8	12,8
ECHANGES AVEC L'EXTERIEUR (Prix courants, milliards de francs)								
Balance commerciale (FOB-FOB)			-50,6	-93,4	-44,0	-19,8	5,5	20,7
Balance des paiements courants			-26,0	-79,0	-37,2	-0,3	14,4	28,9
Marchandises			-61,2	-105,9	-57,1	-33,0	-7,8	7,4
Services non facteurs			6,7	9,8	8,8	16,9	12,2	12,3
Transferts et revenus des facteurs, nets			28,4	17,1	11,1	15,8	10,0	9,2
RECONCILIATION DES COMPTES EXTERIEURS ET NATIONAUX (% PIB)								
Epargne brute	24,8	23,7	20,4	19,4	18,8	19,2	19,7	20,3
Formation brute de capital fixe	22,8	22,6	21,4	20,5	19,8	18,9	18,8	19,1
Variation des stocks	2,1	1,2	-0,2	1,1	—	0,3	0,5	0,6
Balance des paiements courants	-0,1	—	-0,8	-2,2	-0,9	—	0,3	0,6

Source : Banques de données, estimations et prévisions, Cisi-Wharton, juillet 1985.

TABLEAU DE BORD : ROYAUME-UNI

Croissance réelle du PIB

Balance des paiements courants (% PIB)

En pourcentage

Taux de change effectif réel (1980 = 100)

Balance des paiements courants (milliards de livres sterling)

1980 = 100 ou Milliards de livres sterling

	Moyenne 60-73	Moyenne 74-80	1981	1982	1983	1984	1985	1986
PRINCIPAUX INDICATEURS ECONOMIQUES								
Taux de croissance réel du PIB(%)	3,1	0,9	-1,0	2,2	3,2	1,6	3,6	1,0
Exportations de biens et services (% PIB)	20,4	28,1	26,9	26,6	26,6	28,8	30,2	29,0
Importations de biens et services (% PIB)	20,9	28,5	23,8	24,3	25,6	28,8	30,1	28,8
Balance des paiements courants (% PIB)	—	-0,6	3,0	2,0	0,8	—	0,6	0,7
Déflateur du PIB (%)	5,1	16,5	11,7	7,2	5,2	4,2	6,0	5,8
Taux d'inflation (prix consommation, %)	4,7	15,9	11,9	8,6	4,6	5,0	6,3	5,5
Taux de croissance des salaires (%)	8,5	17,5	12,5	8,5	8,4	5,7	8,1	7,5
Population totale (millions)	54,5	56,1	56,4	56,3	56,4	56,4	56,4	56,4
Population active (millions)	25,3	26,2	26,7	26,7	26,8	27,1	27,2	27,3
Croissance de l'emploi (%)	-	0,4	-4,0	-1,9	-0,8	0,9	0,4	-
Taux de chômage (définition OCDE)	2,7	5,6	10,6	12,3	13,1	13,2	13,2	13,5
Taux de pression fiscale et sociale (% PIB)	31,4	34,6	37,3	38,3	37,8	38,1	37,8	37,8
Dont : Pression fiscale (% PIB)	26,7	28,4	31,0	31,7	30,9	31,1	30,9	30,8
Contributions sociales (% PIB)	4,6	6,3	6,3	6,6	6,9	7,1	6,9	6,9
Dépenses publiques (% PIB)	31,0	38,8	42,4	42,7	43,3	43,7	42,6	42,5
Solde administrations publiques (% PIB)	3,4	-0,5	-1,4	-0,7	-0,9	-0,9	—	0,2
Croissance de l'agrégat monétaire M1 (%)	4,3	12,9	10,3	12,4	11,1	15,5	4,5	5,0
Croissance de l'agrégat monétaire M3 (%)	7,6	11,5	13,6	9,3	10,5	9,0	8,0	8,0
Taux d'intérêt à court terme (%)	5,9	11,0	13,0	11,5	9,6	9,3	10,3	9,5
Taux d'intérêt à long terme (%)	7,4	13,7	14,7	12,9	10,8	10,7	10,2	9,5
Taux de change nominal (pour 1 $ US)			0,49	0,57	0,66	0,75	0,84	0,78
Taux de change nominal effectif (1980=100)	143,7	94,7	99,0	94,2	86,7	82,0	77,0	79,3
Taux de change effectif réel (1980=100)	85,7	76,7	101,7	96,3	88,6	83,5	79,6	83,2
PRODUIT INTERIEUR BRUT : EMPLOIS (Prix courants, milliards de livres sterling)								
Consommation privée			153,1	168,4	182,4	194,7	211,8	227,8
Consommation publique			54,7	59,9	65,8	69,4	74,6	78,6
Formation brute de capital fixe			39,0	42,4	49,1	55,2	62,0	65,5
Variation des stocks			-3,1	-1,2	0,5	-1,0	0,7	0,6
Exportations de biens et services			67,8	73,2	80,1	91,7	105,6	108,4
Importations de biens et services			59,9	66,9	77,0	91,6	105,3	107,4
Produit intérieur brut			251,6	275,7	300,8	318,4	349,5	373,5

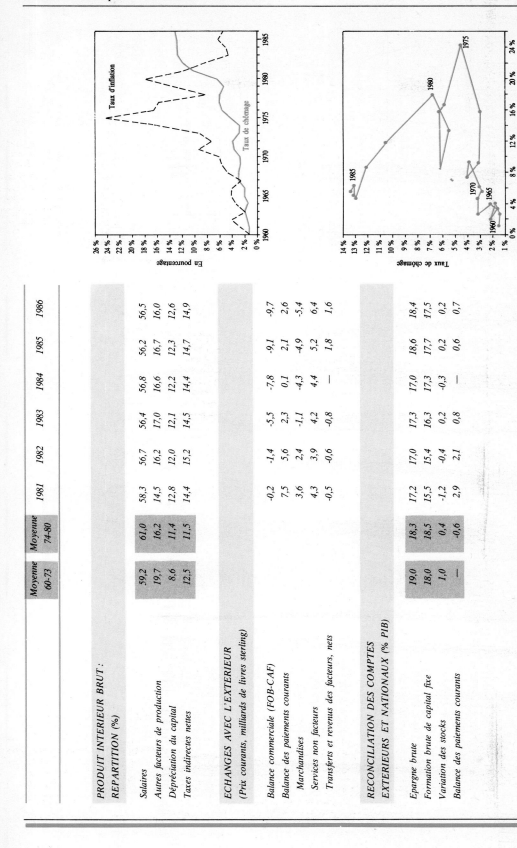

	Moyenne 60-73	Moyenne 74-80	1981	1982	1983	1984	1985	1986
PRODUIT INTERIEUR BRUT : REPARTITION (%)								
Salaires	59,2	61,0	58,3	56,7	56,4	56,8	56,2	56,5
Autres facteurs de production	19,7	16,2	14,5	16,2	17,0	16,6	16,7	16,0
Dépréciation du capital	8,6	11,4	12,8	12,0	12,1	12,2	12,3	12,6
Taxes indirectes nettes	12,5	11,5	14,4	15,2	14,5	14,4	14,7	14,9
ECHANGES AVEC L'EXTERIEUR *(Prix courants, milliards de livres sterling)*								
Balance commerciale (FOB-CAF)			-0,2	-1,4	-5,5	-7,8	-9,1	-9,7
Balance des paiements courants			7,5	5,6	2,3	0,1	2,1	2,6
Marchandises			3,6	2,4	-1,1	-4,3	-4,9	-5,4
Services non facteurs			4,3	3,9	4,2	4,4	5,2	6,4
Transferts et revenus des facteurs, nets			-0,5	-0,6	-0,8	—	1,8	1,6
RECONCILIATION DES COMPTES EXTERIEURS ET NATIONAUX (% PIB)								
Epargne brute	19,0	18,3	17,2	17,0	17,3	17,0	18,6	18,4
Formation brute de capital fixe	18,0	18,5	15,5	15,4	16,3	17,3	17,7	17,5
Variation des stocks	1,0	0,4	-1,2	-0,4	0,2	-0,3	0,2	0,2
Balance des paiements courants	—	-0,6	2,9	2,1	0,8	—	0,6	0,7

Source : Banques de données, estimations et prévisions, Cisi-Wharton, juillet 1985.

TABLEAU DE BORD : ITALIE

	Moyenne 60-73	Moyenne 74-80	1981	1982	1983	1984	1985	1986
PRINCIPAUX INDICATEURS ECONOMIQUES								
Taux de croissance réel du PIB (%)	5,3	2,8	0,2	-0,4	-0,4	2,6	2,3	2,1
Exportations de biens et services (% PIB)	14,3	23,0	24,5	24,1	23,7	25,2	25,8	26,1
Importations de biens et services (% PIB)	15,2	25,1	28,0	26,9	25,0	26,5	26,7	26,5
Balance des paiements courants (% PIB)	1,5	-0,6	-2,4	-1,6	-0,2	-0,3	0,2	0,6
Déflateur du PIB (%)	5,4	17,6	18,3	17,9	15,0	10,7	9,5	7,9
Taux d'inflation (prix consommation, %)	4,5	16,8	17,8	16,5	14,7	10,8	8,9	7,5
Taux de croissance des salaires (%)	13,2	20,3	22,1	17,3	14,8	9,1	9,6	8,1
Population totale (millions)	52,3	56,4	56,5	56,7	56,8	57,0	57,1	57,3
Population active (millions)	21,0	21,9	23,1	23,2	23,2	23,7	23,7	23,8
Croissance de l'emploi (%)	-0,3	1,1	0,3	-0,3	0,2	1,7	0,4	0,2
Taux de chômage (définition OCDE)	5,3	6,7	8,3	8,9	9,8	10,1	10,0	10,0
Taux de pression fiscale et sociale (% PIB)	28,5	32,5	38,0	40,7	44,1	44,2	44,6	45,0
Dont : Pression fiscale (% PIB)	17,1	18,6	23,3	25,1	27,6	28,1	28,7	29,2
Contributions sociales (% PIB)	11,4	13,9	14,7	15,7	16,4	16,1	15,9	15,8
Dépenses publiques (% PIB)	30,0	39,1	46,4	49,3	51,5	51,8	52,0	52,7
Solde administrations publiques (% PIB)	0,2	-4,9	-6,8	-7,2	-6,0	-6,1	-6,0	-6,1
Croissance de l'agrégat monétaire M1 (%)	16,3	17,9	9,8	16,8	13,2	11,8	11,2	10,2
Croissance de l'agrégat monétaire M2 (%)	15,1	19,6	10,2	17,6	13,6	11,7	12,0	10,5
Taux d'intérêt à court terme (%)	6,4	13,6	19,6	20,2	18,5	16,9	15,3	14,5
Taux d'intérêt à long terme (%)	6,8	13,3	20,6	20,9	18,0	15,0	12,4	10,9
Taux de change nominal (pour 1 $ US)			1.128,67	1.347,71	1.512,86	1.751,31	1.945,18	1.999,50
Taux de change nominal effectif (1980=100)	189,35	119,31	86,78	80,09	76,20	71,20	67,40	61,50
Taux de change effectif réel (1980=100)	101,89	91,29	95,29	96,98	100,90	100,30	99,80	94,50
PRODUIT INTERIEUR BRUT : EMPLOIS (Prix courants, mille milliards de lires)								
Consommation privée			254,7	299,5	344,0	388,9	433,1	476,5
Consommation publique			75,3	90,2	106,7	122,2	136,4	148,8
Formation brute de capital fixe			81,2	89,5	96,2	107,9	121,7	134,3
Variation des stocks			4,5	5,3	-1,5	4,3	7,2	4,0
Exportations de biens et services			98,3	113,8	126,8	149,2	170,9	195,6
Importations de biens et services			112,3	127,0	133,7	162,2	186,1	208,1
Produit intérieur brut			401,6	471,4	539,0	612,1	686,0	755,8

Graphique 1 — En pourcentage (9 % à -5 %), années 1960 à 1985 :
- Croissance réelle du PIB
- Balance des paiements courants (% du PIB)

Graphique 2 — 1980 = 100 ou mille milliards de lires :
- Taux de change effectif réel (1980 = 100)
- Balance des paiements courants (mille milliards de lires)

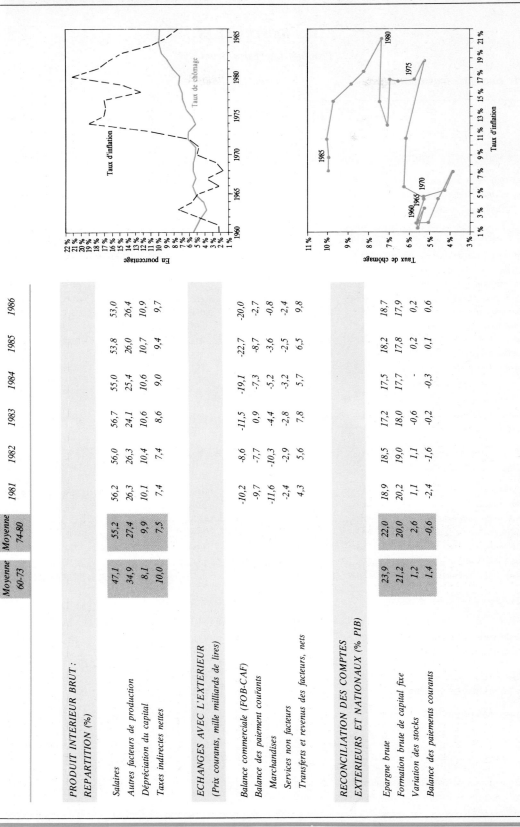

	Moyenne 60-73	Moyenne 74-80	1981	1982	1983	1984	1985	1986
PRODUIT INTERIEUR BRUT : REPARTITION (%)								
Salaires	47,1	55,2	56,2	56,0	56,7	55,0	53,8	53,0
Autres facteurs de production	34,9	27,4	26,3	26,3	24,1	25,4	26,0	26,4
Dépréciation du capital	8,1	9,9	10,1	10,4	10,6	10,6	10,7	10,9
Taxes indirectes nettes	10,0	7,5	7,4	7,4	8,6	9,0	9,4	9,7
ECHANGES AVEC L'EXTERIEUR (Prix courants, mille milliards de lires)								
Balance commerciale (FOB-CAF)			-10,2	-8,6	-11,5	-19,1	-22,7	-20,0
Balance des paiement courants			-9,7	-7,7	0,9	-7,3	-8,7	-2,7
Marchandises			-11,6	-10,3	-4,4	-5,2	-3,6	-0,8
Services non facteurs			-2,4	-2,9	-2,8	-3,2	-2,5	-2,4
Transferts et revenus des facteurs, nets			4,3	5,6	7,8	5,7	6,5	9,8
RECONCILIATION DES COMPTES EXTERIEURS ET NATIONAUX (% PIB)								
Epargne brute	23,9	22,0	18,9	18,5	17,2	17,5	18,2	18,7
Formation brute de capital fixe	21,2	20,0	20,2	19,0	18,0	17,7	17,8	17,9
Variation des stocks	1,2	2,6	1,1	1,1	-0,6	-	0,2	0,2
Balance des paiements courants	1,4	-0,6	-2,4	-1,6	-0,2	-0,3	0,1	0,6

Source : Banques de données, estimations et prévisions, CISI-WHARTON, juillet 1985.

PAYS INDUSTRIALISES
Produits intérieurs bruts

Prix courants, monnaies locales

	1960	1970	1975	1980	1981	1982	1983	1984	1985**
PAYS MEMBRES DE L'OCDE									
Etats-Unis (mds de dollars)	502,9	985,5	1.531,9	2.586,4	2.907,5	3.021,3	3.256,5	3.619,2	3.871,7
Canada (mds de dollars canadiens)	39,0	87,1	168,0	305,7	351,5	371,2	402,6	436,1	466,3
Japon (mille mds de yens)	15,8	73,3	148,0	235,9	252,6	264,8	275,2	292,9	311,2
C.E.E. (10)									
Allemagne (mds de deutschemarks)	302,7	675,3	1.026,5	1.481,4	1.544,1	1.600,3	1.669,6	1.745,0	1.830,4
Belgique (mds de francs belges)	565,3	1.280,9	2.313,1	3.494,3	3.641,1	3.943,8	4.190,0	4.496,3	4.810,5
Danemark (mds cour. danoises)	41,2	118,6	216,3	373,8	409,7	467,9	516,0	568,2	nd
France (mds francs)	296,5	782,6	1.452,3	2.769,3	3.111,4	3.569,3	3.935,0	4.277,2	4.589,0
Grèce (mds drachmes)	105,2	298,9	672,2	1.710,9	2.034,8	2.531,7	3.040,7	3.665,1	nd
Irlande (mds livres irlandaise)	0,6	1,6	3,7	8,9	10,6	12,4	13,8	15,4	nd
Italie (mille mds de lires)	23,2	62,9	125,4	338,7	401,6	471,4	539,0	612,1	686,0
Pays-Bas (mds florins)	44,0	120,5	220,3	336,7	353,3	368,5	376,7	397,1	413,8
Royaume-Uni (mds livres sterling)	25,8	51,5	106,3	230,0	253,9	277,0	300,8	318,4	349,5
C.E.E. (12)									
Espagne (mille mds de pesetas)	71,4	177,8	377,2	1.231,5	1.465,4	1.858,0	2.290,6	2.884,4	nd
Portugal (mds escudos)	0,7	2,6	6,0	15,2	17,3	19,9	22,8	25,7	nd
AUTRES PAYS EUROPEENS ET MEDITERRANEENS									
Autriche (mds schillings)	162,9	375,9	656,1	994,7	1.056,3	1.138,1	1.205,8	1.284,8	1.374,6
Finlande (mds markkas)	16,2	45,7	104,3	192,6	218,5	245,2	275,1	304,4	nd
Islande (mds couronnes islandaises)	0,1	0,4	2,0	13,8	21,3	32,7	55,7	71,3	nd
Norvège (mds cour. norvégiennes)	33,1	79,9	148,7	285,0	327,7	363,2	401,3	441,4	nd
Suède (mds couronnes suédoises)	72,2	172,2	300,8	525,1	573,0	627,7	704,5	777,8	851,6
Suisse (mds francs suisses)	37,4	90,7	140,2	170,3	184,8	196,0	203,9	214,7	228,5
Turquie (mds livres turques)	47,0	145,5	519,3	4.332,4	6.417,1	8.612,5	11.457,2	17.757,4	nd
AUTRES PAYS DU BASSIN PACIFIQUE									
Australie (mds dollars australiens)	14,4	32,0	66,9	124,0	140,5	157,6	171,9	195,8	217,0
Nouvelle-Zélande (mds $ néo-zél.)	2,8	5,8	11,7	24,5	29,3	32,2	34,6	38,0	nd
PAYS DEVELOPPES NON MEMBRES DE L'OCDE									
Afrique du Sud (mds rands)	5,3	12,9	27,5	61,4	69,7	78,6	88,0	101,0	nd

** Estimations CISI-WHARTON (Juillet 1985).

Source : Sources nationales (Banques de données, CISI-WHARTON).

Taux de change nominaux
par rapport au dollar américain

Nombre d'unités par dollar

	Moyenne 50-59	Moyenne 60-73	Moyenne 74-80	1981	1982	1983	1984	1985**
PAYS MEMBRES DE L'OCDE								
Canada (dollar canadien)	0,99	1,05	1,08	1,20	1,23	1,23	1,30	1,35
Japon (yens)	360,33	348,87	258,61	220,54	249,08	237,51	237,52	244,76
C.E.E. (10)								
Allemagne (marks)	4,20	3,80	2,22	2,26	2,43	2,55	2,85	3,02
Belgique (francs belges)	50,00	48,70	34,32	37,13	45,69	51,13	57,78	60,76
Danemark (couronnes danoises)	6,91	7,02	5,76	7,12	8,33	9,14	10,36	11,01
France (francs)	3,73	5,02	4,54	5,43	6,57	7,62	8,74	9,22
Grèce (drachmes)	25,13	29,97	35,97	55,41	66,80	88,06	112,72	130,98
Irlande (livre irlandaise)	0,36	0,38	0,50	0,62	0,70	0,80	0,92	1,05
Italie (lires)	624,54	618,58	793,41	1.136,77	1.352,51	1.518,85	1.756,96	1.945,18
Pays-Bas (florins)	3,80	3,54	2,35	2,50	2,67	2,85	3,21	3,46
Royaume-Uni (livre sterling)	0,36	0,38	0,49	0,50	0,57	0,66	0,75	0,84
C.E.E. (12)								
Espagne (pesetas)	40,99	63,12	67,64	92,32	109,86	143,43	160,76	173,37
Portugal (escudos)	28,75	28,29	37,48	61,55	79,47	110,78	146,39	172,45
AUTRES PAYS EUROPEENS ET MEDITERRANEENS								
Autriche (schillings)	24,31	25,26	15,92	15,93	17,06	17,96	20,01	21,17
Finlande (markkas)	2,50	3,61	3,87	4,32	4,82	5,57	6,01	6,40
Islande (couronnes islandaises)	0,16	0,60	2,48	7,22	12,35	24,84	31,69	41,88
Norvège (couronnes norvégiennes)	7,14	7,00	5,26	5,74	6,45	7,30	8,16	8,92
Suède (couronnes suédoises)	5,17	5,08	4,35	5,06	6,28	7,67	8,27	8,79
Suisse (francs suisses)	4,37	4,23	2,23	1,96	2,03	2,10	2,35	2,54
Turquie (livres turques)	2,80	10,04	27,69	111,22	162,55	225,46	366,68	466,72
AUTRES PAYS DU BASSIN PACIFIQUE								
Australie (dollar australien)	0,89	0,87	0,83	0,87	0,99	1,11	1,14	1,35
Nouvelle-Zélande ($ néo-zélandais)	0,71	0,78	0,94	1,15	1,33	1,50	1,76	2,20
PAYS DEVELOPPES NON MEMBRES DE L'OCDE								
Afrique du Sud (Rand)	0,71	0,71	0,81	0,88	1,09	1,11	1,48	2,03

** Estimations CISI-WHARTON (Juillet 1985).

Source : Fonds monétaire international, *Statistiques financières internationales,* ligne rf. (Banques de données CISI-WHARTON).

CROISSANCE REELLE DES PRODUITS INTERIEURS BRUTS

Taux moyens annuels (%)

	Moyenne 61-73*	Moyenne 74-80	1981	1982	1983	1984	1985**
PAYS MEMBRES DE L'OCDE							
Etats-Unis	4,0	2,3	2,6	-2,0	3,8	4,6	2,8
Canada	5,6	3,1	3,9	-4,3	2,8	4,7	3,5
Japon	9,9	3,8	4,2	3,1	3,0	5,7	4,0
C.E.E. (10)			-0,2	0,5	1,1	2,1	2,3
Allemagne	4,4	2,3	-	-1,0	1,0	2,6	2,3
Belgique	5,0	2,5	-1,2	1,1	0,4	2,2	1,7
Danemark	4,4	1,7	-0,9	3,4	2,0	4,3	2,2
France	5,5	2,8	0,2	2,0	0,7	1,3	1,4
Grèce	7,7	3,4	-0,3	-0,1	0,3	2,4	2,4
Irlande	4,4	4,0	1,6	1,2	0,6	3,6	4,2
Italie	5,3	2,8	0,2	-0,4	-0,4	2,6	2,3
Pays-Bas	5,0	2,3	-0,8	-1,5	0,6	2,0	2,3
Royaume-Uni	3,2	0,9	-0,7	1,5	3,2	1,6	3,6
C.E.E. (12)							
Espagne	7,3	2,4	0,2	1,2	2,2	2,2	2,1
Portugal	6,9	3,3	0,5	3,5	-0,1	-1,5	1,0
AUTRES PAYS EUROPEENS ET MEDITERRANEENS							
Autriche	4,9	2,9	-0,1	1,0	2,1	2,2	2,7
Finlande	5,0	2,9	1,9	2,9	2,9	2,9	3,6
Islande	5,4	3,6	2,3	-0,6	-4,7	3,4	1,3
Norvège	4,3	4,8	0,9	0,9	3,3	4,3	1,8
Suède	4,2	1,8	-0,3	0,8	2,3	3,0	2,3
Suisse	4,4	0,3	1,5	-1,2	0,7	2,6	2,2
Turquie	5,7	5,5	4,5	5,7	3,7	5,6	4,2
AUTRES PAYS DU BASSIN PACIFIQUE							
Australie	5,2	2,4	3,9	0,7	0,4	6,6	3,8
Nouvelle-Zélande	3,8	0,8	4,0	-1,2	3,8	4,2	1,0
PAYS DEVELOPPES NON MEMBRES DE L'OCDE							
Afrique du Sud	5,3	3,6	4,9	-1,2	-3,2	4,7	1,7

* Sauf Etats-Unis : Moyenne 60-73.

** Estimations CISI-WHARTON (Juillet 1985).

Source : CISI-WHARTON, banque de données du modèle mondial, (à partir de sources nationales).

CROISSANCE DE LA PRODUCTION INDUSTRIELLE

Taux moyens annuels (%)

	Moyenne 60-73*	Moyenne 74-80	1981	1982	1983	1984	1985**
PAYS MEMBRES DE L'OCDE							
Etats-Unis	5,0	1,8	2,6	-8,1	6,4	10,7	2,1
Canada	6,0	1,9	0,4	-9,9	6,1	8,7	3,8
Japon	11,7	2,4	1,0	0,3	3,6	11,1	6,3
C.E.E. (10)							
Allemagne	4,9	1,0	-2,0	-3,1	-	3,2	3,6
Belgique	4,7	1,0	-2,6	0,1	1,8	3,9	1,6
Danemark	3,2	1,2	—	3,0	3,9	10,4	6,2
France	5,3	1,5	-2,0	-2,0	1,0	3,1	1,4
Grèce	9,4	4,1	-1,2	-5,1	0,3	-0,5	2,9
Irlande	6,0	3,8	0,7	-0,4	6,8	12,6	9,0
Italie	6,3	2,8	-2,2	-2,7	-3,2	3,1	2,4
Pays-Bas	6,4	1,8	-2,0	-4,1	2,1	5,4	5,4
Royaume-Uni	3,1	0,1	-3,6	1,8	3,3	1,0	4,1
C.E.E. (12)							
Espagne	9,2	2,3	-0,8	-1,3	2,9	1,0	2,7
Portugal	6,5	7,6	—	5,0	1,9	-0,9	2,2
AUTRES PAYS EUROPEENS ET MEDITERRANEENS							
Autriche	5,7	3,1	-1,6	-0,7	0,9	5,3	4,2
Finlande	6,8	3,7	2,6	1,0	2,9	4,3	4,5
Norvège	5,3	5,7	-1,0	—	7,1	6,6	4,9
Suède	5,1	-	-2,0	-1,0	6,2	7,5	3,6
Suisse	4,8	-0,1	-1,0	-5,1	—	3,1	2,4
AUTRES PAYS DU BASSIN PACIFIQUE							
Australie	5,8	1,2	3,1	-5,2	-5,4	6,7	5,9
PAYS DEVELOPPES NON MEMBRES DE L'OCDE							
Afrique du Sud	6,4	4,9	7,1	-2,4	-7,2	3,3	2,7

* Sauf Danemark, Espagne : moyenne 61-73

** Estimations CISI-WHARTON (Juillet 1985).

Source : Fonds monétaire international, *Statistiques financières internationales,* ligne 66, (Banques de données CISI-WHARTON).

TAUX D'INFLATION DES PRIX A LA CONSOMMATION

Taux moyens annuels (%)

	Moyenne 60-73	Moyenne 74-80	1981	1982	1983	1984	1985**
PAYS MEMBRES DE L'OCDE							
Etats-Unis	3,1	9,2	10,4	6,2	3,2	4,3	3,6
Canada	3,1	9,3	12,4	10,9	5,8	4,3	4,7
Japon	6,0	9,7	4,9	2,7	1,8	2,3	2,7
C.E.E. (10)							
Allemagne	3,1	4,7	6,3	5,3	3,3	2,4	2,5
Belgique	3,4	8,1	7,6	8,7	7,7	6,3	5,1
Danemark	5,8	11,0	11,7	10,1	6,9	6,3	4,9
France	4,5	11,1	13,4	11,8	9,6	7,3	5,6
Grèce	3,2	17,3	24,5	21,0	20,3	18,4	18,4
Irlande	5,5	15,4	20,5	17,1	10,5	8,7	7,2
Italie	4,5	16,8	17,8	16,5	14,7	10,8	8,9
Pays-Bas	4,9	7,2	6,7	5,9	2,8	3,3	2,4
Royaume-Uni	4,7	15,9	11,9	8,6	4,6	5,0	6,3
C.E.E. (12)							
Espagne	6,5	17,5	14,6	14,4	12,1	11,3	9,1
Portugal	5,9	22,0	20,0	22,8	25,1	28,9	24,2
AUTRES PAYS EUROPEENS ET MEDITERRANEENS							
Autriche	4,0	6,3	6,8	5,4	3,3	5,7	3,8
Finlande	5,5	12,6	12,0	9,3	8,4	7,0	6,5
Islande	11,0	42,9	50,6	49,2	86,1	30,8	28,0
Norvège	4,7	9,0	13,7	11,4	8,5	6,3	5,4
Suède	4,6	10,3	12,1	8,6	9,0	8,0	7,2
Suisse	4,0	4,0	6,5	5,6	3,0	2,9	4,2
Turquie	8,0	41,6	37,6	32,7	28,8	45,3	35,9
AUTRES PAYS DU BASSIN PACIFIQUE							
Australie	3,5	11,8	9,7	11,1	10,1	3,9	9,8
Nouvelle-Zélande	4,6	14,2	15,3	16,2	7,3	6,2	9,2
PAYS DEVELOPPES NON MEMBRES DE L'OCDE							
Afrique du Sud	3,6	12,1	15,2	14,7	12,3	11,7	15,8

** Estimations CISI-WHARTON (Juillet 1985).

Source : Fonds monétaire international, *Statistiques financières internationales*, ligne 64, (Banques de données CISI-WHARTON).

TAUX DE CHOMAGE (%)

	Moyenne 60-73*	Moyenne 74-80	1981	1982	1983	1984	1985**
PAYS MEMBRES DE L'OCDE							
Etats-Unis	4,9	6,9	7,6	9,7	9,6	7,5	7,4
Canada	5,2	7,2	7,5	10,9	11,8	11,2	10,8
Japon	1,3	1,9	2,2	2,4	2,6	2,7	2,7
C.E.E. (10)			7,7	9,1	10,2	10,6	10,7
Allemagne	0,9	3,2	4,4	6,1	8,0	8,0	8,0
Belgique	2,3	6,8	10,8	12,6	13,9	14,0	14,1
Danemark	1,3	6,1	9,2	9,8	11,6	11,2	9,6
France	1,7	4,8	7,3	8,0	8,4	9,8	10,5
Grèce	4,5	2,1	4,1	5,8	7,8	8,1	8,7
Irlande	5,3	7,1	10,2	12,2	14,9	16,4	17,3
Italie	5,3	6,7	8,3	9,0	9,8	10,1	10,0
Pays-Bas	1,1	5,1	8,6	11,4	13,7	14,0	13,5
Royaume-Uni	2,7	5,6	10,6	12,3	13,1	13,2	13,2
C.E.E. (12)							
Espagne	2,6	6,1	14,0	15,9	17,4	20,1	21,5
Portugal	4,0	6,4	7,6	7,6	8,9	10,5	11,3
AUTRES PAYS EUROPEENS ET MEDITERRANEENS							
Autriche	2,1	1,8	2,5	3,5	4,1	4,2	4,4
Finlande	2,0	4,5	5,1	5,8	6,1	6,1	5,9
Islande	0,6	0,4	0,4	0,7	0,9	1,3	1,4
Norvège	1,5	1,8	2,0	2,6	3,3	3,0	3,0
Suède	1,8	1,9	2,5	3,1	3,5	3,1	3,1
Suisse	-	0,3	0,2	0,4	0,9	1,1	1,2
Turquie	11,0	13,2	16,3	18,1	19,2	19,8	19,8
AUTRES PAYS DU BASSIN PACIFIQUE							
Australie	1,9	5,2	5,7	7,1	9,9	8,9	8,5
Nouvelle-Zélande	0,2	1,0	3,5	4,7	5,8	6,4	6,9
PAYS DEVELOPPES NON MEMBRES DE L'OCDE							
Afrique du Sud	11,2	12,8	13,6	15,2	16,8	16,6	16,6

* Sauf Turquie : moyenne 66-73

** Estimations CISI-WHARTON (Juillet 1985).

Source : OCDE, (Banques de données CISI-WHARTON).

BALANCES COMMERCIALES*

Milliards de dollars

	1960	1970	1975	1980	1981	1982	1983	1984	1985**
PAYS MEMBRES DE L'OCDE									
Etats-Unis	4,6	2,7	11,0	-24,5	-27,2	-31,7	-57,5	-107,9	-117,5
Canada	-0,1	2,7	-1,4	5,9	3,6	13,5	12,2	12,9	12,1
Japon	-0,4	0,4	-2,1	-11,5	9,1	7,1	20,6	33,6	42,0
C.E.E. (10)	0,1	3,1	11,2	-28,3	-3,0	5,2	12,5	11,9	18,0
Allemagne	1,3	4,3	15,2	5,0	12,3	21,1	16,5	19,0	20,7
Belgique	-0,2	0,2	-2,0	-7,3	-6,7	-5,7	-3,3	-3,7	-2,9
Danemark	-0,3	-1,1	-1,7	-2,6	-1,5	-1,3	-0,2	-0,7	-0,3
France	0,6	0,1	1,2	-14,3	-9,3	-14,2	-5,7	-2,3	0,6
Grèce	-0,5	-1,3	-3,0	-5,4	-4,6	-5,7	-5,2	-3,8	-3,8
Irlande	-0,2	-0,5	-0,6	-2,8	-2,9	-1,6	-0,5	0,1	0,3
Italie	-1,1	-1,7	-3,6	-22,0	-15,5	-12,6	-7,6	-10,9	-11,6
Pays-Bas	-0,5	-1,6	0,5	-4,2	1,5	2,0	4,0	3,8	4,2
Royaume-Uni	-2,9	-2,5	-9,8	-5,6	-0,9	-2,5	-8,3	-10,4	-10,9
C.E.E. (12)									
Espagne	nd	-2,3	-8,6	-13,4	-11,7	-11,0	-9,4	-5,3	-4,4
Portugal	-0,2	-0,6	-2,0	-4,7	-5,6	-5,2	-3,5	-2,7	-2,7
AUTRES PAYS EUROPEENS ET MEDITERRANEENS									
Autriche	-0,3	-0,7	-1,9	-7,0	-5,2	-3,9	-4,0	-3,9	-3,7
Finlande	-0,1	-0,3	-2,1	-1,5	-0,2	-0,4	-0,3	1,0	1,6
Islande	—	—	-0,2	-0,1	-0,1	-0,3	-0,1	-0,1	-0,1
Norvège	-0,6	-1,2	-2,4	1,7	2,5	2,1	4,5	5,0	4,6
Suède	-0,3	-0,2	-0,7	-2,5	-0,2	-0,9	1,3	3,0	3,3
Suisse	-0,4	-1,3	-0,3	-6,7	-3,7	-2,7	-3,5	-3,6	-4,0
Turquie	-0,1	-0,3	-3,4	-4,8	-4,3	-3,2	-3,7	-3,9	-3,4
AUTRES PAYS DU BASSIN PACIFIQUE									
Australie	-0,3	0,3	2,2	1,7	-2,0	-2,1	1,2	0,3	0,6
Nouvelle-Zélande	0,1	—	-1,0	-0,1	-0,2	-0,2	0,1	-0,8	-0,8
PAYS DEVELOPPES NON MEMBRES DE L'OCDE									
Afrique du Sud	0,4	-0,4	-0,8	7,4	-0,2	0,7	3,8	2,4	1,9

* FOB-CAF, sauf pour les Etats-Unis, le Canada, la France et l'Australie (FOB-FOB).

** Estimations CISI-WHARTON (Juillet 1985).

Source : OCDE, *Principaux indicateurs économiques*, (Banques de données CISI-WHARTON).

BALANCES DES PAIEMENTS COURANTS

Milliards de dollars

	1960	1970	1975	1980	1981	1982	1983	1984	1985**
PAYS MEMBRES DE L'OCDE	2,7	6,9	5,3	-68,3	-26,6	-27,1	-25,5	-66,5	-54,4
Etats-Unis	2,8	2,3	18,3	1,9	6,3	-9,2	-41,6	-101,7	-106,8
Canada	-1,3	1,1	-4,7	-1,0	-5,1	2,1	1,4	1,4	0,8
Japon	0,1	2,0	-0,7	-10,8	4,8	6,9	20,8	35,0	43,8
C.E.E. (10)	1,9	2,9	3,5	-36,0	-12,2	-9,5	2,2	2,2	10,0
Allemagne	1,1	0,9	4,1	-16,0	-5,7	3,4	4,1	6,0	7,8
Belgique	0,1	0,7	0,2	-4,9	-4,2	-2,7	-0,8	0,2	1,9
Danemark	-0,1	-0,5	-0,5	-2,5	-1,9	-2,3	-1,2	-1,7	-1,7
France	0,9	0,1	2,7	-4,2	-4,8	-12,1	-4,9	—	1,6
Grèce	-0,1	-0,4	-0,9	-2,2	-2,4	-1,9	-1,9	-2,2	-1,8
Irlande	-	-0,2	-0,1	-2,1	-2,6	-1,9	-1,1	-0,9	-0,7
Italie	0,3	0,9	-0,6	-9,8	-8,6	-5,7	0,6	-4,1	-4,5
Pays-Bas	0,4	-0,5	2,0	-3,0	2,9	3,7	3,9	4,9	4,9
Royaume-Uni	-0,7	2,0	-3,5	8,7	15,1	8,9	3,4	0,1	2,5
C.E.E. (12)	2,2	3,1	-0,8	-42,2	-19,8	-17,0	-1,3	3,5	12,6
Espagne	0,4	0,1	-3,5	-5,2	-5,0	-4,2	-2,5	2,0	3,3
Portugal	-0,1	0,1	-0,8	-1,1	-2,6	-3,3	-1,0	-0,7	-0,7
AUTRES PAYS EUROPEENS ET MEDITERRANEENS									
Autriche	-0,1	-0,1	-0,2	-1,7	-1,5	0,4	0,2	-0,6	-0,4
Finlande	—	-0,2	-2,1	-1,4	-0,4	-0,8	-0,9	—	0,1
Islande	—	—	-0,1	-0,1	-0,2	-0,3	-0,1	—	—
Norvège	-0,1	-0,2	-2,5	1,1	2,2	0,7	2,2	3,2	2,6
Suède	-0,1	-0,3	-0,3	-4,4	-2,9	-3,4	-0,9	0,5	0,7
Suisse	0,1	0,1	2,3	-1,6	1,5	3,9	3,5	3,0	3,8
Turquie	—	—	-1,6	-3,2	-1,9	-0,8	-1,9	-1,4	-1,6
AUTRES PAYS DU BASSIN PACIFIQUE									
Australie	-0,9	-0,8	-1,0	-4,1	-8,2	-8,2	-5,8	-8,2	-8,5
Nouvelle-Zélande	-0,1	—	-1,2	-0,9	-1,4	-1,5	-1,1	-1,3	-1,5
PAYS DEVELOPPES NON MEMBRES DE L'OCDE									
Afrique du Sud	—	-1,2	-2,6	3,5	-4,4	-3,1	0,3	-0,6	0,5
Pour mémoire :									
Désajustement statistique mondial	nd	3,1	10,0	46,3	72,0	101,1	71,3	91,6	90,8
Pays en développement	nd	-7,6	-0,4	29,9	-37,3	-80,5	-57,3	-37,0	-48,5
Pays à économie planifiée	-0,4	-0,7	-11,7	-9,0	-2,9	10,2	11,2	12,7	11,5

** Estimations CISI-WHARTON (Juillet 1985).

Source : Fonds monétaire international, *Statistiques financières internationales,* lignes 77 aad à agd, (Banques de données CISI-WHARTON).

PAYS EN DEVELOPPEMENT

Croissance réelle des produits intérieurs bruts

Taux annuels moyens, (%)

	Moyenne 74-80	1981	1982	1983	1984	1985
AFRIQUE SUB-SAHARIENNE						
Cameroun	nd	3,9	7,5	4,9	6,9	6,6
Côte-d'Ivoire	nd	nd	-2,6	-4,0	-2,2	4,6
Nigeria	nd	nd	-2,2	-4,9	-0,9	2,9
AFRIQUE DU NORD ET MOYEN-ORIENT						
Algérie	nd	4,8	5,5	5,5	nd	nd
Arabie Saoudite	7,0	5,8	-3,3	-20,5	-7,1	-3,0
Egypte	10,9	8,8	5,5	-3,1	-3,5	0,5
Israël	3,0	2,8	1,0	1,8	1,6	nd
Maroc	6,2	-2,2	6,8	0,6	2,9	2,5
AMERIQUE LATINE						
Argentine	2,2	-7,1	-5,3	2,8	2,4	-5,6
Brésil	7,1	-1,9	1,4	-3,2	4,1	3,5
Chili	4,2	3,4	-13,9	-0,7	6,3	2,2
Colombie	5,3	2,3	0,9	0,9	3,1	1,8
Mexique	6,4	7,9	-0,5	-5,3	3,5	3,6
Venezuela	4,1	0,4	0,6	-4,8	-1,5	1,8
ASIE DE L'EST ET DU SUD						
Corée du Sud	7,5	6,9	5,5	9,5	7,4	5,7
Hong-Kong	9,5	10,9	2,4	5,9	9,6	7,1
Inde	3,9	5,7	2,5	5,8	6,0	5,2
Indonésie	7,5	7,9	2,2	4,2	6,5	4,1
Malaisie	7,4	7,1	5,6	5,9	7,3	5,8
Pakistan	5,4	6,6	6,6	6,5	4,2	5,4
Philippines	6,2	3,8	3,0	1,0	-5,5	-1,4
Singapour	7,7	9,9	6,3	7,9	8,2	5,5
Taiwan	8,1	5,5	3,4	7,0	10,7	5,9
Thaïlande	7,2	6,3	4,2	5,8	6,0	5,6

Source : Banques de données, estimations et prévisions, CISI-WHARTON, Juillet 1985.

TAUX D'INFLATION DES PRIX A LA CONSOMMATION (%)

	1970	1975	1980	1981	1982	1983	1984	1985
AFRIQUE SUB-SAHARIENNE								
Cameroun	5,7	13,5	9,8	10,2	13,5	16,0	15,2	14,8
Côte-d'Ivoire	8,6	11,4	14,9	8,5	7,4	5,9	5,0	6,6
Nigeria	nd	nd	9,9	20,9	7,7	23,1	33,5	24,4
AFRIQUE DU NORD ET MOYEN-ORIENT								
Algérie	6,5	8,9	9,5	14,6	6,7	4,7	nd	nd
Arabie Saoudite	1,1	28,4	8,3	3,7	2,8	4,9	0,2	1,9
Egypte	3,8	10,9	20,6	10,4	14,9	16,1	14,7	nd
Israël	6,0	39,3	131,0	116,8	120,3	145,7	373,8	nd
Maroc	1,4	7,9	9,4	12,5	10,6	6,2	12,4	nd
AMERIQUE LATINE								
Argentine	13,6	182,8	100,8	104,5	164,8	344,0	626,7	699,3
Brésil	20,0	27,8	100,2	109,9	95,4	193,8	220,6	232,8
Colombie	6,8	22,9	24,5	25,6	24,4	19,7	16,3	23,0
Mexique	5,1	15,2	26,3	27,9	58,9	101,9	65,5	54,3
Venezuela	2,5	10,2	21,6	16,2	10,1	6,4	11,4	14,2
ASIE DE L'EST ET DU SUD								
Corée du Sud	16,1	25,3	28,7	21,3	7,3	3,4	2,3	2,9
Hong-Kong	7,1	1,2	15,5	15,4	10,6	10,0	8,1	4,7
Inde	5,1	5,6	11,5	13,0	7,9	11,8	8,5	9,0
Indonésie	12,3	19,0	18,5	12,3	9,5	11,8	10,3	6,9
Malaisie	1,9	4,5	6,7	9,7	5,8	3,7	3,9	1,5
Pakistan	4,6	21,0	12,0	11,9	5,9	7,4	7,2	6,9
Philippines	14,0	8,1	17,8	13,3	10,9	10,0	50,4	29,1
Singapour	0,3	2,7	8,5	8,2	3,9	1,2	2,6	1,3
Thaïlande		5,3	19,7	12,7	5,2	3,7	0,9	2,0

Source : Banques de données, estimations et prévisions, CISI-WHARTON, Juillet 1985.

BALANCES COMMERCIALES

Milliards de dollars

	1970	1975	1980	1981	1982	1983	1984	1985
AFRIQUE SUB-SAHARIENNE								
Cameroun	—	—	—	—	0,1	0,2	0,2	0,2
Côte-d'Ivoire	0,1	0,2	0,4	0,4	0,7	0,7	1,1	1,2
Nigeria	0,3	2,8	11,2	-1,0	-4,0	-0,3	3,4	4,2
AFRIQUE DU NORD ET MOYEN-ORIENT								
Algérie	-0,1	-1,0	4,1	4,0	3,6	3,2	3,2	3,3
Arabie Saoudite	1,3	21,3	72,5	77,1	31,6	14,1	13,6	7,9
Egypte	-0,3	-2,4	-2,9	-3,9	-3,7	-3,8	-3,9	-4,1
Israël	-1,1	-2,8	-2,4	-3,0	-3,0	-3,1	nd	nd
Maroc	-0,1	-0,7	-1,4	-1,5	-1,8	-1,2	-1,6	-1,6
AMERIQUE LATINE								
Argentine	0,1	-0,9	-2,5	-0,3	2,3	3,3	4,0	4,2
Brésil	0,2	-3,5	-2,9	1,2	0,8	6,5	13,2	10,6
Chili	0,2	0,1	-0,8	-2,7	0,1	1,0	0,2	0,7
Colombie	-	0,3	-0,2	-1,5	-2,2	-1,3	-1,6	-0,2
Mexique	-1,0	-3,7	-4,1	-5,7	5,8	13,3	12,3	6,3
Venezuela	0,9	3,5	7,6	8,1	3,3	8,4	8,7	5,6
ASIE DE L'EST ET DU SUD								
Corée du Sud	-0,9	-1,6	-4,4	-3,6	-2,6	-1,7	-1,1	-0,8
Hong-Kong	-0,4	-0,8	2,7	2,9	2,5	2,1	-0,2	-0,2
Inde	-0,1	-0,3	-5,6	-5,7	-5,1	-4,4	-4,3	-4,7
Indonésie	0,1	1,4	9,2	6,8	1,8	1,0	4,4	4,4
Malaisie	0,3	0,3	2,4	-0,1	-0,7	0,5	2,8	3,0
Pakistan	nd	-1,2	-2,8	-3,0	-3,4	-2,7	-3,3	-3,5
Philippines	-	-1,2	-1,9	-2,2	-2,7	-2,5	-2,5	-0,1
Singapour	-0,9	-2,4	-4,2	-6,2	-6,8	-5,9	-4,4	-4,3
Taiwan	0,1	-0,3	0,1	1,8	3,7	5,9	9,6	9,2
Thaïlande	-0,4	-0,6	-2,0	-2,0	-0,8	-2,9	-2,0	-1,6

Source : Banques de données, estimations et prévisions, CISI-WHARTON, Juillet 1985.

BALANCES DES PAIEMENTS COURANTS

Milliards de dollars

	1970	1975	1980	1981	1982	1983	1984	1985
AFRIQUE SUB-SAHARIENNE								
Cameroun		-0,2	-0,4	-0,5	-0,4	-0,3	-0,3	-0,2
Côte-d'Ivoire		-0,1	-1,2	-1,7	-1,1	-0,9	-0,4	-0,3
Nigeria	-0,4		5,1	-5,9	-7,7	-3,5	-0,1	0,2
AFRIQUE DU NORD ET MOYEN-ORIENT								
Algérie	-0,1	-1,7	0,2	0,1	-0,2	-0,1	-0,1	
Arabie Saoudite	0,1	14,4	41,4	38,3	-4,7	-18,9	-12,7	-13,0
Egypte	-0,1	-2,4	-0,4	-2,1	-2,2	-0,8	-0,4	-0,6
Israël	-0,6	-1,8	-0,8	-1,5	-2,2	-2,2	nd	nd
Maroc	-0,1	-0,5	-1,4	-1,8	-1,9	-0,9	-1,2	-1,2
AMERIQUE LATINE								
Argentine	-0,2	-1,3	-4,8	-4,7	-2,5	-2,3	-2,4	-1,6
Brésil	-0,6	-6,7	-12,8	-11,7	-16,3	-6,8	-0,7	-2,0
Chili	-0,1	-0,5	-2,0	-4,8	-2,1	-1,0	-2,0	-1,7
Colombie	-0,3	-0,1		-2,2	-2,6	-2,0	-3,1	-1,5
Mexique	-0,9	-3,7	-6,8	-12,5	-4,9	5,3	4,0	-0,1
Venezuela	0,8	2,2	4,4	4,1	-4,2	4,4	4,4	1,9
ASIE DE L'EST ET DU SUD								
Corée du Sud	-0,6	-1,9	-5,3	-4,6	-2,7	-1,6	-1,4	-1,1
Hong-Kong	0,2	0,2	-1,1	-1,3	-1,0	-0,6	1,7	1,6
Inde	-0,4	-0,1	-1,8	-2,7	-2,6	-3,0	-2,9	-3,2
Indonésie	-0,3	-1,1	2,9	-0,6	-5,3	-6,3	-2,9	-2,6
Malaisie		-0,5	-0,3	-2,4	-3,4	-3,3	-1,7	-1,2
Pakistan	-0,7	-1,0	-0,9	-0,9	-0,8		-1,0	-0,7
Philippines		-0,9	-2,0	-2,3	-3,4	-2,8	-1,1	-0,9
Singapour	-0,6	-0,6	-1,6	-1,4	-1,3	-1,0	-1,0	-0,9
Taiwan		-0,6	-0,9	0,5	2,2	4,5	6,5	6,0
Thaïlande	-0,3	-0,6	-2,1	-2,6	-1,0	-2,9	-2,1	-1,5

Source : Banques de données, estimations et prévisions, CISI-WHARTON, Juillet 1985.

**DETTE BANCAIRE ET COMMERCIALE NON BANCAIRE
ENVERS LES PAYS REPORTANT A LA BANQUE
DES REGLEMENTS INTERNATIONAUX**

Fin juin 1984, milliards de dollars

	Dette totale bancaire et commerciale non bancaire	Dette bancaire Totale	dont dette garantie recensée	Dette commerciale non bancaire
AFRIQUE SUB-SAHARIENNE				
Cameroun	1,7	1,3	0,7	0,3
Côte-d'Ivoire	3,4	2,9	0,6	0,6
Nigeria	11,5	8,6	2,9	2,9
AFRIQUE DU NORD ET MOYEN-ORIENT				
Algérie	14,7	7,9	3,7	6,8
Arabie Saoudite	8,0	3,6	0,2	4,3
Egypte	12,3	6,5	1,7	5,8
Israël	15,0	6,1	1,0	9,0
Maroc	5,1	4,1	1,2	1,0
AMERIQUE LATINE				
Argentine	25,1	23,3	1,1	1,8
Brésil	67,6	62,4	5,3	5,2
Chili	11,9	11,5	0,4	0,4
Colombie	6,6	5,7	0,4	0,9
Mexique	69,1	65,4	3,3	3,7
Venezuela	22,8	21,9	0,7	1,0
ASIE DE L'EST ET DU SUD				
Chine	6,1	2,1	0,5	4,0
Corée du Sud	25,4	19,6	2,1	5,8
Hong-Kong	6,5	5,5	1,8	1,0
Inde	3,6	2,3	0,6	1,3
Indonésie	12,0	8,6	2,2	3,5
Malaisie	7,5	6,9	0,6	0,7
Pakistan	1,9	1,1	0,2	0,8
Philippines	10,7	8,8	1,3	1,9
Singapour	2,8	1,8	0,2	1,0
Taiwan	7,5	4,8	0,5	2,7
Thaïlande	5,1	3,9	0,3	1,2

Source : BRI/OCDE, *Statistiques sur l'endettement extérieur*, Paris et Bâle, Janvier 1985.

Liste des tableaux, graphiques et cartes

LISTE DES TABLEAUX

REPRISE DU DIALOGUE ET NOUVEAUX DEFIS

Les deux Grands

FLUX DE CAPITAUX ET ECONOMIE MONDIALE

Endettement et développement

L'intégration des marchés financiers

Nouvelles technologies et stratégies économiques

Economies de l'Est, échanges Est-Ouest : un profil bas

L'INDE ET LA CHINE

L'Inde

LISTE DES GRAPHIQUES

REPRISE DU DIALOGUE ET NOUVEAUX DEFIS

Les deux Grands

Les conflits régionaux

FLUX DE CAPITAUX ET ECONOMIE MONDIALE

Endettement et développement

L'intégration des marchés financiers

Le dollar-roi : apogée d'un règne ?

PERFORMANCES ET POLITIQUES : CONVERGENCES ET CONFLITS

Un tournant pour les économies dominantes

Les nouveaux visages de la contrainte énergétique

Commerce international : reprise, déséquilibres, incertitudes

Nouvelles technologies et stratégies économiques

Economies de l'Est, échanges Est-Ouest : un profil bas

L'INDE ET LA CHINE

L'Inde

La Chine

LISTE DES CARTES

*Les graphiques et cartes mentionnés par un astérisque se trouvent hors texte à la fin de l'ouvrage.

INDEX

Cet index est composé de deux parties. *La première* reprend les principales matières abordées par le rapport RAMSES. La *seconde* est consacrée aux noms propres et est divisée en deux sections : pays et personnes.

Le lecteur est également invité à se reporter à la liste des tableaux, graphiques, aux encarts et aux cartes, ainsi qu'à l'annexe statistique et au sommaire détaillé.

INDEX PAR MATIERES

INDEX DES NOMS DE PAYS

INDEX DES NOMS DE PERSONNES

Table des matières

(ifri) *Liste des publications*

Revue "Politique étrangère"

Revue trimestrielle
Prix du numéro pour 1985 : 70 F, Prix de l'abonnement : France : 255 F - Etranger : 360 F

Rapport Annuel Mondial sur le Système Economique et les Stratégies

RAMSES 81
(298 pages, mars 1981, 69 F)
RAMSES 82
(334 pages, mai 1982, 85 F)
RAMSES 83-84
(322 pages, mai 1984, 125 F)

Collection "Travaux et recherches de l'IFRI"

La sécurité de l'Europe dans les années 80*
Sous la direction de Pierre Lellouche
(420 pages, janvier 1981, 85 F)
La sécurité de l'Occident : bilan et orientations
Karl Kaiser, Winston Lord, Thierry de Montbrial et David Watt
(82 pages, mars 1981, 30 F)
Les pays les plus pauvres : quelle coopération pour quel développement ?*
Sous la direction de Gabriel Mignot
(291 pages, août 1981, 65 F)
Crises et guerres au XXe siècle : analogies et différences
Sous la direction de Dominique Moïsi
(134 pages, août 1981, 35 F)
La science et le désarmement*
Sous la direction de Pierre Lellouche
(282 pages, novembre 1981, 85 F)
Le système communiste : un monde en expansion
Sous la direction de Pierre Kende, Dominique Moïsi et Ilios Yannakakis
(287 pages, juillet 1982, 68 F)
La Communauté européenne : déclin ou renouveau ?*
Karl Kaiser, Cesare Merlini, Thierry de Montbrial, William Wallace et Edmond Wellenstein
(120 pages, avril 1983, 38 F)
Pacifisme et dissuasion : la contestation pacifiste et l'avenir de la sécurité de l'Europe
Sous la direction de Pierre Lellouche
(326 pages, mai 1983, 95 F)
Quelle sécurité pour le Golfe ?
Sous la direction de Bassma Kodmani
(200 pages, mars 1984, 95 F)
Nouvelles technologies et défense de l'Europe
François de Rose, Rapport du Comité d'organisation de
l'European Security Study (ESECS), Yves Boyer
(120 pages, janvier 1985, 75 F)

* Ouvrages épuisés.

Collection "Enjeux internationaux"

La politique juridique extérieure
Guy de Lacharrière
(326 pages, avril 1983, 95 F)
Les sommets économiques : les politiques nationales à l'heure de l'interdépendance
Georges de Ménil
(92 pages, juin 1983, 38 F)
La puissance maritime soviétique
Hervé Coutau-Bégarie
(188 pages, mai 1983, 95 F)
La métamorphose. Essai sur le multilatéralisme et le bilatéralisme
Pierre Mayer
(110 pages, septembre 1983, 45 F)
La crise de Cuba (octobre 1962). Du mythe à l'histoire
Gabriel Robin
(153 pages, mai 1984, 85 F)

Hors collection

Publications du Centre franco-autrichien de rencontres entre des pays européens
à systèmes économiques et sociaux différents (en vente à l'IFRI)
Les évolutions du commerce Est-Ouest dans un contexte économique mondial difficile
Actes du colloque organisé à Vienne les 30 et 31 mai 1983
(158 pages, mars 1984, 60 F)
Les conditions préalables à la création d'entreprises mixtes
entre l'Est et l'Ouest : expériences et perspectives
Actes du colloque organisé à Budapest les 7 et 8 décembre 1983
(118 pages, mai 1985, 60 F)

R0357226 0

Commandes à adresser à votre libraire habituel ou aux Editions ECONOMICA,
49, rue Héricart, 75015 PARIS, Tél. : 45.78.12.92.

Composé par IFRI, 6, rue Ferrus, 75014 PARIS
Imprimé en France. — JOUVE, 18, rue Saint-Denis, 75001 PARIS
N° 59724. Dépot légal : Octobre 1985